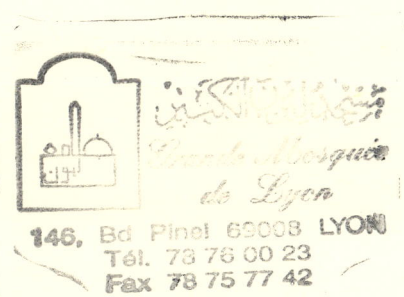

إِنَّا نَحْنُ نَزَّلْنَا الذِّكْرَ وَإِنَّا لَهُ لَحَافِظُونَ

دار البُراق

Distribué par :
Albouraq Diffusion Distribution
Zone Industrielle
25, rue François de Tessan
77330 Ozoir-la-Ferrière
Tél. : 01.60.34.37.50
Fax : 01.60.34.35.63
E-mail : *distribution@albouraq.com*

Comptoir de vente
La Librairie de l'Orient
18, rue des Fossés Saint Bernard
75005 Paris
Tél. : 01.40.51.85.33
Fax : 01.40.46.06.46
— face à l'Institut du Monde Arabe —
Site Web : www.orient-lib.com
E-mail : *orient-lib@orient-lib.com*

Dar Albouraq©
B.P. 13/5384
Beyrouth-Liban
Tél / fax : 00 961 1 788 059
— Face à l'Université d'al-Azhar-Beyrouth —
Site Web : www.albouraq.com
E-mail : *albouraq@albouraq.com*

1426-2005

بسم الله الرحمن الرحيم

مُقدّمة

الحمد لله ربّ العالمين القائل في كتابه الكريم ﴿قَدْ جاءَكُم من الله نورٌ وكتابٌ مُبِينٌ﴾ والصلاة والسلام على خاتم النبيين محمد القائل : " خيركم من تعلّم القرآن وعلمه " صلّى الله عليه وعلى آله وأصحابه أجمعين ...وبعد:

فلما كان القرآن الكريم هو كتاب الله الذي لا يأتيه الباطل من بين يديه ولا من خلفه المنزل من الحكيم الحميد، كان لزاماً على كل من أراد عزّ الدنيا وسعادة الآخرة أن يعمل به ويطبّق أحكامه ويستشعر عظمة مُنزله ومثل هذا سهل على من منّ الله عليه بالتوفيق من الناطقين باللغة العربية التي نزل بها القرآن الكريم ولكن من لا يتكلّم اللغة العربية تقف اللغة حاجزاً دون استفادته من هذا الخير العظيم الاستفادة الكاملة

ومن هذا المنطق تتضح أهمية ترجمة معاني القرآن الكريم إلى اللغات الأجنبية، ولا بد من إدراك بعض الحقائق لمن أراد دراسة هذا الكتاب الكريم فهو ليس كبقية الكتب التي حدّد موضوعها المنشود ثم قسم الموضوع إلى أبواب وفصول، ولكن هذا الكتاب يشتمل على المسائل العقائدية والتعاليم الخلفية والأحكام الشرعية والدعوة والنصيحة والعبرة والنقد والزجر والتخويف والترهيب والحجج والشواهد والقصص التاريخية والإشارات إلى آيات الله في الكون، كل ذلك يتكرر بيانه بين حين وحين ويبدأ ويُعاد بوجوه متعددة وأساليب متنوعة يجد المتدبر لها ميزةً معينةً وفائدةً جديدةً وهدفاً خاصّاً.

ومن أهم الأمور التي تميّز بها القرآن الكريم ما يلي:

1. إنه كلام الله مُنزل حقيقة غير مخلوق، أنزله الله على رسوله محمّد ﷺ للناس كافة كما قال تعالى: ﴿تبارَكَ الذي نزل الفرقان على عَبده ليكُونَ للعالمينَ نذيراً﴾ الفرقان، آية 1.

2. يتميز هذا القرآن بالشمول والكمال.. قال تعالى: ﴿ما فرّطنا في الكتاب من شيء﴾ الأنعام، آية 38.

وقال تعالى: ﴿ونزّلنا عليك الكتاب تبياناً لكل شيء وهدى ورحمةً وبشرى للمُسلمين﴾ النحل، آية 89.

3. إنه نزل بأوامر الله للعمل بها، ونواهيه لاجتنابها كما أنه أنزل للتعبّد به وتلاوته طلباً للأجر وحصول الثواب.

4. إن الله سبحانه وتعالى أكمل به الدين للناس كافة.. قال عزّ وجلّ: ﴿اليومَ أكملتُ لَكُم دينَكُم وأتممتُ عليكُم نعْمَتي ورضيتُ لَكُم الإسلام ديناً﴾ المائدة، آية 3.

5. إنه معجزة الله الخالدة لنبيّه محمّد ﷺ على مرّ الأزمان والعصور تحدّى الله به فصحاء العرب على أن يأتوا بمثله أو بعشر سور أو بسورة مثله فعجزوا عن ذلك.. قال تعالى﴿قُل لئن اجتمعت الإنس والجن على أن يأتوا بمثل هذا القرآن لا يأتون بمثله ولو كان بعضهم لبعض ظهيراً﴾ الإسراء، آية 88.

وقال تعالى: ﴿أم يقولون افتراه قل فأتوا بعشر سور مثله مفتريات وادعوا من استطعتم من دون الله إن كنتم صادقين﴾ هود، آية 13.

وقال تعالى: ﴿أم يقولون افتراه قُل فأتوا بسورة مثله وادعوا من استطعتم من دون الله إن كنتم صادقين﴾ يونس، آية 38.

6. إنه أنزل لإخلاص العبادة لله وحده لا شريك له كما قال تعالى:﴿كتاب أحكمت آياته ثم فصّلت من لدن حكيم خبير ألّا تعبدوا إلّا الله...﴾ الآية، هود، آية 1–2.

وقال تعالى: ﴿وما أمروا إلّا ليعبدوا الله مُخلصين له الدين حنفاء ويقيموا الصلاة ويؤتوا الزكاة وذلك دين القيّمة﴾ البيّنة، آية 5.

7. إنه منهج متكامل لجميع شئون الحياة الروحية والعقلية والسياسية والاجتماعية والاقتصادية، منهج قابل للتطبيق في كل زمان ومكان.

8. إن الله قد تكفّل بحفظ هذا القرآن الكريم كما قال عزّ وجلّ: ﴿إِنَّا نَحْنُ نَزَّلْنَا الذِّكْرَ وَإِنَّا لَهُ لَحَافِظُونَ﴾ الحجر، آية 9. وقد حفظ بغاية من الإتقان في الصدور والسطور كما أنزل على رسولنا محمّد ﷺ ولم يتغيّر ولم يتبدّل ولا كلمة واحدة منه على مرّ الأزمان وهكذا يبقى إلى أبد الآباد بإذن الله تعالى.

ولا بد من التسليم أولاً أن القرآن العظيم لا يمكن أن تترجم جميع معانيه لأية لغة، ولا يمكن أن تكون الترجمة قرآناً باللغة الأجنبية لأن القرآن معجز بلفظه ومعناه وهو كلام الله سبحانه وتعالى أنزله على محمّد ﷺ بلسان عربي مبين.

ولكن لما كانت الترجمة وسيلة من وسائل نقل بعض المعاني وتيسير فهم القرآن وتدبره لمن لا يعرف اللغة العربيّة وجب القيام بها نصحاً للعباد وإبلاغاً لكتاب الله إلى من لا يعرف لغته وقد تصدّى لمثل هذه الترجمات مجموعة من الناس قامت بجهود فردية تأثرت ترجماتها بأفكار أصحابها. ورغبة في الوصول إلى ترجمة صحيحة وسليمة من الملاحظات التي وردت على الترجمات السابقة صدر التوجيه السامى الكريم رقم 19888 وتاريخ 1400/8/16هـ من خادم الحرمين الشريفين الملك فهد بن عبد العزيز حال كونه نائباً لرئيس مجلس الوزراء بأن تتولّى الرئاسة العامة لإدارات البحوث العلمية والإفتاء والدعوة والإرشاد مسؤولية مراجعة النسخة المقترح طباعتها وتصحيحها باللغة الفرنسية.

وقد تشكّل لهذه المهمة الصعبة عدة لجان من المؤهلين تأهيلاً شرعياً عالياً إضافة إلى إجادتهم اللغة الفرنسية إجادة تامّة من منسوبي الرئاسة العامة لإدارات البحوث العلمية والإفتاء والدعوة والإرشاد وغيرهم.

عهد إلى اللجنة الأولى مهمة النظر في الترجمات الموجودة في ذلك الوقت واعتماد الصحيحة منها، فاتضح أنه لا يوجد ترجمة يمكن اعتمادها وأن الترجمات الموجودة لا تخلو من ملاحظات وليس هناك من خيار إلا الأخذ بأحد أمرين:

الأول: انتخاب أحسن التراجم الموجودة لتكون منطلقاً للعمل ومرجعاً أساسياً للجهود التي ستبذل ثم مراجعة معاني القرآن التي اعتمدتها تلك الترجمة وتصحيح ما يلاحظ عليها.

الثاني: القيام بترجمة مستقلّة غير مقتبسة من ترجمات سابقة، فتبين أن هذا الأمر يحتاج إلى وقت طويل وجهود يصعب أن تتوفّر في هذا الوقت، ولهذا ترجع الأخذ بالأمر الأول لتلبية الحاجة الملحّة في الوقت الحاضر ورغبة في تحقيق الهدف بأسرع ما يمكن.

وقد تمّ بموجب ذلك اختيار ترجمة الأستاذ الدكتور محمّد حميد الله لما تمتاز به من قوة الأسلوب وجزالة المعاني، ثم شرعت اللجنة في تنقيحها مستعينة بالعبارات المثلى من التراجم الأخرى إضافة إلى ما رأت هي أن تعتمده من ألفاظ جديدة في الأماكن التي رأت ضرورة تصحيحها مع عنايتها بتحقيق الملاحظات التي وردت إلى الرئاسة من الهيئات والجامعات والمهتمّين بهذا الأمر.

وقد حوّل عمل تلك اللجنة إلى عدة جهات وأفراد للنظر في عمل اللجنة الأولى واستدراك ما لم تتنبّه إليه وإبداء المرئيات حول ما فات نظر اللجنة الأولى.

ثم عهد إلى لجنة ثالثة مهمّة النظر في آراء الجهات التي استشيرت في عمل اللجنة الأولى ومقارنة الآراء الواردة في موضوع معيّن وتنسيق العمل المطلوب واستخلاص نصّ واحد معتمد وسليم من الملاحظات قدر المستطاع.

وبعد ذلك تولّت لجنة رابعة النظر فيما توصّلت إليه اللجنة الثالثة وتطبيقه على مرئيات اللجان السابقة وتثبيت الأصحّ وإقرار النص الإقرار النهائي. إضافة إلى ذلك مراجعة الحواشي مراجعة دقيقة وتخليصها من بعض المآخذ المتعلقة بالعقيدة وبعض الآراء الفقهية والاتجاهات الفكرية المخالفة للصواب.

وحيث إن بعض الألفاظ باللغة العربية مثل الزكاة وغيرها لا يمكن ترجمتها ترجمة تؤدّى المعنى الصحيح في الإسلام، لهذا فضّلت اللجان أن تبقى هذه

الألفاظ كما هي في اللغة العربية مكتوبة بالحروف اللاتينية وعملت قائمة لهذه

الألفاظ التي استعملت في الترجمة على هذا النحو يجدها القارئ بعد هذه المقدمة.

وكذلك سيجد القارئ الكريم قائمة تبيّن طريقة النطق الصوتي للحروف

العربية وما يقابلها باللغة الأجنبية.

وحسب التوجيه السامي رقم 12412 المؤرخ في 1405/10/27هـ، طبعت

هذه الترجمة في مجمّع الملك فهد لطباعة المصحف الشريف بالمدينة المنورة

بالتنسيق مع الرئاسة العامة لإدارات البحوث العلمية والإفتاء والدعوة والإرشاد.

وانطلاقاً من توجيهات خادم الحرمين الشريفين حفظه الله في نشر كتاب الله

وتوزيعه وترجمة معانيه إلى كل لغة ينطق بها المسلمون في الأصقاع...

وبناءً على التعاون القائم بين الأمانة العامة لمجمع الملك فهد لطباعة

المصحف الشريف والرئاسة العامة لإدارات البحوث العلمية والإفتاء والدعوة

والإرشاد في سبيل ترجمة معاني القرآن الكريم ترجمة علمية أمينة ودقيقة.

يسرنا أن نقدم لجميع المسلمين والباحثين عن النور ممن يتكلمون باللسان

الفرنسي هذه الترجمة التي تأتي ضمن سلسلة تراجم معاني القرآن الكريم إلى

اللغات المختلفة...

داعين الله أن يجزل المثوبة لمن كان وراء هذا العمل المبارك.

الرئاسة العامة

لإدارات البحوث العلمية والإفتاء والدعوة والإرشاد.

Au nom d'Allāh, le Tout Miséricordieux, le Très Miséricordieux

préface

Louange à Allāh Seigneur des mondes, s'adressant aux hommes en ces termes: «Une lumière et un Livre explicite vous sont certes venus d'Allāh.» (sourate 5, verset 15). Que la paix et la bénédiction d'Allāh soient sur le sceau des Prophètes, Muḥammad, qui a dit: «Le meilleur d'entre vous est celui qui apprend le Qur'ān et l'enseigne.» Comme le Saint Qur'ān a été un Livre inaltéré et révélé par le Tout-Sage, le Très-Digne de louange, son application stricte et intégrale procure au fidèle la dignité dans ce monde et la félicité dans l'Au-delà.

La compréhension de son contenu est certes beaucoup plus aisée pour ceux qui jouissent de la connaissance de la langue arabe littéraire, lange de la révélation par excellence. Quant à ceux qui sont privés de la compréhension de cette belle langue, la barrière linguistique constitue un handicap sérieux les empêchant de tirer un profit incommensurable. De là, s'impose le besoin imminent de fournir une traduction saine, relatant le sens des versets coraniques dans les langues étrangères à la langue arabe.

Toutefois, il incombe à celui qui envisage l'étude du Saint Qur'ān de comprendre certaines réalités, à savoir que le Qur'ān n'est pas l'œuvre d'un être humain qui traite d'un sujet bien déterminé. C'est plutôt le Livre d'Allāh qui englobe des questions très variées, notamment le dogme, la Loi (Šarīʿa), la Morale, la prédication à l'Islām, l'usage des bons conseils, la moralité, la critique constructive, l'avertissement, les argumentations et témoignages, les récits historiques, les références aux signes cosmiques d'Allāh, etc. Tous ces thèmes sont reproduits et réitérés à travers tout le Qur'ān avec des expressions et des formes différentes de façon à donner au lecteur attentif la possibilité de saisir un aspect nouveau du problème ou de lui faire découvrir une dimension nouvelle du texte, de lui procurer un avantage ou la détermination d'un objectif bien spécifique.

Sans être exhaustif, on peut relever les principales caractéristiques du Qur'ān dans les points suivants:

1. Le Qur'ān est la parole incréée d'Allāh, révélée à Son Messager Muḥammad (que la paix et la bénédiction d'Allāh soient sur lui) et destinée à tous les humains conformément à l'enseignement coranique contenu dans ce verset: «Qu'on exalte la Bénédiction de Celui qui a fait descendre le Livre de Discernement sur Son serviteur, afin qu'il soit un avertisseur à l'univers.» (sourate 25, verset 1).

2. Le Qur'ān se reconnaît par ses caractères d'universalité et de perfection. Allāh (qu'Il soit exalté) a dit: «... Nous n'avons rien omis d'écrire dans le Livre» (sourate 6, verset 38) ; «... Et Nous avons fait descendre sur toi le Livre, comme un exposé explicite de toute chose, comme un guide, une grâce et une bonne annonce aux musulmans.» (sourate 16, verset 89).

3. La révélation coranique comporte des commandements destinés à être appliqués et des interdictions de commettre des actes répréhensibles. La récitation à elle seule constitue déjà un acte d'adoration et un moyen d'obtenir une récompense divine.

4. Le Qur'ān est le Livre par lequel Allāh a parachevé la religion pour tous les hommes, conformément à cet enseignement coranique: «... Aujourd'hui, j'ai parachevé pour vous votre religion, et accompli sur vous Mon bienfait. Et j'agrée l'Islām comme religion pour vous.» (sourate 5, verset 3).

5. Le Qur'ān est demeuré le miracle éternel d'Allāh transmis à Son Prophète (que la paix et la bénédiction d'Allāh soient sur lui) qui de tout temps a fait l'objet du défi divin lancé aux Arabes les plus éloquents en vue de produire un texte similaire ou dix sourates semblables, voire une seule sourate pareille au Qur'ān. Les Arabes sont restés impuissants devant le caractère inimitable du Qur'ān et n'ont pu relever le défi qui leur était adressé par les versets suivants:

[Dis: «Quand même les hommes et les djinns s'uniraient pour produire un semblable de ce Qur'ān, ils ne sauraient produire rien de semblable, même s'ils se soutenaient les uns les autres»]. (sourate 17, verset 88).

[Disent-ils: «Il l'a fabriqué.» Dis: «Apportez donc dix sourates semblables à ceci, et fabriqués (par vous). Et appelez qui vous pourrez (pour vous aider) hormis Allāh, si vous êtes véridiques».] (sourate 11, verset 13).

[Mais disent-ils: «C'est celui-là, (Muḥammad) qui l'a inventé ? «Dis: «Composez donc une sourate semblable à ceci, et appelez à votre aide n'importe qui vous pourrez, à part Allāh, si vous êtes véridiques».] (sourate 10, verset 38).

6. Le Qur'ān a été révélé pour exhorter les hommes à vouer la sincérité de leur culte à Allāh Seul, sans rien Lui associer comme nous le montrent ces versets coraniques:

[... C'est un Livre dont les versets sont parfaits en style et en sens, et venu d'un Sage, d'un Parfaitement Connaisseur. N'adorez qu'Allāh...]. (sourate 11, versets 1-2).

[... Il ne leur a été commandé cependant, que d'adorer Allāh, Lui vouant un culte exclusif, d'accomplir la «ṣalāt» et d'acquitter la «zakāt.» Et voilà la religion de droiture]. (sourate 98, verset 5).

7. Le Qur'ān est une Constitution Suprême qui organise la vie - tant spirituelle que temporelle - des Musulmans vivant dans la Cité Etat. De là, le lecteur sera amené à constater que le Texte sacré contient non seulement un enseignement spirituel très riche et fécond,

mais aussi une Morale très élevée soutenue et défendue par un Corpus juris aux règles juridiques précises et détaillées faisant de lui une discipline scientifique très élaborée. Par ailleurs, le lecteur du Texte sacré ne manquera pas de remarquer la présence d'un certain nombre de versets coraniques ayant trait aux principes d'économie politique et d'éléments de sociologie dont les applications se sont avérées au cours de l'Histoire.

8. Il ressort de l'enseignement qur'ānique qu'Allāh - qu'Il soit exalté - a pris l'engagement de prendre soin de la protection de Son Livre pour toute l'éternité du Temps. En voici la preuve:

«C'est Nous qui avons fait descendre le Rappel (le Qur'ān) et c'est Nous qui en sommes Gardien.» (sourate 15, verset 9)

En effet, l'Histoire universelle et l'Histoire de l'Islām sont là pour témoigner que le Qur'ān a été soigneusement conservé dans les poitrines (appris par cœur) et dans les écrits tel qu'il a été révélé au Prophète Muḥammad (que la paix et la bénédiction d'Allāh soient sur lui). Nous sommes persuadés que quelles que soient les circonstances, le Qur'ān, parole d'Allāh par excellence, ne subira aucune altération, malgré les multiples tentatives qui eurent lieu. Le Qur'ān est par essence miraculeux et inimitable, tant au point de vue du fond qu'au point de vue de la forme. C'est la parole incréée d'Allāh, révélée à Son Messager Muḥammad (que la paix et la bénédiction d'Allāh soient sur lui). La tâche du traducteur n'est jamais aisée surtout lorsqu'il refuse de trahir ou de s'aventurer à donner une interprétation personnelle. Malheureusement, force est de constater qu'un grand nombre de traductions ne sont autre chose que le reflet de la compréhension de leur traducteur. Certes, pour mener à bien la traduction du Qur'ān, le traducteur doit être un expert chevronné en langues arabe et étrangère, il doit disposer d'un savoir encyclopédique incontestable et jouir en plus de qualités morales indéniables. Car chaque terme dans la langue du Qur'ān a un certain poids, chaque voyelle a sa raison d'être et le simple fait d'omettre une voyelle peut être lourd de conséquences.

Choisir les termes appropriés sans vouloir en sacrifier ni le sens ni la lettre du Texte sacré, telle est notre ambition dans cette modeste entreprise par laquelle nous avons voulu faire partager la vraie saveur du Qur'ān avec le lecteur francophone.

Le désir ardent de voir apparaître une traduction saine et exempte de critiques a fait prendre au Serviteur des Lieux Saints de l'Islām, le Roi Fahd Ibn ʿAbd al-ʿAzīz, alors vice-président du Conseil des Ministres, l'arrêté royal n°19888 du 16/8/1400 H. par lequel il a confié à la Présidence Générale des Directions des Recherches Scientifiques Islāmiques, de l'Iftā' [des fatwā-s], de la Prédication et de l'Orientation Religieuse la responsabilité et le soin de réviser une traduction du Qur'ān.

La Présidence Générale a été à la hauteur de la situation en procédant à l'institution de quatre Commissions composées et choisies parmi ses jurisconsultes et théologiens très compétents, très qualifiés et maîtrisant parfaitement la langue française ainsi que d'un certain nombre de fonctionnaires compétents en matière de coordination.

Le travail des commissions s'est effectué dans l'ordre suivant: La première Commission avait pour tâche d'étudier et d'examiner plusieurs traductions et d'en agréer la meilleure. La conclusion de ses travaux mettait l'accent sur la difficulté de retenir une traduction exempte d'observations ou de remarques, ce qui l'a conduit à faire un choix entre deux solutions:

1. Adopter la «meilleure traduction» disponible qui fera à son tour l'objet d'un examen approfondi, minutieux et rigoureux en vue de la faire débarrasser de toutes ses imperfections. C'est donc là un travail d'amélioration et de perfectionnement.

2. Entreprendre une nouvelle traduction du Saint Qur'ān, c'est-à-dire écarter toutes les traductions existantes et en proposer une nouvelle.

Après mûre réflexion, il s'est confirmé que la seconde solution nécessiterait un temps assez long et des efforts difficilement soutenables. La Sagesse a conduit la dite Commission à retenir la première solution en raison du besoin pressant de réaliser une traduction du sens qu'il faudrait donner aux versets du Saint Qur'ān. Ainsi, la première Commission avait suggéré que la traduction du Saint Qur'ān réalisée par le Professeur Muḥammad Ḥamidullah devait être retenue en raison de sa clarté et de sa fidélité très proche du Texte sacré. La tâche de cette Commission était d'examiner toutes les remarques qui ont été formulées au sujet de la traduction du Professeur Ḥamidullah et d'apporter les rectifications nécessaires basées sur d'autres traductions.

Puis, la même Commission a procédé à une révision approfondie de la traduction en prenant en considération toutes les remarques rédigées à l'égard de la présidence par les universités, les corps enseignants et par ceux qui s'en intéressés et en se basant là aussi sur d'autres travaux de même nature.

Par la suite, une deuxième Commission a été constituée et s'est fixé pour objectif l'examen approfondi de toute l'œuvre accomplie par la première Commission et il lui a été demandé d'exprimer son opinion sur le travail réalisé.

Une troisième Commission a été instaurée et chargée d'étudier à son tour toutes les remarques qui ont été émises par les divers départements consultés et fut chargée de procéder à l'adoption d'un texte définitif dépourvu de toute observation ou critique dans la mesure du possible.

Enfin, une quatrième Commission a été constituée et chargée d'examiner les

conclusions de la troisième Commission, de confronter les avis des Commissions précédentes, d'en retenir les plus pertinents et les plus justes, d'arrêter le texte définitif et de réviser toutes les notes explicatives pour les purifier de toutes les erreurs aux questions ayant trait au dogme et aux opinions juridico-philosophiques.

Pour combler certaines carences d'ordre phonétique et compte tenu aussi que la langue française ne saurait rendre avec exactitude le sens de certains mots en arabe, nous avons jugé opportun de les translittérer en caractères latins et de dresser un bref glossaire technique rendant la compréhension plus facile. À titre indicatif, en voici quelques termes: «ṣalāt» ou prière rituelle ; «zakāt» ou adoration d'Allāh par le versement de numéraires, etc.

Nous sommes persuadés que le lecteur finira par s'habituer à ce genre d'exercice. En s'évertuant à accomplir cet effort béni, la Présidence Générale des Directions des Recherches Scientifiques Islāmiques, de l'Iftā', de la Prédication et de l'Orientation Religieuse entend servir la cause d'Allāh et sollicite du Très Haut que l'œuvre entreprise soit d'une grande utilité pour le lecteur francophone.

Suivant l'arrêté royal n°12412 promulgué en date du 27/10/1405 H., a été imprimée cette traduction dans le Complexe du Roi Fahd destiné à l'impression du Saint Qur'ān à Médine (al-Madīna al-Munawwara) en coordination avec la Présidence Générale des Directions des Recherches Scientifiques Islāmiques, de l'Iftā', de la Prédication et de l'Orientation Religieuse.

Sur base des directives du Serviteur des Lieux Saints - qu'Allāh lui accorde la protection - destinées à la diffusion du Livre d'Allāh, de sa distribution et de la traduction du sens de ses versets en toute langue pratiquée par les musulmans à travers le monde... Et eu égard à la coopération efficace existant entre le Secrétariat Général du Complexe du Roi Fahd destiné à l'impression du Saint Qur'ān et la Présidence Générale des Directions des Recherches Scientifiques, de l'Iftā', de la Prédication et de l'Orientation Religieuse, en vue de réaliser une traduction fidèle et précise du Livre Sacré, nous nous réjouissons de présenter à tous les musulmans et aux francophones en quête de la Lumière, cette traduction qui s'ajoute à toute une série de traductions en diverses langues et nous invoquons Allāh le Très-Haut d'accorder la meilleure récompense à toute personne qui a contribué à la réalisation de cette œuvre bénie.

La Présidence Générale des Directions des
Recherches Scientifiques Islāmiques, de l'Iftā',
de la Prédication et de l'Orientation Religieuse

Sens de quelques termes

Le mot Qurʾān signifie lecture. Les Arabisants modernes ont adopté l'écriture Qorʾan, pour distinguer le qāf (Q) arabe guttural, du kāf (k) qui se prononce à partir de la langue et du palais. Cependant, les latinistes arabes ont traditionnellement rendu le C latin par la lettre Q (qāf). C'est ce qui nous autorise à écrire Coran [mais l'écriture Qurʾān reste préférable]. Le Qurʾān en tant que tel comporte 114 sourates, et ce du vivant même du Prophète. Chaque sourate, - traduite généralement par le vocable «chapitre» - a été conservée telle quelle dans toutes les traductions du Qurʾān. Nous n'avons pas voulu sacrifier à cet usage. Mais la sourate elle-même se compose d'un nombre inégal d'ayāt-s ou «versets.» Le Qurʾān est la parole d'Allāh ; Muḥammad (que la paix et la bénédiction d'Allāh soient sur lui)[1] n'étant que l'agent qui reçoit la Révélation du Message divin pour le communiquer à sa communauté d'abord, ensuite à l'humanité toute entière. Les qurʾānologues prennent le soin d'indiquer en outre, la période et le numéro d'ordre chronologique. Le classement des sourates a été opéré par les soins du Prophète sur ordre d'Allāh.

- Allāh: Allāh الله
- Dieu ou divinité: Ilāh إله
- Divinités: Āliha آلهة
- Allāh: Nous avons préféré conserver le mot arabe désignant «Dieu l'Unique», car c'est ainsi qu'Il est désigné dans le Qurʾān.
- Islām: Etymologiquement, ce mot veut dire soumission totale à Allāh. Ce vocable désigne aussi l'engagement du fidèle à observer les enseignements coraniques et prophétiques.
- aṣ-Ṣalāt: Office religieux comportant un ensemble (ou cycle) d'actes dévotionnels à caractère rituel consistant à observer les positions suivantes: debout, inclinée, redressée, prosternée et assise. Dans chaque position, le fidèle est tenu de prononcer des formules déterminées. Cet office religieux dont le fidèle est tenu de s'acquitter quotidiennement n'a pas d'équivalent dans les autres religions. C'est ce qui nous a poussés à retenir le vocable «aṣ-Ṣalāt» au lieu de le traduire en français par le mot «Prière» qui se limite seulement aux invocations.

---

1. «ṣallā Allāhu ʿalaïhi wa sallam» : expression arabe signifiant «que la paix et la bénédiction d'Allāh soient sur lui», est vivement recommandée d'être reproduite par le musulman, par amour et vénération, à chaque fois qu'il prononce ou entend le nom du Prophète Muḥammad.

- az-Zakāt: On serait tenté de le traduire en français par le mot «aumône.» Mais la zakat en Islām ne se limite pas à l'acte de générosité ou de charité. C'est plutôt un acte d'adoration par le versement de numéraires dont les règles sont détaillées dans le Qur'ān et la Sunna. Le vocabulaire français ne dispose pas d'un terme équivalent, ce qui explique notre souci de maintenir l'appellation arabe.

- aṣ-Ṣiyyām: Il s'agit d'observer un «jeûne» qui consiste à s'abstenir de boire, de manger, de fumer, d'avoir des rapports charnels, - ou tout autre acte susceptible d'annuler le jeûne - de l'aube jusqu'au coucher du soleil avec l'intention de se rapprocher d'Allāh. Il va de soi que le jeûne a des effets très bénéfiques sur la conscience du fidèle, non seulement en vue de fortifier sa foi, mais de le préparer aux épreuves difficiles de la vie. Là aussi, la terminologie arabe s'impose parce que la définition du jeûne dans les autres religions n'a pas reçu la même acception.

- al-Ḥajj: Devoir religieux très important, le pèlerinage effectué aux Lieux Saints de l'Islām (La Mecque et ses alentours), n'est rendu obligatoire qu'une fois dans la vie et uniquement aux personnes disposant de moyens suffisants. L'obligation du pèlerinage comporte des rites spécifiques et des conditions auxquelles il faut obéir, dont la Pureté de la Foi et la Vertu qui contribuent à renforcer la cohésion entre la pensée et l'acte.

- al-Imān: signifie littéralement: «connaissance, croyance et conviction sans aucun doute possible.» La foi est donc la conviction ferme. al-imān est à la base de l'Islām. Il consiste à croire en Allāh, en Ses Anges, en Ses Livres révélés, en Ses Messagers, en le Jour Dernier et enfin en la Prédestination favorable ou défavorable.

Ce credo Islāmique n'est pas le même dans les autres religions, ce qui justifie son appellation arabe.

طريقة رسم الحروف العربية بالحروف اللاتينية في هذه الترجمة

système de transcription

Ṣ =	ص		’ =	ء
‘ =	ع		A =	أ
F =	ف		B =	ب
Ḍ =	ض		J =	ج
Q =	ق		D =	د
R =	ر		H =	ه
S =	س		W =	و
T =	ت		Z =	ز
Ṯ =	ث		Ḥ =	ح
Ḫ =	خ		Ṭ =	ط
Ḍ =	ذ		Y =	ي
Ẓ =	ظ		K =	ك
Ǧ =	غ		L =	ل
Š =	ش		M =	م
			N =	ن

Les voyelles longues seront surmontées d'un accent circonflexe.
par exemple: ā, ī, ū, ō

القرآن الكريم

وترجمة معانيه إلى
اللغة الفرنسية

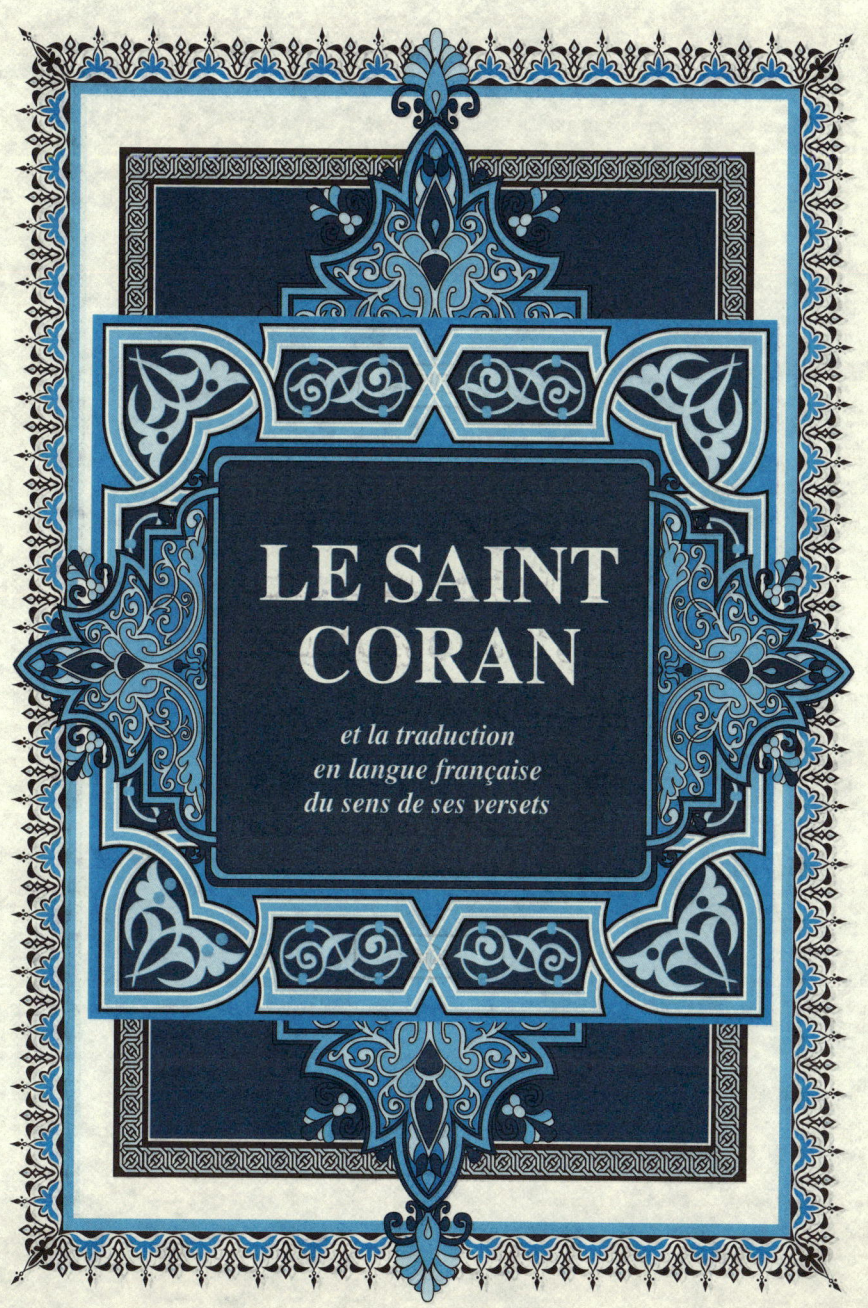

LE SAINT CORAN

*et la traduction
en langue française
du sens de ses versets*

سُورَةُ الْفَاتِحَة

بِسْمِ اللَّهِ الرَّحْمَٰنِ الرَّحِيمِ ﴿١﴾ الْحَمْدُ لِلَّهِ رَبِّ الْعَالَمِينَ ﴿٢﴾ الرَّحْمَٰنِ الرَّحِيمِ ﴿٣﴾ مَالِكِ يَوْمِ الدِّينِ ﴿٤﴾ إِيَّاكَ نَعْبُدُ وَإِيَّاكَ نَسْتَعِينُ ﴿٥﴾ اهْدِنَا الصِّرَاطَ الْمُسْتَقِيمَ ﴿٦﴾ صِرَاطَ الَّذِينَ أَنْعَمْتَ عَلَيْهِمْ غَيْرِ الْمَغْضُوبِ عَلَيْهِمْ وَلَا الضَّالِّينَ ﴿٧﴾

صَدَقَ اللَّهُ الْعَظِيمُ

AL-FĀTĪḤA¹ (L'OUVERTURE)
sourate 1   7 versets   Pré-hégirien n°5

1. Au nom *d'Allāh, le Tout Miséricordieux, le Très Miséricordieux.²*

2. Louange à Allāh, Seigneur de l'univers.

3. Le Tout Miséricordieux, le Très Miséricordieux,

4. Maître du Jour de la rétribution.

5. C'est Toi [Seul] que nous adorons, et c'est Toi [Seul] dont nous implorons secours.

6. Guide-nous dans le droit chemin,

7. le chemin de ceux que Tu as comblés de faveurs, non pas de ceux qui ont encouru Ta colère, ni des égarés³.

---

1. al-Fātiḥa veut littéralement dire: l'ouverture. Mais, cette sourate a plusieurs autres titres parmi lesquels: «Les Sept répétés», de ce que l'on répète ses 7 versets dans chaque cycle d'actes (rak'āt) d'une ṣalāt.
2. C'est la formule que prononce le Musulman au commencement de tout acte, se rappelant ainsi de son Créateur et de son Guide et Lui demandant Son aide pour bien l'accomplir.
Selon les commentateurs, il faut sous-entendre: «Je commence» par le nom d'Allāh, etc. Mais, comme «par le nom» donne une ambiguïté et peut également signifier «Je jure par le nom d'Allāh», il est préférable d'écarter ici la formule «Par le nom». Qu'on entende seulement «Je commence par le nom d'Allāh». Les adjectifs *Rahmān et Rahīm* sont tous deux d'une même racine, signifiant *Miséricordieux* (le premier étant plus intense que l'autre). Nous traduisons donc par «le Tout Miséricordieux, le Très Miséricordieux».
3. Après la récitation on prononce le mot «āmīn»

سُورَةُ الْبَقَرَةِ

بِسْمِ اللَّهِ الرَّحْمَٰنِ الرَّحِيمِ

الٓمٓ ۝ ذَٰلِكَ الْكِتَابُ لَا رَيْبَ ۛ فِيهِ ۛ هُدًى لِّلْمُتَّقِينَ ۝ الَّذِينَ يُؤْمِنُونَ بِالْغَيْبِ وَيُقِيمُونَ الصَّلَاةَ وَمِمَّا رَزَقْنَاهُمْ يُنفِقُونَ ۝ وَالَّذِينَ يُؤْمِنُونَ بِمَا أُنزِلَ إِلَيْكَ وَمَا أُنزِلَ مِن قَبْلِكَ وَبِالْآخِرَةِ هُمْ يُوقِنُونَ ۝ أُولَٰئِكَ عَلَىٰ هُدًى مِّن رَّبِّهِمْ ۖ وَأُولَٰئِكَ هُمُ الْمُفْلِحُونَ ۝

AL-BAQARA (LA VACHE)
sourate 2   286 versets   Post-hégirien n°87

Titre tiré des v. 67/73.
Le v. 281 a été révélé lors du pèlerinage du Prophète.

Au nom d'Allāh, le Tout Miséricordieux, le Très Miséricordieux.

1. Alif, Lām, Mīm¹.

2. C'est le Livre au sujet duquel il n'y a aucun doute, c'est un guide pour les pieux².

3. qui croient à l'invisible et accomplissent la prière (Ṣalāt) et dépensent [dans l'obéissance à Allāh], de ce que Nous leur avons attribué³,

4. Ceux qui croient à ce qui t'a été descendu⁴ (révélé) et à ce qui a été descendu avant toi et qui croient fermement à la vie future.

5. Ceux-là sont sur le bon chemin de leur Seigneur, et ce sont eux qui réussissent (dans cette vie et dans la vie future).

---

1. Les sourates 2, 3, 7, 10, 11, 12, 13, 14, 15, 19, 20, 26, 27, 28, 29, 30, 31, 32, 36, 38, 40, 41, 42, 43, 44, 45, 46, 50 et 68 commencent non pas par des mots, mais par des lettres de l'alphabet, détachées et n'ayant pas de sens particulier. Le Prophète lui-même ne semble pas avoir précisé leur signification, d'où d'innombrables interprétations suggérées par les commentateurs anciens et modernes. Laissons-les alors telles quelles.
2. *Pieux*: le mot (Muttaqi) en arabe vient du mot (taqwā) qui signifie piété, c'est-à-dire la crainte de la punition d'Allāh si on s'écarte de Ses injonctions et l'espoir en Sa Miséricorde quand on s'y conforme.
Guide (Hudan): ce mot qui reviendra souvent, n'a pas d'équivalent en français. Il désigne l'action de guider, le fait d'être guidé ou le guide.
3. *L'invisible*: tout ce que nous ne pouvons percevoir et connaître et même tout ce dont nous ne pouvons même pas réaliser l'existence passée, présente ou future.
La Ṣalāt: signifie ici non pas la prière seulement, mais les prières quotidiennes comportant des récitations, des invocations, des mouvements et des attitudes définis.
Il y a cinq Ṣalāt quotidiennes: - al-fajr à l'aube ; - az-zuhr peu après que le soleil passe le méridien ; - al-ʿaṣr tard dans l'après-midi ; - al-maġrib tout de suite après le coucher du soleil et enfin - al-ʿišā' à la disparition du crépuscule. Pour les pays près des deux régions polaires, on a dû aménager ces horaires. - La Ṣalāt hebdomadaire du vendredi remplace, ce jour-là, la deuxième, celle de midi. - Les Ṣalāt des deux fêtes (ʿĪd al-fiṭr et ʿĪd al-aḍḥā) sont recommandées par le Prophète, mais non obligatoires.
A part le nombre de cycles d'actes (Rakaʿāt), toutes ces Ṣalāt-s se ressemblent quant à la façon de les accomplir : on fait les ablutions (voir S. 5, v. 6) on se met debout et on se tourne vers la Kaʿba à la Mecque (voir S. 2, v. 144 - en Europe occidentale, vers le sud-est - et on formule l'intention de prier. On récite la première sourate du Qurʾān «al-Fātiḥa», en la faisant suivre de quelques versets qurʾāniques ou d'une courte sourate.

الجزء الأول

إِنَّ ٱلَّذِينَ كَفَرُواْ سَوَآءٌ عَلَيْهِمْ ءَأَنذَرْتَهُمْ أَمْ لَمْ تُنذِرْهُمْ لَا يُؤْمِنُونَ ۝ خَتَمَ ٱللَّهُ عَلَىٰ قُلُوبِهِمْ وَعَلَىٰ سَمْعِهِمْ وَعَلَىٰٓ أَبْصَٰرِهِمْ غِشَٰوَةٌ وَلَهُمْ عَذَابٌ عَظِيمٌ ۝ وَمِنَ ٱلنَّاسِ مَن يَقُولُ ءَامَنَّا بِٱللَّهِ وَبِٱلْيَوْمِ ٱلْءَاخِرِ وَمَا هُم بِمُؤْمِنِينَ ۝ يُخَٰدِعُونَ ٱللَّهَ وَٱلَّذِينَ ءَامَنُواْ وَمَا يَخْدَعُونَ إِلَّآ أَنفُسَهُمْ وَمَا يَشْعُرُونَ ۝ فِى قُلُوبِهِم مَّرَضٌ فَزَادَهُمُ ٱللَّهُ مَرَضًا وَلَهُمْ عَذَابٌ أَلِيمٌۢ بِمَا كَانُواْ يَكْذِبُونَ ۝ وَإِذَا قِيلَ لَهُمْ لَا تُفْسِدُواْ فِى ٱلْأَرْضِ قَالُوٓاْ إِنَّمَا نَحْنُ مُصْلِحُونَ ۝ أَلَآ إِنَّهُمْ هُمُ ٱلْمُفْسِدُونَ وَلَٰكِن لَّا يَشْعُرُونَ ۝ وَإِذَا قِيلَ لَهُمْ ءَامِنُواْ كَمَآ ءَامَنَ ٱلنَّاسُ قَالُوٓاْ أَنُؤْمِنُ كَمَآ ءَامَنَ ٱلسُّفَهَآءُ أَلَآ إِنَّهُمْ هُمُ ٱلسُّفَهَآءُ وَلَٰكِن لَّا يَعْلَمُونَ ۝ وَإِذَا لَقُواْ ٱلَّذِينَ ءَامَنُواْ قَالُوٓاْ ءَامَنَّا وَإِذَا خَلَوْاْ إِلَىٰ شَيَٰطِينِهِمْ قَالُوٓاْ إِنَّا مَعَكُمْ إِنَّمَا نَحْنُ مُسْتَهْزِءُونَ ۝ ٱللَّهُ يَسْتَهْزِئُ بِهِمْ وَيَمُدُّهُمْ فِى طُغْيَٰنِهِمْ يَعْمَهُونَ ۝ أُوْلَٰٓئِكَ ٱلَّذِينَ ٱشْتَرَوُاْ ٱلضَّلَٰلَةَ بِٱلْهُدَىٰ فَمَا رَبِحَت تِّجَٰرَتُهُمْ وَمَا كَانُواْ مُهْتَدِينَ ۝

6. [Mais] certes les infidèles ne croient pas, cela leur est égal, que tu les avertisses ou non: ils ne croiront jamais.

7. Allāh a scellé leurs cœurs et leurs oreilles ; et un voile épais leur couvre la vue ; et pour eux il y aura un grand châtiment.

8. Parmi les gens, il y a ceux qui disent: «Nous croyons en Allāh et au Jour dernier !» tandis qu'en fait, ils n'y croient pas.

9. Ils cherchent à tromper Allāh et les croyants ; mais ils ne trompent qu'eux-mêmes, et ils ne s'en rendent pas compte.

10. Il y a dans leurs cœurs une maladie (de doute et d'hypocrisie), et Allāh laisse croître leur maladie. Ils auront un châtiment douloureux, pour avoir menti.

11. Et quand on leur dit: «Ne semez pas la corruption sur la terre», ils disent: «Au contraire nous ne sommes que des réformateurs!»

12. Certes, ce sont eux les véritables corrupteurs, mais ils ne s'en rendent pas compte.

13. Et quand on leur dit: «Croyez comme les gens ont cru», ils disent: «Croirons-nous comme ont cru les faibles d'esprit?» Certes, ce sont eux les véritables faibles d'esprit, mais ils ne le savent pas.

14. Quand ils rencontrent ceux qui ont cru, ils disent: «Nous croyons» ; mais quand ils se trouvent seuls avec leurs diables1, ils disent: «Nous sommes avec vous ; en effet, nous ne faisions que nous moquer (d'eux).»

15. C'est Allāh qui Se moque d'eux et les endurcira dans leur révolte et prolongera sans fin leur égarement.

16. Ce sont eux qui ont troqué le droit chemin contre l'égarement. Eh bien, leur négoce n'a point profité. Et ils ne sont pas sur la bonne voie.

Puis on s'incline, mettant les mains sur les genoux et on se redresse ; ensuite, on se prosterne, posant le front sur le sol, puis on s'assied, et après une deuxième prosternation, on se remet debout. Tout cela constitue un «cycle d'actes» , une rakʿa. On fait dans le deuxième cycle (rakʿa) à peu près la même chose que dans le premier, mais au lieu de se mettre debout après les prosternations, on reste assis et on récite le tašahhud [glorification d'Allāh, salut au Prophète (ﷺ), à soi-même et à tous les bons croyants et témoignage de l'unicité d'Allāh]. Si la Ṣalāt a deux cycles (comme lors de l'aube), elle se termine par le salut final après le tašahhud. Sinon, on se lève et on fait un nouveau cycle (dans la 4e Ṣalāt il y a trois cycles, et dans les 2e, 3e et 5e, quatre cycles), et on termine la Ṣalāt en saluant, tournant la tête à droite puis à gauche...

Dépensent dans l'obéissance à Allāh: en Islām, on est obligé de donner un pourcentage de ce que l'on possède, annuellement, et ce d'après un barème établi: c'est la Zakāt. En outre, on donne ce qu'on veut bénévolement. Sont visées dans ce verset toutes les dépenses dans l'obéissance à Allāh: la Zakāt, la dépense concernant les parents et les proches, les largesses bénévoles, etc.

4. *Ce qui t'a été descendu*: il s'agit de Muḥammad (ﷺ). C'est ce qu'il faut comprendre, à chaque fois qu'il y a une référence à la seconde personne du singulier non déterminée. Le Prophète transmettait tel quel ce qu'il recevait d'Allāh par révélation.

Avant toi: allusion aux révélations antérieures à Muḥammad (ﷺ) et plus particulièrement la Thora et l'Évangile.

1. *Diables*: leurs semblables parmi les méchants.

مَثَلُهُمْ كَمَثَلِ ٱلَّذِي ٱسْتَوْقَدَ نَارًا فَلَمَّآ أَضَآءَتْ مَا حَوْلَهُۥ ذَهَبَ ٱللَّهُ بِنُورِهِمْ وَتَرَكَهُمْ فِي ظُلُمَٰتٍ لَّا يُبْصِرُونَ ۝ صُمٌّۢ بُكْمٌ عُمْيٌ فَهُمْ لَا يَرْجِعُونَ ۝ أَوْ كَصَيِّبٍ مِّنَ ٱلسَّمَآءِ فِيهِ ظُلُمَٰتٌ وَرَعْدٌ وَبَرْقٌ يَجْعَلُونَ أَصَٰبِعَهُمْ فِيٓ ءَاذَانِهِم مِّنَ ٱلصَّوَٰعِقِ حَذَرَ ٱلْمَوْتِ وَٱللَّهُ مُحِيطٌۢ بِٱلْكَٰفِرِينَ ۝ يَكَادُ ٱلْبَرْقُ يَخْطَفُ أَبْصَٰرَهُمْ كُلَّمَآ أَضَآءَ لَهُم مَّشَوْا۟ فِيهِ وَإِذَآ أَظْلَمَ عَلَيْهِمْ قَامُوا۟ وَلَوْ شَآءَ ٱللَّهُ لَذَهَبَ بِسَمْعِهِمْ وَأَبْصَٰرِهِمْ إِنَّ ٱللَّهَ عَلَىٰ كُلِّ شَيْءٍ قَدِيرٌ ۝ يَٰٓأَيُّهَا ٱلنَّاسُ ٱعْبُدُوا۟ رَبَّكُمُ ٱلَّذِي خَلَقَكُمْ وَٱلَّذِينَ مِن قَبْلِكُمْ لَعَلَّكُمْ تَتَّقُونَ ۝ ٱلَّذِي جَعَلَ لَكُمُ ٱلْأَرْضَ فِرَٰشًا وَٱلسَّمَآءَ بِنَآءً وَأَنزَلَ مِنَ ٱلسَّمَآءِ مَآءً فَأَخْرَجَ بِهِۦ مِنَ ٱلثَّمَرَٰتِ رِزْقًا لَّكُمْ فَلَا تَجْعَلُوا۟ لِلَّهِ أَندَادًا وَأَنتُمْ تَعْلَمُونَ ۝ وَإِن كُنتُمْ فِي رَيْبٍ مِّمَّا نَزَّلْنَا عَلَىٰ عَبْدِنَا فَأْتُوا۟ بِسُورَةٍ مِّن مِّثْلِهِۦ وَٱدْعُوا۟ شُهَدَآءَكُم مِّن دُونِ ٱللَّهِ إِن كُنتُمْ صَٰدِقِينَ ۝ فَإِن لَّمْ تَفْعَلُوا۟ وَلَن تَفْعَلُوا۟ فَٱتَّقُوا۟ ٱلنَّارَ ٱلَّتِي وَقُودُهَا ٱلنَّاسُ وَٱلْحِجَارَةُ أُعِدَّتْ لِلْكَٰفِرِينَ ۝

17. Ils ressemblent à quelqu'un qui a allumé un feu ; puis quand le feu a illuminé tout à l'entour, Allāh a fait disparaître leur lumière et les a abandonnés dans les ténèbres où ils ne voient plus rien.

18. Sourds, muets, aveugles, ils ne peuvent donc pas revenir (de leur égarement).

19. [On peut encore les comparer à ces gens qui,] au moment où les nuées éclatent en pluies, chargées de ténèbres, de tonnerre et éclairs, se mettent les doigts dans les oreilles, terrorisés par le fracas de la foudre et craignant la mort ; et Allāh encercle de tous côtés les infidèles.

20. L'éclair presque leur emporte la vue: chaque fois qu'il leur donne de la lumière, ils avancent ; mais dès qu'il fait obscur, ils s'arrêtent. Si Allāh le voulait Il leur enlèverait certes l'ouïe et la vue, car Allāh a pouvoir sur toute chose.

21. Ô hommes ! Adorez votre Seigneur, qui vous a créé vous et ceux qui vous ont précédés. Ainsi atteindriez-vous à la piété.

22. C'est Lui qui vous a fait la terre pour lit, et le ciel pour toit ; qui précipite la pluie du ciel et par elle fait surgir toutes sortes de fruits pour vous nourrir, ne Lui cherchez donc pas des égaux, alors que vous savez (tout cela).

23. Si vous avez un doute sur ce que Nous avons révélé à Notre Serviteur, tâchez donc de produire une sourate semblable et appelez vos témoins, (les idoles) que vous adorez en dehors d'Allāh, si vous êtes véridiques.

24. Si vous n'y parvenez pas et, à coup sûr, vous n'y parviendrez jamais, parez-vous donc contre le feu qu'alimenteront les hommes et les pierres, lequel est réservé aux infidèles.

وَبَشِّرِ ٱلَّذِينَ ءَامَنُوا وَعَمِلُوا ٱلصَّٰلِحَٰتِ أَنَّ لَهُمْ جَنَّٰتٍ تَجْرِى مِن تَحْتِهَا ٱلْأَنْهَٰرُ ۖ كُلَّمَا رُزِقُوا مِنْهَا مِن ثَمَرَةٍ رِّزْقًا ۙ قَالُوا هَٰذَا ٱلَّذِى رُزِقْنَا مِن قَبْلُ ۖ وَأُتُوا بِهِۦ مُتَشَٰبِهًا ۖ وَلَهُمْ فِيهَآ أَزْوَٰجٌ مُّطَهَّرَةٌ ۖ وَهُمْ فِيهَا خَٰلِدُونَ ﴿٢٥﴾

ربع الحزب ١

۞ إِنَّ ٱللَّهَ لَا يَسْتَحْىِۦٓ أَن يَضْرِبَ مَثَلًا مَّا بَعُوضَةً فَمَا فَوْقَهَا ۚ فَأَمَّا ٱلَّذِينَ ءَامَنُوا فَيَعْلَمُونَ أَنَّهُ ٱلْحَقُّ مِن رَّبِّهِمْ ۖ وَأَمَّا ٱلَّذِينَ كَفَرُوا فَيَقُولُونَ مَاذَآ أَرَادَ ٱللَّهُ بِهَٰذَا مَثَلًا ۘ يُضِلُّ بِهِۦ كَثِيرًا وَيَهْدِى بِهِۦ كَثِيرًا ۚ وَمَا يُضِلُّ بِهِۦٓ إِلَّا ٱلْفَٰسِقِينَ ﴿٢٦﴾ ٱلَّذِينَ يَنقُضُونَ عَهْدَ ٱللَّهِ مِنۢ بَعْدِ مِيثَٰقِهِۦ وَيَقْطَعُونَ مَآ أَمَرَ ٱللَّهُ بِهِۦٓ أَن يُوصَلَ وَيُفْسِدُونَ فِى ٱلْأَرْضِ ۚ أُو۟لَٰٓئِكَ هُمُ ٱلْخَٰسِرُونَ ﴿٢٧﴾ كَيْفَ تَكْفُرُونَ بِٱللَّهِ وَكُنتُمْ أَمْوَٰتًا فَأَحْيَٰكُمْ ۖ ثُمَّ يُمِيتُكُمْ ثُمَّ يُحْيِيكُمْ ثُمَّ إِلَيْهِ تُرْجَعُونَ ﴿٢٨﴾ هُوَ ٱلَّذِى خَلَقَ لَكُم مَّا فِى ٱلْأَرْضِ جَمِيعًا ثُمَّ ٱسْتَوَىٰٓ إِلَى ٱلسَّمَآءِ فَسَوَّىٰهُنَّ سَبْعَ سَمَٰوَٰتٍ ۚ وَهُوَ بِكُلِّ شَىْءٍ عَلِيمٌ ﴿٢٩﴾

25. Annonce à ceux qui croient et pratiquent de bonnes œuvres qu'ils auront pour demeures des jardins sous lesquels coulent les ruisseaux ; chaque fois qu'ils seront gratifiés d'un fruit des jardins ils diront: «C'est bien là ce qui nous avait été servi auparavant». Or c'est quelque chose de semblable (seulement dans la forme) ; ils auront là des épouses pures, et là ils demeureront éternellement.

26. Certes, Allāh ne se gêne point de citer en exemple n'importe quoi: un moustique ou quoi que ce soit au-dessus ; quant aux croyants, ils savent bien qu'il s'agit de la vérité venant de la part de leur Seigneur ; quant aux infidèles, ils se demandent: «Qu'a voulu dire Allāh par un tel exemple?» Par cela, nombreux sont ceux qu'Il égare[1] et nombreux sont ceux qu'Il guide ; mais, Il n'égare par cela que les pervers,

27. qui rompent le pacte qu'ils avaient fermement conclu avec Allāh, coupent ce qu'Allāh a ordonné d'unir, et sèment la corruption sur la terre. Ceux-là sont les vrais perdants.

28. Comment pouvez-vous renier Allāh alors qu'Il vous a donné la vie, quand vous en étiez privés? Puis Il vous fera mourir ; puis Il vous fera revivre et enfin c'est à Lui que vous retournerez.

29. C'est Lui qui a créé pour vous[2] tout ce qui est sur la terre, puis Il a orienté Sa volonté vers le ciel et en fit sept cieux. Et Il est Omniscient.

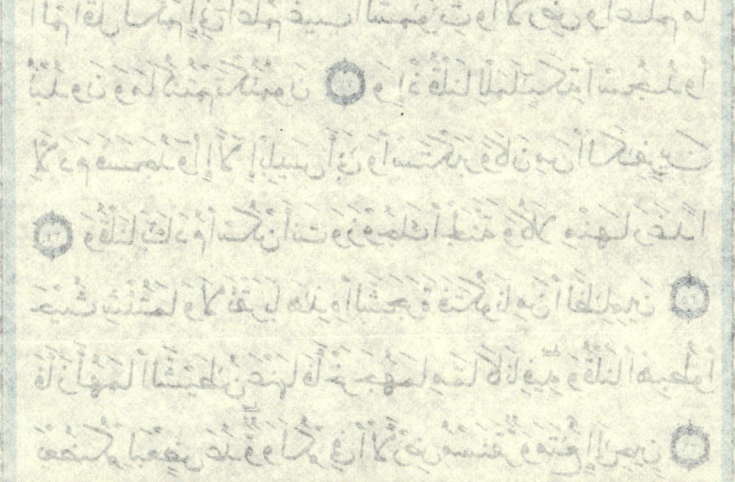

---

1. *Egare*: dans une vingtaine de versets et même plus le Qur'ān attribue directement à Allāh le fait d'égarer tout comme de guider, mais nous devons être convaincus que trouver la bonne direction, relève de la grâce d'Allāh, et que s'égarer en dépit des instructions d'Allāh vient de notre propre faute.
2. *Pour vous*: pour toute l'humanité.

وَإِذْ قَالَ رَبُّكَ لِلْمَلَٰٓئِكَةِ إِنِّي جَاعِلٌ فِي ٱلْأَرْضِ خَلِيفَةً ۖ

قَالُوٓاْ أَتَجْعَلُ فِيهَا مَن يُفْسِدُ فِيهَا وَيَسْفِكُ ٱلدِّمَآءَ وَنَحْنُ

نُسَبِّحُ بِحَمْدِكَ وَنُقَدِّسُ لَكَ ۖ قَالَ إِنِّي أَعْلَمُ مَا لَا تَعْلَمُونَ ﴿٣٠﴾

وَعَلَّمَ ءَادَمَ ٱلْأَسْمَآءَ كُلَّهَا ثُمَّ عَرَضَهُمْ عَلَى ٱلْمَلَٰٓئِكَةِ

فَقَالَ أَنۢبِـُٔونِي بِأَسْمَآءِ هَٰٓؤُلَآءِ إِن كُنتُمْ صَٰدِقِينَ ﴿٣١﴾ قَالُوٓاْ

سُبْحَٰنَكَ لَا عِلْمَ لَنَآ إِلَّا مَا عَلَّمْتَنَآ ۖ إِنَّكَ أَنتَ ٱلْعَلِيمُ ٱلْحَكِيمُ

﴿٣٢﴾ قَالَ يَٰٓـَٔادَمُ أَنۢبِئْهُم بِأَسْمَآئِهِمْ ۖ فَلَمَّآ أَنۢبَأَهُم بِأَسْمَآئِهِمْ قَالَ

أَلَمْ أَقُل لَّكُمْ إِنِّي أَعْلَمُ غَيْبَ ٱلسَّمَٰوَٰتِ وَٱلْأَرْضِ وَأَعْلَمُ مَا

تُبْدُونَ وَمَا كُنتُمْ تَكْتُمُونَ ﴿٣٣﴾ وَإِذْ قُلْنَا لِلْمَلَٰٓئِكَةِ ٱسْجُدُواْ

لِـَٔادَمَ فَسَجَدُوٓاْ إِلَّآ إِبْلِيسَ أَبَىٰ وَٱسْتَكْبَرَ وَكَانَ مِنَ ٱلْكَٰفِرِينَ

﴿٣٤﴾ وَقُلْنَا يَٰٓـَٔادَمُ ٱسْكُنْ أَنتَ وَزَوْجُكَ ٱلْجَنَّةَ وَكُلَا مِنْهَا رَغَدًا

حَيْثُ شِئْتُمَا وَلَا تَقْرَبَا هَٰذِهِ ٱلشَّجَرَةَ فَتَكُونَا مِنَ ٱلظَّٰلِمِينَ ﴿٣٥﴾

فَأَزَلَّهُمَا ٱلشَّيْطَٰنُ عَنْهَا فَأَخْرَجَهُمَا مِمَّا كَانَا فِيهِ ۖ وَقُلْنَا ٱهْبِطُواْ

بَعْضُكُمْ لِبَعْضٍ عَدُوٌّ ۖ وَلَكُمْ فِي ٱلْأَرْضِ مُسْتَقَرٌّ وَمَتَٰعٌ إِلَىٰ حِينٍ ﴿٣٦﴾

فَتَلَقَّىٰٓ ءَادَمُ مِن رَّبِّهِۦ كَلِمَٰتٍ فَتَابَ عَلَيْهِ ۚ إِنَّهُۥ هُوَ ٱلتَّوَّابُ ٱلرَّحِيمُ ﴿٣٧﴾

30. Lorsque Ton Seigneur confia aux Anges: «Je vais établir sur la terre un vicaire «Ḫalīfa[1]». Ils dirent: «Vas-Tu y désigner un qui y mettra le désordre et répandra le sang, quand nous sommes là à Te sanctifier et à Te glorifier?» - Il dit: «En vérité, Je sais ce que vous ne savez pas!»

31. Et Il apprit à Adam tous les noms (de toutes choses), puis Il les présenta aux Anges[2] et dit: «Informez-Moi des noms de ceux-là, si vous êtes véridiques!» (dans votre prétention que vous êtes plus méritants qu'Adam).

32. - Ils dirent: «Gloire à Toi! Nous n'avons de savoir que ce que Tu nous a appris. Certes c'est Toi l'Omniscient, le Sage».

33. - Il dit: «Ô Adam, informe-les de ces noms[3]» Puis quand celui-ci les eut informés de ces noms, Allāh dit: «Ne vous ai-Je pas dit que Je connais les mystères des cieux et de la terre, et que Je sais ce que vous divulguez et ce que vous cachez?»

34. Et lorsque Nous demandâmes aux Anges de se prosterner devant Adam, ils se prosternèrent à l'exception d'Iblis[4] qui refusa, s'enfla d'orgueil et fut parmi les infidèles.

35. Et Nous dîmes: «Ô Adam, habite le Paradis toi et ton épouse, et nourrissez-vous-en de partout à votre guise ; mais, n'approchez pas de l'arbre que voici: sinon vous seriez du nombre des injustes».

36. Peu de temps après, Satan[5] les fit glisser de là et les fit sortir du lieu où ils étaient. Et Nous dîmes: «Descendez (du Paradis) ; ennemis les uns des autres. Et pour vous il y aura une demeure sur la terre, et un usufruit pour un temps.

37. Puis Adam reçut de son Seigneur des paroles[6], et Allāh agréa son repentir car c'est **Lui** certes, le Repentant, le Miséricordieux.

---

1. Ḫalīfa (calife) a plusieurs sens:
a) *gérant*: celui à qui a été donné le pouvoir de gouverner d'autres personnes, comme Allāh fit de David dans S. 38, v. 2 b: «Ô David, gouverne les gens avec justice» ; b) qui se succèdent les uns aux autres, génération après génération ; c) qui remplace quelqu'un absent ou mort. Ici Ḫalīfa a le sens (a) ou (b).
2. *Il les présenta aux Anges*: les êtres dont Allāh avait appris les noms à l'homme. Allāh démontre ainsi aux Anges qu'il n'y a de science que de Lui.
3. *Informe-les de Ces noms*: les noms de ces choses.
4. Iblis: l'aïeul ou le chef des diables ou Satan.
L'épisode de la prosternation des Anges et du refus de Satan (voir aussi S. 7, v. 11 ; S. 15, v. 28 ; S. 17, v. 61 ; S. 18, v. 50 ; S. 20, v. 116) explique la raison pour laquelle Allāh a maudit Satan.
5. *Le Diable*: toutes les fois que le texte arabe porte le mot «Iblis», nous le rendons par Satan.
6. *Paroles*: qui ont permis à Adam de demander le pardon d'Allāh. Et puisque Allāh lui accorda le pardon, l'Islām ne reconnaît pas le péché originel.

قُلْنَا ٱهْبِطُوا۟ مِنْهَا جَمِيعًا ۖ فَإِمَّا يَأْتِيَنَّكُم مِّنِّى هُدًى فَمَن تَبِعَ هُدَاىَ فَلَا خَوْفٌ عَلَيْهِمْ وَلَا هُمْ يَحْزَنُونَ ۝ وَٱلَّذِينَ كَفَرُوا۟ وَكَذَّبُوا۟ بِـَٔايَٰتِنَآ أُو۟لَٰٓئِكَ أَصْحَٰبُ ٱلنَّارِ ۖ هُمْ فِيهَا خَٰلِدُونَ ۝ يَٰبَنِىٓ إِسْرَٰٓءِيلَ ٱذْكُرُوا۟ نِعْمَتِىَ ٱلَّتِىٓ أَنْعَمْتُ عَلَيْكُمْ وَأَوْفُوا۟ بِعَهْدِىٓ أُوفِ بِعَهْدِكُمْ وَإِيَّٰىَ فَٱرْهَبُونِ ۝ وَءَامِنُوا۟ بِمَآ أَنزَلْتُ مُصَدِّقًا لِّمَا مَعَكُمْ وَلَا تَكُونُوٓا۟ أَوَّلَ كَافِرٍۭ بِهِۦ ۖ وَلَا تَشْتَرُوا۟ بِـَٔايَٰتِى ثَمَنًا قَلِيلًا وَإِيَّٰىَ فَٱتَّقُونِ ۝ وَلَا تَلْبِسُوا۟ ٱلْحَقَّ بِٱلْبَٰطِلِ وَتَكْتُمُوا۟ ٱلْحَقَّ وَأَنتُمْ تَعْلَمُونَ ۝ وَأَقِيمُوا۟ ٱلصَّلَوٰةَ وَءَاتُوا۟ ٱلزَّكَوٰةَ وَٱرْكَعُوا۟ مَعَ ٱلرَّٰكِعِينَ ۝ ۞ أَتَأْمُرُونَ ٱلنَّاسَ بِٱلْبِرِّ وَتَنسَوْنَ أَنفُسَكُمْ وَأَنتُمْ تَتْلُونَ ٱلْكِتَٰبَ ۚ أَفَلَا تَعْقِلُونَ ۝ وَٱسْتَعِينُوا۟ بِٱلصَّبْرِ وَٱلصَّلَوٰةِ ۚ وَإِنَّهَا لَكَبِيرَةٌ إِلَّا عَلَى ٱلْخَٰشِعِينَ ۝ ٱلَّذِينَ يَظُنُّونَ أَنَّهُم مُّلَٰقُوا۟ رَبِّهِمْ وَأَنَّهُمْ إِلَيْهِ رَٰجِعُونَ ۝ يَٰبَنِىٓ إِسْرَٰٓءِيلَ ٱذْكُرُوا۟ نِعْمَتِىَ ٱلَّتِىٓ أَنْعَمْتُ عَلَيْكُمْ وَأَنِّى فَضَّلْتُكُمْ عَلَى ٱلْعَٰلَمِينَ ۝ وَٱتَّقُوا۟ يَوْمًا لَّا تَجْزِى نَفْسٌ عَن نَّفْسٍ شَيْـًٔا وَلَا يُقْبَلُ مِنْهَا شَفَٰعَةٌ وَلَا يُؤْخَذُ مِنْهَا عَدْلٌ وَلَا هُمْ يُنصَرُونَ ۝

38. - Nous dîmes: «Descendez d'ici, vous tous ! Toutes les fois que Je vous enverrai un guide[1], ceux qui [le] suivront n'auront rien à craindre et ne seront point affligés».

39. Et ceux qui ne croient pas (à nos messagers) et traitent de mensonge Nos révélations, ceux-là sont les gens du Feu où ils demeureront éternellement.

40. Ô enfants d'Israël, rappelez-vous Mon bienfait dont Je vous ai comblés. Si vous tenez vos engagements vis-à-vis de Moi, Je tiendrai les miens. Et c'est Moi que vous devez redouter.

41. Et croyez à ce que J'ai fait descendre, en confirmation de ce qui était déjà avec vous; et ne soyez pas les premiers à le rejeter. Et n'échangez pas Mes révélations contre un vil prix. Et c'est Moi que vous devez craindre[2].

42. Et ne mêlez pas le faux à la vérité. Ne cachez pas sciemment la vérité.

43. Et accomplissez la Ṣalāt, et acquittez la Zakāt[3], et inclinez-vous avec ceux qui s'inclinent.

44. Commanderez-vous aux gens de faire le bien[4], et vous oubliez vous-mêmes de le faire, alors que vous récitez le Livre? Etes-vous donc dépourvus de raison?

45. Et cherchez secours dans l'endurance et la Ṣalāt: certes, la Ṣalāt est une lourde obligation, sauf pour les humbles,

46. qui ont la certitude de rencontrer leur Seigneur (après leur résurrection) et retourner à Lui seul.

47. Ô enfants d'Israël, rappelez-vous Mon bienfait dont Je vous ai comblés, (Rappelez-vous) que Je vous ai préférés à tous les peuples (de l'époque).

48. Et redoutez le jour où nulle âme ne suffira en quoi que ce soit à une autre ; où l'on n'acceptera d'elle aucune intercession ; et où on ne recevra d'elle aucune compensation. Et ils ne seront point secourus.

---

1. *Un Guide*: un Prophète ou une révélation.
2. *Ce que j'ai fait descendre*: le Qur'ān.
Ce qui était déjà avec vous: la Thora et l'Evangile.
Un vil prix: un profit terrestre.
3. *Acquittez la Zakāt* (voir aussi v. 3 et 110): les termes mêmes de ces versets montrent qu'il existe une Zakāt, distincte de l'aumône en charité, faite «bénévolement». La Zakāt est prélevée par les gouvernements islāmiques, à des époques fixes, dans des proportions pré-déterminées, et avec des sanctions contre l'infraction. Le taux diffère selon les objets imposables: épargnes, récoltes, mines, troupeaux de bestiaux, etc.
L'Islām coordonne le temporel et le spirituel dans un plus grand ensemble, et exige que toutes les actions de l'homme soient marquées par la foi en Allāh et conformes à Ses commandements. C'est ainsi que payer la zakāt est un acte d'adoration d'Allāh par le moyen des biens, tout comme la Ṣalāt est «adoration par corps et esprit». Rappelons que seule la zakāt sur les épargnes, quoique obligatoire, a quelquefois été laissée? la discrétion du croyant, en ce sens qu'il pouvait la payer directement aux bénéficiaires désignés par le Qur'ān (S. 9, v. 60), sans l'intermédiaire du gouvernement.
Le Qur'ān emploie aussi les mots Ṣadaqa (S. 9, v. 29 & 60) et Ḥaqq (S. 6, v. 141), qui s'appliquent à la Zakāt. A l'opposé, le mot «ZAKĀT» s'applique exclusivement à la «ZAKĀT» imposée.

وَإِذْ نَجَّيْنَاكُم مِّنْ ءَالِ فِرْعَوْنَ يَسُومُونَكُمْ سُوٓءَ الْعَذَابِ يُذَبِّحُونَ أَبْنَآءَكُمْ وَيَسْتَحْيُونَ نِسَآءَكُمْ وَفِى ذَٰلِكُم بَلَآءٌ مِّن رَّبِّكُمْ عَظِيمٌ ۝ وَإِذْ فَرَقْنَا بِكُمُ الْبَحْرَ فَأَنجَيْنَٰكُمْ وَأَغْرَقْنَآ ءَالَ فِرْعَوْنَ وَأَنتُمْ تَنظُرُونَ ۝ وَإِذْ وَٰعَدْنَا مُوسَىٰٓ أَرْبَعِينَ لَيْلَةً ثُمَّ اتَّخَذْتُمُ الْعِجْلَ مِنۢ بَعْدِهِۦ وَأَنتُمْ ظَٰلِمُونَ ۝ ثُمَّ عَفَوْنَا عَنكُم مِّنۢ بَعْدِ ذَٰلِكَ لَعَلَّكُمْ تَشْكُرُونَ ۝ وَإِذْ ءَاتَيْنَا مُوسَى الْكِتَٰبَ وَالْفُرْقَانَ لَعَلَّكُمْ تَهْتَدُونَ ۝ وَإِذْ قَالَ مُوسَىٰ لِقَوْمِهِۦ يَٰقَوْمِ إِنَّكُمْ ظَلَمْتُمْ أَنفُسَكُم بِاتِّخَاذِكُمُ الْعِجْلَ فَتُوبُوٓا إِلَىٰ بَارِئِكُمْ فَاقْتُلُوٓا أَنفُسَكُمْ ذَٰلِكُمْ خَيْرٌ لَّكُمْ عِندَ بَارِئِكُمْ فَتَابَ عَلَيْكُمْ إِنَّهُۥ هُوَ التَّوَّابُ الرَّحِيمُ ۝ وَإِذْ قُلْتُمْ يَٰمُوسَىٰ لَن نُّؤْمِنَ لَكَ حَتَّىٰ نَرَى اللَّهَ جَهْرَةً فَأَخَذَتْكُمُ الصَّٰعِقَةُ وَأَنتُمْ تَنظُرُونَ ۝ ثُمَّ بَعَثْنَٰكُم مِّنۢ بَعْدِ مَوْتِكُمْ لَعَلَّكُمْ تَشْكُرُونَ ۝ وَظَلَّلْنَا عَلَيْكُمُ الْغَمَامَ وَأَنزَلْنَا عَلَيْكُمُ الْمَنَّ وَالسَّلْوَىٰ كُلُوا مِن طَيِّبَٰتِ مَا رَزَقْنَٰكُمْ وَمَا ظَلَمُونَا وَلَٰكِن كَانُوٓا أَنفُسَهُمْ يَظْلِمُونَ ۝

49. Et [rappelez-vous], lorsque Nous vous avons délivrés des gens de Pharaon, qui vous infligeaient le pire châtiment: en égorgeant vos fils et épargnant vos femmes. C'était là une grande épreuve de la part de votre Seigneur.

50. Et [rappelez-vous], lorsque Nous avons fendu la mer pour vous donner passage !... Nous vous avons donc délivrés, et noyé les gens de Pharaon, tandis que vous regardiez.

51. Et [rappelez-vous], lorsque Nous donnâmes rendez-vous à Moïse pendant quarante nuits !... Puis en son absence vous avez pris le Veau pour idole alors que vous étiez injustes (à l'égard de vous-mêmes en adorant autre qu'Allāh).

52. Mais en dépit de cela Nous vous pardonnâmes, afin que vous reconnaissiez (Nos bienfaits à votre égard).

53. Et [rappelez-vous], lorsque Nous avons donné à Moïse le Livre et le Discernement[1] afin que vous soyez guidés.

54. Et [rappelez-vous], lorsque Moïse dit à son peuple: «Ô mon peuple, certes vous vous êtes fait du tort à vous-mêmes en prenant le Veau pour idole. Revenez donc à votre Créateur ; puis, tuez donc les coupables vous-mêmes: ce serait mieux pour vous, auprès de votre Créateur» ! ... C'est ainsi qu'Il agréa votre repentir ; car c'est Lui, certes, le Repentant et le Miséricordieux!

55. Et [rappelez-vous], lorsque vous dites: «Ô Moïse, nous ne te croirons qu'après avoir vu Allāh clairement» !... Alors la foudre vous saisit tandis que vous regardiez.

56. Puis Nous vous ressuscitâmes après votre mort afin que vous soyez reconnaissants.

57. Et Nous vous couvrîmes de l'ombre d'un nuage, et fîmes descendre sur vous la manne et les cailles: - «Mangez des délices que Nous vous avons attribués!» - Ce n'est pas à Nous qu'ils firent du tort, mais ils se firent tort à eux-mêmes.

---

4. Le mot arabe «*al-Birr*» (la bonté pieuse): est un mot qui englobe la saine foi et toutes les bonnes œuvres (S. 2, v. 177).
Alors que vous récitez le livre: la Thora. Le reproche qui est fait ici aux Juifs c'est de ne pas croire en la Thora et de ne pas s'y conformer car dans la Thora est mentionnée la venue du Prophète Muhammad (ﷺ).
1. *Le discernement* (Furqān): le moyen de distinguer le vrai du faux et le bien du mal, c'est-à-dire ici la Thora elle-même

وَإِذْ قُلْنَا ٱدْخُلُوا۟ هَٰذِهِ ٱلْقَرْيَةَ فَكُلُوا۟ مِنْهَا حَيْثُ شِئْتُمْ رَغَدًا وَٱدْخُلُوا۟ ٱلْبَابَ سُجَّدًا وَقُولُوا۟ حِطَّةٌ نَّغْفِرْ لَكُمْ خَطَٰيَٰكُمْ وَسَنَزِيدُ ٱلْمُحْسِنِينَ ۝ فَبَدَّلَ ٱلَّذِينَ ظَلَمُوا۟ قَوْلًا غَيْرَ ٱلَّذِى قِيلَ لَهُمْ فَأَنزَلْنَا عَلَى ٱلَّذِينَ ظَلَمُوا۟ رِجْزًا مِّنَ ٱلسَّمَآءِ بِمَا كَانُوا۟ يَفْسُقُونَ ۝ ۝ وَإِذِ ٱسْتَسْقَىٰ مُوسَىٰ لِقَوْمِهِۦ فَقُلْنَا ٱضْرِب بِّعَصَاكَ ٱلْحَجَرَ فَٱنفَجَرَتْ مِنْهُ ٱثْنَتَا عَشْرَةَ عَيْنًا قَدْ عَلِمَ كُلُّ أُنَاسٍ مَّشْرَبَهُمْ كُلُوا۟ وَٱشْرَبُوا۟ مِن رِّزْقِ ٱللَّهِ وَلَا تَعْثَوْا۟ فِى ٱلْأَرْضِ مُفْسِدِينَ ۝ وَإِذْ قُلْتُمْ يَٰمُوسَىٰ لَن نَّصْبِرَ عَلَىٰ طَعَامٍ وَٰحِدٍ فَٱدْعُ لَنَا رَبَّكَ يُخْرِجْ لَنَا مِمَّا تُنۢبِتُ ٱلْأَرْضُ مِنۢ بَقْلِهَا وَقِثَّآئِهَا وَفُومِهَا وَعَدَسِهَا وَبَصَلِهَا قَالَ أَتَسْتَبْدِلُونَ ٱلَّذِى هُوَ أَدْنَىٰ بِٱلَّذِى هُوَ خَيْرٌ ٱهْبِطُوا۟ مِصْرًا فَإِنَّ لَكُم مَّا سَأَلْتُمْ وَضُرِبَتْ عَلَيْهِمُ ٱلذِّلَّةُ وَٱلْمَسْكَنَةُ وَبَآءُو بِغَضَبٍ مِّنَ ٱللَّهِ ذَٰلِكَ بِأَنَّهُمْ كَانُوا۟ يَكْفُرُونَ بِـَٔايَٰتِ ٱللَّهِ وَيَقْتُلُونَ ٱلنَّبِيِّـۧنَ بِغَيْرِ ٱلْحَقِّ ذَٰلِكَ بِمَا عَصَوا۟ وَّكَانُوا۟ يَعْتَدُونَ ۝

58. Et [rappelez-vous], lorsque Nous dîmes: «Entrez dans cette ville, et mangez-y à l'envie où il vous plaira ; mais entrez par la porte en vous prosternant et demandez la «rémission» (de vos péchés) ; Nous vous pardonnerons vos fautes si vous faites cela et donnerons davantage de récompense pour les bienfaisants.

59. Mais, à ces paroles, les pervers en substituèrent d'autres, et pour les punir de leur fourberie Nous leur envoyâmes du ciel un châtiment avilissant.

60. Et [rappelez-vous], quand Moïse demanda de l'eau pour désaltérer son peuple, c'est alors que Nous dîmes: «Frappe le rocher avec ton bâton». Et tout d'un coup, douze sources en jaillirent, et certes, chaque tribu sut où s'abreuver ! - «Mangez et buvez de ce qu'Allāh vous accorde ; et ne semez pas de troubles sur la terre comme des fauteurs de désordre».

61. Et [rappelez-vous], quand vous dîtes: «Ô Moïse, nous ne pouvons plus tolérer une seule nourriture. Prie donc ton Seigneur pour qu'Il nous fasse sortir de la terre ce qu'elle fait pousser, de ses légumes, ses concombres, son ail (ou blé), ses lentilles et ses oignons!» - Il vous répondit: «Voulez-vous échanger le meilleur pour le moins bon? Descendez donc à n'importe quelle ville ; vous y trouverez certainement ce que vous demandez!». L'avilissement et la misère s'abattirent sur eux ; ils encoururent la colère d'Allāh. Cela est parce qu'ils reniaient les révélations d'Allāh, et qu'ils tuaient sans droit les prophètes. Cela parce qu'ils désobéissaient et transgressaient.

إِنَّ الَّذِينَ ءَامَنُوا وَالَّذِينَ هَادُوا وَالنَّصَرَىٰ وَالصَّـٰبِـِٔينَ مَنْ ءَامَنَ بِاللَّهِ وَالْيَوْمِ الْأَخِرِ وَعَمِلَ صَـٰلِحًا فَلَهُمْ أَجْرُهُمْ عِندَ رَبِّهِمْ وَلَا خَوْفٌ عَلَيْهِمْ وَلَا هُمْ يَحْزَنُونَ ۝ وَإِذْ أَخَذْنَا مِيثَـٰقَكُمْ وَرَفَعْنَا فَوْقَكُمُ الطُّورَ خُذُوا مَا ءَاتَيْنَـٰكُم بِقُوَّةٍ وَاذْكُرُوا مَا فِيهِ لَعَلَّكُمْ تَتَّقُونَ ۝ ثُمَّ تَوَلَّيْتُم مِّنۢ بَعْدِ ذَٰلِكَ فَلَوْلَا فَضْلُ اللَّهِ عَلَيْكُمْ وَرَحْمَتُهُ لَكُنتُم مِّنَ الْخَـٰسِرِينَ ۝ وَلَقَدْ عَلِمْتُمُ الَّذِينَ اعْتَدَوْا مِنكُمْ فِي السَّبْتِ فَقُلْنَا لَهُمْ كُونُوا قِرَدَةً خَـٰسِـِٔينَ ۝ فَجَعَلْنَـٰهَا نَكَـٰلًا لِّمَا بَيْنَ يَدَيْهَا وَمَا خَلْفَهَا وَمَوْعِظَةً لِّلْمُتَّقِينَ ۝ وَإِذْ قَالَ مُوسَىٰ لِقَوْمِهِ إِنَّ اللَّهَ يَأْمُرُكُمْ أَن تَذْبَحُوا بَقَرَةً قَالُوا أَتَتَّخِذُنَا هُزُوًا قَالَ أَعُوذُ بِاللَّهِ أَنْ أَكُونَ مِنَ الْجَـٰهِلِينَ ۝ قَالُوا ادْعُ لَنَا رَبَّكَ يُبَيِّن لَّنَا مَا هِيَ قَالَ إِنَّهُ يَقُولُ إِنَّهَا بَقَرَةٌ لَّا فَارِضٌ وَلَا بِكْرٌ عَوَانٌۢ بَيْنَ ذَٰلِكَ فَافْعَلُوا مَا تُؤْمَرُونَ ۝ قَالُوا ادْعُ لَنَا رَبَّكَ يُبَيِّن لَّنَا مَا لَوْنُهَا قَالَ إِنَّهُ يَقُولُ إِنَّهَا بَقَرَةٌ صَفْرَآءُ فَاقِعٌ لَّوْنُهَا تَسُرُّ النَّـٰظِرِينَ ۝

62. Certes, ceux qui ont cru, ceux qui se sont judaïsés, les Nazaréens, et les Sabéens, quiconque d'entre eux a cru en Allāh, au Jour dernier et accompli de bonnes œuvres, sera récompensé par son Seigneur ; il n'éprouvera aucune crainte et il ne sera jamais affligé[1].

63. (Et rappelez-vous), quand Nous avons contracté un engagement avec vous et brandi sur vous le Mont -: «Tenez ferme ce que Nous vous avons donné et souvenez-vous de ce qui s'y trouve afin que vous soyez pieux!»

64. Puis vous vous en détournâtes après vos engagements, n'eût été donc la grâce d'Allāh et Sa miséricorde, vous seriez certes parmi les perdants.

65. Vous avez certainement connu ceux des vôtres qui transgressèrent le Sabbat. Et bien Nous leur dîmes: «Soyez des singes abjects!»

66. Nous fîmes donc de cela un exemple pour les villes qui l'entouraient[2] alors et une exhortation pour les pieux.

67. (Et rappelez-vous) lorsque Moïse dit à son peuple: «Certes Allāh vous ordonne d'immoler une vache[3]». Ils dirent: «Nous prends-tu en moquerie?» Qu'Allāh me garde d'être du nombre des ignorants» dit-il.

68. - Ils dirent: «Demande pour nous à ton Seigneur qu'Il nous précise ce qu'elle doit être». - Il dit: «Certes Allāh dit que c'est bien une vache, ni vieille ni vierge[4], d'un âge moyen, entre les deux. Faites donc ce qu'on vous commande».

69. - Ils dirent: «Demande donc pour nous à ton Seigneur qu'Il nous précise sa couleur». - Il dit: «Allāh dit que c'est une vache jaune, de couleur vive et plaisante à voir».

---

1. *Ceux qui ont cru*: les Musulmans.
Les Juifs... etc.: il s'agit ici de ceux qui suivaient les prophètes de leurs époques.
2. *Les villes qui l'entouraient*: qui entouraient cette ville, ainsi qu'aux générations à venir.
3. *Une vache*: cf. le titre de la sourate. Les Hébreux croient d'abord à une plaisanterie ; puis ils font semblant d'ignorer quelle vache on leur demande d'immoler. Moïse leur donne les précisions qu'ils réclament: la vache en question est de couleur jaune vif, d'âge moyen, non-astreinte au travail...: L'histoire met l'accent sur le degré de leur désobéissance. Le but même de l'immolation de la vache devient apparent dans les versets 72 et 73.
Les ignorants: les moqueurs, ceux qui se moquent des ordres d'Allāh.
4. *Ni vierge*: ni jeune.

قَالُوا ادْعُ لَنَا رَبَّكَ يُبَيِّن لَّنَا مَا هِيَ إِنَّ الْبَقَرَ تَشَٰبَهَ عَلَيْنَا وَإِنَّا إِن شَاءَ اللَّهُ لَمُهْتَدُونَ ۝ قَالَ إِنَّهُ يَقُولُ إِنَّهَا بَقَرَةٌ لَّا ذَلُولٌ تُثِيرُ الْأَرْضَ وَلَا تَسْقِي الْحَرْثَ مُسَلَّمَةٌ لَّا شِيَةَ فِيهَا قَالُوا الْـَٰٔنَ جِئْتَ بِالْحَقِّ فَذَبَحُوهَا وَمَا كَادُوا يَفْعَلُونَ ۝ وَإِذْ قَتَلْتُمْ نَفْسًا فَادَّٰرَءْتُمْ فِيهَا وَاللَّهُ مُخْرِجٌ مَّا كُنتُمْ تَكْتُمُونَ ۝ فَقُلْنَا اضْرِبُوهُ بِبَعْضِهَا كَذَٰلِكَ يُحْيِ اللَّهُ الْمَوْتَىٰ وَيُرِيكُمْ ءَايَٰتِهِ لَعَلَّكُمْ تَعْقِلُونَ ۝ ثُمَّ قَسَتْ قُلُوبُكُم مِّن بَعْدِ ذَٰلِكَ فَهِيَ كَالْحِجَارَةِ أَوْ أَشَدُّ قَسْوَةً وَإِنَّ مِنَ الْحِجَارَةِ لَمَا يَتَفَجَّرُ مِنْهُ الْأَنْهَٰرُ وَإِنَّ مِنْهَا لَمَا يَشَّقَّقُ فَيَخْرُجُ مِنْهُ الْمَاءُ وَإِنَّ مِنْهَا لَمَا يَهْبِطُ مِنْ خَشْيَةِ اللَّهِ وَمَا اللَّهُ بِغَٰفِلٍ عَمَّا تَعْمَلُونَ ۝ أَفَتَطْمَعُونَ أَن يُؤْمِنُوا لَكُمْ وَقَدْ كَانَ فَرِيقٌ مِّنْهُمْ يَسْمَعُونَ كَلَٰمَ اللَّهِ ثُمَّ يُحَرِّفُونَهُ مِنۢ بَعْدِ مَا عَقَلُوهُ وَهُمْ يَعْلَمُونَ ۝ وَإِذَا لَقُوا الَّذِينَ ءَامَنُوا قَالُوا ءَامَنَّا وَإِذَا خَلَا بَعْضُهُمْ إِلَىٰ بَعْضٍ قَالُوا أَتُحَدِّثُونَهُم بِمَا فَتَحَ اللَّهُ عَلَيْكُمْ لِيُحَاجُّوكُم بِهِ عِندَ رَبِّكُمْ أَفَلَا تَعْقِلُونَ ۝

الحزب ٢

70. - Ils dirent: «Demande pour nous à ton Seigneur qu'Il nous précise ce qu'elle est car pour nous, les vaches se confondent. Mais, nous y serions certainement bien guidés[1], si Allāh le veut».

71. - Il dit: «Allāh dit que c'est bien une vache qui n'a pas été asservie à labourer la terre ni à arroser le champ, indemne d'infirmité et dont la couleur est unie». - Ils dirent: «Te voilà enfin, tu nous as apporté la vérité!» Ils l'immolèrent alors mais il s'en fallut qu'ils ne l'eussent pas fait.

72. Et quand vous aviez tué un homme et que chacun de vous cherchait à se disculper!... Mais Allāh démasque ce que vous dissimuliez.

73. Nous dîmes donc: «Frappez[2] le tué avec une partie de la vache». - Ainsi Allāh ressuscite les morts et vous montre les signes (de Sa puissance) afin que vous raisonniez.

74. Puis, et en dépit de tout cela[3], vos cœurs se sont endurcis ; ils sont devenus comme des pierres ou même plus durs encore ; car il y a des pierres d'où jaillissent les ruisseaux, d'autres se fendent pour qu'en surgisse l'eau, d'autres s'affaissent par crainte d'Allāh. Et Allāh n'est certainement jamais inattentif à ce que vous faites.

75. - Eh bien, espérez-vous [Musulmans] que des pareils gens (les Juifs) vous partageront la foi? Alors qu'un groupe d'entre eux, après avoir entendu et compris la parole d'Allāh, la falsifièrent sciemment[4].

76. Et quand ils rencontrent des croyants, ils disent: «Nous croyons» ; et, une fois seuls entre eux, ils disent: «Allez-vous confier aux musulmans ce qu'Allāh vous a révélé pour leur fournir, ainsi, un argument contre vous devant votre Seigneur ! Etes-vous donc dépourvus de raison?»[5].

---

1. *Bien guidés*: à cette vache.
2. *Frappez...* Littéralement: frappez-le avec une partie d'elle. Le mort, frappé avec une partie de la vache sacrifiée, ressuscita et désigna son meurtrier.
3. *Tout cela* où mentionnés ci-dessus (versets 49 et suivants).
4. *Eh bien, espérez-vous*: ceci s'adresse aux Musulmans, en parlant des Juifs.
5. *Des croyants*: des Musulmans.
Nous croyons: que Muḥammad est le messager d'Allāh.
«Allez-vous leur fournir»: les Juifs refusent d'avouer qu'ils reconnaissent dans le Qur'ān la révélation d'Allāh.
Etes-vous dépourvus: autre sens: êtes-vous inconscients du résultat de votre comportement.

أَوَلَا يَعْلَمُونَ أَنَّ ٱللَّهَ يَعْلَمُ مَا يُسِرُّونَ وَمَا يُعْلِنُونَ ۝

وَمِنْهُمْ أُمِّيُّونَ لَا يَعْلَمُونَ ٱلْكِتَٰبَ إِلَّا أَمَانِيَّ وَإِنْ هُمْ إِلَّا يَظُنُّونَ ۝ فَوَيْلٌ لِّلَّذِينَ يَكْتُبُونَ ٱلْكِتَٰبَ بِأَيْدِيهِمْ ثُمَّ يَقُولُونَ هَٰذَا مِنْ عِندِ ٱللَّهِ لِيَشْتَرُوا بِهِۦ ثَمَنًا قَلِيلًا فَوَيْلٌ لَّهُم مِّمَّا كَتَبَتْ أَيْدِيهِمْ وَوَيْلٌ لَّهُم مِّمَّا يَكْسِبُونَ ۝ وَقَالُوا لَن تَمَسَّنَا ٱلنَّارُ إِلَّا أَيَّامًا مَّعْدُودَةً قُلْ أَتَّخَذْتُمْ عِندَ ٱللَّهِ عَهْدًا فَلَن يُخْلِفَ ٱللَّهُ عَهْدَهُۥٓ أَمْ تَقُولُونَ عَلَى ٱللَّهِ مَا لَا تَعْلَمُونَ ۝ بَلَىٰ مَن كَسَبَ سَيِّئَةً وَأَحَٰطَتْ بِهِۦ خَطِيٓـَٔتُهُۥ فَأُو۟لَٰٓئِكَ أَصْحَٰبُ ٱلنَّارِ هُمْ فِيهَا خَٰلِدُونَ ۝ وَٱلَّذِينَ ءَامَنُوا وَعَمِلُوا ٱلصَّٰلِحَٰتِ أُو۟لَٰٓئِكَ أَصْحَٰبُ ٱلْجَنَّةِ هُمْ فِيهَا خَٰلِدُونَ ۝ وَإِذْ أَخَذْنَا مِيثَٰقَ بَنِىٓ إِسْرَٰٓءِيلَ لَا تَعْبُدُونَ إِلَّا ٱللَّهَ وَبِٱلْوَٰلِدَيْنِ إِحْسَانًا وَذِى ٱلْقُرْبَىٰ وَٱلْيَتَٰمَىٰ وَٱلْمَسَٰكِينِ وَقُولُوا لِلنَّاسِ حُسْنًا وَأَقِيمُوا ٱلصَّلَوٰةَ وَءَاتُوا ٱلزَّكَوٰةَ ثُمَّ تَوَلَّيْتُمْ إِلَّا قَلِيلًا مِّنكُمْ وَأَنتُم مُّعْرِضُونَ ۝

77. - Ne savent-ils pas qu'en vérité Allāh sait ce qu'ils cachent et ce qu'ils divulguent?

78. Et il y a parmi eux des illettrés qui ne savent rien du Livre hormis des prétentions et ils ne font que des conjectures¹.

79. Malheur, donc, à ceux qui de leurs propres mains composent un livre puis le présentent comme venant d'Allāh pour en tirer un vil profit! - Malheur à eux, donc, à cause de ce que leurs mains ont écrit, et malheur à eux à cause de ce qu'ils en profitent!

80. Et ils ont dit: «Le Feu ne nous touchera que pour quelques jours comptés!» Dis: «Auriez-vous pris un engagement avec Allāh - car Allāh ne manque jamais à Son engagement ; - non, mais vous dites sur Allāh ce que vous ne savez pas»².

81. Rien au contraire! Ceux qui font le mal³ et qui se font cerner par leurs péchés, ceux-là sont les gens du Feu où ils demeureront éternellement.

82. Et ceux qui croient et pratiquent⁴ les bonnes œuvres, ceux-là sont les gens du Paradis où ils demeureront éternellement.

83. Et [rappelle-toi], lorsque Nous avons pris l'engagement des enfants d'Israël de n'adorer qu'Allāh, de faire le bien envers les pères, les mères, les proches parents, les orphelins et les nécessiteux, d'avoir de bonnes paroles avec les gens ; d'accomplir régulièrement la Ṣalāt et d'acquitter la zakāt! - Mais à l'exception d'un petit nombre de vous, vous manquiez à vos engagements en vous détournant de Nos commandements.

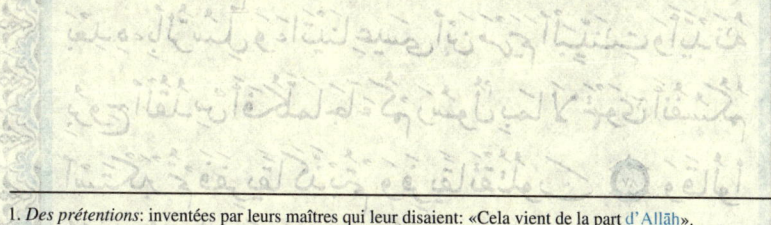

---

1. *Des prétentions*: inventées par leurs maîtres qui leur disaient: «Cela vient de la part d'Allāh».
Des conjectures: car ils ne se basent que sur des suppositions et non pas sur un Livre révélé.
2. *Non*: vous n'avez pas pris un engagement avec Allāh.
3. *Qui font le mal*: il s'agit ici de l'associationnisme (aš-Širk) ou des grands péchés non suivis de repentir.
4. *Pratiquent...*: conformément à la loi révélée.

وَإِذْ أَخَذْنَا مِيثَاقَكُمْ لَا تَسْفِكُونَ دِمَآءَكُمْ وَلَا تُخْرِجُونَ
أَنفُسَكُم مِّن دِيَارِكُمْ ثُمَّ أَقْرَرْتُمْ وَأَنتُمْ تَشْهَدُونَ
﴿٨٤﴾ ثُمَّ أَنتُمْ هَـٰٓؤُلَآءِ تَقْتُلُونَ أَنفُسَكُمْ وَتُخْرِجُونَ فَرِيقًا
مِّنكُم مِّن دِيَارِهِمْ تَظَاهَرُونَ عَلَيْهِم بِٱلْإِثْمِ وَٱلْعُدْوَٰنِ
وَإِن يَأْتُوكُمْ أُسَارَىٰ تُفَـٰدُوهُمْ وَهُوَ مُحَرَّمٌ عَلَيْكُمْ
إِخْرَاجُهُمْ ۚ أَفَتُؤْمِنُونَ بِبَعْضِ ٱلْكِتَـٰبِ وَتَكْفُرُونَ
بِبَعْضٍ ۚ فَمَا جَزَآءُ مَن يَفْعَلُ ذَٰلِكَ مِنكُمْ إِلَّا خِزْيٌ
فِى ٱلْحَيَوٰةِ ٱلدُّنْيَا ۖ وَيَوْمَ ٱلْقِيَـٰمَةِ يُرَدُّونَ إِلَىٰٓ أَشَدِّ ٱلْعَذَابِ ۗ
وَمَا ٱللَّهُ بِغَـٰفِلٍ عَمَّا تَعْمَلُونَ ﴿٨٥﴾ أُوْلَـٰٓئِكَ ٱلَّذِينَ ٱشْتَرَوُاْ
ٱلْحَيَوٰةَ ٱلدُّنْيَا بِٱلْءَاخِرَةِ ۖ فَلَا يُخَفَّفُ عَنْهُمُ ٱلْعَذَابُ وَلَا هُمْ
يُنصَرُونَ ﴿٨٦﴾ وَلَقَدْ ءَاتَيْنَا مُوسَى ٱلْكِتَـٰبَ وَقَفَّيْنَا مِنۢ
بَعْدِهِۦ بِٱلرُّسُلِ ۖ وَءَاتَيْنَا عِيسَى ٱبْنَ مَرْيَمَ ٱلْبَيِّنَـٰتِ وَأَيَّدْنَـٰهُ
بِرُوحِ ٱلْقُدُسِ ۗ أَفَكُلَّمَا جَآءَكُمْ رَسُولٌۢ بِمَا لَا تَهْوَىٰٓ أَنفُسُكُمُ
ٱسْتَكْبَرْتُمْ فَفَرِيقًا كَذَّبْتُمْ وَفَرِيقًا تَقْتُلُونَ ﴿٨٧﴾ وَقَالُواْ
قُلُوبُنَا غُلْفٌۢ ۚ بَل لَّعَنَهُمُ ٱللَّهُ بِكُفْرِهِمْ فَقَلِيلًا مَّا يُؤْمِنُونَ ﴿٨٨﴾

84. Et rappelez-vous, lorsque Nous obtînmes de vous l'engagement de ne pas vous verser le sang, [par le meurtre] de ne pas vous expulser les uns les autres de vos maisons. Puis vous y avez souscrit avec votre propre témoignage.

85. Quoique ainsi engagés, voilà que vous vous entretuez, que vous expulsez de leurs maisons une partie d'entre vous contre qui vous prêtez main forte par péché et agression. Mais quelle contradiction! Si vos coreligionnaires vous viennent captifs vous les rançonnez alors qu'il vous était interdit de les expulser (de chez eux). Croyez-vous donc en une partie du Livre et rejetez-vous le reste? Ceux d'entre vous qui agissent de la sorte ne méritent que l'ignominie dans cette vie, et au Jour de la Résurrection ils seront refoulés au plus dur châtiment, et Allāh n'est pas inattentif à ce que vous faites[1].

86. Voilà ceux qui échangent la vie présente contre la vie future. Eh bien, leur châtiment ne sera pas diminué. Et ils ne seront point secourus.

87. Certes, Nous avons donné le Livre à Moïse ; Nous avons envoyé après lui des prophètes successifs. Et Nous avons donné des preuves à Jésus fils de Marie, et Nous l'avons renforcé du Saint-Esprit. Est-ce qu'à chaque fois, qu'un Messager vous apportait des vérités contraires à vos souhaits vous vous enfliez d'orgueil? Vous traitiez les uns d'imposteurs et vous tuiez les autres[2].

88. Et ils dirent: «Nos cœurs sont enveloppés et impénétrables» - Non mais Allāh les a maudits à cause dè leur infidélité, leur foi est donc médiocre[3].

---

1. *Croyez-vous...?* Comment pourriez-vous admettre une partie du Livre «en rachetant les captifs» alors que vous ne vous conformez point à l'autre prescription qui vous interdit de «vous entretuer et de vous expulser». *En cette vie*: ce que nous traduisons par «cette vie» et «l'autre vie», concerne «la vie présente» et «la dernière», «l'ici-bas» et «l'au-delà» correspond en arabe à l'expression: «la première (vie)» et «la dernière (vie).» - Parfois le mot «Vie» n'est pas mentionné. La «vie présente» est aussi désignée par l'expression «ce qui est éphémère», «l'éphémère».
2. *Jésus*: ʿĪsā en arabe.
Le Saint-Esprit: en Islām, c'est Gabriel.
3. *Leur foi est médiocre*: autre sens: ils ne croient point.

وَلَمَّا جَآءَهُمْ كِتَـٰبٌ مِّنْ عِندِ ٱللَّهِ مُصَدِّقٌ لِّمَا مَعَهُمْ وَكَانُوا۟ مِن قَبْلُ يَسْتَفْتِحُونَ عَلَى ٱلَّذِينَ كَفَرُوا۟ فَلَمَّا جَآءَهُم مَّا عَرَفُوا۟ كَفَرُوا۟ بِهِ ۚ فَلَعْنَةُ ٱللَّهِ عَلَى ٱلْكَـٰفِرِينَ ۝

بِئْسَمَا ٱشْتَرَوْا۟ بِهِۦٓ أَنفُسَهُمْ أَن يَكْفُرُوا۟ بِمَآ أَنزَلَ ٱللَّهُ بَغْيًا أَن يُنَزِّلَ ٱللَّهُ مِن فَضْلِهِۦ عَلَىٰ مَن يَشَآءُ مِنْ عِبَادِهِۦ ۖ فَبَآءُو بِغَضَبٍ عَلَىٰ غَضَبٍ ۚ وَلِلْكَـٰفِرِينَ عَذَابٌ مُّهِينٌ ۝

وَإِذَا قِيلَ لَهُمْ ءَامِنُوا۟ بِمَآ أَنزَلَ ٱللَّهُ قَالُوا۟ نُؤْمِنُ بِمَآ أُنزِلَ عَلَيْنَا وَيَكْفُرُونَ بِمَا وَرَآءَهُۥ وَهُوَ ٱلْحَقُّ مُصَدِّقًا لِّمَا مَعَهُمْ ۗ قُلْ فَلِمَ تَقْتُلُونَ أَنۢبِيَآءَ ٱللَّهِ مِن قَبْلُ إِن كُنتُم مُّؤْمِنِينَ ۝ وَلَقَدْ جَآءَكُم مُّوسَىٰ بِٱلْبَيِّنَـٰتِ ثُمَّ ٱتَّخَذْتُمُ ٱلْعِجْلَ مِنۢ بَعْدِهِۦ وَأَنتُمْ ظَـٰلِمُونَ ۝

وَإِذْ أَخَذْنَا مِيثَـٰقَكُمْ وَرَفَعْنَا فَوْقَكُمُ ٱلطُّورَ خُذُوا۟ مَآ ءَاتَيْنَـٰكُم بِقُوَّةٍ وَٱسْمَعُوا۟ ۖ قَالُوا۟ سَمِعْنَا وَعَصَيْنَا وَأُشْرِبُوا۟ فِى قُلُوبِهِمُ ٱلْعِجْلَ بِكُفْرِهِمْ ۚ قُلْ بِئْسَمَا يَأْمُرُكُم بِهِۦٓ إِيمَـٰنُكُمْ إِن كُنتُم مُّؤْمِنِينَ ۝

89. Et quant leur vint d'Allāh un Livre confirmant celui qu'ils avaient déjà, - alors qu'auparavant ils cherchaient la suprématie sur les mécréants, - quand donc leur vint cela même qu'ils reconnaissaient, ils refusèrent d'y croire. Que la malédiction d'Allāh soit sur les mécréants![1].

90. Comme est vil ce contre quoi ils ont troqué leurs âmes! Ils ne croient pas en ce qu'Allāh a fait descendre, révoltés à l'idée qu'Allāh, de par Sa grâce, fasse descendre la révélation sur ceux de Ses serviteurs qu'Il veut. Ils ont donc acquis colère sur colère, car un châtiment avilissant attend les infidèles!

91. Et quand on leur dit: «Croyez à ce qu'Allāh a fait descendre», ils disent: «Nous croyons à ce qu'on a fait descendre à nous». Et ils rejettent[2] le reste, alors qu'il est la vérité confirmant ce qu'il y avait déjà avec eux. - Dis: «Pourquoi donc avez-vous tué auparavant les prophètes d'Allāh, si vous étiez croyants?».

92. Et en effet Moïse vous est venu avec les preuves. Malgré cela, une fois absent, vous avez pris le Veau pour idole, alors que vous étiez injustes.

93. Et rappelez-vous, lorsque Nous avons pris l'engagement de vous, et brandi sur vous Aṭ-ṭ•r (le Mont Sinaï) en vous disant: «Tenez ferme à ce que Nous vous avons donné, et écoutez!». Ils dirent: «Nous avons écouté et désobéi». Dans leur impiété, leurs cœurs étaient passionnément épris du Veau (objet de leur culte). Dis- [leur]: «Quelles mauvaises prescriptions ordonnées par votre foi, si vous êtes croyants»[3].

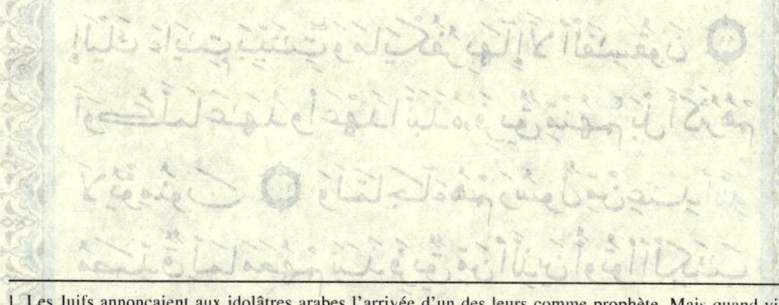

---

1. Les Juifs annonçaient aux idolâtres arabes l'arrivée d'un des leurs comme prophète. Mais quand vint Muḥammad (ﷺ), ils le désavouèrent.
2. *Ils rejettent le reste...*: c.-à-d. le *Qur'ān*, confirmateur de la Thora.
3. *Ce que...*: les lois de la Thora.
Ecoutez: à nos commandements avec obéissance.

قُل إِن كَانَتْ لَكُمُ الدَّارُ الْآخِرَةُ عِندَ اللَّهِ خَالِصَةً مِّن دُونِ النَّاسِ فَتَمَنَّوُا الْمَوْتَ إِن كُنتُمْ صَادِقِينَ ۝

وَلَن يَتَمَنَّوْهُ أَبَدًۢا بِمَا قَدَّمَتْ أَيْدِيهِمْ ۚ وَاللَّهُ عَلِيمٌۢ بِالظَّالِمِينَ ۝

وَلَتَجِدَنَّهُمْ أَحْرَصَ النَّاسِ عَلَىٰ حَيَوٰةٍ وَمِنَ الَّذِينَ أَشْرَكُوا ۚ يَوَدُّ أَحَدُهُمْ لَوْ يُعَمَّرُ أَلْفَ سَنَةٍ وَمَا هُوَ بِمُزَحْزِحِهِ مِنَ الْعَذَابِ أَن يُعَمَّرَ ۗ وَاللَّهُ بَصِيرٌۢ بِمَا يَعْمَلُونَ ۝ قُلْ مَن كَانَ عَدُوًّا لِّجِبْرِيلَ فَإِنَّهُۥ نَزَّلَهُۥ عَلَىٰ قَلْبِكَ بِإِذْنِ اللَّهِ مُصَدِّقًا لِّمَا بَيْنَ يَدَيْهِ وَهُدًى وَبُشْرَىٰ لِلْمُؤْمِنِينَ ۝ مَن كَانَ عَدُوًّا لِّلَّهِ وَمَلَٰٓئِكَتِهِۦ وَرُسُلِهِۦ وَجِبْرِيلَ وَمِيكَىٰلَ فَإِنَّ اللَّهَ عَدُوٌّ لِّلْكَٰفِرِينَ ۝ وَلَقَدْ أَنزَلْنَآ إِلَيْكَ ءَايَٰتٍۭ بَيِّنَٰتٍ ۖ وَمَا يَكْفُرُ بِهَآ إِلَّا الْفَٰسِقُونَ ۝ أَوَكُلَّمَا عَٰهَدُوا۟ عَهْدًا نَّبَذَهُۥ فَرِيقٌ مِّنْهُم ۚ بَلْ أَكْثَرُهُمْ لَا يُؤْمِنُونَ ۝ وَلَمَّا جَآءَهُمْ رَسُولٌ مِّنْ عِندِ اللَّهِ مُصَدِّقٌ لِّمَا مَعَهُمْ نَبَذَ فَرِيقٌ مِّنَ الَّذِينَ أُوتُوا۟ الْكِتَٰبَ كِتَٰبَ اللَّهِ وَرَآءَ ظُهُورِهِمْ كَأَنَّهُمْ لَا يَعْلَمُونَ ۝

94. - Dis: «Si l'Ultime demeure auprès d'Allāh est pour vous seuls, à l'exclusion des autres gens, souhaitez donc la mort [immédiate] si vous êtes véridiques!»

95. Or, ils ne la souhaiteront jamais, sachant tout le mal qu'ils ont perpétré de leurs mains. Et Allāh connaît bien les injustes.

96. Et certes tu les trouveras les plus attachés à la vie [d'ici-bas], pire en cela que les Associateurs[1]. Tel d'entre eux aimerait vivre mille ans. Mais une pareille longévité ne le sauvera pas du châtiment! Et Allāh voit bien leurs actions.

97. Dis: «Quiconque est ennemi de Gabriel doit connaître que c'est lui qui, avec la permission d'Allāh, a fait descendre sur ton cœur cette révélation qui déclare véridiques les messages antérieurs et qui sert aux croyants de guide et d'heureuse annonce».

98. [Dis:] «Quiconque est ennemi d'Allāh, de Ses anges, de Ses messagers, de Gabriel et de Michaël... [Allāh sera son ennemi] car Allāh est l'ennemi des infidèles».

99. Et très certainement Nous avons fait descendre vers toi des signes évidents. Et seuls les pervers n'y croient pas.

100. Faudrait-il chaque fois qu'ils concluent un pacte, qu'une partie d'entre eux le dénonce? C'est que plutôt la plupart d'entre eux ne sont pas croyants.

101. Et quand leur vint d'Allāh un messager confirmant ce qu'il y avait déjà avec eux, certains à qui le Livre avait été donné, jetèrent derrière leur dos le Livre d'Allāh comme s'ils ne savaient pas!

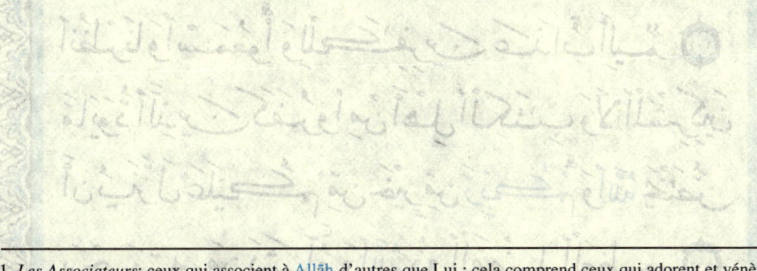

---

1. *Les Associateurs*: ceux qui associent à Allāh d'autres que Lui ; cela comprend ceux qui adorent et vénèrent les idoles, les astres, les intermédiaires, les Anges, les héros, les grands hommes, etc.
Eux: les juifs ou les idolâtres qui tiennent à la vie quelle qu'elle soit.

وَٱتَّبَعُوا۟ مَا تَتْلُوا۟ ٱلشَّيَٰطِينُ عَلَىٰ مُلْكِ سُلَيْمَٰنَ وَمَا كَفَرَ

سُلَيْمَٰنُ وَلَٰكِنَّ ٱلشَّيَٰطِينَ كَفَرُوا۟ يُعَلِّمُونَ ٱلنَّاسَ

ٱلسِّحْرَ وَمَآ أُنزِلَ عَلَى ٱلْمَلَكَيْنِ بِبَابِلَ هَٰرُوتَ وَمَٰرُوتَ

وَمَا يُعَلِّمَانِ مِنْ أَحَدٍ حَتَّىٰ يَقُولَآ إِنَّمَا نَحْنُ فِتْنَةٌ فَلَا تَكْفُرْ

فَيَتَعَلَّمُونَ مِنْهُمَا مَا يُفَرِّقُونَ بِهِۦ بَيْنَ ٱلْمَرْءِ وَزَوْجِهِۦ

وَمَا هُم بِضَآرِّينَ بِهِۦ مِنْ أَحَدٍ إِلَّا بِإِذْنِ ٱللَّهِ وَيَتَعَلَّمُونَ

مَا يَضُرُّهُمْ وَلَا يَنفَعُهُمْ وَلَقَدْ عَلِمُوا۟ لَمَنِ ٱشْتَرَىٰهُ

مَا لَهُۥ فِى ٱلْءَاخِرَةِ مِنْ خَلَٰقٍ وَلَبِئْسَ مَا شَرَوْا۟ بِهِۦٓ

أَنفُسَهُمْ لَوْ كَانُوا۟ يَعْلَمُونَ ۞ وَلَوْ أَنَّهُمْ ءَامَنُوا۟

وَٱتَّقَوْا۟ لَمَثُوبَةٌ مِّنْ عِندِ ٱللَّهِ خَيْرٌ لَّوْ كَانُوا۟ يَعْلَمُونَ

۞ يَٰٓأَيُّهَا ٱلَّذِينَ ءَامَنُوا۟ لَا تَقُولُوا۟ رَٰعِنَا وَقُولُوا۟

ٱنظُرْنَا وَٱسْمَعُوا۟ وَلِلْكَٰفِرِينَ عَذَابٌ أَلِيمٌ ۞

مَّا يَوَدُّ ٱلَّذِينَ كَفَرُوا۟ مِنْ أَهْلِ ٱلْكِتَٰبِ وَلَا ٱلْمُشْرِكِينَ

أَن يُنَزَّلَ عَلَيْكُم مِّنْ خَيْرٍ مِّن رَّبِّكُمْ وَٱللَّهُ يَخْتَصُّ

بِرَحْمَتِهِۦ مَن يَشَآءُ وَٱللَّهُ ذُو ٱلْفَضْلِ ٱلْعَظِيمِ ۞

102. Et ils suivirent ce que les diables racontent contre le règne de Sulaymān. Alors que Sulaymān n'a jamais été mécréant mais bien les diables: ils enseignent aux gens la magie ainsi que ce qui est descendu aux deux anges Hārout et Mārout, à Babylone; mais ceux-ci n'enseignaient rien à personne, qu'ils n'aient dit d'abord: «Nous ne sommes rien qu'une tentation: ne sois pas mécréant» ; ils apprennent auprès d'eux ce qui sème la désunion entre l'homme et son épouse. Or ils ne sont capables de nuire à personne qu'avec la permission d'Allāh. Et les gens apprennent ce qui leur nuit et ne leur est pas profitable. Et ils savent, très certainement. que celui qui acquiert [ce pouvoir] n'aura aucune part dans l'au-delà. Certes, quelle détestable marchandise pour laquelle ils ont vendu leurs âmes! Si seulement ils savaient[1] !

103. Et s'ils croyaient et vivaient en piété, une récompense de la part d'Allāh serait certes meilleure. Si seulement ils savaient!

104. Ô vous qui croyez! Ne dites pas: «favorise-nous» (Rāʿinā)[2] mais dites: «regarde-nous» (Unẓurnā) ; et écoutez! Un châtiment douloureux sera pour les infidèles.

105. Ni les mécréants parmi les gens du Livre[3] ni les Associateurs n'aiment qu'on fasse descendre sur vous un bienfait de la part de votre Seigneur, alors qu'Allāh réserve à qui Il veut sa Miséricorde. Et c'est Allāh le Détenteur de l'abondante grâce.

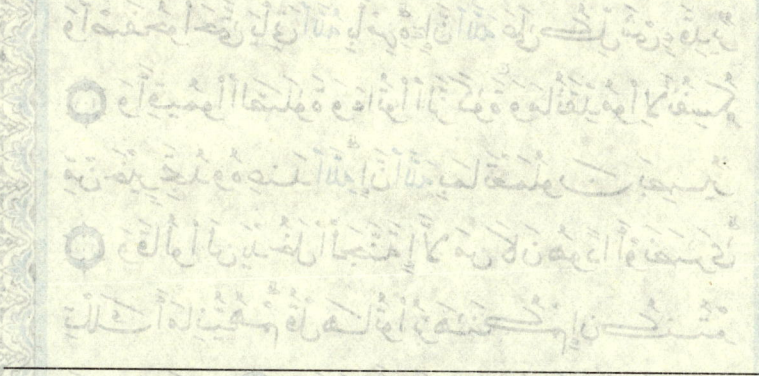

---

1. *Sulaymān* (Salomon): *n'a jamais été mécréant*. Pour l'Islām Salomon est un prophète doté de pouvoirs exceptionnels.
Ce que les diables racontent...: que Salomon, devenu mécréant, favorisait l'idolâtrie.
2. On demande aux gens d'éviter l'expression «Rāʿinā» qui prêtait à un mauvais calembour dans la bouche des Juifs qui le prononçaient de façon à lui donner un mauvais sens.
3. *Les gens du Livre*: ce sont principalement les Juifs et les Chrétiens, et en général tous ceux qui se réclament de posséder un Livre révélé.

۞ مَا نَنسَخْ مِنْ ءَايَةٍ أَوْ نُنسِهَا نَأْتِ بِخَيْرٍ مِّنْهَآ أَوْ مِثْلِهَآ أَلَمْ تَعْلَمْ أَنَّ ٱللَّهَ عَلَىٰ كُلِّ شَىْءٍ قَدِيرٌ ۝ أَلَمْ تَعْلَمْ أَنَّ ٱللَّهَ لَهُۥ مُلْكُ ٱلسَّمَٰوَٰتِ وَٱلْأَرْضِ وَمَا لَكُم مِّن دُونِ ٱللَّهِ مِن وَلِىٍّ وَلَا نَصِيرٍ ۝ أَمْ تُرِيدُونَ أَن تَسْـَٔلُوا۟ رَسُولَكُمْ كَمَا سُئِلَ مُوسَىٰ مِن قَبْلُ وَمَن يَتَبَدَّلِ ٱلْكُفْرَ بِٱلْإِيمَٰنِ فَقَدْ ضَلَّ سَوَآءَ ٱلسَّبِيلِ ۝ وَدَّ كَثِيرٌ مِّنْ أَهْلِ ٱلْكِتَٰبِ لَوْ يَرُدُّونَكُم مِّنۢ بَعْدِ إِيمَٰنِكُمْ كُفَّارًا حَسَدًا مِّنْ عِندِ أَنفُسِهِم مِّنۢ بَعْدِ مَا تَبَيَّنَ لَهُمُ ٱلْحَقُّ فَٱعْفُوا۟ وَٱصْفَحُوا۟ حَتَّىٰ يَأْتِىَ ٱللَّهُ بِأَمْرِهِۦٓ إِنَّ ٱللَّهَ عَلَىٰ كُلِّ شَىْءٍ قَدِيرٌ ۝ وَأَقِيمُوا۟ ٱلصَّلَوٰةَ وَءَاتُوا۟ ٱلزَّكَوٰةَ وَمَا تُقَدِّمُوا۟ لِأَنفُسِكُم مِّنْ خَيْرٍ تَجِدُوهُ عِندَ ٱللَّهِ إِنَّ ٱللَّهَ بِمَا تَعْمَلُونَ بَصِيرٌ ۝ وَقَالُوا۟ لَن يَدْخُلَ ٱلْجَنَّةَ إِلَّا مَن كَانَ هُودًا أَوْ نَصَٰرَىٰ تِلْكَ أَمَانِيُّهُمْ قُلْ هَاتُوا۟ بُرْهَٰنَكُمْ إِن كُنتُمْ صَٰدِقِينَ ۝ بَلَىٰ مَنْ أَسْلَمَ وَجْهَهُۥ لِلَّهِ وَهُوَ مُحْسِنٌ فَلَهُۥٓ أَجْرُهُۥ عِندَ رَبِّهِۦ وَلَا خَوْفٌ عَلَيْهِمْ وَلَا هُمْ يَحْزَنُونَ ۝

106. Si Nous abrogeons[1] un verset quelconque ou que Nous le fassions oublier, Nous en apportons un meilleur, ou un semblable. Ne sais-tu pas qu'Allāh est Omnipotent?

107. Ne sais-tu pas qu'à Allāh, appartient le royaume des cieux et de la terre, et qu'en dehors d'Allāh vous n'avez ni protecteur ni secoureur?

108. Voudriez-vous interroger votre Messager comme auparavant on interrogea Moïse? Quiconque substitue la mécréance à la foi s'égare certes du droit chemin[2].

109. Nombre de gens du Livre aimeraient par jalousie de leur part, pouvoir vous rendre mécréants après que vous ayez cru. Et après que la vérité s'est manifestée à eux! Pardonnez et oubliez jusqu'à ce qu'Allāh fasse venir Son commandement. Allāh est très certainement Omnipotent!

110. Et accomplissez la Ṣalāt et acquittez la Zakāt. Et tout ce que vous avancez de bien pour vous-même, vous le retrouverez auprès d'Allāh, car Allāh voit parfaitement ce que vous faites.

111. Et ils ont dit: «Nul n'entrera au Paradis que Juifs ou Chrétiens». Voilà leurs chimères. - Dis: «Donnez votre preuve, si vous êtes véridiques».

112. Non, mais quiconque soumet à Allāh son être tout en faisant le bien, aura sa rétribution auprès de son Seigneur. Pour eux, nulle crainte, et ils ne seront point attristés[3].

---

1. A propos de l'abrogation de versets, voir encore S. 16, v. 101.
2. *Voudriez-vous*: (ô musulmans).
Votre Messager: envoyé à vous (Muḥammad ﷺ).
Comme on interrogea Moïse: les gens lui demandèrent de leur montrer Allāh en clair (voir v. 55 *supra*).
3. *Soumet son être*: traduction littérale: soumet son visage, le visage étant la partie du corps la plus frappante.
Se soumettra à Allāh et soumission à Allāh: que nous rencontrerons souvent, concernent le Musulman.

وَقَالَتِ الْيَهُودُ لَيْسَتِ النَّصَارَى عَلَى شَيْءٍ وَقَالَتِ النَّصَارَى لَيْسَتِ الْيَهُودُ عَلَى شَيْءٍ وَهُمْ يَتْلُونَ الْكِتَابَ كَذَلِكَ قَالَ الَّذِينَ لَا يَعْلَمُونَ مِثْلَ قَوْلِهِمْ فَاللَّهُ يَحْكُمُ بَيْنَهُمْ يَوْمَ الْقِيَامَةِ فِيمَا كَانُوا فِيهِ يَخْتَلِفُونَ ۝ وَمَنْ أَظْلَمُ مِمَّنْ مَنَعَ مَسَاجِدَ اللَّهِ أَنْ يُذْكَرَ فِيهَا اسْمُهُ وَسَعَى فِي خَرَابِهَا أُولَئِكَ مَا كَانَ لَهُمْ أَنْ يَدْخُلُوهَا إِلَّا خَائِفِينَ لَهُمْ فِي الدُّنْيَا خِزْيٌ وَلَهُمْ فِي الْآخِرَةِ عَذَابٌ عَظِيمٌ ۝ وَلِلَّهِ الْمَشْرِقُ وَالْمَغْرِبُ فَأَيْنَمَا تُوَلُّوا فَثَمَّ وَجْهُ اللَّهِ إِنَّ اللَّهَ وَاسِعٌ عَلِيمٌ ۝ وَقَالُوا اتَّخَذَ اللَّهُ وَلَدًا سُبْحَانَهُ بَلْ لَهُ مَا فِي السَّمَاوَاتِ وَالْأَرْضِ كُلٌّ لَهُ قَانِتُونَ ۝ بَدِيعُ السَّمَاوَاتِ وَالْأَرْضِ وَإِذَا قَضَى أَمْرًا فَإِنَّمَا يَقُولُ لَهُ كُنْ فَيَكُونُ ۝ وَقَالَ الَّذِينَ لَا يَعْلَمُونَ لَوْلَا يُكَلِّمُنَا اللَّهُ أَوْ تَأْتِينَا آيَةٌ كَذَلِكَ قَالَ الَّذِينَ مِنْ قَبْلِهِمْ مِثْلَ قَوْلِهِمْ تَشَابَهَتْ قُلُوبُهُمْ قَدْ بَيَّنَّا الْآيَاتِ لِقَوْمٍ يُوقِنُونَ ۝ إِنَّا أَرْسَلْنَاكَ بِالْحَقِّ بَشِيرًا وَنَذِيرًا وَلَا تُسْأَلُ عَنْ أَصْحَابِ الْجَحِيمِ ۝

113. Et les Juifs disent: «Les Chrétiens ne tiennent sur rien» ; et les Chrétiens disent: «Les Juifs ne tiennent sur rien», alors qu'ils lisent le Livre![1] De même ceux qui ne savent rien tiennent un langage semblable au leur. Eh bien, Allāh jugera sur ce quoi ils s'opposent, au Jour de la Résurrection.

114. Qui est plus injuste que celui qui empêche que dans les mosquées d'Allāh, on mentionne (Ḏikr) Son Nom, et qui s'efforce à les détruire? De tels gens ne devraient y entrer qu'apeurés. Pour eux, ignominie ici-bas, et dans l'au-delà un énorme châtiment.

115. À Allāh seul appartiennent l'Est et l'Ouest. Où que vous vous tourniez, la Face (direction)[2] d'Allāh est donc là, car Allāh a la grâce immense ; Il est Omniscient.

116. Et ils ont dit: «Allāh s'est donné un fils» ! Gloire à Lui![3] Non! Mais, c'est à Lui qu'appartient ce qui est dans les cieux et la terre et c'est à Lui que tous obéissent.

117. Il est le Créateur des cieux et de la terre à partir du néant. Lorsqu'Il décide une chose, Il dit seulement: «Sois», et elle est aussitôt.

118. Et ceux qui ne savent pas ont dit: «Pourquoi Allāh ne nous parle-t-il pas [directement], ou pourquoi un signe ne nous vient-il pas»? De même, ceux d'avant eux disaient une parole semblable. Leurs cœurs se ressemblent. Nous avons clairement exposé les signes pour des gens qui ont la foi ferme.

119. Certes, Nous t'avons envoyé[4] avec la vérité, en annonciateur et avertisseur ; et on ne te demande pas compte des gens de l'Enfer.

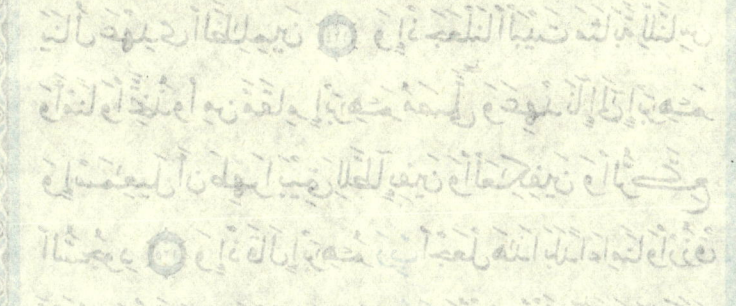

---

1. *Ils lisent le Livre*: Juifs et Chrétiens ont des Livres révélés qui contenaient à l'origine les mêmes préceptes.
2. *La direction*: c.-à-d. en arabe «al-Qibla», vers laquelle le Musulman s'oriente pendant la Ṣalāt.
3. *Gloire à Lui*: «Subḥānahu» expression qui réfute ici avec force la doctrine chrétienne que Jésus est le fils d'Allāh, et la doctrine juive selon laquelle 'Uzaïr est le fils d'Allāh et celle des païens arabes qui prétendent que les Anges sont les filles d'Allāh.
4. *Nous t'avons envoyé*: (ô Muḥammad) (ﷺ).

وَلَن تَرْضَىٰ عَنكَ ٱلْيَهُودُ وَلَا ٱلنَّصَٰرَىٰ حَتَّىٰ تَتَّبِعَ مِلَّتَهُمْ قُلْ إِنَّ

هُدَى ٱللَّهِ هُوَ ٱلْهُدَىٰ وَلَئِنِ ٱتَّبَعْتَ أَهْوَآءَهُم بَعْدَ ٱلَّذِى جَآءَكَ

مِنَ ٱلْعِلْمِ مَا لَكَ مِنَ ٱللَّهِ مِن وَلِىٍّ وَلَا نَصِيرٍ ﴿١٢٠﴾ ٱلَّذِينَ ءَاتَيْنَٰهُمُ

ٱلْكِتَٰبَ يَتْلُونَهُۥ حَقَّ تِلَاوَتِهِۦٓ أُوْلَٰٓئِكَ يُؤْمِنُونَ بِهِۦ وَمَن يَكْفُرْ بِهِۦ

فَأُوْلَٰٓئِكَ هُمُ ٱلْخَٰسِرُونَ ﴿١٢١﴾ يَٰبَنِىٓ إِسْرَٰٓءِيلَ ٱذْكُرُوا۟ نِعْمَتِىَ ٱلَّتِىٓ

أَنْعَمْتُ عَلَيْكُمْ وَأَنِّى فَضَّلْتُكُمْ عَلَى ٱلْعَٰلَمِينَ ﴿١٢٢﴾ وَٱتَّقُوا۟ يَوْمًا

لَّا تَجْزِى نَفْسٌ عَن نَّفْسٍ شَيْـًٔا وَلَا يُقْبَلُ مِنْهَا عَدْلٌ وَلَا تَنفَعُهَا

شَفَٰعَةٌ وَلَا هُمْ يُنصَرُونَ ﴿١٢٣﴾ ۞ وَإِذِ ٱبْتَلَىٰٓ إِبْرَٰهِۦمَ رَبُّهُۥ بِكَلِمَٰتٍ

فَأَتَمَّهُنَّ قَالَ إِنِّى جَاعِلُكَ لِلنَّاسِ إِمَامًا قَالَ وَمِن ذُرِّيَّتِى قَالَ لَا

يَنَالُ عَهْدِى ٱلظَّٰلِمِينَ ﴿١٢٤﴾ وَإِذْ جَعَلْنَا ٱلْبَيْتَ مَثَابَةً لِّلنَّاسِ

وَأَمْنًا وَٱتَّخِذُوا۟ مِن مَّقَامِ إِبْرَٰهِۦمَ مُصَلًّى وَعَهِدْنَآ إِلَىٰٓ إِبْرَٰهِۦمَ

وَإِسْمَٰعِيلَ أَن طَهِّرَا بَيْتِىَ لِلطَّآئِفِينَ وَٱلْعَٰكِفِينَ وَٱلرُّكَّعِ

ٱلسُّجُودِ ﴿١٢٥﴾ وَإِذْ قَالَ إِبْرَٰهِۦمُ رَبِّ ٱجْعَلْ هَٰذَا بَلَدًا ءَامِنًا وَٱرْزُقْ

أَهْلَهُۥ مِنَ ٱلثَّمَرَٰتِ مَنْ ءَامَنَ مِنْهُم بِٱللَّهِ وَٱلْيَوْمِ ٱلْءَاخِرِ قَالَ وَمَن كَفَرَ

فَأُمَتِّعُهُۥ قَلِيلًا ثُمَّ أَضْطَرُّهُۥٓ إِلَىٰ عَذَابِ ٱلنَّارِ وَبِئْسَ ٱلْمَصِيرُ ﴿١٢٦﴾

120. Ni les Juifs, ni les Chrétiens ne seront jamais satisfaits de toi, jusqu'à ce que tu suives leur religion. - Dis: «Certes, c'est la direction[1] d'Allāh qui est la vraie direction». Mais si tu suis leurs passions après ce que tu as reçu de science, tu n'auras contre Allāh ni protecteur ni secoureur.

121. Ceux à qui Nous avons donné le Livre, qui le récitent comme il se doit, ceux-là y croient. Et ceux qui n'y croient pas sont les perdants[2].

122. Ô enfants d'Israël, rappelez-vous Mon bienfait dont Je vous ai comblés et que Je vous ai favorisés par-dessus le reste du monde (de leur époque).

123. Et redoutez le jour où nulle âme ne bénéficiera à une autre, où l'on n'acceptera d'elle aucune compensation, et où aucune intercession ne lui sera utile. Et ils ne seront point secourus.

124. [Et rappelle-toi,] quand ton Seigneur eut éprouvé Abraham par certains commandements, et qu'il les eut accomplis, le Seigneur lui dit: «Je vais faire de toi un exemple (imām) à suivre pour les gens». - «Et parmi ma descendance»? demanda-t-il. - «Mon engagement, dit Allāh, ne s'applique pas aux injustes».

125. [Et rappelle-toi], quand nous fîmes de la Maison un lieu de visite et un asile pour les gens - Adoptez donc pour lieu de prière, ce lieu où Abraham se tint debout - Et Nous confiâmes à Abraham et à Ismaël ceci: «Purifiez Ma Maison pour ceux qui tournent autour, y font retraite pieuse, s'y inclinent et s'y prosternent[3].

126. Et quand Abraham supplia: «Ô mon Seigneur, fais de cette cité un lieu de sécurité, et fais attribution des fruits à ceux qui parmi ses habitants auront cru en Allāh et au Jour dernier», le Seigneur dit: «Et quiconque n'y aura pas cru, alors Je lui concéderai une courte jouissance [ici-bas], puis Je le contraindrai au châtiment du Feu [dans l'au-delà]. Et quelle mauvaise destination»»!

---

1. *La direction*: c.-à-d., la religion de l'Islām est la vraie religion.
2. *Le Livre*: le Qur'ān, autre interprétation: la Thora et l'Evangile.
Qui le récitent: autre interprétation: qui le suivent.
3. *La Maison*: la Ka'ba de la Mecque, lieu des pèlerinages, reconstruit par Abraham *qui s'y tînt debout* pour l'ériger et prier.
Ceux qui tourneront autour...: rite du pèlerinage ;
S'incliner et se prosterner: rites de la Ṣalāt.

وَإِذْ يَرْفَعُ إِبْرَٰهِ‍ۧمُ ٱلْقَوَاعِدَ مِنَ ٱلْبَيْتِ وَإِسْمَٰعِيلُ رَبَّنَا تَقَبَّلْ مِنَّآ إِنَّكَ أَنتَ ٱلسَّمِيعُ ٱلْعَلِيمُ ۝ رَبَّنَا وَٱجْعَلْنَا مُسْلِمَيْنِ لَكَ وَمِن ذُرِّيَّتِنَآ أُمَّةً مُّسْلِمَةً لَّكَ وَأَرِنَا مَنَاسِكَنَا وَتُبْ عَلَيْنَآ إِنَّكَ أَنتَ ٱلتَّوَّابُ ٱلرَّحِيمُ ۝ رَبَّنَا وَٱبْعَثْ فِيهِمْ رَسُولًا مِّنْهُمْ يَتْلُوا۟ عَلَيْهِمْ ءَايَٰتِكَ وَيُعَلِّمُهُمُ ٱلْكِتَٰبَ وَٱلْحِكْمَةَ وَيُزَكِّيهِمْ إِنَّكَ أَنتَ ٱلْعَزِيزُ ٱلْحَكِيمُ ۝ وَمَن يَرْغَبُ عَن مِّلَّةِ إِبْرَٰهِ‍ۧمَ إِلَّا مَن سَفِهَ نَفْسَهُ وَلَقَدِ ٱصْطَفَيْنَٰهُ فِي ٱلدُّنْيَا وَإِنَّهُ فِي ٱلْءَاخِرَةِ لَمِنَ ٱلصَّٰلِحِينَ ۝ إِذْ قَالَ لَهُ رَبُّهُ أَسْلِمْ قَالَ أَسْلَمْتُ لِرَبِّ ٱلْعَٰلَمِينَ ۝ وَوَصَّىٰ بِهَآ إِبْرَٰهِ‍ۧمُ بَنِيهِ وَيَعْقُوبُ يَٰبَنِيَّ إِنَّ ٱللَّهَ ٱصْطَفَىٰ لَكُمُ ٱلدِّينَ فَلَا تَمُوتُنَّ إِلَّا وَأَنتُم مُّسْلِمُونَ ۝ أَمْ كُنتُمْ شُهَدَآءَ إِذْ حَضَرَ يَعْقُوبَ ٱلْمَوْتُ إِذْ قَالَ لِبَنِيهِ مَا تَعْبُدُونَ مِنۢ بَعْدِى قَالُوا۟ نَعْبُدُ إِلَٰهَكَ وَإِلَٰهَ ءَابَآئِكَ إِبْرَٰهِ‍ۧمَ وَإِسْمَٰعِيلَ وَإِسْحَٰقَ إِلَٰهًا وَٰحِدًا وَنَحْنُ لَهُ مُسْلِمُونَ ۝ تِلْكَ أُمَّةٌ قَدْ خَلَتْ لَهَا مَا كَسَبَتْ وَلَكُم مَّا كَسَبْتُمْ وَلَا تُسْـَٔلُونَ عَمَّا كَانُوا۟ يَعْمَلُونَ ۝

127. Et quand Abraham et Ismaël élevaient les assises de la Maison: «Ô notre Seigneur, accepte ceci de notre part! Car c'est Toi l'Audient, l'Omniscient.

128. Notre Seigneur! Fais de nous Tes Soumis[1], et de notre descendance une communauté soumise à Toi. Et montre nous nos rites et accepte de nous le repentir. Car c'est Toi certes l'Accueillant au repentir, le Miséricordieux.

129. Notre Seigneur! Envoie l'un des leurs comme messager parmi eux, pour leur réciter Tes versets[2], leur enseigner le Livre et la Sagesse, et les purifier. Car c'est Toi certes le Puissant, le Sage!

130. Qui donc aura en aversion la religion d'Abraham, sinon celui qui sème son âme dans la sottise? Car très certainement Nous l'avons choisi en ce monde ; et, dans l'au-delà, il est certes du nombre des gens de bien.

131. Quand son Seigneur lui avait dit: «Soumets-toi», il dit: «Je me soumets au Seigneur de l'Univers».

132. Et c'est ce qu'Abraham recommanda à ses fils, de même que Jacob: «Ô mes fils, certes Allāh vous a choisi la religion: ne mourrez point, donc, autrement qu'en Soumis»! (à Allāh)[3] .

133. Étiez-vous témoins quand la mort se présenta à Jacob et qu'il dit à ses fils: «Qu'adorerez-vous après moi»? Ils répondirent: «Nous adorerons ta divinité et la divinité de tes pères, Abraham, Ismaël et Isaac, Divinité Unique et à laquelle nous sommes Soumis».

134. Voilà une génération bel et bien révolue. À elle ce qu'elle a acquis, et vous ce que vous avez acquis. On ne vous demandera pas compte de ce qu'ils faisaient.

---

1. *Tes soumis*: c.-à-d.: tes Musulmans.
2. *Tes versets*: ce que nous traduisons tantôt par verset, tantôt par signe (Āya) s'applique en effet à l'un et à l'autre. Le mot *āya* désigne toute expression de l'intervention d'Allāh: les faits qui surviennent providentiellement dans la vie sont des *āyas*, chaque verset révélé en est un aussi ; il est aussi le récit d'un miracle ou d'une catastrophe, et l'exposé d'un commandement.
3. *Soumis*: Notez qu'en S. 22, v. 78, Abraham nomme «Soumis» (Musulmans) ses fidèles.

وَقَالُوا كُونُوا هُودًا أَوْ نَصَارَىٰ تَهْتَدُوا قُلْ بَلْ مِلَّةَ إِبْرَٰهِمَ حَنِيفًا وَمَا كَانَ مِنَ ٱلْمُشْرِكِينَ ۝ قُولُوٓا ءَامَنَّا بِٱللَّهِ وَمَآ أُنزِلَ إِلَيْنَا وَمَآ أُنزِلَ إِلَىٰٓ إِبْرَٰهِمَ وَإِسْمَٰعِيلَ وَإِسْحَٰقَ وَيَعْقُوبَ وَٱلْأَسْبَاطِ وَمَآ أُوتِىَ مُوسَىٰ وَعِيسَىٰ وَمَآ أُوتِىَ ٱلنَّبِيُّونَ مِن رَّبِّهِمْ لَا نُفَرِّقُ بَيْنَ أَحَدٍ مِّنْهُمْ وَنَحْنُ لَهُۥ مُسْلِمُونَ ۝ فَإِنْ ءَامَنُوا بِمِثْلِ مَآ ءَامَنتُم بِهِۦ فَقَدِ ٱهْتَدَوا وَّإِن تَوَلَّوْا فَإِنَّمَا هُمْ فِى شِقَاقٍ فَسَيَكْفِيكَهُمُ ٱللَّهُ وَهُوَ ٱلسَّمِيعُ ٱلْعَلِيمُ ۝ صِبْغَةَ ٱللَّهِ وَمَنْ أَحْسَنُ مِنَ ٱللَّهِ صِبْغَةً وَنَحْنُ لَهُۥ عَٰبِدُونَ ۝ قُلْ أَتُحَآجُّونَنَا فِى ٱللَّهِ وَهُوَ رَبُّنَا وَرَبُّكُمْ وَلَنَآ أَعْمَٰلُنَا وَلَكُمْ أَعْمَٰلُكُمْ وَنَحْنُ لَهُۥ مُخْلِصُونَ ۝ أَمْ تَقُولُونَ إِنَّ إِبْرَٰهِمَ وَإِسْمَٰعِيلَ وَإِسْحَٰقَ وَيَعْقُوبَ وَٱلْأَسْبَاطَ كَانُوا هُودًا أَوْ نَصَارَىٰ قُلْ ءَأَنتُمْ أَعْلَمُ أَمِ ٱللَّهُ وَمَنْ أَظْلَمُ مِمَّن كَتَمَ شَهَٰدَةً عِندَهُۥ مِنَ ٱللَّهِ وَمَا ٱللَّهُ بِغَٰفِلٍ عَمَّا تَعْمَلُونَ ۝ تِلْكَ أُمَّةٌ قَدْ خَلَتْ لَهَا مَا كَسَبَتْ وَلَكُم مَّا كَسَبْتُمْ وَلَا تُسْـَٔلُونَ عَمَّا كَانُوا يَعْمَلُونَ ۝

135. Ils ont dit[1]: «Soyez Juifs ou Chrétiens, vous serez donc sur la bonne voie». - Dis: «Non, mais nous suivons la religion d'Abraham, le modèle même de la droiture et qui ne fut point parmi les Associateurs».

136. Dites: «Nous croyons en Allāh et en ce qu'on nous a révélé, et en ce qu'on a fait descendre[2] vers Abraham et Ismaël et Isaac et Jacob et les Tribus, et en ce qui a été donné à Moïse et à Jésus, et en ce qui a été donné aux prophètes, venant de leur Seigneur: nous ne faisons aucune distinction entre eux. Et à Lui nous sommes Soumis».

137. Alors, s'ils croient à cela même à quoi vous croyez, ils seront certainement sur la bonne voie. Et s'ils s'en détournent, ils seront certes dans le schisme! Alors Allāh te suffira contre eux. Il est l'Audient, l'Omniscient.

138. «Nous suivons la religion d'Allāh! Et qui est meilleur qu'Allāh en Sa religion? C'est Lui que nous adorons»[3].

139. Dis: «Discutez-vous avec nous au sujet d'Allāh, alors qu'Il est notre Seigneur et le vôtre? À nous nos actions et à vous les vôtres! C'est à Lui que nous sommes dévoués.

140. Ou dites-vous qu'Abraham, Ismaël, Isaac et Jacob et les tribus étaient Juifs ou Chrétiens?» - Dis: «Est-ce vous les plus savants, ou Allāh?» - Qui est plus injuste que celui qui cache un témoignage qu'il détient d'Allāh? Et Allāh n'est pas inattentif à ce que vous faites.

141. Voilà une génération bel et bien révolue. À elle ce qu'elle a acquis, et à vous ce que vous avez acquis. Et on ne vous demandera pas compte de ce qu'ils faisaient.

---

1. *Ils ont dit*: les Juifs et les Chrétiens.
2. *Ce qu'on a fait descendre*: en révélation.
3. *Religion d'Allāh*: l'Islām (voir aussi S. 3, v. 19, 84 et 85). On revient ici au verset (136), c.-à-d. nous suivons la religion d'Abraham qui est la religion d'Allāh.
Autre interprétation: le Qur'ān emploie ici le mot «Ṣibġa» (couleur), c.-à-d.: cette religion est la couleur naturelle avec laquelle l'homme est né, comme l'indique un «Ḥadīṯ» du Prophète.

۞ سَيَقُولُ ٱلسُّفَهَآءُ مِنَ ٱلنَّاسِ مَا وَلَّىٰهُمْ عَن قِبْلَتِهِمُ ٱلَّتِى كَانُوا۟ عَلَيْهَا ۚ قُل لِّلَّهِ ٱلْمَشْرِقُ وَٱلْمَغْرِبُ ۚ يَهْدِى مَن يَشَآءُ إِلَىٰ صِرَٰطٍ مُّسْتَقِيمٍ ۝ وَكَذَٰلِكَ جَعَلْنَٰكُمْ أُمَّةً وَسَطًا لِّتَكُونُوا۟ شُهَدَآءَ عَلَى ٱلنَّاسِ وَيَكُونَ ٱلرَّسُولُ عَلَيْكُمْ شَهِيدًا ۗ وَمَا جَعَلْنَا ٱلْقِبْلَةَ ٱلَّتِى كُنتَ عَلَيْهَآ إِلَّا لِنَعْلَمَ مَن يَتَّبِعُ ٱلرَّسُولَ مِمَّن يَنقَلِبُ عَلَىٰ عَقِبَيْهِ ۚ وَإِن كَانَتْ لَكَبِيرَةً إِلَّا عَلَى ٱلَّذِينَ هَدَى ٱللَّهُ ۗ وَمَا كَانَ ٱللَّهُ لِيُضِيعَ إِيمَٰنَكُمْ ۚ إِنَّ ٱللَّهَ بِٱلنَّاسِ لَرَءُوفٌ رَّحِيمٌ ۝ قَدْ نَرَىٰ تَقَلُّبَ وَجْهِكَ فِى ٱلسَّمَآءِ ۖ فَلَنُوَلِّيَنَّكَ قِبْلَةً تَرْضَىٰهَا ۚ فَوَلِّ وَجْهَكَ شَطْرَ ٱلْمَسْجِدِ ٱلْحَرَامِ ۚ وَحَيْثُ مَا كُنتُمْ فَوَلُّوا۟ وُجُوهَكُمْ شَطْرَهُۥ ۗ وَإِنَّ ٱلَّذِينَ أُوتُوا۟ ٱلْكِتَٰبَ لَيَعْلَمُونَ أَنَّهُ ٱلْحَقُّ مِن رَّبِّهِمْ ۗ وَمَا ٱللَّهُ بِغَٰفِلٍ عَمَّا يَعْمَلُونَ ۝ وَلَئِنْ أَتَيْتَ ٱلَّذِينَ أُوتُوا۟ ٱلْكِتَٰبَ بِكُلِّ ءَايَةٍ مَّا تَبِعُوا۟ قِبْلَتَكَ ۚ وَمَآ أَنتَ بِتَابِعٍ قِبْلَتَهُمْ ۚ وَمَا بَعْضُهُم بِتَابِعٍ قِبْلَةَ بَعْضٍ ۚ وَلَئِنِ ٱتَّبَعْتَ أَهْوَآءَهُم مِّنۢ بَعْدِ مَا جَآءَكَ مِنَ ٱلْعِلْمِ ۙ إِنَّكَ إِذًا لَّمِنَ ٱلظَّٰلِمِينَ ۝

142. Les faibles d'esprit parmi les gens vont dire: «Qui les a détournés de la direction (Qibla)[1] vers laquelle ils s'orientaient auparavant?» - Dis: «C'est à Allāh qu'appartiennent le Levant et le Couchant. Il guide qui Il veut vers un droit chemin».

143. Et aussi Nous avons fait de vous une communauté de justes pour que vous soyez témoins aux gens, comme le Messager sera témoin à vous. Et Nous n'avions établi la direction (Qibla) vers laquelle tu te tournais que pour savoir qui suit le Messager (Muḥammad) et qui s'en retourne sur ses talons. C'était un changement difficile, mais pas pour ceux qu'Allāh guide. Et ce n'est pas Allāh qui vous fera perdre [la récompense de] votre foi, car Allāh, certes est Compatissant et Miséricordieux pour les hommes[2].

144. Certes nous te voyons tourner le visage en tous sens dans le ciel. Nous te faisons donc orienter vers une direction qui te plaît. Tourne donc ton visage vers la Mosquée sacrée. Où que vous soyez, tournez-y vos visages. Certes, ceux à qui le Livre a été donné savent bien que c'est la vérité venue de leur Seigneur. Et Allāh n'est pas inattentif à ce qu'ils font[3].

145. Certes si tu apportais toutes les preuves à ceux à qui le Livre a été donné, ils ne suivraient pas ta direction (Qibla) ! Et tu ne suivras pas la leur ; et entre eux, les uns ne suivent pas la direction des autres. Et si tu suivais leurs passions après ce que tu as reçu de science, tu serais, certes, du nombre des injustes.

---

1. (*Qibla*): est la direction vers laquelle on s'oriente dans l'accomplissement de la Ṣalāt. Aux premiers temps de l'Hégire, elle était vers Jérusalem. Elle fut bientôt vers la Mecque, sur l'ordre d'Allāh pendant la deuxième année de l'Hégire.
2. L'orientation vers la Kaʿba équivaut donc à une sorte de profession de foi. Allāh est Omniprésent ; mais pour que la communauté garde son unité, il lui faut un point focal commun. À la Mecque, avant l'Hégire, le Prophète s'orientait de telle sorte qu'il avait pour «Qibla» à la fois la Kaʿba et Jérusalem. Arrivé à Médine, il s'orienta vers Jérusalem. Au bout de quelques mois, il ressentit le désir de se tourner vers la Kaʿba. Allāh a exaucé le souhait du Prophète. Ce verset répond à la question des infidèles au sujet des «Ṣalāt-s» accomplies antérieurement dans la direction de Jérusalem et ce par l'expression «imānakum» (votre foi).
3. *Vers la Mosquée sacrée* de la Mecque (la Kaʿba).
Ceux à qui le Livre (la Thora et l'Evangile) *a été donné*: Juifs et Chrétiens.

ٱلَّذِينَ ءَاتَيْنَٰهُمُ ٱلْكِتَٰبَ يَعْرِفُونَهُۥ كَمَا يَعْرِفُونَ أَبْنَآءَهُمْ وَإِنَّ فَرِيقًا مِّنْهُمْ لَيَكْتُمُونَ ٱلْحَقَّ وَهُمْ يَعْلَمُونَ ۝ ٱلْحَقُّ مِن رَّبِّكَ فَلَا تَكُونَنَّ مِنَ ٱلْمُمْتَرِينَ ۝ وَلِكُلٍّ وِجْهَةٌ هُوَ مُوَلِّيهَا فَٱسْتَبِقُوا۟ ٱلْخَيْرَٰتِ أَيْنَ مَا تَكُونُوا۟ يَأْتِ بِكُمُ ٱللَّهُ جَمِيعًا إِنَّ ٱللَّهَ عَلَىٰ كُلِّ شَىْءٍ قَدِيرٌ ۝ وَمِنْ حَيْثُ خَرَجْتَ فَوَلِّ وَجْهَكَ شَطْرَ ٱلْمَسْجِدِ ٱلْحَرَامِ وَإِنَّهُۥ لَلْحَقُّ مِن رَّبِّكَ وَمَا ٱللَّهُ بِغَٰفِلٍ عَمَّا تَعْمَلُونَ ۝ وَمِنْ حَيْثُ خَرَجْتَ فَوَلِّ وَجْهَكَ شَطْرَ ٱلْمَسْجِدِ ٱلْحَرَامِ وَحَيْثُ مَا كُنتُمْ فَوَلُّوا۟ وُجُوهَكُمْ شَطْرَهُۥ لِئَلَّا يَكُونَ لِلنَّاسِ عَلَيْكُمْ حُجَّةٌ إِلَّا ٱلَّذِينَ ظَلَمُوا۟ مِنْهُمْ فَلَا تَخْشَوْهُمْ وَٱخْشَوْنِى وَلِأُتِمَّ نِعْمَتِى عَلَيْكُمْ وَلَعَلَّكُمْ تَهْتَدُونَ ۝ كَمَا أَرْسَلْنَا فِيكُمْ رَسُولًا مِّنكُمْ يَتْلُوا۟ عَلَيْكُمْ ءَايَٰتِنَا وَيُزَكِّيكُمْ وَيُعَلِّمُكُمُ ٱلْكِتَٰبَ وَٱلْحِكْمَةَ وَيُعَلِّمُكُم مَّا لَمْ تَكُونُوا۟ تَعْلَمُونَ ۝ فَٱذْكُرُونِىٓ أَذْكُرْكُمْ وَٱشْكُرُوا۟ لِى وَلَا تَكْفُرُونِ ۝ يَٰٓأَيُّهَا ٱلَّذِينَ ءَامَنُوا۟ ٱسْتَعِينُوا۟ بِٱلصَّبْرِ وَٱلصَّلَوٰةِ إِنَّ ٱللَّهَ مَعَ ٱلصَّٰبِرِينَ ۝

146. Ceux à qui Nous avons donné le Livre, le reconnaissent comme ils reconnaissent leurs enfants. Or une partie d'entre eux cache la vérité, alors qu'ils la savent!

147. La vérité vient de ton Seigneur. Ne sois donc pas de ceux qui doutent.

148. À chacun une orientation vers laquelle il se tourne. Rivalisez donc dans les bonnes œuvres. Où que vous soyez, Allāh vous ramènera tous vers Lui, car Allāh est, certes Omnipotent.

149. Et d'où que tu sortes, tourne ton visage vers la Mosquée sacrée. Oui voilà bien la vérité venant de ton Seigneur. Et Allāh n'est pas inattentif à ce que vous faites.

150. Et d'où que tu sortes, tourne ton visage vers la Mosquée sacrée. Et où que vous soyez, tournez-y vos visages, afin que les gens n'aient pas d'argument contre vous, sauf ceux d'entre eux qui sont de vrais injustes. Ne les craignez donc pas ; mais craignez-Moi pour que Je parachève Mon bienfait à votre égard, et que vous soyez bien guidés!

151. Ainsi, Nous avons envoyé parmi vous un messager de chez vous qui vous récite Nos versets, vous purifie, vous enseigne le Livre et la Sagesse et vous enseigne ce que vous ne saviez pas.

152. Souvenez-vous de Moi donc, Je vous récompenserai. Remerciez-Moi et ne soyez pas ingrats envers Moi!

153. Ô les croyants! Cherchez secours dans l'endurance et la Ṣalāt. Car Allāh est avec ceux qui sont endurants.

وَلَا تَقُولُواْ لِمَن يُقْتَلُ فِى سَبِيلِ ٱللَّهِ أَمْوَٰتُۢ بَلْ أَحْيَآءٌ وَلَٰكِن لَّا تَشْعُرُونَ ۝ وَلَنَبْلُوَنَّكُم بِشَىْءٍ مِّنَ ٱلْخَوْفِ وَٱلْجُوعِ وَنَقْصٍ مِّنَ ٱلْأَمْوَٰلِ وَٱلْأَنفُسِ وَٱلثَّمَرَٰتِ وَبَشِّرِ ٱلصَّٰبِرِينَ ۝ ٱلَّذِينَ إِذَآ أَصَٰبَتْهُم مُّصِيبَةٌ قَالُوٓاْ إِنَّا لِلَّهِ وَإِنَّآ إِلَيْهِ رَٰجِعُونَ ۝ أُوْلَٰٓئِكَ عَلَيْهِمْ صَلَوَٰتٌ مِّن رَّبِّهِمْ وَرَحْمَةٌ وَأُوْلَٰٓئِكَ هُمُ ٱلْمُهْتَدُونَ ۝

۞ إِنَّ ٱلصَّفَا وَٱلْمَرْوَةَ مِن شَعَآئِرِ ٱللَّهِ فَمَنْ حَجَّ ٱلْبَيْتَ أَوِ ٱعْتَمَرَ فَلَا جُنَاحَ عَلَيْهِ أَن يَطَّوَّفَ بِهِمَا وَمَن تَطَوَّعَ خَيْرًا فَإِنَّ ٱللَّهَ شَاكِرٌ عَلِيمٌ ۝ إِنَّ ٱلَّذِينَ يَكْتُمُونَ مَآ أَنزَلْنَا مِنَ ٱلْبَيِّنَٰتِ وَٱلْهُدَىٰ مِنۢ بَعْدِ مَا بَيَّنَّٰهُ لِلنَّاسِ فِى ٱلْكِتَٰبِ أُوْلَٰٓئِكَ يَلْعَنُهُمُ ٱللَّهُ وَيَلْعَنُهُمُ ٱللَّٰعِنُونَ ۝ إِلَّا ٱلَّذِينَ تَابُواْ وَأَصْلَحُواْ وَبَيَّنُواْ فَأُوْلَٰٓئِكَ أَتُوبُ عَلَيْهِمْ وَأَنَا ٱلتَّوَّابُ ٱلرَّحِيمُ ۝ إِنَّ ٱلَّذِينَ كَفَرُواْ وَمَاتُواْ وَهُمْ كُفَّارٌ أُوْلَٰٓئِكَ عَلَيْهِمْ لَعْنَةُ ٱللَّهِ وَٱلْمَلَٰٓئِكَةِ وَٱلنَّاسِ أَجْمَعِينَ ۝ خَٰلِدِينَ فِيهَا لَا يُخَفَّفُ عَنْهُمُ ٱلْعَذَابُ وَلَا هُمْ يُنظَرُونَ ۝ وَإِلَٰهُكُمْ إِلَٰهٌ وَٰحِدٌ لَّآ إِلَٰهَ إِلَّا هُوَ ٱلرَّحْمَٰنُ ٱلرَّحِيمُ ۝

154. Et ne dites pas de ceux qui sont tués dans le sentier d'Allāh[1] qu'ils sont morts. Au contraire ils sont vivants, mais vous en êtes inconscients.

155. Très certainement, Nous vous éprouverons par un peu de peur, de faim et de diminution de biens, de personnes et de fruits. Et fais la bonne annonce aux endurants,

156. qui disent, quand un malheur les atteint: «Certes nous sommes à Allāh, et c'est à Lui que nous retournerons.

157. Ceux-là reçoivent des bénédictions de leur Seigneur, ainsi que la miséricorde ; et ceux-là sont les biens guidés.

158. Aṣ-Ṣafa et Al-Marwa[2] sont vraiment parmi les lieux sacrés d'Allāh. Donc, quiconque fait pèlerinage à la Maison ou fait la ʿUmra, ne commet pas de péché en faisant le va-et-vient entre ces deux monts. Et quiconque fait de son propre gré une bonne œuvre, alors Allāh est Reconnaissant, Omniscient.

159. Certes ceux qui cachent ce que Nous avons fait descendre en fait de preuves et de guide après l'exposé que Nous en avons fait aux gens, dans le Livre, voilà ceux qu'Allāh maudit et que les maudisseurs maudissent[3],

160. sauf ceux qui se sont repentis, corrigés et déclarés: d'eux Je reçois le repentir. Car c'est Moi, l'Accueillant au repentir, le Miséricordieux.

161. Ceux qui ne croient pas et meurent mécréants, recevront la malédiction d'Allāh, des Anges et de tous les hommes.

162. Ils y demeureront éternellement ; le châtiment ne leur sera pas allégé, et on ne leur accordera pas de répit.

163. Et votre Divinité est une divinité unique. Pas de divinité à part Lui, le Tout Miséricordieux, le Très Miséricordieux.

---

1. *Dans le sentier d'Allāh*: au service d'Allāh, dans les bonnes œuvres. On comprend ici en premier lieu la guerre et la lutte contre les ennemis d'Allāh, en second lieu, toute œuvre pieuse.
2. *Aṣ-Ṣafa et al-Marwa*: deux collines proches de la Maison (la Kaʿba) qui étaient autrefois des lieux de culte païens. Ce verset 158 précise qu'il n'y a pas de mal à ce que les pèlerins fassent le va-et-vient entre ces deux monts qui, étant dans l'enceinte de la Mecque, sont parmi les points de culte d'Allāh l'Unique. (*Voir infra* v. 196).
3. Voir *infra* v. 174.

إِنَّ فِى خَلْقِ ٱلسَّمَٰوَٰتِ وَٱلْأَرْضِ وَٱخْتِلَٰفِ ٱلَّيْلِ وَٱلنَّهَارِ وَٱلْفُلْكِ ٱلَّتِى تَجْرِى فِى ٱلْبَحْرِ بِمَا يَنفَعُ ٱلنَّاسَ وَمَا أَنزَلَ ٱللَّهُ مِنَ ٱلسَّمَاءِ مِن مَّاءٍ فَأَحْيَا بِهِ ٱلْأَرْضَ بَعْدَ مَوْتِهَا وَبَثَّ فِيهَا مِن كُلِّ دَآبَّةٍ وَتَصْرِيفِ ٱلرِّيَٰحِ وَٱلسَّحَابِ ٱلْمُسَخَّرِ بَيْنَ ٱلسَّمَاءِ وَٱلْأَرْضِ لَءَايَٰتٍ لِّقَوْمٍ يَعْقِلُونَ ۝ وَمِنَ ٱلنَّاسِ مَن يَتَّخِذُ مِن دُونِ ٱللَّهِ أَندَادًا يُحِبُّونَهُمْ كَحُبِّ ٱللَّهِ وَٱلَّذِينَ ءَامَنُوٓا۟ أَشَدُّ حُبًّا لِّلَّهِ وَلَوْ يَرَى ٱلَّذِينَ ظَلَمُوٓا۟ إِذْ يَرَوْنَ ٱلْعَذَابَ أَنَّ ٱلْقُوَّةَ لِلَّهِ جَمِيعًا وَأَنَّ ٱللَّهَ شَدِيدُ ٱلْعَذَابِ ۝ إِذْ تَبَرَّأَ ٱلَّذِينَ ٱتُّبِعُوا۟ مِنَ ٱلَّذِينَ ٱتَّبَعُوا۟ وَرَأَوُا۟ ٱلْعَذَابَ وَتَقَطَّعَتْ بِهِمُ ٱلْأَسْبَابُ ۝ وَقَالَ ٱلَّذِينَ ٱتَّبَعُوا۟ لَوْ أَنَّ لَنَا كَرَّةً فَنَتَبَرَّأَ مِنْهُمْ كَمَا تَبَرَّءُوا۟ مِنَّا كَذَٰلِكَ يُرِيهِمُ ٱللَّهُ أَعْمَٰلَهُمْ حَسَرَٰتٍ عَلَيْهِمْ وَمَا هُم بِخَٰرِجِينَ مِنَ ٱلنَّارِ ۝ يَٰٓأَيُّهَا ٱلنَّاسُ كُلُوا۟ مِمَّا فِى ٱلْأَرْضِ حَلَٰلًا طَيِّبًا وَلَا تَتَّبِعُوا۟ خُطُوَٰتِ ٱلشَّيْطَٰنِ إِنَّهُۥ لَكُمْ عَدُوٌّ مُّبِينٌ ۝ إِنَّمَا يَأْمُرُكُم بِٱلسُّوٓءِ وَٱلْفَحْشَاءِ وَأَن تَقُولُوا۟ عَلَى ٱللَّهِ مَا لَا تَعْلَمُونَ ۝

164. Certes dans la création des cieux et de la terre, dans l'alternance de la nuit et du jour, dans le navire qui vogue en mer chargé de choses profitables aux gens, dans l'eau qu'Allāh fait descendre du ciel, par laquelle Il rend la vie à la terre une fois morte et y répand des bêtes de toute espèce, dans la variation des vents, et dans les nuages soumis entre le ciel et la terre, en tout cela il y a des signes, pour un peuple qui raisonne.

165. Parmi les hommes, il en est qui prennent, en dehors d'Allāh, des égaux à Lui, en les aimant comme on aime Allāh. Or les croyants sont les plus ardents en l'amour d'Allāh. Quand les injustes verront le châtiment, ils sauront que la force tout entière est à Allāh et qu'Allāh est dur en châtiment !...

166. Quand les meneurs désavoueront les suiveurs à la vue du châtiment, les liens entre eux seront bien brisés1 !

167. Et les suiveurs diront: «Ah! Si un retour2 nous était possible! Alors nous les désavouerions comme ils nous ont désavoués!» - Ainsi Allāh leur montra leurs actions; source de remords pour eux ; mais ils ne pourront pas sortir du Feu.

168. Ô gens! De ce qui existe sur la terre, mangez le licite et le pur ; ne suivez point les pas du Diable car il est vraiment pour vous, un ennemi déclaré.

169. Il ne vous commande que le mal et la turpitude et de dire contre Allāh ce que vous ne savez pas.

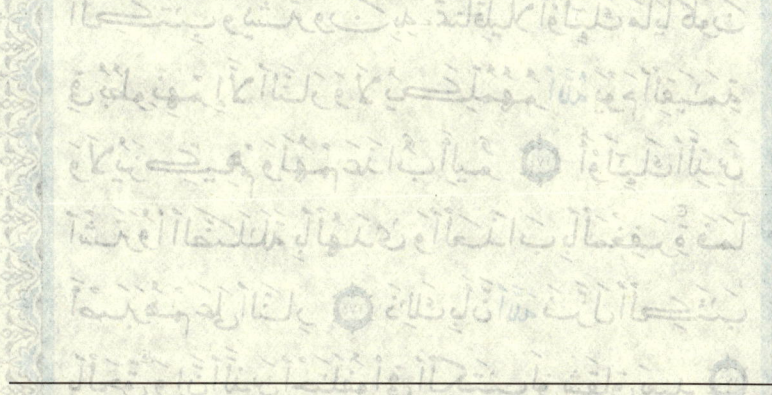

---

1. *Les liens entre*: autre interprétation: ils perdront tous leurs moyens de sauvetage.
2. *Un retour*: sur terre.

وَإِذَا قِيلَ لَهُمُ ٱتَّبِعُوا۟ مَآ أَنزَلَ ٱللَّهُ قَالُوا۟ بَلْ نَتَّبِعُ مَآ أَلْفَيْنَا عَلَيْهِ ءَابَآءَنَآ أَوَلَوْ كَانَ ءَابَآؤُهُمْ لَا يَعْقِلُونَ شَيْـًٔا وَلَا يَهْتَدُونَ ۞ وَمَثَلُ ٱلَّذِينَ كَفَرُوا۟ كَمَثَلِ ٱلَّذِى يَنْعِقُ بِمَا لَا يَسْمَعُ إِلَّا دُعَآءً وَنِدَآءً صُمٌّۢ بُكْمٌ عُمْىٌ فَهُمْ لَا يَعْقِلُونَ ۞ يَٰٓأَيُّهَا ٱلَّذِينَ ءَامَنُوا۟ كُلُوا۟ مِن طَيِّبَٰتِ مَا رَزَقْنَٰكُمْ وَٱشْكُرُوا۟ لِلَّهِ إِن كُنتُمْ إِيَّاهُ تَعْبُدُونَ ۞ إِنَّمَا حَرَّمَ عَلَيْكُمُ ٱلْمَيْتَةَ وَٱلدَّمَ وَلَحْمَ ٱلْخِنزِيرِ وَمَآ أُهِلَّ بِهِۦ لِغَيْرِ ٱللَّهِ فَمَنِ ٱضْطُرَّ غَيْرَ بَاغٍ وَلَا عَادٍ فَلَآ إِثْمَ عَلَيْهِ إِنَّ ٱللَّهَ غَفُورٌ رَّحِيمٌ ۞ إِنَّ ٱلَّذِينَ يَكْتُمُونَ مَآ أَنزَلَ ٱللَّهُ مِنَ ٱلْكِتَٰبِ وَيَشْتَرُونَ بِهِۦ ثَمَنًا قَلِيلًا أُو۟لَٰٓئِكَ مَا يَأْكُلُونَ فِى بُطُونِهِمْ إِلَّا ٱلنَّارَ وَلَا يُكَلِّمُهُمُ ٱللَّهُ يَوْمَ ٱلْقِيَٰمَةِ وَلَا يُزَكِّيهِمْ وَلَهُمْ عَذَابٌ أَلِيمٌ ۞ أُو۟لَٰٓئِكَ ٱلَّذِينَ ٱشْتَرَوُا۟ ٱلضَّلَٰلَةَ بِٱلْهُدَىٰ وَٱلْعَذَابَ بِٱلْمَغْفِرَةِ فَمَآ أَصْبَرَهُمْ عَلَى ٱلنَّارِ ۞ ذَٰلِكَ بِأَنَّ ٱللَّهَ نَزَّلَ ٱلْكِتَٰبَ بِٱلْحَقِّ وَإِنَّ ٱلَّذِينَ ٱخْتَلَفُوا۟ فِى ٱلْكِتَٰبِ لَفِى شِقَاقٍۭ بَعِيدٍ ۞

170. Et quand on leur dit: «Suivez ce qu'Allāh a fait descendre», ils disent: «Non, mais nous suivrons les coutumes de nos ancêtres.» - Quoi! et si leurs ancêtres n'avaient rien raisonné et s'ils n'avaient pas été dans la bonne direction?

171. Les mécréants ressemblent à [du bétail] auquel on crie et qui entend seulement appel et voix confus. Sourds, muets, aveugles, ils ne raisonnent point.

172. Ô les croyants! Mangez des (nourritures) licites que Nous vous avons attribuées. Et remerciez Allāh, si c'est Lui que vous adorez.

173. Certes, Il vous interdit la chair d'une bête morte, le sang, la viande de porc et ce sur quoi on a invoqué un autre qu'Allāh. Il n'y a pas de péché sur celui qui est contraint sans toutefois abuser ni transgresser, car Allāh est Pardonneur et Miséricordieux.

174. Ceux qui cachent ce qu'Allāh a fait descendre du Livre 1 et le vendent à vil prix, ceux-là ne s'emplissent le ventre que de Feu. Allāh ne leur adressera pas la parole, au Jour de la Résurrection, et ne les purifiera pas. Et il y aura pour eux un douloureux châtiment.

175. Ceux-là ont échangé la bonne direction contre l'égarement et le pardon contre le châtiment. Qu'est-ce qui leur fera supporter le Feu? !

176. C'est ainsi, car c'est avec la vérité qu'Allāh a fait descendre le Livre ; et ceux qui s'opposent au sujet du Livre sont dans une profonde divergence.

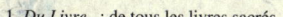

1. *Du Livre*...: de tous les livres sacrés.

۞ لَّيْسَ ٱلْبِرَّ أَن تُوَلُّوا۟ وُجُوهَكُمْ قِبَلَ ٱلْمَشْرِقِ وَٱلْمَغْرِبِ وَلَٰكِنَّ ٱلْبِرَّ مَنْ ءَامَنَ بِٱللَّهِ وَٱلْيَوْمِ ٱلْءَاخِرِ وَٱلْمَلَٰٓئِكَةِ وَٱلْكِتَٰبِ وَٱلنَّبِيِّۦنَ وَءَاتَى ٱلْمَالَ عَلَىٰ حُبِّهِۦ ذَوِى ٱلْقُرْبَىٰ وَٱلْيَتَٰمَىٰ وَٱلْمَسَٰكِينَ وَٱبْنَ ٱلسَّبِيلِ وَٱلسَّآئِلِينَ وَفِى ٱلرِّقَابِ وَأَقَامَ ٱلصَّلَوٰةَ وَءَاتَى ٱلزَّكَوٰةَ وَٱلْمُوفُونَ بِعَهْدِهِمْ إِذَا عَٰهَدُوا۟ وَٱلصَّٰبِرِينَ فِى ٱلْبَأْسَآءِ وَٱلضَّرَّآءِ وَحِينَ ٱلْبَأْسِ أُو۟لَٰٓئِكَ ٱلَّذِينَ صَدَقُوا۟ وَأُو۟لَٰٓئِكَ هُمُ ٱلْمُتَّقُونَ ۝ يَٰٓأَيُّهَا ٱلَّذِينَ ءَامَنُوا۟ كُتِبَ عَلَيْكُمُ ٱلْقِصَاصُ فِى ٱلْقَتْلَى ٱلْحُرُّ بِٱلْحُرِّ وَٱلْعَبْدُ بِٱلْعَبْدِ وَٱلْأُنثَىٰ بِٱلْأُنثَىٰ فَمَنْ عُفِىَ لَهُۥ مِنْ أَخِيهِ شَىْءٌ فَٱتِّبَاعٌۢ بِٱلْمَعْرُوفِ وَأَدَآءٌ إِلَيْهِ بِإِحْسَٰنٍ ذَٰلِكَ تَخْفِيفٌ مِّن رَّبِّكُمْ وَرَحْمَةٌ فَمَنِ ٱعْتَدَىٰ بَعْدَ ذَٰلِكَ فَلَهُۥ عَذَابٌ أَلِيمٌ ۝ وَلَكُمْ فِى ٱلْقِصَاصِ حَيَوٰةٌ يَٰٓأُو۟لِى ٱلْأَلْبَٰبِ لَعَلَّكُمْ تَتَّقُونَ ۝ كُتِبَ عَلَيْكُمْ إِذَا حَضَرَ أَحَدَكُمُ ٱلْمَوْتُ إِن تَرَكَ خَيْرًا ٱلْوَصِيَّةُ لِلْوَٰلِدَيْنِ وَٱلْأَقْرَبِينَ بِٱلْمَعْرُوفِ حَقًّا عَلَى ٱلْمُتَّقِينَ ۝ فَمَنۢ بَدَّلَهُۥ بَعْدَمَا سَمِعَهُۥ فَإِنَّمَآ إِثْمُهُۥ عَلَى ٱلَّذِينَ يُبَدِّلُونَهُۥٓ إِنَّ ٱللَّهَ سَمِيعٌ عَلِيمٌ ۝

177. La bonté pieuse ne consiste pas à tourner vos visages vers le Levant ou le Couchant. Mais la bonté pieuse est de croire en Allāh, au Jour dernier, aux Anges, au Livre et aux prophètes, de donner de son bien, quelqu'amour qu'on en ait, aux proches, aux orphelins, aux nécessiteux, aux voyageurs indigents et à ceux qui demandent l'aide et pour délier les jougs, d'accomplir la Ṣalāt et d'acquitter la Zakāt. Et ceux qui remplissent leurs engagements lorsqu'ils se sont engagés, ceux qui sont endurants dans la misère, la maladie et quand les combats font rage, les voilà les véridiques et les voilà les vrais pieux[1]!

178. Ô les croyants! On vous a prescrit le talion[2] au sujet des tués: homme libre pour homme libre, esclave pour esclave, femme pour femme. Mais celui à qui son frère aura pardonné en quelque façon doit faire face à une requête convenable et doit payer des dommages de bonne grâce. Ceci est un allègement de la part de votre Seigneur, et une miséricorde. Donc, quiconque après cela transgresse, aura un châtiment douloureux.

179. C'est dans le talion que vous aurez la préservation de la vie, ô vous doués d'intelligence, ainsi atteindrez-vous la piété.

180. On vous a prescrit, quand la mort est proche de l'un de vous et s'il laisse des biens, de faire un testament en règle en faveur de ses père et mère et de ses plus proches. C'est un devoir pour les pieux.

181. Quiconque l'altère[3] après l'avoir entendu, le péché ne reposera que sur ceux qui l'ont altéré ; certes, Allāh est Audient et Omniscient.

---

1. *À délier les jougs*: littéralement, les cous, c.-à-d. l'affranchissement des esclaves et des prisonniers de guerre. *Les combats*: dans la guerre contre les infidèles.
2. D'instinct, l'homme outragé se venge et parfois par un mal pire que le mal qu'il a reçu. L'application du talion, a pour effet d'ôter à l'homme Le droit de se venger lui-même comme il l'entend, et substitue à l'instinct de vengeance la nécessité de justice. Le talion représente donc déjà un adoucissement des mœurs. Il est encore tempéré ici (v. 178) par l'intervention du pardon de l'offensé et d'un dédommagement par le coupable.
3. *L'altère*: altère le testament.

فَمَنْ خَافَ مِن مُّوصٍ جَنَفًا أَوْ إِثْمًا فَأَصْلَحَ بَيْنَهُمْ فَلَا إِثْمَ عَلَيْهِ إِنَّ ٱللَّهَ غَفُورٌ رَّحِيمٌ ۝ يَٰٓأَيُّهَا ٱلَّذِينَ ءَامَنُواْ كُتِبَ عَلَيْكُمُ ٱلصِّيَامُ كَمَا كُتِبَ عَلَى ٱلَّذِينَ مِن قَبْلِكُمْ لَعَلَّكُمْ تَتَّقُونَ ۝ أَيَّامًا مَّعْدُودَٰتٍ فَمَن كَانَ مِنكُم مَّرِيضًا أَوْ عَلَىٰ سَفَرٍ فَعِدَّةٌ مِّنْ أَيَّامٍ أُخَرَ وَعَلَى ٱلَّذِينَ يُطِيقُونَهُۥ فِدْيَةٌ طَعَامُ مِسْكِينٍ فَمَن تَطَوَّعَ خَيْرًا فَهُوَ خَيْرٌ لَّهُۥ وَأَن تَصُومُواْ خَيْرٌ لَّكُمْ إِن كُنتُمْ تَعْلَمُونَ ۝ شَهْرُ رَمَضَانَ ٱلَّذِىٓ أُنزِلَ فِيهِ ٱلْقُرْءَانُ هُدًى لِّلنَّاسِ وَبَيِّنَٰتٍ مِّنَ ٱلْهُدَىٰ وَٱلْفُرْقَانِ فَمَن شَهِدَ مِنكُمُ ٱلشَّهْرَ فَلْيَصُمْهُ وَمَن كَانَ مَرِيضًا أَوْ عَلَىٰ سَفَرٍ فَعِدَّةٌ مِّنْ أَيَّامٍ أُخَرَ يُرِيدُ ٱللَّهُ بِكُمُ ٱلْيُسْرَ وَلَا يُرِيدُ بِكُمُ ٱلْعُسْرَ وَلِتُكْمِلُواْ ٱلْعِدَّةَ وَلِتُكَبِّرُواْ ٱللَّهَ عَلَىٰ مَا هَدَىٰكُمْ وَلَعَلَّكُمْ تَشْكُرُونَ ۝ وَإِذَا سَأَلَكَ عِبَادِى عَنِّى فَإِنِّى قَرِيبٌ أُجِيبُ دَعْوَةَ ٱلدَّاعِ إِذَا دَعَانِ فَلْيَسْتَجِيبُواْ لِى وَلْيُؤْمِنُواْ بِى لَعَلَّهُمْ يَرْشُدُونَ ۝

182. Mais quiconque craint d'un testateur quelque partialité (volontaire ou involontaire), et les réconcilie, alors, pas de péché sur lui car Allāh est certes Pardonneur et Miséricordieux[1]!

183. Ô les croyants! On vous a prescrit le jeûne (aṣ-Ṣiyām)[2] comme on l'a prescrit à ceux d'avant vous, ainsi atteindrez-vous la piété,

184. pendant un nombre déterminé de jours. Quiconque d'entre vous est malade ou en voyage, devra jeûner un nombre égal d'autres jours. Mais pour ceux qui ne pourraient le supporter qu'(avec grande difficulté), il y a une compensation[3]: nourrir un pauvre. Et si quelqu'un fait plus de son propre gré, c'est pour lui ; mais il est mieux pour vous de jeûner ; si vous saviez!

185. (Ces jours sont) le mois de Ramaḍān au cours duquel le Qur'ān a été descendu comme guide pour les gens, et preuves claires de la bonne direction et du discernement. Donc, quiconque d'entre vous est présent en ce mois, qu'il jeûne! Et quiconque est malade ou en voyage, alors qu'il jeûne un nombre égal d'autres jours. - Allāh veut pour vous la facilité, Il ne veut pas la difficulté pour vous, afin que vous en complétiez le nombre et que vous proclamiez la grandeur d'Allāh pour vous avoir guidés, et afin que vous soyez reconnaissants!

186. Et quand Mes serviteurs t'interrogent sur Moi... Alors Je suis tout proche: Je réponds à l'appel de celui qui Me prie quand il Me prie. Qu'ils répondent à Mon appel, et qu'ils croient en Moi, afin qu'ils soient bien guidés.

---

1. *Et les réconcilie*: les Légataires et ceux qu'on a injustement déshérités.
Pas de péché sur lui: si pour cela il modifie quelque chose au testament avec le consentement des bénéficiaires. IL s'agit du curateur qui constate dans le testament du défunt une certaine partialité involontaire [Janaf] ou volontaire (Itm = péché) et qui cherche a rétablir la concorde des héritiers après le décès du testateur.
2. *Le jeûne* (aṣ-ṣiyām): c'est pendant tout le mois de Ramadan (9e de l'année lunaire) qu'on jeûne. À cause du calendrier lunaire, les mois changent constamment de saisons. A partir du début de l'aube - environ une heure et demie avant le lever du soleil - jusqu'au coucher, on s'abstient de manger, boire, fumer et avoir des relations sexuelles. Du coucher du soleil à l'aube on mène une vie normale. De même que pour les prières, on a dû aménager, pour les régions polaires, les horaires de jeûne.
3. Le paiement de la *compensation* (fidiya) s'applique exclusivement à ceux qui, à cause d'une grave maladie chronique ou de vieillesse, ne pourraient jamais remplacer les jours de jeûne manqués.

أُحِلَّ لَكُمْ لَيْلَةَ ٱلصِّيَامِ ٱلرَّفَثُ إِلَىٰ نِسَآئِكُمْ هُنَّ لِبَاسٌ لَّكُمْ وَأَنتُمْ لِبَاسٌ لَّهُنَّ عَلِمَ ٱللَّهُ أَنَّكُمْ كُنتُمْ تَخْتَانُونَ أَنفُسَكُمْ فَتَابَ عَلَيْكُمْ وَعَفَا عَنكُمْ فَٱلْـَٰٔنَ بَٰشِرُوهُنَّ وَٱبْتَغُوا۟ مَا كَتَبَ ٱللَّهُ لَكُمْ وَكُلُوا۟ وَٱشْرَبُوا۟ حَتَّىٰ يَتَبَيَّنَ لَكُمُ ٱلْخَيْطُ ٱلْأَبْيَضُ مِنَ ٱلْخَيْطِ ٱلْأَسْوَدِ مِنَ ٱلْفَجْرِ ثُمَّ أَتِمُّوا۟ ٱلصِّيَامَ إِلَى ٱلَّيْلِ وَلَا تُبَٰشِرُوهُنَّ وَأَنتُمْ عَٰكِفُونَ فِى ٱلْمَسَٰجِدِ تِلْكَ حُدُودُ ٱللَّهِ فَلَا تَقْرَبُوهَا كَذَٰلِكَ يُبَيِّنُ ٱللَّهُ ءَايَٰتِهِۦ لِلنَّاسِ لَعَلَّهُمْ يَتَّقُونَ ۝ وَلَا تَأْكُلُوٓا۟ أَمْوَٰلَكُم بَيْنَكُم بِٱلْبَٰطِلِ وَتُدْلُوا۟ بِهَآ إِلَى ٱلْحُكَّامِ لِتَأْكُلُوا۟ فَرِيقًا مِّنْ أَمْوَٰلِ ٱلنَّاسِ بِٱلْإِثْمِ وَأَنتُمْ تَعْلَمُونَ ۝ ۞ يَسْـَٔلُونَكَ عَنِ ٱلْأَهِلَّةِ قُلْ هِىَ مَوَٰقِيتُ لِلنَّاسِ وَٱلْحَجِّ وَلَيْسَ ٱلْبِرُّ بِأَن تَأْتُوا۟ ٱلْبُيُوتَ مِن ظُهُورِهَا وَلَٰكِنَّ ٱلْبِرَّ مَنِ ٱتَّقَىٰ وَأْتُوا۟ ٱلْبُيُوتَ مِنْ أَبْوَٰبِهَا وَٱتَّقُوا۟ ٱللَّهَ لَعَلَّكُمْ تُفْلِحُونَ ۝ وَقَٰتِلُوا۟ فِى سَبِيلِ ٱللَّهِ ٱلَّذِينَ يُقَٰتِلُونَكُمْ وَلَا تَعْتَدُوٓا۟ إِنَّ ٱللَّهَ لَا يُحِبُّ ٱلْمُعْتَدِينَ ۝

ثلاثة أرباع الحزب ٣

187. On vous a permis, la nuit du jeûne (aṣ-Ṣiyām), d'avoir des rapports avec vos femmes ; elles sont un vêtement[1] pour vous et vous êtes un vêtement pour elles. Allāh sait que vous aviez clandestinement des rapports avec vos femmes. Il vous a pardonné et vous a graciés. Cohabitez donc avec elles, maintenant, et cherchez ce qu'Allāh a prescrit en votre faveur ; mangez et buvez jusqu'à ce que se distingue, pour vous, le fil blanc de l'aube du fil noir de la nuit[2]. Puis accomplissez le jeûne jusqu'à la nuit. Mais ne cohabitez pas avec elles pendant que vous êtes en retraite rituelle dans les mosquées. Voilà les lois d'Allāh: ne vous en approchez donc pas (pour les transgresser). C'est ainsi qu'Allāh expose aux hommes Ses enseignements, afin qu'ils deviennent pieux!

188. Et ne dévorez pas mutuellement et illicitement vos biens, et ne vous en servez pas pour corrompre des juges pour vous permettre de dévorer une partie des biens des gens, injustement et sciemment.

189. Ils t'interrogent sur les nouvelles lunes - Dis: «Elles servent aux gens pour compter le temps, et aussi pour le pèlerinage (al-Ḥajj). Et ce n'est pas un acte de bienfaisance que de rentrer chez vous par l'arrière des maisons[3]. Mais la bonté pieuse consiste à craindre Allāh. Entrez donc dans les maisons par leurs portes. Et craignez Allāh, afin que vous réussissiez!

190. Combattez dans le sentier d'Allāh[4] ceux qui vous combattent, et ne transgressez pas. Certes, Allāh n'aime pas les transgresseurs!

---

1. *Un vêtement*: il faut entendre par là une source de tranquillité, de quiétude et de complémentarité réciproque entre les deux époux.
Autre interprétation: une couverture. L'existence de liens permanents entre les deux époux rend difficile le fait de s'abstenir de rapports conjugaux. C'est pour cette raison, que ces rapports leur ont été permis la nuit du jeûne.
2. *Le fil blanc... nuit*: il faut entendre par là l'apparition de la lueur de l'aube.
3. *Rentrer par l'arrière des maisons*: Les pèlerins pré-islāmiques, une fois sacralisés, ne se permettaient pas d'entrer dans la maison, avant d'avoir accompli le pèlerinage. En cas de besoin pressant, on inventa d'entrer par un autre endroit que la porte.
4. *Dans le sentir d'Allāh*: voir note au v. 154.

وَٱقْتُلُوهُمْ حَيْثُ ثَقِفْتُمُوهُمْ وَأَخْرِجُوهُم مِّنْ حَيْثُ أَخْرَجُوكُمْ وَٱلْفِتْنَةُ أَشَدُّ مِنَ ٱلْقَتْلِ وَلَا تُقَٰتِلُوهُمْ عِندَ ٱلْمَسْجِدِ ٱلْحَرَامِ حَتَّىٰ يُقَٰتِلُوكُمْ فِيهِ فَإِن قَٰتَلُوكُمْ فَٱقْتُلُوهُمْ كَذَٰلِكَ جَزَآءُ ٱلْكَٰفِرِينَ ۝ فَإِنِ ٱنتَهَوْا۟ فَإِنَّ ٱللَّهَ غَفُورٌ رَّحِيمٌ ۝ وَقَٰتِلُوهُمْ حَتَّىٰ لَا تَكُونَ فِتْنَةٌ وَيَكُونَ ٱلدِّينُ لِلَّهِ فَإِنِ ٱنتَهَوْا۟ فَلَا عُدْوَٰنَ إِلَّا عَلَى ٱلظَّٰلِمِينَ ۝ ٱلشَّهْرُ ٱلْحَرَامُ بِٱلشَّهْرِ ٱلْحَرَامِ وَٱلْحُرُمَٰتُ قِصَاصٌ فَمَنِ ٱعْتَدَىٰ عَلَيْكُمْ فَٱعْتَدُوا۟ عَلَيْهِ بِمِثْلِ مَا ٱعْتَدَىٰ عَلَيْكُمْ وَٱتَّقُوا۟ ٱللَّهَ وَٱعْلَمُوٓا۟ أَنَّ ٱللَّهَ مَعَ ٱلْمُتَّقِينَ ۝ وَأَنفِقُوا۟ فِى سَبِيلِ ٱللَّهِ وَلَا تُلْقُوا۟ بِأَيْدِيكُمْ إِلَى ٱلتَّهْلُكَةِ وَأَحْسِنُوٓا۟ إِنَّ ٱللَّهَ يُحِبُّ ٱلْمُحْسِنِينَ ۝ وَأَتِمُّوا۟ ٱلْحَجَّ وَٱلْعُمْرَةَ لِلَّهِ فَإِنْ أُحْصِرْتُمْ فَمَا ٱسْتَيْسَرَ مِنَ ٱلْهَدْىِ وَلَا تَحْلِقُوا۟ رُءُوسَكُمْ حَتَّىٰ يَبْلُغَ ٱلْهَدْىُ مَحِلَّهُۥ فَمَن كَانَ مِنكُم مَّرِيضًا أَوْ بِهِۦٓ أَذًى مِّن رَّأْسِهِۦ فَفِدْيَةٌ مِّن صِيَامٍ أَوْ صَدَقَةٍ أَوْ نُسُكٍ فَإِذَآ أَمِنتُمْ فَمَن تَمَتَّعَ بِٱلْعُمْرَةِ إِلَى ٱلْحَجِّ فَمَا ٱسْتَيْسَرَ مِنَ ٱلْهَدْىِ فَمَن لَّمْ يَجِدْ فَصِيَامُ ثَلَٰثَةِ أَيَّامٍ فِى ٱلْحَجِّ وَسَبْعَةٍ إِذَا رَجَعْتُمْ تِلْكَ عَشَرَةٌ كَامِلَةٌ ذَٰلِكَ لِمَن لَّمْ يَكُنْ أَهْلُهُۥ حَاضِرِى ٱلْمَسْجِدِ ٱلْحَرَامِ وَٱتَّقُوا۟ ٱللَّهَ وَٱعْلَمُوٓا۟ أَنَّ ٱللَّهَ شَدِيدُ ٱلْعِقَابِ ۝

191. Et tuez-les, où que vous les rencontriez ; et chassez-les d'où ils vous ont chassés: l'association est plus grave que le meurtre. Mais ne les combattez pas près de la Mosquée sacrée avant qu'ils ne vous y aient combattus. S'ils vous y combattent, tuez-les donc. Telle est la rétribution des mécréants[1].

192. S'ils cessent, Allāh est, certes, Pardonneur et Miséricordieux.

193. Et combattez-les jusqu'à ce qu'il n'y ait plus de l'association, et que la religion soit entièrement à Allāh seul. S'ils cessent, donc plus d'hostilités, sauf contre les injustes.

194. Le Mois sacré pour le mois sacré![2] -Le talion s'applique à toutes choses sacrées. Donc, quiconque transgresse contre vous, transgressez contre lui, à transgression égale. Et craignez Allāh. Et sachez qu'Allāh est avec les pieux.

195. Et dépensez dans le sentier d'Allāh. Et ne vous jetez pas par vos propres mains dans la destruction[3]. Et faites le bien. Car Allāh aime les bienfaisants.

196. Et accomplissez pour Allāh le pèlerinage et la ʿUmra. Si vous en êtes empêchés, alors faites un sacrifice qui vous soit facile. Et ne rasez pas vos têtes avant que l'offrande [l'animal à sacrifier] n'ait atteint son lieu d'immolation. Si l'un d'entre vous est malade ou souffre d'une affection de la tête (et doit se raser), qu'il se rachète alors par un jeûne (Ṣiyām) ou par une aumône ou par un sacrifice. Quand vous retrouverez ensuite la paix, quiconque a joui d'une vie normale après avoir fait la ʿUmra en attendant le pèlerinage, doit faire un sacrifice qui lui soit facile. S'il n'a pas les moyens, qu'il jeûne trois jours pendant le pèlerinage et sept jours une fois rentré chez lui, soit en tout dix jours. Cela est prescrit pour celui dont la famille n'habite pas auprès de la Mosquée sacrée. Et craignez Allāh. Et sachez qu'Allāh est dur en punition[4].

---

1. Sont visés ici ceux dont il est question dans le verset précédent. Pour ce qui est de la «guerre sainte» (Jihād) voir la note au v. 218. L'Association signifie idolâtrie ; associer d'autres divinités au culte rendu à Allāh.
2. *Mois sacré pour...*: «Mois sacré». Les quatre mois pendant lesquels les Arabes pré-Islāmiques défendaient de se battre étaient le 7e (Rajab), le 11e (Zul-Qaʿda), le 12e (Zul-Ḥijja) et le 1er (Muḥarram). (Voir aussi S. 5, v. 97 et la note).
3. *Ne vous jetez pas...*: dépensez et luttez dans le sentier d'Allāh. Sinon le résultat sera votre perte.
4. Pour revenir à la vie normale et pour se désacraliser, on se rase la tête ou on se raccourcit les cheveux. Il y a deux sortes de pèlerinage: *al-Ḥajj et al-ʿUmra*. La ʿUmra est un acte individuel et peut avoir lieu au gré de chacun, à n'importe quel moment.
Le Ḥajj a lieu du 8 au 12 du mois de Zul-Ḥijja (12e de l'année) qui change de saison à cause du calendrier lunaire. Pour la ʿUmra on se rend devant la Kaʿba, on en fait 7 fois le tour puis on effectue 7 fois également le trajet entre les monts aṣ-Ṣafa et al-Marwa ; enfin les hommes se rasent entièrement la tête ou se contentent de se raccourcir les cheveux (les femmes en coupent une petite mèche). Pour le Ḥajj, on passe la nuit du 8 à Minā, toute la journée du 9 à ʿArafat et la nuit à Muzdalifa, et du 10 au 11 ou au 12 (voir v. 203) de nouveau à Minā. Là on sacrifie au moins un mouton. Si on accomplit les deux rites (Al-Ḥajj et Al-ʿUmra) réunis on se rase la tête, et, tous les jours, symboliquement, on lapide Satan =

ٱلۡحَجُّ أَشۡهُرٞ مَّعۡلُومَٰتٞۚ فَمَن فَرَضَ فِيهِنَّ ٱلۡحَجَّ فَلَا رَفَثَ

وَلَا فُسُوقَ وَلَا جِدَالَ فِي ٱلۡحَجِّۗ وَمَا تَفۡعَلُواْ مِنۡ خَيۡرٖ

يَعۡلَمۡهُ ٱللَّهُۗ وَتَزَوَّدُواْ فَإِنَّ خَيۡرَ ٱلزَّادِ ٱلتَّقۡوَىٰۚ وَٱتَّقُونِ

يَٰٓأُوْلِي ٱلۡأَلۡبَٰبِ ۝ لَيۡسَ عَلَيۡكُمۡ جُنَاحٌ أَن

تَبۡتَغُواْ فَضۡلٗا مِّن رَّبِّكُمۡۚ فَإِذَآ أَفَضۡتُم مِّنۡ

عَرَفَٰتٖ فَٱذۡكُرُواْ ٱللَّهَ عِندَ ٱلۡمَشۡعَرِ ٱلۡحَرَامِۖ

وَٱذۡكُرُوهُ كَمَا هَدَىٰكُمۡ وَإِن كُنتُم مِّن قَبۡلِهِۦ

لَمِنَ ٱلضَّآلِّينَ ۝ ثُمَّ أَفِيضُواْ مِنۡ حَيۡثُ أَفَاضَ

ٱلنَّاسُ وَٱسۡتَغۡفِرُواْ ٱللَّهَۚ إِنَّ ٱللَّهَ غَفُورٞ رَّحِيمٞ ۝

فَإِذَا قَضَيۡتُم مَّنَٰسِكَكُمۡ فَٱذۡكُرُواْ ٱللَّهَ كَذِكۡرِكُمۡ

ءَابَآءَكُمۡ أَوۡ أَشَدَّ ذِكۡرٗاۗ فَمِنَ ٱلنَّاسِ مَن

يَقُولُ رَبَّنَآ ءَاتِنَا فِي ٱلدُّنۡيَا وَمَا لَهُۥ فِي ٱلۡأٓخِرَةِ مِنۡ

خَلَٰقٖ ۝ وَمِنۡهُم مَّن يَقُولُ رَبَّنَآ ءَاتِنَا فِي ٱلدُّنۡيَا

حَسَنَةٗ وَفِي ٱلۡأٓخِرَةِ حَسَنَةٗ وَقِنَا عَذَابَ ٱلنَّارِ ۝

أُوْلَٰٓئِكَ لَهُمۡ نَصِيبٞ مِّمَّا كَسَبُواْۚ وَٱللَّهُ سَرِيعُ ٱلۡحِسَابِ ۝

197. Le pèlerinage a lieu dans des mois connus. Si l'on se décide à l'accomplir, alors point de rapport sexuel[1], point de perversité, point de dispute pendant le pèlerinage. Et le bien que vous faites, Allāh le sait. Et prenez vos provisions ; mais vraiment la meilleure provision est la piété. Et redoutez-Moi, ô doués d'intelligence!

198. Ce n'est pas un péché que d'aller en quête de quelque grâce de votre Seigneur. Puis, quand vous déferlez depuis [le mont] ʿArafāt, invoquez Allāh, à al-Mašʿar-al-Ḥarām (al-Muzdalifa). Et invoquez-Le comme Il vous a montré la bonne voie, quoique auparavant vous étiez du nombre des égarés[2].

199. Ensuite déferlez par où les gens déferlèrent, et demandez pardon à Allāh. Car Allāh est Pardonneur et Miséricordieux.

200. Et quand vous aurez achevé vos rites, alors invoquez Allāh comme vous invoquez vos pères, et plus ardemment encore. Mais il est des gens qui disent seulement: «Seigneur! Accorde nous [le bien] ici-bas!» - Pour ceux-là, nulle part dans l'au-delà.

201. Et il est des gens qui disent: «Seigneur! Accorde nous belle part ici-bas, et belle part aussi dans l'au-delà ; et protège-nous du châtiment du Feu!»

202. Ceux-là auront une part de ce qu'ils auront acquis. Et Allāh est prompt à faire rendre compte.

=sur les stèles construites à cet effet - et pendant ce séjour prolongé à Minā, on se rend de nouveau à la Mecque pour accomplir le reste des obligations, puis on rentre à Minā.
Pendant le temps de sacralisation, les hommes - et non les femmes - portent des habits spéciaux: un pagne et une houppelande tout en ayant la tête découverte. Cependant, hommes et femmes ne doivent ni se raser ni se couper les ongles ni avoir des rapports sexuels.
Lorsque vous retrouverez la paix: une fois débarrassés de l'ennemi qui vous a empêchés d'accéder à la Mecque.
1. *Point de rapport...*: ni d'en parler ni d'en faire les préludes.
2. *D'aller en quête de quelque grâce*: expression assez fréquente. Les commentateurs y voient le profit que les hommes tirent du commerce, lequel profit est considéré comme étant une *grâce d'Allāh*.
al-Mašʿar al-Ḥarām: c'est al-Muzdalifa. Ce verset abolit la pratique des Mecquois de l'anté-Islām qui, lors du pèlerinage, s'arrêtaient à Muzdalifa et n'allaient pas jusqu'au mont de ʿArafāt.

۞ وَاذْكُرُوا اللَّهَ فِي أَيَّامٍ مَعْدُودَاتٍ فَمَنْ تَعَجَّلَ فِي يَوْمَيْنِ فَلَا إِثْمَ عَلَيْهِ وَمَنْ تَأَخَّرَ فَلَا إِثْمَ عَلَيْهِ لِمَنِ اتَّقَى وَاتَّقُوا اللَّهَ وَاعْلَمُوا أَنَّكُمْ إِلَيْهِ تُحْشَرُونَ ۞ وَمِنَ النَّاسِ مَنْ يُعْجِبُكَ قَوْلُهُ فِي الْحَيَاةِ الدُّنْيَا وَيُشْهِدُ اللَّهَ عَلَى مَا فِي قَلْبِهِ وَهُوَ أَلَدُّ الْخِصَامِ ۞ وَإِذَا تَوَلَّى سَعَى فِي الْأَرْضِ لِيُفْسِدَ فِيهَا وَيُهْلِكَ الْحَرْثَ وَالنَّسْلَ وَاللَّهُ لَا يُحِبُّ الْفَسَادَ ۞ وَإِذَا قِيلَ لَهُ اتَّقِ اللَّهَ أَخَذَتْهُ الْعِزَّةُ بِالْإِثْمِ فَحَسْبُهُ جَهَنَّمُ وَلَبِئْسَ الْمِهَادُ ۞ وَمِنَ النَّاسِ مَنْ يَشْرِي نَفْسَهُ ابْتِغَاءَ مَرْضَاتِ اللَّهِ وَاللَّهُ رَءُوفٌ بِالْعِبَادِ ۞ يَا أَيُّهَا الَّذِينَ آمَنُوا ادْخُلُوا فِي السِّلْمِ كَافَّةً وَلَا تَتَّبِعُوا خُطُوَاتِ الشَّيْطَانِ إِنَّهُ لَكُمْ عَدُوٌّ مُبِينٌ ۞ فَإِنْ زَلَلْتُمْ مِنْ بَعْدِ مَا جَاءَتْكُمُ الْبَيِّنَاتُ فَاعْلَمُوا أَنَّ اللَّهَ عَزِيزٌ حَكِيمٌ ۞ هَلْ يَنْظُرُونَ إِلَّا أَنْ يَأْتِيَهُمُ اللَّهُ فِي ظُلَلٍ مِنَ الْغَمَامِ وَالْمَلَائِكَةُ وَقُضِيَ الْأَمْرُ وَإِلَى اللَّهِ تُرْجَعُ الْأُمُورُ ۞

203. Et invoquez Allāh pendant un nombre de jours déterminés. Ensuite, il n'y a pas de péché, pour qui se comporte en piété, à partir au bout de deux jours, à s'attarder non plus. Et craignez Allāh. Et sachez que c'est vers Lui que vous serez rassemblés.

204. Il y a parmi les gens celui dont la parole sur la vie présente te plaît, et qui prend Allāh à témoin de ce qu'il a dans le cœur, tandis que c'est le plus acharné disputeur.

205. Dès qu'il tourne le dos, il parcourt la terre pour y semer le désordre et saccager culture et bétail. Et Allāh n'aime pas le désordre!

206. Et quand on lui dit: «Redoute Allāh», l'orgueil criminel s'empare de lui. L'Enfer lui suffira, et quel mauvais lit, certes!

207. Et il y a parmi les gens celui qui se sacrifie pour la recherche de l'agrément d'Allāh. Et Allāh est Compatissant envers Ses serviteurs.

208. Ô les croyants! Entrez pleinement dans l'Islām, et ne suivez point les pas du diable, car il est certes pour vous un ennemi déclaré.

209. Puis, si vous bronchez, après que les preuves vous soient venues, sachez alors qu'Allāh est Puissant et Sage.

210. Qu'attendent-ils sinon qu'Allāh leur vienne à l'ombre des nuées de même que les Anges et que leur sort soit réglé? Et c'est à Allāh que toute chose est ramenée[1].

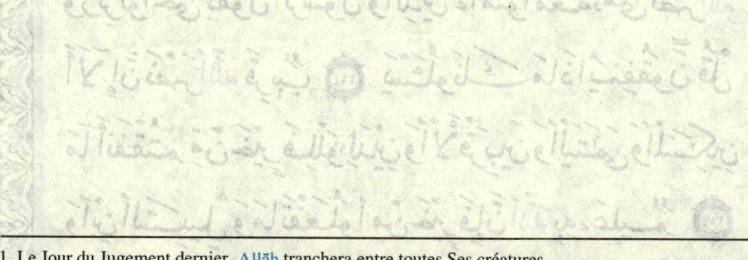

---

1. Le Jour du Jugement dernier, Allāh tranchera entre toutes Ses créatures

سَلْ بَنِىٓ إِسْرَٰٓءِيلَ كَمْ ءَاتَيْنَٰهُم مِّنْ ءَايَةٍۭ بَيِّنَةٍ ۗ وَمَن يُبَدِّلْ نِعْمَةَ
ٱللَّهِ مِنۢ بَعْدِ مَا جَآءَتْهُ فَإِنَّ ٱللَّهَ شَدِيدُ ٱلْعِقَابِ ۝ زُيِّنَ لِلَّذِينَ
كَفَرُوا۟ ٱلْحَيَوٰةُ ٱلدُّنْيَا وَيَسْخَرُونَ مِنَ ٱلَّذِينَ ءَامَنُوا۟ ۘ وَٱلَّذِينَ
ٱتَّقَوْا۟ فَوْقَهُمْ يَوْمَ ٱلْقِيَٰمَةِ ۗ وَٱللَّهُ يَرْزُقُ مَن يَشَآءُ بِغَيْرِ حِسَابٍ
۝ كَانَ ٱلنَّاسُ أُمَّةً وَٰحِدَةً فَبَعَثَ ٱللَّهُ ٱلنَّبِيِّۦنَ مُبَشِّرِينَ
وَمُنذِرِينَ وَأَنزَلَ مَعَهُمُ ٱلْكِتَٰبَ بِٱلْحَقِّ لِيَحْكُمَ بَيْنَ ٱلنَّاسِ
فِيمَا ٱخْتَلَفُوا۟ فِيهِ ۚ وَمَا ٱخْتَلَفَ فِيهِ إِلَّا ٱلَّذِينَ أُوتُوهُ مِنۢ بَعْدِ
مَا جَآءَتْهُمُ ٱلْبَيِّنَٰتُ بَغْيًۢا بَيْنَهُمْ ۖ فَهَدَى ٱللَّهُ ٱلَّذِينَ ءَامَنُوا۟
لِمَا ٱخْتَلَفُوا۟ فِيهِ مِنَ ٱلْحَقِّ بِإِذْنِهِۦ ۗ وَٱللَّهُ يَهْدِى مَن يَشَآءُ إِلَىٰ
صِرَٰطٍ مُّسْتَقِيمٍ ۝ أَمْ حَسِبْتُمْ أَن تَدْخُلُوا۟ ٱلْجَنَّةَ وَلَمَّا
يَأْتِكُم مَّثَلُ ٱلَّذِينَ خَلَوْا۟ مِن قَبْلِكُم ۖ مَّسَّتْهُمُ ٱلْبَأْسَآءُ وَٱلضَّرَّآءُ
وَزُلْزِلُوا۟ حَتَّىٰ يَقُولَ ٱلرَّسُولُ وَٱلَّذِينَ ءَامَنُوا۟ مَعَهُۥ مَتَىٰ نَصْرُ ٱللَّهِ ۗ
أَلَآ إِنَّ نَصْرَ ٱللَّهِ قَرِيبٌ ۝ يَسْـَٔلُونَكَ مَاذَا يُنفِقُونَ ۖ قُلْ
مَآ أَنفَقْتُم مِّنْ خَيْرٍ فَلِلْوَٰلِدَيْنِ وَٱلْأَقْرَبِينَ وَٱلْيَتَٰمَىٰ وَٱلْمَسَٰكِينِ
وَٱبْنِ ٱلسَّبِيلِ ۗ وَمَا تَفْعَلُوا۟ مِنْ خَيْرٍ فَإِنَّ ٱللَّهَ بِهِۦ عَلِيمٌ ۝

211. Demande aux enfants d'Israël combien de miracles évidents Nous leur avons apportés! Or, quiconque altère le bienfait d'Allāh après qu'il lui soit parvenu..., alors, Allāh vraiment est dur en punition.

212. On a enjolivé la vie présente à ceux qui ne croient pas, et ils se moquent de ceux qui croient. Mais les pieux seront au-dessus d'eux, au Jour de la Résurrection. Et Allāh accorde Ses bienfaits à qui Il veut, sans compter.

213. Les gens formaient (à l'origine) une seule communauté (croyante). Puis, (après leurs divergences) Allāh envoya des prophètes comme annonciateurs et avertisseurs; et Il fit descendre avec eux le Livre contenant la vérité, pour régler parmi les gens leurs divergences. Mais, ce sont ceux-là mêmes à qui il avait été apporté, qui se mirent à en disputer, après que les preuves leur furent venues, par esprit de rivalité! Puis Allāh, de par Sa Grâce, guida ceux qui crurent vers cette Vérité sur laquelle les autres disputaient. Et Allāh guide qui Il veut vers le chemin droit.

214. Pensez-vous entrer au Paradis alors que vous n'avez pas encore subi des épreuves semblables à celles que subirent ceux qui vécurent avant vous? Misère et maladie les avaient touchés ; et ils furent secoués jusqu'à ce que le Messager, et avec lui, ceux qui avaient cru, se fussent écriés: «Quand viendra le secours d'Allāh?» - Quoi! Le secours d'Allāh est sûrement proche.

215. - Ils t'interrogent: «Qu'est-ce qu'on doit dépenser?» Dis: «Ce que vous dépensez de bien devrait être pour les père et mère, les proches, les orphelins, les pauvres et les voyageurs indigents. Et tout ce que vous faites de bien, vraiment Allāh le sait».

كُتِبَ عَلَيْكُمُ الْقِتَالُ وَهُوَ كُرْهٌ لَّكُمْ وَعَسَىٰٓ أَن تَكْرَهُوا۟

شَيْـًٔا وَهُوَ خَيْرٌ لَّكُمْ وَعَسَىٰٓ أَن تُحِبُّوا۟ شَيْـًٔا وَهُوَ شَرٌّ لَّكُمْ

وَٱللَّهُ يَعْلَمُ وَأَنتُمْ لَا تَعْلَمُونَ ۝ يَسْـَٔلُونَكَ عَنِ الشَّهْرِ

الْحَرَامِ قِتَالٍ فِيهِ قُلْ قِتَالٌ فِيهِ كَبِيرٌ وَصَدٌّ عَن سَبِيلِ اللَّهِ

وَكُفْرٌ بِهِ وَالْمَسْجِدِ الْحَرَامِ وَإِخْرَاجُ أَهْلِهِ مِنْهُ أَكْبَرُ

عِندَ اللَّهِ وَالْفِتْنَةُ أَكْبَرُ مِنَ الْقَتْلِ وَلَا يَزَالُونَ يُقَاتِلُونَكُمْ

حَتَّىٰ يَرُدُّوكُمْ عَن دِينِكُمْ إِنِ اسْتَطَاعُوا۟ وَمَن يَرْتَدِدْ

مِنكُمْ عَن دِينِهِ فَيَمُتْ وَهُوَ كَافِرٌ فَأُو۟لَـٰٓئِكَ حَبِطَتْ

أَعْمَالُهُمْ فِي الدُّنْيَا وَالْآخِرَةِ وَأُو۟لَـٰٓئِكَ أَصْحَابُ النَّارِ

هُمْ فِيهَا خَالِدُونَ ۝ إِنَّ الَّذِينَ ءَامَنُوا۟ وَالَّذِينَ

هَاجَرُوا۟ وَجَاهَدُوا۟ فِي سَبِيلِ اللَّهِ أُو۟لَـٰٓئِكَ يَرْجُونَ رَحْمَتَ

اللَّهِ وَاللَّهُ غَفُورٌ رَّحِيمٌ ۝ يَسْـَٔلُونَكَ عَنِ الْخَمْرِ

وَالْمَيْسِرِ قُلْ فِيهِمَآ إِثْمٌ كَبِيرٌ وَمَنَافِعُ لِلنَّاسِ وَإِثْمُهُمَآ

أَكْبَرُ مِن نَّفْعِهِمَا وَيَسْـَٔلُونَكَ مَاذَا يُنفِقُونَ قُلِ الْعَفْوَ

كَذَٰلِكَ يُبَيِّنُ اللَّهُ لَكُمُ الْآيَاتِ لَعَلَّكُمْ تَتَفَكَّرُونَ ۝

216. Le combat vous a été prescrit alors qu'il vous est désagréable. Or, il se peut que vous ayez de l'aversion pour une chose alors qu'elle vous est un bien. Et il se peut que vous aimiez une chose alors qu'elle vous est mauvaise. C'est Allāh qui sait, alors que vous ne savez pas.

217. - Ils t'interrogent sur le fait de faire la guerre pendant les mois sacrés. - Dis: «Y combattre est un péché grave, mais plus grave encore auprès d'Allāh est de faire obstacle au sentier d'Allāh, d'être impie envers Celui-ci et la Mosquée sacrée, et d'expulser de là ses habitants[1]. L'association est plus grave que le meurtre.» Or, ils ne cesseront de vous combattre jusqu'à, s'ils peuvent, vous détourner de votre religion. Et ceux qui parmi vous abjureront leur religion et mourront infidèles, vaines seront pour eux leurs actions dans la vie immédiate et la vie future. Voilà les gens du Feu: ils y demeureront éternellement.

218. Certes, ceux qui ont cru, émigré et lutté[2] dans le sentier d'Allāh, ceux-là espèrent la miséricorde d'Allāh. Et Allāh est Pardonneur et Miséricordieux.

219. - Ils t'interrogent sur le vin et les jeux de hasard. Dis: «Dans les deux il y a un grand péché et quelques avantages pour les gens ; mais dans les deux, le péché est plus grand que l'utilité». Et ils t'interrogent: «Que doit-on dépenser (en charité)?» Dis: «L'excédent de vos biens». Ainsi, Allāh vous explique Ses versets afin que vous méditiez.

---

1. *Ses habitants*: les premiers musulmans de la Mecque.
2. *Ceux qui ont cru et émigré...*: ceux qui ont fait l'émigration - l'Hégire - avec le Prophète (ﷺ) ou qui l'ont rejoint à Médine.
... Et lutté ...: parmi les droits de la belligérance, il y a celui de tuer l'ennemi pour se défendre et défendre l'Islām (voir supra vv. 190 et 216). Mais le mot «Jihād» (traduit par lutte) a un sens beaucoup plus large. Dans S. 8, v. 72, on parle de lutter corps et bien, à quoi le «Hadīt» ajoute même «par la langue», et «par tout autre effort» y compris l'effort contre soi-même. La «guerre sainte» dont il est si souvent question dans les écrits européens sur l'Islām, n'est qu'une traduction erronée du mot «Jihād». Or, ce mot signifie aussi «effort collectif», où il n'est question ni de guerre ni de tuerie, moins encore de sainteté. La guerre, dans le sentier d'Allāh est, certes, une obligation en Islām. La «guerre dans le sentier d'Allāh» exige le sacrifice et la renonciation à tout but profane (gloire, patriotisme, pillage, excès, conquêtes, etc.) ; et la vie, dans son ensemble, doit reposer sur les principes de paix juste et équitable, comme le dit si bien le Prophète. Or, c'est dans ce sens de «lutte dans le sentier d'Allāh» que la guerre se justifie. Toutefois, la guerre qui vise à convertir par la force, à l'Islām, est strictement interdite (voir S. 2, v. 256).

فِى ٱلدُّنْيَا وَٱلْءَاخِرَةِ ۗ وَيَسْـَٔلُونَكَ عَنِ ٱلْيَتَـٰمَىٰ ۖ قُلْ إِصْلَاحٌ لَّهُمْ خَيْرٌ ۖ وَإِن تُخَالِطُوهُمْ فَإِخْوَٰنُكُمْ ۚ وَٱللَّهُ يَعْلَمُ ٱلْمُفْسِدَ مِنَ ٱلْمُصْلِحِ ۚ وَلَوْ شَآءَ ٱللَّهُ لَأَعْنَتَكُمْ ۚ إِنَّ ٱللَّهَ عَزِيزٌ حَكِيمٌ ۝ وَلَا تَنكِحُوا۟ ٱلْمُشْرِكَـٰتِ حَتَّىٰ يُؤْمِنَّ ۚ وَلَأَمَةٌ مُّؤْمِنَةٌ خَيْرٌ مِّن مُّشْرِكَةٍ وَلَوْ أَعْجَبَتْكُمْ ۗ وَلَا تُنكِحُوا۟ ٱلْمُشْرِكِينَ حَتَّىٰ يُؤْمِنُوا۟ ۚ وَلَعَبْدٌ مُّؤْمِنٌ خَيْرٌ مِّن مُّشْرِكٍ وَلَوْ أَعْجَبَكُمْ ۗ أُو۟لَـٰٓئِكَ يَدْعُونَ إِلَى ٱلنَّارِ ۖ وَٱللَّهُ يَدْعُوٓا۟ إِلَى ٱلْجَنَّةِ وَٱلْمَغْفِرَةِ بِإِذْنِهِۦ ۖ وَيُبَيِّنُ ءَايَـٰتِهِۦ لِلنَّاسِ لَعَلَّهُمْ يَتَذَكَّرُونَ ۝ وَيَسْـَٔلُونَكَ عَنِ ٱلْمَحِيضِ ۖ قُلْ هُوَ أَذًى فَٱعْتَزِلُوا۟ ٱلنِّسَآءَ فِى ٱلْمَحِيضِ ۖ وَلَا تَقْرَبُوهُنَّ حَتَّىٰ يَطْهُرْنَ ۖ فَإِذَا تَطَهَّرْنَ فَأْتُوهُنَّ مِنْ حَيْثُ أَمَرَكُمُ ٱللَّهُ ۚ إِنَّ ٱللَّهَ يُحِبُّ ٱلتَّوَّٰبِينَ وَيُحِبُّ ٱلْمُتَطَهِّرِينَ ۝ نِسَآؤُكُمْ حَرْثٌ لَّكُمْ فَأْتُوا۟ حَرْثَكُمْ أَنَّىٰ شِئْتُمْ ۖ وَقَدِّمُوا۟ لِأَنفُسِكُمْ ۚ وَٱتَّقُوا۟ ٱللَّهَ وَٱعْلَمُوٓا۟ أَنَّكُم مُّلَـٰقُوهُ ۗ وَبَشِّرِ ٱلْمُؤْمِنِينَ ۝ وَلَا تَجْعَلُوا۟ ٱللَّهَ عُرْضَةً لِّأَيْمَـٰنِكُمْ أَن تَبَرُّوا۟ وَتَتَّقُوا۟ وَتُصْلِحُوا۟ بَيْنَ ٱلنَّاسِ ۗ وَٱللَّهُ سَمِيعٌ عَلِيمٌ ۝

220. sur ce monde et sur l'au-delà! Et ils t'interrogent au sujet des orphelins[1]. Dis: «Leur faire du bien est la meilleure action. Si vous vous mêlez à eux, ce sont alors vos frères [en religion].» Allāh distingue celui qui sème le désordre de celui qui fait le bien. Et si Allāh avait voulu, Il vous aurait accablés. Certes Allāh est Puissant et Sage.

221. Et n'épousez pas les femmes associatrices[2] tant qu'elles n'auront pas la foi, et certes, une esclave croyante vaut mieux qu'une associatrice, même si elle vous enchante. Et ne donnez pas d'épouses aux associateurs tant qu'ils n'auront pas la foi, et certes, un esclave croyant vaut mieux qu'un associateur même s'il vous enchante. Car ceux-là [les associateurs] invitent au Feu ; tandis qu'Allāh invite, de par Sa Grâce, au Paradis et au pardon. Et Il expose aux gens Ses enseignements afin qu'ils se souviennent!

222. - Et ils t'interrogent sur la menstruation des femmes. - Dis: «C'est un mal. Eloignez-vous donc des femmes pendant les menstrues, et ne les approchez que quand elles sont pures. Quand elles se sont purifiées, alors cohabitez avec elles suivant les prescriptions d'Allāh car Allāh aime ceux qui se repentent, et Il aime ceux qui se purifient[3]».

223. Vos épouses sont pour vous un champ[4] de labour ; allez à votre champ comme [et quand] vous le voulez et œuvrez pour vous-mêmes à l'avance. Craignez Allāh et sachez que vous Le rencontrerez. Et fais gracieuse annonce aux croyants!

224. Et n'usez pas du nom d'Allāh, dans vos serments, pour vous dispenser de faire le bien, d'être pieux et de réconcilier les gens. Et Allāh est Audient et Omniscient.

---

1. *Au sujet des orphelins*: voir S. 4, v. 3.
2. *Les femmes associatrices*: une femme musulmane ne peut pas épouser un non-musulman. Pour l'homme musulman et la femme non-musulmane (voir S. 5, v. 5).
3. *Eloignez-vous*: il s'agit de l'interdiction du coït pendant cette période.
Suivant les prescriptions d'Allāh: uniquement par la vulve.
Quand elles sont pures: il s'agit de la fin de la menstruation suivie par le bain rituel (al-Ġusl).
Cohabitez: il s'agit de la licitation du coït.
4. *Un champ*: un lieu de productivité comme le champ. Il s'agit de la reproduction des enfants.

لَا يُؤَاخِذُكُمُ اللَّهُ بِاللَّغْوِ فِيٓ أَيْمَٰنِكُمْ وَلَٰكِن يُؤَاخِذُكُم بِمَا كَسَبَتْ قُلُوبُكُمْ ۗ وَاللَّهُ غَفُورٌ حَلِيمٌ ۝ لِّلَّذِينَ يُؤْلُونَ مِن نِّسَآئِهِمْ تَرَبُّصُ أَرْبَعَةِ أَشْهُرٍ ۖ فَإِن فَآءُو فَإِنَّ اللَّهَ غَفُورٌ رَّحِيمٌ ۝ وَإِنْ عَزَمُواْ الطَّلَٰقَ فَإِنَّ اللَّهَ سَمِيعٌ عَلِيمٌ ۝ وَالْمُطَلَّقَٰتُ يَتَرَبَّصْنَ بِأَنفُسِهِنَّ ثَلَٰثَةَ قُرُوٓءٍ ۚ وَلَا يَحِلُّ لَهُنَّ أَن يَكْتُمْنَ مَا خَلَقَ اللَّهُ فِيٓ أَرْحَامِهِنَّ إِن كُنَّ يُؤْمِنَّ بِاللَّهِ وَالْيَوْمِ الْآخِرِ ۚ وَبُعُولَتُهُنَّ أَحَقُّ بِرَدِّهِنَّ فِي ذَٰلِكَ إِنْ أَرَادُوٓاْ إِصْلَٰحًا ۚ وَلَهُنَّ مِثْلُ الَّذِي عَلَيْهِنَّ بِالْمَعْرُوفِ ۚ وَلِلرِّجَالِ عَلَيْهِنَّ دَرَجَةٌ ۗ وَاللَّهُ عَزِيزٌ حَكِيمٌ ۝ الطَّلَٰقُ مَرَّتَانِ ۖ فَإِمْسَاكٌ بِمَعْرُوفٍ أَوْ تَسْرِيحٌ بِإِحْسَٰنٍ ۗ وَلَا يَحِلُّ لَكُمْ أَن تَأْخُذُواْ مِمَّآ آتَيْتُمُوهُنَّ شَيْئًا إِلَّآ أَن يَخَافَآ أَلَّا يُقِيمَا حُدُودَ اللَّهِ ۖ فَإِنْ خِفْتُمْ أَلَّا يُقِيمَا حُدُودَ اللَّهِ فَلَا جُنَاحَ عَلَيْهِمَا فِيمَا افْتَدَتْ بِهِ ۗ تِلْكَ حُدُودُ اللَّهِ فَلَا تَعْتَدُوهَا ۚ وَمَن يَتَعَدَّ حُدُودَ اللَّهِ فَأُوْلَٰٓئِكَ هُمُ الظَّٰلِمُونَ ۝ فَإِن طَلَّقَهَا فَلَا تَحِلُّ لَهُ مِنۢ بَعْدُ حَتَّىٰ تَنكِحَ زَوْجًا غَيْرَهُ ۗ فَإِن طَلَّقَهَا فَلَا جُنَاحَ عَلَيْهِمَآ أَن يَتَرَاجَعَآ إِن ظَنَّآ أَن يُقِيمَا حُدُودَ اللَّهِ ۗ وَتِلْكَ حُدُودُ اللَّهِ يُبَيِّنُهَا لِقَوْمٍ يَعْلَمُونَ ۝

225. Ce n'est pas pour les expressions gratuites dans vos serments qu'Allāh vous saisit: Il vous saisit pour ce que vos cœurs ont acquis. Et Allāh est Pardonneur et Patient[1].

226. Pour ceux qui font le serment de se priver de leurs femmes, il y a un délai d'attente de quatre mois. Et s'ils reviennent[2] (de leur serment) celui-ci sera annulé, car Allāh est certes Pardonneur et Miséricordieux!

227. Mais s'ils se décident au divorce, (celui-ci devient exécutoire) car Allāh est certes Audient et Omniscient.

228. Et les femmes divorcées doivent observer un délai d'attente de trois menstrues[3] et il ne leur est pas permis de taire ce qu'Allāh a créé dans leurs ventres, si elles croient en Allāh et au Jour dernier. Et leurs époux seront plus en droit de les reprendre pendant cette période, s'ils veulent la réconciliation. Quant à elles, elles ont des droits équivalents à leurs obligations, conformément à la bienséance. Mais, les hommes ont cependant une prédominance sur elles. Et Allāh est Puissant et Sage.

229. Le divorce est permis pour seulement deux fois. Alors, c'est soit la reprise conformément à la bienséance, ou la libération avec gentillesse. Et il ne vous est pas permis de reprendre quoi que ce soit de ce que vous leur aviez donné, à moins que tous deux ne craignent de ne point pouvoir se conformer aux ordres imposés par Allāh. Si donc vous craignez que tous deux ne puissent se conformer aux ordres d'Allāh, alors ils ne commettent aucun péché si la femme se rachète avec quelque bien. Voilà les ordres d'Allāh. Ne les transgressez donc pas. Et ceux qui transgressent les ordres d'Allāh ceux-là sont les injustes[4].

230. S'il divorce avec elle (la troisième fois) alors elle ne lui sera plus licite tant qu'elle n'aura pas épousé un autre. Et si ce (dernier) la répudie alors les deux ne commettent aucun péché en reprenant la vie commune, pourvu qu'ils pensent pouvoir tous deux se conformer aux ordres d'Allāh. Voilà les ordres d'Allāh, qu'Il expose aux gens qui comprennent[5].

---

1. *Saisit*: demande des comptes.
Vos cœurs ont acquis: les serments faits en toute conscience.
2. *S'ils reviennent*: (sur leur décision): c'est pour le leur permettre que le délai de quatre mois leur est donné.
3. *Un délai de trois menstrues*: délai d'attente avant un remariage éventuel. Menstrues ici signifient aussi bien la période des règles que la période sèche. Le délai d'attente commencera inévitablement par la période des règles.
Ce qu'Allāh a créé dans leurs ventres: qu'elles soient enceintes ou pas.
4. *Le divorce*: après avoir répudié sa femme, l'homme a le droit de la reprendre dans un délai de trois périodes de menstrues. Passé ce délai, il peut encore la reprendre, mais avec un nouveau contrat de mariage. Si pendant le délai de trois mois, ou après le nouveau contrat, l'homme répudie de nouveau sa femme, il peut encore la reprendre une deuxième fois et toujours dans les mêmes conditions. Mais s'il la renvoie une troisième fois, il n'a plus le droit de la reprendre aussi longtemps qu'elle n'aura pas épousé un autre homme, et le nouveau mariage ne peut être conclu qu'en cas de divorce avec le nouveau mari ou après son décès.

وَإِذَا طَلَّقْتُمُ النِّسَآءَ فَبَلَغْنَ أَجَلَهُنَّ فَأَمْسِكُوهُنَّ بِمَعْرُوفٍ أَوْ سَرِّحُوهُنَّ بِمَعْرُوفٍ وَلَا تُمْسِكُوهُنَّ ضِرَارًا لِّتَعْتَدُوا وَمَن يَفْعَلْ ذَٰلِكَ فَقَدْ ظَلَمَ نَفْسَهُ وَلَا تَتَّخِذُوٓا ءَايَٰتِ اللَّهِ هُزُوًا وَاذْكُرُوا نِعْمَتَ اللَّهِ عَلَيْكُمْ وَمَآ أَنزَلَ عَلَيْكُم مِّنَ الْكِتَٰبِ وَالْحِكْمَةِ يَعِظُكُم بِهِۦ وَاتَّقُوا اللَّهَ وَاعْلَمُوٓا أَنَّ اللَّهَ بِكُلِّ شَيْءٍ عَلِيمٌ ۝ ٢٣١ ۝ وَإِذَا طَلَّقْتُمُ النِّسَآءَ فَبَلَغْنَ أَجَلَهُنَّ فَلَا تَعْضُلُوهُنَّ أَن يَنكِحْنَ أَزْوَٰجَهُنَّ إِذَا تَرَٰضَوْا بَيْنَهُم بِالْمَعْرُوفِ ذَٰلِكَ يُوعَظُ بِهِۦ مَن كَانَ مِنكُمْ يُؤْمِنُ بِاللَّهِ وَالْيَوْمِ الْءَاخِرِ ذَٰلِكُمْ أَزْكَىٰ لَكُمْ وَأَطْهَرُ وَاللَّهُ يَعْلَمُ وَأَنتُمْ لَا تَعْلَمُونَ ۝ ٢٣٢ ۝ وَالْوَٰلِدَٰتُ يُرْضِعْنَ أَوْلَٰدَهُنَّ حَوْلَيْنِ كَامِلَيْنِ لِمَنْ أَرَادَ أَن يُتِمَّ الرَّضَاعَةَ وَعَلَى الْمَوْلُودِ لَهُ رِزْقُهُنَّ وَكِسْوَتُهُنَّ بِالْمَعْرُوفِ لَا تُكَلَّفُ نَفْسٌ إِلَّا وُسْعَهَا لَا تُضَآرَّ وَٰلِدَةٌ بِوَلَدِهَا وَلَا مَوْلُودٌ لَّهُۥ بِوَلَدِهِۦ وَعَلَى الْوَارِثِ مِثْلُ ذَٰلِكَ فَإِنْ أَرَادَا فِصَالًا عَن تَرَاضٍ مِّنْهُمَا وَتَشَاوُرٍ فَلَا جُنَاحَ عَلَيْهِمَا وَإِنْ أَرَدتُّمْ أَن تَسْتَرْضِعُوٓا أَوْلَٰدَكُمْ فَلَا جُنَاحَ عَلَيْكُمْ إِذَا سَلَّمْتُم مَّآ ءَاتَيْتُم بِالْمَعْرُوفِ وَاتَّقُوا اللَّهَ وَاعْلَمُوٓا أَنَّ اللَّهَ بِمَا تَعْمَلُونَ بَصِيرٌ ۝ ٢٣٣ ۝

231. Et quand vous divorcez d'avec vos épouses, et que leur délai expire[1], alors, reprenez-les conformément à la bienséance, ou libérez-les conformément à la bienséance. Mais ne les retenez pas pour leur faire du tort: vous trangresseriez alors et quiconque agit ainsi se fait du tort à lui-même. Ne prenez pas en moquerie les versets d'Allāh. Et rappelez-vous le bienfait d'Allāh envers vous, ainsi que le Livre et la Sagesse qu'Il vous a fait descendre, par lesquels Il vous exhorte. Et craignez Allāh, et sachez qu'Allāh est Omniscient.

232. Et quand vous divorcez d'avec vos épouses, et que leur délai expire, alors ne les empêchez pas de renouer avec leurs époux, s'ils s'agréent l'un l'autre, et conformément à la bienséance. Voilà à quoi est exhorté celui d'entre vous qui croit en Allāh et au Jour dernier. Ceci est plus décent et plus pur pour vous. Et Allāh sait, alors que vous ne savez pas[2].

233. Et les mères, qui veulent donner un allaitement complet, allaiteront leurs bébés deux ans complets. Au père de l'enfant de les nourrir et vêtir de manière convenable. Nul ne doit supporter plus que ses moyens. La mère n'a pas à subir de dommage à cause de son enfant, ni le père, à cause de son enfant. Même obligation pour l'héritier[3]. Et si, après s'être consultés, tous deux tombent d'accord pour décider le sevrage, nul grief à leur faire. Et si vous voulez mettre vos enfants en nourrice, nul grief à vous faire non plus, à condition que vous acquittiez la rétribution convenue, conformément à l'usage. Et craignez Allāh, et sachez qu'Allāh observe ce que vous faites.

---

5. *Elle ne lui est plus licite*: le but est de mettre un frein aux divorces irréfléchis.
Ils ne commettent pas de péché: (elle et son premier mari).
En reprenant la vie commune: par la conclusion d'un nouveau mariage.
1. *Et que le délai expire*: délai prescrit conséquent soit au premier, soit au deuxième divorce.
2. *Ne les empêchez pas*: ordre adressé aux parents de l'épouse.
3. *Pour l'héritier*: l'héritier recueille dans ce domaine, les charges de celui dont il hérite.

وَٱلَّذِينَ يُتَوَفَّوْنَ مِنكُمْ وَيَذَرُونَ أَزْوَٰجًا يَتَرَبَّصْنَ بِأَنفُسِهِنَّ

أَرْبَعَةَ أَشْهُرٍ وَعَشْرًا ۖ فَإِذَا بَلَغْنَ أَجَلَهُنَّ فَلَا جُنَاحَ عَلَيْكُمْ

فِيمَا فَعَلْنَ فِىٓ أَنفُسِهِنَّ بِٱلْمَعْرُوفِ ۗ وَٱللَّهُ بِمَا تَعْمَلُونَ خَبِيرٌ

﴿٢٣٤﴾ وَلَا جُنَاحَ عَلَيْكُمْ فِيمَا عَرَّضْتُم بِهِۦ مِنْ خِطْبَةِ ٱلنِّسَآءِ

أَوْ أَكْنَنتُمْ فِىٓ أَنفُسِكُمْ ۚ عَلِمَ ٱللَّهُ أَنَّكُمْ سَتَذْكُرُونَهُنَّ

وَلَٰكِن لَّا تُوَاعِدُوهُنَّ سِرًّا إِلَّآ أَن تَقُولُوا۟ قَوْلًا مَّعْرُوفًا ۚ

وَلَا تَعْزِمُوا۟ عُقْدَةَ ٱلنِّكَاحِ حَتَّىٰ يَبْلُغَ ٱلْكِتَٰبُ أَجَلَهُۥ ۚ

وَٱعْلَمُوٓا۟ أَنَّ ٱللَّهَ يَعْلَمُ مَا فِىٓ أَنفُسِكُمْ فَٱحْذَرُوهُ ۚ وَٱعْلَمُوٓا۟

أَنَّ ٱللَّهَ غَفُورٌ حَلِيمٌ ﴿٢٣٥﴾ لَّا جُنَاحَ عَلَيْكُمْ إِن طَلَّقْتُمُ ٱلنِّسَآءَ

مَا لَمْ تَمَسُّوهُنَّ أَوْ تَفْرِضُوا۟ لَهُنَّ فَرِيضَةً ۚ وَمَتِّعُوهُنَّ عَلَى ٱلْمُوسِعِ

قَدَرُهُۥ وَعَلَى ٱلْمُقْتِرِ قَدَرُهُۥ مَتَٰعًۢا بِٱلْمَعْرُوفِ ۖ حَقًّا عَلَى ٱلْمُحْسِنِينَ

﴿٢٣٦﴾ وَإِن طَلَّقْتُمُوهُنَّ مِن قَبْلِ أَن تَمَسُّوهُنَّ وَقَدْ فَرَضْتُمْ

لَهُنَّ فَرِيضَةً فَنِصْفُ مَا فَرَضْتُمْ إِلَّآ أَن يَعْفُونَ أَوْ يَعْفُوَا۟

ٱلَّذِى بِيَدِهِۦ عُقْدَةُ ٱلنِّكَاحِ ۚ وَأَن تَعْفُوٓا۟ أَقْرَبُ لِلتَّقْوَىٰ ۚ

وَلَا تَنسَوُا۟ ٱلْفَضْلَ بَيْنَكُمْ ۚ إِنَّ ٱللَّهَ بِمَا تَعْمَلُونَ بَصِيرٌ ﴿٢٣٧﴾

234. Ceux des vôtres que la mort frappe et qui laissent des épouses: celles-ci doivent observer une période d'attente de quatre mois et dix jours. Passé ce délai, on ne vous reprochera pas la façon dont elles disposeront d'elles-mêmes d'une manière convenable. Allāh est Parfaitement Connaisseur de ce que vous faites[1].

235. Et on ne vous reprochera pas de faire, aux femmes, allusion à une proposition de mariage[2], ou d'en garder secrète l'intention. Allāh sait que vous allez songer à ces femmes. Mais ne leur promettez rien secrètement sauf à leur dire des paroles convenables. Et ne vous décidez au contrat de mariage qu'à l'expiration du délai prescrit. Et sachez qu'Allāh sait ce qu'il y a dans vos âmes. Prenez donc garde à Lui, et sachez aussi qu'Allāh est Pardonneur et Plein de mansuétude.

236. Vous ne faites point de péché en divorçant d'avec des épouses que vous n'avez pas touchées, et à qui vous n'avez pas fixé leur mahr[3]. Donnez-leur toutefois - l'homme aisé selon sa capacité, l'indigent selon sa capacité - quelque bien convenable dont elles puissent jouir. C'est un devoir pour les bienfaisants..

237. Et si vous divorcez d'avec elles sans les avoir touchées, mais après fixation de leur mahr, versez-leur alors la moitié de ce que vous avez fixé, à moins qu'elles ne s'en désistent, ou que ne se désiste celui entre les mains de qui[4] est la conclusion du mariage. Le désistement est plus proche de la piété. Et n'oubliez pas votre faveur mutuelle. Car Allāh voit parfaitement ce que vous faites.

---

1. *On ne vous reprochera...*: cette parole est adressée aux parents de la veuve.
Elles disposent d'elles-mêmes: en se parant et en cherchant à se remarier.
2. Sont permis les propos de mariage tenus à la veuve au cours du délai qui lui est imposé.
3. *Mahr*: il n'y a pas de terme pour traduire ce que le Qur'ān nomme tantôt *farīda*, tantôt ṣadaq ou *ajr*, connu généralement comme *mahr*.
La femme possédant une personnalité juridiquement complète, peut en effet posséder en toute propriété des biens sur lesquels ni ses parents ni son mari n'ont aucun droit, pas même de regard. Il ne s'agit donc là ni de la dot, ni du douaire, connus en Occident.
4. *Celui entre les mains de qui...*: soit le mari qui se désiste de la moitié du mahr qu'il a déjà intégralement versé à la femme, soit le représentant légal (al-walī) de la femme qui se désiste, au profit du mari, de la moitié du *mahr* qui revient de droit à la femme.

حَٰفِظُوا۟ عَلَى ٱلصَّلَوَٰتِ وَٱلصَّلَوٰةِ ٱلْوُسْطَىٰ وَقُومُوا۟ لِلَّهِ

قَٰنِتِينَ ﴿٢٣٨﴾ فَإِنْ خِفْتُمْ فَرِجَالًا أَوْ رُكْبَانًا فَإِذَآ أَمِنتُمْ

فَٱذْكُرُوا۟ ٱللَّهَ كَمَا عَلَّمَكُم مَّا لَمْ تَكُونُوا۟ تَعْلَمُونَ

﴿٢٣٩﴾ وَٱلَّذِينَ يُتَوَفَّوْنَ مِنكُمْ وَيَذَرُونَ أَزْوَٰجًا وَصِيَّةً

لِّأَزْوَٰجِهِم مَّتَٰعًا إِلَى ٱلْحَوْلِ غَيْرَ إِخْرَاجٍ فَإِنْ خَرَجْنَ

فَلَا جُنَاحَ عَلَيْكُمْ فِى مَا فَعَلْنَ فِىٓ أَنفُسِهِنَّ مِن

مَّعْرُوفٍ وَٱللَّهُ عَزِيزٌ حَكِيمٌ ﴿٢٤٠﴾ وَلِلْمُطَلَّقَٰتِ مَتَٰعٌ

بِٱلْمَعْرُوفِ حَقًّا عَلَى ٱلْمُتَّقِينَ ﴿٢٤١﴾ كَذَٰلِكَ يُبَيِّنُ

ٱللَّهُ لَكُمْ ءَايَٰتِهِۦ لَعَلَّكُمْ تَعْقِلُونَ ﴿٢٤٢﴾ ۞ أَلَمْ تَرَ

إِلَى ٱلَّذِينَ خَرَجُوا۟ مِن دِيَٰرِهِمْ وَهُمْ أُلُوفٌ حَذَرَ ٱلْمَوْتِ

فَقَالَ لَهُمُ ٱللَّهُ مُوتُوا۟ ثُمَّ أَحْيَٰهُمْ إِنَّ ٱللَّهَ لَذُو فَضْلٍ عَلَى

ٱلنَّاسِ وَلَٰكِنَّ أَكْثَرَ ٱلنَّاسِ لَا يَشْكُرُونَ ﴿٢٤٣﴾

وَقَٰتِلُوا۟ فِى سَبِيلِ ٱللَّهِ وَٱعْلَمُوٓا۟ أَنَّ ٱللَّهَ سَمِيعٌ عَلِيمٌ ﴿٢٤٤﴾

مَّن ذَا ٱلَّذِى يُقْرِضُ ٱللَّهَ قَرْضًا حَسَنًا فَيُضَٰعِفَهُۥ لَهُۥٓ أَضْعَافًا

كَثِيرَةً وَٱللَّهُ يَقْبِضُ وَيَبْصُۜطُ وَإِلَيْهِ تُرْجَعُونَ ﴿٢٤٥﴾

ثلاثة ارباع الحزب ٤

238. Soyez assidus aux Ṣalāt-s et surtout la Ṣalāt médiane ; et tenez-vous debout devant Allāh, avec humilité[1].

239. Mais si vous craignez (un grand danger), alors priez en marchant ou sur vos montures. Puis quand vous êtes en sécurité, invoquez Allāh[2] comme Il vous a enseigné ce que vous ne saviez pas.

240. Ceux d'entre vous que la mort frappe et qui laissent des épouses, doivent laisser un testament[3] en faveur de leurs épouses pourvoyant à un an d'entretien sans les expulser de chez elles. Si ce sont elles qui partent, alors on ne vous reprochera pas ce qu'elles font de convenable pour elles-mêmes. Allāh est Puissant et Sage.

241. Les divorcées ont droit à la jouissance d'une allocation convenable, [constituant] un devoir pour les pieux.

242. C'est ainsi qu'Allāh vous explique Ses versets, afin que vous raisonniez!

243. N'as-tu pas vu ceux qui sortirent de leurs demeures, - il y en avait des milliers,- par crainte de la mort? Puis Allāh leur dit: «Mourez». Après quoi Il les rendit à la vie. Certes, Allāh est Détenteur de la Faveur, envers les gens ; mais la plupart des gens ne sont pas reconnaissants[4].

244. Et combattez dans le sentier d'Allāh. Et sachez qu'Allāh est Audient et Omniscient.

245. Quiconque prête à Allāh de bonne grâce, Il le lui rendra multipliés plusieurs fois. Allāh restreint ou étend (Ses faveurs). Et c'est à lui que vous retournerez.

---

1. Parenthèse pour rappeler qu'au milieu des plus heureuses joies ou des luttes les plus âpres, il ne faut pas oublier Allāh.
La Ṣalāt médiane: Ṣalāt al-ʿAṣr.
2. *Invoquez Allāh*: accomplissez normalement votre Ṣalāt (prière).
3. *Un testament*: ce verset est abrogé par le verset (234).
4. *N'as-tu pas vu*: (ô Muḥammad) (ﷺ); veut dire «N'as-tu pas entendu parler des gens» qui essayèrent de s'enfuir de la mort par peur? Ce verset rappelle aux Musulmans que la mort est entre les mains d'Allāh seul.

أَلَمْ تَرَ إِلَى ٱلْمَلَإِ مِنۢ بَنِىٓ إِسْرَٰٓءِيلَ مِنۢ بَعْدِ مُوسَىٰٓ إِذْ قَالُوا۟ لِنَبِىٍّ لَّهُمُ ٱبْعَثْ لَنَا مَلِكًا نُّقَٰتِلْ فِى سَبِيلِ ٱللَّهِ قَالَ هَلْ عَسَيْتُمْ إِن كُتِبَ عَلَيْكُمُ ٱلْقِتَالُ أَلَّا تُقَٰتِلُوا۟ قَالُوا۟ وَمَا لَنَآ أَلَّا نُقَٰتِلَ فِى سَبِيلِ ٱللَّهِ وَقَدْ أُخْرِجْنَا مِن دِيَٰرِنَا وَأَبْنَآئِنَا فَلَمَّا كُتِبَ عَلَيْهِمُ ٱلْقِتَالُ تَوَلَّوْا۟ إِلَّا قَلِيلًا مِّنْهُمْ وَٱللَّهُ عَلِيمٌۢ بِٱلظَّٰلِمِينَ ۞٢٤٦۞ وَقَالَ لَهُمْ نَبِيُّهُمْ إِنَّ ٱللَّهَ قَدْ بَعَثَ لَكُمْ طَالُوتَ مَلِكًا قَالُوٓا۟ أَنَّىٰ يَكُونُ لَهُ ٱلْمُلْكُ عَلَيْنَا وَنَحْنُ أَحَقُّ بِٱلْمُلْكِ مِنْهُ وَلَمْ يُؤْتَ سَعَةً مِّنَ ٱلْمَالِ قَالَ إِنَّ ٱللَّهَ ٱصْطَفَىٰهُ عَلَيْكُمْ وَزَادَهُۥ بَسْطَةً فِى ٱلْعِلْمِ وَٱلْجِسْمِ وَٱللَّهُ يُؤْتِى مُلْكَهُۥ مَن يَشَآءُ وَٱللَّهُ وَٰسِعٌ عَلِيمٌ ۞٢٤٧۞ وَقَالَ لَهُمْ نَبِيُّهُمْ إِنَّ ءَايَةَ مُلْكِهِۦٓ أَن يَأْتِيَكُمُ ٱلتَّابُوتُ فِيهِ سَكِينَةٌ مِّن رَّبِّكُمْ وَبَقِيَّةٌ مِّمَّا تَرَكَ ءَالُ مُوسَىٰ وَءَالُ هَٰرُونَ تَحْمِلُهُ ٱلْمَلَٰٓئِكَةُ إِنَّ فِى ذَٰلِكَ لَءَايَةً لَّكُمْ إِن كُنتُم مُّؤْمِنِينَ ۞٢٤٨۞

246. N'as-tu pas su[1] l'histoire des notables, parmi les enfants d'Israël, lorsqu'après Moïse ils dirent à un prophète à eux: «Désigne-nous un roi, pour que nous combattions dans le sentier d'Allāh». Il dit: «Et si vous ne combattez pas, quand le combat vous sera prescrit?» Ils dirent: «Et qu'aurions-nous à ne pas combattre dans le sentier d'Allāh, alors qu'on nous a expulsés de nos maisons et qu'on a capturé nos enfants?» Et quand le combat leur fut prescrit, ils tournèrent le dos, sauf un petit nombre d'entre eux. Et Allāh connaît bien les injustes.

247. Et leur prophète leur dit: «Voici qu'Allāh vous a envoyé Saül [Ṭalūt] pour roi.» Ils dirent: «Comment régnerait-il sur nous? Nous avons plus de droit que lui à la royauté. On ne lui a même pas prodigué beaucoup de richesses!» Il dit: «Allāh, vraiment l'a élu sur vous, et a accru sa part quant au savoir et à la condition physique.» - Et Allāh alloue Son pouvoir à qui Il veut. Allāh a la grâce immense et Il est Omniscient.

248. Et leur prophète leur dit: «Le signe de son investiture sera que le Coffre va vous revenir ; objet de quiétude inspiré par votre Seigneur, et contenant les reliques de ce que laissèrent la famille de Moïse et la famille d'Aaron. Les Anges le porteront. Voilà bien là un signe pour vous, si vous êtes croyants!»

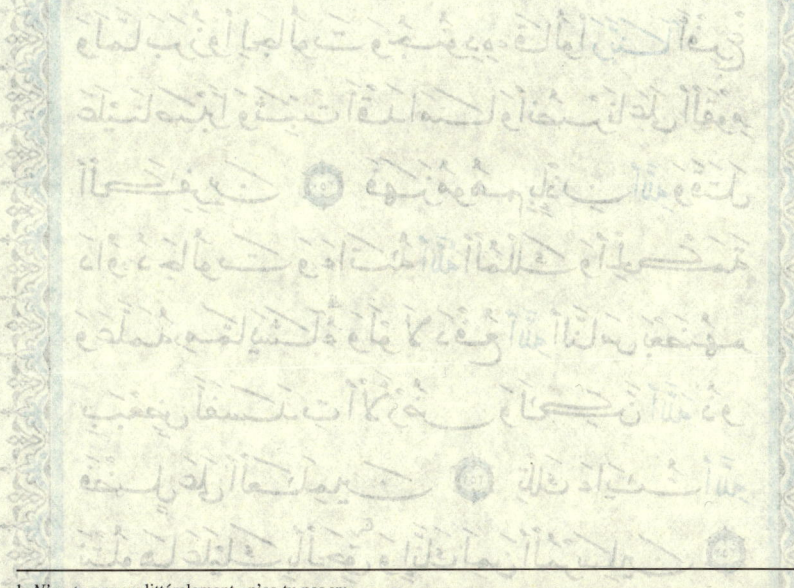

---

1. *N'as-tu pas su*: littéralement «n'as-tu pas vu».

فَلَمَّا فَصَلَ طَالُوتُ بِالْجُنُودِ قَالَ إِنَّ ٱللَّهَ مُبْتَلِيكُم بِنَهَرٍ فَمَن شَرِبَ مِنْهُ فَلَيْسَ مِنِّي وَمَن لَّمْ يَطْعَمْهُ فَإِنَّهُۥ مِنِّيٓ إِلَّا مَنِ ٱغْتَرَفَ غُرْفَةًۢ بِيَدِهِۦ فَشَرِبُوا۟ مِنْهُ إِلَّا قَلِيلًا مِّنْهُمْ فَلَمَّا جَاوَزَهُۥ هُوَ وَٱلَّذِينَ ءَامَنُوا۟ مَعَهُۥ قَالُوا۟ لَا طَاقَةَ لَنَا ٱلْيَوْمَ بِجَالُوتَ وَجُنُودِهِۦ قَالَ ٱلَّذِينَ يَظُنُّونَ أَنَّهُم مُّلَٰقُوا۟ ٱللَّهِ كَم مِّن فِئَةٍ قَلِيلَةٍ غَلَبَتْ فِئَةً كَثِيرَةًۢ بِإِذْنِ ٱللَّهِ وَٱللَّهُ مَعَ ٱلصَّٰبِرِينَ ۝

وَلَمَّا بَرَزُوا۟ لِجَالُوتَ وَجُنُودِهِۦ قَالُوا۟ رَبَّنَآ أَفْرِغْ عَلَيْنَا صَبْرًا وَثَبِّتْ أَقْدَامَنَا وَٱنصُرْنَا عَلَى ٱلْقَوْمِ ٱلْكَٰفِرِينَ ۝ فَهَزَمُوهُم بِإِذْنِ ٱللَّهِ وَقَتَلَ دَاوُۥدُ جَالُوتَ وَءَاتَىٰهُ ٱللَّهُ ٱلْمُلْكَ وَٱلْحِكْمَةَ وَعَلَّمَهُۥ مِمَّا يَشَآءُ وَلَوْلَا دَفْعُ ٱللَّهِ ٱلنَّاسَ بَعْضَهُم بِبَعْضٍ لَّفَسَدَتِ ٱلْأَرْضُ وَلَٰكِنَّ ٱللَّهَ ذُو فَضْلٍ عَلَى ٱلْعَٰلَمِينَ ۝ تِلْكَ ءَايَٰتُ ٱللَّهِ نَتْلُوهَا عَلَيْكَ بِٱلْحَقِّ وَإِنَّكَ لَمِنَ ٱلْمُرْسَلِينَ ۝

249. Puis, au moment de partir avec les troupes, Ṭālūt dit: «Voici: Allāh va vous éprouver par une rivière: quiconque y boira ne sera plus des miens ; et quiconque n'y goûtera pas sera des miens ; - passe pour celui qui y puisera un coup dans le creux de sa main.» Ils en burent, sauf un petit nombre d'entre eux. Puis, lorsqu'ils l'eurent traversée, lui et ceux des croyants qui l'accompagnaient, ils dirent:[1] «Nous voilà sans force aujourd'hui contre Goliath [Jālūt] et ses troupes!» Ceux qui étaient convaincus qu'ils auront à rencontrer Allāh dirent: «Combien de fois une troupe peu nombreuse a, par la grâce d'Allāh, vaincu une troupe très nombreuse! Et Allāh est avec les endurants».

250. Et quand ils affrontèrent, Goliath et ses troupes, ils dirent: «Seigneur! Déverse sur nous l'endurance, affermis nos pas et donne-nous la victoire sur ce peuple infidèle».

251. Ils les mirent en déroute, par la grâce d'Allāh. Et David [Dāwūd] tua Goliath ; et Allāh lui donna la royauté et la sagesse, et lui enseigna ce qu'Il voulut. Et ni Allāh ne neutralisait pas une partie des hommes par une autre, la terre serait certainement corrompue. Mais Allāh est Détenteur de la Faveur pour les mondes.

252. Voilà les versets d'Allāh, que Nous te (Muḥammad) récitons avec la vérité. Et tu es, certes parmi les Envoyés.

---

1. *Ils dirent*: soit les croyants soit ceux qui burent (de la rivière).

۞ تِلْكَ ٱلرُّسُلُ فَضَّلْنَا بَعْضَهُمْ عَلَىٰ بَعْضٍ مِّنْهُم مَّن كَلَّمَ ٱللَّهُ وَرَفَعَ بَعْضَهُمْ دَرَجَٰتٍ وَءَاتَيْنَا عِيسَى ٱبْنَ مَرْيَمَ ٱلْبَيِّنَٰتِ وَأَيَّدْنَٰهُ بِرُوحِ ٱلْقُدُسِ وَلَوْ شَآءَ ٱللَّهُ مَا ٱقْتَتَلَ ٱلَّذِينَ مِنۢ بَعْدِهِم مِّنۢ بَعْدِ مَا جَآءَتْهُمُ ٱلْبَيِّنَٰتُ وَلَٰكِنِ ٱخْتَلَفُوا۟ فَمِنْهُم مَّنْ ءَامَنَ وَمِنْهُم مَّن كَفَرَ وَلَوْ شَآءَ ٱللَّهُ مَا ٱقْتَتَلُوا۟ وَلَٰكِنَّ ٱللَّهَ يَفْعَلُ مَا يُرِيدُ ۝ يَٰٓأَيُّهَا ٱلَّذِينَ ءَامَنُوٓا۟ أَنفِقُوا۟ مِمَّا رَزَقْنَٰكُم مِّن قَبْلِ أَن يَأْتِىَ يَوْمٌ لَّا بَيْعٌ فِيهِ وَلَا خُلَّةٌ وَلَا شَفَٰعَةٌ وَٱلْكَٰفِرُونَ هُمُ ٱلظَّٰلِمُونَ ۝ ٱللَّهُ لَآ إِلَٰهَ إِلَّا هُوَ ٱلْحَىُّ ٱلْقَيُّومُ لَا تَأْخُذُهُۥ سِنَةٌ وَلَا نَوْمٌ لَّهُۥ مَا فِى ٱلسَّمَٰوَٰتِ وَمَا فِى ٱلْأَرْضِ مَن ذَا ٱلَّذِى يَشْفَعُ عِندَهُۥٓ إِلَّا بِإِذْنِهِ يَعْلَمُ مَا بَيْنَ أَيْدِيهِمْ وَمَا خَلْفَهُمْ وَلَا يُحِيطُونَ بِشَىْءٍ مِّنْ عِلْمِهِۦٓ إِلَّا بِمَا شَآءَ وَسِعَ كُرْسِيُّهُ ٱلسَّمَٰوَٰتِ وَٱلْأَرْضَ وَلَا يَـُٔودُهُۥ حِفْظُهُمَا وَهُوَ ٱلْعَلِىُّ ٱلْعَظِيمُ ۝ لَآ إِكْرَاهَ فِى ٱلدِّينِ قَد تَّبَيَّنَ ٱلرُّشْدُ مِنَ ٱلْغَىِّ فَمَن يَكْفُرْ بِٱلطَّٰغُوتِ وَيُؤْمِنۢ بِٱللَّهِ فَقَدِ ٱسْتَمْسَكَ بِٱلْعُرْوَةِ ٱلْوُثْقَىٰ لَا ٱنفِصَامَ لَهَا وَٱللَّهُ سَمِيعٌ عَلِيمٌ ۝

253. Parmi ces messagers, Nous avons favorisé certains par rapport à d'autres. Il en est à qui Allāh a parlé ; et Il en a élevé d'autres en grade. À Jésus fils de Marie Nous avons apporté les preuves, et l'avons fortifié par le Saint-Esprit[1]. Et si Allāh avait voulu, les gens qui vinrent[2] après eux ne se seraient pas entretués, après que les preuves leur furent venues ; mais ils se sont opposés: les uns restèrent croyants, les autres furent infidèles. Si Allāh avait voulu, ils ne se seraient pas entretués ; mais Allāh fait ce qu'Il veut.

254. Ô les croyants! Dépensez de ce que Nous vous avons attribué, avant que vienne le jour où il n'y aura ni rançon ni amitié ni intercession[3]. Et ce sont les mécréants qui sont les injustes.

255. Allāh ! Point de divinité à part Lui, le Vivant, Celui qui subsiste par lui-même «al-Qayyūm». Ni somnolence ni sommeil ne Le saisissent. À lui appartient tout ce qui est dans les cieux et sur la terre. Qui peut intercéder auprès de Lui sans Sa permission? Il connaît leur passé et leur futur. Et, de Sa science, ils n'embrassent que ce qu'Il veut. Son Trône (Kursī) déborde les cieux et la terre, dont la garde ne Lui coûte aucune peine. Et Il est le Très Haut, le Très Grand[4].

256. Nulle contrainte en religion! Car le bon chemin s'est distingué de l'égarement. Donc, quiconque mécroit au Rebelle [aṭ-Ṭaġūt] tandis qu'il croit en Allāh saisit l'anse la plus solide, qui ne peut se briser. Et Allāh est Audient et Omniscient.

---

1. *Le saint-Esprit*: l'Ange Gabriel.
2. *Les gens qui vinrent*: la communauté de chaque Prophète.
3. *Ni intercession*: si ce n'est qu'avec la permission d'Allāh.
4. *«Al-Qayyūm»*: ce mot arabe n'a pas d'équivalent en français. Il signifie: celui qui n'a besoin de rien alors que tout a besoin de Lui, qui ne dépend de rien alors que tout dépend de Lui.
Kursī: mot arabe qui signifie «siège» ; certains commentateurs l'interprètent comme étant la Science d'Allāh. Il est prouvé qu'Allāh ne ressemble en rien à Ses créatures.

اللَّهُ وَلِيُّ الَّذِينَ ءَامَنُوا يُخْرِجُهُم مِّنَ الظُّلُمَٰتِ إِلَى النُّورِ وَالَّذِينَ كَفَرُوٓا أَوْلِيَآؤُهُمُ الطَّٰغُوتُ يُخْرِجُونَهُم مِّنَ النُّورِ إِلَى الظُّلُمَٰتِ أُوْلَٰٓئِكَ أَصْحَٰبُ النَّارِ هُمْ فِيهَا خَٰلِدُونَ ۝ أَلَمْ تَرَ إِلَى الَّذِى حَآجَّ إِبْرَٰهِ‍ۧمَ فِى رَبِّهِۦٓ أَنْ ءَاتَىٰهُ اللَّهُ الْمُلْكَ إِذْ قَالَ إِبْرَٰهِ‍ۧمُ رَبِّىَ الَّذِى يُحْىِۦ وَيُمِيتُ قَالَ أَنَا۠ أُحْىِۦ وَأُمِيتُ قَالَ إِبْرَٰهِ‍ۧمُ فَإِنَّ اللَّهَ يَأْتِى بِالشَّمْسِ مِنَ الْمَشْرِقِ فَأْتِ بِهَا مِنَ الْمَغْرِبِ فَبُهِتَ الَّذِى كَفَرَ وَاللَّهُ لَا يَهْدِى الْقَوْمَ الظَّٰلِمِينَ ۝ أَوْ كَالَّذِى مَرَّ عَلَىٰ قَرْيَةٍ وَهِىَ خَاوِيَةٌ عَلَىٰ عُرُوشِهَا قَالَ أَنَّىٰ يُحْىِۦ هَٰذِهِ اللَّهُ بَعْدَ مَوْتِهَا فَأَمَاتَهُ اللَّهُ مِاْئَةَ عَامٍ ثُمَّ بَعَثَهُۥ قَالَ كَمْ لَبِثْتَ قَالَ لَبِثْتُ يَوْمًا أَوْ بَعْضَ يَوْمٍ قَالَ بَل لَّبِثْتَ مِاْئَةَ عَامٍ فَانظُرْ إِلَىٰ طَعَامِكَ وَشَرَابِكَ لَمْ يَتَسَنَّهْ وَانظُرْ إِلَىٰ حِمَارِكَ وَلِنَجْعَلَكَ ءَايَةً لِّلنَّاسِ وَانظُرْ إِلَى الْعِظَامِ كَيْفَ نُنشِزُهَا ثُمَّ نَكْسُوهَا لَحْمًا فَلَمَّا تَبَيَّنَ لَهُۥ قَالَ أَعْلَمُ أَنَّ اللَّهَ عَلَىٰ كُلِّ شَىْءٍ قَدِيرٌ ۝

257. Allāh est le défenseur de ceux qui ont la foi: Il les fait sortir des ténèbres à la lumière. Quant à ceux qui ne croient pas, ils ont pour défenseurs les Ṭāġūt-s[1], qui les font sortir de la lumière aux ténèbres. Voilà les gens du Feu, où ils demeurent éternellement.

258. N'as-tu pas su (l'histoire de) celui qui, parce qu'Allāh l'avait fait roi, argumenta contre Abraham au sujet de son Seigneur? Abraham ayant dit: «J'ai pour Seigneur Celui qui donne la vie et la mort», «Moi aussi, dit l'autre, je donne la vie et la mort.» Alors dit Abraham: «Puisqu'Allāh fait venir le soleil du Levant, fais-le donc venir du Couchant.» Le mécréant resta alors confondu. Allāh ne guide pas les gens injustes.

259. Ou comme celui qui passait par un village désert et dévasté: «Comment Allāh va-t-Il redonner la vie à celui-ci après sa mort?», dit-il. Allāh donc le fit mourir et le garda ainsi pendant cent ans. Puis Il le ressuscita en disant: «Combien de temps as-tu demeuré ainsi?» «Je suis resté un jour, dit l'autre, ou une partie d'une journée». «Non! dit Allāh, tu es resté cent ans. Regarde donc ta nourriture et ta boisson: rien ne s'est gâté; mais regarde ton âne... Et pour faire de toi un signe pour les gens, et regarde ces ossements, comment Nous les assemblons[2] et les revêtons de chair». Et devant l'évidence, il dit: «Je sais qu'Allāh est Omnipotent».

---

1. *Ṭāġūt*: comprend diable, idole et toutes fausses divinités.
2. *Les assemblons*: autre lecture «qirāʾa», Nous les ressuscitons.

وَإِذْ قَالَ إِبْرَٰهِـۧمُ رَبِّ أَرِنِى كَيْفَ تُحْىِ ٱلْمَوْتَىٰ قَالَ أَوَلَمْ تُؤْمِن قَالَ بَلَىٰ وَلَٰكِن لِّيَطْمَئِنَّ قَلْبِى قَالَ فَخُذْ أَرْبَعَةً مِّنَ ٱلطَّيْرِ فَصُرْهُنَّ إِلَيْكَ ثُمَّ ٱجْعَلْ عَلَىٰ كُلِّ جَبَلٍ مِّنْهُنَّ جُزْءًا ثُمَّ ٱدْعُهُنَّ يَأْتِينَكَ سَعْيًا وَٱعْلَمْ أَنَّ ٱللَّهَ عَزِيزٌ حَكِيمٌ ۝ مَّثَلُ ٱلَّذِينَ يُنفِقُونَ أَمْوَٰلَهُمْ فِى سَبِيلِ ٱللَّهِ كَمَثَلِ حَبَّةٍ أَنۢبَتَتْ سَبْعَ سَنَابِلَ فِى كُلِّ سُنۢبُلَةٍ مِّا۟ئَةُ حَبَّةٍ وَٱللَّهُ يُضَٰعِفُ لِمَن يَشَآءُ وَٱللَّهُ وَٰسِعٌ عَلِيمٌ ۝ ٱلَّذِينَ يُنفِقُونَ أَمْوَٰلَهُمْ فِى سَبِيلِ ٱللَّهِ ثُمَّ لَا يُتْبِعُونَ مَآ أَنفَقُوا۟ مَنًّا وَلَآ أَذًى لَّهُمْ أَجْرُهُمْ عِندَ رَبِّهِمْ وَلَا خَوْفٌ عَلَيْهِمْ وَلَا هُمْ يَحْزَنُونَ ۝ ۞ قَوْلٌ مَّعْرُوفٌ وَمَغْفِرَةٌ خَيْرٌ مِّن صَدَقَةٍ يَتْبَعُهَآ أَذًى وَٱللَّهُ غَنِىٌّ حَلِيمٌ ۝ يَٰٓأَيُّهَا ٱلَّذِينَ ءَامَنُوا۟ لَا تُبْطِلُوا۟ صَدَقَٰتِكُم بِٱلْمَنِّ وَٱلْأَذَىٰ كَٱلَّذِى يُنفِقُ مَالَهُۥ رِئَآءَ ٱلنَّاسِ وَلَا يُؤْمِنُ بِٱللَّهِ وَٱلْيَوْمِ ٱلْءَاخِرِ فَمَثَلُهُۥ كَمَثَلِ صَفْوَانٍ عَلَيْهِ تُرَابٌ فَأَصَابَهُۥ وَابِلٌ فَتَرَكَهُۥ صَلْدًا لَّا يَقْدِرُونَ عَلَىٰ شَىْءٍ مِّمَّا كَسَبُوا۟ وَٱللَّهُ لَا يَهْدِى ٱلْقَوْمَ ٱلْكَٰفِرِينَ ۝

260. Et quand Abraham dit: «Seigneur! Montre-moi comment Tu ressuscites les morts», Allāh dit: «Ne crois-tu pas encore?» «Si! dit Abraham; mais que mon cœur soit rassuré». «Prends donc, dit Allāh, quatre oiseaux, apprivoise-les (et coupe-les) puis, sur des monts séparés, mets-en un fragment ensuite appelle-les: ils viendront à toi en toute hâte. Et sache qu'Allāh est Puissant et Sage.»

261. Ceux qui dépensent leurs biens dans le sentier d'Allāh ressemblent à un grain d'où naissent sept épis, à cent grains l'épi. Car Allāh multiplie la récompense à qui Il veut et la grâce d'Allāh est immense, et Il est Omniscient.

262. Ceux qui dépensent leurs biens dans le sentier d'Allāh sans faire suivre leurs largesses ni d'un rappel[1] ni d'un tort, auront leur récompense auprès de leur Seigneur. Nulle crainte pour eux, et ils ne seront point affligés.

263. Une parole agréable et un pardon valent mieux qu'une aumône suivie d'un tort. Allāh n'a besoin[2]. de rien, et Il est Indulgent.

264. Ô les croyants! N'annulez pas vos aumônes par un rappel ou un tort, comme celui qui dépense son bien par ostentation devant les gens sans croire en Allāh et au Jour dernier. Il ressemble à un rocher recouvert de terre: qu'une averse l'atteigne, elle le laisse dénué. De pareils hommes ne tireront aucun profit de leurs actes. Et Allāh ne guide pas les gens mécréants.

1. *D'un rappel*: le v. 264 précise que rappeler à quelqu'un le bien qu'on lui a fait en annule le mérite si c'est dans le dessein de s'en vanter.
2. *Allāh n'a pas besoin* de l'aumône de Ses serviteurs.

وَمَثَلُ ٱلَّذِينَ يُنفِقُونَ أَمْوَٰلَهُمُ ٱبْتِغَآءَ مَرْضَاتِ ٱللَّهِ

وَتَثْبِيتًا مِّنْ أَنفُسِهِمْ كَمَثَلِ جَنَّةٍ بِرَبْوَةٍ أَصَابَهَا وَابِلٌ

فَـَٔاتَتْ أُكُلَهَا ضِعْفَيْنِ فَإِن لَّمْ يُصِبْهَا وَابِلٌ فَطَلٌّ ۗ

وَٱللَّهُ بِمَا تَعْمَلُونَ بَصِيرٌ ۝ أَيَوَدُّ أَحَدُكُمْ أَن تَكُونَ

لَهُۥ جَنَّةٌ مِّن نَّخِيلٍ وَأَعْنَابٍ تَجْرِى مِن تَحْتِهَا ٱلْأَنْهَٰرُ لَهُۥ

فِيهَا مِن كُلِّ ٱلثَّمَرَٰتِ وَأَصَابَهُ ٱلْكِبَرُ وَلَهُۥ ذُرِّيَّةٌ ضُعَفَآءُ

فَأَصَابَهَآ إِعْصَارٌ فِيهِ نَارٌ فَٱحْتَرَقَتْ ۗ كَذَٰلِكَ يُبَيِّنُ ٱللَّهُ

لَكُمُ ٱلْـَٔايَٰتِ لَعَلَّكُمْ تَتَفَكَّرُونَ ۝ يَٰٓأَيُّهَا ٱلَّذِينَ

ءَامَنُوٓا أَنفِقُوا مِن طَيِّبَٰتِ مَا كَسَبْتُمْ وَمِمَّآ أَخْرَجْنَا

لَكُم مِّنَ ٱلْأَرْضِ ۖ وَلَا تَيَمَّمُوا ٱلْخَبِيثَ مِنْهُ تُنفِقُونَ وَلَسْتُم

بِـَٔاخِذِيهِ إِلَّآ أَن تُغْمِضُوا فِيهِ ۚ وَٱعْلَمُوٓا أَنَّ ٱللَّهَ غَنِىٌّ حَمِيدٌ

۝ ٱلشَّيْطَٰنُ يَعِدُكُمُ ٱلْفَقْرَ وَيَأْمُرُكُم بِٱلْفَحْشَآءِ ۖ

وَٱللَّهُ يَعِدُكُم مَّغْفِرَةً مِّنْهُ وَفَضْلًا ۗ وَٱللَّهُ وَٰسِعٌ عَلِيمٌ ۝

يُؤْتِى ٱلْحِكْمَةَ مَن يَشَآءُ ۚ وَمَن يُؤْتَ ٱلْحِكْمَةَ فَقَدْ

أُوتِىَ خَيْرًا كَثِيرًا ۗ وَمَا يَذَّكَّرُ إِلَّآ أُو۟لُوا ٱلْأَلْبَٰبِ ۝

265. Et ceux qui dépensent leurs biens cherchant l'agrément d'Allāh, et bien rassurés (de Sa récompense), ils ressemblent à un jardin sur une colline. Qu'une averse l'atteigne, il double ses fruits ; à défaut d'une averse qui l'atteint, c'est la rosée. Et Allāh voit parfaitement ce que vous faites.

266. L'un de vous aimerait-il avoir un jardin de dattiers et de vignes sous lequel coulent les ruisseaux, et qui lui donne toutes espèces de fruits, que la vieillesse le rattrape, tandis que ses enfants sont encore petits, et qu'un tourbillon contenant du feu s'abatte sur son jardin et le brûle? Ainsi Allāh vous explique les signes afin que vous méditiez!

267. Ô les croyants! Dépensez des meilleures choses que vous avez gagnées et des récoltes que Nous avons fait sortir de la terre pour vous. Et ne vous tournez pas vers ce qui est vil pour en faire dépense. Ne donnez pas ce que vous-mêmes n'accepteriez qu'en fermant les yeux! Et sachez qu'Allāh n'a besoin de rien et qu'Il est digne de louange.

268. Le Diable vous fait craindre l'indigence et vous commande des actions honteuses; tandis qu'Allāh vous promet pardon et faveur venant de Lui. La grâce d'Allāh est immense et Il est Omniscient.

269. Il donne la sagesse à qui Il veut. Et celui à qui la sagesse est donnée, vraiment, c'est un bien immense qui lui est donné. Mais les doués d'intelligence seulement s'en souviennent.

وَمَا أَنفَقْتُم مِّن نَّفَقَةٍ أَوْ نَذَرْتُم مِّن نَّذْرٍ فَإِنَّ ٱللَّهَ يَعْلَمُهُ ۗ وَمَا لِلظَّٰلِمِينَ مِنْ أَنصَارٍ ۝ إِن تُبْدُوا۟ ٱلصَّدَقَٰتِ فَنِعِمَّا هِيَ ۖ وَإِن تُخْفُوهَا وَتُؤْتُوهَا ٱلْفُقَرَآءَ فَهُوَ خَيْرٌ لَّكُمْ ۚ وَيُكَفِّرُ عَنكُم مِّن سَيِّئَاتِكُمْ ۗ وَٱللَّهُ بِمَا تَعْمَلُونَ خَبِيرٌ ۝ لَّيْسَ عَلَيْكَ هُدَىٰهُمْ وَلَٰكِنَّ ٱللَّهَ يَهْدِى مَن يَشَآءُ ۗ وَمَا تُنفِقُوا۟ مِنْ خَيْرٍ فَلِأَنفُسِكُمْ ۚ وَمَا تُنفِقُونَ إِلَّا ٱبْتِغَآءَ وَجْهِ ٱللَّهِ ۚ وَمَا تُنفِقُوا۟ مِنْ خَيْرٍ يُوَفَّ إِلَيْكُمْ وَأَنتُمْ لَا تُظْلَمُونَ ۝ لِلْفُقَرَآءِ ٱلَّذِينَ أُحْصِرُوا۟ فِى سَبِيلِ ٱللَّهِ لَا يَسْتَطِيعُونَ ضَرْبًا فِى ٱلْأَرْضِ يَحْسَبُهُمُ ٱلْجَاهِلُ أَغْنِيَآءَ مِنَ ٱلتَّعَفُّفِ تَعْرِفُهُم بِسِيمَٰهُمْ لَا يَسْـَٔلُونَ ٱلنَّاسَ إِلْحَافًا ۗ وَمَا تُنفِقُوا۟ مِنْ خَيْرٍ فَإِنَّ ٱللَّهَ بِهِۦ عَلِيمٌ ۝ ٱلَّذِينَ يُنفِقُونَ أَمْوَٰلَهُم بِٱلَّيْلِ وَٱلنَّهَارِ سِرًّا وَعَلَانِيَةً فَلَهُمْ أَجْرُهُمْ عِندَ رَبِّهِمْ وَلَا خَوْفٌ عَلَيْهِمْ وَلَا هُمْ يَحْزَنُونَ ۝

270. Quelles que soient les dépenses[1] que vous avez faites, ou le vœu que vous avez voué, Allāh le sait. Et pour les injustes, pas de secoureurs!

271. Si vous donnez ouvertement vos aumônes, c'est bien ; c'est mieux encore, pour vous, si vous êtes discrets avec elles et vous les donniez aux indigents. Allāh effacera une partie de vos méfaits. Allāh est parfaitement Connaisseur de ce que vous faites.

272. Ce n'est pas à toi de les guider (vers la bonne voie), mais c'est Allāh qui guide qui Il veut. Et tout ce que vous dépensez de vos biens sera à votre avantage, et vous ne dépensez que pour la recherche de la Face [Wajh] d'Allāh. Et tout ce que vous dépensez de vos biens dans les bonnes œuvres vous sera récompensé pleinement. Et vous ne serez pas lésés[2].

273. Aux nécessiteux qui se sont confinés dans le sentier d'Allāh, ne pouvant pas parcourir le monde, et que l'ignorant croit riches parce qu'ils ont honte de mendier - tu les reconnaîtras à leur aspect - Ils n'importent personne en mendiant. Et tout ce que vous dépensez de vos biens, Allāh le sait parfaitement[3].

274. Ceux qui, de nuit et de jour, en secret et ouvertement, dépensent leurs biens (dans les bonnes œuvres), ont leur salaire auprès de leur Seigneur. Ils n'ont rien à craindre et ils ne seront point affligés.

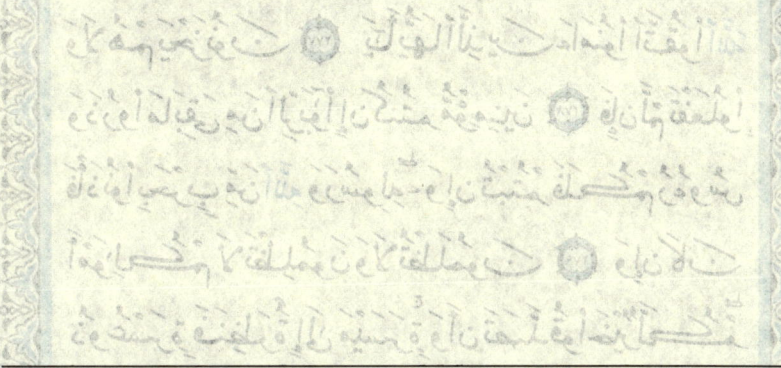

---

1. *Les dépenses*: en aumône ou «Zakāt».
2. *De les guider*: de guider les infidèles.
La recherche de la face «Wajh» d'Allāh: le mot «wajh» signifie «visage». Certains l'interprètent comme la grâce d'Allāh et Sa récompense ou encore «pour plaire à Allāh» Il est prouvé qu'Allāh ne ressemble pas à Ses créatures.
3. Ce verset concerne au premier chef les émigrés qui ont laissé leurs biens à la Mecque et se sont consacrés entièrement à la lutte pour la cause d'Allāh, c'est pour cela qu'ils ne pouvaient parcourir la terre à la recherche de biens.

ٱلَّذِينَ يَأْكُلُونَ ٱلرِّبَوٰا۟ لَا يَقُومُونَ إِلَّا كَمَا يَقُومُ ٱلَّذِى يَتَخَبَّطُهُ ٱلشَّيْطَٰنُ مِنَ ٱلْمَسِّ ذَٰلِكَ بِأَنَّهُمْ قَالُوٓا۟ إِنَّمَا ٱلْبَيْعُ مِثْلُ ٱلرِّبَوٰا۟ وَأَحَلَّ ٱللَّهُ ٱلْبَيْعَ وَحَرَّمَ ٱلرِّبَوٰا۟ فَمَن جَآءَهُۥ مَوْعِظَةٌ مِّن رَّبِّهِۦ فَٱنتَهَىٰ فَلَهُۥ مَا سَلَفَ وَأَمْرُهُۥٓ إِلَى ٱللَّهِ وَمَنْ عَادَ فَأُو۟لَٰٓئِكَ أَصْحَٰبُ ٱلنَّارِ هُمْ فِيهَا خَٰلِدُونَ ۝ يَمْحَقُ ٱللَّهُ ٱلرِّبَوٰا۟ وَيُرْبِى ٱلصَّدَقَٰتِ وَٱللَّهُ لَا يُحِبُّ كُلَّ كَفَّارٍ أَثِيمٍ ۝ إِنَّ ٱلَّذِينَ ءَامَنُوا۟ وَعَمِلُوا۟ ٱلصَّٰلِحَٰتِ وَأَقَامُوا۟ ٱلصَّلَوٰةَ وَءَاتَوُا۟ ٱلزَّكَوٰةَ لَهُمْ أَجْرُهُمْ عِندَ رَبِّهِمْ وَلَا خَوْفٌ عَلَيْهِمْ وَلَا هُمْ يَحْزَنُونَ ۝ يَٰٓأَيُّهَا ٱلَّذِينَ ءَامَنُوا۟ ٱتَّقُوا۟ ٱللَّهَ وَذَرُوا۟ مَا بَقِىَ مِنَ ٱلرِّبَوٰٓا۟ إِن كُنتُم مُّؤْمِنِينَ ۝ فَإِن لَّمْ تَفْعَلُوا۟ فَأْذَنُوا۟ بِحَرْبٍ مِّنَ ٱللَّهِ وَرَسُولِهِۦ وَإِن تُبْتُمْ فَلَكُمْ رُءُوسُ أَمْوَٰلِكُمْ لَا تَظْلِمُونَ وَلَا تُظْلَمُونَ ۝ وَإِن كَانَ ذُو عُسْرَةٍ فَنَظِرَةٌ إِلَىٰ مَيْسَرَةٍ وَأَن تَصَدَّقُوا۟ خَيْرٌ لَّكُمْ إِن كُنتُمْ تَعْلَمُونَ ۝ وَٱتَّقُوا۟ يَوْمًا تُرْجَعُونَ فِيهِ إِلَى ٱللَّهِ ثُمَّ تُوَفَّىٰ كُلُّ نَفْسٍ مَّا كَسَبَتْ وَهُمْ لَا يُظْلَمُونَ ۝

275. Ceux qui mangent [pratiquent] de l'intérêt usuraire ne se tiennent (au jour du Jugement dernier) que comme se tient celui que le toucher de Satan a bouleversé. Cela, parce qu'ils disent: «Le commerce est tout à fait comme l'intérêt». Alors qu'Allāh a rendu licite le commerce, et illicite l'intérêt[1]. Celui, donc, qui cesse dès que lui est venue une exhortation de son Seigneur, peut conserver ce qu'il a acquis auparavant ; et son affaire dépend d'Allāh[2]. Mais quiconque récidive... alors les voilà, les gens du Feu! Ils y demeureront éternellement.

276. Allāh anéantit l'intérêt usuraire et fait fructifier les aumônes. Et Allāh n'aime pas le mécréant pécheur.

277. Ceux qui ont la foi, ont fait de bonnes œuvres, accompli la Ṣalāt et acquitté la Zakāt, auront certes leur récompense auprès de leur Seigneur. Pas de crainte pour eux, et ils ne seront point affligés.

278. Ô les croyants! Craignez Allāh ; et renoncez au reliquat de l'intérêt usuraire si vous êtes croyants.

279. Et si vous ne le faites pas, alors recevez l'annonce d'une guerre de la part d'Allāh et de Son messager. Et si vous vous repentez, vous aurez vos capitaux. Vous ne léserez personne, et vous ne serez point lésés

280. À celui qui est dans la gêne, accordez un sursis jusqu'à ce qu'il soit dans l'aisance. Mais il est mieux pour vous de faire remise de la dette par charité! Si vous saviez[3]!

281. Et craignez le jour où vous serez ramenés vers Allāh. Alors chaque âme sera pleinement rétribuée de ce qu'elle aura acquis[4]. Et ils ne seront point lésés.

---

1. *Ceux qui mangent de l'intérêt...*: ce n'est pas seulement l'usure qui est interdite, mais le moindre prêt à intérêt. Toute transaction à base d'intérêt est défendue, c.-à-d. tout gain à risque unilatéral: par exemple, prêter de l'argent à un commerçant ou à un industriel et exiger un intérêt sans participer aux risques et aux pertes éventuelles du débiteur. Par contre, le prêt avec participation aux gains et aux risques est parfaitement licite: il s'agit alors d'une véritable association.
2. *Son affaire dépend d'Allāh*: de lui pardonner.
3. *Dans l'aisance*: en mesure de rembourser la dette.
Si vous saviez: si vous saviez la récompense qu'Allāh vous réserve pour avoir agi de la sorte.
4. *Ce qu'elle aura acquis*: expression signifiant les actes de l'homme.

يَـٰٓأَيُّهَا ٱلَّذِينَ ءَامَنُوٓاْ إِذَا تَدَايَنتُم بِدَيْنٍ إِلَىٰٓ أَجَلٍ مُّسَمًّى فَٱكْتُبُوهُ وَلْيَكْتُب بَّيْنَكُمْ كَاتِبٌۢ بِٱلْعَدْلِ وَلَا يَأْبَ كَاتِبٌ أَن يَكْتُبَ كَمَا عَلَّمَهُ ٱللَّهُ فَلْيَكْتُبْ وَلْيُمْلِلِ ٱلَّذِي عَلَيْهِ ٱلْحَقُّ وَلْيَتَّقِ ٱللَّهَ رَبَّهُۥ وَلَا يَبْخَسْ مِنْهُ شَيْـًٔا فَإِن كَانَ ٱلَّذِي عَلَيْهِ ٱلْحَقُّ سَفِيهًا أَوْ ضَعِيفًا أَوْ لَا يَسْتَطِيعُ أَن يُمِلَّ هُوَ فَلْيُمْلِلْ وَلِيُّهُۥ بِٱلْعَدْلِ وَٱسْتَشْهِدُواْ شَهِيدَيْنِ مِن رِّجَالِكُمْ فَإِن لَّمْ يَكُونَا رَجُلَيْنِ فَرَجُلٌ وَٱمْرَأَتَانِ مِمَّن تَرْضَوْنَ مِنَ ٱلشُّهَدَآءِ أَن تَضِلَّ إِحْدَىٰهُمَا فَتُذَكِّرَ إِحْدَىٰهُمَا ٱلْأُخْرَىٰ وَلَا يَأْبَ ٱلشُّهَدَآءُ إِذَا مَا دُعُواْ وَلَا تَسْـَٔمُوٓاْ أَن تَكْتُبُوهُ صَغِيرًا أَوْ كَبِيرًا إِلَىٰٓ أَجَلِهِۦ ذَٰلِكُمْ أَقْسَطُ عِندَ ٱللَّهِ وَأَقْوَمُ لِلشَّهَٰدَةِ وَأَدْنَىٰٓ أَلَّا تَرْتَابُوٓاْ إِلَّآ أَن تَكُونَ تِجَٰرَةً حَاضِرَةً تُدِيرُونَهَا بَيْنَكُمْ فَلَيْسَ عَلَيْكُمْ جُنَاحٌ أَلَّا تَكْتُبُوهَا وَأَشْهِدُوٓاْ إِذَا تَبَايَعْتُمْ وَلَا يُضَآرَّ كَاتِبٌ وَلَا شَهِيدٌ وَإِن تَفْعَلُواْ فَإِنَّهُۥ فُسُوقٌۢ بِكُمْ وَٱتَّقُواْ ٱللَّهَ وَيُعَلِّمُكُمُ ٱللَّهُ وَٱللَّهُ بِكُلِّ شَيْءٍ عَلِيمٌ ۝٢٨٢

282. Ô les croyants! Quand vous contractez une dette à échéance déterminée, mettez-la en écrit ; et qu'un scribe l'écrive, entre vous, en toute justice ; un scribe n'a pas à refuser d'écrire selon ce qu'Allāh lui a enseigné ; qu'il écrive donc, et que dicte le débiteur: qu'il craigne Allāh son Seigneur, et se garde d'en rien diminuer. Si le débiteur est gaspilleur ou faible, ou incapable de dicter lui-même, que son représentant dicte alors en toute justice. Faites-en témoigner par deux témoins d'entre vos hommes ; et à défaut de deux hommes, un homme et deux femmes d'entre ceux que vous agréez comme témoins, en sorte que si l'une d'elles s'égare, l'autre puisse lui rappeler. Et que les témoins ne refusent pas quand ils sont appelés. Ne vous lassez pas d'écrire la dette, ainsi que son terme, qu'elle soit petite ou grande: c'est plus équitable auprès d'Allāh, et plus droit pour le témoignage, et plus susceptible d'écarter les doutes. Mais s'il s'agit d'une marchandise présente que vous négociez entre vous: dans ce cas, il n'y a pas de péché à ne pas l'écrire. Mais prenez des témoins lorsque vous faites une transaction entre vous; et qu'on ne fasse aucun tort à aucun scribe ni à aucun témoin. Si vous le faisiez, cela serait une perversité en vous. Et craignez Allāh. Alors Allāh vous enseigne et Allāh est Omniscient[1].

---

1. *D'écrire la dette*: prescription étonnante, en vérité, qui exige des documents écrits en un temps si primitif (an 1 ou 2 de l'Hégire - 622-3 de l'ère (chrétienne).
Que dicte le débiteur: Littéralement: que dicte celui sur qui (pèse) le droit.
Le mot arabe Safîh: signifie ici gaspilleur et, selon la loi islamique celui-ci doit être empêché de traiter de tout acte financier. Le mot faible, litt. «ḍaʼîf», concerne celui qui est incapable de dicter parce que mineur d'âge ou atteint de vieillesse.

۞ وَإِن كُنتُمْ عَلَىٰ سَفَرٍ وَلَمْ تَجِدُوا۟ كَاتِبًا فَرِهَٰنٌ مَّقْبُوضَةٌ ۖ فَإِنْ أَمِنَ بَعْضُكُم بَعْضًا فَلْيُؤَدِّ ٱلَّذِى ٱؤْتُمِنَ أَمَٰنَتَهُۥ وَلْيَتَّقِ ٱللَّهَ رَبَّهُۥ ۗ وَلَا تَكْتُمُوا۟ ٱلشَّهَٰدَةَ ۚ وَمَن يَكْتُمْهَا فَإِنَّهُۥٓ ءَاثِمٌ قَلْبُهُۥ ۗ وَٱللَّهُ بِمَا تَعْمَلُونَ عَلِيمٌ ۝ لِّلَّهِ مَا فِى ٱلسَّمَٰوَٰتِ وَمَا فِى ٱلْأَرْضِ ۗ وَإِن تُبْدُوا۟ مَا فِىٓ أَنفُسِكُمْ أَوْ تُخْفُوهُ يُحَاسِبْكُم بِهِ ٱللَّهُ ۖ فَيَغْفِرُ لِمَن يَشَآءُ وَيُعَذِّبُ مَن يَشَآءُ ۗ وَٱللَّهُ عَلَىٰ كُلِّ شَىْءٍ قَدِيرٌ ۝ ءَامَنَ ٱلرَّسُولُ بِمَآ أُنزِلَ إِلَيْهِ مِن رَّبِّهِۦ وَٱلْمُؤْمِنُونَ ۚ كُلٌّ ءَامَنَ بِٱللَّهِ وَمَلَٰٓئِكَتِهِۦ وَكُتُبِهِۦ وَرُسُلِهِۦ لَا نُفَرِّقُ بَيْنَ أَحَدٍ مِّن رُّسُلِهِۦ ۚ وَقَالُوا۟ سَمِعْنَا وَأَطَعْنَا ۖ غُفْرَانَكَ رَبَّنَا وَإِلَيْكَ ٱلْمَصِيرُ ۝ لَا يُكَلِّفُ ٱللَّهُ نَفْسًا إِلَّا وُسْعَهَا ۚ لَهَا مَا كَسَبَتْ وَعَلَيْهَا مَا ٱكْتَسَبَتْ ۗ رَبَّنَا لَا تُؤَاخِذْنَآ إِن نَّسِينَآ أَوْ أَخْطَأْنَا ۚ رَبَّنَا وَلَا تَحْمِلْ عَلَيْنَآ إِصْرًا كَمَا حَمَلْتَهُۥ عَلَى ٱلَّذِينَ مِن قَبْلِنَا ۚ رَبَّنَا وَلَا تُحَمِّلْنَا مَا لَا طَاقَةَ لَنَا بِهِۦ ۖ وَٱعْفُ عَنَّا وَٱغْفِرْ لَنَا وَٱرْحَمْنَآ ۚ أَنتَ مَوْلَىٰنَا فَٱنصُرْنَا عَلَى ٱلْقَوْمِ ٱلْكَٰفِرِينَ ۝

283. Mais si vous êtes en voyage et ne trouvez pas de scribe, un gage reçu suffit. S'il y a entre vous une confiance réciproque, que celui à qui on a confié quelque chose la restitue ; et qu'il craigne Allāh son Seigneur. Et ne cachez pas le témoignage: quiconque le cache a, certes, un cœur pécheur. Allāh, de ce que vous faites, est Omniscient.

284. C'est à Allāh qu'appartient tout ce qui est dans les cieux et sur la terre. Que vous manifestiez ce qui est en vous ou que vous le cachiez, Allāh vous en demandera compte. Puis Il pardonnera à qui Il veut, et châtiera qui Il veut. Et Allāh est Omnipotent.

285. Le Messager a cru en ce qu'on a fait descendre vers lui venant de son Seigneur, et aussi les croyants: tous ont cru en Allāh, en Ses anges, à Ses livres et en Ses messagers; (en disant): «Nous ne faisons aucune distinction entre Ses messagers». Et ils ont dit: «Nous avons entendu et obéi. Seigneur, nous implorons Ton pardon. C'est à Toi que sera le retour».

286. Allāh n'impose à aucune âme une charge supérieure à sa capacité. Elle sera récompensée du bien qu'elle aura fait, punie du mal qu'elle aura fait. Seigneur, ne nous châtie pas s'il nous arrive d'oublier ou de commettre une erreur. Seigneur! Ne nous charge pas d'un fardeau lourd comme Tu as chargé ceux qui vécurent avant nous. Seigneur! Ne nous impose pas ce que nous ne pouvons supporter, efface nos fautes, pardonne-nous et fais nous miséricorde. Tu es Notre Maître, accorde-nous donc la victoire sur les peuples infidèles.

بِسْمِ اللَّهِ الرَّحْمَٰنِ الرَّحِيمِ

الٓمٓ ۝ اللَّهُ لَآ إِلَٰهَ إِلَّا هُوَ الْحَىُّ الْقَيُّومُ ۝ نَزَّلَ عَلَيْكَ الْكِتَٰبَ بِالْحَقِّ مُصَدِّقًا لِّمَا بَيْنَ يَدَيْهِ وَأَنزَلَ التَّوْرَىٰةَ وَالْإِنجِيلَ ۝ مِن قَبْلُ هُدًى لِّلنَّاسِ وَأَنزَلَ الْفُرْقَانَ ۗ إِنَّ الَّذِينَ كَفَرُوا۟ بِـَٔايَٰتِ اللَّهِ لَهُمْ عَذَابٌ شَدِيدٌ ۗ وَاللَّهُ عَزِيزٌ ذُو انتِقَامٍ ۝ إِنَّ اللَّهَ لَا يَخْفَىٰ عَلَيْهِ شَىْءٌ فِى الْأَرْضِ وَلَا فِى السَّمَآءِ ۝ هُوَ الَّذِى يُصَوِّرُكُمْ فِى الْأَرْحَامِ كَيْفَ يَشَآءُ ۚ لَآ إِلَٰهَ إِلَّا هُوَ الْعَزِيزُ الْحَكِيمُ ۝ هُوَ الَّذِىٓ أَنزَلَ عَلَيْكَ الْكِتَٰبَ مِنْهُ ءَايَٰتٌ مُّحْكَمَٰتٌ هُنَّ أُمُّ الْكِتَٰبِ وَأُخَرُ مُتَشَٰبِهَٰتٌ ۖ فَأَمَّا الَّذِينَ فِى قُلُوبِهِمْ زَيْغٌ فَيَتَّبِعُونَ مَا تَشَٰبَهَ مِنْهُ ابْتِغَآءَ الْفِتْنَةِ وَابْتِغَآءَ تَأْوِيلِهِۦ ۗ وَمَا يَعْلَمُ تَأْوِيلَهُۥٓ إِلَّا اللَّهُ ۗ وَالرَّٰسِخُونَ فِى الْعِلْمِ يَقُولُونَ ءَامَنَّا بِهِۦ كُلٌّ مِّنْ عِندِ رَبِّنَا ۗ وَمَا يَذَّكَّرُ إِلَّآ أُو۟لُوا۟ الْأَلْبَٰبِ ۝ رَبَّنَا لَا تُزِغْ قُلُوبَنَا بَعْدَ إِذْ هَدَيْتَنَا وَهَبْ لَنَا مِن لَّدُنكَ رَحْمَةً ۚ إِنَّكَ أَنتَ الْوَهَّابُ ۝ رَبَّنَآ إِنَّكَ جَامِعُ النَّاسِ لِيَوْمٍ لَّا رَيْبَ فِيهِ ۚ إِنَّ اللَّهَ لَا يُخْلِفُ الْمِيعَادَ ۝

ĀL 'IMRĀN (LA FAMILLE DE 'IMRĀN)[1]
sourate 3   200 versets   Post-hégirien n°89

Au nom d'Allāh, le Tout Miséricordieux, le Très Miséricordieux.

1. Alif, Lām, Mīm[2].

2. Allāh! Pas de divinité à part Lui, le Vivant, Celui qui subsiste par Lui-même «al-Qayyūm»[3].

3. Il a fait descendre sur toi le Livre avec la vérité, confirmant les Livres descendus avant lui[4]. Et Il fit descendre la Thora et l'Evangile

4. auparavant, en tant que guide pour les gens. Et Il a fait descendre le Discernement[5] (al-furqān) . Ceux qui ne croient pas aux Révélations d'Allāh auront, certes, un dur châtiment! Et, Allāh est Puissant, Détenteur du pouvoir de punir.

5. Rien, vraiment, ne se cache d'Allāh de ce qui existe sur la terre ou dans le ciel.

6. C'est Lui qui vous donne forme dans les matrices, comme Il veut. Point de divinité à part Lui, le Puissant, le Sage.

7. C'est Lui qui a fait descendre sur toi le Livre: il s'y trouve des versets sans équivoque, qui sont la base du Livre, et d'autres versets qui peuvent prêter à d'interprétations diverses. Les gens, donc, qui ont au cœur une inclination vers l'égarement, mettent l'accent sur les versets à équivoque, cherchant la dissension en essayant de leur trouver une interprétation, alors que nul n'en connaît l'interprétation, à part Allāh. Mais ceux qui sont bien enracinés dans la science disent: «Nous y croyons: tout est de la part de notre Seigneur!» Mais, seuls les doués d'intelligence s'en rappellent.

8. «Seigneur! Ne laisse pas dévier nos cœurs après que Tu nous aies guidés ; et accorde-nous Ta miséricorde. C'est Toi, certes, le Grand Donateur!

9. Seigneur! C'est Toi qui rassembleras les gens, un jour - en quoi il n'y a point de doute - Allāh, vraiment, ne manque jamais à Sa promesse.

---

1. Titre tiré du verset 33.
2. *Alif, Lām, Mīm*: voir la note à S. 2, v. 1.
3. *«al-Qayyūm»*: voir la note à S. 2. v. 255.
4. *Sur toi*: (ô Muḥammad) (ﷺ).
Ce qui était avant lui: avant le Qur'ān: la Thora et l'Evangile.
5. *Le Discernement*: le Qur'ān. Ce mot désigne aussi les autres livres divins parce qu'ils distinguent tous le Bien du Mal.

إِنَّ الَّذِينَ كَفَرُوا لَن تُغْنِيَ عَنْهُمْ أَمْوَٰلُهُمْ وَلَآ أَوْلَٰدُهُم مِّنَ اللَّهِ شَيْـًٔا ۖ وَأُو۟لَٰٓئِكَ هُمْ وَقُودُ النَّارِ ۝

كَدَأْبِ ءَالِ فِرْعَوْنَ وَالَّذِينَ مِن قَبْلِهِمْ ۚ كَذَّبُوا۟ بِـَٔايَٰتِنَا فَأَخَذَهُمُ اللَّهُ بِذُنُوبِهِمْ ۗ وَاللَّهُ شَدِيدُ الْعِقَابِ ۝ قُل لِّلَّذِينَ كَفَرُوا۟ سَتُغْلَبُونَ وَتُحْشَرُونَ إِلَىٰ جَهَنَّمَ ۚ وَبِئْسَ الْمِهَادُ ۝ قَدْ كَانَ لَكُمْ ءَايَةٌ فِي فِئَتَيْنِ الْتَقَتَا ۖ فِئَةٌ تُقَٰتِلُ فِى سَبِيلِ اللَّهِ وَأُخْرَىٰ كَافِرَةٌ يَرَوْنَهُم مِّثْلَيْهِمْ رَأْىَ الْعَيْنِ ۚ وَاللَّهُ يُؤَيِّدُ بِنَصْرِهِۦ مَن يَشَآءُ ۗ إِنَّ فِى ذَٰلِكَ لَعِبْرَةً لِّأُو۟لِى الْأَبْصَٰرِ ۝ زُيِّنَ لِلنَّاسِ حُبُّ الشَّهَوَٰتِ مِنَ النِّسَآءِ وَالْبَنِينَ وَالْقَنَٰطِيرِ الْمُقَنطَرَةِ مِنَ الذَّهَبِ وَالْفِضَّةِ وَالْخَيْلِ الْمُسَوَّمَةِ وَالْأَنْعَٰمِ وَالْحَرْثِ ۗ ذَٰلِكَ مَتَٰعُ الْحَيَوٰةِ الدُّنْيَا ۖ وَاللَّهُ عِندَهُۥ حُسْنُ الْمَـَٔابِ ۝

قُلْ أَؤُنَبِّئُكُم بِخَيْرٍ مِّن ذَٰلِكُمْ ۚ لِلَّذِينَ اتَّقَوْا۟ عِندَ رَبِّهِمْ جَنَّٰتٌ تَجْرِى مِن تَحْتِهَا الْأَنْهَٰرُ خَٰلِدِينَ فِيهَا وَأَزْوَٰجٌ مُّطَهَّرَةٌ وَرِضْوَٰنٌ مِّنَ اللَّهِ ۗ وَاللَّهُ بَصِيرٌۢ بِالْعِبَادِ ۝

10. Ceux qui ne croient pas, ni leurs biens ni leurs enfants ne les mettront aucunement à l'abri de la punition d'Allāh. Ils seront du combustible pour le Feu,

11. comme les gens de Pharaon et ceux qui vécurent avant eux. Ils avaient traité de mensonges Nos preuves. Allāh les saisit donc, pour leurs péchés. Et Allāh est dur en punition.

12. Dis à ceux qui ne croient pas: «Vous serez vaincus bientôt ; et vous serez rassemblés vers l'Enfer. Et quel mauvais endroit pour se reposer!»

13. Il y eut déjà pour vous un signe dans ces deux troupes qui s'affrontèrent: l'une combattait dans le sentier d'Allāh ; et l'autre, était mécréante. Ces derniers voyaient (les croyants) de leurs propres yeux, deux fois plus nombreux qu'eux-mêmes. Or Allāh secourt qui Il veut de Son aide. Voilà bien là un exemple pour les doués de clairvoyance[1]!

14. On a enjolivé aux gens l'amour des choses qu'ils désirent: femmes, enfants, trésors thésaurisés d'or et d'argent, chevaux marqués, bétail et champs ; tout cela est l'objet de jouissance pour la vie présente, alors que c'est près d'Allāh qu'il y a bon retour.

15. Dis: «Puis-je vous apprendre quelque chose de meilleur que tout cela? Pour les pieux, il y a, auprès de leur Seigneur, des jardins sous lesquels coulent les ruisseaux, pour y demeurer éternellement, et aussi, des épouses purifiées, et l'agrément d'Allāh». Et Allāh est Clairvoyant sur [Ses] serviteurs,

---

1. Allusion est faite ici à la bataille de Badr, la première en Islām.

ٱلَّذِينَ يَقُولُونَ رَبَّنَا إِنَّنَا ءَامَنَّا فَٱغْفِرْ لَنَا ذُنُوبَنَا وَقِنَا عَذَابَ ٱلنَّارِ ۝ ٱلصَّٰبِرِينَ وَٱلصَّٰدِقِينَ وَٱلْقَٰنِتِينَ وَٱلْمُنفِقِينَ وَٱلْمُسْتَغْفِرِينَ بِٱلْأَسْحَارِ ۝ شَهِدَ ٱللَّهُ أَنَّهُۥ لَآ إِلَٰهَ إِلَّا هُوَ وَٱلْمَلَٰٓئِكَةُ وَأُوْلُواْ ٱلْعِلْمِ قَآئِمًۢا بِٱلْقِسْطِ لَآ إِلَٰهَ إِلَّا هُوَ ٱلْعَزِيزُ ٱلْحَكِيمُ ۝ إِنَّ ٱلدِّينَ عِندَ ٱللَّهِ ٱلْإِسْلَٰمُ وَمَا ٱخْتَلَفَ ٱلَّذِينَ أُوتُواْ ٱلْكِتَٰبَ إِلَّا مِنۢ بَعْدِ مَا جَآءَهُمُ ٱلْعِلْمُ بَغْيًۢا بَيْنَهُمْ وَمَن يَكْفُرْ بِـَٔايَٰتِ ٱللَّهِ فَإِنَّ ٱللَّهَ سَرِيعُ ٱلْحِسَابِ ۝ فَإِنْ حَآجُّوكَ فَقُلْ أَسْلَمْتُ وَجْهِىَ لِلَّهِ وَمَنِ ٱتَّبَعَنِ وَقُل لِّلَّذِينَ أُوتُواْ ٱلْكِتَٰبَ وَٱلْأُمِّيِّـۧنَ ءَأَسْلَمْتُمْ فَإِنْ أَسْلَمُواْ فَقَدِ ٱهْتَدَواْ وَّإِن تَوَلَّوْاْ فَإِنَّمَا عَلَيْكَ ٱلْبَلَٰغُ وَٱللَّهُ بَصِيرٌۢ بِٱلْعِبَادِ ۝ إِنَّ ٱلَّذِينَ يَكْفُرُونَ بِـَٔايَٰتِ ٱللَّهِ وَيَقْتُلُونَ ٱلنَّبِيِّـۧنَ بِغَيْرِ حَقٍّ وَيَقْتُلُونَ ٱلَّذِينَ يَأْمُرُونَ بِٱلْقِسْطِ مِنَ ٱلنَّاسِ فَبَشِّرْهُم بِعَذَابٍ أَلِيمٍ ۝ أُوْلَٰٓئِكَ ٱلَّذِينَ حَبِطَتْ أَعْمَٰلُهُمْ فِى ٱلدُّنْيَا وَٱلْءَاخِرَةِ وَمَا لَهُم مِّن نَّٰصِرِينَ ۝

16. qui disent: «Ô notre Seigneur, nous avons la foi ; pardonne-nous donc nos péchés, et protège-nous du châtiment du Feu»,

17. ce sont, les endurants, les véridiques, les obéissants, ceux qui dépensent [dans le sentier d'Allāh] et ceux qui implorent pardon juste avant l'aube.

18. Allāh atteste, et aussi les Anges et les doués de science, qu'il n'y a point de divinité à part Lui, le Mainteneur de la justice. Point de divinité à part Lui, le Puissant, le Sage!

19. Certes, la religion acceptée d'Allāh, c'est l'Islām. Ceux auxquels le Livre a été apporté ne se sont disputés, par agressivité entre eux, qu'après avoir reçu la science[1]. Et quiconque ne croit pas aux signes d'Allāh... Alors Allāh est prompt à demander compte!

20. S'ils te[2] contredisent, dis-leur: «Je me suis entièrement soumis à Allāh, moi et ceux qui m'ont suivi». Et dis à ceux à qui le Livre a été donné, ainsi qu'aux illettrés: «Avez-vous embrassé l'Islām?» S'ils embrassent l'Islām, ils seront bien guidés. Mais, s'ils tournent le dos... Ton devoir n'est que la transmission (du message). Allāh, sur [Ses] serviteurs est Clairvoyant.

21. Ceux qui ne croient pas aux signes d'Allāh, tuent sans droit les prophètes et tuent les gens qui commandent la justice, annonce-leur un châtiment douloureux.

22. Ce sont eux dont les œuvres sont devenues vaines, ici-bas comme dans l'au-delà. Et pour eux, pas de secoureurs!

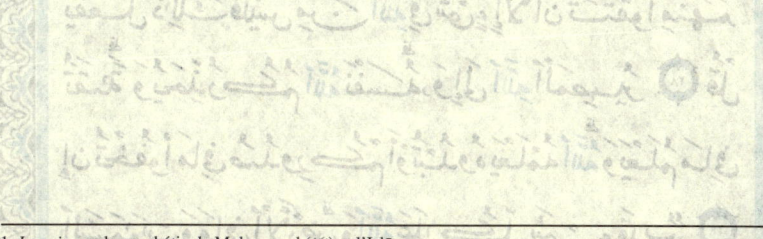

---

1. *La science*: la prophétie de Muḥammad (ﷺ) et l'Islām.
2. *S'ils te contredisent*: (ô Muḥammad) (ﷺ).

أَلَمْ تَرَ إِلَى الَّذِينَ أُوتُوا نَصِيبًا مِّنَ الْكِتَبِ يُدْعَوْنَ إِلَى كِتَبِ اللَّهِ لِيَحْكُمَ بَيْنَهُمْ ثُمَّ يَتَوَلَّى فَرِيقٌ مِّنْهُمْ وَهُم مُّعْرِضُونَ ۝ ذَلِكَ بِأَنَّهُمْ قَالُوا لَن تَمَسَّنَا النَّارُ إِلَّا أَيَّامًا مَّعْدُودَاتٍ وَغَرَّهُمْ فِى دِينِهِم مَّا كَانُوا يَفْتَرُونَ ۝ فَكَيْفَ إِذَا جَمَعْنَهُمْ لِيَوْمٍ لَّا رَيْبَ فِيهِ وَوُفِّيَتْ كُلُّ نَفْسٍ مَّا كَسَبَتْ وَهُمْ لَا يُظْلَمُونَ ۝ قُلِ اللَّهُمَّ مَلِكَ الْمُلْكِ تُؤْتِى الْمُلْكَ مَن تَشَآءُ وَتَنزِعُ الْمُلْكَ مِمَّن تَشَآءُ وَتُعِزُّ مَن تَشَآءُ وَتُذِلُّ مَن تَشَآءُ بِيَدِكَ الْخَيْرُ إِنَّكَ عَلَى كُلِّ شَىْءٍ قَدِيرٌ ۝ تُولِجُ الَّيْلَ فِى النَّهَارِ وَتُولِجُ النَّهَارَ فِى الَّيْلِ وَتُخْرِجُ الْحَىَّ مِنَ الْمَيِّتِ وَتُخْرِجُ الْمَيِّتَ مِنَ الْحَىِّ وَتَرْزُقُ مَن تَشَآءُ بِغَيْرِ حِسَابٍ ۝ لَّا يَتَّخِذِ الْمُؤْمِنُونَ الْكَفِرِينَ أَوْلِيَآءَ مِن دُونِ الْمُؤْمِنِينَ وَمَن يَفْعَلْ ذَلِكَ فَلَيْسَ مِنَ اللَّهِ فِى شَىْءٍ إِلَّا أَن تَتَّقُوا مِنْهُمْ تُقَىةً وَيُحَذِّرُكُمُ اللَّهُ نَفْسَهُ وَإِلَى اللَّهِ الْمَصِيرُ ۝ قُلْ إِن تُخْفُوا مَا فِى صُدُورِكُمْ أَوْ تُبْدُوهُ يَعْلَمْهُ اللَّهُ وَيَعْلَمُ مَا فِى السَّمَوَاتِ وَمَا فِى الْأَرْضِ وَاللَّهُ عَلَى كُلِّ شَىْءٍ قَدِيرٌ ۝

23. N'as-tu pas vu comment agissent ceux qui ont reçu une part du Livre[1], et qui sont maintenant invités au Livre d'Allāh pour trancher leurs différends ; comment un groupe des leurs tourne le dos et s'esquive?

24. C'est parce qu'ils disent: «Le Feu ne nous touchera que pour un nombre de jours déterminés». Et leurs mensonges les trompent en religion.

25. Eh bien comment seront-ils, quand Nous les aurons rassemblés, en un jour sur quoi il n'y a point de doute, et que chaque âme sera pleinement rétribuée selon ce qu'elle aura acquis? Et ils ne seront point lésés.

26. Dis: «Ô Allāh, Maître de l'autorité absolue. Tu donnes l'autorité à qui Tu veux, et Tu arraches l'autorité à qui Tu veux ; et Tu donnes la puissance à qui Tu veux, et Tu humilies qui Tu veux. Le bien est en Ta main et Tu es Omnipotent.

27. Tu fais pénétrer la nuit dans le jour, et Tu fais pénétrer le jour dans la nuit, et Tu fais sortir le vivant du mort, et Tu fais sortir le mort du vivant. Et Tu accordes attribution à qui Tu veux, sans compter».

28. Que les croyants ne prennent pas, pour alliés, des infidèles, au lieu de croyants. Quiconque le fait contredit la religion d'Allāh, à moins que vous ne cherchiez à vous protéger d'eux. Allāh vous met en garde à l'égard de Lui-Même. Et c'est à Allāh le retour.

29. Dis: «Que vous cachiez ce qui est dans vos poitrines ou bien vous le divulguiez, Allāh le sait. Il connaît tout ce qui est dans les cieux et sur la terre. Et Allāh est Omnipotent.

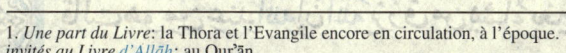

---

1. *Une part du Livre*: la Thora et l'Evangile encore en circulation, à l'époque.
invités au Livre d'Allāh: au Qur'ān.

يَوْمَ تَجِدُ كُلُّ نَفْسٍ مَّا عَمِلَتْ مِنْ خَيْرٍ مُّحْضَرًا وَمَا عَمِلَتْ

مِن سُوٓءٍ تَوَدُّ لَوْ أَنَّ بَيْنَهَا وَبَيْنَهُۥٓ أَمَدًۢا بَعِيدًا وَيُحَذِّرُكُمُ

ٱللَّهُ نَفْسَهُۥ وَٱللَّهُ رَءُوفُۢ بِٱلْعِبَادِ ۝ قُلْ إِن كُنتُمْ تُحِبُّونَ ٱللَّهَ

فَٱتَّبِعُونِى يُحْبِبْكُمُ ٱللَّهُ وَيَغْفِرْ لَكُمْ ذُنُوبَكُمْ وَٱللَّهُ غَفُورٌ رَّحِيمٌ

۝ قُلْ أَطِيعُواْ ٱللَّهَ وَٱلرَّسُولَ فَإِن تَوَلَّوْاْ فَإِنَّ ٱللَّهَ لَا يُحِبُّ

ٱلْكَٰفِرِينَ ۝ إِنَّ ٱللَّهَ ٱصْطَفَىٰٓ ءَادَمَ وَنُوحًا وَءَالَ إِبْرَٰهِيمَ

وَءَالَ عِمْرَٰنَ عَلَى ٱلْعَٰلَمِينَ ۝ ذُرِّيَّةًۢ بَعْضُهَا مِنۢ بَعْضٍ وَٱللَّهُ

سَمِيعٌ عَلِيمٌ ۝ إِذْ قَالَتِ ٱمْرَأَتُ عِمْرَٰنَ رَبِّ إِنِّى نَذَرْتُ لَكَ

مَا فِى بَطْنِى مُحَرَّرًا فَتَقَبَّلْ مِنِّىٓ إِنَّكَ أَنتَ ٱلسَّمِيعُ ٱلْعَلِيمُ ۝ فَلَمَّا

وَضَعَتْهَا قَالَتْ رَبِّ إِنِّى وَضَعْتُهَآ أُنثَىٰ وَٱللَّهُ أَعْلَمُ بِمَا وَضَعَتْ

وَلَيْسَ ٱلذَّكَرُ كَٱلْأُنثَىٰ وَإِنِّى سَمَّيْتُهَا مَرْيَمَ وَإِنِّىٓ أُعِيذُهَا بِكَ

وَذُرِّيَّتَهَا مِنَ ٱلشَّيْطَٰنِ ٱلرَّجِيمِ ۝ فَتَقَبَّلَهَا رَبُّهَا بِقَبُولٍ

حَسَنٍ وَأَنۢبَتَهَا نَبَاتًا حَسَنًا وَكَفَّلَهَا زَكَرِيَّا كُلَّمَا دَخَلَ عَلَيْهَا

زَكَرِيَّا ٱلْمِحْرَابَ وَجَدَ عِندَهَا رِزْقًا قَالَ يَٰمَرْيَمُ أَنَّىٰ لَكِ هَٰذَا

قَالَتْ هُوَ مِنْ عِندِ ٱللَّهِ إِنَّ ٱللَّهَ يَرْزُقُ مَن يَشَآءُ بِغَيْرِ حِسَابٍ ۝

30. Le jour où chaque âme se trouvera confrontée avec ce qu'elle aura fait de bien et ce qu'elle aura fait de mal ; elle souhaitera qu'il y ait entre elle et ce mal une longue distance! Allāh vous met en garde à l'égard de Lui-Même. Allāh est Compatissant envers [Ses] serviteurs.

31. Dis: «Si vous aimez vraiment Allāh, suivez-moi, Allāh vous aimera alors et vous pardonnera vos péchés. Allāh est Pardonneur et Miséricordieux.

32. Dis: «Obéissez à Allāh et au Messager. Et si vous tournez le dos... Alors Allāh n'aime pas les infidèles[1]!

33. Certes, Allāh a élu Adam, Noé, la famille d'Abraham et la famille d'Imran au-dessus de tout le monde.

34. En tant que descendants les uns des autres, et Allāh est Audient et Omniscient.

35. (Rappelle-toi) quand la femme d'Imran dit: «Seigneur, je T'ai voué en toute exclusivité ce qui est dans mon ventre. Accepte-le donc, de moi. C'est Toi certes l'Audient et l'Omniscient.

36. Puis, lorsqu'elle en eut accouché, elle dit: «Seigneur, voilà que j'ai accouché d'une fille» ; or Allāh savait mieux ce dont elle avait accouché! Le garçon n'est pas comme la fille.« Je l'ai nommée Marie, et je la place, ainsi que sa descendance, sous Ta protection contre le Diable, le banni»[2] .

37. Son Seigneur l'agréa alors du bon agrément, la fit croître en belle croissance. Et Il en confia la garde à Zacharie[3]. Chaque fois que celui-ci entrait auprès d'elle dans le Sanctuaire, il trouvait près d'elle de la nourriture. Il dit: «Ô Marie, d'où te vient cette nourriture?» - Elle dit: «Cela me vient d'Allāh». Il donne certes la nourriture à qui Il veut sans compter.

---

1. *Au messager*: Muḥammad (ﷺ).
Si vous tourniez...: autre interpr. s'ils tournent.
2. *Un garçon n'est pas...*: Anne «Ḥannā», la mère de Marie regrette de n'avoir pas eu un garçon qui aurait pu servir dans le temple où les femmes n'étaient pas admises.
Le banni une des épithètes de Satan.
3. *Zacharie*: c'est le père de Jean-Baptiste (Yaḥya).

هُنَالِكَ دَعَا زَكَرِيَّا رَبَّهُ قَالَ رَبِّ هَبْ لِي مِن لَّدُنكَ ذُرِّيَّةً طَيِّبَةً إِنَّكَ سَمِيعُ الدُّعَاءِ ۝ فَنَادَتْهُ الْمَلَائِكَةُ وَهُوَ قَائِمٌ يُصَلِّي فِي الْمِحْرَابِ أَنَّ اللَّهَ يُبَشِّرُكَ بِيَحْيَىٰ مُصَدِّقًا بِكَلِمَةٍ مِّنَ اللَّهِ وَسَيِّدًا وَحَصُورًا وَنَبِيًّا مِّنَ الصَّالِحِينَ ۝ قَالَ رَبِّ أَنَّىٰ يَكُونُ لِي غُلَامٌ وَقَدْ بَلَغَنِيَ الْكِبَرُ وَامْرَأَتِي عَاقِرٌ قَالَ كَذَٰلِكَ اللَّهُ يَفْعَلُ مَا يَشَاءُ ۝ قَالَ رَبِّ اجْعَل لِّي آيَةً قَالَ آيَتُكَ أَلَّا تُكَلِّمَ النَّاسَ ثَلَاثَةَ أَيَّامٍ إِلَّا رَمْزًا وَاذْكُر رَّبَّكَ كَثِيرًا وَسَبِّحْ بِالْعَشِيِّ وَالْإِبْكَارِ ۝ وَإِذْ قَالَتِ الْمَلَائِكَةُ يَا مَرْيَمُ إِنَّ اللَّهَ اصْطَفَاكِ وَطَهَّرَكِ وَاصْطَفَاكِ عَلَىٰ نِسَاءِ الْعَالَمِينَ ۝ يَا مَرْيَمُ اقْنُتِي لِرَبِّكِ وَاسْجُدِي وَارْكَعِي مَعَ الرَّاكِعِينَ ۝ ذَٰلِكَ مِنْ أَنبَاءِ الْغَيْبِ نُوحِيهِ إِلَيْكَ وَمَا كُنتَ لَدَيْهِمْ إِذْ يُلْقُونَ أَقْلَامَهُمْ أَيُّهُمْ يَكْفُلُ مَرْيَمَ وَمَا كُنتَ لَدَيْهِمْ إِذْ يَخْتَصِمُونَ ۝ إِذْ قَالَتِ الْمَلَائِكَةُ يَا مَرْيَمُ إِنَّ اللَّهَ يُبَشِّرُكِ بِكَلِمَةٍ مِّنْهُ اسْمُهُ الْمَسِيحُ عِيسَى ابْنُ مَرْيَمَ وَجِيهًا فِي الدُّنْيَا وَالْآخِرَةِ وَمِنَ الْمُقَرَّبِينَ ۝

38. Alors, Zacharie pria son Seigneur, et dit: «Ô mon Seigneur, donne-moi, venant de Toi, une excellente descendance. Car Tu es Celui qui entend bien la prière».

39. Alors, les Anges l'appelèrent pendant que, debout, il priait dans le Sanctuaire: «Voilà qu'Allāh t'annonce la naissance de Jean-baptiste [Yaḥya], confirmateur d'une parole d'Allāh[1]. Il sera un chef, un chaste, un prophète et du nombre des gens de bien».

40. Il dit: «Ô mon Seigneur, comment aurais-je un garçon maintenant que la vieillesse m'a atteint et que ma femme est stérile?» Allāh dit: «Comme cela!», Allāh fait ce qu'Il veut.

41. - «Seigneur, dit Zacharie, donne-moi un signe». - «Ton signe, dit Allāh, c'est que pendant trois jours tu ne pourras parler aux gens que par geste. Invoque beaucoup Ton Seigneur ; et, glorifie-Le, en fin et en début de journée».

42. (Rappelle-toi) quand les Anges dirent: «Ô Marie [Mariyam], certes Allāh t'a élue et purifiée ; et Il t'a élue au-dessus des femmes des mondes.

43. «Ô Marie, obéis à Ton Seigneur, prosterne-toi, et incline-toi avec ceux qui s'inclinent»[2].

44. - Ce sont là des nouvelles de l'Inconnaissable que Nous te révélons. Car tu n'étais pas là lorsqu'ils jetaient leurs calames pour décider qui se chargerait de Marie! Tu n'étais pas là non plus lorsqu'ils se disputaient[3]!

45. (Rappelle-toi) quand les Anges dirent: «Ô Marie, voilà qu'Allāh t'annonce une parole de Sa part: son nom sera «al-Masīḥ», «'Īssā», fils de Marie, illustre ici-bas comme dans l'au-delà, et l'un des rapprochés d'Allāh»[4].

---

1. *Parole d'Allāh,*: un commandement d'Allāh. Référence à Jésus qui naquit sans père, sur ordre d'Allāh qui dit: «Sois!».
2. *Avec ceux qui s'inclinent* (pour la prière).
3. *Que Nous te révélons* (ô Muḥammad) (ﷺ).
Lorsqu'ils jetaient leurs calames...: le contexte indique qu'il s'agit là d'un procédé de tirage au sort.
4. *Une parole*: voir la note S. 3, v. 39.
«al-Masīḥ»: le Messie.
«'Īssā»: Jésus.

وَيُكَلِّمُ ٱلنَّاسَ فِي ٱلْمَهْدِ وَكَهْلًا وَمِنَ ٱلصَّٰلِحِينَ ﴿٤٦﴾

قَالَتْ رَبِّ أَنَّىٰ يَكُونُ لِي وَلَدٌ وَلَمْ يَمْسَسْنِي بَشَرٌ قَالَ كَذَٰلِكِ

ٱللَّهُ يَخْلُقُ مَا يَشَآءُ إِذَا قَضَىٰٓ أَمْرًا فَإِنَّمَا يَقُولُ لَهُۥ كُن فَيَكُونُ ﴿٤٧﴾

وَيُعَلِّمُهُ ٱلْكِتَٰبَ وَٱلْحِكْمَةَ وَٱلتَّوْرَىٰةَ وَٱلْإِنجِيلَ ﴿٤٨﴾

وَرَسُولًا إِلَىٰ بَنِىٓ إِسْرَٰٓءِيلَ أَنِّى قَدْ جِئْتُكُم بِـَٔايَةٍ مِّن رَّبِّكُمْ

أَنِّىٓ أَخْلُقُ لَكُم مِّنَ ٱلطِّينِ كَهَيْـَٔةِ ٱلطَّيْرِ فَأَنفُخُ فِيهِ

فَيَكُونُ طَيْرًۢا بِإِذْنِ ٱللَّهِ وَأُبْرِئُ ٱلْأَكْمَهَ وَٱلْأَبْرَصَ

وَأُحْىِ ٱلْمَوْتَىٰ بِإِذْنِ ٱللَّهِ وَأُنَبِّئُكُم بِمَا تَأْكُلُونَ وَمَا تَدَّخِرُونَ

فِي بُيُوتِكُمْ إِنَّ فِي ذَٰلِكَ لَءَايَةً لَّكُمْ إِن كُنتُم مُّؤْمِنِينَ ﴿٤٩﴾

وَمُصَدِّقًا لِّمَا بَيْنَ يَدَىَّ مِنَ ٱلتَّوْرَىٰةِ وَلِأُحِلَّ لَكُم

بَعْضَ ٱلَّذِى حُرِّمَ عَلَيْكُمْ وَجِئْتُكُم بِـَٔايَةٍ مِّن رَّبِّكُمْ

فَٱتَّقُوا۟ ٱللَّهَ وَأَطِيعُونِ ﴿٥٠﴾ إِنَّ ٱللَّهَ رَبِّى وَرَبُّكُمْ فَٱعْبُدُوهُ

هَٰذَا صِرَٰطٌ مُّسْتَقِيمٌ ﴿٥١﴾ ۞ فَلَمَّآ أَحَسَّ عِيسَىٰ مِنْهُمُ

ٱلْكُفْرَ قَالَ مَنْ أَنصَارِىٓ إِلَى ٱللَّهِ قَالَ ٱلْحَوَارِيُّونَ نَحْنُ

أَنصَارُ ٱللَّهِ ءَامَنَّا بِٱللَّهِ وَٱشْهَدْ بِأَنَّا مُسْلِمُونَ ﴿٥٢﴾

46. Il parlera aux gens, dans le berceau et en son âge mûr et il sera du nombre des gens de bien».

47. - Elle dit: «Seigneur! Comment aurais-je un enfant, alors qu'aucun homme ne m'a touchée?» - «C'est ainsi!» dit-Il. Allāh crée ce qu'Il veut. Quand Il décide d'une chose, Il lui dit seulement: «Sois» ; et elle est aussitôt.

48. «Et (Allāh) lui enseignera l'écriture, la sagesse[1], la Thora et l'Evangile,

49. et Il sera le messager aux enfants d'Israël, [et leur dira]: «En vérité, je viens à vous avec un signe de la part de votre Seigneur. Pour vous, je forme de la glaise comme la figure d'un oiseau, puis, je souffle dedans: et, par la permission d'Allāh, cela devient un oiseau. Et je guéris l'aveugle-né et le lépreux, et je ressuscite les morts, par la permission d'Allāh. Et je vous apprends ce que vous mangez et ce que vous amassez dans vos maisons. Voilà bien là un signe, pour vous, si vous êtes croyants!

50. Et je confirme ce qu'il y a dans la Thora révélée avant moi, et je vous rends licite une partie de ce qui vous était interdit. Et j'ai certes apporté un signe de votre Seigneur. Craignez Allāh donc, et obéissez-moi.

51. Allāh est mon Seigneur et votre Seigneur. Adorez-Le donc: voilà le chemin droit.»

52. Puis, quand Jésus ressentit de l'incrédulité de leur part, il dit: «Qui sont mes alliés dans la voie d'Allāh?» Les apôtres dirent: «Nous sommes les alliés d'Allāh. Nous croyons en Allāh. Et sois témoin que nous Lui sommes soumis.

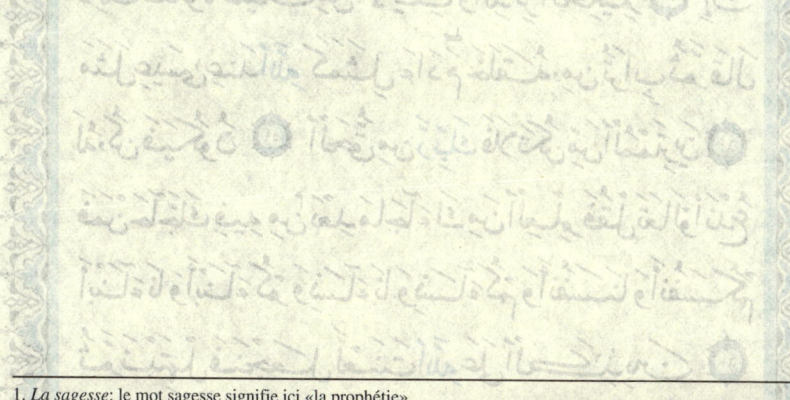

---

1. *La sagesse*: le mot sagesse signifie ici «la prophétie».

رَبَّنَآ ءَامَنَّا بِمَآ أَنزَلْتَ وَٱتَّبَعْنَا ٱلرَّسُولَ فَٱكْتُبْنَا مَعَ

ٱلشَّٰهِدِينَ ۞ وَمَكَرُوا۟ وَمَكَرَ ٱللَّهُ وَٱللَّهُ خَيْرُ

ٱلْمَٰكِرِينَ ۞ إِذْ قَالَ ٱللَّهُ يَٰعِيسَىٰٓ إِنِّى مُتَوَفِّيكَ وَرَافِعُكَ

إِلَىَّ وَمُطَهِّرُكَ مِنَ ٱلَّذِينَ كَفَرُوا۟ وَجَاعِلُ ٱلَّذِينَ ٱتَّبَعُوكَ

فَوْقَ ٱلَّذِينَ كَفَرُوٓا۟ إِلَىٰ يَوْمِ ٱلْقِيَٰمَةِ ثُمَّ إِلَىَّ مَرْجِعُكُمْ

فَأَحْكُمُ بَيْنَكُمْ فِيمَا كُنتُمْ فِيهِ تَخْتَلِفُونَ ۞ فَأَمَّا ٱلَّذِينَ

كَفَرُوا۟ فَأُعَذِّبُهُمْ عَذَابًا شَدِيدًا فِى ٱلدُّنْيَا وَٱلْءَاخِرَةِ وَمَا

لَهُم مِّن نَّٰصِرِينَ ۞ وَأَمَّا ٱلَّذِينَ ءَامَنُوا۟ وَعَمِلُوا۟

ٱلصَّٰلِحَٰتِ فَيُوَفِّيهِمْ أُجُورَهُمْ وَٱللَّهُ لَا يُحِبُّ ٱلظَّٰلِمِينَ

۞ ذَٰلِكَ نَتْلُوهُ عَلَيْكَ مِنَ ٱلْءَايَٰتِ وَٱلذِّكْرِ ٱلْحَكِيمِ ۞ إِنَّ

مَثَلَ عِيسَىٰ عِندَ ٱللَّهِ كَمَثَلِ ءَادَمَ خَلَقَهُۥ مِن تُرَابٍ ثُمَّ قَالَ

لَهُۥ كُن فَيَكُونُ ۞ ٱلْحَقُّ مِن رَّبِّكَ فَلَا تَكُن مِّنَ ٱلْمُمْتَرِينَ ۞

فَمَنْ حَآجَّكَ فِيهِ مِنۢ بَعْدِ مَا جَآءَكَ مِنَ ٱلْعِلْمِ فَقُلْ تَعَالَوْا۟ نَدْعُ

أَبْنَآءَنَا وَأَبْنَآءَكُمْ وَنِسَآءَنَا وَنِسَآءَكُمْ وَأَنفُسَنَا وَأَنفُسَكُمْ

ثُمَّ نَبْتَهِلْ فَنَجْعَل لَّعْنَتَ ٱللَّهِ عَلَى ٱلْكَٰذِبِينَ ۞

53. Seigneur! Nous avons cru à ce que Tu as fait descendre et suivi le messager. Inscris-nous donc parmi ceux qui témoignent»[1].

54. Et ils [les autres] se mirent à comploter. Allāh a fait échouer leur complot Et c'est Allāh qui sait le mieux leur machination[2]!

55. (Rappelle-toi) quand'Allāh dit: «Ô Jésus, certes, Je vais mettre fin à ta vie terrestre, t'élever vers Moi, te débarrasser de ceux qui n'ont pas cru et mettre jusqu'au Jour de la Résurrection, ceux qui te suivent[3] au-dessus de ceux qui ne croient pas. Puis, c'est vers Moi que sera votre retour, et Je jugerai, entre vous, ce sur quoi vous vous opposiez.

56. Quant à ceux qui n'ont pas cru, Je les châtierai d'un dur châtiment, ici-bas tout comme dans l'au-delà ; et pour eux, pas de secoureurs.

57. Et quant à ceux qui ont la foi et font de bonnes œuvres, Il leur donnera leurs récompenses. Et Allāh n'aime pas les injustes.

58. Voilà ce que Nous te récitons des versets et de la révélation précise[4].

59. Pour Allāh, Jésus est comme Adam qu'Il créa de poussière, puis Il lui dit:«Sois»: et il fut.

60. La vérité vient de ton Seigneur. Ne sois donc pas du nombre des sceptiques.

61. À ceux qui te contredisent à son propos, maintenant que tu en es bien informé, tu n'as qu'à dire: «Venez, appelons nos fils et les vôtres, nos femmes et les vôtres, nos propres personnes et les vôtres, puis proférons exécration réciproque en appelant la malédiction d'Allāh sur le menteurs[5].

---

1. *Ceux qui témoignent*: qu'il n'y a pas d'autres divinités à part Allāh et que Muḥammad (ﷺ) est le Messager d'Allāh.
Autre interprétation: ceux qui témoignent qu'Allāh est unique et que 'Issā est un prophète.
2. *Et les autres* (les Juifs): les infidèles des fils d'Israël.
A comploter: contre Jésus.
3. *Ceux qui te suivent*: il s'agit des Chrétiens qui n'ont pas altéré les enseignements de Jésus et les Musulmans, car ce sont eux les vrais suiveurs de la ligne de Jésus, homme prophète.
4. *La révélation précise*: le Qur'ān.
5. Allusion à la délégation des Chrétiens de Najrān en Arabie, mais qui ne releva pas ce défi.
Le verbe arabe «Nabtahil»: signifie implorer. Ici demander malédiction.

إِنَّ هَذَا لَهُوَ الْقَصَصُ الْحَقُّ وَمَا مِنْ إِلَهٍ إِلَّا اللَّهُ وَإِنَّ اللَّهَ لَهُوَ الْعَزِيزُ الْحَكِيمُ ۞ فَإِن تَوَلَّوْا فَإِنَّ اللَّهَ عَلِيمٌ بِالْمُفْسِدِينَ ۝

قُلْ يَا أَهْلَ الْكِتَابِ تَعَالَوْا إِلَى كَلِمَةٍ سَوَاءٍ بَيْنَنَا وَبَيْنَكُمْ أَلَّا نَعْبُدَ إِلَّا اللَّهَ وَلَا نُشْرِكَ بِهِ شَيْئًا وَلَا يَتَّخِذَ بَعْضُنَا بَعْضًا أَرْبَابًا مِّن دُونِ اللَّهِ فَإِن تَوَلَّوْا فَقُولُوا اشْهَدُوا بِأَنَّا مُسْلِمُونَ ۝ يَا أَهْلَ الْكِتَابِ لِمَ تُحَاجُّونَ فِي إِبْرَاهِيمَ وَمَا أُنزِلَتِ التَّوْرَاةُ وَالْإِنجِيلُ إِلَّا مِن بَعْدِهِ أَفَلَا تَعْقِلُونَ ۝ هَا أَنتُمْ هَؤُلَاءِ حَاجَجْتُمْ فِيمَا لَكُم بِهِ عِلْمٌ فَلِمَ تُحَاجُّونَ فِيمَا لَيْسَ لَكُم بِهِ عِلْمٌ وَاللَّهُ يَعْلَمُ وَأَنتُمْ لَا تَعْلَمُونَ ۝ مَا كَانَ إِبْرَاهِيمُ يَهُودِيًّا وَلَا نَصْرَانِيًّا وَلَكِن كَانَ حَنِيفًا مُّسْلِمًا وَمَا كَانَ مِنَ الْمُشْرِكِينَ ۝ إِنَّ أَوْلَى النَّاسِ بِإِبْرَاهِيمَ لَلَّذِينَ اتَّبَعُوهُ وَهَذَا النَّبِيُّ وَالَّذِينَ آمَنُوا وَاللَّهُ وَلِيُّ الْمُؤْمِنِينَ ۝ وَدَّت طَّائِفَةٌ مِّنْ أَهْلِ الْكِتَابِ لَوْ يُضِلُّونَكُمْ وَمَا يُضِلُّونَ إِلَّا أَنفُسَهُمْ وَمَا يَشْعُرُونَ ۝ يَا أَهْلَ الْكِتَابِ لِمَ تَكْفُرُونَ بِآيَاتِ اللَّهِ وَأَنتُمْ تَشْهَدُونَ ۝

62. Voilà, certes, le récit véridique. Et il n'y a pas de divinité à part Allāh. En vérité, c'est Allāh qui est le Puissant, le Sage.

63. Si donc ils tournent le dos... Alors Allāh connaît bien les semeurs de corruption!

64. - Dis: «Ô gens du Livre, venez à une parole commune entre nous et vous que nous n'adorions qu'Allāh, sans rien Lui associer, et que nous ne prenions point les uns les autres pour seigneurs en dehors d'Allāh». Puis, s'ils tournent le dos, dites: «Soyez témoins que nous, nous sommes soumis».

65. Ô gens du Livre, pourquoi disputez-vous au sujet d'Abraham, alors que la Thora et l'Evangile ne sont descendus qu'après lui? Ne raisonnez-vous donc pas[1]?

66. Vous avez bel et bien disputé à propos d'une chose dont vous avez connaissance. Mais pourquoi disputez-vous des choses dont vous n'avez pas connaissance? Or Allāh sait, tandis que vous ne savez pas.

67. Abraham n'était ni Juif ni Chrétien. Il était entièrement soumis à Allāh (Musulman). Et il n'était point du nombre des Associateurs[2].

68. Certes les hommes les plus dignes de se réclamer d'Abraham, sont ceux qui l'ont suivi, ainsi que ce Prophète-ci, et ceux qui ont la foi. Et Allāh est l'allié des croyants[3].

69. Une partie des gens du Livre aurait bien voulu vous égarer. Or ils n'égarent qu'eux-mêmes ; et ils n'en sont pas conscients.

70. Ô gens du Livre, pourquoi ne croyez-vous pas aux versets d'Allāh (le Qurʾān) cependant que vous en êtes témoins?

---

1. Ce verset réfute aussi bien la prétention des juifs qui affirmaient qu'Abraham était un juif que celle des chrétiens qui disaient qu'il était un chrétien.
2. Le mot arabe «Ḥanīfan» signifie «celui qui s'éloigne» de toutes doctrines fausses et adhère exclusivement à la vraie religion d'Allāh : l'Islām.
3. *Ce Prophète-ci*: Muḥammad (ﷺ).
Ceux qui ont la foi: les Musulmans.

يَـٰٓأَهۡلَ ٱلۡكِتَـٰبِ لِمَ تَلۡبِسُونَ ٱلۡحَقَّ بِٱلۡبَـٰطِلِ وَتَكۡتُمُونَ ٱلۡحَقَّ

وَأَنتُمۡ تَعۡلَمُونَ ۞ وَقَالَت طَّآئِفَةٌ مِّنۡ أَهۡلِ ٱلۡكِتَـٰبِ ءَامِنُواْ

بِٱلَّذِىٓ أُنزِلَ عَلَى ٱلَّذِينَ ءَامَنُواْ وَجۡهَ ٱلنَّهَارِ وَٱكۡفُرُوٓاْ ءَاخِرَهُۥ

لَعَلَّهُمۡ يَرۡجِعُونَ ۞ وَلَا تُؤۡمِنُوٓاْ إِلَّا لِمَن تَبِعَ دِينَكُمۡ قُلۡ إِنَّ

ٱلۡهُدَىٰ هُدَى ٱللَّهِ أَن يُؤۡتَىٰٓ أَحَدٌ مِّثۡلَ مَآ أُوتِيتُمۡ أَوۡ يُحَآجُّوكُمۡ

عِندَ رَبِّكُمۡ قُلۡ إِنَّ ٱلۡفَضۡلَ بِيَدِ ٱللَّهِ يُؤۡتِيهِ مَن يَشَآءُ وَٱللَّهُ وَٰسِعٌ

عَلِيمٌ ۞ يَخۡتَصُّ بِرَحۡمَتِهِۦ مَن يَشَآءُ وَٱللَّهُ ذُو ٱلۡفَضۡلِ

ٱلۡعَظِيمِ ۞ وَمِنۡ أَهۡلِ ٱلۡكِتَـٰبِ مَنۡ إِن تَأۡمَنۡهُ بِقِنطَارٍ

يُؤَدِّهِۦٓ إِلَيۡكَ وَمِنۡهُم مَّنۡ إِن تَأۡمَنۡهُ بِدِينَارٍ لَّا يُؤَدِّهِۦٓ إِلَيۡكَ إِلَّا

مَا دُمۡتَ عَلَيۡهِ قَآئِمًا ذَٰلِكَ بِأَنَّهُمۡ قَالُواْ لَيۡسَ عَلَيۡنَا فِى ٱلۡأُمِّيِّـۧنَ

سَبِيلٌ وَيَقُولُونَ عَلَى ٱللَّهِ ٱلۡكَذِبَ وَهُمۡ يَعۡلَمُونَ ۞

بَلَىٰ مَنۡ أَوۡفَىٰ بِعَهۡدِهِۦ وَٱتَّقَىٰ فَإِنَّ ٱللَّهَ يُحِبُّ ٱلۡمُتَّقِينَ ۞ إِنَّ

ٱلَّذِينَ يَشۡتَرُونَ بِعَهۡدِ ٱللَّهِ وَأَيۡمَـٰنِهِمۡ ثَمَنًا قَلِيلًا أُوْلَـٰٓئِكَ لَا

خَلَـٰقَ لَهُمۡ فِى ٱلۡأَخِرَةِ وَلَا يُكَلِّمُهُمُ ٱللَّهُ وَلَا يَنظُرُ إِلَيۡهِمۡ

يَوۡمَ ٱلۡقِيَـٰمَةِ وَلَا يُزَكِّيهِمۡ وَلَهُمۡ عَذَابٌ أَلِيمٌ ۞

71. Ô gens du Livre, pourquoi mêlez-vous le faux au vrai et cachez-vous sciemment la vérité?

72. Ainsi dit une partie des gens du Livre: «Au début du jour, croyez à ce qui a été révélé aux Musulmans, mais, à la fin du jour, rejetez-le, afin qu'ils retournent (à leur ancienne religion).

73. [Et les gens du Livre disent à leurs coreligionnaires]: «Ne croyez que ceux qui suivent votre religion...» Dis: «La vraie direction est la direction d'Allāh» - [et ils disent encore: Vous ne devez ni approuver ni reconnaître] que quelqu'un d'autre que vous puisse recevoir comme ce que vous avez reçu de sorte qu'ils (les musulmans) ne puissent argumenter contre vous auprès de votre Seigneur. Dis- [leur]: En vérité la grâce est en la main d'Allāh. Il la donne à qui Il veut. La grâce d'Allāh est immense et Il est Omniscient[1].

74. Il réserve à qui Il veut sa miséricorde. Et Allāh est Détenteur d'une grâce immense.

75. Et parmi les gens du Livre, il y en a qui, si tu lui confies un qinṭār[2], te le rend. Mais il y en a aussi qui, si tu lui confies un dinār, ne te le rendra que si tu l'y contrains sans relâche. Tout cela parce qu'ils disent: «Ces (arabes) qui n'ont pas de livre n'ont aucun chemin pour nous contraindre.» Ils profèrent des mensonges contre Allāh alors qu'ils savent.

76. Au contraire, quiconque remplit sa promesse et craint Allāh... Allāh aime les pieux.

77. Ceux qui vendent à vil prix leur engagement avec Allāh ainsi que leurs serments n'auront aucune part dans l'au-delà, et Allāh ne leur parlera pas, ni les regardera, au Jour de la Résurrection, ni ne les purifiera ; et ils auront un châtiment douloureux.

---

1. *Ce que vous avez reçu*: autre interprétation: ne vous fiez qu'à vos coreligionnaires afin que nul d'autre que vous ne soit en mesure de savoir ce que vous savez et pour qu'il ne l'utilise pas comme argument contre vous auprès de votre Seigneur.
2. *Un qinṭār*: mille pièces d'or, d'où le mot latin: quintal.

وَإِنَّ مِنْهُمْ لَفَرِيقًا يَلْوُونَ أَلْسِنَتَهُم بِٱلْكِتَٰبِ لِتَحْسَبُوهُ

مِنَ ٱلْكِتَٰبِ وَمَا هُوَ مِنَ ٱلْكِتَٰبِ وَيَقُولُونَ هُوَ

مِنْ عِندِ ٱللَّهِ وَمَا هُوَ مِنْ عِندِ ٱللَّهِ وَيَقُولُونَ عَلَى ٱللَّهِ ٱلْكَذِبَ

وَهُمْ يَعْلَمُونَ ۝ مَا كَانَ لِبَشَرٍ أَن يُؤْتِيَهُ ٱللَّهُ ٱلْكِتَٰبَ

وَٱلْحُكْمَ وَٱلنُّبُوَّةَ ثُمَّ يَقُولَ لِلنَّاسِ كُونُوا۟ عِبَادًا لِّي مِن

دُونِ ٱللَّهِ وَلَٰكِن كُونُوا۟ رَبَّٰنِيِّۦنَ بِمَا كُنتُمْ تُعَلِّمُونَ ٱلْكِتَٰبَ

وَبِمَا كُنتُمْ تَدْرُسُونَ ۝ وَلَا يَأْمُرَكُمْ أَن تَتَّخِذُوا۟ ٱلْمَلَٰٓئِكَةَ

وَٱلنَّبِيِّۦنَ أَرْبَابًا أَيَأْمُرُكُم بِٱلْكُفْرِ بَعْدَ إِذْ أَنتُم مُّسْلِمُونَ ۝

وَإِذْ أَخَذَ ٱللَّهُ مِيثَٰقَ ٱلنَّبِيِّۦنَ لَمَآ ءَاتَيْتُكُم مِّن كِتَٰبٍ

وَحِكْمَةٍ ثُمَّ جَآءَكُمْ رَسُولٌ مُّصَدِّقٌ لِّمَا مَعَكُمْ لَتُؤْمِنُنَّ

بِهِۦ وَلَتَنصُرُنَّهُۥ قَالَ ءَأَقْرَرْتُمْ وَأَخَذْتُمْ عَلَىٰ ذَٰلِكُمْ إِصْرِى

قَالُوٓا۟ أَقْرَرْنَا قَالَ فَٱشْهَدُوا۟ وَأَنَا۠ مَعَكُم مِّنَ ٱلشَّٰهِدِينَ ۝

فَمَن تَوَلَّىٰ بَعْدَ ذَٰلِكَ فَأُو۟لَٰٓئِكَ هُمُ ٱلْفَٰسِقُونَ ۝

أَفَغَيْرَ دِينِ ٱللَّهِ يَبْغُونَ وَلَهُۥٓ أَسْلَمَ مَن فِى ٱلسَّمَٰوَٰتِ

وَٱلْأَرْضِ طَوْعًا وَكَرْهًا وَإِلَيْهِ يُرْجَعُونَ ۝

78. Et il y a parmi eux certains qui roulent leurs langues en lisant le Livre pour vous faire croire que cela provient du Livre, alors qu'il n'est point du Livre ; et ils disent: «Ceci vient d'Allāh», alors qu'il ne vient point d'Allāh. Ils disent sciemment des mensonges contre Allāh.

79. Il ne conviendrait pas à un être humain à qui Allāh a donné le Livre, la Compréhension et la Prophétie, de dire ensuite aux gens: «Soyez mes adorateurs, à l'exclusion d'Allāh ; mais au contraire, [il devra dire]: «Devenez des savants, obéissant au Seigneur , puisque vous enseignez le Livre et vous l'étudiez».

80. Et il ne va pas vous commander de prendre pour seigneurs anges et prophètes. Vous commanderait-il de rejeter la foi, vous qui êtes Musulmans?

81. Et lorsqu'Allāh prit cet engagement des prophètes: «Chaque fois que Je vous accorderai un Livre et de la Sagesse, et qu'ensuite un messager vous viendra confirmer ce qui est avec vous, vous devez croire en lui, et vous devrez lui porter secours.» Il leur dit: «Consentez-vous et acceptez-vous Mon pacte à cette condition?»—«Nous consentons», dirent-ils. «Soyez-en donc témoins, dit Allāh. Et Me voici, avec vous, parmi les témoins[1].

82. Quiconque ensuite tournera le dos... alors ce sont eux qui seront les pervers».

83. Désirent-ils une autre religion que celle d'Allāh, alors que se soumet à Lui, bon gré, mal gré, tout ce qui existe dans les cieux et sur la terre, et que c'est vers Lui qu'ils seront ramenés?

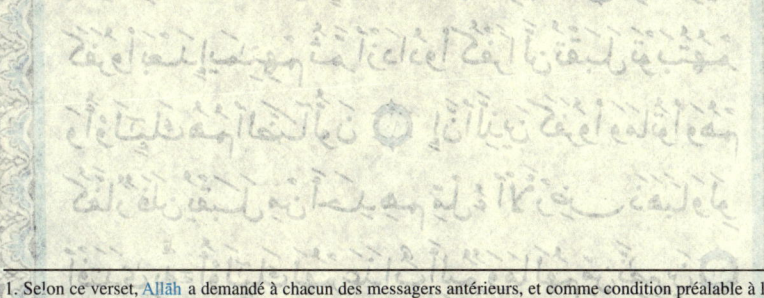

---

1. Selon ce verset, Allāh a demandé à chacun des messagers antérieurs, et comme condition préalable à leur mission, de reconnaître et d'annoncer la venue de Muḥammad (ﷺ) comme messager.

قُلْ ءَامَنَّا بِٱللَّهِ وَمَآ أُنزِلَ عَلَيْنَا وَمَآ أُنزِلَ عَلَىٰٓ إِبْرَٰهِيمَ وَإِسْمَـٰعِيلَ وَإِسْحَـٰقَ وَيَعْقُوبَ وَٱلْأَسْبَاطِ وَمَآ أُوتِىَ مُوسَىٰ وَعِيسَىٰ وَٱلنَّبِيُّونَ مِن رَّبِّهِمْ لَا نُفَرِّقُ بَيْنَ أَحَدٍ مِّنْهُمْ وَنَحْنُ لَهُۥ مُسْلِمُونَ ۞ ٨٤ وَمَن يَبْتَغِ غَيْرَ ٱلْإِسْلَـٰمِ دِينًا فَلَن يُقْبَلَ مِنْهُ وَهُوَ فِى ٱلْأَخِرَةِ مِنَ ٱلْخَـٰسِرِينَ ۞ ٨٥ كَيْفَ يَهْدِى ٱللَّهُ قَوْمًا كَفَرُوا۟ بَعْدَ إِيمَـٰنِهِمْ وَشَهِدُوٓا۟ أَنَّ ٱلرَّسُولَ حَقٌّ وَجَآءَهُمُ ٱلْبَيِّنَـٰتُ وَٱللَّهُ لَا يَهْدِى ٱلْقَوْمَ ٱلظَّـٰلِمِينَ ۞ ٨٦ أُو۟لَـٰٓئِكَ جَزَآؤُهُمْ أَنَّ عَلَيْهِمْ لَعْنَةَ ٱللَّهِ وَٱلْمَلَـٰٓئِكَةِ وَٱلنَّاسِ أَجْمَعِينَ ۞ ٨٧ خَـٰلِدِينَ فِيهَا لَا يُخَفَّفُ عَنْهُمُ ٱلْعَذَابُ وَلَا هُمْ يُنظَرُونَ ۞ ٨٨ إِلَّا ٱلَّذِينَ تَابُوا۟ مِنۢ بَعْدِ ذَٰلِكَ وَأَصْلَحُوا۟ فَإِنَّ ٱللَّهَ غَفُورٌ رَّحِيمٌ ۞ ٨٩ إِنَّ ٱلَّذِينَ كَفَرُوا۟ بَعْدَ إِيمَـٰنِهِمْ ثُمَّ ٱزْدَادُوا۟ كُفْرًا لَّن تُقْبَلَ تَوْبَتُهُمْ وَأُو۟لَـٰٓئِكَ هُمُ ٱلضَّآلُّونَ ۞ ٩٠ إِنَّ ٱلَّذِينَ كَفَرُوا۟ وَمَاتُوا۟ وَهُمْ كُفَّارٌ فَلَن يُقْبَلَ مِنْ أَحَدِهِم مِّلْءُ ٱلْأَرْضِ ذَهَبًا وَلَوِ ٱفْتَدَىٰ بِهِۦٓ أُو۟لَـٰٓئِكَ لَهُمْ عَذَابٌ أَلِيمٌ وَمَا لَهُم مِّن نَّـٰصِرِينَ ۞ ٩١

84. Dis: «Nous croyons en Allāh, à ce qu'on a fait descendre[1] sur nous, à ce qu'on a fait descendre sur Abraham, Ismaël, Isaac, Jacob et les Tribus, et à ce qui a été apporté à Moïse, à Jésus et aux prophètes, de la part de leur Seigneur: nous ne faisons aucune différence entre eux ; et c'est à Lui que nous sommes Soumis».

85. Et quiconque désire une religion autre que l'Islām, ne sera point agréé, et il sera, dans l'au-delà, parmi les perdants.

86. Comment Allāh guiderait-Il des gens qui n'ont plus la foi après avoir cru et témoigné que le Messager est véridique, et après que les preuves leur sont venues? Allāh ne guide pas les gens injustes.

87. Ceux là, leur rétribution sera qu'ils auront sur eux la malédiction d'Allāh, des Anges et de tous les êtres humains.

88. Ils y demeureront éternellement. Le châtiment ne leur sera pas allégé, et ils n'auront aucun répit,

89. excepté ceux qui par la suite se repentiront et se réformeront: car Allāh est certes Pardonneur et Miséricordieux.

90. En vérité, ceux qui ne croient plus après avoir eu la foi, et laissent augmenter encore leur mécréance, leur repentir ne sera jamais accepté. Ceux-là sont vraiment les égarés.

91. Ceux qui ne croient pas et qui meurent mécréants, il ne sera jamais accepté d'aucun d'eux de se racheter même si pour cela il (donnait) le contenu, en or, de la terre. Ils auront un châtiment douloureux, et ils n'auront point de secoureurs.

---

1. *Ce qu'on a fait descendre* (de révélation).

لَن تَنَالُوا۟ ٱلْبِرَّ حَتَّىٰ تُنفِقُوا۟ مِمَّا تُحِبُّونَ ۚ وَمَا تُنفِقُوا۟ مِن شَىْءٍ فَإِنَّ ٱللَّهَ بِهِۦ عَلِيمٌ ۝ كُلُّ ٱلطَّعَامِ كَانَ حِلًّا لِّبَنِىٓ إِسْرَٰٓءِيلَ إِلَّا مَا حَرَّمَ إِسْرَٰٓءِيلُ عَلَىٰ نَفْسِهِۦ مِن قَبْلِ أَن تُنَزَّلَ ٱلتَّوْرَىٰةُ ۗ قُلْ فَأْتُوا۟ بِٱلتَّوْرَىٰةِ فَٱتْلُوهَآ إِن كُنتُمْ صَٰدِقِينَ ۝ فَمَنِ ٱفْتَرَىٰ عَلَى ٱللَّهِ ٱلْكَذِبَ مِنۢ بَعْدِ ذَٰلِكَ فَأُو۟لَٰٓئِكَ هُمُ ٱلظَّٰلِمُونَ ۝ قُلْ صَدَقَ ٱللَّهُ ۗ فَٱتَّبِعُوا۟ مِلَّةَ إِبْرَٰهِيمَ حَنِيفًا وَمَا كَانَ مِنَ ٱلْمُشْرِكِينَ ۝ إِنَّ أَوَّلَ بَيْتٍ وُضِعَ لِلنَّاسِ لَلَّذِى بِبَكَّةَ مُبَارَكًا وَهُدًى لِّلْعَٰلَمِينَ ۝ فِيهِ ءَايَٰتٌۢ بَيِّنَٰتٌ مَّقَامُ إِبْرَٰهِيمَ ۖ وَمَن دَخَلَهُۥ كَانَ ءَامِنًا ۗ وَلِلَّهِ عَلَى ٱلنَّاسِ حِجُّ ٱلْبَيْتِ مَنِ ٱسْتَطَاعَ إِلَيْهِ سَبِيلًا ۚ وَمَن كَفَرَ فَإِنَّ ٱللَّهَ غَنِىٌّ عَنِ ٱلْعَٰلَمِينَ ۝ قُلْ يَٰٓأَهْلَ ٱلْكِتَٰبِ لِمَ تَكْفُرُونَ بِـَٔايَٰتِ ٱللَّهِ وَٱللَّهُ شَهِيدٌ عَلَىٰ مَا تَعْمَلُونَ ۝ قُلْ يَٰٓأَهْلَ ٱلْكِتَٰبِ لِمَ تَصُدُّونَ عَن سَبِيلِ ٱللَّهِ مَنْ ءَامَنَ تَبْغُونَهَا عِوَجًا وَأَنتُمْ شُهَدَآءُ ۗ وَمَا ٱللَّهُ بِغَٰفِلٍ عَمَّا تَعْمَلُونَ ۝ يَٰٓأَيُّهَا ٱلَّذِينَ ءَامَنُوٓا۟ إِن تُطِيعُوا۟ فَرِيقًا مِّنَ ٱلَّذِينَ أُوتُوا۟ ٱلْكِتَٰبَ يَرُدُّوكُم بَعْدَ إِيمَٰنِكُمْ كَٰفِرِينَ ۝

92. Vous n'atteindrez la (vraie) piété que si vous faites largesses de ce que vous chérissez. Tout ce dont vous faites largesses, Allāh le sait certainement bien.

93. Toute nourriture était licite aux enfants d'Israël[1], sauf celle qu'Israël lui-même s'interdit avant que ne descendît la Thora. Dis-[leur]: «Apportez la Thora et lisez-la, si ce que vous dites est vrai!»

94. Donc, quiconque, après cela, invente des mensonges contre Allāh... ceux-là sont, donc, les vrais injustes.

95. Dis: «C'est Allāh qui dit la vérité. Suivez donc la religion d'Abraham, Musulman droit. Et il n'était point des associateurs».

96. La première Maison qui ait été édifiée pour les gens, c'est bien celle de Bakka (la Mecque) bénie et une bonne direction pour l'univers.

97. Là sont des signes évidents, parmi lesquels l'endroit où Abraham s'est tenu debout; et quiconque y entre est en sécurité. Et c'est un devoir envers Allāh pour les gens qui ont les moyens, d'aller faire le pèlerinage de la Maison. Et quiconque ne croit pas... Allāh Se passe largement des mondes[2].

98. - Dis: «Ô gens du Livre, pourquoi ne croyez-vous pas aux versets d'Allāh (al-Qurʾān), alors qu'Allāh est témoin de ce que vous faites?»

99. - Dis: «Ô gens du Livre, pourquoi obstruez-vous la voie d'Allāh à celui qui a la foi, et pourquoi voulez-vous rendre cette voie tortueuse, alors que vous êtes témoins de la vérité!» Et Allāh n'est pas inattentif à ce que vous faites.

100. Ô les croyants! Si vous obéissez à un groupe de ceux auxquels on a donné le Livre, il vous rendra mécréants après que vous ayez eu la foi.

---

1. *Israël*: Jacob qui s'interdit la viande et le lait de chameau.
2. *Où Abraham s'est tenu debout*: voir S. 2, v. 125.
Le pèlerinage: voir S. 2, v. 196.

وَكَيْفَ تَكْفُرُونَ وَأَنتُمْ تُتْلَى عَلَيْكُمْ ءَايَتُ ٱللَّهِ وَفِيكُمْ رَسُولُهُۥ وَمَن يَعْتَصِم بِٱللَّهِ فَقَدْ هُدِىَ إِلَى صِرَطٍ مُّسْتَقِيمٍ ۝ يَٰٓأَيُّهَا ٱلَّذِينَ ءَامَنُوا۟ ٱتَّقُوا۟ ٱللَّهَ حَقَّ تُقَاتِهِۦ وَلَا تَمُوتُنَّ إِلَّا وَأَنتُم مُّسْلِمُونَ ۝ وَٱعْتَصِمُوا۟ بِحَبْلِ ٱللَّهِ جَمِيعًا وَلَا تَفَرَّقُوا۟ وَٱذْكُرُوا۟ نِعْمَتَ ٱللَّهِ عَلَيْكُمْ إِذْ كُنتُمْ أَعْدَآءً فَأَلَّفَ بَيْنَ قُلُوبِكُمْ فَأَصْبَحْتُم بِنِعْمَتِهِۦٓ إِخْوَٰنًا وَكُنتُمْ عَلَىٰ شَفَا حُفْرَةٍ مِّنَ ٱلنَّارِ فَأَنقَذَكُم مِّنْهَا كَذَٰلِكَ يُبَيِّنُ ٱللَّهُ لَكُمْ ءَايَٰتِهِۦ لَعَلَّكُمْ تَهْتَدُونَ ۝ وَلْتَكُن مِّنكُمْ أُمَّةٌ يَدْعُونَ إِلَى ٱلْخَيْرِ وَيَأْمُرُونَ بِٱلْمَعْرُوفِ وَيَنْهَوْنَ عَنِ ٱلْمُنكَرِ وَأُو۟لَٰٓئِكَ هُمُ ٱلْمُفْلِحُونَ ۝ وَلَا تَكُونُوا۟ كَٱلَّذِينَ تَفَرَّقُوا۟ وَٱخْتَلَفُوا۟ مِنۢ بَعْدِ مَا جَآءَهُمُ ٱلْبَيِّنَٰتُ وَأُو۟لَٰٓئِكَ لَهُمْ عَذَابٌ عَظِيمٌ ۝ يَوْمَ تَبْيَضُّ وُجُوهٌ وَتَسْوَدُّ وُجُوهٌ فَأَمَّا ٱلَّذِينَ ٱسْوَدَّتْ وُجُوهُهُمْ أَكَفَرْتُم بَعْدَ إِيمَٰنِكُمْ فَذُوقُوا۟ ٱلْعَذَابَ بِمَا كُنتُمْ تَكْفُرُونَ ۝ وَأَمَّا ٱلَّذِينَ ٱبْيَضَّتْ وُجُوهُهُمْ فَفِى رَحْمَةِ ٱللَّهِ هُمْ فِيهَا خَٰلِدُونَ ۝ تِلْكَ ءَايَٰتُ ٱللَّهِ نَتْلُوهَا عَلَيْكَ بِٱلْحَقِّ وَمَا ٱللَّهُ يُرِيدُ ظُلْمًا لِّلْعَٰلَمِينَ ۝

101. Et comment pouvez-vous ne pas croire, alors que les versets d'Allāh vous sont récités, et qu'au milieu de vous se tient Son messager? Quiconque s'attache fortement à Allāh, il est certes guidé vers un droit chemin.

102. Ô les croyants! Craignez Allāh comme Il doit être craint. Et ne mourez qu'en pleine soumission.

103. Et cramponnez-vous tous ensemble au câble «Ḥabl» d'Allāh[1] et ne soyez pas divisés ; et rappelez-vous le bienfait d'Allāh sur vous: lorsque vous étiez ennemis, c'est Lui qui réconcilia vos cœurs. Puis, par Son bienfait, vous êtes devenus frères. Et alors que vous étiez au bord d'un abîme de Feu, c'est Lui qui vous en a sauvés. Ainsi Allāh vous montre Ses signes afin que vous soyez bien guidés.

104. Que soit issue de vous une communauté qui appelle au bien, ordonne le convenable, et interdit le blâmable. Car ce seront eux qui réussiront[2].

105. Et ne soyez pas comme ceux qui se sont divisés et se sont mis à disputer, après que les preuves leur furent venues, et ceux-là auront un énorme châtiment.

106. Au jour où certains visages s'éclaireront, et que d'autres s'assombriront. À ceux dont les visages seront assombris (il sera dit):« avez-vous mécru après avoir eu la foi?» Eh bien, goûtez au châtiment, pour avoir renié la foi.

107. Et quant à ceux dont les visages s'éclaireront, ils seront dans la miséricorde d'Allāh, où ils demeureront éternellement.

108. Tels sont les versets d'Allāh ; Nous te (Muḥammad) les récitons avec vérité. Et Allāh ne veut point léser les mondes.

---

1. *Le câble d'Allāh* : le mot «Ḥabl» signifie littéralement «câble ou corde».
Il s'agit du Qurʾān selon les dires du prophète. Le mot «Ḥabl» exprime le lien entre Allāh et Ses créatures.
2. *Convenable*: c'est le mot «maʿrūf» qui, étymologiquement, signifie: «reconnu» (par tout le monde comme bon).
Blâmable: c'est le mot «munkar», qui signifie de même «méconnu» (et dénoncé comme mal par tout le monde).

وَلِلَّهِ مَا فِي ٱلسَّمَٰوَٰتِ وَمَا فِي ٱلْأَرْضِ وَإِلَى ٱللَّهِ تُرْجَعُ ٱلْأُمُورُ ﴿١٠٩﴾ كُنتُمْ خَيْرَ أُمَّةٍ أُخْرِجَتْ لِلنَّاسِ تَأْمُرُونَ بِٱلْمَعْرُوفِ وَتَنْهَوْنَ عَنِ ٱلْمُنكَرِ وَتُؤْمِنُونَ بِٱللَّهِ وَلَوْ ءَامَنَ أَهْلُ ٱلْكِتَٰبِ لَكَانَ خَيْرًا لَّهُم مِّنْهُمُ ٱلْمُؤْمِنُونَ وَأَكْثَرُهُمُ ٱلْفَٰسِقُونَ ﴿١١٠﴾ لَن يَضُرُّوكُمْ إِلَّا أَذًى وَإِن يُقَٰتِلُوكُمْ يُوَلُّوكُمُ ٱلْأَدْبَارَ ثُمَّ لَا يُنصَرُونَ ﴿١١١﴾ ضُرِبَتْ عَلَيْهِمُ ٱلذِّلَّةُ أَيْنَ مَا ثُقِفُوٓا۟ إِلَّا بِحَبْلٍ مِّنَ ٱللَّهِ وَحَبْلٍ مِّنَ ٱلنَّاسِ وَبَآءُو بِغَضَبٍ مِّنَ ٱللَّهِ وَضُرِبَتْ عَلَيْهِمُ ٱلْمَسْكَنَةُ ذَٰلِكَ بِأَنَّهُمْ كَانُوا۟ يَكْفُرُونَ بِـَٔايَٰتِ ٱللَّهِ وَيَقْتُلُونَ ٱلْأَنۢبِيَآءَ بِغَيْرِ حَقٍّ ذَٰلِكَ بِمَا عَصَوا۟ وَّكَانُوا۟ يَعْتَدُونَ ۞ ﴿١١٢﴾ لَيْسُوا۟ سَوَآءً مِّنْ أَهْلِ ٱلْكِتَٰبِ أُمَّةٌ قَآئِمَةٌ يَتْلُونَ ءَايَٰتِ ٱللَّهِ ءَانَآءَ ٱلَّيْلِ وَهُمْ يَسْجُدُونَ ﴿١١٣﴾ يُؤْمِنُونَ بِٱللَّهِ وَٱلْيَوْمِ ٱلْءَاخِرِ وَيَأْمُرُونَ بِٱلْمَعْرُوفِ وَيَنْهَوْنَ عَنِ ٱلْمُنكَرِ وَيُسَٰرِعُونَ فِي ٱلْخَيْرَٰتِ وَأُو۟لَٰٓئِكَ مِنَ ٱلصَّٰلِحِينَ ﴿١١٤﴾ وَمَا يَفْعَلُوا۟ مِنْ خَيْرٍ فَلَن يُكْفَرُوهُ وَٱللَّهُ عَلِيمٌۢ بِٱلْمُتَّقِينَ ﴿١١٥﴾

109. À Allāh appartient tout ce qui est dans les cieux et sur la terre. Et c'est vers Allāh que toute chose sera ramenée.

110. Vous êtes la meilleure communauté qu'on ait fait surgir pour les hommes. Vous ordonnez le convenable, interdisez le blâmable et croyez à Allāh. Si les gens du Livre croyaient, ce serait meilleur pour eux, il y en a qui ont la foi, mais la plupart d'entre eux sont des pervers.

111. Ils ne sauront jamais vous causer de grand mal, seulement une nuisance (par la langue) ; et s'ils vous combattent, ils vous tourneront le dos, et ils n'auront alors point de secours.

112. Où qu'ils se trouvent, ils sont frappés d'avilissement, à moins d'un secours providentiel d'Allāh ou d'un pacte conclu avec les hommes. Ils ont encouru la colère d'Allāh, et les voilà frappés de malheur, pour n'avoir pas cru aux signes d'Allāh, et assassiné injustement les prophètes, et aussi pour avoir désobéi et transgressé.

113. Mais ils ne sont pas tous pareils. Il est, parmi les gens du Livre, une communauté droite qui, aux heures de la nuit, récite les versets d'Allāh en se prosternant.

114. Ils croient en Allāh et au Jour dernier, ordonnent le convenable, interdisent le blâmable et concourent aux bonnes œuvres. Ceux-là sont parmi les gens de bien.

115. Et quelque bien qu'ils fassent, il ne leur sera pas dénié. Car Allāh connaît bien les pieux.

إِنَّ ٱلَّذِينَ كَفَرُوا لَن تُغْنِيَ عَنْهُمْ أَمْوَٰلُهُمْ وَلَا أَوْلَٰدُهُم مِّنَ ٱللَّهِ شَيْـًٔا وَأُوْلَٰٓئِكَ أَصْحَٰبُ ٱلنَّارِ هُمْ فِيهَا خَٰلِدُونَ ۝

مَثَلُ مَا يُنفِقُونَ فِى هَٰذِهِ ٱلْحَيَوٰةِ ٱلدُّنْيَا كَمَثَلِ رِيحٍ فِيهَا صِرٌّ أَصَابَتْ حَرْثَ قَوْمٍ ظَلَمُوٓا أَنفُسَهُمْ فَأَهْلَكَتْهُ وَمَا ظَلَمَهُمُ ٱللَّهُ وَلَٰكِنْ أَنفُسَهُمْ يَظْلِمُونَ ۝ يَٰٓأَيُّهَا ٱلَّذِينَ ءَامَنُوا لَا تَتَّخِذُوا بِطَانَةً مِّن دُونِكُمْ لَا يَأْلُونَكُمْ خَبَالًا وَدُّوا مَا عَنِتُّمْ قَدْ بَدَتِ ٱلْبَغْضَآءُ مِنْ أَفْوَٰهِهِمْ وَمَا تُخْفِى صُدُورُهُمْ أَكْبَرُ قَدْ بَيَّنَّا لَكُمُ ٱلْـَٔايَٰتِ إِن كُنتُمْ تَعْقِلُونَ ۝

هَٰٓأَنتُمْ أُوْلَآءِ تُحِبُّونَهُمْ وَلَا يُحِبُّونَكُمْ وَتُؤْمِنُونَ بِٱلْكِتَٰبِ كُلِّهِ وَإِذَا لَقُوكُمْ قَالُوٓا ءَامَنَّا وَإِذَا خَلَوْا عَضُّوا عَلَيْكُمُ ٱلْأَنَامِلَ مِنَ ٱلْغَيْظِ قُلْ مُوتُوا بِغَيْظِكُمْ إِنَّ ٱللَّهَ عَلِيمٌۢ بِذَاتِ ٱلصُّدُورِ ۝

إِن تَمْسَسْكُمْ حَسَنَةٌ تَسُؤْهُمْ وَإِن تُصِبْكُمْ سَيِّئَةٌ يَفْرَحُوا بِهَا وَإِن تَصْبِرُوا وَتَتَّقُوا لَا يَضُرُّكُمْ كَيْدُهُمْ شَيْـًٔا إِنَّ ٱللَّهَ بِمَا يَعْمَلُونَ مُحِيطٌ ۝ وَإِذْ غَدَوْتَ مِنْ أَهْلِكَ تُبَوِّئُ ٱلْمُؤْمِنِينَ مَقَٰعِدَ لِلْقِتَالِ وَٱللَّهُ سَمِيعٌ عَلِيمٌ ۝

116. Quant à ceux qui ne croient pas, ni leurs biens, ni leurs enfants ne pourront jamais leur servir contre la punition d'Allāh. Et ce sont les gens du Feu: ils y demeureront éternellement.

117. Ce qu'ils dépensent dans la vie présente ressemble à un vent glacial qui s'abat sur un champ appartenant à des gens qui se sont lésés eux-mêmes, et le détruit. Car ce n'est pas Allāh qui leur cause du mal, mais ils se font du mal à eux-mêmes.

118. Ô les croyants, ne prenez pas de confidents en dehors de vous-mêmes: ils ne failliront pas à vous bouleverser. Ils souhaiteraient que vous soyez en difficulté. La haine certes s'est manifestée dans leurs bouches, mais ce que leurs poitrines cachent est encore plus énorme. Voilà que Nous vous exposons les signes. Si vous pouviez raisonner!

119. Vous, (Musulmans) vous les aimez, alors qu'ils ne vous aiment pas ; et vous avez foi dans le Livre tout entier. Et lorsqu'ils vous rencontrent, ils disent: «Nous croyons»; et une fois seuls, de rage contre vous, ils se mordent les bouts des doigts. Dis: «mourez de votre rage». En vérité, Allāh connaît fort bien le contenu des cœurs.

120. Qu'un bien vous touche, ils s'en affligent. Qu'un mal vous atteigne, ils s'en réjouissent. Mais, si vous êtes endurants et pieux, leur manigance ne vous causera aucun mal. Allāh connaît parfaitement tout ce qu'ils font.

121. Lorsqu'un matin, tu (Muḥammad) quittas ta famille, pour assigner aux croyants les postes de combat et Allāh est Audient et Omniscient.

إِذْ هَمَّت طَّآئِفَتَانِ مِنكُمْ أَن تَفْشَلَا وَٱللَّهُ وَلِيُّهُمَا وَعَلَى ٱللَّهِ فَلْيَتَوَكَّلِ ٱلْمُؤْمِنُونَ ۝ وَلَقَدْ نَصَرَكُمُ ٱللَّهُ بِبَدْرٍ وَأَنتُمْ أَذِلَّةٌ فَٱتَّقُوا۟ ٱللَّهَ لَعَلَّكُمْ تَشْكُرُونَ ۝ إِذْ تَقُولُ لِلْمُؤْمِنِينَ أَلَن يَكْفِيَكُمْ أَن يُمِدَّكُمْ رَبُّكُم بِثَلَٰثَةِ ءَالَٰفٍ مِّنَ ٱلْمَلَٰٓئِكَةِ مُنزَلِينَ ۝ بَلَىٰٓ إِن تَصْبِرُوا۟ وَتَتَّقُوا۟ وَيَأْتُوكُم مِّن فَوْرِهِمْ هَٰذَا يُمْدِدْكُمْ رَبُّكُم بِخَمْسَةِ ءَالَٰفٍ مِّنَ ٱلْمَلَٰٓئِكَةِ مُسَوِّمِينَ ۝ وَمَا جَعَلَهُ ٱللَّهُ إِلَّا بُشْرَىٰ لَكُمْ وَلِتَطْمَئِنَّ قُلُوبُكُم بِهِۦ وَمَا ٱلنَّصْرُ إِلَّا مِنْ عِندِ ٱللَّهِ ٱلْعَزِيزِ ٱلْحَكِيمِ ۝ لِيَقْطَعَ طَرَفًا مِّنَ ٱلَّذِينَ كَفَرُوٓا۟ أَوْ يَكْبِتَهُمْ فَيَنقَلِبُوا۟ خَآئِبِينَ ۝ لَيْسَ لَكَ مِنَ ٱلْأَمْرِ شَىْءٌ أَوْ يَتُوبَ عَلَيْهِمْ أَوْ يُعَذِّبَهُمْ فَإِنَّهُمْ ظَٰلِمُونَ ۝ وَلِلَّهِ مَا فِى ٱلسَّمَٰوَٰتِ وَمَا فِى ٱلْأَرْضِ يَغْفِرُ لِمَن يَشَآءُ وَيُعَذِّبُ مَن يَشَآءُ وَٱللَّهُ غَفُورٌ رَّحِيمٌ ۝ يَٰٓأَيُّهَا ٱلَّذِينَ ءَامَنُوا۟ لَا تَأْكُلُوا۟ ٱلرِّبَوٰٓا۟ أَضْعَٰفًا مُّضَٰعَفَةً وَٱتَّقُوا۟ ٱللَّهَ لَعَلَّكُمْ تُفْلِحُونَ ۝ وَٱتَّقُوا۟ ٱلنَّارَ ٱلَّتِىٓ أُعِدَّتْ لِلْكَٰفِرِينَ ۝ وَأَطِيعُوا۟ ٱللَّهَ وَٱلرَّسُولَ لَعَلَّكُمْ تُرْحَمُونَ ۝

122. Quand deux de vos groupes songèrent à fléchir! Alors qu'Allāh est leur allié à tous deux! Car, c'est en Allāh que les croyants doivent placer leur confiance[1].

123. Allāh vous a donné la victoire, à Badr, alors que vous étiez humiliés. Craignez Allāh donc. Afin que vous soyez reconnaissants[2]!

124. (Allāh vous a bien donné la victoire) lorsque tu disais aux croyants ; «Ne vous suffit-il pas que votre Seigneur vous fasse descendre en aide trois milliers d'Anges»[3]?

125. Mais oui! Si vous êtes endurants et pieux, et qu'ils [les ennemis] vous assaillent immédiatement, votre Seigneur vous enverra en renfort cinq mille Anges marqués distinctement[4].

126. Et Allāh ne le fit que (pour vous annoncer) une bonne nouvelle, et pour que vos cœurs s'en rassurent. La victoire ne peut venir que d'Allāh, le Puissant, le Sage ;

127. pour anéantir une partie des mécréants ou pour les humilier (par la défaite) et qu'ils en retournent donc déçus[5].

128. Tu n'as (Muḥammad) aucune part dans l'ordre (divin) - qu'Il (Allāh) accepte leur repentir (en embrassant l'Islām) ou qu'Il les châtie, car ils sont bien des injustes.

129. À Allāh appartient tout ce qui est dans les cieux et sur la terre. Il pardonne à qui Il veut, et Il châtie qui Il veut... Et Allāh est Pardonneur et Miséricordieux.

130. Ô les croyants! Ne pratiquez pas l'usure en multipliant démesurément votre capital. Et craignez Allāh afin que vous réussissiez!

131. Et craignez le Feu préparé pour les mécréants.

132. Et obéissez à Allāh et au Messager afin qu'il vous soit fait miséricorde!

---

1. Ce verset fait allusion à la bataille d'Uḥud de l'an 3 de l'Hégire.
2. Il s'agit de la bataille de Badr, en l'an 2 de l'Hégire, première rencontre entre le Prophète et les païens de la Mecque, où les Musulmans, trois fois moins nombreux qu'eux, les mirent en déroute. Cette victoire eut des conséquences heureuses pour l'Islām.
3. C'est l'interprétation la plus authentique ; il s'agit donc de la bataille de Badr. Mais il y a une autre interprétation selon laquelle il s'agit de la bataille d'Uḥud. C'est une fausse interprétation parce que les Musulmans à la bataille d'Uḥud n'étaient pas secourus par les anges à cause de la fuite de certains parmi eux.
4. *Anges marqués*: certains commentateurs expliquent cette expression par «qui portent des marques distinctives».
5. *Ce verset est lié* au verset 123: «Allāh vous a bien donné la victoire» pour anéantir etc. Autre interprétation: il vous a ordonné de lutter contre eux pour les anéantir.

۞ وَسَارِعُوٓا۟ إِلَىٰ مَغْفِرَةٍ مِّن رَّبِّكُمْ وَجَنَّةٍ عَرْضُهَا ٱلسَّمَوَٰتُ وَٱلْأَرْضُ أُعِدَّتْ لِلْمُتَّقِينَ ۝ ٱلَّذِينَ يُنفِقُونَ فِى ٱلسَّرَّآءِ وَٱلضَّرَّآءِ وَٱلْكَٰظِمِينَ ٱلْغَيْظَ وَٱلْعَافِينَ عَنِ ٱلنَّاسِ ۗ وَٱللَّهُ يُحِبُّ ٱلْمُحْسِنِينَ ۝ وَٱلَّذِينَ إِذَا فَعَلُوا۟ فَٰحِشَةً أَوْ ظَلَمُوٓا۟ أَنفُسَهُمْ ذَكَرُوا۟ ٱللَّهَ فَٱسْتَغْفَرُوا۟ لِذُنُوبِهِمْ وَمَن يَغْفِرُ ٱلذُّنُوبَ إِلَّا ٱللَّهُ وَلَمْ يُصِرُّوا۟ عَلَىٰ مَا فَعَلُوا۟ وَهُمْ يَعْلَمُونَ ۝ أُو۟لَٰٓئِكَ جَزَآؤُهُم مَّغْفِرَةٌ مِّن رَّبِّهِمْ وَجَنَّٰتٌ تَجْرِى مِن تَحْتِهَا ٱلْأَنْهَٰرُ خَٰلِدِينَ فِيهَا ۚ وَنِعْمَ أَجْرُ ٱلْعَٰمِلِينَ ۝ قَدْ خَلَتْ مِن قَبْلِكُمْ سُنَنٌ فَسِيرُوا۟ فِى ٱلْأَرْضِ فَٱنظُرُوا۟ كَيْفَ كَانَ عَٰقِبَةُ ٱلْمُكَذِّبِينَ ۝ هَٰذَا بَيَانٌ لِّلنَّاسِ وَهُدًى وَمَوْعِظَةٌ لِّلْمُتَّقِينَ ۝ وَلَا تَهِنُوا۟ وَلَا تَحْزَنُوا۟ وَأَنتُمُ ٱلْأَعْلَوْنَ إِن كُنتُم مُّؤْمِنِينَ ۝ إِن يَمْسَسْكُمْ قَرْحٌ فَقَدْ مَسَّ ٱلْقَوْمَ قَرْحٌ مِّثْلُهُ ۚ وَتِلْكَ ٱلْأَيَّامُ نُدَاوِلُهَا بَيْنَ ٱلنَّاسِ وَلِيَعْلَمَ ٱللَّهُ ٱلَّذِينَ ءَامَنُوا۟ وَيَتَّخِذَ مِنكُمْ شُهَدَآءَ ۗ وَٱللَّهُ لَا يُحِبُّ ٱلظَّٰلِمِينَ ۝

133. Et concourrez au pardon de votre Seigneur, et à un jardin (paradis) large comme les cieux et la terre, préparé pour les pieux,

134. qui dépensent dans l'aisance et dans l'adversité, qui dominent leur rage et pardonnent à autrui - car Allāh aime les bienfaisants -

135. et pour ceux qui, s'ils ont commis quelque turpitude ou causé quelque préjudice à leurs propres âmes (en désobéissant à Allāh), se souviennent d'Allāh et demandent pardon pour leurs péchés -et qui est-ce qui pardonne les péchés sinon Allāh?- et qui ne persistent pas sciemment dans le mal qu'ils ont fait.

136. Ceux-là ont pour récompense le pardon de leur Seigneur, ainsi que les Jardins sous lesquels coulent les ruisseaux, pour y demeurer éternellement. Comme est beau le salaire de ceux qui font le bien!

137. Avant vous, certes, beaucoup d'événements[1] se sont passés. Or, parcourez la terre, et voyez ce qu'il est advenu de ceux qui traitaient (les prophètes) de menteurs.

138. Voilà un exposé pour les gens, un guide, et une exhortation pour les pieux.

139. Ne vous laissez pas battre, ne vous affligez pas alors que vous êtes les supérieurs, si vous êtes de vrais croyants.

140. Si une blessure vous atteint, pareille blessure atteint aussi l'ennemi. Ainsi faisons-Nous alterner les jours (bons et mauvais) parmi les gens, afin qu'Allāh reconnaisse ceux qui ont cru, et qu'Il choisisse parmi vous des martyrs - et Allāh n'aime pas les injustes,

---

1. Evénements: *Sunan* (pluriel de sunna): allusion aux châtiments infligés par Allāh aux peuples précédents, ayant démenti leurs messagers.

وَلِيُمَحِّصَ ٱللَّهُ ٱلَّذِينَ ءَامَنُوا۟ وَيَمْحَقَ ٱلْكَـٰفِرِينَ ۞ أَمْ حَسِبْتُمْ أَن تَدْخُلُوا۟ ٱلْجَنَّةَ وَلَمَّا يَعْلَمِ ٱللَّهُ ٱلَّذِينَ جَـٰهَدُوا۟ مِنكُمْ وَيَعْلَمَ ٱلصَّـٰبِرِينَ ۞ وَلَقَدْ كُنتُمْ تَمَنَّوْنَ ٱلْمَوْتَ مِن قَبْلِ أَن تَلْقَوْهُ فَقَدْ رَأَيْتُمُوهُ وَأَنتُمْ تَنظُرُونَ ۞ وَمَا مُحَمَّدٌ إِلَّا رَسُولٌ قَدْ خَلَتْ مِن قَبْلِهِ ٱلرُّسُلُ أَفَإِيْن مَّاتَ أَوْ قُتِلَ ٱنقَلَبْتُمْ عَلَىٰٓ أَعْقَـٰبِكُمْ وَمَن يَنقَلِبْ عَلَىٰ عَقِبَيْهِ فَلَن يَضُرَّ ٱللَّهَ شَيْـًٔا وَسَيَجْزِى ٱللَّهُ ٱلشَّـٰكِرِينَ ۞ وَمَا كَانَ لِنَفْسٍ أَن تَمُوتَ إِلَّا بِإِذْنِ ٱللَّهِ كِتَـٰبًا مُّؤَجَّلًا وَمَن يُرِدْ ثَوَابَ ٱلدُّنْيَا نُؤْتِهِۦ مِنْهَا وَمَن يُرِدْ ثَوَابَ ٱلْأَخِرَةِ نُؤْتِهِۦ مِنْهَا وَسَنَجْزِى ٱلشَّـٰكِرِينَ ۞ وَكَأَيِّن مِّن نَّبِىٍّ قَـٰتَلَ مَعَهُۥ رِبِّيُّونَ كَثِيرٌ فَمَا وَهَنُوا۟ لِمَآ أَصَابَهُمْ فِى سَبِيلِ ٱللَّهِ وَمَا ضَعُفُوا۟ وَمَا ٱسْتَكَانُوا۟ وَٱللَّهُ يُحِبُّ ٱلصَّـٰبِرِينَ ۞ وَمَا كَانَ قَوْلَهُمْ إِلَّآ أَن قَالُوا۟ رَبَّنَا ٱغْفِرْ لَنَا ذُنُوبَنَا وَإِسْرَافَنَا فِىٓ أَمْرِنَا وَثَبِّتْ أَقْدَامَنَا وَٱنصُرْنَا عَلَى ٱلْقَوْمِ ٱلْكَـٰفِرِينَ ۞ فَـَٔاتَىٰهُمُ ٱللَّهُ ثَوَابَ ٱلدُّنْيَا وَحُسْنَ ثَوَابِ ٱلْأَخِرَةِ وَٱللَّهُ يُحِبُّ ٱلْمُحْسِنِينَ ۞

141. et afin qu'Allāh purifie ceux qui ont cru, et anéantisse les mécréants.

142. Comptez-vous entrer au Paradis sans qu'Allāh ne distingue parmi vous ceux qui luttent et qui sont endurants?

143. Bien sûr, vous souhaitiez la mort avant de la rencontrer. Or vous l'avez vue, certes, tandis que vous regardiez[1]!

144. Muḥammad n'est qu'un messager - des messagers avant lui sont passés - S'il mourait, donc, ou s'il était tué, retourneriez-vous sur vos talons? Quiconque retourne sur ses talons ne nuira en rien à Allāh ; et Allāh récompensera bientôt les reconnaissants.

145. Personne ne peut mourir que par la permission d'Allāh, et au moment prédéterminé. Quiconque veut la récompense d'ici-bas, Nous lui en donnons. Quiconque veut la récompense de l'au-delà, Nous lui en donnons, et Nous récompenserons bientôt les reconnaissants.

146. Combien de prophètes ont combattu, en compagnie de beaucoup de disciples, ceux-ci ne fléchirent pas à cause de ce qui les atteignit dans le sentier d'Allāh. Ils ne faiblirent pas et ils ne cédèrent point. Et Allāh aime les endurants.

147. Et ils n'eurent que cette parole: «Seigneur, pardonne-nous nos péchés ainsi que nos excès dans nos comportements, affermis nos pas et donne-nous la victoire sur les gens mécréants».

148. Allāh, donc, leur donna la récompense d'ici-bas, ainsi que la belle récompense de l'au-delà. Et Allāh aime les gens bienfaisants.

---

1. *Tandis que vous regardiez*: c.-à-d.: de vos yeux, tandis que vous regardiez les autres tués autour de vous. Ce verset constitue une préparation psychologique des Musulmans à la mort de Muḥammad (ﷺ). Elle ne devrait pas les empêcher de rester fermes dans leur religion.

يَٰٓأَيُّهَا ٱلَّذِينَ ءَامَنُوٓاْ إِن تُطِيعُواْ ٱلَّذِينَ كَفَرُواْ

يَرُدُّوكُمْ عَلَىٰٓ أَعْقَٰبِكُمْ فَتَنقَلِبُواْ خَٰسِرِينَ ۝

بَلِ ٱللَّهُ مَوْلَىٰكُمْ وَهُوَ خَيْرُ ٱلنَّٰصِرِينَ ۝ سَنُلْقِى

فِى قُلُوبِ ٱلَّذِينَ كَفَرُواْ ٱلرُّعْبَ بِمَآ أَشْرَكُواْ بِٱللَّهِ

مَا لَمْ يُنَزِّلْ بِهِۦ سُلْطَٰنًا وَمَأْوَىٰهُمُ ٱلنَّارُ وَبِئْسَ

مَثْوَى ٱلظَّٰلِمِينَ ۝ وَلَقَدْ صَدَقَكُمُ ٱللَّهُ

وَعْدَهُۥٓ إِذْ تَحُسُّونَهُم بِإِذْنِهِۦ حَتَّىٰٓ إِذَا فَشِلْتُمْ

وَتَنَٰزَعْتُمْ فِى ٱلْأَمْرِ وَعَصَيْتُم مِّنۢ بَعْدِ مَآ أَرَىٰكُم

مَّا تُحِبُّونَ مِنكُم مَّن يُرِيدُ ٱلدُّنْيَا وَمِنكُم

مَّن يُرِيدُ ٱلْءَاخِرَةَ ثُمَّ صَرَفَكُمْ عَنْهُمْ لِيَبْتَلِيَكُمْ

وَلَقَدْ عَفَا عَنكُمْ وَٱللَّهُ ذُو فَضْلٍ عَلَى ٱلْمُؤْمِنِينَ

۝ إِذْ تُصْعِدُونَ وَلَا تَلْوُۥنَ عَلَىٰٓ أَحَدٍ

وَٱلرَّسُولُ يَدْعُوكُمْ فِىٓ أُخْرَىٰكُمْ فَأَثَٰبَكُمْ

غَمًّۢا بِغَمٍّ لِّكَيْلَا تَحْزَنُواْ عَلَىٰ مَا فَاتَكُمْ

وَلَا مَآ أَصَٰبَكُمْ وَٱللَّهُ خَبِيرٌۢ بِمَا تَعْمَلُونَ ۝

149. Ô les croyants! Si vous obéissez à ceux qui ne croient pas, ils vous feront retourner en arrière. Et vous reviendrez perdants.

150. Mais c'est Allāh votre Maître. Il est le meilleur des secoureurs.

151. Nous allons jeter l'effroi dans les cœurs des mécréants. Car ils ont associé à Allāh (des idoles) sans aucune preuve descendue de Sa part. Le Feu sera leur refuge. Quel mauvais séjour, que celui des injustes!

152. Et certes, Allāh a tenu Sa promesse envers vous, quand par Sa permission vous les tuiez sans relâche, jusqu'au moment où vous avez fléchi, où vous vous êtes disputés à propos de l'ordre donné, et vous avez désobéi après qu'Il vous eut montré (la victoire) que vous aimez! Il en était parmi vous qui désiraient la vie d'ici bas et il en était parmi vous qui désiraient l'au-delà. Puis Il vous a fait reculer devant eux, afin de vous éprouver. Et certes Il vous a pardonné. Et Allāh est Détenteur de la grâce envers les croyants[1].

153. (Rappelez-vous) quand vous fuyiez sans vous retourner vers personne, cependant que, derrière vous, le Messager vous appelait. Alors Il vous infligea angoisse sur angoisse, afin que vous n'ayez pas de chagrin pour ce qui vous a échappé ni pour les revers[2] que vous avez subis. Et Allāh est Parfaitement Connaisseur de ce que vous faites.

---

1. Il s'agit de la bataille d'Uḥud, de l'an 3 de l'Hégire où les mecquois se lancèrent dans une guerre de revanche. Les Musulmans eurent de lourdes pertes pour avoir négligé la stratégie établie par le Prophète qui avait demandé à ses archers de ne pas abandonner leurs positions. Cependant, on ne peut considérer que les mécréants étaient sortis vainqueurs de cette bataille, car les musulmans les poursuivirent sur le chemin de la Mecque alors qu'ils fuyaient refusant le combat.
2. *Il vous infligea...*: autre interp.: Il vous infligea l'angoisse par la défaite contre l'angoisse que vous avez infligée au Prophète par votre désobéissance.
Ce qui vous a échappé: le butin convoité.

ثُمَّ أَنزَلَ عَلَيْكُم مِّنۢ بَعْدِ ٱلْغَمِّ أَمَنَةً نُّعَاسًا يَغْشَىٰ طَآئِفَةً مِّنكُمْ ۖ وَطَآئِفَةٌ قَدْ أَهَمَّتْهُمْ أَنفُسُهُمْ يَظُنُّونَ بِٱللَّهِ غَيْرَ ٱلْحَقِّ ظَنَّ ٱلْجَٰهِلِيَّةِ ۖ يَقُولُونَ هَل لَّنَا مِنَ ٱلْأَمْرِ مِن شَىْءٍ ۗ قُلْ إِنَّ ٱلْأَمْرَ كُلَّهُۥ لِلَّهِ ۗ يُخْفُونَ فِىٓ أَنفُسِهِم مَّا لَا يُبْدُونَ لَكَ ۖ يَقُولُونَ لَوْ كَانَ لَنَا مِنَ ٱلْأَمْرِ شَىْءٌ مَّا قُتِلْنَا هَٰهُنَا ۗ قُل لَّوْ كُنتُمْ فِى بُيُوتِكُمْ لَبَرَزَ ٱلَّذِينَ كُتِبَ عَلَيْهِمُ ٱلْقَتْلُ إِلَىٰ مَضَاجِعِهِمْ ۖ وَلِيَبْتَلِىَ ٱللَّهُ مَا فِى صُدُورِكُمْ وَلِيُمَحِّصَ مَا فِى قُلُوبِكُمْ ۗ وَٱللَّهُ عَلِيمٌۢ بِذَاتِ ٱلصُّدُورِ ۝١٥٤ إِنَّ ٱلَّذِينَ تَوَلَّوْا۟ مِنكُمْ يَوْمَ ٱلْتَقَى ٱلْجَمْعَانِ إِنَّمَا ٱسْتَزَلَّهُمُ ٱلشَّيْطَٰنُ بِبَعْضِ مَا كَسَبُوا۟ ۖ وَلَقَدْ عَفَا ٱللَّهُ عَنْهُمْ ۗ إِنَّ ٱللَّهَ غَفُورٌ حَلِيمٌ ۝١٥٥ يَٰٓأَيُّهَا ٱلَّذِينَ ءَامَنُوا۟ لَا تَكُونُوا۟ كَٱلَّذِينَ كَفَرُوا۟ وَقَالُوا۟ لِإِخْوَٰنِهِمْ إِذَا ضَرَبُوا۟ فِى ٱلْأَرْضِ أَوْ كَانُوا۟ غُزًّى لَّوْ كَانُوا۟ عِندَنَا مَا مَاتُوا۟ وَمَا قُتِلُوا۟ لِيَجْعَلَ ٱللَّهُ ذَٰلِكَ حَسْرَةً فِى قُلُوبِهِمْ ۗ وَٱللَّهُ يُحْىِۦ وَيُمِيتُ ۗ وَٱللَّهُ بِمَا تَعْمَلُونَ بَصِيرٌ ۝١٥٦ وَلَئِن قُتِلْتُمْ فِى سَبِيلِ ٱللَّهِ أَوْ مُتُّمْ لَمَغْفِرَةٌ مِّنَ ٱللَّهِ وَرَحْمَةٌ خَيْرٌ مِّمَّا يَجْمَعُونَ ۝١٥٧

154. Puis Il fit descendre sur vous, après l'angoisse, la tranquillité, un sommeil qui enveloppa une partie d'entre vous, tandis qu'une autre partie était soucieuse pour elle-même et avait des pensées sur Allāh non conformes à la vérité, des pensées dignes de l'époque de l'Ignorance. - Ils disaient: «Est-ce que nous avons une part dans cette affaire?» Dis: «L'affaire toute entière est à Allāh.» Ce qu'ils ne te révèlent pas, ils le cachent en eux-mêmes: «Si nous avions eu un choix quelconque dans cette affaire disent-ils, Nous n'aurions pas été tués ici». Dis: «Eussiez-vous été dans vos maisons, ceux pour qui la mort était décrétée seraient sortis pour l'endroit où la mort les attendait. Ceci afin qu'Allāh éprouve ce que vous avez dans vos poitrines, et qu'Il purifie ce que vous avez dans vos cœurs. Et Allāh connaît ce qu'il y a dans les cœurs[1].

155. Ceux d'entre vous qui ont tourné le dos, le jour où les deux armées se rencontrèrent, c'est seulement le Diable qui les a fait broncher, à cause d'une partie de leurs (mauvaises) actions. Mais, certes, Allāh leur a pardonné. Car vraiment Allāh est Pardonneur et Indulgent!

156. Ô les croyants! Ne soyez pas comme ces mécréants qui dirent à propos de leurs frères partis en voyage ou pour combattre: «S'ils étaient chez nous, ils ne seraient pas morts, et ils n'auraient pas été tués». Allāh en fit un sujet de regret dans leurs cœurs. C'est Allāh qui donne la vie et la mort. Et Allāh observe bien ce que vous faites.

157. Et si vous êtes tués dans le sentier d'Allāh[2] ou si vous mourez, un pardon de la part d'Allāh et une miséricorde valent mieux que ce qu'ils amassent.

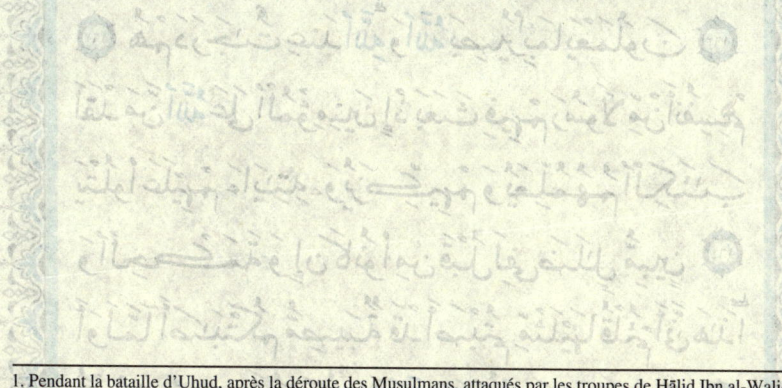

---

1. Pendant la bataille d'Uḥud, après la déroute des Musulmans, attaqués par les troupes de Ḫālid Ibn al-Walid, un sommeil de courte durée s'empara des Musulmans et leur redonna force et courage.
Époque de l'ignorance: époque païenne avant l'Islām.
2. *Dans le sentier d'Allāh*: dans la lutte soutenue pour Allāh.

وَلَئِن مُّتُّمْ أَوْ قُتِلْتُمْ إِلَى اللَّهِ تُحْشَرُونَ ۝ فَبِمَا رَحْمَةٍ مِّنَ اللَّهِ لِنتَ لَهُمْ وَلَوْ كُنتَ فَظًّا غَلِيظَ الْقَلْبِ لَانفَضُّوا مِنْ حَوْلِكَ فَاعْفُ عَنْهُمْ وَاسْتَغْفِرْ لَهُمْ وَشَاوِرْهُمْ فِي الْأَمْرِ فَإِذَا عَزَمْتَ فَتَوَكَّلْ عَلَى اللَّهِ إِنَّ اللَّهَ يُحِبُّ الْمُتَوَكِّلِينَ ۝ إِن يَنصُرْكُمُ اللَّهُ فَلَا غَالِبَ لَكُمْ وَإِن يَخْذُلْكُمْ فَمَن ذَا الَّذِي يَنصُرُكُم مِّنۢ بَعْدِهِ وَعَلَى اللَّهِ فَلْيَتَوَكَّلِ الْمُؤْمِنُونَ ۝ وَمَا كَانَ لِنَبِيٍّ أَن يَغُلَّ وَمَن يَغْلُلْ يَأْتِ بِمَا غَلَّ يَوْمَ الْقِيَامَةِ ثُمَّ تُوَفَّىٰ كُلُّ نَفْسٍ مَّا كَسَبَتْ وَهُمْ لَا يُظْلَمُونَ ۝ أَفَمَنِ اتَّبَعَ رِضْوَانَ اللَّهِ كَمَنۢ بَاءَ بِسَخَطٍ مِّنَ اللَّهِ وَمَأْوَاهُ جَهَنَّمُ وَبِئْسَ الْمَصِيرُ ۝ هُمْ دَرَجَاتٌ عِندَ اللَّهِ وَاللَّهُ بَصِيرٌ بِمَا يَعْمَلُونَ ۝ لَقَدْ مَنَّ اللَّهُ عَلَى الْمُؤْمِنِينَ إِذْ بَعَثَ فِيهِمْ رَسُولًا مِّنْ أَنفُسِهِمْ يَتْلُو عَلَيْهِمْ ءَايَاتِهِ وَيُزَكِّيهِمْ وَيُعَلِّمُهُمُ الْكِتَابَ وَالْحِكْمَةَ وَإِن كَانُوا مِن قَبْلُ لَفِي ضَلَالٍ مُّبِينٍ ۝ أَوَلَمَّا أَصَابَتْكُم مُّصِيبَةٌ قَدْ أَصَبْتُم مِّثْلَيْهَا قُلْتُمْ أَنَّىٰ هَٰذَا قُلْ هُوَ مِنْ عِندِ أَنفُسِكُمْ إِنَّ اللَّهَ عَلَىٰ كُلِّ شَيْءٍ قَدِيرٌ ۝

158. Que vous mouriez ou que vous soyez tués, c'est vers Allāh que vous serez rassemblés.

159. C'est par quelque miséricorde de la part d'Allāh que tu (Muḥammad) as été si doux envers eux! Mais si tu étais rude, au cœur dur, ils se seraient enfuis de ton entourage. Pardonne-leur donc, et implore pour eux le pardon (d'Allāh). Et consulte-les à propos des affaires ; puis une fois que tu t'es décidé, confie-toi donc à Allāh, Allāh aime, en vérité, ceux qui Lui font confiance.

160. Si Allāh vous donne Son secours, nul ne peut vous vaincre. S'Il vous abandonne, qui donc après Lui vous donnera secours? C'est à Allāh que les croyants doivent faire confiance.

161. Un prophète n'est pas quelqu'un à s'approprier du butin. Quiconque s'en approprie, viendra avec ce qu'il se sera approprié le Jour de la Résurrection. Alors, à chaque individu on rétribuera pleinement ce qu'il aura acquis. Et ils ne seront point lésés.

162. Est-ce que celui qui se conforme à l'agrément d'Allāh ressemble à celui qui encourt le courroux d'Allāh? Son refuge sera l'Enfer ; et quelle mauvaise destination!

163. Ils ont des grades (différents) auprès d'Allāh et Allāh observe bien ce qu'ils font.

164. Allāh a très certainement fait une faveur aux croyants lorsqu'Il a envoyé chez eux un messager de parmi eux-mêmes, qui leur récite Ses versets, les purifie et leur enseigne le Livre et la Sagesse, bien qu'ils fussent auparavant dans un égarement évident.

165. Quoi! Quand un malheur vous atteint -mais vous en avez jadis infligé[1] le double- vous dites: «D'où vient cela?» Réponds-leur: «il vient de vous-mêmes». Certes Allāh est Omnipotent.

---

1. *Vous en avez infligé*: à votre ennemi, lors de la bataille de Badr.

وَمَآ أَصَٰبَكُمْ يَوْمَ ٱلْتَقَى ٱلْجَمْعَانِ فَبِإِذْنِ ٱللَّهِ وَلِيَعْلَمَ ٱلْمُؤْمِنِينَ ﴿١٦٦﴾ وَلِيَعْلَمَ ٱلَّذِينَ نَافَقُواْ وَقِيلَ لَهُمْ تَعَالَوْاْ قَٰتِلُواْ فِى سَبِيلِ ٱللَّهِ أَوِ ٱدْفَعُواْ قَالُواْ لَوْ نَعْلَمُ قِتَالًا لَّٱتَّبَعْنَٰكُمْ هُمْ لِلْكُفْرِ يَوْمَئِذٍ أَقْرَبُ مِنْهُمْ لِلْإِيمَٰنِ يَقُولُونَ بِأَفْوَٰهِهِم مَّا لَيْسَ فِى قُلُوبِهِمْ وَٱللَّهُ أَعْلَمُ بِمَا يَكْتُمُونَ ﴿١٦٧﴾ ٱلَّذِينَ قَالُواْ لِإِخْوَٰنِهِمْ وَقَعَدُواْ لَوْ أَطَاعُونَا مَا قُتِلُواْ قُلْ فَٱدْرَءُواْ عَنْ أَنفُسِكُمُ ٱلْمَوْتَ إِن كُنتُمْ صَٰدِقِينَ ﴿١٦٨﴾ وَلَا تَحْسَبَنَّ ٱلَّذِينَ قُتِلُواْ فِى سَبِيلِ ٱللَّهِ أَمْوَٰتًۢا بَلْ أَحْيَآءٌ عِندَ رَبِّهِمْ يُرْزَقُونَ ﴿١٦٩﴾ فَرِحِينَ بِمَآ ءَاتَىٰهُمُ ٱللَّهُ مِن فَضْلِهِۦ وَيَسْتَبْشِرُونَ بِٱلَّذِينَ لَمْ يَلْحَقُواْ بِهِم مِّنْ خَلْفِهِمْ أَلَّا خَوْفٌ عَلَيْهِمْ وَلَا هُمْ يَحْزَنُونَ ﴿١٧٠﴾ ۞ يَسْتَبْشِرُونَ بِنِعْمَةٍ مِّنَ ٱللَّهِ وَفَضْلٍ وَأَنَّ ٱللَّهَ لَا يُضِيعُ أَجْرَ ٱلْمُؤْمِنِينَ ﴿١٧١﴾ ٱلَّذِينَ ٱسْتَجَابُواْ لِلَّهِ وَٱلرَّسُولِ مِنۢ بَعْدِ مَآ أَصَابَهُمُ ٱلْقَرْحُ لِلَّذِينَ أَحْسَنُواْ مِنْهُمْ وَٱتَّقَوْاْ أَجْرٌ عَظِيمٌ ﴿١٧٢﴾ ٱلَّذِينَ قَالَ لَهُمُ ٱلنَّاسُ إِنَّ ٱلنَّاسَ قَدْ جَمَعُواْ لَكُمْ فَٱخْشَوْهُمْ فَزَادَهُمْ إِيمَٰنًا وَقَالُواْ حَسْبُنَا ٱللَّهُ وَنِعْمَ ٱلْوَكِيلُ ﴿١٧٣﴾

166. Et tout ce que vous avez subi, le jour où les deux troupes se rencontrèrent[1], c'est par permission d'Allāh, et afin qu'Il distingue les croyants,

167. et qu'Il distingue les hypocrites. On avait dit à ceux-ci: «Venez combattre dans le sentier d'Allāh, ou repoussez [l'ennemi]»[2], ils dirent: «Bien sûr que nous vous suivrions si nous étions sûrs qu'il y aurait une guerre.» Ils étaient, ce jour-là, plus près de la mécréance que de la foi. Ils disaient de leurs bouches ce qui n'était pas dans leurs cœurs. Et Allāh sait fort bien ce qu'ils cachaient.

168. Ceux qui[3] sont restés dans leurs foyers dirent à leurs frères: «S'ils nous avaient obéi, ils n'auraient pas été tués». Dis: «Ecartez donc de vous la mort, si vous êtes véridiques».

169. Ne pense pas que ceux qui ont été tués dans le sentier d'Allāh, soient morts. Au contraire, ils sont vivants, auprès de leur Seigneur, bien pourvus,

170. et joyeux de la faveur qu'Allāh leur a accordée, et ravis que ceux qui sont restés derrière eux et ne les ont pas encore rejoints, ne connaîtront aucune crainte et ne seront point affligés.

171. Ils sont ravis d'un bienfait d'Allāh et d'une faveur, et du fait qu'Allāh ne laisse pas perdre la récompense des croyants.

172. Ceux qui, quoiqu'atteints de blessure, répondirent à l'appel d'Allāh et du Messager, il y aura une énorme récompense pour ceux d'entre eux qui ont agi en bien et pratiqué la piété[4].

173. Certes ceux auxquels l'on disait: «Les gens se sont rassemblés contre vous ; craignez-les» - cela accrut leur foi - et ils dirent: «Allāh nous suffit ; Il est notre meilleur garant».

---

1. *Le jour où les deux troupes se rencontrèrent*: allusion à la bataille d'Uḥud (suite du v. 152, voir la note y afférente).
2. *Repoussez l'ennemi*: en accroissant le nombre des Musulmans aux yeux de l'ennemi.
3. *Ceux qui...*: ce sont les hypocrites mentionnés dans le verset 167.
4. Allusion à cette poursuite, mentionnée dans la note 1, v. 152, p. 69 ; menée jusqu'à l'endroit Hamrā al-Asad.

فَانقَلَبُوا بِنِعْمَةٍ مِّنَ اللَّهِ وَفَضْلٍ لَّمْ يَمْسَسْهُمْ سُوٓءٌ وَاتَّبَعُوا رِضْوَٰنَ اللَّهِ وَاللَّهُ ذُو فَضْلٍ عَظِيمٍ ۝ إِنَّمَا ذَٰلِكُمُ الشَّيْطَٰنُ يُخَوِّفُ أَوْلِيَآءَهُۥ فَلَا تَخَافُوهُمْ وَخَافُونِ إِن كُنتُم مُّؤْمِنِينَ ۝ وَلَا يَحْزُنكَ الَّذِينَ يُسَٰرِعُونَ فِى الْكُفْرِ إِنَّهُمْ لَن يَضُرُّوا اللَّهَ شَيْـًٔا يُرِيدُ اللَّهُ أَلَّا يَجْعَلَ لَهُمْ حَظًّا فِى الْءَاخِرَةِ وَلَهُمْ عَذَابٌ عَظِيمٌ ۝ إِنَّ الَّذِينَ اشْتَرَوُا الْكُفْرَ بِالْإِيمَٰنِ لَن يَضُرُّوا اللَّهَ شَيْـًٔا وَلَهُمْ عَذَابٌ أَلِيمٌ ۝ وَلَا يَحْسَبَنَّ الَّذِينَ كَفَرُوٓا أَنَّمَا نُمْلِى لَهُمْ خَيْرٌ لِّأَنفُسِهِمْ إِنَّمَا نُمْلِى لَهُمْ لِيَزْدَادُوٓا إِثْمًا وَلَهُمْ عَذَابٌ مُّهِينٌ ۝ مَّا كَانَ اللَّهُ لِيَذَرَ الْمُؤْمِنِينَ عَلَىٰ مَآ أَنتُمْ عَلَيْهِ حَتَّىٰ يَمِيزَ الْخَبِيثَ مِنَ الطَّيِّبِ وَمَا كَانَ اللَّهُ لِيُطْلِعَكُمْ عَلَى الْغَيْبِ وَلَٰكِنَّ اللَّهَ يَجْتَبِى مِن رُّسُلِهِۦ مَن يَشَآءُ فَـَٔامِنُوا بِاللَّهِ وَرُسُلِهِۦ وَإِن تُؤْمِنُوا وَتَتَّقُوا فَلَكُمْ أَجْرٌ عَظِيمٌ ۝ وَلَا يَحْسَبَنَّ الَّذِينَ يَبْخَلُونَ بِمَآ ءَاتَىٰهُمُ اللَّهُ مِن فَضْلِهِۦ هُوَ خَيْرًا لَّهُم بَلْ هُوَ شَرٌّ لَّهُمْ سَيُطَوَّقُونَ مَا بَخِلُوا بِهِۦ يَوْمَ الْقِيَٰمَةِ وَلِلَّهِ مِيرَٰثُ السَّمَٰوَٰتِ وَالْأَرْضِ وَاللَّهُ بِمَا تَعْمَلُونَ خَبِيرٌ ۝

174. Ils revinrent donc avec un bienfait de la part d'Allāh et une grâce. Nul mal ne les toucha et ils suivirent ce qui satisfait Allāh. Et Allāh est Détenteur d'une grâce immense.

175. C'est le Diable qui vous fait peur de ses adhérents. N'ayez donc pas peur d'eux. Mais ayez peur de Moi, si vous êtes croyants.

176. N'aie (ô Muḥammad) aucun chagrin pour ceux qui se jettent rapidement dans la mécréance. En vérité, ils ne nuiront en rien à Allāh. Allāh tient à ne leur assigner aucune part de biens dans l'au-delà. Et pour eux il y aura un énorme châtiment.

177. Ceux qui auront troqué la croyance contre la mécréance ne nuiront en rien à Allāh. Et pour eux un châtiment douloureux.

178. Que ceux qui n'ont pas cru ne comptent pas que ce délai que Nous leur accordons soit à leur avantage. Si Nous leur accordons un délai, c'est seulement pour qu'ils augmentent leurs péchés. Et pour eux un châtiment avilissant.

179. Allāh n'est point tel qu'il laisse les croyants dans l'état où vous êtes jusqu'à ce qu'il distingue le mauvais du bon. Et Allāh n'est point tel qu'Il vous dévoile l'Inconnaissable, Mais Allāh choisit parmi Ses messagers qui Il veut. Croyez donc en Allāh et en Ses messagers. Et si vous avez la foi et la piété, vous aurez alors une récompense énorme.

180. Que ceux qui gardent avec avarice ce qu'Allāh leur donne par Sa grâce, ne comptent point cela comme bon pour eux. Au contraire, c'est mauvais pour eux: au Jour de la Résurrection, on leur attachera autour du cou ce qu'ils ont gardé avec avarice[1]. C'est Allāh qui a l'héritage des cieux et de la terre. Et Allāh est Parfaitement Connaisseur de ce que vous faites.

---

1. *On leur attachera ... avec avarice*: les biens qui n'auront pas été purifiés par la «Zakāt» se métamorphoseront, au Jour de la Résurrection en une vipère qui cernera le cou du fautif et le mordra.

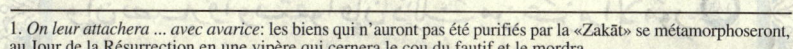

لَّقَدْ سَمِعَ ٱللَّهُ قَوْلَ ٱلَّذِينَ قَالُوٓاْ إِنَّ ٱللَّهَ فَقِيرٌ وَنَحْنُ أَغْنِيَآءُ سَنَكْتُبُ مَا قَالُواْ وَقَتْلَهُمُ ٱلْأَنۢبِيَآءَ بِغَيْرِ حَقٍّ وَنَقُولُ ذُوقُواْ عَذَابَ ٱلْحَرِيقِ ۝ ذَٰلِكَ بِمَا قَدَّمَتْ أَيْدِيكُمْ وَأَنَّ ٱللَّهَ لَيْسَ بِظَلَّامٍ لِّلْعَبِيدِ ۝ ٱلَّذِينَ قَالُوٓاْ إِنَّ ٱللَّهَ عَهِدَ إِلَيْنَآ أَلَّا نُؤْمِنَ لِرَسُولٍ حَتَّىٰ يَأْتِيَنَا بِقُرْبَانٍ تَأْكُلُهُ ٱلنَّارُ قُلْ قَدْ جَآءَكُمْ رُسُلٌ مِّن قَبْلِي بِٱلْبَيِّنَٰتِ وَبِٱلَّذِي قُلْتُمْ فَلِمَ قَتَلْتُمُوهُمْ إِن كُنتُمْ صَٰدِقِينَ ۝ فَإِن كَذَّبُوكَ فَقَدْ كُذِّبَ رُسُلٌ مِّن قَبْلِكَ جَآءُو بِٱلْبَيِّنَٰتِ وَٱلزُّبُرِ وَٱلْكِتَٰبِ ٱلْمُنِيرِ ۝ كُلُّ نَفْسٍ ذَآئِقَةُ ٱلْمَوْتِ وَإِنَّمَا تُوَفَّوْنَ أُجُورَكُمْ يَوْمَ ٱلْقِيَٰمَةِ فَمَن زُحْزِحَ عَنِ ٱلنَّارِ وَأُدْخِلَ ٱلْجَنَّةَ فَقَدْ فَازَ وَمَا ٱلْحَيَوٰةُ ٱلدُّنْيَآ إِلَّا مَتَٰعُ ٱلْغُرُورِ ۝ ۞ لَتُبْلَوُنَّ فِىٓ أَمْوَٰلِكُمْ وَأَنفُسِكُمْ وَلَتَسْمَعُنَّ مِنَ ٱلَّذِينَ أُوتُواْ ٱلْكِتَٰبَ مِن قَبْلِكُمْ وَمِنَ ٱلَّذِينَ أَشْرَكُوٓاْ أَذًى كَثِيرًا وَإِن تَصْبِرُواْ وَتَتَّقُواْ فَإِنَّ ذَٰلِكَ مِنْ عَزْمِ ٱلْأُمُورِ ۝

ربع الحزب ٨

181. Allāh a certainement entendu la parole de ceux qui ont dit: «Allāh est pauvre et nous sommes riches.» Nous enregistrons leur parole, ainsi que leur meurtre, sans droit, des prophètes. Et Nous leur dirons: «Goûtez au châtiment de la fournaise.

182. Cela, à cause de ce que vos mains ont accompli (antérieurement)!» Car Allāh ne fait point de tort aux serviteurs.

183. Ceux-là mêmes qui ont dit: «Vraiment Allāh nous a enjoint de ne pas croire en un messager tant qu'Il ne nous a pas apporté une offrande que le feu consume».
- Dis: «Des messagers avant moi vous sont, certes, venus avec des preuves, et avec ce que vous avez dit [demandé]. Pourquoi donc les avez-vous tués, si vous êtes véridiques[1]?»

184. S'ils te (Muḥammad) traitent de menteur, des prophètes avant toi, ont certes été traités de menteurs. Ils étaient venus avec les preuves claires, les Psaumes et le Livre lumineux.

185. Toute âme goûtera la mort. Mais c'est seulement au Jour de la Résurrection que vous recevrez votre entière rétribution. Quiconque donc est écarté du Feu et introduit au Paradis, a certes réussi. Et la vie présente n'est qu'un objet de jouissance trompeuse.

186. Certes vous serez éprouvés dans vos biens et vos personnes ; et certes vous entendrez de la part de ceux à qui le Livre a été donné avant vous, et de la part des Associateurs, beaucoup de propos désagréables. Mais si vous êtes endurants et pieux... voilà bien la meilleure résolution à prendre.

---

1. *Ceux-là mêmes* ...: les mêmes que ceux du v. 181 et du v. 182, c.-à-d.: les Juifs.
Nous a enjoint: dans la Thora.
Une offrande que le feu consume: certains Juifs justifient leur mécréance envers Muḥammad (ﷺ), pour un rite: celui de voir un feu descendre du ciel et consumer un animal sacrifié.
Avec ce que vous avez demandé: ce rite du sacrifice par le feu.

وَإِذْ أَخَذَ ٱللَّهُ مِيثَٰقَ ٱلَّذِينَ أُوتُوا۟ ٱلْكِتَٰبَ لَتُبَيِّنُنَّهُۥ لِلنَّاسِ وَلَا تَكْتُمُونَهُۥ فَنَبَذُوهُ وَرَآءَ ظُهُورِهِمْ وَٱشْتَرَوْا۟ بِهِۦ ثَمَنًا قَلِيلًا فَبِئْسَ مَا يَشْتَرُونَ ۝ لَا تَحْسَبَنَّ ٱلَّذِينَ يَفْرَحُونَ بِمَآ أَتَوا۟ وَّيُحِبُّونَ أَن يُحْمَدُوا۟ بِمَا لَمْ يَفْعَلُوا۟ فَلَا تَحْسَبَنَّهُم بِمَفَازَةٍ مِّنَ ٱلْعَذَابِ وَلَهُمْ عَذَابٌ أَلِيمٌ ۝ وَلِلَّهِ مُلْكُ ٱلسَّمَٰوَٰتِ وَٱلْأَرْضِ وَٱللَّهُ عَلَىٰ كُلِّ شَىْءٍ قَدِيرٌ ۝ إِنَّ فِى خَلْقِ ٱلسَّمَٰوَٰتِ وَٱلْأَرْضِ وَٱخْتِلَٰفِ ٱلَّيْلِ وَٱلنَّهَارِ لَءَايَٰتٍ لِّأُو۟لِى ٱلْأَلْبَٰبِ ۝ ٱلَّذِينَ يَذْكُرُونَ ٱللَّهَ قِيَٰمًا وَقُعُودًا وَعَلَىٰ جُنُوبِهِمْ وَيَتَفَكَّرُونَ فِى خَلْقِ ٱلسَّمَٰوَٰتِ وَٱلْأَرْضِ رَبَّنَا مَا خَلَقْتَ هَٰذَا بَٰطِلًا سُبْحَٰنَكَ فَقِنَا عَذَابَ ٱلنَّارِ ۝ رَبَّنَآ إِنَّكَ مَن تُدْخِلِ ٱلنَّارَ فَقَدْ أَخْزَيْتَهُۥ وَمَا لِلظَّٰلِمِينَ مِنْ أَنصَارٍ ۝ رَّبَّنَآ إِنَّنَا سَمِعْنَا مُنَادِيًا يُنَادِى لِلْإِيمَٰنِ أَنْ ءَامِنُوا۟ بِرَبِّكُمْ فَـَٔامَنَّا رَبَّنَا فَٱغْفِرْ لَنَا ذُنُوبَنَا وَكَفِّرْ عَنَّا سَيِّـَٔاتِنَا وَتَوَفَّنَا مَعَ ٱلْأَبْرَارِ ۝ رَبَّنَا وَءَاتِنَا مَا وَعَدتَّنَا عَلَىٰ رُسُلِكَ وَلَا تُخْزِنَا يَوْمَ ٱلْقِيَٰمَةِ إِنَّكَ لَا تُخْلِفُ ٱلْمِيعَادَ ۝

187. Allāh prit, de ceux auxquels le Livre était donné, cet engagement: «Exposez-le, certes, aux gens et ne le cachez pas». Mais ils l'ont jeté derrière leur dos et l'on vendu à vil prix. Quel mauvais commerce ils ont fait!

188. Ne pense point que ceux-là qui exultent de ce qu'ils ont fait, et qui aiment qu'on les loue pour ce qu'ils n'ont pas fait, ne pense point donc, qu'ils trouvent une échappatoire au châtiment. Pour eux, il y aura un châtiment douloureux!

189. À Allāh appartient le royaume des cieux et de la terre. Et Allāh est Omnipotent.

190. En vérité, dans la création des cieux et de la terre, et dans l'alternance de la nuit et du jour, il y a certes des signes pour les doués d'intelligence,

191. qui, debout, assis, couchés sur leurs côtés, invoquent Allāh et méditent sur la création des cieux et de la terre (disant): «Notre Seigneur! Tu n'as pas créé cela en vain. Gloire à Toi! Garde-nous du châtiment du Feu.

192. Seigneur! Quiconque Tu fais entrer dans le Feu, Tu le couvres vraiment d'ignominie. Et pour les injustes, il n'y a pas de secoureurs!

193. Seigneur! Nous avons entendu l'appel de celui qui a appelé ainsi à la foi: «Croyez en votre Seigneur» et dès lors nous avons cru. Seigneur, pardonne-nous nos péchés, efface de nous nos méfaits, et place-nous, à notre mort, avec les gens de bien.

194. Seigneur! Donne-nous ce que Tu nous as promis par Tes messagers. Et ne nous couvre pas d'ignominie au Jour de la Résurrection. Car Toi, Tu ne manques pas à Ta promesse».

فَٱسْتَجَابَ لَهُمْ رَبُّهُمْ أَنِّى لَآ أُضِيعُ عَمَلَ عَٰمِلٍ مِّنكُم مِّن ذَكَرٍ أَوْ أُنثَىٰ بَعْضُكُم مِّنۢ بَعْضٍ فَٱلَّذِينَ هَاجَرُوا۟ وَأُخْرِجُوا۟ مِن دِيَٰرِهِمْ وَأُوذُوا۟ فِى سَبِيلِى وَقَٰتَلُوا۟ وَقُتِلُوا۟ لَأُكَفِّرَنَّ عَنْهُمْ سَيِّـَٔاتِهِمْ وَلَأُدْخِلَنَّهُمْ جَنَّٰتٍ تَجْرِى مِن تَحْتِهَا ٱلْأَنْهَٰرُ ثَوَابًا مِّنْ عِندِ ٱللَّهِ وَٱللَّهُ عِندَهُۥ حُسْنُ ٱلثَّوَابِ ۝

لَا يَغُرَّنَّكَ تَقَلُّبُ ٱلَّذِينَ كَفَرُوا۟ فِى ٱلْبِلَٰدِ ۝ مَتَٰعٌ قَلِيلٌ ثُمَّ مَأْوَىٰهُمْ جَهَنَّمُ وَبِئْسَ ٱلْمِهَادُ ۝ لَٰكِنِ ٱلَّذِينَ ٱتَّقَوْا۟ رَبَّهُمْ لَهُمْ جَنَّٰتٌ تَجْرِى مِن تَحْتِهَا ٱلْأَنْهَٰرُ خَٰلِدِينَ فِيهَا نُزُلًا مِّنْ عِندِ ٱللَّهِ وَمَا عِندَ ٱللَّهِ خَيْرٌ لِّلْأَبْرَارِ ۝ وَإِنَّ مِنْ أَهْلِ ٱلْكِتَٰبِ لَمَن يُؤْمِنُ بِٱللَّهِ وَمَآ أُنزِلَ إِلَيْكُمْ وَمَآ أُنزِلَ إِلَيْهِمْ خَٰشِعِينَ لِلَّهِ لَا يَشْتَرُونَ بِـَٔايَٰتِ ٱللَّهِ ثَمَنًا قَلِيلًا أُو۟لَٰٓئِكَ لَهُمْ أَجْرُهُمْ عِندَ رَبِّهِمْ إِنَّ ٱللَّهَ سَرِيعُ ٱلْحِسَابِ ۝ يَٰٓأَيُّهَا ٱلَّذِينَ ءَامَنُوا۟ ٱصْبِرُوا۟ وَصَابِرُوا۟ وَرَابِطُوا۟ وَٱتَّقُوا۟ ٱللَّهَ لَعَلَّكُمْ تُفْلِحُونَ ۝

سُورَةُ ٱلنِّسَاء

195. Leur Seigneur les a alors exaucés (disant): «En vérité, Je ne laisse pas perdre le bien que quiconque parmi vous a fait, homme ou femme, car vous êtes les uns des autres. Ceux donc qui ont émigré, qui ont été expulsés de leurs demeures, qui ont été persécutés dans Mon chemin, qui ont combattu, qui ont été tués, Je tiendrai certes pour expiées leurs mauvaises actions, et les ferai entrer dans les Jardins sous lesquels coulent les ruisseaux, comme récompense de la part d'Allāh.» Quant à Allāh, c'est auprès de Lui qu'est la plus belle récompense.

196. Que ne t'abuse point la versatilité [pour la prospérité][1] dans le pays, de ceux qui sont infidèles.

197. Piètre jouissance! Puis leur refuge sera l'Enfer. Et quelle détestable couche!

198. Mais quant à ceux qui craignent leur Seigneur, ils auront des Jardins sous lesquels coulent les ruisseaux, pour y demeurer éternellement, un lieu d'accueil de la part d'Allāh. Et ce qu'il y a auprès d'Allāh est meilleur, pour les pieux.

199. Il y a certes, parmi les gens du Livre ceux qui croient en Allāh et en ce qu'on a fait descendre vers vous et en ce qu'on a fait descendre vers eux[2]. Ils sont humbles envers Allāh, et ne vendent point les versets d'Allāh à vil prix. Voilà ceux dont la récompense est auprès de leur Seigneur. En vérité, Allāh est prompt à faire les comptes.

200. Ô les croyants! Soyez endurants. Incitez-vous à l'endurance. Luttez constamment (contre l'ennemi) et craignez Allāh, afin que vous réussissiez!

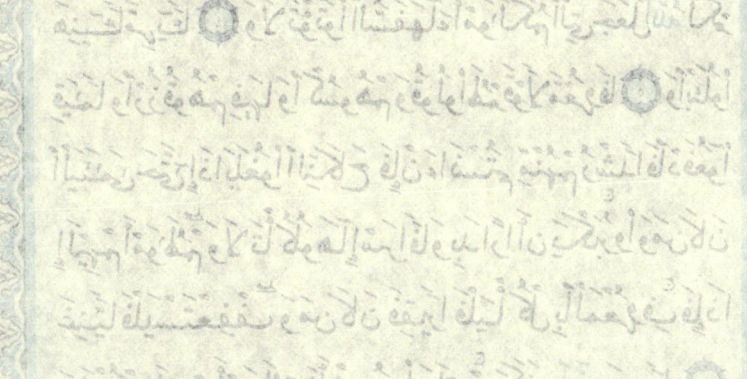

---

1. *Prospérité*: provenant de leurs activités dans le pays.
2. *Ce qu'on a fait descendre* (de révélation).

بِسْمِ اللَّهِ الرَّحْمَٰنِ الرَّحِيمِ

يَٰٓأَيُّهَا النَّاسُ اتَّقُوا۟ رَبَّكُمُ الَّذِى خَلَقَكُم مِّن نَّفْسٍ وَٰحِدَةٍ وَخَلَقَ مِنْهَا زَوْجَهَا وَبَثَّ مِنْهُمَا رِجَالًا كَثِيرًا وَنِسَآءً ۚ وَاتَّقُوا۟ اللَّهَ الَّذِى تَسَآءَلُونَ بِهِۦ وَالْأَرْحَامَ ۚ إِنَّ اللَّهَ كَانَ عَلَيْكُمْ رَقِيبًا ۝ وَءَاتُوا۟ الْيَتَٰمَىٰٓ أَمْوَٰلَهُمْ ۖ وَلَا تَتَبَدَّلُوا۟ الْخَبِيثَ بِالطَّيِّبِ ۖ وَلَا تَأْكُلُوٓا۟ أَمْوَٰلَهُمْ إِلَىٰٓ أَمْوَٰلِكُمْ ۚ إِنَّهُۥ كَانَ حُوبًا كَبِيرًا ۝ وَإِنْ خِفْتُمْ أَلَّا تُقْسِطُوا۟ فِى الْيَتَٰمَىٰ فَانكِحُوا۟ مَا طَابَ لَكُم مِّنَ النِّسَآءِ مَثْنَىٰ وَثُلَٰثَ وَرُبَٰعَ ۖ فَإِنْ خِفْتُمْ أَلَّا تَعْدِلُوا۟ فَوَٰحِدَةً أَوْ مَا مَلَكَتْ أَيْمَٰنُكُمْ ۚ ذَٰلِكَ أَدْنَىٰٓ أَلَّا تَعُولُوا۟ ۝ وَءَاتُوا۟ النِّسَآءَ صَدُقَٰتِهِنَّ نِحْلَةً ۚ فَإِن طِبْنَ لَكُمْ عَن شَىْءٍ مِّنْهُ نَفْسًا فَكُلُوهُ هَنِيٓـًٔا مَّرِيٓـًٔا ۝ وَلَا تُؤْتُوا۟ السُّفَهَآءَ أَمْوَٰلَكُمُ الَّتِى جَعَلَ اللَّهُ لَكُمْ قِيَٰمًا وَارْزُقُوهُمْ فِيهَا وَاكْسُوهُمْ وَقُولُوا۟ لَهُمْ قَوْلًا مَّعْرُوفًا ۝ وَابْتَلُوا۟ الْيَتَٰمَىٰ حَتَّىٰٓ إِذَا بَلَغُوا۟ النِّكَاحَ فَإِنْ ءَانَسْتُم مِّنْهُمْ رُشْدًا فَادْفَعُوٓا۟ إِلَيْهِمْ أَمْوَٰلَهُمْ ۖ وَلَا تَأْكُلُوهَآ إِسْرَافًا وَبِدَارًا أَن يَكْبَرُوا۟ ۚ وَمَن كَانَ غَنِيًّا فَلْيَسْتَعْفِفْ ۖ وَمَن كَانَ فَقِيرًا فَلْيَأْكُلْ بِالْمَعْرُوفِ ۚ فَإِذَا دَفَعْتُمْ إِلَيْهِمْ أَمْوَٰلَهُمْ فَأَشْهِدُوا۟ عَلَيْهِمْ ۚ وَكَفَىٰ بِاللَّهِ حَسِيبًا ۝

AN-NISĀ' (LES FEMMES)[1]
sourate 4   176 versets   Post-hégirien n°92

Au nom d'Allāh, le Tout Miséricordieux, le Très Miséricordieux.

1. Ô hommes! Craignez votre Seigneur qui vous a créés d'un seul être, et a créé de celui-ci son épouse[2], et qui de ces deux là a fait répandre (sur la terre) beaucoup d'hommes et de femmes. Craignez Allāh au nom duquel vous vous implorez les uns les autres, et craignez de rompre les liens du sang. Certes Allāh vous observe parfaitement.

2. Et donnez aux orphelins leurs biens ; n'y substituez pas le mauvais au bon[3]. Ne mangez pas leurs biens avec les vôtres: c'est vraiment un grand péché.

3. Et si vous craignez de n'être pas justes envers les orphelins, ... Il est permis d'épouser deux, trois ou quatre, parmi les femmes qui vous plaisent, mais, si vous craignez de n'être pas justes avec celles-ci, alors une seule, ou des esclaves[4] que vous possédez. Cela, afin de ne pas faire d'injustice (ou afin de ne pas aggraver votre charge de famille).

4. Et donnez aux épouses leur dot (mahr)[5]. de bonne grâce. Si de bon gré elles vous en abandonnent quelque chose, disposez-en alors à votre aise et de bon cœur.

5. Et ne confiez pas aux incapables vos biens dont Allāh a fait votre subsistance. Mais prélevez-en, pour eux[6], nourriture et vêtement ; et parlez-leur convenablement.

6. Et éprouvez (la capacité) des orphelins jusqu'à ce qu'ils atteignent (l'aptitude) au mariage ; et si vous ressentez en eux une bonne conduite, remettez-leur leurs biens. Ne les utilisez pas (dans votre intérêt) avec gaspillage et dissipation, avant qu'ils ne grandissent. Quiconque[7] est aisé, qu'il s'abstienne d'en prendre lui-même. S'il est pauvre, alors qu'il en utilise raisonnablement: et lorsque vous leur remettez leurs biens, prenez des témoins à leur encontre. Mais Allāh suffit pour observer et compter.

---

1. Titre tiré du v. 1.
2. *Et de celui-ci son épouse*: d'Adam Il a créé Eve.
3. N'*y substituez pas le mauvais* (du vôtre), *au bon* (de leur bien).
4. *Esclaves*: littér.: ce que vos mains droites possèdent ; terme qui englobe hommes et femmes faits prisonniers de guerre à l'origine et par la suite faisant partie du patrimoine de leur maître.
5. *Mahr*: le don que fait le marié à la mariée, et négocié entre les deux parties (voir note sous v. 236, de la sourate 2).
6. *Prélevez-en pour eux*: (pour les incapables): gaspilleurs, mineurs, sots, fous, etc.
7. *Quiconque* (de ceux qui sont chargés de l'héritage de jeunes orphelins) est aisé devrait s'abstenir de se payer lui-même de cet héritage qui lui est confié. S'il est pauvre, alors qu'il y puise une quantité convenable, à. titre de rémunération de tuteur.

لِّلرِّجَالِ نَصِيبٌ مِّمَّا تَرَكَ ٱلۡوَٰلِدَانِ وَٱلۡأَقۡرَبُونَ وَلِلنِّسَآءِ نَصِيبٌ مِّمَّا تَرَكَ ٱلۡوَٰلِدَانِ وَٱلۡأَقۡرَبُونَ مِمَّا قَلَّ مِنۡهُ أَوۡ كَثُرَ نَصِيبًا مَّفۡرُوضًا ۝ وَإِذَا حَضَرَ ٱلۡقِسۡمَةَ أُوْلُواْ ٱلۡقُرۡبَىٰ وَٱلۡيَتَٰمَىٰ وَٱلۡمَسَٰكِينُ فَٱرۡزُقُوهُم مِّنۡهُ وَقُولُواْ لَهُمۡ قَوۡلًا مَّعۡرُوفًا ۝ وَلۡيَخۡشَ ٱلَّذِينَ لَوۡ تَرَكُواْ مِنۡ خَلۡفِهِمۡ ذُرِّيَّةً ضِعَٰفًا خَافُواْ عَلَيۡهِمۡ فَلۡيَتَّقُواْ ٱللَّهَ وَلۡيَقُولُواْ قَوۡلًا سَدِيدًا ۝ إِنَّ ٱلَّذِينَ يَأۡكُلُونَ أَمۡوَٰلَ ٱلۡيَتَٰمَىٰ ظُلۡمًا إِنَّمَا يَأۡكُلُونَ فِي بُطُونِهِمۡ نَارًا وَسَيَصۡلَوۡنَ سَعِيرًا ۝ يُوصِيكُمُ ٱللَّهُ فِيٓ أَوۡلَٰدِكُمۡ لِلذَّكَرِ مِثۡلُ حَظِّ ٱلۡأُنثَيَيۡنِ فَإِن كُنَّ نِسَآءً فَوۡقَ ٱثۡنَتَيۡنِ فَلَهُنَّ ثُلُثَا مَا تَرَكَ وَإِن كَانَتۡ وَٰحِدَةً فَلَهَا ٱلنِّصۡفُ وَلِأَبَوَيۡهِ لِكُلِّ وَٰحِدٍ مِّنۡهُمَا ٱلسُّدُسُ مِمَّا تَرَكَ إِن كَانَ لَهُۥ وَلَدٌ فَإِن لَّمۡ يَكُن لَّهُۥ وَلَدٌ وَوَرِثَهُۥٓ أَبَوَاهُ فَلِأُمِّهِ ٱلثُّلُثُ فَإِن كَانَ لَهُۥٓ إِخۡوَةٌ فَلِأُمِّهِ ٱلسُّدُسُ مِنۢ بَعۡدِ وَصِيَّةٍ يُوصِي بِهَآ أَوۡ دَيۡنٍ ءَابَآؤُكُمۡ وَأَبۡنَآؤُكُمۡ لَا تَدۡرُونَ أَيُّهُمۡ أَقۡرَبُ لَكُمۡ نَفۡعًا فَرِيضَةً مِّنَ ٱللَّهِ إِنَّ ٱللَّهَ كَانَ عَلِيمًا حَكِيمًا ۝

7. Aux hommes revient une part de ce qu'ont laissé les père et mère ainsi que les proches; et aux femmes une part de ce qu'ont laissé les père et mère ainsi que les proches, que ce soit peu ou beaucoup: une part fixée.

8. Et lorsque les proches parents, les orphelins, les nécessiteux assistent au partage, offrez-leur quelque chose de l'héritage, et parlez-leur convenablement.

9. Que la crainte saisisse ceux qui laisseraient après eux une descendance faible[1], et qui seraient inquiets à leur sujet; qu'ils redoutent donc Allāh et qu'ils prononcent des paroles justes.

10. Ceux qui mangent [disposent] injustement des biens des orphelins ne font que manger du feu dans leurs ventres. Ils brûleront bientôt dans les flammes de l'Enfer.

11. Voici ce qu'Allāh vous enjoint au sujet de vos enfants: au fils, une part équivalente à celle de deux filles. S'il n'y a que des filles, même plus de deux, à elles alors deux tiers de ce que le défunt laisse. Et s'il n'y en a qu'une, à elle alors la moitié. Quant aux père et mère du défunt, à chacun d'eux le sixième de ce qu'il laisse, s'il a un enfant. S'il n'a pas d'enfant et que ses père et mère héritent de lui, à sa mère alors le tiers. Mais s'il a des frères, à la mère alors le sixième, après exécution du testament qu'il aurait fait ou paiement d'une dette. De vos ascendants ou descendants, vous ne savez pas qui est plus près de vous en utilité. Ceci est un ordre obligatoire de la part d'Allāh, car Allāh est, certes, Omniscient et Sage[2].

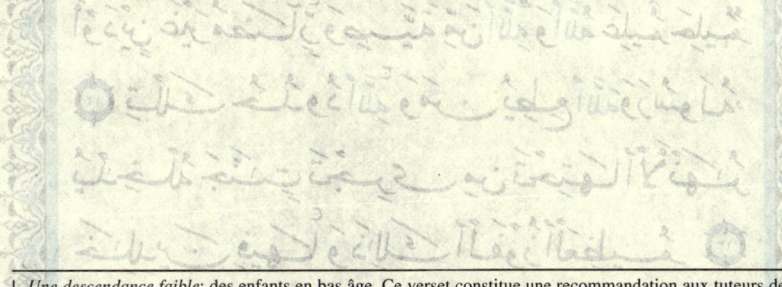

---

1. *Une descendance faible*: des enfants en bas âge. Ce verset constitue une recommandation aux tuteurs des orphelins d'être justes à leur égard et de les traiter comme s'ils étaient leurs propres enfants.
2. Voir aussi infra v. 176 pour la loi d'héritage (succession).
Au fils une part équivalente à celle de deux filles: cette disposition qui nous paraîtrait empreinte de partialité, ne l'est en aucune façon. Elle se justifie par plusieurs raisons: a) La femme est entretenue aux frais de son père, frère, etc. puis de son mari, fils, etc., pour ce qui est du logement, de la nourriture, du vêtement, etc.) ; b) elle reçoit en outre la dot «*Mahr*», sur lequel ni son mari, ni son père ou ses autres parents n'ont aucun droit; c) elle n'a vis-à-vis des hommes aucune obligation financière. Malgré tout, elle hérite de son père, de son mari, de ses enfants et autres parents. *A sa mère alors le tiers*, et le reste au père.

۞ وَلَكُمْ نِصْفُ مَا تَرَكَ أَزْوَاجُكُمْ إِن لَّمْ يَكُن لَّهُنَّ وَلَدٌ فَإِن كَانَ لَهُنَّ وَلَدٌ فَلَكُمُ ٱلرُّبُعُ مِمَّا تَرَكْنَ مِنۢ بَعْدِ وَصِيَّةٍ يُوصِينَ بِهَآ أَوْ دَيْنٍ وَلَهُنَّ ٱلرُّبُعُ مِمَّا تَرَكْتُمْ إِن لَّمْ يَكُن لَّكُمْ وَلَدٌ فَإِن كَانَ لَكُمْ وَلَدٌ فَلَهُنَّ ٱلثُّمُنُ مِمَّا تَرَكْتُم مِّنۢ بَعْدِ وَصِيَّةٍ تُوصُونَ بِهَآ أَوْ دَيْنٍ وَإِن كَانَ رَجُلٌ يُورَثُ كَلَٰلَةً أَوِ ٱمْرَأَةٌ وَلَهُۥٓ أَخٌ أَوْ أُخْتٌ فَلِكُلِّ وَٰحِدٍ مِّنْهُمَا ٱلسُّدُسُ فَإِن كَانُوٓا۟ أَكْثَرَ مِن ذَٰلِكَ فَهُمْ شُرَكَآءُ فِى ٱلثُّلُثِ مِنۢ بَعْدِ وَصِيَّةٍ يُوصَىٰ بِهَآ أَوْ دَيْنٍ غَيْرَ مُضَآرٍّ وَصِيَّةً مِّنَ ٱللَّهِ وَٱللَّهُ عَلِيمٌ حَلِيمٌ ۞ تِلْكَ حُدُودُ ٱللَّهِ وَمَن يُطِعِ ٱللَّهَ وَرَسُولَهُۥ يُدْخِلْهُ جَنَّٰتٍ تَجْرِى مِن تَحْتِهَا ٱلْأَنْهَٰرُ خَٰلِدِينَ فِيهَا وَذَٰلِكَ ٱلْفَوْزُ ٱلْعَظِيمُ ۞ وَمَن يَعْصِ ٱللَّهَ وَرَسُولَهُۥ وَيَتَعَدَّ حُدُودَهُۥ يُدْخِلْهُ نَارًا خَٰلِدًا فِيهَا وَلَهُۥ عَذَابٌ مُّهِينٌ ۞

12. Et à vous la moitié de ce que laissent vos épouses, si elles n'ont pas d'enfants. Si elles ont un enfant, alors à vous le quart de ce qu'elles laissent, après exécution du testament qu'elles auraient fait ou paiement d'une dette. Et à elles un quart de ce que vous laissez, si vous n'avez pas d'enfant. Mais si vous avez un enfant, à elles alors le huitième de ce que vous laissez après exécution du testament que vous auriez fait ou paiement d'une dette. Et si un homme, ou une femme, meurt sans héritier direct, cependant qu'il laisse un frère ou une sœur[1], à chacun de ceux-ci alors, un sixième. S'ils sont plus de deux, tous alors participeront au tiers, après exécution du testament ou paiement d'une dette, sans préjudice à quiconque. (Telle est l') Injonction d'Allāh! Et Allāh est Omniscient et Indulgent.

13. Tels sont les ordres d'Allāh. Et quiconque obéit à Allāh et à Son messager, Il le fera entrer dans les Jardins sous lesquels coulent les ruisseaux, pour y demeurer éternellement. Et voilà la grande réussite.

14. Et quiconque désobéit à Allāh et à Son messager, et transgresse Ses ordres, Il le fera entrer au Feu pour y demeurer éternellement. Et celui-là aura un châtiment avilissant.

---

1. *Cependant qu'il laisse un frère ou une sœur* (utérins).

وَٱلَّـٰتِى يَأْتِينَ ٱلْفَـٰحِشَةَ مِن نِّسَآئِكُمْ فَٱسْتَشْهِدُوا۟

عَلَيْهِنَّ أَرْبَعَةً مِّنكُمْ ۖ فَإِن شَهِدُوا۟ فَأَمْسِكُوهُنَّ فِى

ٱلْبُيُوتِ حَتَّىٰ يَتَوَفَّىٰهُنَّ ٱلْمَوْتُ أَوْ يَجْعَلَ ٱللَّهُ لَهُنَّ سَبِيلًا

﴿١٥﴾ وَٱلَّذَانِ يَأْتِيَـٰنِهَا مِنكُمْ فَـَٔاذُوهُمَا ۖ فَإِن تَابَا

وَأَصْلَحَا فَأَعْرِضُوا۟ عَنْهُمَآ ۗ إِنَّ ٱللَّهَ كَانَ تَوَّابًا رَّحِيمًا

﴿١٦﴾ إِنَّمَا ٱلتَّوْبَةُ عَلَى ٱللَّهِ لِلَّذِينَ يَعْمَلُونَ ٱلسُّوٓءَ بِجَهَـٰلَةٍ

ثُمَّ يَتُوبُونَ مِن قَرِيبٍ فَأُو۟لَـٰٓئِكَ يَتُوبُ ٱللَّهُ عَلَيْهِمْ ۗ وَكَانَ

ٱللَّهُ عَلِيمًا حَكِيمًا ﴿١٧﴾ وَلَيْسَتِ ٱلتَّوْبَةُ لِلَّذِينَ

يَعْمَلُونَ ٱلسَّيِّـَٔاتِ حَتَّىٰٓ إِذَا حَضَرَ أَحَدَهُمُ ٱلْمَوْتُ

قَالَ إِنِّى تُبْتُ ٱلْـَٔـٰنَ وَلَا ٱلَّذِينَ يَمُوتُونَ وَهُمْ كُفَّارٌ ۚ

أُو۟لَـٰٓئِكَ أَعْتَدْنَا لَهُمْ عَذَابًا أَلِيمًا ﴿١٨﴾ يَـٰٓأَيُّهَا ٱلَّذِينَ

ءَامَنُوا۟ لَا يَحِلُّ لَكُمْ أَن تَرِثُوا۟ ٱلنِّسَآءَ كَرْهًا ۖ وَلَا تَعْضُلُوهُنَّ

لِتَذْهَبُوا۟ بِبَعْضِ مَآ ءَاتَيْتُمُوهُنَّ إِلَّآ أَن يَأْتِينَ بِفَـٰحِشَةٍ

مُّبَيِّنَةٍ ۚ وَعَاشِرُوهُنَّ بِٱلْمَعْرُوفِ ۚ فَإِن كَرِهْتُمُوهُنَّ فَعَسَىٰٓ

أَن تَكْرَهُوا۟ شَيْـًٔا وَيَجْعَلَ ٱللَّهُ فِيهِ خَيْرًا كَثِيرًا ﴿١٩﴾

15. Celles de vos femmes qui forniquent, faites témoigner à leur encontre quatre d'entre vous. S'ils témoignent, alors confinez ces femmes dans vos maisons jusqu'à ce que la mort les rappelle ou qu'Allāh décrète un autre ordre à leur égard[1].

16. Les deux d'entre vous qui l'ont commise [la fornication], sévissez contre eux. S'ils se repentent ensuite et se réforment, alors laissez-les en paix. Allāh demeure Accueillant au repentir et Miséricordieux[2].

17. Allāh accueille seulement le repentir de ceux qui font le mal par ignorance et qui aussitôt[3] se repentent. Voilà ceux de qui Allāh accueille le repentir. Et Allāh est Omniscient et Sage.

18. Mais l'absolution n'est point destinée à ceux qui font de mauvaises actions jusqu'au moment où la mort se présente à l'un d'eux, et qui s'écrie: «Certes, je me repens maintenant» - non plus pour ceux qui meurent mécréants. Et c'est pour eux que Nous avons préparé un châtiment douloureux.

19. Ô les croyants! Il ne vous est pas licite d'hériter des femmes contre leur gré. Ne les empêchez pas de se remarier dans le but de leur ravir une partie de ce que vous aviez donné, à moins qu'elles ne viennent à commettre un péché prouvé. Et comportez-vous convenablement envers elles. Si vous avez de l'aversion envers elles durant la vie commune, il se peut que vous ayez de l'aversion pour une chose où Allāh a déposé un grand bien[4].

---

1. *Celles de vos femmes*: des femmes musulmanes qu'elles soient mariées ou pas.
Allāh décrète un autre ordre: cet autre ordre sera révélé plus tard(S. 24, v. 2) et mentionné dans une tradition du Prophète (Ḥadīṯ).
2. Ce verset est abrogé par (S. 24, v. 2) et par les traditions du Prophète. «Les deux» signifie ici, selon les interprétations. ou bien un homme et une femme ou bien deux hommes.
3. *Aussitôt*: jusqu'à voir l'Ange de la mort,
4. *D'hériter des femmes*: à l'époque préislāmique on héritait les femmes des proches parents.
De se remarier ...donné: autre interprétation: il s'agit d'interdire à l'homme de nuire à l'épouse désirée pour l'obliger à lui céder quelque bien ou lui offrir un rachat.
Un péché prouvé: c.-à-d.: la fornication ; la désobéissance au mari : la trivialité des paroles.

وَإِنْ أَرَدتُّمُ ٱسْتِبْدَالَ زَوْجٍ مَّكَانَ زَوْجٍ وَءَاتَيْتُمْ إِحْدَىٰهُنَّ قِنطَارًا فَلَا تَأْخُذُوا۟ مِنْهُ شَيْـًٔا أَتَأْخُذُونَهُۥ بُهْتَٰنًا وَإِثْمًا مُّبِينًا ۝ وَكَيْفَ تَأْخُذُونَهُۥ وَقَدْ أَفْضَىٰ بَعْضُكُمْ إِلَىٰ بَعْضٍ وَأَخَذْنَ مِنكُم مِّيثَٰقًا غَلِيظًا ۝ وَلَا تَنكِحُوا۟ مَا نَكَحَ ءَابَآؤُكُم مِّنَ ٱلنِّسَآءِ إِلَّا مَا قَدْ سَلَفَ إِنَّهُۥ كَانَ فَٰحِشَةً وَمَقْتًا وَسَآءَ سَبِيلًا ۝ حُرِّمَتْ عَلَيْكُمْ أُمَّهَٰتُكُمْ وَبَنَاتُكُمْ وَأَخَوَٰتُكُمْ وَعَمَّٰتُكُمْ وَخَٰلَٰتُكُمْ وَبَنَاتُ ٱلْأَخِ وَبَنَاتُ ٱلْأُخْتِ وَأُمَّهَٰتُكُمُ ٱلَّٰتِىٓ أَرْضَعْنَكُمْ وَأَخَوَٰتُكُم مِّنَ ٱلرَّضَٰعَةِ وَأُمَّهَٰتُ نِسَآئِكُمْ وَرَبَٰٓئِبُكُمُ ٱلَّٰتِى فِى حُجُورِكُم مِّن نِّسَآئِكُمُ ٱلَّٰتِى دَخَلْتُم بِهِنَّ فَإِن لَّمْ تَكُونُوا۟ دَخَلْتُم بِهِنَّ فَلَا جُنَاحَ عَلَيْكُمْ وَحَلَٰٓئِلُ أَبْنَآئِكُمُ ٱلَّذِينَ مِنْ أَصْلَٰبِكُمْ وَأَن تَجْمَعُوا۟ بَيْنَ ٱلْأُخْتَيْنِ إِلَّا مَا قَدْ سَلَفَ إِنَّ ٱللَّهَ كَانَ غَفُورًا رَّحِيمًا ۝

20. Si vous voulez substituer une épouse à une autre, et que vous ayez donné à l'une un qinṭār[1], n'en reprenez rien. Quoi! Le reprendriez-vous par injustice et péché manifeste?

21. Comment oseriez-vous le reprendre, après que l'union la plus intime vous ait associés l'un à l'autre et qu'elles aient obtenu de vous un engagement solennel?

22. Et n'épousez pas les femmes que vos pères ont épousées, exception faite pour le passé. C'est une turpitude, une abomination[2], et quelle mauvaise conduite!

23. Vous sont interdites vos mères, filles, sœurs, tantes paternelles et tantes maternelles, filles d'un frère et filles d'une sœur, mères qui vous ont allaités, sœurs de lait, mères de vos femmes, belles-filles sous votre tutelle et issues des femmes avec qui vous avez consommé le mariage ; si le mariage n'a pas été consommé, ceci n'est pas un péché de votre part ; les femmes de vos fils nés de vos reins ; de même que deux sœurs réunies[3] - exception faite pour le passé. Car vraiment Allāh est Pardonneur et Miséricordieux;

---

1. *Un qinṭār*: mille pièces d'or, d'où le mot latin: quintal.
2. *Abomination*: cette conduite est un affront du fils à l'égard de son père qui engendre la colère d'Allāh.
3. *Deux sœurs réunies*: sœurs utérines ou par allaitement. Il n'est pas interdit d'épouser la deuxième sœur après le divorce ou le décès de la première.

۞ وَٱلْمُحْصَنَٰتُ مِنَ ٱلنِّسَآءِ إِلَّا مَا مَلَكَتْ أَيْمَٰنُكُمْ كِتَٰبَ ٱللَّهِ عَلَيْكُمْ وَأُحِلَّ لَكُم مَّا وَرَآءَ ذَٰلِكُمْ أَن تَبْتَغُوا۟ بِأَمْوَٰلِكُم مُّحْصِنِينَ غَيْرَ مُسَٰفِحِينَ فَمَا ٱسْتَمْتَعْتُم بِهِۦ مِنْهُنَّ فَـَٔاتُوهُنَّ أُجُورَهُنَّ فَرِيضَةً وَلَا جُنَاحَ عَلَيْكُمْ فِيمَا تَرَٰضَيْتُم بِهِۦ مِنۢ بَعْدِ ٱلْفَرِيضَةِ إِنَّ ٱللَّهَ كَانَ عَلِيمًا حَكِيمًا ۝ وَمَن لَّمْ يَسْتَطِعْ مِنكُمْ طَوْلًا أَن يَنكِحَ ٱلْمُحْصَنَٰتِ ٱلْمُؤْمِنَٰتِ فَمِن مَّا مَلَكَتْ أَيْمَٰنُكُم مِّن فَتَيَٰتِكُمُ ٱلْمُؤْمِنَٰتِ وَٱللَّهُ أَعْلَمُ بِإِيمَٰنِكُم بَعْضُكُم مِّنۢ بَعْضٍ فَٱنكِحُوهُنَّ بِإِذْنِ أَهْلِهِنَّ وَءَاتُوهُنَّ أُجُورَهُنَّ بِٱلْمَعْرُوفِ مُحْصَنَٰتٍ غَيْرَ مُسَٰفِحَٰتٍ وَلَا مُتَّخِذَٰتِ أَخْدَانٍ فَإِذَآ أُحْصِنَّ فَإِنْ أَتَيْنَ بِفَٰحِشَةٍ فَعَلَيْهِنَّ نِصْفُ مَا عَلَى ٱلْمُحْصَنَٰتِ مِنَ ٱلْعَذَابِ ذَٰلِكَ لِمَنْ خَشِىَ ٱلْعَنَتَ مِنكُمْ وَأَن تَصْبِرُوا۟ خَيْرٌ لَّكُمْ وَٱللَّهُ غَفُورٌ رَّحِيمٌ ۝ يُرِيدُ ٱللَّهُ لِيُبَيِّنَ لَكُمْ وَيَهْدِيَكُمْ سُنَنَ ٱلَّذِينَ مِن قَبْلِكُمْ وَيَتُوبَ عَلَيْكُمْ وَٱللَّهُ عَلِيمٌ حَكِيمٌ ۝

24. et, parmi les femmes, les dames (qui ont un mari), sauf si elles sont vos esclaves en toute propriété[1]. Prescription d'Allāh sur vous! À part cela, il vous est permis de les rechercher, en vous servant de vos biens et en concluant mariage, non en débauchés. Puis, de même que vous jouissez d'elles, donnez-leur leur dot (mahr), comme une chose due. Il n'y a aucun péché contre vous à ce que vous concluez un accord quelconque entre vous après la fixation du mahr. Car Allāh est, certes, Omniscient et Sage.

25. Et quiconque parmi vous n'a pas les moyens pour épouser des femmes libres (non esclaves) croyantes, eh bien (il peut épouser) une femme parmi celles de vos esclaves croyantes. Allāh connaît mieux votre foi, car vous êtes les uns des autres (de la même religion). Et épousez-les avec l'autorisation de leurs maîtres (Walī) et donnez-leur un mahr convenable ; (épousez-les) étant vertueuses et non pas livrées à la débauche ni ayant des amants clandestins. Si, une fois engagées dans le mariage, elles commettent l'adultère, elles reçoivent la moitié du châtiment qui revient aux femmes libres (non esclaves) mariées. Ceci est autorisé à celui d'entre vous qui craint la débauche ; mais ce serait mieux pour vous d'être endurant. Et Allāh est Pardonneur et Miséricordieux[2].

26. Allāh veut vous éclairer, vous montrer les voies des hommes d'avant vous, et aussi accueillir votre repentir. Et Allāh est Omniscient et Sage.

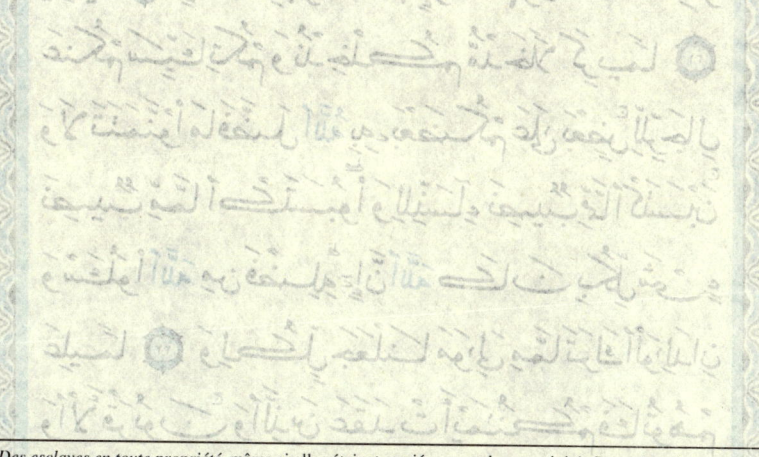

1. *Des esclaves en toute propriété*, même si elles étaient mariées avant leur captivité. Cependant il y aura une période d'attente de trois mois environ pour s'assurer que la femme n'est pas enceinte. Si elle l'est, le mariage n'aura lieu qu'après l'accouchement.
2. *Endurant*: il s'agit de supporter votre condition de célibataire jusqu'à ce que vous puissiez épouser une femme.

وَٱللَّهُ يُرِيدُ أَن يَتُوبَ عَلَيْكُمْ وَيُرِيدُ ٱلَّذِينَ يَتَّبِعُونَ ٱلشَّهَوَٰتِ أَن تَمِيلُواْ مَيْلًا عَظِيمًا ۝ يُرِيدُ ٱللَّهُ أَن يُخَفِّفَ عَنكُمْ وَخُلِقَ ٱلْإِنسَٰنُ ضَعِيفًا ۝ يَٰٓأَيُّهَا ٱلَّذِينَ ءَامَنُواْ لَا تَأْكُلُوٓاْ أَمْوَٰلَكُم بَيْنَكُم بِٱلْبَٰطِلِ إِلَّآ أَن تَكُونَ تِجَٰرَةً عَن تَرَاضٍ مِّنكُمْ وَلَا تَقْتُلُوٓاْ أَنفُسَكُمْ إِنَّ ٱللَّهَ كَانَ بِكُمْ رَحِيمًا ۝ وَمَن يَفْعَلْ ذَٰلِكَ عُدْوَٰنًا وَظُلْمًا فَسَوْفَ نُصْلِيهِ نَارًا وَكَانَ ذَٰلِكَ عَلَى ٱللَّهِ يَسِيرًا ۝ إِن تَجْتَنِبُواْ كَبَآئِرَ مَا تُنْهَوْنَ عَنْهُ نُكَفِّرْ عَنكُمْ سَيِّـَٔاتِكُمْ وَنُدْخِلْكُم مُّدْخَلًا كَرِيمًا ۝ وَلَا تَتَمَنَّوْاْ مَا فَضَّلَ ٱللَّهُ بِهِۦ بَعْضَكُمْ عَلَىٰ بَعْضٍۚ لِّلرِّجَالِ نَصِيبٌ مِّمَّا ٱكْتَسَبُواْ وَلِلنِّسَآءِ نَصِيبٌ مِّمَّا ٱكْتَسَبْنَۚ وَسْـَٔلُواْ ٱللَّهَ مِن فَضْلِهِۦٓ إِنَّ ٱللَّهَ كَانَ بِكُلِّ شَىْءٍ عَلِيمًا ۝ وَلِكُلٍّ جَعَلْنَا مَوَٰلِىَ مِمَّا تَرَكَ ٱلْوَٰلِدَانِ وَٱلْأَقْرَبُونَۚ وَٱلَّذِينَ عَقَدَتْ أَيْمَٰنُكُمْ فَـَٔاتُوهُمْ نَصِيبَهُمْۚ إِنَّ ٱللَّهَ كَانَ عَلَىٰ كُلِّ شَىْءٍ شَهِيدًا ۝

27. Et Allāh veut accueillir votre repentir. Mais ceux qui suivent les passions veulent que vous vous incliniez grandement (vers l'erreur comme ils le font).

28. Allāh veut vous alléger (les obligations), car l'homme a été créé faible.

29. Ô les croyants! Que les uns d'entre vous ne mangent pas les biens des autres illégalement. Mais qu'il y ait du négoce (légal), entre vous, par consentement mutuel. Et ne vous tuez pas vous-mêmes[1]. Allāh, en vérité, est Miséricordieux envers vous.

30. Et quiconque commet cela, par excès et par iniquité, Nous le jetterons au Feu, voilà qui est facile pour Allāh.

31. Si vous évitez les grands péchés qui vous sont interdits, Nous effacerons vos méfaits de votre compte, et Nous vous ferons entrer dans un endroit honorable (le Paradis).

32. Ne convoitez pas ce qu'Allāh a attribué aux uns d'entre vous plus qu'aux autres ; aux hommes la part qu'ils ont acquise, et aux femmes la part qu'elles ont acquise. Demandez à Allāh de Sa grâce. Car Allāh, certes, est Omniscient.

33. À tous Nous avons désigné des héritiers pour ce que leur laissent leurs père et mère, leurs proches parents, et ceux envers qui, de vos propres mains, vous vous êtes engagés, donnez leur donc leur part, car Allāh, en vérité, est témoin de tout[2].

---

1. *Ne vous tuez pas vous-mêmes*: en commettant des péchés qui entraînent votre perte, dans cette vie et dans l'au-delà.
2. *Ceux envers qui vous vous êtes engagés*: cette partie du verset est abrogée par la S. 8, v. 75.

ٱلرِّجَالُ قَوَّٰمُونَ عَلَى ٱلنِّسَآءِ بِمَا فَضَّلَ ٱللَّهُ بَعْضَهُمْ عَلَىٰ بَعْضٍ وَبِمَآ أَنفَقُوا۟ مِنْ أَمْوَٰلِهِمْ فَٱلصَّٰلِحَٰتُ قَٰنِتَٰتٌ حَٰفِظَٰتٌ لِّلْغَيْبِ بِمَا حَفِظَ ٱللَّهُ وَٱلَّٰتِى تَخَافُونَ نُشُوزَهُنَّ فَعِظُوهُنَّ وَٱهْجُرُوهُنَّ فِى ٱلْمَضَاجِعِ وَٱضْرِبُوهُنَّ فَإِنْ أَطَعْنَكُمْ فَلَا تَبْغُوا۟ عَلَيْهِنَّ سَبِيلًا إِنَّ ٱللَّهَ كَانَ عَلِيًّا كَبِيرًا ۝ وَإِنْ خِفْتُمْ شِقَاقَ بَيْنِهِمَا فَٱبْعَثُوا۟ حَكَمًا مِّنْ أَهْلِهِ وَحَكَمًا مِّنْ أَهْلِهَآ إِن يُرِيدَآ إِصْلَٰحًا يُوَفِّقِ ٱللَّهُ بَيْنَهُمَآ إِنَّ ٱللَّهَ كَانَ عَلِيمًا خَبِيرًا ۝ وَٱعْبُدُوا۟ ٱللَّهَ وَلَا تُشْرِكُوا۟ بِهِۦ شَيْـًٔا وَبِٱلْوَٰلِدَيْنِ إِحْسَٰنًا وَبِذِى ٱلْقُرْبَىٰ وَٱلْيَتَٰمَىٰ وَٱلْمَسَٰكِينِ وَٱلْجَارِ ذِى ٱلْقُرْبَىٰ وَٱلْجَارِ ٱلْجُنُبِ وَٱلصَّاحِبِ بِٱلْجَنۢبِ وَٱبْنِ ٱلسَّبِيلِ وَمَا مَلَكَتْ أَيْمَٰنُكُمْ إِنَّ ٱللَّهَ لَا يُحِبُّ مَن كَانَ مُخْتَالًا فَخُورًا ۝ ٱلَّذِينَ يَبْخَلُونَ وَيَأْمُرُونَ ٱلنَّاسَ بِٱلْبُخْلِ وَيَكْتُمُونَ مَآ ءَاتَىٰهُمُ ٱللَّهُ مِن فَضْلِهِۦ وَأَعْتَدْنَا لِلْكَٰفِرِينَ عَذَابًا مُّهِينًا ۝

34. Les hommes ont autorité sur les femmes, en raison des faveurs qu'Allāh accorde à ceux-là sur celles-ci, et aussi à cause des dépenses qu'ils font de leurs biens. Les femmes vertueuses sont obéissantes (à leurs maris), et protègent ce qui doit être protégé, pendant l'absence de leurs époux, avec la protection d'Allāh. Et quant à celles dont vous craignez la désobéissance, exhortez-les, éloignez-vous d'elles dans leurs lits et frappez-les. Si elles arrivent à vous obéir, alors ne cherchez plus de voie contre elles, car Allāh est certes, Haut et Grand[1]!

35. Si vous craignez le désaccord entre les deux [époux], envoyez alors un arbitre de sa famille à lui, et un arbitre de sa famille à elle. Si les deux veulent la réconciliation, Allāh rétablira l'entente entre eux. Allāh est certes, Omniscient et Parfaitement Connaisseur.

36. Adorez Allāh et ne Lui donnez aucun associé. Agissez avec bonté envers (vos) père et mère, les proches, les orphelins, les pauvres, le proche voisin, le voisin lointain, le collègue et le voyageur, et les esclaves en votre possession, car Allāh n'aime pas, en vérité, le présomptueux, l'arrogant[2],

37. Ceux qui sont avares et ordonnent l'avarice aux autres, et cachent ce qu'Allāh leur a donné de par Sa grâce. Nous avons préparé un châtiment avilissant pour les mécréants.

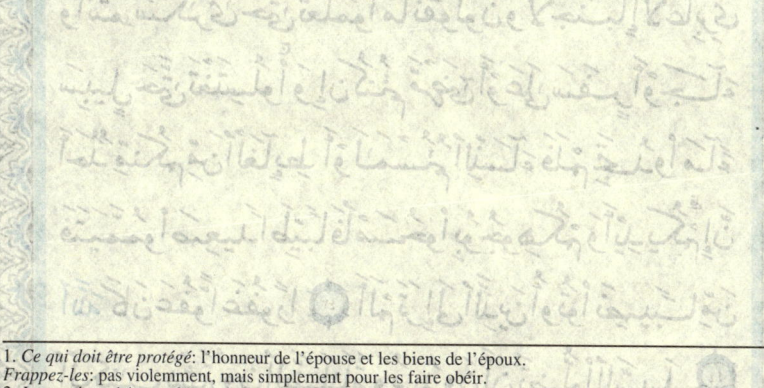

---

1. *Ce qui doit être protégé*: l'honneur de l'épouse et les biens de l'époux.
Frappez-les: pas violemment, mais simplement pour les faire obéir.
2. *Le proche voisin*: par la parenté, le voisinage ou la religion.
Collègue: compagnon de voyage, collègue au travail, ou épouse.

وَٱلَّذِينَ يُنفِقُونَ أَمْوَٰلَهُمْ رِئَآءَ ٱلنَّاسِ وَلَا يُؤْمِنُونَ بِٱللَّهِ وَلَا بِٱلْيَوْمِ ٱلْأَخِرِّ وَمَن يَكُنِ ٱلشَّيْطَٰنُ لَهُۥ قَرِينًا فَسَآءَ قَرِينًا ﴿٣٨﴾ وَمَاذَا عَلَيْهِمْ لَوْ ءَامَنُوا۟ بِٱللَّهِ وَٱلْيَوْمِ ٱلْأَخِرِ وَأَنفَقُوا۟ مِمَّا رَزَقَهُمُ ٱللَّهُّ وَكَانَ ٱللَّهُ بِهِمْ عَلِيمًا ﴿٣٩﴾ إِنَّ ٱللَّهَ لَا يَظْلِمُ مِثْقَالَ ذَرَّةٍ وَإِن تَكُ حَسَنَةً يُضَٰعِفْهَا وَيُؤْتِ مِن لَّدُنْهُ أَجْرًا عَظِيمًا ﴿٤٠﴾ فَكَيْفَ إِذَا جِئْنَا مِن كُلِّ أُمَّةٍ بِشَهِيدٍ وَجِئْنَا بِكَ عَلَىٰ هَٰٓؤُلَآءِ شَهِيدًا ﴿٤١﴾ يَوْمَئِذٍ يَوَدُّ ٱلَّذِينَ كَفَرُوا۟ وَعَصَوُا۟ ٱلرَّسُولَ لَوْ تُسَوَّىٰ بِهِمُ ٱلْأَرْضُ وَلَا يَكْتُمُونَ ٱللَّهَ حَدِيثًا ﴿٤٢﴾ يَٰٓأَيُّهَا ٱلَّذِينَ ءَامَنُوا۟ لَا تَقْرَبُوا۟ ٱلصَّلَوٰةَ وَأَنتُمْ سُكَٰرَىٰ حَتَّىٰ تَعْلَمُوا۟ مَا تَقُولُونَ وَلَا جُنُبًا إِلَّا عَابِرِى سَبِيلٍ حَتَّىٰ تَغْتَسِلُوا۟ وَإِن كُنتُم مَّرْضَىٰٓ أَوْ عَلَىٰ سَفَرٍ أَوْ جَآءَ أَحَدٌ مِّنكُم مِّنَ ٱلْغَآئِطِ أَوْ لَٰمَسْتُمُ ٱلنِّسَآءَ فَلَمْ تَجِدُوا۟ مَآءً فَتَيَمَّمُوا۟ صَعِيدًا طَيِّبًا فَٱمْسَحُوا۟ بِوُجُوهِكُمْ وَأَيْدِيكُمّْ إِنَّ ٱللَّهَ كَانَ عَفُوًّا غَفُورًا ﴿٤٣﴾ أَلَمْ تَرَ إِلَى ٱلَّذِينَ أُوتُوا۟ نَصِيبًا مِّنَ ٱلْكِتَٰبِ يَشْتَرُونَ ٱلضَّلَٰلَةَ وَيُرِيدُونَ أَن تَضِلُّوا۟ ٱلسَّبِيلَ ﴿٤٤﴾

38. Et ceux qui dépensent leurs biens avec ostentation devant les gens, et ne croient ni en Allāh ni au Jour dernier. Quiconque a le Diable pour camarade inséparable, quel mauvais camarade!

39. Qu'auraient-ils à se reprocher s'ils avaient cru en Allāh et au Jour dernier et dépensé (dans l'obéissance) de ce qu'Allāh leur a attribué? Allāh, d'eux, est Omniscient.

40. Certes, Allāh ne lèse (personne), fût-ce du poids d'un atome. S'il est une bonne action, Il la double, et accorde une grosse récompense de Sa part.

41. Comment seront-ils quand Nous ferons venir de chaque communauté un témoin, et que Nous te (Muḥammad) ferons venir comme témoin contre ces gens-ci?

42. Ce jour-là, ceux qui n'ont pas cru et ont désobéi au Messager, préféreraient que la terre fût nivelée sur eux et ils ne sauront cacher à Allāh aucune parole.

43. Ô les croyants! N'approchez pas de la Ṣalāt alors que vous êtes ivres, jusqu'à ce que vous compreniez ce que vous dites, et aussi quand vous êtes en état d'impureté [pollués] - à moins que vous ne soyez en voyage - jusqu'à ce que vous ayez pris un bain rituel. Si vous êtes malades ou en voyage, ou si l'un de vous revient du lieu où il a fait ses besoins, ou si vous avez touché à des femmes et que vous ne trouviez pas d'eau, alors recourez à une terre pure, et passez-vous-en sur vos visages et sur vos mains. Allāh, en vérité, est Indulgent et Pardonneur[1].

44. N'as-tu (Muḥammad) pas vu ceux qui ont reçu une partie du Livre acheter l'égarement et chercher à ce que vous vous égariez du [droit] chemin?

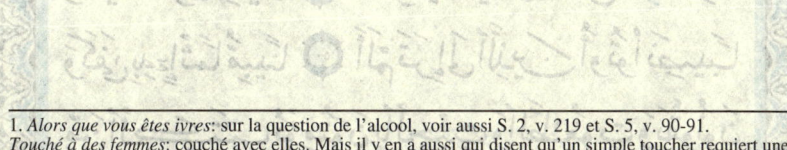

---

1. *Alors que vous êtes ivres*: sur la question de l'alcool, voir aussi S. 2, v. 219 et S. 5, v. 90-91.
Touché à des femmes: couché avec elles. Mais il y en a aussi qui disent qu'un simple toucher requiert une ablution.
Recourez à une terre pure: c'est le «tayammum» ; comme indiqué dans ce verset, le Tayammum remplace l'ablution (Wuḍū') avant la Ṣalāt, et le grand bain (Ġusl), dans les endroits où l'eau est introuvable. Le *tayammum se pratique comme suit*: on pose les mains sur de la terre propre, puis on se les passe sur le visage et on se frotte les mains.

وَٱللَّهُ أَعْلَمُ بِأَعْدَآئِكُمْ وَكَفَىٰ بِٱللَّهِ وَلِيًّا وَكَفَىٰ بِٱللَّهِ نَصِيرًا ۝

مِّنَ ٱلَّذِينَ هَادُواْ يُحَرِّفُونَ ٱلْكَلِمَ عَن مَّوَاضِعِهِۦ وَيَقُولُونَ

سَمِعْنَا وَعَصَيْنَا وَٱسْمَعْ غَيْرَ مُسْمَعٍ وَرَٰعِنَا لَيًّۢا بِأَلْسِنَتِهِمْ

وَطَعْنًا فِى ٱلدِّينِ وَلَوْ أَنَّهُمْ قَالُواْ سَمِعْنَا وَأَطَعْنَا وَٱسْمَعْ وَٱنظُرْنَا

لَكَانَ خَيْرًا لَّهُمْ وَأَقْوَمَ وَلَٰكِن لَّعَنَهُمُ ٱللَّهُ بِكُفْرِهِمْ فَلَا يُؤْمِنُونَ

إِلَّا قَلِيلًا ۝ يَٰٓأَيُّهَا ٱلَّذِينَ أُوتُواْ ٱلْكِتَٰبَ ءَامِنُواْ بِمَا نَزَّلْنَا

مُصَدِّقًا لِّمَا مَعَكُم مِّن قَبْلِ أَن نَّطْمِسَ وُجُوهًا فَنَرُدَّهَا

عَلَىٰٓ أَدْبَارِهَآ أَوْ نَلْعَنَهُمْ كَمَا لَعَنَّآ أَصْحَٰبَ ٱلسَّبْتِ وَكَانَ أَمْرُ

ٱللَّهِ مَفْعُولًا ۝ إِنَّ ٱللَّهَ لَا يَغْفِرُ أَن يُشْرَكَ بِهِۦ وَيَغْفِرُ مَا دُونَ

ذَٰلِكَ لِمَن يَشَآءُ وَمَن يُشْرِكْ بِٱللَّهِ فَقَدِ ٱفْتَرَىٰٓ إِثْمًا عَظِيمًا

۝ أَلَمْ تَرَ إِلَى ٱلَّذِينَ يُزَكُّونَ أَنفُسَهُم بَلِ ٱللَّهُ يُزَكِّى مَن يَشَآءُ

وَلَا يُظْلَمُونَ فَتِيلًا ۝ ٱنظُرْ كَيْفَ يَفْتَرُونَ عَلَى ٱللَّهِ ٱلْكَذِبَ

وَكَفَىٰ بِهِۦٓ إِثْمًا مُّبِينًا ۝ أَلَمْ تَرَ إِلَى ٱلَّذِينَ أُوتُواْ نَصِيبًا

مِّنَ ٱلْكِتَٰبِ يُؤْمِنُونَ بِٱلْجِبْتِ وَٱلطَّٰغُوتِ وَيَقُولُونَ

لِلَّذِينَ كَفَرُواْ هَٰٓؤُلَآءِ أَهْدَىٰ مِنَ ٱلَّذِينَ ءَامَنُواْ سَبِيلًا ۝

45. Allāh connaît mieux vos ennemis. Et Allāh suffit comme protecteur. Et Allāh suffit comme secoureur.

46. Il en est parmi les Juifs qui détournent les mots de leur sens, et disent: «Nous avions entendu, mais nous avons désobéi», «Ecoute sans qu'il te soit donné d'entendre», et favorise nous «rā'inā», tordant la langue et attaquant la religion. Si au contraire ils disaient: «Nous avons entendu et nous avons obéi», «Ecoute», et «Regarde-nous», ce serait meilleur pour eux, et plus droit. Mais Allāh les a maudits à cause de leur mécréance; leur foi est donc bien médiocre[1].

47. Ô vous à qui on a donné le Livre, croyez à ce que Nous avons fait descendre, en confirmation de ce que vous aviez déjà, avant que Nous effacions des visages et les retournions sens devant derrière, ou que Nous les maudissions comme Nous avons maudit les gens du Sabbat[2]. Car le commandement d'Allāh est toujours exécuté.

48. Certes Allāh ne pardonne pas qu'on Lui donne quelqu'associé. À part cela, Il pardonne à qui Il veut. Mais quiconque donne à Allāh quelqu'associé commet un énorme péché.

49. N'as-tu pas vu ceux-là qui se déclarent purs[3]? Mais c'est Allāh qui purifie qui Il veut; et ils ne seront point lésés, fût-ce d'un brin de noyau de datte[4].

50. Regarde comme ils inventent le mensonge à l'encontre d'Allāh. Et çà, c'est assez comme péché manifeste!

51. N'as-tu pas vu ceux-là, à qui une partie du Livre a été donnée, ajouter foi à la magie (jibt) et aux idoles (Ṭāġūt), et dire en faveur de ceux qui ne croient pas: «Ceux-là sont mieux guidés (sur le chemin) que ceux qui ont cru[5]?»

---

1. *Rā'inā: favorise-nous*: voir aussi la note 2, p. 16.
Leur foi est donc bien médiocre: autre interprétation: à l'exception d'un petit nombre d'entre eux.
2. *Comme Nous avons maudit les gens du Sabbat*: c'est la traduction littérale ; mais il faut entendre les gens qui ont transgressé le Sabbat (voir S. 2, v. 65).
3. *Se déclarent purs*: les Juifs prétendaient être les enfants d'Allāh et Ses préférés. Voir S. 5, v. 18.
4. *Brin de noyau de datte, en arabe*, (*Fatil*): la pellicule recouvrant juste le creux du noyau de la datte, c.-à-d.: la plus petite quantité.
5. *Jibt*: la magie, les idoles, l'associationnisme ou le diable.
Ṭāġāt: voir S. 2, v. 257.
Ceux qui ne croient pas: ici les païens parmi les Mecquois.

أُو۟لَٰٓئِكَ ٱلَّذِينَ لَعَنَهُمُ ٱللَّهُ ۖ وَمَن يَلْعَنِ ٱللَّهُ فَلَن تَجِدَ لَهُۥ نَصِيرًا ۝

أَمْ لَهُمْ نَصِيبٌ مِّنَ ٱلْمُلْكِ فَإِذًا لَّا يُؤْتُونَ ٱلنَّاسَ نَقِيرًا ۝

أَمْ يَحْسُدُونَ ٱلنَّاسَ عَلَىٰ مَآ ءَاتَىٰهُمُ ٱللَّهُ مِن فَضْلِهِۦ ۖ فَقَدْ ءَاتَيْنَآ ءَالَ إِبْرَٰهِيمَ ٱلْكِتَٰبَ وَٱلْحِكْمَةَ وَءَاتَيْنَٰهُم مُّلْكًا عَظِيمًا ۝

فَمِنْهُم مَّنْ ءَامَنَ بِهِۦ وَمِنْهُم مَّن صَدَّ عَنْهُ ۚ وَكَفَىٰ بِجَهَنَّمَ سَعِيرًا ۝

إِنَّ ٱلَّذِينَ كَفَرُوا۟ بِـَٔايَٰتِنَا سَوْفَ نُصْلِيهِمْ نَارًا كُلَّمَا نَضِجَتْ جُلُودُهُم بَدَّلْنَٰهُمْ جُلُودًا غَيْرَهَا لِيَذُوقُوا۟ ٱلْعَذَابَ ۗ إِنَّ ٱللَّهَ كَانَ عَزِيزًا حَكِيمًا ۝ وَٱلَّذِينَ ءَامَنُوا۟ وَعَمِلُوا۟ ٱلصَّٰلِحَٰتِ سَنُدْخِلُهُمْ جَنَّٰتٍ تَجْرِى مِن تَحْتِهَا ٱلْأَنْهَٰرُ خَٰلِدِينَ فِيهَآ أَبَدًا ۖ لَّهُمْ فِيهَآ أَزْوَٰجٌ مُّطَهَّرَةٌ ۖ وَنُدْخِلُهُمْ ظِلًّا ظَلِيلًا ۝

۞ إِنَّ ٱللَّهَ يَأْمُرُكُمْ أَن تُؤَدُّوا۟ ٱلْأَمَٰنَٰتِ إِلَىٰٓ أَهْلِهَا وَإِذَا حَكَمْتُم بَيْنَ ٱلنَّاسِ أَن تَحْكُمُوا۟ بِٱلْعَدْلِ ۚ إِنَّ ٱللَّهَ نِعِمَّا يَعِظُكُم بِهِۦٓ ۗ إِنَّ ٱللَّهَ كَانَ سَمِيعًۢا بَصِيرًا ۝

يَٰٓأَيُّهَا ٱلَّذِينَ ءَامَنُوٓا۟ أَطِيعُوا۟ ٱللَّهَ وَأَطِيعُوا۟ ٱلرَّسُولَ وَأُو۟لِى ٱلْأَمْرِ مِنكُمْ ۖ فَإِن تَنَٰزَعْتُمْ فِى شَىْءٍ فَرُدُّوهُ إِلَى ٱللَّهِ وَٱلرَّسُولِ إِن كُنتُمْ تُؤْمِنُونَ بِٱللَّهِ وَٱلْيَوْمِ ٱلْءَاخِرِ ۚ ذَٰلِكَ خَيْرٌ وَأَحْسَنُ تَأْوِيلًا ۝

52. Voilà ceux qu'Allāh a maudits ; et quiconque Allāh maudit, jamais tu ne trouveras pour lui de secoureur.

53. Possèdent-ils une partie du pouvoir? Ils ne donneraient donc rien aux gens, fût-ce le creux d'un noyau de datte[1].

54. Envient-ils aux gens[2] ce qu'Allāh leur a donné de par Sa grâce? Or, Nous avons donné à la famille d'Abraham le Livre et la Sagesse ; et Nous leur avons donné un immense royaume.

55. Certains d'entre eux ont cru en lui, d'autres d'entre eux s'en sont écartés. L'Enfer leur suffira comme flamme (pour y brûler).

56. Certes, ceux qui ne croient pas à Nos Versets, (le Qur'ān) Nous les brûlerons bientôt dans le Feu. Chaque fois que leurs peaux auront été consumées, Nous leur donnerons d'autres peaux en échange afin qu'ils goûtent au châtiment. Allāh est certes Puissant et Sage!

57. Et quant à ceux qui ont cru et fait de bonnes œuvres, bientôt Nous les ferons entrer aux Jardins sous lesquels coulent des ruisseaux. Ils y demeureront éternellement. Il y aura là pour eux des épouses purifiées. Et Nous les ferons entrer sous un ombrage épais.

58. Certes, Allāh vous commande de rendre les dépôts[3] à leurs ayants droit, et quand vous jugez entre des gens, de juger avec équité. Quelle bonne exhortation qu'Allāh vous fait! Allāh est, en vérité, Celui qui entend et qui voit tout.

59. Ô les croyants! Obéissez à Allāh, et obéissez au Messager et à ceux d'entre vous qui détiennent le commandement[4]. Puis, si vous vous disputez en quoi que ce soit, renvoyez-le à Allāh et au Messager, si vous croyez en Allāh et au Jour dernier. Ce sera bien mieux et de meilleure interprétation (et aboutissement).

---

1. *Creux d'un noyau de datte* (Naqīr): une quantité insignifiante.
2. *Aux gens...*: au Prophète et à ses compagnons.
3. *Dépôts*: au sens large: tout ce qui est dû à autrui.
4. *Qui détiennent le commandement*: les Ulémas et les Chefs. L'obéissance est due à ces derniers uniquement lorsqu'ils ordonnent le bien, et ce conformément au principe: «Point d'obéissance à qui ordonne de désobéir au Créateur». Abū Dāwud rapporte que l'Envoyé d'Allāh (ﷺ) a dit: «Le musulman se doit d'écouter et d'obéir dans ce qu'il aime et dans ce qu'il déteste tant qu'il ne lui a pas été ordonné de désobéir à Allāh. S'il en est ainsi, point d'écoute ni d'obéissance.»

أَلَمْ تَرَ إِلَى ٱلَّذِينَ يَزْعُمُونَ أَنَّهُمْ ءَامَنُوا بِمَآ أُنزِلَ إِلَيْكَ وَمَآ أُنزِلَ مِن قَبْلِكَ يُرِيدُونَ أَن يَتَحَاكَمُوٓا إِلَى ٱلطَّٰغُوتِ وَقَدْ أُمِرُوٓا أَن يَكْفُرُوا بِهِۦ وَيُرِيدُ ٱلشَّيْطَٰنُ أَن يُضِلَّهُمْ ضَلَٰلًۢا بَعِيدًا ۞ وَإِذَا قِيلَ لَهُمْ تَعَالَوْا إِلَىٰ مَآ أَنزَلَ ٱللَّهُ وَإِلَى ٱلرَّسُولِ رَأَيْتَ ٱلْمُنَٰفِقِينَ يَصُدُّونَ عَنكَ صُدُودًا ۞ فَكَيْفَ إِذَآ أَصَٰبَتْهُم مُّصِيبَةٌۢ بِمَا قَدَّمَتْ أَيْدِيهِمْ ثُمَّ جَآءُوكَ يَحْلِفُونَ بِٱللَّهِ إِنْ أَرَدْنَآ إِلَّآ إِحْسَٰنًا وَتَوْفِيقًا ۞ أُو۟لَٰٓئِكَ ٱلَّذِينَ يَعْلَمُ ٱللَّهُ مَا فِى قُلُوبِهِمْ فَأَعْرِضْ عَنْهُمْ وَعِظْهُمْ وَقُل لَّهُمْ فِىٓ أَنفُسِهِمْ قَوْلًۢا بَلِيغًا ۞ وَمَآ أَرْسَلْنَا مِن رَّسُولٍ إِلَّا لِيُطَاعَ بِإِذْنِ ٱللَّهِ وَلَوْ أَنَّهُمْ إِذ ظَّلَمُوٓا أَنفُسَهُمْ جَآءُوكَ فَٱسْتَغْفَرُوا ٱللَّهَ وَٱسْتَغْفَرَ لَهُمُ ٱلرَّسُولُ لَوَجَدُوا ٱللَّهَ تَوَّابًا رَّحِيمًا ۞ فَلَا وَرَبِّكَ لَا يُؤْمِنُونَ حَتَّىٰ يُحَكِّمُوكَ فِيمَا شَجَرَ بَيْنَهُمْ ثُمَّ لَا يَجِدُوا فِىٓ أَنفُسِهِمْ حَرَجًا مِّمَّا قَضَيْتَ وَيُسَلِّمُوا تَسْلِيمًا ۞

60. N'as-tu pas vu ceux qui prétendent croire à ce qu'on a fait descendre vers toi [prophète] et à ce qu'on a fait descendre avant toi? Ils veulent prendre pour juge le Ṭāġūt, alors que c'est en lui qu'on leur a commandé de ne pas croire. Mais le Diable veut les égarer très loin, dans l'égarement.

61. Et lorsqu'on leur dit: «Venez vers ce qu'Allāh a fait descendre et vers le Messager», tu vois les hypocrites s'écarter loin de toi.

62. Comment (agiront-ils) quand un malheur les atteindra, à cause de ce qu'ils ont préparé de leurs propres mains? Puis ils viendront alors prés de toi, jurant par Allāh: «Nous n'avons voulu que le bien et la réconciliation».

63. Voilà ceux dont Allāh sait ce qu'ils ont dans leurs cœurs. Ne leur tiens donc pas rigueur, exhorte-les, et dis-leur sur eux-mêmes des paroles convaincantes.

64. Nous n'avons envoyé de Messager que pour qu'il soit obéi, par la permission d'Allāh. Si, lorsqu'ils ont fait du tort à leurs propres personnes ils venaient à toi en implorant le pardon d'Allāh et si le Messager demandait le pardon pour eux, ils trouveraient, certes, Allāh, Très Accueillant au repentir, Miséricordieux.

65. Non!... Par ton Seigneur! Ils ne seront pas croyants aussi longtemps qu'ils ne t'auront demandé de juger de leurs disputes et qu'ils n'auront éprouvé nulle angoisse pour ce que tu auras décidé, et qu'ils se soumettent complètement [à ta sentence].

وَلَوْ أَنَّا كَتَبْنَا عَلَيْهِمْ أَنِ اقْتُلُوٓاْ أَنفُسَكُمْ أَوِ اخْرُجُواْ مِن دِيَٰرِكُم مَّا فَعَلُوهُ إِلَّا قَلِيلٌ مِّنْهُمْ وَلَوْ أَنَّهُمْ فَعَلُواْ مَا يُوعَظُونَ بِهِۦ لَكَانَ خَيْرًا لَّهُمْ وَأَشَدَّ تَثْبِيتًا ۝ وَإِذًا لَّءَاتَيْنَٰهُم مِّن لَّدُنَّآ أَجْرًا عَظِيمًا ۝ وَلَهَدَيْنَٰهُمْ صِرَٰطًا مُّسْتَقِيمًا ۝ وَمَن يُطِعِ اللَّهَ وَالرَّسُولَ فَأُوْلَٰٓئِكَ مَعَ الَّذِينَ أَنْعَمَ اللَّهُ عَلَيْهِم مِّنَ النَّبِيِّۦنَ وَالصِّدِّيقِينَ وَالشُّهَدَآءِ وَالصَّٰلِحِينَ وَحَسُنَ أُوْلَٰٓئِكَ رَفِيقًا ۝ ذَٰلِكَ الْفَضْلُ مِنَ اللَّهِ وَكَفَىٰ بِاللَّهِ عَلِيمًا ۝ يَٰٓأَيُّهَا الَّذِينَ ءَامَنُواْ خُذُواْ حِذْرَكُمْ فَانفِرُواْ ثُبَاتٍ أَوِ انفِرُواْ جَمِيعًا ۝ وَإِنَّ مِنكُمْ لَمَن لَّيُبَطِّئَنَّ فَإِنْ أَصَٰبَتْكُم مُّصِيبَةٌ قَالَ قَدْ أَنْعَمَ اللَّهُ عَلَيَّ إِذْ لَمْ أَكُن مَّعَهُمْ شَهِيدًا ۝ وَلَئِنْ أَصَٰبَكُمْ فَضْلٌ مِّنَ اللَّهِ لَيَقُولَنَّ كَأَن لَّمْ تَكُنۢ بَيْنَكُمْ وَبَيْنَهُۥ مَوَدَّةٌ يَٰلَيْتَنِي كُنتُ مَعَهُمْ فَأَفُوزَ فَوْزًا عَظِيمًا ۝ ۞ فَلْيُقَٰتِلْ فِي سَبِيلِ اللَّهِ الَّذِينَ يَشْرُونَ الْحَيَوٰةَ الدُّنْيَا بِالْءَاخِرَةِ وَمَن يُقَٰتِلْ فِي سَبِيلِ اللَّهِ فَيُقْتَلْ أَوْ يَغْلِبْ فَسَوْفَ نُؤْتِيهِ أَجْرًا عَظِيمًا ۝

66. Si Nous leur avions prescrit ceci: «Tuez-vous vous-mêmes», ou «Sortez de vos demeures», ils ne l'auraient pas fait, sauf un petit nombre d'entre eux. S'ils avaient fait ce à quoi on les exhortait, cela aurait été certainement meilleur pour eux, et (leur foi) aurait été plus affermie.

67. Alors Nous leur aurions donné certainement, de Notre part, une grande récompense,

68. et Nous-les aurions guidé certes vers un droit chemin.

69. Quiconque obéit à Allāh et au Messager... Ceux-là seront avec ceux qu'Allāh a comblés de Ses bienfaits: les prophètes, les véridiques, les martyrs et les vertueux. Et quels bons compagnons que ceux-là!

70. Cette grâce vient d'Allāh. Et Allāh suffit comme Parfait Connaisseur.

71. Ô les croyants! Prenez vos précautions et partez en expédition par détachements ou en masse.

72. Parmi vous, il y aura certes quelqu'un qui tardera [à aller au combat] et qui, si un malheur vous atteint, dira: «Certes, Allāh m'a fait une faveur en ce que je ne me suis pas trouvé en leur compagnie»;

73. et si c'est une grâce qui vous atteint de la part d'Allāh, il se mettra, certes, à dire, comme s'il n'y avait aucune affection entre vous et lui: «Quel dommage! Si j'avais été avec eux, j'aurais alors acquis un gain énorme»[1].

74. Qu'ils combattent donc dans le sentier d'Allāh, ceux qui troquent la vie présente contre la vie future. Et quiconque combat dans le sentier d'Allāh, tué ou vainqueur, Nous lui donnerons bientôt une énorme récompense.

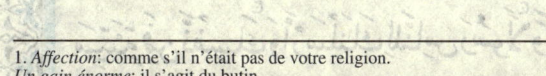

---

1. *Affection*: comme s'il n'était pas de votre religion.
Un gain énorme: il s'agit du butin.

وَمَا لَكُمْ لَا تُقَـٰتِلُونَ فِى سَبِيلِ ٱللَّهِ وَٱلْمُسْتَضْعَفِينَ مِنَ ٱلرِّجَالِ وَٱلنِّسَاءِ وَٱلْوِلْدَٰنِ ٱلَّذِينَ يَقُولُونَ رَبَّنَا أَخْرِجْنَا مِنْ هَـٰذِهِ ٱلْقَرْيَةِ ٱلظَّالِمِ أَهْلُهَا وَٱجْعَل لَّنَا مِن لَّدُنكَ وَلِيًّا وَٱجْعَل لَّنَا مِن لَّدُنكَ نَصِيرًا ۝ ٱلَّذِينَ ءَامَنُوا يُقَـٰتِلُونَ فِى سَبِيلِ ٱللَّهِ وَٱلَّذِينَ كَفَرُوا يُقَـٰتِلُونَ فِى سَبِيلِ ٱلطَّـٰغُوتِ فَقَـٰتِلُوا أَوْلِيَاءَ ٱلشَّيْطَـٰنِ إِنَّ كَيْدَ ٱلشَّيْطَـٰنِ كَانَ ضَعِيفًا ۝ أَلَمْ تَرَ إِلَى ٱلَّذِينَ قِيلَ لَهُمْ كُفُّوا أَيْدِيَكُمْ وَأَقِيمُوا ٱلصَّلَوٰةَ وَءَاتُوا ٱلزَّكَوٰةَ فَلَمَّا كُتِبَ عَلَيْهِمُ ٱلْقِتَالُ إِذَا فَرِيقٌ مِّنْهُمْ يَخْشَوْنَ ٱلنَّاسَ كَخَشْيَةِ ٱللَّهِ أَوْ أَشَدَّ خَشْيَةً وَقَالُوا رَبَّنَا لِمَ كَتَبْتَ عَلَيْنَا ٱلْقِتَالَ لَوْلَا أَخَّرْتَنَا إِلَى أَجَلٍ قَرِيبٍ قُلْ مَتَـٰعُ ٱلدُّنْيَا قَلِيلٌ وَٱلْءَاخِرَةُ خَيْرٌ لِّمَنِ ٱتَّقَىٰ وَلَا تُظْلَمُونَ فَتِيلًا ۝ أَيْنَمَا تَكُونُوا يُدْرِككُّمُ ٱلْمَوْتُ وَلَوْ كُنتُمْ فِى بُرُوجٍ مُّشَيَّدَةٍ وَإِن تُصِبْهُمْ حَسَنَةٌ يَقُولُوا هَـٰذِهِ مِنْ عِندِ ٱللَّهِ وَإِن تُصِبْهُمْ سَيِّئَةٌ يَقُولُوا هَـٰذِهِ مِنْ عِندِكَ قُلْ كُلٌّ مِّنْ عِندِ ٱللَّهِ فَمَالِ هَـٰٓؤُلَاءِ ٱلْقَوْمِ لَا يَكَادُونَ يَفْقَهُونَ حَدِيثًا ۝ مَّا أَصَابَكَ مِنْ حَسَنَةٍ فَمِنَ ٱللَّهِ وَمَا أَصَابَكَ مِن سَيِّئَةٍ فَمِن نَّفْسِكَ وَأَرْسَلْنَاكَ لِلنَّاسِ رَسُولًا وَكَفَىٰ بِٱللَّهِ شَهِيدًا ۝

75. Et qu'avez-vous à ne pas combattre dans le sentier d'Allāh, et pour la cause des faibles: hommes, femmes et enfants qui disent: «Seigneur! Fais-nous sortir de cette cité dont les gens sont injustes, et assigne-nous de Ta part un allié, et assigne-nous de Ta part un secoureur».

76. Les croyants combattent dans le sentier d'Allāh, et ceux qui ne croient pas combattent dans le sentier du Ṭāġūt[1]. Eh bien, combattez les alliés du Diable, car la ruse du Diable est, certes, faible.

77. N'as-tu pas vu ceux auxquels on avait dit: «Abstenez-vous de combattre accomplissez la Ṣalāt et acquittez la Zakāt!» Puis lorsque le combat leur fut prescrit, voilà qu'une partie d'entre eux se mit à craindre les gens comme on craint Allāh, ou même d'une crainte plus forte encore, et à dire: «Ô notre Seigneur! Pourquoi nous as-Tu prescrit le combat? Pourquoi n'as-Tu pas reporté cela à un peu plus tard?» Dis: «La jouissance d'ici-bas est éphémère, mais la vie future est meilleure pour quiconque est pieux. Et on ne vous lésera pas, fût-ce d'un brin de noyau de datte.

78. Où que vous soyez, la mort vous atteindra, fussiez-vous dans des tours imprenables. Qu'un bien les atteigne, ils disent: «C'est de la part d'Allāh». Qu'un mal les atteigne, ils disent: «C'est dû à toi (Muḥammad)». Dis: «Tout est d'Allāh». Mais qu'ont-ils ces gens, à ne comprendre presque aucune parole?

79. Tout bien qui t'atteint vient d'Allāh, et tout mal qui t'atteint vient de toi-même[2]. Et Nous t'avons envoyé aux gens comme Messager. Et Allāh suffit comme témoin.

---

1. *Ṭāġūt*: voir S. 2, v. 257.
2. *Tout bien qui t'atteint ..., tout mal qui t'atteint ...*: le verset s'adresse à tout le monde.

مَّن يُطِعِ الرَّسُولَ فَقَدْ أَطَاعَ اللَّهَ ۖ وَمَن تَوَلَّىٰ فَمَا أَرْسَلْنَاكَ عَلَيْهِمْ حَفِيظًا ۞ وَيَقُولُونَ طَاعَةٌ فَإِذَا بَرَزُوا۟ مِنْ عِندِكَ بَيَّتَ طَائِفَةٌ مِّنْهُمْ غَيْرَ الَّذِى تَقُولُ ۖ وَاللَّهُ يَكْتُبُ مَا يُبَيِّتُونَ ۖ فَأَعْرِضْ عَنْهُمْ وَتَوَكَّلْ عَلَى اللَّهِ ۚ وَكَفَىٰ بِاللَّهِ وَكِيلًا ۞ أَفَلَا يَتَدَبَّرُونَ الْقُرْءَانَ ۚ وَلَوْ كَانَ مِنْ عِندِ غَيْرِ اللَّهِ لَوَجَدُوا۟ فِيهِ اخْتِلَافًا كَثِيرًا ۞ وَإِذَا جَاءَهُمْ أَمْرٌ مِّنَ الْأَمْنِ أَوِ الْخَوْفِ أَذَاعُوا۟ بِهِ ۖ وَلَوْ رَدُّوهُ إِلَى الرَّسُولِ وَإِلَىٰ أُو۟لِى الْأَمْرِ مِنْهُمْ لَعَلِمَهُ الَّذِينَ يَسْتَنبِطُونَهُۥ مِنْهُمْ ۗ وَلَوْلَا فَضْلُ اللَّهِ عَلَيْكُمْ وَرَحْمَتُهُۥ لَاتَّبَعْتُمُ الشَّيْطَٰنَ إِلَّا قَلِيلًا ۞ فَقَٰتِلْ فِى سَبِيلِ اللَّهِ لَا تُكَلَّفُ إِلَّا نَفْسَكَ ۚ وَحَرِّضِ الْمُؤْمِنِينَ ۖ عَسَى اللَّهُ أَن يَكُفَّ بَأْسَ الَّذِينَ كَفَرُوا۟ ۚ وَاللَّهُ أَشَدُّ بَأْسًا وَأَشَدُّ تَنكِيلًا ۞ مَّن يَشْفَعْ شَفَٰعَةً حَسَنَةً يَكُن لَّهُۥ نَصِيبٌ مِّنْهَا ۖ وَمَن يَشْفَعْ شَفَٰعَةً سَيِّئَةً يَكُن لَّهُۥ كِفْلٌ مِّنْهَا ۗ وَكَانَ اللَّهُ عَلَىٰ كُلِّ شَىْءٍ مُّقِيتًا ۞ وَإِذَا حُيِّيتُم بِتَحِيَّةٍ فَحَيُّوا۟ بِأَحْسَنَ مِنْهَا أَوْ رُدُّوهَا ۗ إِنَّ اللَّهَ كَانَ عَلَىٰ كُلِّ شَىْءٍ حَسِيبًا ۞

80. Quiconque obéit au Messager obéit certainement à Allāh. Et quiconque tourne le dos... Nous ne t'avons pas envoyé à eux comme gardien.

81. Ils disent: «Obéissance!» Puis, sitôt sortis de chez toi, une partie d'entre eux délibère[1] au cours de la nuit de tout autre chose que ce qu'elle t'a dit. [Cependant] Allāh enregistre ce qu'ils font la nuit. Pardonne-leur donc et place ta confiance en Allāh. Et Allāh suffit comme Protecteur.

82. Ne méditent-ils donc pas sur le Qur'ān? S'il provenait d'un autre qu'Allāh, ils y trouveraient certes maintes contradictions!

83. Quand leur parvient une nouvelle rassurante ou alarmante, ils la diffusent. S'ils la rapportaient au Messager et aux détenteurs du commandement parmi eux, ceux d'entre eux qui cherchent à être éclairés, auraient appris (la vérité de la bouche du Prophète et des détenteurs du commandement). Et n'eussent été la grâce d'Allāh sur vous et Sa miséricorde, vous auriez suivi le Diable, à part quelques-uns.

84. Combats donc dans le sentier d'Allāh, tu n'es responsable que de toi-même, et incite les croyants (au combat). Allāh arrêtera certes la violence des mécréants. Allāh est plus redoutable en force et plus sévère en punition.

85. Quiconque intercède d'une bonne intercession, en aura une part ; et quiconque intercède d'une mauvaise intercession en portera une part de responsabilité. Et Allāh est Puissant sur toute chose.

86. Si on vous fait une salutation, saluez d'une façon meilleure ; ou bien rendez-la (simplement)[2]. Certes, Allāh tient compte de tout.

---

1. *Délibère*... etc.: ils parlent entre eux de la désobéissance au Prophète (ﷺ).
2. Avant l'Islām, les Arabes se saluaient de différentes manières en usant de formules diverses. L'Islām recommande la formule de salutation: «as-salāmu ʿalaykum», (Que la paix soit sur vous) et ce, que l'on s'adresse à une seule personne ou à plusieurs. En guise de réponse on dit: «wa ʿalaykumu as-salām wa raḥmatu al-Allāh wa barakātuhu». (Que la paix soit sur vous ainsi que la miséricorde d'Allāh et Ses bénédictions).

ٱللَّهُ لَا إِلَـٰهَ إِلَّا هُوَ لَيَجْمَعَنَّكُمْ إِلَىٰ يَوْمِ ٱلْقِيَـٰمَةِ لَا رَيْبَ فِيهِ وَمَنْ أَصْدَقُ مِنَ ٱللَّهِ حَدِيثًا ۝ ۝ فَمَا لَكُمْ فِى ٱلْمُنَـٰفِقِينَ فِئَتَيْنِ وَٱللَّهُ أَرْكَسَهُم بِمَا كَسَبُوٓا۟ أَتُرِيدُونَ أَن تَهْدُوا۟ مَنْ أَضَلَّ ٱللَّهُ وَمَن يُضْلِلِ ٱللَّهُ فَلَن تَجِدَ لَهُۥ سَبِيلًا ۝ وَدُّوا۟ لَوْ تَكْفُرُونَ كَمَا كَفَرُوا۟ فَتَكُونُونَ سَوَآءً فَلَا تَتَّخِذُوا۟ مِنْهُمْ أَوْلِيَآءَ حَتَّىٰ يُهَاجِرُوا۟ فِى سَبِيلِ ٱللَّهِ فَإِن تَوَلَّوْا۟ فَخُذُوهُمْ وَٱقْتُلُوهُمْ حَيْثُ وَجَدتُّمُوهُمْ وَلَا تَتَّخِذُوا۟ مِنْهُمْ وَلِيًّا وَلَا نَصِيرًا ۝ إِلَّا ٱلَّذِينَ يَصِلُونَ إِلَىٰ قَوْمٍ بَيْنَكُمْ وَبَيْنَهُم مِّيثَـٰقٌ أَوْ جَآءُوكُمْ حَصِرَتْ صُدُورُهُمْ أَن يُقَـٰتِلُوكُمْ أَوْ يُقَـٰتِلُوا۟ قَوْمَهُمْ وَلَوْ شَآءَ ٱللَّهُ لَسَلَّطَهُمْ عَلَيْكُمْ فَلَقَـٰتَلُوكُمْ فَإِنِ ٱعْتَزَلُوكُمْ فَلَمْ يُقَـٰتِلُوكُمْ وَأَلْقَوْا۟ إِلَيْكُمُ ٱلسَّلَمَ فَمَا جَعَلَ ٱللَّهُ لَكُمْ عَلَيْهِمْ سَبِيلًا ۝ سَتَجِدُونَ ءَاخَرِينَ يُرِيدُونَ أَن يَأْمَنُوكُمْ وَيَأْمَنُوا۟ قَوْمَهُمْ كُلَّ مَا رُدُّوٓا۟ إِلَى ٱلْفِتْنَةِ أُرْكِسُوا۟ فِيهَا فَإِن لَّمْ يَعْتَزِلُوكُمْ وَيُلْقُوٓا۟ إِلَيْكُمُ ٱلسَّلَمَ وَيَكُفُّوٓا۟ أَيْدِيَهُمْ فَخُذُوهُمْ وَٱقْتُلُوهُمْ حَيْثُ ثَقِفْتُمُوهُمْ وَأُو۟لَـٰٓئِكُمْ جَعَلْنَا لَكُمْ عَلَيْهِمْ سُلْطَـٰنًا مُّبِينًا ۝

87. Allāh! Pas de divinité à part Lui! Très certainement Il vous rassemblera au Jour de la Résurrection, point de doute là-dessus. Et qui est plus véridique qu’Allāh en parole?

88. Qu’avez-vous à vous diviser en deux factions au sujet des hypocrites[1]? Alors qu’Allāh les a refoulés (dans leur infidélité) pour ce qu’ils ont acquis. Voulez-vous guider ceux qu’Allāh égare? Et quiconque Allāh égare, tu ne lui trouveras pas de chemin (pour le ramener).

89. Ils aimeraient vous voir mécréants comme ils ont mécru: alors vous seriez tous égaux! Ne prenez donc pas d’alliés parmi eux, jusqu’à ce qu’ils émigrent dans le sentier d’Allāh. Mais s’ils tournent le dos, saisissez-les alors, et tuez-les où que vous les trouviez ; et ne prenez parmi eux ni allié ni secoureur,

90. excepté ceux qui se joignent à un groupe avec lequel vous avez conclu une alliance, ou ceux qui viennent chez vous, le cœur serré d’avoir a vous combattre ou à combattre leur propre tribu. Si Allāh avait voulu, Il leur aurait donné l’audace (et la force) contre vous, et ils vous auraient certainement combattu. (Par conséquent), s’ils restent neutres à votre égard et ne vous combattent point, et qu’ils vous offrent la paix, alors, Allāh ne vous donne pas de chemin contre eux[2].

91. Vous en trouverez d’autres qui cherchent à avoir votre confiance, et en même temps la confiance de leur propre tribu. Toutes les fois qu’on les pousse[3] vers l’Association, (l’idolâtrie) ils y retombent en masse. (Par conséquent), s’ils ne restent pas neutres à votre égard, ne vous offrent pas la paix et ne retiennent pas leurs mains (de vous combattre), alors, saisissez-les et tuez-les où que vous les trouviez. Contre ceux-ci, Nous vous avons donné une autorité manifeste.

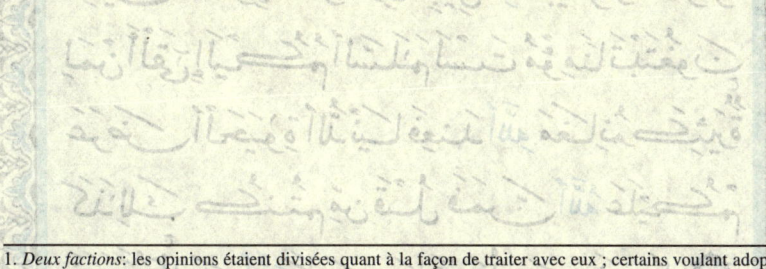

1. *Deux factions*: les opinions étaient divisées quant à la façon de traiter avec eux ; certains voulant adopter une attitude très ferme, et d’autres voulant les ramener vers l’Islām.
2. *Chemin contre eux*: permission pour les attaquer.
3. *On les pousse*: «on», ce sont leurs mauvais compagnons.

وَمَا كَانَ لِمُؤۡمِنٍ أَن يَقۡتُلَ مُؤۡمِنًا إِلَّا خَطَـًٔا وَمَن قَتَلَ مُؤۡمِنًا خَطَـًٔا فَتَحۡرِيرُ رَقَبَةٍ مُّؤۡمِنَةٍ وَدِيَةٌ مُّسَلَّمَةٌ إِلَىٰٓ أَهۡلِهِۦٓ إِلَّآ أَن يَصَّدَّقُواْ فَإِن كَانَ مِن قَوۡمٍ عَدُوٍّ لَّكُمۡ وَهُوَ مُؤۡمِنٌ فَتَحۡرِيرُ رَقَبَةٍ مُّؤۡمِنَةٍ وَإِن كَانَ مِن قَوۡمٍ بَيۡنَكُمۡ وَبَيۡنَهُم مِّيثَٰقٌ فَدِيَةٌ مُّسَلَّمَةٌ إِلَىٰٓ أَهۡلِهِۦ وَتَحۡرِيرُ رَقَبَةٍ مُّؤۡمِنَةٍ فَمَن لَّمۡ يَجِدۡ فَصِيَامُ شَهۡرَيۡنِ مُتَتَابِعَيۡنِ تَوۡبَةً مِّنَ ٱللَّهِ وَكَانَ ٱللَّهُ عَلِيمًا حَكِيمًا ۝ وَمَن يَقۡتُلۡ مُؤۡمِنًا مُّتَعَمِّدًا فَجَزَآؤُهُۥ جَهَنَّمُ خَٰلِدًا فِيهَا وَغَضِبَ ٱللَّهُ عَلَيۡهِ وَلَعَنَهُۥ وَأَعَدَّ لَهُۥ عَذَابًا عَظِيمًا ۝ يَٰٓأَيُّهَا ٱلَّذِينَ ءَامَنُوٓاْ إِذَا ضَرَبۡتُمۡ فِي سَبِيلِ ٱللَّهِ فَتَبَيَّنُواْ وَلَا تَقُولُواْ لِمَنۡ أَلۡقَىٰٓ إِلَيۡكُمُ ٱلسَّلَٰمَ لَسۡتَ مُؤۡمِنًا تَبۡتَغُونَ عَرَضَ ٱلۡحَيَوٰةِ ٱلدُّنۡيَا فَعِندَ ٱللَّهِ مَغَانِمُ كَثِيرَةٌ كَذَٰلِكَ كُنتُم مِّن قَبۡلُ فَمَنَّ ٱللَّهُ عَلَيۡكُمۡ فَتَبَيَّنُوٓاْ إِنَّ ٱللَّهَ كَانَ بِمَا تَعۡمَلُونَ خَبِيرًا ۝

92. Il n'appartient pas à un croyant de tuer un autre croyant, si ce n'est par erreur. Quiconque tue par erreur un croyant, qu'il affranchisse alors un esclave croyant et remette à sa famille le prix du sang, à moins que celle-ci n'y renonce par charité. Mais si [le tué] appartenait à un peuple ennemi à vous et qu'il soit croyant, qu'on affranchisse alors un esclave croyant. S'il appartenait à un peuple auquel vous êtes liés par un pacte, qu'on verse alors à sa famille le prix du sang et qu'on affranchisse un esclave croyant. Celui qui n'en trouve pas les moyens, qu'il jeûne deux mois d'affilée pour être pardonné par Allāh. Allāh est Omniscient et Sage.

93. Quiconque tue intentionnellement un croyant, Sa rétribution alors sera l'Enfer, pour y demeurer éternellement. Allāh l'a frappé de Sa colère, l'a maudit et lui a préparé un énorme châtiment.

94. Ô les croyants! Lorsque vous sortez pour lutter dans le sentier d'Allāh, voyez bien clair (ne vous hâtez pas) et ne dites pas à quiconque vous adresse le salut (de l'Islām): «Tu n'es pas croyant», convoitant les biens de la vie d'ici-bas. Or c'est auprès d'Allāh qu'il y a beaucoup de butin. C'est ainsi que vous étiez auparavant ; puis Allāh vous a accordé Sa grâce. Voyez donc bien clair. Allāh est, certes, Parfaitement Connaisseur de ce que vous faites[1].

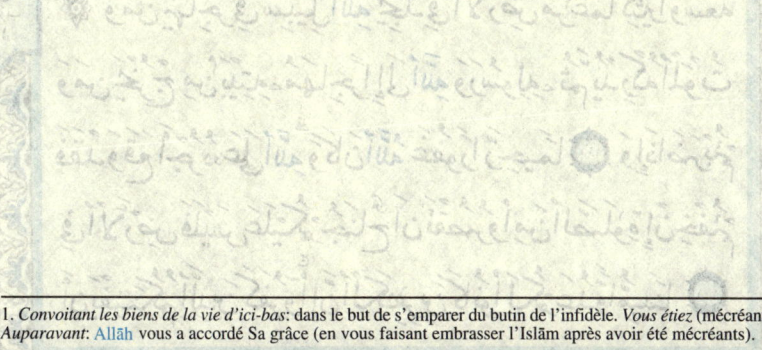

---

1. *Convoitant les biens de la vie d'ici-bas*: dans le but de s'emparer du butin de l'infidèle. *Vous étiez* (mécréants). *Auparavant*: Allāh vous a accordé Sa grâce (en vous faisant embrasser l'Islām après avoir été mécréants).

لَّا يَسْتَوِي ٱلْقَـٰعِدُونَ مِنَ ٱلْمُؤْمِنِينَ غَيْرُ أُو۟لِى ٱلضَّرَرِ وَٱلْمُجَـٰهِدُونَ فِى سَبِيلِ ٱللَّهِ بِأَمْوَٰلِهِمْ وَأَنفُسِهِمْ فَضَّلَ ٱللَّهُ ٱلْمُجَـٰهِدِينَ بِأَمْوَٰلِهِمْ وَأَنفُسِهِمْ عَلَى ٱلْقَـٰعِدِينَ دَرَجَةً وَكُلًّا وَعَدَ ٱللَّهُ ٱلْحُسْنَىٰ وَفَضَّلَ ٱللَّهُ ٱلْمُجَـٰهِدِينَ عَلَى ٱلْقَـٰعِدِينَ أَجْرًا عَظِيمًا ﴿٩٥﴾ دَرَجَـٰتٍ مِّنْهُ وَمَغْفِرَةً وَرَحْمَةً وَكَانَ ٱللَّهُ غَفُورًا رَّحِيمًا ﴿٩٦﴾ إِنَّ ٱلَّذِينَ تَوَفَّىٰهُمُ ٱلْمَلَـٰئِكَةُ ظَالِمِى أَنفُسِهِمْ قَالُوا۟ فِيمَ كُنتُمْ قَالُوا۟ كُنَّا مُسْتَضْعَفِينَ فِى ٱلْأَرْضِ قَالُوٓا۟ أَلَمْ تَكُنْ أَرْضُ ٱللَّهِ وَٰسِعَةً فَتُهَاجِرُوا۟ فِيهَا فَأُو۟لَـٰٓئِكَ مَأْوَىٰهُمْ جَهَنَّمُ وَسَآءَتْ مَصِيرًا ﴿٩٧﴾ إِلَّا ٱلْمُسْتَضْعَفِينَ مِنَ ٱلرِّجَالِ وَٱلنِّسَآءِ وَٱلْوِلْدَٰنِ لَا يَسْتَطِيعُونَ حِيلَةً وَلَا يَهْتَدُونَ سَبِيلًا ﴿٩٨﴾ فَأُو۟لَـٰٓئِكَ عَسَى ٱللَّهُ أَن يَعْفُوَ عَنْهُمْ وَكَانَ ٱللَّهُ عَفُوًّا غَفُورًا ﴿٩٩﴾ ۞ وَمَن يُهَاجِرْ فِى سَبِيلِ ٱللَّهِ يَجِدْ فِى ٱلْأَرْضِ مُرَٰغَمًا كَثِيرًا وَسَعَةً وَمَن يَخْرُجْ مِنۢ بَيْتِهِۦ مُهَاجِرًا إِلَى ٱللَّهِ وَرَسُولِهِۦ ثُمَّ يُدْرِكْهُ ٱلْمَوْتُ فَقَدْ وَقَعَ أَجْرُهُۥ عَلَى ٱللَّهِ وَكَانَ ٱللَّهُ غَفُورًا رَّحِيمًا ﴿١٠٠﴾ وَإِذَا ضَرَبْتُمْ فِى ٱلْأَرْضِ فَلَيْسَ عَلَيْكُمْ جُنَاحٌ أَن تَقْصُرُوا۟ مِنَ ٱلصَّلَوٰةِ إِنْ خِفْتُمْ أَن يَفْتِنَكُمُ ٱلَّذِينَ كَفَرُوٓا۟ إِنَّ ٱلْكَـٰفِرِينَ كَانُوا۟ لَكُمْ عَدُوًّا مُّبِينًا ﴿١٠١﴾

95. Ne sont pas égaux ceux des croyants qui restent chez eux - sauf ceux qui ont quelque infirmité - et ceux qui luttent corps et biens dans le sentier d'Allāh. Allāh donne à ceux qui luttent corps et biens un grade d'excellence sur ceux qui restent chez eux. Et à chacun Allāh a promis la meilleure récompense ; et Allāh a mis les combattants au-dessus des non combattants en leur accordant une rétribution immense ;

96. des grades de supériorité de Sa part ainsi qu'un pardon et une miséricorde. Allāh est Pardonneur et Miséricordieux.

97. Ceux qui ont fait du tort à eux-mêmes, les Anges enlèveront leurs âmes en disant: «Où en étiez-vous?» (à propos de votre religion) - «Nous étions impuissants sur terre», dirent-ils. Alors les Anges diront: «La terre d'Allāh n'était-elle pas assez vaste pour vous permettre d'émigrer?» Voilà bien ceux dont le refuge est l'Enfer. Et quelle mauvaise destination!

98. À l'exception des impuissants: hommes, femmes et enfants, incapables de se débrouiller, et qui ne trouvent aucune voie:

99. À ceux-là, il se peut qu'Allāh donne le pardon. Allāh est Clément et Pardonneur.

100. Et quiconque émigre dans le sentier d'Allāh trouvera sur terre maints refuges et abondance. Et quiconque sort de sa maison, émigrant vers Allāh et Son messager, et que la mort atteint, sa récompense incombe à Allāh. Et Allāh est Pardonneur et Miséricordieux.

101. Et quand vous parcourez la terre, ce n'est pas un péché pour vous de raccourcir[1] la Ṣalāt, si vous craignez que les mécréants ne vous mettent à l'épreuve, car les mécréants demeurent pour vous un ennemi déclaré.

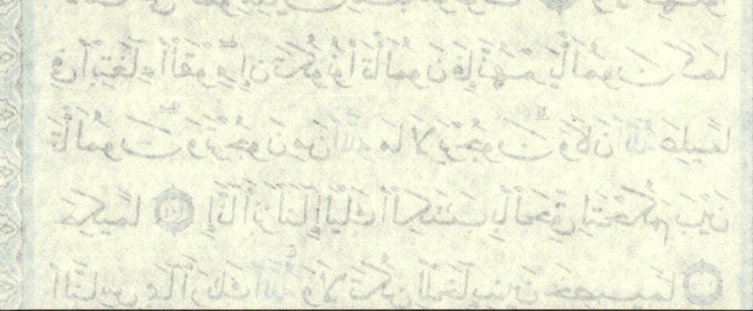

---

1. *De raccourcir*: de faire les Ṣalāt-s comprenant quatre Rak'āt en deux seulement.

وَإِذَا كُنتَ فِيهِمْ فَأَقَمْتَ لَهُمُ ٱلصَّلَوٰةَ فَلْتَقُمْ طَآئِفَةٌ مِّنْهُم مَّعَكَ وَلْيَأْخُذُوٓاْ أَسْلِحَتَهُمْ فَإِذَا سَجَدُواْ فَلْيَكُونُواْ مِن وَرَآئِكُمْ وَلْتَأْتِ طَآئِفَةٌ أُخْرَىٰ لَمْ يُصَلُّواْ فَلْيُصَلُّواْ مَعَكَ وَلْيَأْخُذُواْ حِذْرَهُمْ وَأَسْلِحَتَهُمْ وَدَّ ٱلَّذِينَ كَفَرُواْ لَوْ تَغْفُلُونَ عَنْ أَسْلِحَتِكُمْ وَأَمْتِعَتِكُمْ فَيَمِيلُونَ عَلَيْكُم مَّيْلَةً وَٰحِدَةً وَلَا جُنَاحَ عَلَيْكُمْ إِن كَانَ بِكُمْ أَذًى مِّن مَّطَرٍ أَوْ كُنتُم مَّرْضَىٰٓ أَن تَضَعُوٓاْ أَسْلِحَتَكُمْ وَخُذُواْ حِذْرَكُمْ إِنَّ ٱللَّهَ أَعَدَّ لِلْكَٰفِرِينَ عَذَابًا مُّهِينًا ۝ فَإِذَا قَضَيْتُمُ ٱلصَّلَوٰةَ فَٱذْكُرُواْ ٱللَّهَ قِيَٰمًا وَقُعُودًا وَعَلَىٰ جُنُوبِكُمْ فَإِذَا ٱطْمَأْنَنتُمْ فَأَقِيمُواْ ٱلصَّلَوٰةَ إِنَّ ٱلصَّلَوٰةَ كَانَتْ عَلَى ٱلْمُؤْمِنِينَ كِتَٰبًا مَّوْقُوتًا ۝ وَلَا تَهِنُواْ فِي ٱبْتِغَآءِ ٱلْقَوْمِ إِن تَكُونُواْ تَأْلَمُونَ فَإِنَّهُمْ يَأْلَمُونَ كَمَا تَأْلَمُونَ وَتَرْجُونَ مِنَ ٱللَّهِ مَا لَا يَرْجُونَ وَكَانَ ٱللَّهُ عَلِيمًا حَكِيمًا ۝ إِنَّآ أَنزَلْنَآ إِلَيْكَ ٱلْكِتَٰبَ بِٱلْحَقِّ لِتَحْكُمَ بَيْنَ ٱلنَّاسِ بِمَآ أَرَىٰكَ ٱللَّهُ وَلَا تَكُن لِّلْخَآئِنِينَ خَصِيمًا ۝

102. Et lorsque tu (Muḥammad) te trouves parmi eux, et que tu les diriges dans la Ṣalāt, qu'un groupe d'entre eux se mette debout en ta compagnie, en gardant leurs armes. Puis lorsqu'ils ont terminé la prosternation, qu'ils passent derrière vous et que vienne l'autre groupe, ceux qui n'ont pas encore célébré la Ṣalāt. À ceux-ci alors d'accomplir la Ṣalāt avec toi, prenant leurs précautions et leurs armes. Les mécréants aimeraient vous voir négliger vos armes et vos bagages, afin de tomber sur vous en une seule masse. Vous ne commettez aucun péché si, incommodés par la pluie ou malades, vous déposez vos armes; cependant prenez garde. Certes, Allāh a préparé pour les mécréants un châtiment avilissant.

103. Quand vous avez accompli la Ṣalāt, invoquez le nom d'Allāh, debout, assis ou couchés sur vos côtés. Puis lorsque vous êtes en sécurité, accomplissez la Ṣalāt (normalement), car la Ṣalāt demeure, pour les croyants, une prescription, à des temps déterminés.

104. Ne faiblissez pas dans la poursuite du peuple [ennemi]. Si vous souffrez, lui aussi souffre comme vous souffrez, tandis que vous espérez d'Allāh ce qu'il n'espère pas. Allāh est Omniscient et Sage.

105. Nous avons fait descendre vers toi le Livre avec la vérité, pour que tu juges entre les gens, selon ce qu'Allāh t'a appris. Et ne te fais pas l'avocat des traîtres.

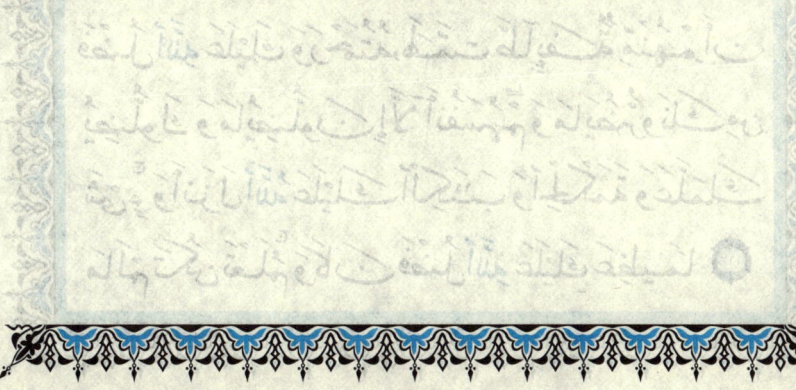

وَٱسْتَغْفِرِ ٱللَّهَ إِنَّ ٱللَّهَ كَانَ غَفُورًا رَّحِيمًا ۝ وَلَا تُجَٰدِلْ عَنِ ٱلَّذِينَ يَخْتَانُونَ أَنفُسَهُمْ إِنَّ ٱللَّهَ لَا يُحِبُّ مَن كَانَ خَوَّانًا أَثِيمًا ۝ يَسْتَخْفُونَ مِنَ ٱلنَّاسِ وَلَا يَسْتَخْفُونَ مِنَ ٱللَّهِ وَهُوَ مَعَهُمْ إِذْ يُبَيِّتُونَ مَا لَا يَرْضَىٰ مِنَ ٱلْقَوْلِ وَكَانَ ٱللَّهُ بِمَا يَعْمَلُونَ مُحِيطًا ۝ هَٰٓأَنتُمْ هَٰٓؤُلَآءِ جَٰدَلْتُمْ عَنْهُمْ فِي ٱلْحَيَوٰةِ ٱلدُّنْيَا فَمَن يُجَٰدِلُ ٱللَّهَ عَنْهُمْ يَوْمَ ٱلْقِيَٰمَةِ أَم مَّن يَكُونُ عَلَيْهِمْ وَكِيلًا ۝ وَمَن يَعْمَلْ سُوٓءًا أَوْ يَظْلِمْ نَفْسَهُۥ ثُمَّ يَسْتَغْفِرِ ٱللَّهَ يَجِدِ ٱللَّهَ غَفُورًا رَّحِيمًا ۝ وَمَن يَكْسِبْ إِثْمًا فَإِنَّمَا يَكْسِبُهُۥ عَلَىٰ نَفْسِهِۦ وَكَانَ ٱللَّهُ عَلِيمًا حَكِيمًا ۝ وَمَن يَكْسِبْ خَطِيٓئَةً أَوْ إِثْمًا ثُمَّ يَرْمِ بِهِۦ بَرِيٓئًا فَقَدِ ٱحْتَمَلَ بُهْتَٰنًا وَإِثْمًا مُّبِينًا ۝ وَلَوْلَا فَضْلُ ٱللَّهِ عَلَيْكَ وَرَحْمَتُهُۥ لَهَمَّت طَّآئِفَةٌ مِّنْهُمْ أَن يُضِلُّوكَ وَمَا يُضِلُّونَ إِلَّآ أَنفُسَهُمْ وَمَا يَضُرُّونَكَ مِن شَىْءٍ وَأَنزَلَ ٱللَّهُ عَلَيْكَ ٱلْكِتَٰبَ وَٱلْحِكْمَةَ وَعَلَّمَكَ مَا لَمْ تَكُن تَعْلَمُ وَكَانَ فَضْلُ ٱللَّهِ عَلَيْكَ عَظِيمًا ۝

106. Et implore d'Allāh le pardon car Allāh est certes Pardonneur et Miséricordieux.

107. Et ne dispute pas en faveur de ceux qui se trahissent eux-mêmes. Allāh, vraiment, n'aime pas le traître et le pécheur.

108. Ils cherchent à se cacher des gens, mais ils ne cherchent pas à se cacher d'Allāh. Or, Il est avec eux quand ils tiennent la nuit des paroles qu'Il (Allāh) n'agrée pas. Et Allāh ne cesse de cerner (par Sa science) ce qu'ils font.

109. Voilà les gens en faveur desquels vous disputez dans la vie présente. Mais qui va disputer pour eux devant Allāh au Jour de la Résurrection? Ou bien qui sera leur protecteur?

110. Quiconque agit mal ou fait du tort à lui-même, puis aussitôt implore d'Allāh le pardon, trouvera Allāh Pardonneur et Miséricordieux.

111. Quiconque acquiert un péché, ne l'acquiert que contre lui-même. Et Allāh est Omniscient et Sage.

112. Et quiconque acquiert une faute ou un péché puis en accuse un innocent, se rend coupable alors d'une injustice et d'un péché manifeste.

113. Et n'eût été la grâce d'Allāh sur toi (Muḥammad) et Sa miséricorde, une partie d'entre eux t'aurait bien volontiers égaré. Mais ils n'égarent qu'eux-mêmes, et ne peuvent en rien te nuire. Allāh a fait descendre sur toi le Livre et la Sagesse, et t'a enseigné ce que tu ne savais pas. Et la grâce d'Allāh sur toi est immense.

۞ لَا خَيْرَ فِي كَثِيرٍ مِّن نَّجْوَىٰهُمْ إِلَّا مَنْ أَمَرَ بِصَدَقَةٍ أَوْ مَعْرُوفٍ أَوْ إِصْلَٰحٍ بَيْنَ ٱلنَّاسِ وَمَن يَفْعَلْ ذَٰلِكَ ٱبْتِغَآءَ مَرْضَاتِ ٱللَّهِ فَسَوْفَ نُؤْتِيهِ أَجْرًا عَظِيمًا ۝ وَمَن يُشَاقِقِ ٱلرَّسُولَ مِنۢ بَعْدِ مَا تَبَيَّنَ لَهُ ٱلْهُدَىٰ وَيَتَّبِعْ غَيْرَ سَبِيلِ ٱلْمُؤْمِنِينَ نُوَلِّهِۦ مَا تَوَلَّىٰ وَنُصْلِهِۦ جَهَنَّمَ وَسَآءَتْ مَصِيرًا ۝ إِنَّ ٱللَّهَ لَا يَغْفِرُ أَن يُشْرَكَ بِهِۦ وَيَغْفِرُ مَا دُونَ ذَٰلِكَ لِمَن يَشَآءُ وَمَن يُشْرِكْ بِٱللَّهِ فَقَدْ ضَلَّ ضَلَٰلًۢا بَعِيدًا ۝ إِن يَدْعُونَ مِن دُونِهِۦٓ إِلَّآ إِنَٰثًا وَإِن يَدْعُونَ إِلَّا شَيْطَٰنًا مَّرِيدًا ۝ لَّعَنَهُ ٱللَّهُ وَقَالَ لَأَتَّخِذَنَّ مِنْ عِبَادِكَ نَصِيبًا مَّفْرُوضًا ۝ وَلَأُضِلَّنَّهُمْ وَلَأُمَنِّيَنَّهُمْ وَلَءَامُرَنَّهُمْ فَلَيُبَتِّكُنَّ ءَاذَانَ ٱلْأَنْعَٰمِ وَلَءَامُرَنَّهُمْ فَلَيُغَيِّرُنَّ خَلْقَ ٱللَّهِ وَمَن يَتَّخِذِ ٱلشَّيْطَٰنَ وَلِيًّا مِّن دُونِ ٱللَّهِ فَقَدْ خَسِرَ خُسْرَانًا مُّبِينًا ۝ يَعِدُهُمْ وَيُمَنِّيهِمْ وَمَا يَعِدُهُمُ ٱلشَّيْطَٰنُ إِلَّا غُرُورًا ۝ أُو۟لَٰٓئِكَ مَأْوَىٰهُمْ جَهَنَّمُ وَلَا يَجِدُونَ عَنْهَا مَحِيصًا ۝

114. Il n'y a rien de bon dans la plus grande partie de leurs conversations secrètes, sauf si l'un d'eux ordonne une charité, une bonne action, ou une conciliation entre les gens. Et quiconque le fait, cherchant l'agrément d'Allāh, à celui-là Nous donnerons bientôt une récompense énorme.

115. Et quiconque fait scission d'avec le Messager, après que le droit chemin lui est apparu et suit un sentier autre que celui des croyants, alors Nous le laisserons comme il s'est détourné, et le brûlerons dans l'Enfer. Et quelle mauvaise destination!

116. Certes, Allāh ne pardonne pas qu'on Lui donne des associés. À part cela, Il pardonne à qui Il veut. Quiconque donne des associés à Allāh s'égare, très loin dans l'égarement.

117. Ce ne sont que des femelles[1] qu'ils invoquent, en dehors de Lui. Et ce n'est qu'un diable rebelle qu'ils invoquent.

118. Allāh l'a (le Diable) maudit et celui-ci a dit: «Certainement, je saisirai parmi Tes serviteurs, une partie déterminée.

119. Certes, je ne manquerai pas de les égarer, je leur donnerai de faux espoirs, je leur commanderai, et ils fendront les oreilles[2] aux bestiaux ; je leur commanderai, et ils altèreront la création d'Allāh. Et quiconque prend le Diable pour allié au lieu d'Allāh, sera, certes, voué à une perte évidente.

120. Il leur fait des promesses et leur donne de faux espoirs. Et le Diable ne leur fait que des promesses trompeuses.

121. Voilà ceux dont le refuge est l'Enfer. Et ils ne trouveront aucun moyen d'y échapper!

---

1. *Femelles*: les païens donnaient à leurs idoles des noms féminins: Lāt, ʿUzza, Manāt, etc.
2. *Ils fendront les oreilles*: pratique superstitieuse des païens de l'Arabie préislāmique (voir aussi S. 5, v. 103).

وَالَّذِينَ ءَامَنُواْ وَعَمِلُواْ الصَّٰلِحَٰتِ سَنُدۡخِلُهُمۡ جَنَّٰتٍ تَجۡرِي مِن تَحۡتِهَا الۡأَنۡهَٰرُ خَٰلِدِينَ فِيهَآ أَبَدًا وَعۡدَ اللَّهِ حَقًّا وَمَنۡ أَصۡدَقُ مِنَ اللَّهِ قِيلًا ۞ لَّيۡسَ بِأَمَانِيِّكُمۡ وَلَآ أَمَانِيِّ أَهۡلِ الۡكِتَٰبِ مَن يَعۡمَلۡ سُوٓءًا يُجۡزَ بِهِ وَلَا يَجِدۡ لَهُۥ مِن دُونِ اللَّهِ وَلِيًّا وَلَا نَصِيرًا ۞ وَمَن يَعۡمَلۡ مِنَ الصَّٰلِحَٰتِ مِن ذَكَرٍ أَوۡ أُنثَىٰ وَهُوَ مُؤۡمِنٌ فَأُوْلَٰٓئِكَ يَدۡخُلُونَ الۡجَنَّةَ وَلَا يُظۡلَمُونَ نَقِيرًا ۞ وَمَنۡ أَحۡسَنُ دِينًا مِّمَّنۡ أَسۡلَمَ وَجۡهَهُۥ لِلَّهِ وَهُوَ مُحۡسِنٌ وَاتَّبَعَ مِلَّةَ إِبۡرَٰهِيمَ حَنِيفًا وَاتَّخَذَ اللَّهُ إِبۡرَٰهِيمَ خَلِيلًا ۞ وَلِلَّهِ مَا فِي السَّمَٰوَٰتِ وَمَا فِي الۡأَرۡضِ وَكَانَ اللَّهُ بِكُلِّ شَيۡءٍ مُّحِيطًا ۞ وَيَسۡتَفۡتُونَكَ فِي النِّسَآءِ قُلِ اللَّهُ يُفۡتِيكُمۡ فِيهِنَّ وَمَا يُتۡلَىٰ عَلَيۡكُمۡ فِي الۡكِتَٰبِ فِي يَتَٰمَى النِّسَآءِ الَّٰتِي لَا تُؤۡتُونَهُنَّ مَا كُتِبَ لَهُنَّ وَتَرۡغَبُونَ أَن تَنكِحُوهُنَّ وَالۡمُسۡتَضۡعَفِينَ مِنَ الۡوِلۡدَٰنِ وَأَن تَقُومُواْ لِلۡيَتَٰمَىٰ بِالۡقِسۡطِ وَمَا تَفۡعَلُواْ مِنۡ خَيۡرٍ فَإِنَّ اللَّهَ كَانَ بِهِۦ عَلِيمًا ۞

122. Et quant à ceux qui ont cru et fait de bonnes œuvres, Nous les ferons entrer bientôt aux Jardins sous lesquels coulent les ruisseaux, pour y demeurer éternellement. Promesse d'Allāh en vérité. Et qui est plus véridique qu'Allāh en parole?

123. Ceci ne dépend ni de vos désirs ni des désirs des gens du Livre[1]. Quiconque fait un mal sera rétribué pour cela, et ne trouvera en sa faveur, hors d'Allāh, ni allié ni secoureur.

124. Et quiconque, homme ou femme, fait de bonnes œuvres, tout en étant croyant... Les voilà ceux qui entreront au Paradis ; et on ne leur fera aucune injustice, fût-ce d'un creux de noyau de datte[2].

125. Qui est meilleur en religion que celui qui soumet à Allāh son être, tout en se conformant à la Loi révélée et suivant la religion d'Abraham, homme de droiture? Et Allāh avait pris Abraham pour ami privilégié.

126. C'est à Allāh qu'appartient tout ce qui est dans les cieux et sur la terre. Et Allāh embrasse toute chose (de Sa science et de Sa puissance).

127. Et ils te consultent à propos de ce qui a été décrété au sujet des femmes. Dis: «Allāh vous donne Son décret là-dessus, en plus de ce qui vous est récité dans le Livre, au sujet des orphelines auxquelles vous ne donnez pas ce qui leur a été prescrit[3], et que vous désirez épouser, et au sujet des mineurs encore d'âge faible». Vous devez agir avec équité envers les orphelins. Et de tout ce que vous faites de bien, Allāh en est, certes, Omniscient.

---

1. *Les gens du Livre*: Juifs et Chrétiens.
2. *D'un creux de noyau de datte*: dans la plus petite mesure.
3. *Ce qui leur a été prescrit*: ce qui leur est dû (le tuteur les empêchait d'épouser un autre ou les épousait lui-même en vue de s'emparer de leurs biens).

وَإِنِ ٱمْرَأَةٌ خَافَتْ مِنۢ بَعْلِهَا نُشُوزًا أَوْ إِعْرَاضًا فَلَا جُنَاحَ عَلَيْهِمَآ أَن يُصْلِحَا بَيْنَهُمَا صُلْحًا ۚ وَٱلصُّلْحُ خَيْرٌ ۗ وَأُحْضِرَتِ ٱلْأَنفُسُ ٱلشُّحَّ ۚ وَإِن تُحْسِنُوا۟ وَتَتَّقُوا۟ فَإِنَّ ٱللَّهَ كَانَ بِمَا تَعْمَلُونَ خَبِيرًا ۝١٢٨ وَلَن تَسْتَطِيعُوٓا۟ أَن تَعْدِلُوا۟ بَيْنَ ٱلنِّسَآءِ وَلَوْ حَرَصْتُمْ ۖ فَلَا تَمِيلُوا۟ كُلَّ ٱلْمَيْلِ فَتَذَرُوهَا كَٱلْمُعَلَّقَةِ ۚ وَإِن تُصْلِحُوا۟ وَتَتَّقُوا۟ فَإِنَّ ٱللَّهَ كَانَ غَفُورًا رَّحِيمًا ۝١٢٩ وَإِن يَتَفَرَّقَا يُغْنِ ٱللَّهُ كُلًّا مِّن سَعَتِهِ ۚ وَكَانَ ٱللَّهُ وَٰسِعًا حَكِيمًا ۝١٣٠ وَلِلَّهِ مَا فِى ٱلسَّمَٰوَٰتِ وَمَا فِى ٱلْأَرْضِ ۗ وَلَقَدْ وَصَّيْنَا ٱلَّذِينَ أُوتُوا۟ ٱلْكِتَٰبَ مِن قَبْلِكُمْ وَإِيَّاكُمْ أَنِ ٱتَّقُوا۟ ٱللَّهَ ۚ وَإِن تَكْفُرُوا۟ فَإِنَّ لِلَّهِ مَا فِى ٱلسَّمَٰوَٰتِ وَمَا فِى ٱلْأَرْضِ ۚ وَكَانَ ٱللَّهُ غَنِيًّا حَمِيدًا ۝١٣١ وَلِلَّهِ مَا فِى ٱلسَّمَٰوَٰتِ وَمَا فِى ٱلْأَرْضِ ۚ وَكَفَىٰ بِٱللَّهِ وَكِيلًا ۝١٣٢ إِن يَشَأْ يُذْهِبْكُمْ أَيُّهَا ٱلنَّاسُ وَيَأْتِ بِـَٔاخَرِينَ ۚ وَكَانَ ٱللَّهُ عَلَىٰ ذَٰلِكَ قَدِيرًا ۝١٣٣ مَّن كَانَ يُرِيدُ ثَوَابَ ٱلدُّنْيَا فَعِندَ ٱللَّهِ ثَوَابُ ٱلدُّنْيَا وَٱلْءَاخِرَةِ ۚ وَكَانَ ٱللَّهُ سَمِيعًۢا بَصِيرًا ۝١٣٤

128. Et si une femme craint de son mari abandon ou indifférence, alors ce n'est pas un péché pour les deux s'ils se réconcilient par un compromis quelconque, et la réconciliation est meilleure, puisque les âmes sont portées à la ladrerie. Mais si vous agissez en bien et vous êtes pieux... Allāh est, certes, Parfaitement Connaisseur de ce que vous faites.

129. Vous ne pourrez jamais être équitables entre vos femmes, même si vous en êtes soucieux. Ne vous penchez pas tout à fait vers l'une d'elles, au point de laisser l'autre comme en suspens. Mais si vous vous réconciliez et vous êtes pieux... Donc Allāh est, certes, Pardonneur et Miséricordieux.

130. Si les deux se séparent, Allāh de par Sa largesse, accordera à chacun d'eux un autre destin. Et Allāh est plein de largesses et parfaitement Sage.

131. À Allāh seul appartient tout ce qui est dans les cieux et sur la terre.«Craignez Allāh!» Voilà ce que Nous avons enjoint à ceux auxquels avant vous le Livre fut donné, tout comme à vous-mêmes. Et si vous ne croyez pas (cela ne nuit pas à Allāh, car) très certainement à Allāh seul appartient tout ce qui est dans les cieux et sur la terre. Et Allāh se suffit à Lui-même et Il est digne de louange.

132. À Allāh seul appartient tout ce qui est dans les cieux et sur la terre. Et Allāh suffit pour s'occuper de tout.

133. S'Il voulait, il vous ferait disparaître, ô gens, et en ferait venir d'autres. Car Allāh en est très capable.

134. Quiconque désire la récompense d'ici-bas, c'est auprès d'Allāh qu'est la récompense d'ici-bas tout comme celle de l'au-delà. Et Allāh entend et observe tout.

۞ يَٰٓأَيُّهَا ٱلَّذِينَ ءَامَنُواْ كُونُواْ قَوَّٰمِينَ بِٱلْقِسْطِ شُهَدَآءَ لِلَّهِ وَلَوْ عَلَىٰٓ أَنفُسِكُمْ أَوِ ٱلْوَٰلِدَيْنِ وَٱلْأَقْرَبِينَ إِن يَكُنْ غَنِيًّا أَوْ فَقِيرًا فَٱللَّهُ أَوْلَىٰ بِهِمَا فَلَا تَتَّبِعُواْ ٱلْهَوَىٰٓ أَن تَعْدِلُواْ وَإِن تَلْوُۥٓاْ أَوْ تُعْرِضُواْ فَإِنَّ ٱللَّهَ كَانَ بِمَا تَعْمَلُونَ خَبِيرًا ۝١٢٥ يَٰٓأَيُّهَا ٱلَّذِينَ ءَامَنُوٓاْ ءَامِنُواْ بِٱللَّهِ وَرَسُولِهِۦ وَٱلْكِتَٰبِ ٱلَّذِي نَزَّلَ عَلَىٰ رَسُولِهِۦ وَٱلْكِتَٰبِ ٱلَّذِيٓ أَنزَلَ مِن قَبْلُ وَمَن يَكْفُرْ بِٱللَّهِ وَمَلَٰٓئِكَتِهِۦ وَكُتُبِهِۦ وَرُسُلِهِۦ وَٱلْيَوْمِ ٱلْآخِرِ فَقَدْ ضَلَّ ضَلَٰلًۢا بَعِيدًا ۝١٣٦ إِنَّ ٱلَّذِينَ ءَامَنُواْ ثُمَّ كَفَرُواْ ثُمَّ ءَامَنُواْ ثُمَّ كَفَرُواْ ثُمَّ ٱزْدَادُواْ كُفْرًا لَّمْ يَكُنِ ٱللَّهُ لِيَغْفِرَ لَهُمْ وَلَا لِيَهْدِيَهُمْ سَبِيلًۢا ۝١٣٧ بَشِّرِ ٱلْمُنَٰفِقِينَ بِأَنَّ لَهُمْ عَذَابًا أَلِيمًا ۝١٣٨ ٱلَّذِينَ يَتَّخِذُونَ ٱلْكَٰفِرِينَ أَوْلِيَآءَ مِن دُونِ ٱلْمُؤْمِنِينَ أَيَبْتَغُونَ عِندَهُمُ ٱلْعِزَّةَ فَإِنَّ ٱلْعِزَّةَ لِلَّهِ جَمِيعًا ۝١٣٩ وَقَدْ نَزَّلَ عَلَيْكُمْ فِي ٱلْكِتَٰبِ أَنْ إِذَا سَمِعْتُمْ ءَايَٰتِ ٱللَّهِ يُكْفَرُ بِهَا وَيُسْتَهْزَأُ بِهَا فَلَا تَقْعُدُواْ مَعَهُمْ حَتَّىٰ يَخُوضُواْ فِي حَدِيثٍ غَيْرِهِۦٓ إِنَّكُمْ إِذًا مِّثْلُهُمْ إِنَّ ٱللَّهَ جَامِعُ ٱلْمُنَٰفِقِينَ وَٱلْكَٰفِرِينَ فِي جَهَنَّمَ جَمِيعًا ۝١٤٠

135. Ô les croyants! Observez strictement la justice et soyez des témoins (véridiques) comme Allāh l'ordonne, fût-ce contre vous-mêmes, contre vos père et mère ou proches parents. Qu'il s'agisse d'un riche ou d'un besogneux, Allāh a priorité sur eux deux (et Il est plus connaisseur de leur intérêt que vous). Ne suivez donc pas les passions, afin de ne pas dévier de la justice. Si vous portez un faux témoignage ou si vous le refusez, [sachez qu'] Allāh est Parfaitement Connaisseur de ce que vous faites.

136. Ô les croyants! Soyez fermes en votre foi en Allāh, en Son messager, au Livre qu'Il a fait descendre sur Son messager, et au Livre qu'Il a fait descendre avant. Quiconque ne croit pas en Allāh, en Ses anges, en Ses Livres, en Ses messagers et au Jour dernier, s'égare, loin dans l'égarement.

137. Ceux qui ont cru, puis sont devenus mécréants, puis ont cru de nouveau, ensuite sont redevenus mécréants, et n'ont fait que croître en mécréance, Allāh ne leur pardonnera pas, ni les guidera vers un chemin (droit).

138. Annonce aux hypocrites qu'il y a pour eux un châtiment douloureux,

139. ceux qui prennent pour alliés des mécréants au lieu des croyants, est-ce la puissance qu'ils recherchent auprès d'eux? (En vérité) la puissance appartient entièrement à Allāh.

140. Dans le Livre, Il vous a déjà révélé ceci: lorsque vous entendez qu'on renie les versets (le Qur'ān) d'Allāh et qu'on s'en raille, ne vous asseyez point avec ceux-là jusqu'à ce qu'ils entreprennent une autre conversation. Sinon, vous serez comme eux. Allāh rassemblera, certes, les hypocrites et les mécréants, tous, dans l'Enfer.

ٱلَّذِينَ يَتَرَبَّصُونَ بِكُمْ فَإِن كَانَ لَكُمْ فَتْحٌ مِّنَ ٱللَّهِ قَالُوٓاْ أَلَمْ نَكُن مَّعَكُمْ وَإِن كَانَ لِلْكَٰفِرِينَ نَصِيبٌ قَالُوٓاْ أَلَمْ نَسْتَحْوِذْ عَلَيْكُمْ وَنَمْنَعْكُم مِّنَ ٱلْمُؤْمِنِينَ فَٱللَّهُ يَحْكُمُ بَيْنَكُمْ يَوْمَ ٱلْقِيَٰمَةِ وَلَن يَجْعَلَ ٱللَّهُ لِلْكَٰفِرِينَ عَلَى ٱلْمُؤْمِنِينَ سَبِيلًا ﴿١٤١﴾ إِنَّ ٱلْمُنَٰفِقِينَ يُخَٰدِعُونَ ٱللَّهَ وَهُوَ خَٰدِعُهُمْ وَإِذَا قَامُوٓاْ إِلَى ٱلصَّلَوٰةِ قَامُواْ كُسَالَىٰ يُرَآءُونَ ٱلنَّاسَ وَلَا يَذْكُرُونَ ٱللَّهَ إِلَّا قَلِيلًا ﴿١٤٢﴾ مُّذَبْذَبِينَ بَيْنَ ذَٰلِكَ لَآ إِلَىٰ هَٰٓؤُلَآءِ وَلَآ إِلَىٰ هَٰٓؤُلَآءِ وَمَن يُضْلِلِ ٱللَّهُ فَلَن تَجِدَ لَهُۥ سَبِيلًا ﴿١٤٣﴾ يَٰٓأَيُّهَا ٱلَّذِينَ ءَامَنُواْ لَا تَتَّخِذُواْ ٱلْكَٰفِرِينَ أَوْلِيَآءَ مِن دُونِ ٱلْمُؤْمِنِينَ أَتُرِيدُونَ أَن تَجْعَلُواْ لِلَّهِ عَلَيْكُمْ سُلْطَٰنًا مُّبِينًا ﴿١٤٤﴾ إِنَّ ٱلْمُنَٰفِقِينَ فِى ٱلدَّرْكِ ٱلْأَسْفَلِ مِنَ ٱلنَّارِ وَلَن تَجِدَ لَهُمْ نَصِيرًا ﴿١٤٥﴾ إِلَّا ٱلَّذِينَ تَابُواْ وَأَصْلَحُواْ وَٱعْتَصَمُواْ بِٱللَّهِ وَأَخْلَصُواْ دِينَهُمْ لِلَّهِ فَأُوْلَٰٓئِكَ مَعَ ٱلْمُؤْمِنِينَ وَسَوْفَ يُؤْتِ ٱللَّهُ ٱلْمُؤْمِنِينَ أَجْرًا عَظِيمًا ﴿١٤٦﴾ مَّا يَفْعَلُ ٱللَّهُ بِعَذَابِكُمْ إِن شَكَرْتُمْ وَءَامَنتُمْ وَكَانَ ٱللَّهُ شَاكِرًا عَلِيمًا ﴿١٤٧﴾

141. Ils restent dans l'expectative à votre égard ; si une victoire vous vient de la part d'Allāh, ils disent: «N'étions-nous pas avec vous?» ; et s'il en revient un avantage aux mécréants, ils leur disent: «Est-ce que nous n'avons pas mis la main sur vous pour vous soustraire aux croyants?» Eh bien, Allāh jugera entre vous au Jour de la Résurrection. Et jamais Allāh ne donnera une voie aux mécréants contre les croyants.

142. Les hypocrites cherchent à tromper Allāh, mais Allāh retourne leur tromperie (contre eux-mêmes). Et lorsqu'ils se lèvent pour la Ṣalāt, ils se lèvent avec paresse et par ostentation envers les gens. À peine invoquent-ils Allāh.

143. Ils sont indécis (entre les croyants et les mécréants), n'appartenant ni aux uns ni aux autres. Or, quiconque Allāh égare, jamais tu ne trouveras de chemin pour lui.

144. Ô les croyants! Ne prenez pas pour alliés les mécréants au lieu des croyants. Voudriez-vous donner à Allāh une preuve évidente contre vous?

145. Les hypocrites seront, certes, au plus bas fond du Feu, et tu ne leur trouveras jamais de secoureur,

146. sauf ceux qui se repentent, s'amendent, s'attachent fermement à Allāh, et Lui vouent une foi exclusive. Ceux-là seront avec les croyants. Et Allāh donnera aux croyants une énorme récompense.

147. Pourquoi Allāh vous infligerait-Il un châtiment si vous êtes reconnaissants et croyants? Allāh est Reconnaissant et Omniscient.

۞ لَّا يُحِبُّ ٱللَّهُ ٱلْجَهْرَ بِٱلسُّوٓءِ مِنَ ٱلْقَوْلِ إِلَّا مَن ظُلِمَ ۚ وَكَانَ ٱللَّهُ سَمِيعًا عَلِيمًا ۝ إِن تُبْدُوا۟ خَيْرًا أَوْ تُخْفُوهُ أَوْ تَعْفُوا۟ عَن سُوٓءٍ فَإِنَّ ٱللَّهَ كَانَ عَفُوًّا قَدِيرًا ۝ إِنَّ ٱلَّذِينَ يَكْفُرُونَ بِٱللَّهِ وَرُسُلِهِۦ وَيُرِيدُونَ أَن يُفَرِّقُوا۟ بَيْنَ ٱللَّهِ وَرُسُلِهِۦ وَيَقُولُونَ نُؤْمِنُ بِبَعْضٍ وَنَكْفُرُ بِبَعْضٍ وَيُرِيدُونَ أَن يَتَّخِذُوا۟ بَيْنَ ذَٰلِكَ سَبِيلًا ۝ أُو۟لَـٰٓئِكَ هُمُ ٱلْكَـٰفِرُونَ حَقًّا ۚ وَأَعْتَدْنَا لِلْكَـٰفِرِينَ عَذَابًا مُّهِينًا ۝ وَٱلَّذِينَ ءَامَنُوا۟ بِٱللَّهِ وَرُسُلِهِۦ وَلَمْ يُفَرِّقُوا۟ بَيْنَ أَحَدٍ مِّنْهُمْ أُو۟لَـٰٓئِكَ سَوْفَ يُؤْتِيهِمْ أُجُورَهُمْ ۗ وَكَانَ ٱللَّهُ غَفُورًا رَّحِيمًا ۝ يَسْـَٔلُكَ أَهْلُ ٱلْكِتَـٰبِ أَن تُنَزِّلَ عَلَيْهِمْ كِتَـٰبًا مِّنَ ٱلسَّمَآءِ ۚ فَقَدْ سَأَلُوا۟ مُوسَىٰٓ أَكْبَرَ مِن ذَٰلِكَ فَقَالُوٓا۟ أَرِنَا ٱللَّهَ جَهْرَةً فَأَخَذَتْهُمُ ٱلصَّـٰعِقَةُ بِظُلْمِهِمْ ۚ ثُمَّ ٱتَّخَذُوا۟ ٱلْعِجْلَ مِنۢ بَعْدِ مَا جَآءَتْهُمُ ٱلْبَيِّنَـٰتُ فَعَفَوْنَا عَن ذَٰلِكَ ۚ وَءَاتَيْنَا مُوسَىٰ سُلْطَـٰنًا مُّبِينًا ۝ وَرَفَعْنَا فَوْقَهُمُ ٱلطُّورَ بِمِيثَـٰقِهِمْ وَقُلْنَا لَهُمُ ٱدْخُلُوا۟ ٱلْبَابَ سُجَّدًا وَقُلْنَا لَهُمْ لَا تَعْدُوا۟ فِى ٱلسَّبْتِ وَأَخَذْنَا مِنْهُم مِّيثَـٰقًا غَلِيظًا ۝

148. Allāh n'aime pas qu'on profère de mauvaises paroles sauf quand on a été injustement provoqué. Et Allāh est Audient et Omniscient.

149. Que vous fassiez du bien, ouvertement ou en cachette, ou bien que vous pardonniez un mal... Alors Allāh est Pardonneur et Omnipotent.

150. Ceux qui ne croient pas en Allāh et en Ses messagers, et qui veulent faire distinction entre Allāh et Ses messagers et qui disent: «Nous croyons en certains d'entre eux mais ne croyons pas en d'autres», et qui veulent prendre un chemin intermédiaire (entre la foi et la mécréance),

151. les voilà les vrais mécréants! Et Nous avons préparé pour les mécréants un châtiment avilissant.

152. Et ceux qui croient en Allāh et en Ses messagers et qui ne font point de différence entre ces derniers, voilà ceux à qui Il donnera leurs récompenses. Et Allāh est Pardonneur et Miséricordieux.

153. Les gens du Livre te demandent de leur faire descendre du ciel un Livre. Ils ont déjà demandé à Moïse quelque chose de bien plus grave quand ils dirent: «Fais-nous voir Allāh à découvert!» Alors la foudre les frappa pour leur tort. Puis ils adoptèrent le Veau (comme idole) même après que les preuves leur furent venues. Nous leur pardonnâmes cela et donnâmes à Moïse une autorité déclarée.

154. Et pour (obtenir) leur engagement, Nous avons brandi au-dessus d'eux le Mont Tor[1], Nous leur avons dit: «Entrez par la porte en vous prosternant» ; Nous leur avons dit: «Ne transgressez pas le Sabbat» ; et Nous avons pris d'eux un engagement ferme.

---

1. *Nous avons brandi le Mont Ṭūr*: (le Sinaï) voir S. 2, v. 63.

فَبِمَا نَقْضِهِم مِّيثَاقَهُمْ وَكُفْرِهِم بِـَٔايَٰتِ ٱللَّهِ وَقَتْلِهِمُ ٱلْأَنۢبِيَآءَ بِغَيْرِ حَقٍّ وَقَوْلِهِمْ قُلُوبُنَا غُلْفٌۢ بَلْ طَبَعَ ٱللَّهُ عَلَيْهَا بِكُفْرِهِمْ فَلَا يُؤْمِنُونَ إِلَّا قَلِيلًا ﴿١٥٥﴾ وَبِكُفْرِهِمْ وَقَوْلِهِمْ عَلَىٰ مَرْيَمَ بُهْتَٰنًا عَظِيمًا ﴿١٥٦﴾ وَقَوْلِهِمْ إِنَّا قَتَلْنَا ٱلْمَسِيحَ عِيسَى ٱبْنَ مَرْيَمَ رَسُولَ ٱللَّهِ وَمَا قَتَلُوهُ وَمَا صَلَبُوهُ وَلَٰكِن شُبِّهَ لَهُمْ وَإِنَّ ٱلَّذِينَ ٱخْتَلَفُوا۟ فِيهِ لَفِى شَكٍّ مِّنْهُ مَا لَهُم بِهِۦ مِنْ عِلْمٍ إِلَّا ٱتِّبَاعَ ٱلظَّنِّ وَمَا قَتَلُوهُ يَقِينًۢا ﴿١٥٧﴾ بَل رَّفَعَهُ ٱللَّهُ إِلَيْهِ وَكَانَ ٱللَّهُ عَزِيزًا حَكِيمًا ﴿١٥٨﴾ وَإِن مِّنْ أَهْلِ ٱلْكِتَٰبِ إِلَّا لَيُؤْمِنَنَّ بِهِۦ قَبْلَ مَوْتِهِۦ وَيَوْمَ ٱلْقِيَٰمَةِ يَكُونُ عَلَيْهِمْ شَهِيدًا ﴿١٥٩﴾ فَبِظُلْمٍ مِّنَ ٱلَّذِينَ هَادُوا۟ حَرَّمْنَا عَلَيْهِمْ طَيِّبَٰتٍ أُحِلَّتْ لَهُمْ وَبِصَدِّهِمْ عَن سَبِيلِ ٱللَّهِ كَثِيرًا ﴿١٦٠﴾ وَأَخْذِهِمُ ٱلرِّبَوٰا۟ وَقَدْ نُهُوا۟ عَنْهُ وَأَكْلِهِمْ أَمْوَٰلَ ٱلنَّاسِ بِٱلْبَٰطِلِ وَأَعْتَدْنَا لِلْكَٰفِرِينَ مِنْهُمْ عَذَابًا أَلِيمًا ﴿١٦١﴾ لَّٰكِنِ ٱلرَّٰسِخُونَ فِى ٱلْعِلْمِ مِنْهُمْ وَٱلْمُؤْمِنُونَ يُؤْمِنُونَ بِمَآ أُنزِلَ إِلَيْكَ وَمَآ أُنزِلَ مِن قَبْلِكَ وَٱلْمُقِيمِينَ ٱلصَّلَوٰةَ وَٱلْمُؤْتُونَ ٱلزَّكَوٰةَ وَٱلْمُؤْمِنُونَ بِٱللَّهِ وَٱلْيَوْمِ ٱلْءَاخِرِ أُو۟لَٰٓئِكَ سَنُؤْتِيهِمْ أَجْرًا عَظِيمًا ﴿١٦٢﴾

155. (Nous les avons maudits) à cause de leur rupture de l'engagement, leur mécréance aux révélations d'Allāh, leur meurtre injustifié des prophètes, et leur parole: «Nos cœurs sont (enveloppés) et imperméables». En réalité, c'est Allāh qui a scellé leurs cœurs à cause de leur mécréance, car ils ne croyaient que très peu[1].

156. Et à cause de leur mécréance et de l'énorme calomnie qu'ils prononcent contre Marie,

157. et à cause de leur parole: «Nous avons vraiment tué le Christ, Jésus, fils de Marie, le Messager d'Allāh»... Or, ils ne l'ont ni tué ni crucifié ; mais ce n'était qu'un faux semblant! Et ceux qui ont discuté sur son sujet sont vraiment dans l'incertitude: ils n'en ont aucune connaissance certaine, ils ne font que suivre des conjectures et ils ne l'ont certainement pas tué[2],

158. mais Allāh l'a élevé vers Lui. Et Allāh est Puissant et Sage.

159. Il n'y aura personne, parmi les gens du Livre, qui n'aura pas foi en lui avant sa mort[3]. Et au Jour de la Résurrection, il sera témoin contre eux.

160. C'est à cause des iniquités des Juifs que Nous leur avons rendu illicites les bonnes nourritures qui leur étaient licites, et aussi à cause de ce qu'ils obstruent le sentier d'Allāh, (à eux-mêmes et) à beaucoup de monde,

161. et à cause de ce qu'ils prennent des intérêts usuraires[4] - qui leur étaient pourtant interdits - et parce qu'ils mangent illégalement les biens des gens. À ceux d'entre eux qui sont mécréants Nous avons préparé un châtiment douloureux.

162. Mais ceux d'entre eux qui sont enracinés dans la connaissance, ainsi que les croyants[5], (tous) ont foi à ce qu'on a fait descendre sur toi et à ce qu'on a fait descendre avant toi. Et quant à ceux qui accomplissent la Ṣalāt, paient la Zakāt et croient en Allāh et au Jour dernier, ceux-là Nous leur donnerons une énorme récompense.

---

1. *Car...* . autre interprétation: ils ne croyaient pas, à l'exception d'un petit nombre d'entre eux.
2. *Ils ne l'ont certes pas tué*: autre sens: ils ne sont pas certains de l'avoir tué.
3. *Avant sa mort*: il existe deux interprétations. La première affirmant qu'il s'agit de la mort de Jésus et la seconde estimant qu'il s'agit de la mort d'un partisan des gens du Livre.
4. *Intérêts*: voir S. 2, v. 275.
5. *Les croyants*: ce sont les Musulmans.

ربع
الحزب
١١

۞ إِنَّآ أَوْحَيْنَآ إِلَيْكَ كَمَآ أَوْحَيْنَآ إِلَىٰ نُوحٍ وَٱلنَّبِيِّـۧنَ مِنۢ بَعْدِهِۦ وَأَوْحَيْنَآ إِلَىٰٓ إِبْرَٰهِيمَ وَإِسْمَٰعِيلَ وَإِسْحَٰقَ وَيَعْقُوبَ وَٱلْأَسْبَاطِ وَعِيسَىٰ وَأَيُّوبَ وَيُونُسَ وَهَٰرُونَ وَسُلَيْمَٰنَ وَءَاتَيْنَا دَاوُۥدَ زَبُورًا ۝ وَرُسُلًا قَدْ قَصَصْنَٰهُمْ عَلَيْكَ مِن قَبْلُ وَرُسُلًا لَّمْ نَقْصُصْهُمْ عَلَيْكَ وَكَلَّمَ ٱللَّهُ مُوسَىٰ تَكْلِيمًا ۝ رُّسُلًا مُّبَشِّرِينَ وَمُنذِرِينَ لِئَلَّا يَكُونَ لِلنَّاسِ عَلَى ٱللَّهِ حُجَّةٌۢ بَعْدَ ٱلرُّسُلِ ۚ وَكَانَ ٱللَّهُ عَزِيزًا حَكِيمًا ۝ لَّٰكِنِ ٱللَّهُ يَشْهَدُ بِمَآ أَنزَلَ إِلَيْكَ ۖ أَنزَلَهُۥ بِعِلْمِهِۦ ۖ وَٱلْمَلَٰٓئِكَةُ يَشْهَدُونَ ۚ وَكَفَىٰ بِٱللَّهِ شَهِيدًا ۝ إِنَّ ٱلَّذِينَ كَفَرُوا۟ وَصَدُّوا۟ عَن سَبِيلِ ٱللَّهِ قَدْ ضَلُّوا۟ ضَلَٰلًۢا بَعِيدًا ۝ إِنَّ ٱلَّذِينَ كَفَرُوا۟ وَظَلَمُوا۟ لَمْ يَكُنِ ٱللَّهُ لِيَغْفِرَ لَهُمْ وَلَا لِيَهْدِيَهُمْ طَرِيقًا ۝ إِلَّا طَرِيقَ جَهَنَّمَ خَٰلِدِينَ فِيهَآ أَبَدًا ۚ وَكَانَ ذَٰلِكَ عَلَى ٱللَّهِ يَسِيرًا ۝ يَٰٓأَيُّهَا ٱلنَّاسُ قَدْ جَآءَكُمُ ٱلرَّسُولُ بِٱلْحَقِّ مِن رَّبِّكُمْ فَـَٔامِنُوا۟ خَيْرًا لَّكُمْ ۚ وَإِن تَكْفُرُوا۟ فَإِنَّ لِلَّهِ مَا فِى ٱلسَّمَٰوَٰتِ وَٱلْأَرْضِ ۚ وَكَانَ ٱللَّهُ عَلِيمًا حَكِيمًا ۝

163. Nous t'avons fait une révélation comme Nous fîmes à Noé et aux prophètes après lui. Et Nous avons fait révélation à Abraham, à Ismaël, à Isaac, à Jacob, aux Tribus, à Jésus, à Job, à Jonas, à Aaron et à Salomon, et Nous avons donné le Zabour à David.

164. Et il y a des messagers dont Nous t'avons raconté l'histoire précédemment, et des messagers dont Nous ne t'avons point raconté l'histoire - et Allāh a parlé à Moïse de vive voix -

165. en tant que messagers, annonciateurs et avertisseurs, afin qu'après la venue des messagers il n'y eût pour les gens point d'argument devant Allāh. Allāh est Puissant et Sage.

166. Mais Allāh témoigne de ce qu'Il a fait descendre vers toi, Il l'a fait descendre en toute connaissance. Et les Anges en témoignent. Et Allāh suffit comme témoin.

167. Ceux qui ne croient pas et qui obstruent le sentier d'Allāh, s'égarent certes loin dans l'égarement.

168. Ceux qui ne croient pas et qui pratiquent l'injustice, Allāh n'est nullement disposé à leur pardonner, ni à les guider dans un chemin

169. (autre) que le chemin de l'Enfer où ils demeureront éternellement. Et cela est facile à Allāh.

170. Ô gens! Le Messager vous a apporté la vérité de la part de votre Seigneur. Ayez la foi, donc, cela vous sera meilleur. Et si vous ne croyez pas (qu'importe!), c'est à Allāh qu'appartient tout ce qui est dans les cieux et sur la terre. Et Allāh est Omniscient et Sage.

يَـٰٓأَهْلَ ٱلْكِتَـٰبِ لَا تَغْلُواْ فِى دِينِكُمْ وَلَا تَقُولُواْ عَلَى ٱللَّهِ إِلَّا ٱلْحَقَّ إِنَّمَا ٱلْمَسِيحُ عِيسَى ٱبْنُ مَرْيَمَ رَسُولُ ٱللَّهِ وَكَلِمَتُهُۥٓ أَلْقَىٰهَآ إِلَىٰ مَرْيَمَ وَرُوحٌ مِّنْهُ فَـَٔامِنُواْ بِٱللَّهِ وَرُسُلِهِۦ وَلَا تَقُولُواْ ثَلَـٰثَةٌ ٱنتَهُواْ خَيْرًا لَّكُمْ إِنَّمَا ٱللَّهُ إِلَـٰهٌ وَٰحِدٌ سُبْحَـٰنَهُۥٓ أَن يَكُونَ لَهُۥ وَلَدٌ لَّهُۥ مَا فِى ٱلسَّمَـٰوَٰتِ وَمَا فِى ٱلْأَرْضِ وَكَفَىٰ بِٱللَّهِ وَكِيلًا ۝ لَّن يَسْتَنكِفَ ٱلْمَسِيحُ أَن يَكُونَ عَبْدًا لِّلَّهِ وَلَا ٱلْمَلَـٰٓئِكَةُ ٱلْمُقَرَّبُونَ وَمَن يَسْتَنكِفْ عَنْ عِبَادَتِهِۦ وَيَسْتَكْبِرْ فَسَيَحْشُرُهُمْ إِلَيْهِ جَمِيعًا ۝ فَأَمَّا ٱلَّذِينَ ءَامَنُواْ وَعَمِلُواْ ٱلصَّـٰلِحَـٰتِ فَيُوَفِّيهِمْ أُجُورَهُمْ وَيَزِيدُهُم مِّن فَضْلِهِۦ وَأَمَّا ٱلَّذِينَ ٱسْتَنكَفُواْ وَٱسْتَكْبَرُواْ فَيُعَذِّبُهُمْ عَذَابًا أَلِيمًا وَلَا يَجِدُونَ لَهُم مِّن دُونِ ٱللَّهِ وَلِيًّا وَلَا نَصِيرًا ۝ يَـٰٓأَيُّهَا ٱلنَّاسُ قَدْ جَآءَكُم بُرْهَـٰنٌ مِّن رَّبِّكُمْ وَأَنزَلْنَآ إِلَيْكُمْ نُورًا مُّبِينًا ۝ فَأَمَّا ٱلَّذِينَ ءَامَنُواْ بِٱللَّهِ وَٱعْتَصَمُواْ بِهِۦ فَسَيُدْخِلُهُمْ فِى رَحْمَةٍ مِّنْهُ وَفَضْلٍ وَيَهْدِيهِمْ إِلَيْهِ صِرَٰطًا مُّسْتَقِيمًا ۝

171. Ô gens du Livre (Chrétiens), n'exagérez pas dans votre religion, et ne dites d'Allāh que la vérité. Le Messie Jésus, fils de Marie, n'est qu'un Messager d'Allāh, Sa parole qu'Il envoya à Marie, et un souffle (de vie) venant de Lui. Croyez donc en Allāh et en Ses messagers. Et ne dites pas «Trois». Cessez! Ce sera meilleur pour vous. Allāh n'est qu'un Dieu unique. Il est trop glorieux pour avoir un enfant. C'est à Lui qu'appartient tout ce qui est dans les cieux et sur la terre et Allāh suffit comme protecteur[1].

172. Jamais le Messie ne trouve indigne d'être un serviteur d'Allāh, ni les Anges rapprochés [de Lui]. Et ceux qui trouvent indigne de L'adorer et s'enflent d'orgueil... Il les rassemblera tous vers Lui.

173. Quant à ceux qui ont cru et fait de bonnes œuvres, Il leur accordera leurs pleines récompenses et y ajoutera le surcroît de Sa grâce. Et quant à ceux qui ont eu la morgue et se sont enflés d'orgueil, Il les châtiera d'un châtiment douloureux. Et ils ne trouveront, pour eux, en dehors d'Allāh, ni allié ni secoureur,

174. Ô gens! Certes une preuve évidente vous est venue de la part de votre Seigneur. Et Nous avons fait descendre vers vous une lumière éclatante[2].

175. Alors ceux qui croient en Allāh et qui s'attachent à Lui, Il les fera entrer dans une miséricorde venue de Lui, et dans une grâce aussi. Et Il les guidera vers Lui dans un chemin droit.

---

1. *Sa parole*: «Sois».
Trois: la trinité.
2. *Une preuve évidente... une lumière...*: le Qur'ān.

يَسْتَفْتُونَكَ قُلِ ٱللَّهُ يُفْتِيكُمْ فِى ٱلْكَلَـٰلَةِ إِنِ ٱمْرُؤٌا۟ هَلَكَ لَيْسَ لَهُۥ وَلَدٌ وَلَهُۥٓ أُخْتٌ فَلَهَا نِصْفُ مَا تَرَكَ وَهُوَ يَرِثُهَآ إِن لَّمْ يَكُن لَّهَا وَلَدٌ فَإِن كَانَتَا ٱثْنَتَيْنِ فَلَهُمَا ٱلثُّلُثَانِ مِمَّا تَرَكَ وَإِن كَانُوٓا۟ إِخْوَةً رِّجَالًا وَنِسَآءً فَلِلذَّكَرِ مِثْلُ حَظِّ ٱلْأُنثَيَيْنِ يُبَيِّنُ ٱللَّهُ لَكُمْ أَن تَضِلُّوا۟ وَٱللَّهُ بِكُلِّ شَىْءٍ عَلِيمٌۢ ﴿١٧٦﴾

سُورَةُ المَائدَةِ

بِسْمِ ٱللَّهِ ٱلرَّحْمَـٰنِ ٱلرَّحِيمِ

يَـٰٓأَيُّهَا ٱلَّذِينَ ءَامَنُوٓا۟ أَوْفُوا۟ بِٱلْعُقُودِ أُحِلَّتْ لَكُم بَهِيمَةُ ٱلْأَنْعَـٰمِ إِلَّا مَا يُتْلَىٰ عَلَيْكُمْ غَيْرَ مُحِلِّى ٱلصَّيْدِ وَأَنتُمْ حُرُمٌ إِنَّ ٱللَّهَ يَحْكُمُ مَا يُرِيدُ ﴿١﴾ يَـٰٓأَيُّهَا ٱلَّذِينَ ءَامَنُوا۟ لَا تُحِلُّوا۟ شَعَـٰٓئِرَ ٱللَّهِ وَلَا ٱلشَّهْرَ ٱلْحَرَامَ وَلَا ٱلْهَدْىَ وَلَا ٱلْقَلَـٰٓئِدَ وَلَآ ءَآمِّينَ ٱلْبَيْتَ ٱلْحَرَامَ يَبْتَغُونَ فَضْلًا مِّن رَّبِّهِمْ وَرِضْوَٰنًا وَإِذَا حَلَلْتُمْ فَٱصْطَادُوا۟ وَلَا يَجْرِمَنَّكُمْ شَنَـَٔانُ قَوْمٍ أَن صَدُّوكُمْ عَنِ ٱلْمَسْجِدِ ٱلْحَرَامِ أَن تَعْتَدُوا۟ وَتَعَاوَنُوا۟ عَلَى ٱلْبِرِّ وَٱلتَّقْوَىٰ وَلَا تَعَاوَنُوا۟ عَلَى ٱلْإِثْمِ وَٱلْعُدْوَٰنِ وَٱتَّقُوا۟ ٱللَّهَ إِنَّ ٱللَّهَ شَدِيدُ ٱلْعِقَابِ ﴿٢﴾

176. Ils te demandent ce qui a été décrété. Dis: «Au sujet du défunt qui n'a pas de père ni de mère ni d'enfant, Allāh vous donne Son décret: si quelqu'un meurt sans enfant, mais a une sœur, à celle-ci revient la moitié de ce qu'il laisse. Et lui, il héritera d'elle en totalité si elle n'a pas d'enfant. Mais s'il a deux sœurs (ou plus), à elles alors les deux tiers de ce qu'il laisse ; et s'il a des frères et des sœurs, à un frère alors revient une portion égale à celle de deux sœurs. Allāh vous donne des explications pour que vous ne vous égariez pas. Et Allāh est Omniscient[1].

AL-MĀʾIDA (LA TABLE SERVIE)[2]
sourate 5   120 versets   Post-hégirien n°112

Au nom d'Allāh, le Tout Miséricordieux, le Très Miséricordieux.

1. Ô les croyants! Remplissez fidèlement vos engagements. Vous est permise la bête du cheptel, sauf ce qui sera énoncé [comme étant interdit]. Ne vous permettez point la chasse alors que vous êtes en état d'iḥrām[3]. Allāh en vérité, décide ce qu'il veut.

2. Ô les croyants! Ne profanez ni les rites du pèlerinage (dans les endroits sacrés) d'Allāh, ni le mois sacré, ni les animaux de sacrifice, ni les guirlandes ni ceux qui se dirigent vers la Maison sacrée cherchant de leur Seigneur grâce et agrément. Une fois désacralisés, vous êtes libres de chasser. Et ne laissez pas la haine pour un peuple qui vous a obstrué la route vers la Mosquée sacrée vous inciter à transgresser. Entraidez-vous dans l'accomplissement des bonnes œuvres et de la piété et ne vous entraidez pas dans le péché et la transgression. Et craignez Allāh, car Allāh est, certes, dur en punition[4]!

---

1. *Ils te demandent ce qui a été décrété...*: il s'agit ici d'une législation complémentaire qui fait suite non pas au v. 12, mais au v. 127. Le premier fut révélé tout de suite après la bataille d'Uḥud - pour répondre à un cas où l'ancienne loi coutumière avait de fâcheuses conséquences - le second, plus tard. Selon l'ancienne coutume, non seulement les femmes, mais même les fils mineurs n'héritaient rien du défunt: seuls les fils en âge de combattre y avaient droit. Dans le cas précis, une veuve avec de nombreux enfants dût perdre du jour au lendemain toute une grosse fortune en faveur de parents éloignés, et devint indigente. Le Qurʾān répara cette injustice.
2. Titre tiré du v. 112.
3. *Pendant que vous êtes en état de sacralisation*: pour le Ḥajj ou la ʿUmra.
4. *Ne profanez pas*: littér. ne rendez pas licite (la violation du caractère sacré de)...
Mois sacré: pendant lequel la guerre est défendue (voir v. 97).
Les guirlandes: qui servent à marquer les bêtes destinées au sacrifice ou qui servent de signe distinctif aux pèlerins.

حُرِّمَتْ عَلَيْكُمُ ٱلْمَيْتَةُ وَٱلدَّمُ وَلَحْمُ ٱلْخِنزِيرِ وَمَآ أُهِلَّ لِغَيْرِ ٱللَّهِ

بِهِۦ وَٱلْمُنْخَنِقَةُ وَٱلْمَوْقُوذَةُ وَٱلْمُتَرَدِّيَةُ وَٱلنَّطِيحَةُ وَمَآ أَكَلَ

ٱلسَّبُعُ إِلَّا مَا ذَكَّيْتُمْ وَمَا ذُبِحَ عَلَى ٱلنُّصُبِ وَأَن تَسْتَقْسِمُواْ

بِٱلْأَزْلَٰمِ ذَٰلِكُمْ فِسْقٌ ٱلْيَوْمَ يَئِسَ ٱلَّذِينَ كَفَرُواْ مِن دِينِكُمْ

فَلَا تَخْشَوْهُمْ وَٱخْشَوْنِ ٱلْيَوْمَ أَكْمَلْتُ لَكُمْ دِينَكُمْ وَأَتْمَمْتُ

عَلَيْكُمْ نِعْمَتِي وَرَضِيتُ لَكُمُ ٱلْإِسْلَٰمَ دِينًا فَمَنِ ٱضْطُرَّ فِي

مَخْمَصَةٍ غَيْرَ مُتَجَانِفٍ لِّإِثْمٍ فَإِنَّ ٱللَّهَ غَفُورٌ رَّحِيمٌ ۝

يَسْئَلُونَكَ مَاذَآ أُحِلَّ لَهُمْ قُلْ أُحِلَّ لَكُمُ ٱلطَّيِّبَٰتُ وَمَا عَلَّمْتُم

مِّنَ ٱلْجَوَارِحِ مُكَلِّبِينَ تُعَلِّمُونَهُنَّ مِمَّا عَلَّمَكُمُ ٱللَّهُ فَكُلُواْ مِمَّآ أَمْسَكْنَ

عَلَيْكُمْ وَٱذْكُرُواْ ٱسْمَ ٱللَّهِ عَلَيْهِ وَٱتَّقُواْ ٱللَّهَ إِنَّ ٱللَّهَ سَرِيعُ ٱلْحِسَابِ ۝

ٱلْيَوْمَ أُحِلَّ لَكُمُ ٱلطَّيِّبَٰتُ وَطَعَامُ ٱلَّذِينَ أُوتُواْ ٱلْكِتَٰبَ حِلٌّ

لَّكُمْ وَطَعَامُكُمْ حِلٌّ لَّهُمْ وَٱلْمُحْصَنَٰتُ مِنَ ٱلْمُؤْمِنَٰتِ وَٱلْمُحْصَنَٰتُ

مِنَ ٱلَّذِينَ أُوتُواْ ٱلْكِتَٰبَ مِن قَبْلِكُمْ إِذَآ ءَاتَيْتُمُوهُنَّ أُجُورَهُنَّ

مُحْصِنِينَ غَيْرَ مُسَٰفِحِينَ وَلَا مُتَّخِذِىٓ أَخْدَانٍ وَمَن يَكْفُرْ

بِٱلْإِيمَٰنِ فَقَدْ حَبِطَ عَمَلُهُۥ وَهُوَ فِي ٱلْءَاخِرَةِ مِنَ ٱلْخَٰسِرِينَ ۝

3. Vous sont interdits la bête trouvée morte, le sang, la chair de porc, ce sur quoi on a invoqué un autre nom que celui d'Allāh, la bête étouffée, la bête assommée ou morte d'une chute ou morte d'un coup de corne, et celle qu'une bête féroce a dévorée - sauf celle que vous égorgez avant qu'elle ne soit morte - . (Vous sont interdits aussi la bête) qu'on a immolée sur les pierres dressées, ainsi que de procéder au partage par tirage au sort au moyen de flèches. Car cela est perversité. Aujourd'hui, les mécréants désespèrent (de vous détourner) de votre religion: ne les craignez donc pas et craignez-Moi. Aujourd'hui, J'ai parachevé pour vous votre religion, et accompli sur vous Mon bienfait. Et J'agrée l'Islām comme religion pour vous. Si quelqu'un est contraint par la faim, sans inclination vers le péché... alors, Allāh est Pardonneur et Miséricordieux[1].

4. Ils t'interrogent sur ce qui leur est permis. Dis: «Vous sont permises les bonnes nourritures, ainsi que ce que capturent les carnassiers que vous avez dressés, en leur apprenant ce qu'Allāh vous a appris. Mangez donc de ce qu'elles capturent pour vous et prononcez dessus le nom d'Allāh. Et craignez Allāh. Car Allāh est, certes, prompt dans les comptes.

5. «Vous sont permises, aujourd'hui, les bonnes nourritures. Vous est permise la nourriture des gens du Livre, et votre propre nourriture leur est permise. (Vous sont permises) les femmes vertueuses d'entre les croyantes, et les femmes vertueuses d'entre les gens qui ont reçu le Livre avant vous, si vous leur donnez leur *mahr*, avec contrat de mariage, non en débauchés ni en preneurs d'amantes. Et quiconque abjure la foi, alors vaine devient son action, et il sera dans l'au-delà, du nombre des perdants[2].

---

1. *La chair de porc*: y compris la graisse, l'os et la mœlle etc.
La bête qu'on a immolée sur les pierres dressées: bête immolée par des païens sur des pierres sacrées, des idoles, des autels.
Aujourd'hui... comme religion: ce verset a été révélé lors du dernier pèlerinage du Prophète, trois mois avant sa mort.
Si quelqu'un est contraint...: sous-entendu: et qu'il mange une de ces choses interdites, pour ne pas mourir de faim.
2. *La nourriture des gens du Livre*...: uniquement la nourriture licite en Islām.
Et les femmes...: comme épouses.
Le Mahr: vóir S. 2, v. 236. Par ce verset, permission est donnée au Croyant musulman d'épouser les Juives et les Chrétiennes, sans qu'elles renoncent à leur religion, ni même à leurs pratiques religieuses ; mais elles n'héritent pas de lui, tout comme il n'hérite pas d'elles à cause de la différence de religion.

يَـٰٓأَيُّهَا ٱلَّذِينَ ءَامَنُوٓاْ إِذَا قُمْتُمْ إِلَى ٱلصَّلَوٰةِ فَٱغْسِلُواْ وُجُوهَكُمْ وَأَيْدِيَكُمْ إِلَى ٱلْمَرَافِقِ وَٱمْسَحُواْ بِرُءُوسِكُمْ وَأَرْجُلَكُمْ إِلَى ٱلْكَعْبَيْنِ ۚ وَإِن كُنتُمْ جُنُبًا فَٱطَّهَّرُواْ ۚ وَإِن كُنتُم مَّرْضَىٰٓ أَوْ عَلَىٰ سَفَرٍ أَوْ جَآءَ أَحَدٌ مِّنكُم مِّنَ ٱلْغَآئِطِ أَوْ لَـٰمَسْتُمُ ٱلنِّسَآءَ فَلَمْ تَجِدُواْ مَآءً فَتَيَمَّمُواْ صَعِيدًا طَيِّبًا فَٱمْسَحُواْ بِوُجُوهِكُمْ وَأَيْدِيكُم مِّنْهُ ۚ مَا يُرِيدُ ٱللَّهُ لِيَجْعَلَ عَلَيْكُم مِّنْ حَرَجٍ وَلَـٰكِن يُرِيدُ لِيُطَهِّرَكُمْ وَلِيُتِمَّ نِعْمَتَهُۥ عَلَيْكُمْ لَعَلَّكُمْ تَشْكُرُونَ ۝

وَٱذْكُرُواْ نِعْمَةَ ٱللَّهِ عَلَيْكُمْ وَمِيثَـٰقَهُ ٱلَّذِى وَاثَقَكُم بِهِۦٓ إِذْ قُلْتُمْ سَمِعْنَا وَأَطَعْنَا ۖ وَٱتَّقُواْ ٱللَّهَ ۚ إِنَّ ٱللَّهَ عَلِيمٌۢ بِذَاتِ ٱلصُّدُورِ ۝ يَـٰٓأَيُّهَا ٱلَّذِينَ ءَامَنُواْ كُونُواْ قَوَّٰمِينَ لِلَّهِ شُهَدَآءَ بِٱلْقِسْطِ ۖ وَلَا يَجْرِمَنَّكُمْ شَنَـٔانُ قَوْمٍ عَلَىٰٓ أَلَّا تَعْدِلُواْ ۚ ٱعْدِلُواْ هُوَ أَقْرَبُ لِلتَّقْوَىٰ ۖ وَٱتَّقُواْ ٱللَّهَ ۚ إِنَّ ٱللَّهَ خَبِيرٌۢ بِمَا تَعْمَلُونَ ۝ وَعَدَ ٱللَّهُ ٱلَّذِينَ ءَامَنُواْ وَعَمِلُواْ ٱلصَّـٰلِحَـٰتِ ۙ لَهُم مَّغْفِرَةٌ وَأَجْرٌ عَظِيمٌ ۝

6. Ô les croyants! Lorsque vous vous levez pour la *Ṣalāt*, lavez vos visages et vos mains jusqu'aux coudes ; passez les mains mouillées sur vos têtes ; et lavez-vous les pieds jusqu'aux chevilles. Et si vous êtes pollués «*junub*»[1], alors purifiez-vous (par un bain) ; mais si vous êtes malades, ou en voyage, ou si l'un de vous revient du lieu où il a fait ses besoins ou si vous avez touché aux femmes et que vous ne trouviez pas d'eau, alors recourez à la terre pure[2], passez-en sur vos visages et vos mains. Allāh ne veut pas vous imposer quelque gêne, mais Il veut vous purifier et parfaire sur vous Son bienfait. Peut-être serez-vous reconnaissants.

7. Et rappelez-vous le bienfait d'Allāh sur vous, ainsi que l'alliance qu'Il a conclue avec vous, quand vous avez dit: «Nous avons entendu et nous avons obéi»[3]. Et craignez Allāh. Car Allāh connaît parfaitement le contenu des cœurs.

8. Ô les croyants! Soyez stricts (dans vos devoirs) envers Allāh et (soyez) des témoins équitables. Et que la haine pour un peuple ne vous incite pas à être injustes. Pratiquez l'équité: cela est plus proche de la piété. Et craignez Allāh. Car Allāh est certes Parfaitement Connaisseur de ce que vous faites.

9. Allāh a promis à ceux qui croient et font de bonnes œuvres qu'il y aura pour eux un pardon et une énorme récompense.

---

1. *Junub*: le bain rituel est obligatoire si on a eu des rapports sexuels ou s'il y a eu écoulement de sperme.
2. *Alors recourez à la terre pure*...: Voir S. 4, v. 43, note 1.
3. En adoptant l'Islām, vous avez pris l'engagement devant le Prophète (ﷺ) envers Allāh d'obéir à Ses injonctions.

وَٱلَّذِينَ كَفَرُوا۟ وَكَذَّبُوا۟ بِـَٔايَـٰتِنَآ أُو۟لَـٰٓئِكَ أَصْحَـٰبُ ٱلْجَحِيمِ ۝ يَـٰٓأَيُّهَا ٱلَّذِينَ ءَامَنُوا۟ ٱذْكُرُوا۟ نِعْمَتَ ٱللَّهِ عَلَيْكُمْ إِذْ هَمَّ قَوْمٌ أَن يَبْسُطُوٓا۟ إِلَيْكُمْ أَيْدِيَهُمْ فَكَفَّ أَيْدِيَهُمْ عَنكُمْ وَٱتَّقُوا۟ ٱللَّهَ وَعَلَى ٱللَّهِ فَلْيَتَوَكَّلِ ٱلْمُؤْمِنُونَ ۝ وَلَقَدْ أَخَذَ ٱللَّهُ مِيثَـٰقَ بَنِىٓ إِسْرَٰٓءِيلَ وَبَعَثْنَا مِنْهُمُ ٱثْنَىْ عَشَرَ نَقِيبًا وَقَالَ ٱللَّهُ إِنِّى مَعَكُمْ لَئِنْ أَقَمْتُمُ ٱلصَّلَوٰةَ وَءَاتَيْتُمُ ٱلزَّكَوٰةَ وَءَامَنتُم بِرُسُلِى وَعَزَّرْتُمُوهُمْ وَأَقْرَضْتُمُ ٱللَّهَ قَرْضًا حَسَنًا لَّأُكَفِّرَنَّ عَنكُمْ سَيِّـَٔاتِكُمْ وَلَأُدْخِلَنَّكُمْ جَنَّـٰتٍ تَجْرِى مِن تَحْتِهَا ٱلْأَنْهَـٰرُ فَمَن كَفَرَ بَعْدَ ذَٰلِكَ مِنكُمْ فَقَدْ ضَلَّ سَوَآءَ ٱلسَّبِيلِ ۝ فَبِمَا نَقْضِهِم مِّيثَـٰقَهُمْ لَعَنَّـٰهُمْ وَجَعَلْنَا قُلُوبَهُمْ قَـٰسِيَةً يُحَرِّفُونَ ٱلْكَلِمَ عَن مَّوَاضِعِهِۦ وَنَسُوا۟ حَظًّا مِّمَّا ذُكِّرُوا۟ بِهِۦ وَلَا تَزَالُ تَطَّلِعُ عَلَىٰ خَآئِنَةٍ مِّنْهُمْ إِلَّا قَلِيلًا مِّنْهُمْ فَٱعْفُ عَنْهُمْ وَٱصْفَحْ إِنَّ ٱللَّهَ يُحِبُّ ٱلْمُحْسِنِينَ ۝

10. Quant à ceux qui ne croient pas et traitent de mensonge Nos preuves, ceux-là sont des gens de l'Enfer.

11. Ô les croyants! Rappelez-vous le bienfait d'Allāh à votre égard, le jour où un groupe d'ennemis s'apprêtait à porter la main sur vous (en vue de vous attaquer) et qu'Il repoussa leur tentative. Et craignez Allāh. C'est en Allāh que les croyants doivent mettre leur confiance.

12. Et Allāh certes prit l'engagement des enfants d'Israël. Nous nommâmes douze chefs d'entre eux. Et Allāh dit: «Je suis avec vous, pourvu que vous accomplissiez la Ṣalāt, acquittiez la Zakāt, croyiez en Mes messagers, les aidiez et fassiez à Allāh un bon prêt. Alors, certes, J'effacerai vos méfaits, et vous ferai entrer aux Jardins sous lesquels coulent les ruisseaux. Et quiconque parmi vous, après cela, mécroit, s'égare certes du droit chemin»[1]!

13. Et puis, à cause de leur violation de l'engagement, Nous les avons maudits et endurci leurs cœurs: ils détournent les paroles de leur sens et oublient une partie de ce qui leur a été rappelé[2]. Tu ne cesseras de découvrir leur trahison, sauf d'un petit nombre d'entre eux. Pardonne-leur donc et oublie [leurs fautes]. Car Allāh aime, certes, les bienfaisants.

---

1. *L'engagement*: d'accepter, par principe, l'Unicité d'Allāh, ayant pour corollaire, l'écoute et l'obéissance à Allāh et à Son Messager.
Bon prêt: tout l'argent qu'on dépense en charité Allāh le dédommagera ici-bas et nous en récompensera dans l'au-delà.
2. *Ce qui leur a été rappelé*: dans la Thora.

وَمِنَ ٱلَّذِينَ قَالُوٓاْ إِنَّا نَصَٰرَىٰٓ أَخَذۡنَا مِيثَٰقَهُمۡ فَنَسُواْ حَظّٗا مِّمَّا ذُكِّرُواْ بِهِۦ فَأَغۡرَيۡنَا بَيۡنَهُمُ ٱلۡعَدَاوَةَ وَٱلۡبَغۡضَآءَ إِلَىٰ يَوۡمِ ٱلۡقِيَٰمَةِۚ وَسَوۡفَ يُنَبِّئُهُمُ ٱللَّهُ بِمَا كَانُواْ يَصۡنَعُونَ ﴿١٤﴾ يَٰٓأَهۡلَ ٱلۡكِتَٰبِ قَدۡ جَآءَكُمۡ رَسُولُنَا يُبَيِّنُ لَكُمۡ كَثِيرٗا مِّمَّا كُنتُمۡ تُخۡفُونَ مِنَ ٱلۡكِتَٰبِ وَيَعۡفُواْ عَن كَثِيرٖۚ قَدۡ جَآءَكُم مِّنَ ٱللَّهِ نُورٞ وَكِتَٰبٞ مُّبِينٞ ﴿١٥﴾ يَهۡدِي بِهِ ٱللَّهُ مَنِ ٱتَّبَعَ رِضۡوَٰنَهُۥ سُبُلَ ٱلسَّلَٰمِ وَيُخۡرِجُهُم مِّنَ ٱلظُّلُمَٰتِ إِلَى ٱلنُّورِ بِإِذۡنِهِۦ وَيَهۡدِيهِمۡ إِلَىٰ صِرَٰطٖ مُّسۡتَقِيمٖ ﴿١٦﴾ لَّقَدۡ كَفَرَ ٱلَّذِينَ قَالُوٓاْ إِنَّ ٱللَّهَ هُوَ ٱلۡمَسِيحُ ٱبۡنُ مَرۡيَمَۚ قُلۡ فَمَن يَمۡلِكُ مِنَ ٱللَّهِ شَيۡـًٔا إِنۡ أَرَادَ أَن يُهۡلِكَ ٱلۡمَسِيحَ ٱبۡنَ مَرۡيَمَ وَأُمَّهُۥ وَمَن فِي ٱلۡأَرۡضِ جَمِيعٗاۗ وَلِلَّهِ مُلۡكُ ٱلسَّمَٰوَٰتِ وَٱلۡأَرۡضِ وَمَا بَيۡنَهُمَاۚ يَخۡلُقُ مَا يَشَآءُۚ وَٱللَّهُ عَلَىٰ كُلِّ شَيۡءٖ قَدِيرٞ ﴿١٧﴾

14. Et de ceux qui disent: «Nous sommes chrétiens», Nous avons pris leur engagement. Mais ils ont oublié une partie de ce qui leur a été rappelé. Nous avons donc suscité entre eux l'inimitié et la haine jusqu'au Jour de la Résurrection. Et Allāh les informera de ce qu'ils faisaient[1].

15. Ô gens du Livre! Notre Messager (Muḥammad) vous est certes venu, vous exposant beaucoup de ce que vous cachiez du Livre, et passant sur bien d'autres choses! Une lumière et un Livre explicite vous sont certes venus d'Allāh[2]!

16. Par ceci (le Qurʾān), Allāh guide aux chemins du salut ceux qui cherchent Son agrément. Et Il les fait sortir des ténèbres à la lumière par Sa grâce. Et Il les guide vers un chemin droit.

17. Certes sont mécréants ceux qui disent: «Allāh, c'est le Messie, fils de Marie!» - Dis: «Qui donc détient quelque chose d'Allāh (pour L'empêcher), s'Il voulait faire périr le Messie, fils de Marie, ainsi que sa mère et tous ceux qui sont sur la terre?... À Allāh seul appartient la royauté des cieux et de la terre et de ce qui se trouve entre les deux». Il crée ce qu'Il veut. Et Allāh est Omnipotent.

---

1. *L'engagement*: d'accepter l'Unicité d'Allāh. Voir n°1, v. 12 de cette sourate.
Ce qui leur a été rappelé: dans l'Evangile.
2. *Une lumière*: l'Islām ou le Prophète (ﷺ).
Livre explicite: le Qurʾān.

وَقَالَتِ ٱلْيَهُودُ وَٱلنَّصَـٰرَىٰ نَحْنُ أَبْنَـٰٓؤُاْ ٱللَّهِ وَأَحِبَّـٰٓؤُهُۥ قُلْ
فَلِمَ يُعَذِّبُكُم بِذُنُوبِكُم بَلْ أَنتُم بَشَرٌ مِّمَّنْ خَلَقَ يَغْفِرُ لِمَن
يَشَآءُ وَيُعَذِّبُ مَن يَشَآءُ وَلِلَّهِ مُلْكُ ٱلسَّمَـٰوَٰتِ وَٱلْأَرْضِ
وَمَا بَيْنَهُمَا وَإِلَيْهِ ٱلْمَصِيرُ ۝ يَـٰٓأَهْلَ ٱلْكِتَـٰبِ قَدْ جَآءَكُمْ
رَسُولُنَا يُبَيِّنُ لَكُمْ عَلَىٰ فَتْرَةٍ مِّنَ ٱلرُّسُلِ أَن تَقُولُواْ مَا جَآءَنَا
مِنۢ بَشِيرٍ وَلَا نَذِيرٍ فَقَدْ جَآءَكُم بَشِيرٌ وَنَذِيرٌ وَٱللَّهُ عَلَىٰ كُلِّ
شَىْءٍ قَدِيرٌ ۝ وَإِذْ قَالَ مُوسَىٰ لِقَوْمِهِۦ يَـٰقَوْمِ ٱذْكُرُواْ
نِعْمَةَ ٱللَّهِ عَلَيْكُمْ إِذْ جَعَلَ فِيكُمْ أَنۢبِيَآءَ وَجَعَلَكُم مُّلُوكًا
وَءَاتَىٰكُم مَّا لَمْ يُؤْتِ أَحَدًا مِّنَ ٱلْعَـٰلَمِينَ ۝ يَـٰقَوْمِ ٱدْخُلُواْ
ٱلْأَرْضَ ٱلْمُقَدَّسَةَ ٱلَّتِى كَتَبَ ٱللَّهُ لَكُمْ وَلَا تَرْتَدُّواْ عَلَىٰٓ أَدْبَارِكُمْ
فَتَنقَلِبُواْ خَـٰسِرِينَ ۝ قَالُواْ يَـٰمُوسَىٰٓ إِنَّ فِيهَا قَوْمًا جَبَّارِينَ
وَإِنَّا لَن نَّدْخُلَهَا حَتَّىٰ يَخْرُجُواْ مِنْهَا فَإِن يَخْرُجُواْ مِنْهَا
فَإِنَّا دَٰخِلُونَ ۝ قَالَ رَجُلَانِ مِنَ ٱلَّذِينَ يَخَافُونَ
أَنْعَمَ ٱللَّهُ عَلَيْهِمَا ٱدْخُلُواْ عَلَيْهِمُ ٱلْبَابَ فَإِذَا دَخَلْتُمُوهُ
فَإِنَّكُمْ غَـٰلِبُونَ وَعَلَى ٱللَّهِ فَتَوَكَّلُوٓاْ إِن كُنتُم مُّؤْمِنِينَ ۝

18. Les Juifs et les Chrétiens ont dit: «Nous sommes les fils d'Allāh et Ses préférés.» Dis: «Pourquoi donc vous châtie-t-Il pour vos péchés?» En fait, vous êtes des êtres humains d'entre ceux qu'Il a créés. Il pardonne à qui Il veut et Il châtie qui Il veut. Et à Allāh seul appartient la royauté des cieux et de la terre et de ce qui se trouve entre les deux. Et c'est vers Lui que sera la destination finale.

19. Ô gens du Livre! Notre Messager (Muḥammad) est venu pour vous éclairer après une interruption des messagers afin que vous ne disiez pas: «Il ne nous est venu ni annonciateur ni avertisseur». Voilà, certes, que vous est venu un annonciateur et un avertisseur. Et Allāh est Omnipotent.

20. (Souvenez-vous) lorsque Moïse dit à son peuple: «Ô, mon peuple! Rappelez-vous le bienfait d'Allāh sur vous, lorsqu'Il a désigné parmi vous des prophètes. Et Il a fait de vous des rois. Et Il vous a donné ce qu'Il n'avait donné à nul autre aux mondes.

21. Ô mon peuple! Entrez dans la terre sainte qu'Allāh vous a prescrite. Et ne revenez point sur vos pas [en refusant de combattre] car vous retourneriez perdants.

22. Ils dirent: «Ô Moïse, il y a là un peuple de géants. Jamais nous n'y entrerons jusqu'à ce qu'ils en sortent. S'ils en sortent, alors nous y entrerons».

23. Deux hommes d'entre ceux qui craignaient Allāh et qui étaient comblés par Lui de bienfaits dirent: «Entrez chez eux par la porte ; puis quand vous y serez entrés, vous serez sans doute les dominants. Et c'est en Allāh qu'il faut avoir confiance, si vous êtes croyants».

قَالُوا۟ يَٰمُوسَىٰٓ إِنَّا لَن نَّدْخُلَهَآ أَبَدًا مَّا دَامُوا۟ فِيهَا فَٱذْهَبْ أَنتَ وَرَبُّكَ فَقَٰتِلَآ إِنَّا هَٰهُنَا قَٰعِدُونَ ۝ قَالَ رَبِّ إِنِّى لَآ أَمْلِكُ إِلَّا نَفْسِى وَأَخِى فَٱفْرُقْ بَيْنَنَا وَبَيْنَ ٱلْقَوْمِ ٱلْفَٰسِقِينَ ۝ قَالَ فَإِنَّهَا مُحَرَّمَةٌ عَلَيْهِمْ أَرْبَعِينَ سَنَةً يَتِيهُونَ فِى ٱلْأَرْضِ فَلَا تَأْسَ عَلَى ٱلْقَوْمِ ٱلْفَٰسِقِينَ ۝ وَٱتْلُ عَلَيْهِمْ نَبَأَ ٱبْنَىْ ءَادَمَ بِٱلْحَقِّ إِذْ قَرَّبَا قُرْبَانًا فَتُقُبِّلَ مِنْ أَحَدِهِمَا وَلَمْ يُتَقَبَّلْ مِنَ ٱلْءَاخَرِ قَالَ لَأَقْتُلَنَّكَ قَالَ إِنَّمَا يَتَقَبَّلُ ٱللَّهُ مِنَ ٱلْمُتَّقِينَ ۝ لَئِنۢ بَسَطتَ إِلَىَّ يَدَكَ لِتَقْتُلَنِى مَآ أَنَا۠ بِبَاسِطٍ يَدِىَ إِلَيْكَ لِأَقْتُلَكَ إِنِّىٓ أَخَافُ ٱللَّهَ رَبَّ ٱلْعَٰلَمِينَ ۝ إِنِّىٓ أُرِيدُ أَن تَبُوٓأَ بِإِثْمِى وَإِثْمِكَ فَتَكُونَ مِنْ أَصْحَٰبِ ٱلنَّارِ وَذَٰلِكَ جَزَٰٓؤُا۟ ٱلظَّٰلِمِينَ ۝ فَطَوَّعَتْ لَهُۥ نَفْسُهُۥ قَتْلَ أَخِيهِ فَقَتَلَهُۥ فَأَصْبَحَ مِنَ ٱلْخَٰسِرِينَ ۝ فَبَعَثَ ٱللَّهُ غُرَابًا يَبْحَثُ فِى ٱلْأَرْضِ لِيُرِيَهُۥ كَيْفَ يُوَٰرِى سَوْءَةَ أَخِيهِ قَالَ يَٰوَيْلَتَىٰٓ أَعَجَزْتُ أَنْ أَكُونَ مِثْلَ هَٰذَا ٱلْغُرَابِ فَأُوَٰرِىَ سَوْءَةَ أَخِى فَأَصْبَحَ مِنَ ٱلنَّٰدِمِينَ ۝

24. Ils dirent: «Moïse! Nous n'y entrerons jamais, aussi longtemps qu'ils y seront. Va donc, toi et ton Seigneur, et combattez tous deux. Nous restons là où nous sommes».

25. Il dit: «Seigneur! Je n'ai de pouvoir, vraiment, que sur moi-même et sur mon frère: sépare-nous donc de ce peuple pervers».

26. Il (Allāh) dit: «Eh bien, ce pays leur sera interdit pendant quarante ans, durant lesquels ils erreront sur la terre. Ne te tourmente donc pas pour ce peuple pervers».

27. Et raconte-leur en toute vérité l'histoire des deux fils d'Adam. Les deux offrirent des sacrifices ; celui de l'un fut accepté et celui de l'autre ne le fut pas. Celui-ci dit: «Je te tuerai sûrement.» « Allāh n'accepte, dit l'autre, que de la part des pieux».

28. Si tu étends vers moi ta main pour me tuer, moi, je n'étendrai pas vers toi ma main pour te tuer: car je crains Allāh, le Seigneur de l'Univers.

29. Je veux que tu partes avec le péché de m'avoir tué et avec ton propre péché: alors tu seras du nombre des gens du Feu. Telle est la récompense des injustes.

30. Son âme l'incita à tuer son frère. Il le tua donc et devint ainsi du nombre des perdants.

31. Puis Allāh envoya un corbeau qui se mit à gratter la terre pour lui montrer comment ensevelir le cadavre de son frère. Il dit: «Malheur à moi! Suis-je incapable d'être, comme ce corbeau, à même d'ensevelir le cadavre de mon frère?» Il devint alors du nombre de ceux que ronge le remords.

مِنْ أَجْلِ ذَٰلِكَ كَتَبْنَا عَلَىٰ بَنِىٓ إِسْرَٰٓءِيلَ أَنَّهُۥ مَن قَتَلَ نَفْسًۢا بِغَيْرِ نَفْسٍ أَوْ فَسَادٍ فِى ٱلْأَرْضِ فَكَأَنَّمَا قَتَلَ ٱلنَّاسَ جَمِيعًا وَمَنْ أَحْيَاهَا فَكَأَنَّمَآ أَحْيَا ٱلنَّاسَ جَمِيعًا وَلَقَدْ جَآءَتْهُمْ رُسُلُنَا بِٱلْبَيِّنَٰتِ ثُمَّ إِنَّ كَثِيرًا مِّنْهُم بَعْدَ ذَٰلِكَ فِى ٱلْأَرْضِ لَمُسْرِفُونَ ۝ إِنَّمَا جَزَٰٓؤُا۟ ٱلَّذِينَ يُحَارِبُونَ ٱللَّهَ وَرَسُولَهُۥ وَيَسْعَوْنَ فِى ٱلْأَرْضِ فَسَادًا أَن يُقَتَّلُوٓا۟ أَوْ يُصَلَّبُوٓا۟ أَوْ تُقَطَّعَ أَيْدِيهِمْ وَأَرْجُلُهُم مِّنْ خِلَٰفٍ أَوْ يُنفَوْا۟ مِنَ ٱلْأَرْضِ ذَٰلِكَ لَهُمْ خِزْىٌ فِى ٱلدُّنْيَا وَلَهُمْ فِى ٱلْءَاخِرَةِ عَذَابٌ عَظِيمٌ ۝ إِلَّا ٱلَّذِينَ تَابُوا۟ مِن قَبْلِ أَن تَقْدِرُوا۟ عَلَيْهِمْ فَٱعْلَمُوٓا۟ أَنَّ ٱللَّهَ غَفُورٌ رَّحِيمٌ ۝ يَٰٓأَيُّهَا ٱلَّذِينَ ءَامَنُوا۟ ٱتَّقُوا۟ ٱللَّهَ وَٱبْتَغُوٓا۟ إِلَيْهِ ٱلْوَسِيلَةَ وَجَٰهِدُوا۟ فِى سَبِيلِهِۦ لَعَلَّكُمْ تُفْلِحُونَ ۝ إِنَّ ٱلَّذِينَ كَفَرُوا۟ لَوْ أَنَّ لَهُم مَّا فِى ٱلْأَرْضِ جَمِيعًا وَمِثْلَهُۥ مَعَهُۥ لِيَفْتَدُوا۟ بِهِۦ مِنْ عَذَابِ يَوْمِ ٱلْقِيَٰمَةِ مَا تُقُبِّلَ مِنْهُمْ وَلَهُمْ عَذَابٌ أَلِيمٌ ۝

32. C'est pourquoi Nous avons prescrit pour les Enfants d'Israël que quiconque tuerait une personne non coupable d'un meurtre ou d'une corruption sur la terre, c'est comme s'il avait tué tous les hommes. Et quiconque lui fait don de la vie, c'est comme s'il faisait don de la vie à tous les hommes. En effet, Nos messagers sont venus à eux avec les preuves. Et puis voilà, qu'en dépit de cela, beaucoup d'entre eux se mettent à commettre des excès sur la terre[1].

33. La récompense de ceux qui font la guerre contre Allāh et Son messager, et qui s'efforcent de semer la corruption sur la terre, c'est qu'ils soient tués, ou crucifiés, ou que soient coupées leur main et leur jambe opposées, ou qu'ils soient expulsés du pays. Ce sera pour eux l'ignominie ici-bas ; et dans l'au-delà, il y aura pour eux un énorme châtiment,

34. excepté ceux qui se sont repentis avant de tomber en votre pouvoir: sachez qu'alors, Allāh est Pardonneur et Miséricordieux.

35. Ô les croyants! Craignez Allāh, cherchez le moyen[2] de vous rapprocher de Lui et luttez pour Sa cause. Peut-être serez-vous de ceux qui réussissent!

36. Si les mécréants possédaient tout ce qui est sur la terre et autant encore, pour se racheter du châtiment du Jour de la Résurrection, on ne l'accepterait pas d'eux. Et pour eux il y aura un châtiment douloureux.

---

1. *Quiconque lui fait don de la vie*: quiconque pourrait tuer et ne le fait pas.
Corruption: brigandage, adultère, abjuration.
2. *Le moyen*: la piété et les bonnes œuvres.

يُرِيدُونَ أَن يَخْرُجُوا۟ مِنَ ٱلنَّارِ وَمَا هُم بِخَٰرِجِينَ مِنْهَا ۖ وَلَهُمْ عَذَابٌ مُّقِيمٌ ۝ وَٱلسَّارِقُ وَٱلسَّارِقَةُ فَٱقْطَعُوٓا۟ أَيْدِيَهُمَا جَزَآءًۢ بِمَا كَسَبَا نَكَٰلًا مِّنَ ٱللَّهِ ۗ وَٱللَّهُ عَزِيزٌ حَكِيمٌ ۝ فَمَن تَابَ مِنۢ بَعْدِ ظُلْمِهِۦ وَأَصْلَحَ فَإِنَّ ٱللَّهَ يَتُوبُ عَلَيْهِ ۚ إِنَّ ٱللَّهَ غَفُورٌ رَّحِيمٌ ۝ أَلَمْ تَعْلَمْ أَنَّ ٱللَّهَ لَهُۥ مُلْكُ ٱلسَّمَٰوَٰتِ وَٱلْأَرْضِ يُعَذِّبُ مَن يَشَآءُ وَيَغْفِرُ لِمَن يَشَآءُ ۗ وَٱللَّهُ عَلَىٰ كُلِّ شَىْءٍ قَدِيرٌ ۝ ۞ يَٰٓأَيُّهَا ٱلرَّسُولُ لَا يَحْزُنكَ ٱلَّذِينَ يُسَٰرِعُونَ فِى ٱلْكُفْرِ مِنَ ٱلَّذِينَ قَالُوٓا۟ ءَامَنَّا بِأَفْوَٰهِهِمْ وَلَمْ تُؤْمِن قُلُوبُهُمْ ۛ وَمِنَ ٱلَّذِينَ هَادُوا۟ ۛ سَمَّٰعُونَ لِلْكَذِبِ سَمَّٰعُونَ لِقَوْمٍ ءَاخَرِينَ لَمْ يَأْتُوكَ ۖ يُحَرِّفُونَ ٱلْكَلِمَ مِنۢ بَعْدِ مَوَاضِعِهِۦ ۖ يَقُولُونَ إِنْ أُوتِيتُمْ هَٰذَا فَخُذُوهُ وَإِن لَّمْ تُؤْتَوْهُ فَٱحْذَرُوا۟ ۚ وَمَن يُرِدِ ٱللَّهُ فِتْنَتَهُۥ فَلَن تَمْلِكَ لَهُۥ مِنَ ٱللَّهِ شَيْـًٔا ۚ أُو۟لَٰٓئِكَ ٱلَّذِينَ لَمْ يُرِدِ ٱللَّهُ أَن يُطَهِّرَ قُلُوبَهُمْ ۚ لَهُمْ فِى ٱلدُّنْيَا خِزْىٌ ۖ وَلَهُمْ فِى ٱلْءَاخِرَةِ عَذَابٌ عَظِيمٌ ۝

37. Ils voudront sortir du Feu, mais ils n'en sortiront point. Et ils auront un châtiment permanent.

38. Le voleur et la voleuse, à tous deux coupez la main, en punition de ce qu'ils se sont acquis, et comme châtiment de la part d'Allāh. Allāh est Puissant et Sage.

39. Mais quiconque se repent après son tort et se réforme, Allāh accepte son repentir. Car, Allāh est, certes, Pardonneur et Miséricordieux.

40. Ne sais-tu pas qu'à Allāh appartient la royauté des cieux et de la terre? Il châtie qui Il veut et pardonne à qui Il veut. Et Allāh est Omnipotent.

41. Ô Messager! Que ne t'affligent point ceux qui concourent en mécréance parmi ceux qui ont dit: «Nous avons cru» avec leurs bouches sans que leurs cœurs aient jamais cru et parmi les Juifs qui aiment bien écouter le mensonge et écouter d'autres gens qui ne sont jamais venus à toi et qui déforment le sens des mots une fois bien établi. Ils disent: «Si vous avez reçu ceci[1], acceptez-le et si vous ne l'avez pas reçu, soyez méfiants». Celui qu'Allāh veut éprouver, tu n'as pour lui aucune protection contre Allāh. Voilà ceux dont Allāh n'a point voulu purifier les cœurs. À eux, seront réservés, une ignominie ici-bas et un énorme châtiment dans l'au-delà.

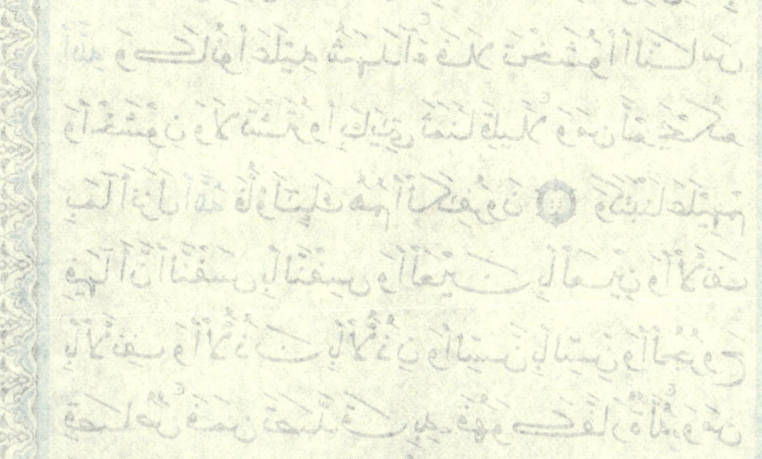

---

1. *Si vous avez reçu ceci*: les Juifs voulaient que le jugement de Muḥammad (ﷺ) concernant les adultères soit la flagellation et non la lapidation. C'est pour cela qu'ils avaient refusé la lapidation prononcée par le prophète Muḥammad (ﷺ) bien qu'une telle sanction soit prescrite dans la Thora.

سَمَّعُونَ لِلْكَذِبِ أَكَّلُونَ لِلسُّحْتِ فَإِن جَآءُوكَ فَاحْكُم بَيْنَهُمْ أَوْ أَعْرِضْ عَنْهُمْ وَإِن تُعْرِضْ عَنْهُمْ فَلَن يَضُرُّوكَ شَيْئًا وَإِنْ حَكَمْتَ فَاحْكُم بَيْنَهُم بِالْقِسْطِ إِنَّ ٱللَّهَ يُحِبُّ ٱلْمُقْسِطِينَ ۝ وَكَيْفَ يُحَكِّمُونَكَ وَعِندَهُمُ ٱلتَّوْرَىٰةُ فِيهَا حُكْمُ ٱللَّهِ ثُمَّ يَتَوَلَّوْنَ مِنۢ بَعْدِ ذَٰلِكَ وَمَآ أُوْلَٰٓئِكَ بِٱلْمُؤْمِنِينَ ۝ إِنَّآ أَنزَلْنَا ٱلتَّوْرَىٰةَ فِيهَا هُدًى وَنُورٌ يَحْكُمُ بِهَا ٱلنَّبِيُّونَ ٱلَّذِينَ أَسْلَمُواْ لِلَّذِينَ هَادُواْ وَٱلرَّبَّٰنِيُّونَ وَٱلْأَحْبَارُ بِمَا ٱسْتُحْفِظُواْ مِن كِتَٰبِ ٱللَّهِ وَكَانُواْ عَلَيْهِ شُهَدَآءَ فَلَا تَخْشَوُاْ ٱلنَّاسَ وَٱخْشَوْنِ وَلَا تَشْتَرُواْ بِـَٔايَٰتِي ثَمَنًا قَلِيلًا وَمَن لَّمْ يَحْكُم بِمَآ أَنزَلَ ٱللَّهُ فَأُوْلَٰٓئِكَ هُمُ ٱلْكَٰفِرُونَ ۝ وَكَتَبْنَا عَلَيْهِمْ فِيهَآ أَنَّ ٱلنَّفْسَ بِٱلنَّفْسِ وَٱلْعَيْنَ بِٱلْعَيْنِ وَٱلْأَنفَ بِٱلْأَنفِ وَٱلْأُذُنَ بِٱلْأُذُنِ وَٱلسِّنَّ بِٱلسِّنِّ وَٱلْجُرُوحَ قِصَاصٌ فَمَن تَصَدَّقَ بِهِۦ فَهُوَ كَفَّارَةٌ لَّهُۥ وَمَن لَّمْ يَحْكُم بِمَآ أَنزَلَ ٱللَّهُ فَأُوْلَٰٓئِكَ هُمُ ٱلظَّٰلِمُونَ ۝

42. Ils sont attentifs au mensonge et voraces de gains illicites. S'ils viennent à toi, sois juge entre eux ou détourne toi d'eux. Et si tu te détournes d'eux, jamais ils ne pourront te faire aucun mal. Et si tu juges, alors juge entre eux en équité. Car Allāh aime ceux qui jugent équitablement.

43. Mais comment te demanderaient-ils d'être leur juge quand ils ont avec eux la Thora dans laquelle se trouve le jugement d'Allāh? Et puis, après cela, ils rejettent ton jugement. Ces gens-là ne sont nullement les croyants[1].

44. Nous avons fait descendre la Thora dans laquelle il y a guide et lumière. C'est sur sa base que les prophètes qui se sont soumis à Allāh, ainsi que les rabbins et les docteurs jugent les affaires des Juifs. Car on leur a confié la garde du Livre d'Allāh, et ils en sont les témoins[2]. Ne craignez donc pas les gens, mais craignez Moi. Et ne vendez pas Mes enseignements à vil prix. Et ceux qui ne jugent pas d'après ce qu'Allāh a fait descendre, les voilà les mécréants.

45. Et Nous y avons prescrit pour eux vie pour vie, œil pour œil, nez pour nez, oreille pour oreille, dent pour dent. Les blessures tombent sous la loi du talion[3]. Après, quiconque y renonce par charité, cela lui vaudra une expiation. Et ceux qui ne jugent pas d'après ce qu'Allāh a fait descendre, ceux-là sont des injustes.

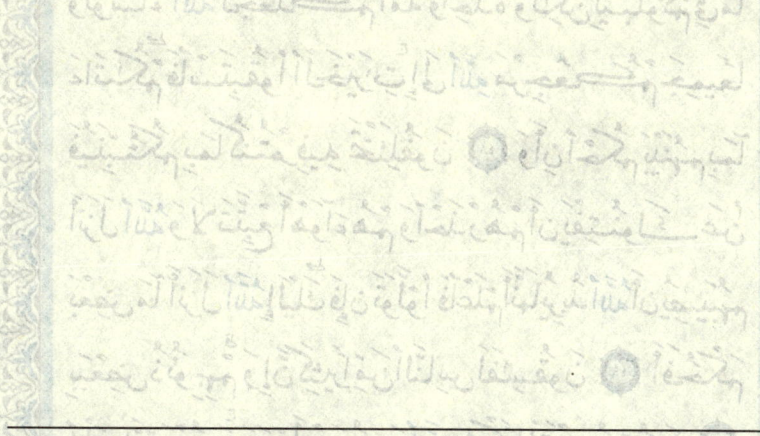

---

1. Cf. sur jugement note 1. p. 114.
2. *Témoins*: de l'application correcte des injonctions de la Thora.
3. *Sous la loi du talion*: voir S. 2, v. 178.

وَقَفَّيْنَا عَلَىٰٓ ءَاثَٰرِهِم بِعِيسَى ٱبْنِ مَرْيَمَ مُصَدِّقًا لِّمَا بَيْنَ يَدَيْهِ مِنَ ٱلتَّوْرَىٰةِ وَءَاتَيْنَٰهُ ٱلْإِنجِيلَ فِيهِ هُدًى وَنُورٌ وَمُصَدِّقًا لِّمَا بَيْنَ يَدَيْهِ مِنَ ٱلتَّوْرَىٰةِ وَهُدًى وَمَوْعِظَةً لِّلْمُتَّقِينَ ۝ وَلْيَحْكُمْ أَهْلُ ٱلْإِنجِيلِ بِمَآ أَنزَلَ ٱللَّهُ فِيهِ وَمَن لَّمْ يَحْكُم بِمَآ أَنزَلَ ٱللَّهُ فَأُو۟لَٰٓئِكَ هُمُ ٱلْفَٰسِقُونَ ۝ وَأَنزَلْنَآ إِلَيْكَ ٱلْكِتَٰبَ بِٱلْحَقِّ مُصَدِّقًا لِّمَا بَيْنَ يَدَيْهِ مِنَ ٱلْكِتَٰبِ وَمُهَيْمِنًا عَلَيْهِ فَٱحْكُم بَيْنَهُم بِمَآ أَنزَلَ ٱللَّهُ وَلَا تَتَّبِعْ أَهْوَآءَهُمْ عَمَّا جَآءَكَ مِنَ ٱلْحَقِّ لِكُلٍّ جَعَلْنَا مِنكُمْ شِرْعَةً وَمِنْهَاجًا وَلَوْ شَآءَ ٱللَّهُ لَجَعَلَكُمْ أُمَّةً وَٰحِدَةً وَلَٰكِن لِّيَبْلُوَكُمْ فِى مَآ ءَاتَىٰكُمْ فَٱسْتَبِقُوا۟ ٱلْخَيْرَٰتِ إِلَى ٱللَّهِ مَرْجِعُكُمْ جَمِيعًا فَيُنَبِّئُكُم بِمَا كُنتُمْ فِيهِ تَخْتَلِفُونَ ۝ وَأَنِ ٱحْكُم بَيْنَهُم بِمَآ أَنزَلَ ٱللَّهُ وَلَا تَتَّبِعْ أَهْوَآءَهُمْ وَٱحْذَرْهُمْ أَن يَفْتِنُوكَ عَنۢ بَعْضِ مَآ أَنزَلَ ٱللَّهُ إِلَيْكَ فَإِن تَوَلَّوْا۟ فَٱعْلَمْ أَنَّمَا يُرِيدُ ٱللَّهُ أَن يُصِيبَهُم بِبَعْضِ ذُنُوبِهِمْ وَإِنَّ كَثِيرًا مِّنَ ٱلنَّاسِ لَفَٰسِقُونَ ۝ أَفَحُكْمَ ٱلْجَٰهِلِيَّةِ يَبْغُونَ وَمَنْ أَحْسَنُ مِنَ ٱللَّهِ حُكْمًا لِّقَوْمٍ يُوقِنُونَ ۝

46. Et Nous avons envoyé après eux Jésus, fils de Marie, pour confirmer ce qu'il y avait dans la Thora avant lui. Et Nous lui avons donné l'Evangile, où il y a guide et lumière, pour confirmer ce qu'il y avait dans la Thora avant lui, et un guide et une exhortation pour les pieux.

47. Que les gens de l'Evangile jugent d'après ce qu'Allāh y a fait descendre. Ceux qui ne jugent pas d'après ce qu'Allāh a fait descendre, ceux-là sont les pervers.

48. Et sur toi (Muḥammad) Nous avons fait descendre le Livre avec la vérité, pour confirmer le Livre qui était là avant lui et pour prévaloir sur lui. Juge donc parmi eux d'après ce qu'Allāh a fait descendre. Ne suis pas leurs passions, loin de la vérité qui t'est venue. À chacun de vous Nous avons assigné une législation et un plan à suivre. Si Allāh avait voulu, certes Il aurait fait de vous tous une seule communauté. Mais Il veut vous éprouver en ce qu'Il vous donne. Concurrencez donc dans les bonnes œuvres. C'est vers Allāh qu'est votre retour à tous ; alors Il vous informera de ce en quoi vous divergiez[1].

49. Juge alors parmi eux d'après ce qu'Allāh a fait descendre. Ne suis pas leurs passions, et prends garde qu'ils ne tentent de t'éloigner d'une partie de ce qu'Allāh t'a révélé. Et puis, s'ils refusent (le jugement révélé) sache qu'Allāh veut les affliger [ici-bas] pour une partie de leurs péchés. Beaucoup de gens, certes, sont des pervers.

50. Est-ce donc le jugement du temps de l'Ignorance[2] qu'ils cherchent? Qu'y a-t-il de meilleur qu'Allāh, en matière de jugement pour des gens qui ont une foi ferme?

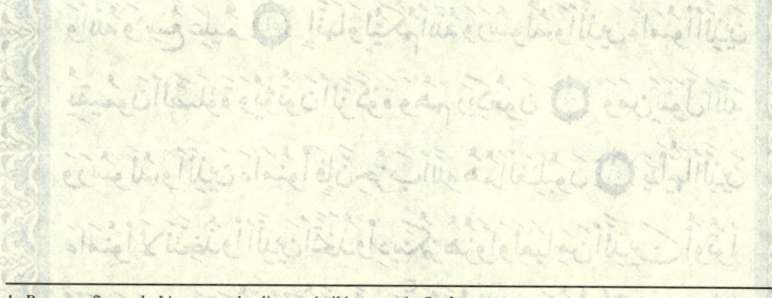

---

1. *Pour confirmer le Livre*: tous les livres révélés avant le Qur'ān.
Pour prévaloir: le Qur'ān, dernier livre révélé est par là même le protecteur, le témoin et le juge par rapport aux livres précédents.
2. *Le temps de l'ignorance*: avant l'Islām, dans l'Arabie païenne.

۞ يَـٰٓأَيُّهَا ٱلَّذِينَ ءَامَنُوا۟ لَا تَتَّخِذُوا۟ ٱلْيَهُودَ وَٱلنَّصَـٰرَىٰٓ أَوْلِيَآءَ بَعْضُهُمْ أَوْلِيَآءُ بَعْضٍ وَمَن يَتَوَلَّهُم مِّنكُمْ فَإِنَّهُۥ مِنْهُمْ إِنَّ ٱللَّهَ لَا يَهْدِى ٱلْقَوْمَ ٱلظَّـٰلِمِينَ ۞ فَتَرَى ٱلَّذِينَ فِى قُلُوبِهِم مَّرَضٌ يُسَـٰرِعُونَ فِيهِمْ يَقُولُونَ نَخْشَىٰٓ أَن تُصِيبَنَا دَآئِرَةٌ فَعَسَى ٱللَّهُ أَن يَأْتِىَ بِٱلْفَتْحِ أَوْ أَمْرٍ مِّنْ عِندِهِۦ فَيُصْبِحُوا۟ عَلَىٰ مَآ أَسَرُّوا۟ فِىٓ أَنفُسِهِمْ نَـٰدِمِينَ ۞ وَيَقُولُ ٱلَّذِينَ ءَامَنُوٓا۟ أَهَـٰٓؤُلَآءِ ٱلَّذِينَ أَقْسَمُوا۟ بِٱللَّهِ جَهْدَ أَيْمَـٰنِهِمْ إِنَّهُمْ لَمَعَكُمْ حَبِطَتْ أَعْمَـٰلُهُمْ فَأَصْبَحُوا۟ خَـٰسِرِينَ ۞ يَـٰٓأَيُّهَا ٱلَّذِينَ ءَامَنُوا۟ مَن يَرْتَدَّ مِنكُمْ عَن دِينِهِۦ فَسَوْفَ يَأْتِى ٱللَّهُ بِقَوْمٍ يُحِبُّهُمْ وَيُحِبُّونَهُۥٓ أَذِلَّةٍ عَلَى ٱلْمُؤْمِنِينَ أَعِزَّةٍ عَلَى ٱلْكَـٰفِرِينَ يُجَـٰهِدُونَ فِى سَبِيلِ ٱللَّهِ وَلَا يَخَافُونَ لَوْمَةَ لَآئِمٍ ذَٰلِكَ فَضْلُ ٱللَّهِ يُؤْتِيهِ مَن يَشَآءُ وَٱللَّهُ وَٰسِعٌ عَلِيمٌ ۞ إِنَّمَا وَلِيُّكُمُ ٱللَّهُ وَرَسُولُهُۥ وَٱلَّذِينَ ءَامَنُوا۟ ٱلَّذِينَ يُقِيمُونَ ٱلصَّلَوٰةَ وَيُؤْتُونَ ٱلزَّكَوٰةَ وَهُمْ رَٰكِعُونَ ۞ وَمَن يَتَوَلَّ ٱللَّهَ وَرَسُولَهُۥ وَٱلَّذِينَ ءَامَنُوا۟ فَإِنَّ حِزْبَ ٱللَّهِ هُمُ ٱلْغَـٰلِبُونَ ۞ يَـٰٓأَيُّهَا ٱلَّذِينَ ءَامَنُوا۟ لَا تَتَّخِذُوا۟ ٱلَّذِينَ ٱتَّخَذُوا۟ دِينَكُمْ هُزُوًا وَلَعِبًا مِّنَ ٱلَّذِينَ أُوتُوا۟ ٱلْكِتَـٰبَ مِن قَبْلِكُمْ وَٱلْكُفَّارَ أَوْلِيَآءَ وَٱتَّقُوا۟ ٱللَّهَ إِن كُنتُم مُّؤْمِنِينَ ۞

51. Ô les croyants! Ne prenez pas pour alliés les Juifs et les Chrétiens, ils sont alliés les uns des autres. Et celui d'entre vous qui les prend pour alliés, devient un des leurs. Allāh ne guide certes pas les gens injustes.

52. Tu verras, d'ailleurs, que ceux qui ont la maladie au cœur se précipitent vers eux et disent: «Nous craignons qu'un revers de fortune ne nous frappe.» Mais peut-être qu'Allāh fera venir la victoire ou un ordre émanant de Lui. Alors ceux-là regretteront leurs pensées secrètes.

53. Et les croyants diront: «Est-ce là ceux qui juraient par Allāh de toute leur force qu'ils étaient avec vous?» Mais leurs actions sont devenues vaines et ils sont devenus perdants.

54. Ô les croyants! Quiconque parmi vous apostasie de sa religion... Allāh va faire venir un peuple qu'Il aime et qui L'aime, modeste envers les croyants et fier et puissant envers les mécréants, qui lutte dans le sentier d'Allāh, ne craignant le blâme d'aucun blâmeur. Telle est la grâce d'Allāh. Il la donne à qui il veut. Allāh est Immense et Omniscient.

55. Vous n'avez d'autres alliés qu'Allāh, Son messager, et les croyants qui accomplissent la Ṣalāt, s'acquittent de la Zakāt, et s'inclinent (devant Allāh).

56. Et quiconque prend pour alliés Allāh, Son messager et les croyants, [réussira] car c'est le parti d'Allāh qui sera victorieux.

57. Ô les croyants! N'adoptez pas pour alliés ceux qui prennent en raillerie et jeu votre religion, parmi ceux à qui le Livre fut donné avant vous et parmi les mécréants. Et craignez Allāh si vous êtes croyants.

وَإِذَا نَادَيْتُمْ إِلَى ٱلصَّلَوٰةِ ٱتَّخَذُوهَا هُزُوًا وَلَعِبًا ذَٰلِكَ بِأَنَّهُمْ قَوْمٌ لَّا يَعْقِلُونَ ۝ قُلْ يَٰٓأَهْلَ ٱلْكِتَٰبِ هَلْ تَنقِمُونَ مِنَّآ إِلَّآ أَنْ ءَامَنَّا بِٱللَّهِ وَمَآ أُنزِلَ إِلَيْنَا وَمَآ أُنزِلَ مِن قَبْلُ وَأَنَّ أَكْثَرَكُمْ فَٰسِقُونَ ۝ قُلْ هَلْ أُنَبِّئُكُم بِشَرٍّ مِّن ذَٰلِكَ مَثُوبَةً عِندَ ٱللَّهِ مَن لَّعَنَهُ ٱللَّهُ وَغَضِبَ عَلَيْهِ وَجَعَلَ مِنْهُمُ ٱلْقِرَدَةَ وَٱلْخَنَازِيرَ وَعَبَدَ ٱلطَّٰغُوتَ أُوْلَٰٓئِكَ شَرٌّ مَّكَانًا وَأَضَلُّ عَن سَوَآءِ ٱلسَّبِيلِ ۝ وَإِذَا جَآءُوكُمْ قَالُوٓاْ ءَامَنَّا وَقَد دَّخَلُواْ بِٱلْكُفْرِ وَهُمْ قَدْ خَرَجُواْ بِهِۦ وَٱللَّهُ أَعْلَمُ بِمَا كَانُواْ يَكْتُمُونَ ۝ وَتَرَىٰ كَثِيرًا مِّنْهُمْ يُسَٰرِعُونَ فِي ٱلْإِثْمِ وَٱلْعُدْوَٰنِ وَأَكْلِهِمُ ٱلسُّحْتَ لَبِئْسَ مَا كَانُواْ يَعْمَلُونَ ۝ لَوْلَا يَنْهَىٰهُمُ ٱلرَّبَّٰنِيُّونَ وَٱلْأَحْبَارُ عَن قَوْلِهِمُ ٱلْإِثْمَ وَأَكْلِهِمُ ٱلسُّحْتَ لَبِئْسَ مَا كَانُواْ يَصْنَعُونَ ۝ وَقَالَتِ ٱلْيَهُودُ يَدُ ٱللَّهِ مَغْلُولَةٌ غُلَّتْ أَيْدِيهِمْ وَلُعِنُواْ بِمَا قَالُواْ بَلْ يَدَاهُ مَبْسُوطَتَانِ يُنفِقُ كَيْفَ يَشَآءُ وَلَيَزِيدَنَّ كَثِيرًا مِّنْهُم مَّآ أُنزِلَ إِلَيْكَ مِن رَّبِّكَ طُغْيَٰنًا وَكُفْرًا وَأَلْقَيْنَا بَيْنَهُمُ ٱلْعَدَٰوَةَ وَٱلْبَغْضَآءَ إِلَىٰ يَوْمِ ٱلْقِيَٰمَةِ كُلَّمَآ أَوْقَدُواْ نَارًا لِّلْحَرْبِ أَطْفَأَهَا ٱللَّهُ وَيَسْعَوْنَ فِي ٱلْأَرْضِ فَسَادًا وَٱللَّهُ لَا يُحِبُّ ٱلْمُفْسِدِينَ ۝

58. Et lorsque vous faites l'appel à la Ṣalāt, ils la prennent en raillerie et jeu. C'est qu'ils sont des gens qui ne raisonnent point.

59. Dis: «Ô gens du Livre! Est-ce que vous nous reprochez autre chose que de croire en Allāh, à ce qu'on a fait descendre vers nous et à ce qu'on a fait descendre auparavant? Mais la plupart d'entre vous sont des pervers.

60. Dis: «Puis-je vous informer de ce qu'il y a de pire, en fait de rétribution auprès d'Allāh? Celui qu'Allāh a maudit, celui qui a encouru Sa colère, et ceux dont Il a fait des singes, des porcs, et de même, celui qui a adoré le Ṭāġūt, ceux-là ont la pire des places et sont les plus égarés du chemin droit»[1].

61. Lorsqu'ils viennent chez vous, ils disent: «Nous croyons.» Alors qu'ils sont entrés avec la mécréance et qu'ils sont sortis avec. Et Allāh sait parfaitement ce qu'ils cachent.

62. Et tu verras beaucoup d'entre eux se précipiter vers le péché et l'iniquité, et manger des gains illicites. Comme est donc mauvais ce qu'ils œuvrent!

63. Pourquoi les rabbins et les docteurs (de la Loi religieuse) ne les empêchent-ils pas de tenir des propos mensongers et de manger des gains illicites? Que leurs actions sont donc mauvaises!

64. Et les Juifs disent: «La main d'Allāh est fermée!»[2] Que leurs propres mains soient fermées, et maudits soient-ils pour l'avoir dit. Au contraire, Ses deux mains sont largement ouvertes: Il distribue Ses dons comme Il veut. Et certes, ce qui a été descendu vers toi de la part de ton Seigneur va faire beaucoup croître parmi eux la rébellion et la mécréance. Nous avons jeté parmi eux l'inimité et la haine jusqu'au Jour de la Résurrection. Toutes les fois qu'ils allument un feu pour la guerre, Allāh l'éteint. Et ils s'efforcent de semer le désordre sur la terre, alors qu'Allāh n'aime pas les semeurs de désordre.

---

1. *Ṭāġūt*: voir S. 2, v. 256.
La pire des places: la pire des situations car leur refuge sera le feu.
2. *La main d'Allāh est fermée*: dans le sens d'avare.

وَلَوْ أَنَّ أَهْلَ ٱلْكِتَٰبِ ءَامَنُواْ وَٱتَّقَوْاْ لَكَفَّرْنَا عَنْهُمْ سَيِّـَٔاتِهِمْ وَلَأَدْخَلْنَٰهُمْ جَنَّٰتِ ٱلنَّعِيمِ ۝ وَلَوْ أَنَّهُمْ أَقَامُواْ ٱلتَّوْرَىٰةَ وَٱلْإِنجِيلَ وَمَآ أُنزِلَ إِلَيْهِم مِّن رَّبِّهِمْ لَأَكَلُواْ مِن فَوْقِهِمْ وَمِن تَحْتِ أَرْجُلِهِم مِّنْهُمْ أُمَّةٌ مُّقْتَصِدَةٌ وَكَثِيرٌ مِّنْهُمْ سَآءَ مَا يَعْمَلُونَ ۝ يَٰٓأَيُّهَا ٱلرَّسُولُ بَلِّغْ مَآ أُنزِلَ إِلَيْكَ مِن رَّبِّكَ وَإِن لَّمْ تَفْعَلْ فَمَا بَلَّغْتَ رِسَالَتَهُ وَٱللَّهُ يَعْصِمُكَ مِنَ ٱلنَّاسِ إِنَّ ٱللَّهَ لَا يَهْدِي ٱلْقَوْمَ ٱلْكَٰفِرِينَ ۝ قُلْ يَٰٓأَهْلَ ٱلْكِتَٰبِ لَسْتُمْ عَلَىٰ شَيْءٍ حَتَّىٰ تُقِيمُواْ ٱلتَّوْرَىٰةَ وَٱلْإِنجِيلَ وَمَآ أُنزِلَ إِلَيْكُم مِّن رَّبِّكُمْ وَلَيَزِيدَنَّ كَثِيرًا مِّنْهُم مَّآ أُنزِلَ إِلَيْكَ مِن رَّبِّكَ طُغْيَٰنًا وَكُفْرًا فَلَا تَأْسَ عَلَى ٱلْقَوْمِ ٱلْكَٰفِرِينَ ۝ إِنَّ ٱلَّذِينَ ءَامَنُواْ وَٱلَّذِينَ هَادُواْ وَٱلصَّٰبِـُٔونَ وَٱلنَّصَٰرَىٰ مَنْ ءَامَنَ بِٱللَّهِ وَٱلْيَوْمِ ٱلْأَخِرِ وَعَمِلَ صَٰلِحًا فَلَا خَوْفٌ عَلَيْهِمْ وَلَا هُمْ يَحْزَنُونَ ۝ لَقَدْ أَخَذْنَا مِيثَٰقَ بَنِيٓ إِسْرَٰٓءِيلَ وَأَرْسَلْنَآ إِلَيْهِمْ رُسُلًا كُلَّمَا جَآءَهُمْ رَسُولٌۢ بِمَا لَا تَهْوَىٰٓ أَنفُسُهُمْ فَرِيقًا كَذَّبُواْ وَفَرِيقًا يَقْتُلُونَ ۝

65. Si les gens du Livre avaient la foi et la piété, Nous leur aurions certainement effacé leurs méfaits et les aurions certainement introduits dans les Jardins du délice[1].

66. S'ils avaient appliqué la Thora et l'Evangile et ce qui est descendu sur eux de la part de leur Seigneur, ils auraient certainement joui de ce qui est au-dessus d'eux et de ce qui est sous leurs pieds[2]. Il y a parmi eux un groupe qui agit avec droiture; mais pour beaucoup d'entre eux, comme est mauvais ce qu'ils font!

67. Ô Messager, transmets ce qui t'a été descendu de la part de ton Seigneur. Si tu ne le faisais pas, alors tu n'aurais pas communiqué Son message. Et Allāh te protégera des gens. Certes, Allāh ne guide pas les gens mécréants.

68. Dis: «Ô gens du Livre, vous ne tenez sur rien, tant que vous ne vous conformez pas à la Thora et à l'Evangile et à ce qui vous a été descendu de la part de votre Seigneur»[3] Et certes, ce qui t'a été descendu de la part de ton Seigneur va accroître beaucoup d'entre eux en rébellion et en mécréance. Ne te tourmente donc pas pour les gens mécréants.

69. Ceux qui ont cru, ceux qui se sont judaïsés, les Sabéens, et les Chrétiens, ceux parmi eux qui croient en Allāh, au Jour dernier et qui accomplissent les bonnes œuvres, pas de crainte sur eux, et ils ne seront point affligés.

70. Certes, Nous avions déjà pris l'engagement des Enfants d'Israël, et Nous leur avions envoyé des messagers. Mais chaque fois qu'un Messager leur vient avec ce qu'ils ne désirent pas, ils en traitent certains de menteurs et ils en tuent d'autres.

---

1. *Jardins du délice*: l'un des noms du Paradis.
2. *De ce qui est au-dessus ... de ce qui est sous...*: ils profiteront de la pluie du ciel et des richesses de la terre.
3. *Et ce qui vous a été descendu... Seigneur*: afin que vous l'appliquiez ; ainsi vous devez croire en Muḥammad (ﷺ) et Le suivre.

وَحَسِبُوٓاْ أَلَّا تَكُونَ فِتْنَةٌ فَعَمُواْ وَصَمُّواْ ثُمَّ تَابَ ٱللَّهُ عَلَيْهِمْ ثُمَّ عَمُواْ وَصَمُّواْ كَثِيرٌ مِّنْهُمْ ۚ وَٱللَّهُ بَصِيرٌ بِمَا يَعْمَلُونَ ۞ لَقَدْ كَفَرَ ٱلَّذِينَ قَالُوٓاْ إِنَّ ٱللَّهَ هُوَ ٱلْمَسِيحُ ٱبْنُ مَرْيَمَ ۖ وَقَالَ ٱلْمَسِيحُ يَٰبَنِىٓ إِسْرَٰٓءِيلَ ٱعْبُدُواْ ٱللَّهَ رَبِّى وَرَبَّكُمْ ۖ إِنَّهُۥ مَن يُشْرِكْ بِٱللَّهِ فَقَدْ حَرَّمَ ٱللَّهُ عَلَيْهِ ٱلْجَنَّةَ وَمَأْوَىٰهُ ٱلنَّارُ ۖ وَمَا لِلظَّٰلِمِينَ مِنْ أَنصَارٍ ۞ لَّقَدْ كَفَرَ ٱلَّذِينَ قَالُوٓاْ إِنَّ ٱللَّهَ ثَالِثُ ثَلَٰثَةٍ ۘ وَمَا مِنْ إِلَٰهٍ إِلَّآ إِلَٰهٌ وَٰحِدٌ ۚ وَإِن لَّمْ يَنتَهُواْ عَمَّا يَقُولُونَ لَيَمَسَّنَّ ٱلَّذِينَ كَفَرُواْ مِنْهُمْ عَذَابٌ أَلِيمٌ ۞ أَفَلَا يَتُوبُونَ إِلَى ٱللَّهِ وَيَسْتَغْفِرُونَهُ ۚ وَٱللَّهُ غَفُورٌ رَّحِيمٌ ۞ مَّا ٱلْمَسِيحُ ٱبْنُ مَرْيَمَ إِلَّا رَسُولٌ قَدْ خَلَتْ مِن قَبْلِهِ ٱلرُّسُلُ وَأُمُّهُۥ صِدِّيقَةٌ ۖ كَانَا يَأْكُلَانِ ٱلطَّعَامَ ۗ ٱنظُرْ كَيْفَ نُبَيِّنُ لَهُمُ ٱلْءَايَٰتِ ثُمَّ ٱنظُرْ أَنَّىٰ يُؤْفَكُونَ ۞ قُلْ أَتَعْبُدُونَ مِن دُونِ ٱللَّهِ مَا لَا يَمْلِكُ لَكُمْ ضَرًّا وَلَا نَفْعًا ۚ وَٱللَّهُ هُوَ ٱلسَّمِيعُ ٱلْعَلِيمُ ۞

71. Comptant qu'il n'y aurait pas de sanction contre eux, ils étaient devenus aveugles et sourds. Puis Allāh accueillit leur repentir. Ensuite, beaucoup d'entre eux redevinrent aveugles et sourds. Et Allāh voit parfaitement ce qu'ils font.

72. Ce sont, certes, des mécréants ceux qui disent: «En vérité, Allāh c'est le Messie, fils de Marie.» Alors que le Messie a dit: «Ô enfants d'Israël, adorez Allāh, mon Seigneur et votre Seigneur». Quiconque associe à Allāh (d'autres divinités), Allāh lui interdit le Paradis ; et son refuge sera le Feu. Et pour les injustes, pas de secoureurs!

73. Ce sont certes des mécréants, ceux qui disent: «En vérité, Allāh est le troisième de trois». Alors qu'il n'y a de divinité qu'Une Divinité Unique! Et s'ils ne cessent de le dire, certes, un châtiment douloureux touchera les mécréants d'entre eux.

74. Ne vont-ils donc pas se repentir à Allāh et implorer Son pardon? Car Allāh est Pardonneur et Miséricordieux.

75. Le Messie, fils de Marie, n'était qu'un Messager. Des messagers sont passés avant lui. Et sa mère était une véridique. Et tous deux consommaient de la nourriture. Vois comme Nous leur expliquons les preuves et puis vois comme ils se détournent[1].

76. Dis: «Adorez-vous, au lieu d'Allāh, ce qui n'a le pouvoir de vous faire ni le mal ni le bien?» Or, c'est Allāh qui est l'Audient et l'Omniscient.

---

1. *Et tous deux consommaient de la nourriture*: La Messie n'est qu'un être humain puisque par principe Allāh ne mange pas!
Les preuves: sur l'unicité d'Allāh.

قُلْ يَـٰٓأَهْلَ ٱلْكِتَـٰبِ لَا تَغْلُوا۟ فِى دِينِكُمْ غَيْرَ ٱلْحَقِّ وَلَا تَتَّبِعُوٓا۟ أَهْوَآءَ قَوْمٍ قَدْ ضَلُّوا۟ مِن قَبْلُ وَأَضَلُّوا۟ كَثِيرًا وَضَلُّوا۟ عَن سَوَآءِ ٱلسَّبِيلِ ۝ لُعِنَ ٱلَّذِينَ كَفَرُوا۟ مِنۢ بَنِىٓ إِسْرَٰٓءِيلَ عَلَىٰ لِسَانِ دَاوُۥدَ وَعِيسَى ٱبْنِ مَرْيَمَ ۚ ذَٰلِكَ بِمَا عَصَوا۟ وَّكَانُوا۟ يَعْتَدُونَ ۝ كَانُوا۟ لَا يَتَنَاهَوْنَ عَن مُّنكَرٍ فَعَلُوهُ ۚ لَبِئْسَ مَا كَانُوا۟ يَفْعَلُونَ ۝ تَرَىٰ كَثِيرًا مِّنْهُمْ يَتَوَلَّوْنَ ٱلَّذِينَ كَفَرُوا۟ ۚ لَبِئْسَ مَا قَدَّمَتْ لَهُمْ أَنفُسُهُمْ أَن سَخِطَ ٱللَّهُ عَلَيْهِمْ وَفِى ٱلْعَذَابِ هُمْ خَـٰلِدُونَ ۝ وَلَوْ كَانُوا۟ يُؤْمِنُونَ بِٱللَّهِ وَٱلنَّبِىِّ وَمَآ أُنزِلَ إِلَيْهِ مَا ٱتَّخَذُوهُمْ أَوْلِيَآءَ وَلَـٰكِنَّ كَثِيرًا مِّنْهُمْ فَـٰسِقُونَ ۝ لَتَجِدَنَّ أَشَدَّ ٱلنَّاسِ عَدَٰوَةً لِّلَّذِينَ ءَامَنُوا۟ ٱلْيَهُودَ وَٱلَّذِينَ أَشْرَكُوا۟ ۖ وَلَتَجِدَنَّ أَقْرَبَهُم مَّوَدَّةً لِّلَّذِينَ ءَامَنُوا۟ ٱلَّذِينَ قَالُوٓا۟ إِنَّا نَصَٰرَىٰ ۚ ذَٰلِكَ بِأَنَّ مِنْهُمْ قِسِّيسِينَ وَرُهْبَانًا وَأَنَّهُمْ لَا يَسْتَكْبِرُونَ ۝

77. Dis: «Ô gens du Livre, n'exagérez pas en votre religion, s'opposant à la vérité. Ne suivez pas les passions des gens qui se sont égarés avant cela qui ont égaré beaucoup de monde et qui se sont égarés du chemin droit.

78. Ceux des Enfants d'Israël qui n'avaient pas cru ont été maudits par la bouche de David et de Jésus fils de Marie, parce qu'ils désobéissaient e transgressaient.

79. Ils ne s'interdisaient pas les uns aux autres ce qu'ils faisaient de blâmable. Comme est mauvais, certes, ce qu'ils faisaient!

80. Tu vois beaucoup d'entre eux s'allier aux mécréants. Comme est mauvais, certes, ce que leurs âmes ont préparé, pour eux-mêmes, de sorte qu'ils ont encouru le courroux d'Allāh, et c'est dans le supplice qu'ils éterniseront.

81. S'ils croyaient en Allāh, au Prophète et à ce qui lui a été descendu, ils ne prendraient pas ces mécréants pour alliés. Mais beaucoup d'entre eux sont pervers.

82. Tu trouveras certainement que les Juifs et les associateurs sont les ennemis les plus acharnés des croyants. Et tu trouveras certes que les plus disposé à aimer les croyants sont ceux qui disent: «Nous sommes chrétiens». C'est qu'il y a parmi eux des prêtres et des moines, et qu'ils ne s'enflent pas d'orgueil.

وَإِذَا سَمِعُوا مَا أُنزِلَ إِلَى ٱلرَّسُولِ تَرَىٰ أَعْيُنَهُمْ تَفِيضُ مِنَ ٱلدَّمْعِ مِمَّا عَرَفُوا مِنَ ٱلْحَقِّ يَقُولُونَ رَبَّنَا ءَامَنَّا فَٱكْتُبْنَا مَعَ ٱلشَّٰهِدِينَ ۝ وَمَا لَنَا لَا نُؤْمِنُ بِٱللَّهِ وَمَا جَآءَنَا مِنَ ٱلْحَقِّ وَنَطْمَعُ أَن يُدْخِلَنَا رَبُّنَا مَعَ ٱلْقَوْمِ ٱلصَّٰلِحِينَ ۝ فَأَثَٰبَهُمُ ٱللَّهُ بِمَا قَالُوا جَنَّٰتٍ تَجْرِي مِن تَحْتِهَا ٱلْأَنْهَٰرُ خَٰلِدِينَ فِيهَا وَذَٰلِكَ جَزَآءُ ٱلْمُحْسِنِينَ ۝ وَٱلَّذِينَ كَفَرُوا وَكَذَّبُوا بِـَٔايَٰتِنَآ أُو۟لَٰٓئِكَ أَصْحَٰبُ ٱلْجَحِيمِ ۝ يَٰٓأَيُّهَا ٱلَّذِينَ ءَامَنُوا لَا تُحَرِّمُوا طَيِّبَٰتِ مَآ أَحَلَّ ٱللَّهُ لَكُمْ وَلَا تَعْتَدُوٓا إِنَّ ٱللَّهَ لَا يُحِبُّ ٱلْمُعْتَدِينَ ۝ وَكُلُوا مِمَّا رَزَقَكُمُ ٱللَّهُ حَلَٰلًا طَيِّبًا وَٱتَّقُوا ٱللَّهَ ٱلَّذِىٓ أَنتُم بِهِۦ مُؤْمِنُونَ ۝ لَا يُؤَاخِذُكُمُ ٱللَّهُ بِٱللَّغْوِ فِىٓ أَيْمَٰنِكُمْ وَلَٰكِن يُؤَاخِذُكُم بِمَا عَقَّدتُّمُ ٱلْأَيْمَٰنَ فَكَفَّٰرَتُهُۥٓ إِطْعَامُ عَشَرَةِ مَسَٰكِينَ مِنْ أَوْسَطِ مَا تُطْعِمُونَ أَهْلِيكُمْ أَوْ كِسْوَتُهُمْ أَوْ تَحْرِيرُ رَقَبَةٍ فَمَن لَّمْ يَجِدْ فَصِيَامُ ثَلَٰثَةِ أَيَّامٍ ذَٰلِكَ كَفَّٰرَةُ أَيْمَٰنِكُمْ إِذَا حَلَفْتُمْ وَٱحْفَظُوٓا أَيْمَٰنَكُمْ كَذَٰلِكَ يُبَيِّنُ ٱللَّهُ لَكُمْ ءَايَٰتِهِۦ لَعَلَّكُمْ تَشْكُرُونَ ۝

83. Et quand ils entendent ce qui a été descendu sur le Messager [Muḥammad], tu vois leurs yeux déborder de larmes, parce qu'ils ont reconnu la vérité. Ils disent: «Ô notre Seigneur! Nous croyons: inscris-nous donc parmi ceux qui témoignent (de la véracité du Qurʾān).

84. Pourquoi ne croirions-nous pas en Allāh et à ce qui nous est parvenu de la vérité? Pourquoi ne convoitions-nous pas que notre Seigneur nous fasse entrer en la compagnie des gens vertueux?»

85. Allāh donc les récompense pour ce qu'ils disent par des Jardins sous lesquels coulent les ruisseaux, où ils demeureront éternellement. Telle est la récompense des bienfaisants.

86. Et quant à ceux qui ne croient pas et qui traitent de mensonges Nos versets, ce sont les gens de la Fournaise.

87. Ô les croyants: ne déclarez pas illicites les bonnes choses qu'Allāh vous a rendues licites. Et ne transgressez pas. Allāh, (en vérité), n'aime pas les transgresseurs.

88. Et mangez de ce qu'Allāh vous a attribué de licite et de bon. Craignez Allāh, en qui vous avez foi.

89. Allāh ne vous sanctionne pas pour la frivolité dans vos serments, mais Il vous sanctionne pour les serments que vous avez l'intention d'exécute. L'expiation en sera de nourrir dix pauvres, de ce dont vous nourrissez normalement vos familles, ou de les habiller, ou de libérer un esclave. Quiconque n'en trouve pas les moyens devra jeûner trois jours. Voilà l'expiation pour vos serments, lorsque vous avez juré. Et tenez à vos serments. Ainsi Allāh vous explique Ses versets, afin que vous soyez reconnaissants!

يَـٰٓأَيُّهَا ٱلَّذِينَ ءَامَنُوٓاْ إِنَّمَا ٱلْخَمْرُ وَٱلْمَيْسِرُ وَٱلْأَنصَابُ وَٱلْأَزْلَـٰمُ رِجْسٌ مِّنْ عَمَلِ ٱلشَّيْطَـٰنِ فَٱجْتَنِبُوهُ لَعَلَّكُمْ تُفْلِحُونَ ٩٠ إِنَّمَا يُرِيدُ ٱلشَّيْطَـٰنُ أَن يُوقِعَ بَيْنَكُمُ ٱلْعَدَٰوَةَ وَٱلْبَغْضَآءَ فِى ٱلْخَمْرِ وَٱلْمَيْسِرِ وَيَصُدَّكُمْ عَن ذِكْرِ ٱللَّهِ وَعَنِ ٱلصَّلَوٰةِ فَهَلْ أَنتُم مُّنتَهُونَ ٩١ وَأَطِيعُواْ ٱللَّهَ وَأَطِيعُواْ ٱلرَّسُولَ وَٱحْذَرُواْ فَإِن تَوَلَّيْتُمْ فَٱعْلَمُوٓاْ أَنَّمَا عَلَىٰ رَسُولِنَا ٱلْبَلَـٰغُ ٱلْمُبِينُ ٩٢ لَيْسَ عَلَى ٱلَّذِينَ ءَامَنُواْ وَعَمِلُواْ ٱلصَّـٰلِحَـٰتِ جُنَاحٌ فِيمَا طَعِمُوٓاْ إِذَا مَا ٱتَّقَواْ وَّءَامَنُواْ وَعَمِلُواْ ٱلصَّـٰلِحَـٰتِ ثُمَّ ٱتَّقَواْ وَّءَامَنُواْ ثُمَّ ٱتَّقَواْ وَّأَحْسَنُواْ وَٱللَّهُ يُحِبُّ ٱلْمُحْسِنِينَ ٩٣ يَـٰٓأَيُّهَا ٱلَّذِينَ ءَامَنُواْ لَيَبْلُوَنَّكُمُ ٱللَّهُ بِشَىْءٍ مِّنَ ٱلصَّيْدِ تَنَالُهُۥٓ أَيْدِيكُمْ وَرِمَاحُكُمْ لِيَعْلَمَ ٱللَّهُ مَن يَخَافُهُۥ بِٱلْغَيْبِ فَمَنِ ٱعْتَدَىٰ بَعْدَ ذَٰلِكَ فَلَهُۥ عَذَابٌ أَلِيمٌ ٩٤ يَـٰٓأَيُّهَا ٱلَّذِينَ ءَامَنُواْ لَا تَقْتُلُواْ ٱلصَّيْدَ وَأَنتُمْ حُرُمٌ وَمَن قَتَلَهُۥ مِنكُم مُّتَعَمِّدًا فَجَزَآءٌ مِّثْلُ مَا قَتَلَ مِنَ ٱلنَّعَمِ يَحْكُمُ بِهِۦ ذَوَا عَدْلٍ مِّنكُمْ هَدْيًۢا بَـٰلِغَ ٱلْكَعْبَةِ أَوْ كَفَّـٰرَةٌ طَعَامُ مَسَـٰكِينَ أَوْ عَدْلُ ذَٰلِكَ صِيَامًا لِّيَذُوقَ وَبَالَ أَمْرِهِۦ عَفَا ٱللَّهُ عَمَّا سَلَفَ وَمَنْ عَادَ فَيَنتَقِمُ ٱللَّهُ مِنْهُ وَٱللَّهُ عَزِيزٌ ذُو ٱنتِقَامٍ ٩٥

90. Ô les croyants! Le vin, le jeu de hasard, les pierres dressées, les flèches de divination ne sont qu'une abomination, œuvre du Diable. Ecartez-vous en afin que vous réussissiez.

91. Le Diable ne veut que jeter parmi vous, à travers le vin et le jeu de hasard, l'inimitié et la haine, et vous détourner d'invoquer Allāh et de la Ṣalāt. Allez-vous donc y mettre fin?

92. Obéissez à Allāh, obéissez au Messager, et prenez garde! Si ensuite vous vous détournez... Alors sachez qu'il n'incombe à Notre messager que de transmettre le message clairement[1].

93. Ce n'est pas un pêché pour ceux qui ont la foi et font de bonnes œuvres en ce qu'ils ont consommé (du vin et des gains des jeux de hasard avant leur prohibition) pourvu qu'ils soient pieux (en évitant les choses interdites après en avoir eu connaissance) et qu'ils croient (en acceptant leur prohibition) et qu'ils fassent de bonnes œuvres ; puis qui (continuent) d'être pieux et de croire et qui (demeurent) pieux et bienfaisants. Car Allāh aime les bienfaisants[2].

94. Ô les croyants! Allāh va certainement vous éprouver par quelque gibier à la portée de vos mains et de vos lances. C'est pour qu'Allāh sache celui qui Le craint en secret[3]. Quiconque après cela transgresse aura un châtiment douloureux.

95. Ô les croyants! Ne tuez pas de gibier pendant que vous êtes en état d'Iḥrām[4]. Quiconque parmi vous en tue délibérément, qu'il compense alors, soit par quelque bête de troupeau, semblable à ce qu'il a tué, d'après le jugement de deux personnes intègres parmi vous, et cela en offrande qu'il fera parvenir à (destination des pauvres de) la Kaʿba, ou bien par une expiation, en nourrissant des pauvres, ou par l'équivalent en jeûne. Cela afin qu'il goûte à la mauvaise conséquence de son acte. Allāh a pardonné ce qui est passé ; mais quiconque récidive, Allāh le punira. Allāh est Puissant et Détenteur du pouvoir de punir.

---

1. Le Prophète n'est pas responsable de ce que font les gens après avoir entendu le message.
2. *Les bienfaisants*: ceux qui s'emploient à parfaire leur obéissance à Allāh, de sorte qu'ils adorent Allāh comme s'ils Le voient, et c'est ainsi qu'un Ḥadīṯ définit «al-Iḥsān».
3. *En secret*: même s'il n'est vu de personne.
4. *Iḥrām*: Cf. p. 106, note 3.
Equivalent en jeûne: à ce sujet, consulter les livres de jurisprudence islāmique.

أُحِلَّ لَكُمْ صَيْدُ الْبَحْرِ وَطَعَامُهُ مَتَاعًا لَكُمْ وَلِلسَّيَّارَةِ وَحُرِّمَ عَلَيْكُمْ صَيْدُ الْبَرِّ مَا دُمْتُمْ حُرُمًا وَاتَّقُوا اللَّهَ الَّذِي إِلَيْهِ تُحْشَرُونَ ۞ ۹٦ ۞ جَعَلَ اللَّهُ الْكَعْبَةَ الْبَيْتَ الْحَرَامَ قِيَامًا لِلنَّاسِ وَالشَّهْرَ الْحَرَامَ وَالْهَدْيَ وَالْقَلَائِدَ ذَلِكَ لِتَعْلَمُوا أَنَّ اللَّهَ يَعْلَمُ مَا فِي السَّمَوَاتِ وَمَا فِي الْأَرْضِ وَأَنَّ اللَّهَ بِكُلِّ شَيْءٍ عَلِيمٌ ۞ ۹۷ ۞ اعْلَمُوا أَنَّ اللَّهَ شَدِيدُ الْعِقَابِ وَأَنَّ اللَّهَ غَفُورٌ رَحِيمٌ ۞ ۹۸ ۞ مَا عَلَى الرَّسُولِ إِلَّا الْبَلَاغُ وَاللَّهُ يَعْلَمُ مَا تُبْدُونَ وَمَا تَكْتُمُونَ ۞ ۹۹ ۞ قُل لَّا يَسْتَوِي الْخَبِيثُ وَالطَّيِّبُ وَلَوْ أَعْجَبَكَ كَثْرَةُ الْخَبِيثِ فَاتَّقُوا اللَّهَ يَا أُولِي الْأَلْبَابِ لَعَلَّكُمْ تُفْلِحُونَ ۞ ۱۰۰ ۞ يَا أَيُّهَا الَّذِينَ ءَامَنُوا لَا تَسْـَٔلُوا عَنْ أَشْيَاءَ إِن تُبْدَ لَكُمْ تَسُؤْكُمْ وَإِن تَسْـَٔلُوا عَنْهَا حِينَ يُنَزَّلُ الْقُرْءَانُ تُبْدَ لَكُمْ عَفَا اللَّهُ عَنْهَا وَاللَّهُ غَفُورٌ حَلِيمٌ ۞ ۱۰۱ ۞ قَدْ سَأَلَهَا قَوْمٌ مِّن قَبْلِكُمْ ثُمَّ أَصْبَحُوا بِهَا كَافِرِينَ ۞ ۱۰۲ ۞ مَا جَعَلَ اللَّهُ مِن بَحِيرَةٍ وَلَا سَائِبَةٍ وَلَا وَصِيلَةٍ وَلَا حَامٍ وَلَكِنَّ الَّذِينَ كَفَرُوا يَفْتَرُونَ عَلَى اللَّهِ الْكَذِبَ وَأَكْثَرُهُمْ لَا يَعْقِلُونَ ۞ ۱۰۳ ۞

96. La chasse en mer vous est permise, et aussi d'en manger, pour votre jouissance et celle des voyageurs. Et vous est illicite la chasse à terre tant que vous êtes en état d'Iḥrām. Et craignez Allāh vers qui vous serez rassemblés[1].

97. Allāh a institué la Kaʿba, la Maison sacrée, comme un lieu de rassemblement pour les gens. (Il a institué) le mois sacré, l'offrande (d'animaux), et les guirlandes, afin que vous sachiez que vraiment Allāh sait tout ce qui est dans les cieux et sur la terre; et que vraiment Allāh est Omniscient[2].

98. Sachez qu'Allāh est sévère en punition, mais aussi qu'Allāh est Pardonneur et Miséricordieux.

99. Il n'incombe au Messager que de transmettre (le message). Et Allāh sait ce que vous divulguez tout comme ce que vous cachez.

100. Dis: «Le mauvais et le bon ne sont pas semblables, même si l'abondance du mal te séduit. Craignez Allāh, donc, ô gens intelligents, afin que vous réussissiez.

101. Ô les croyants! Ne posez pas de questions sur des choses qui, si elles vous étaient divulguées, vous mécontenteraient. Et si vous posez des questions à leur sujet, pendant que le Qur'ān est révélé, elles vous seront divulguées. Allāh vous a pardonné cela. Et Allāh est Pardonneur et Indulgent.

102. Un peuple avant vous avait posé des questions (pareilles) puis, devinrent de leur fait mécréants.

103. Allāh n'a pas institué la Baḥira, la Sā'iba, la Waṣīla ni le Ḥām. Mais ceux qui ont mécru ont inventé ce mensonge contre Allāh, et la plupart d'entre eux ne raisonnent pas[3].

---

1. Ceci implique que déjà avant l'Islām il y avait des pèlerins, qui venaient par mer à la Mecque.
2. *Le mois sacré*: en Arabie préislāmique, 4 mois, le 7ème (Rajab), le 11ème (Ḏu-l-Qaʿda), 12ème (Ḏū-l-Ḥijja) et le 1ᵉʳ (Muḥarram) étaient considérés comme sacrés. La guerre, l'effusion de sang étaient interdits pendant ces mois pour permettre aux gens d'accomplir leurs devoirs religieux et mondains en paix. L'Islām a continué cette tradition. Pour s'assurer davantage de sécurité à l'égard des pillards, on suspendait des guirlandes au cou des bêtes qu'on menait à la Mecque pour l'immolation rituelle.
3. Allusions à des coutumes païennes marquant d'un tabou les bêtes de cheptel en raison de leur fécondité:
Baḥira: chamelle, ayant produit cinq fois, à laquelle on fendait l'oreille pour indiquer qu'elle était libre de paître partout et qui était consacrée à une idole.
Sā'iba: chamelle laissée en liberté et consacrée, à la suite d'un vœu, à un idole.
Waṣīla: brebis ayant donné naissance cinq fois consécutives à des jumeaux.
Ḥām: chameau étalon ayant assailli dix fois une chamelle qu'il a fécondée à chaque fois.

وَإِذَا قِيلَ لَهُمْ تَعَالَوْا إِلَىٰ مَا أَنزَلَ ٱللَّهُ وَإِلَى ٱلرَّسُولِ قَالُوا۟ حَسْبُنَا مَا وَجَدْنَا عَلَيْهِ ءَابَآءَنَآ أَوَلَوْ كَانَ ءَابَآؤُهُمْ لَا يَعْلَمُونَ شَيْـًٔا وَلَا يَهْتَدُونَ ۝ يَٰٓأَيُّهَا ٱلَّذِينَ ءَامَنُوا۟ عَلَيْكُمْ أَنفُسَكُمْ ۖ لَا يَضُرُّكُم مَّن ضَلَّ إِذَا ٱهْتَدَيْتُمْ ۚ إِلَى ٱللَّهِ مَرْجِعُكُمْ جَمِيعًا فَيُنَبِّئُكُم بِمَا كُنتُمْ تَعْمَلُونَ ۝ يَٰٓأَيُّهَا ٱلَّذِينَ ءَامَنُوا۟ شَهَٰدَةُ بَيْنِكُمْ إِذَا حَضَرَ أَحَدَكُمُ ٱلْمَوْتُ حِينَ ٱلْوَصِيَّةِ ٱثْنَانِ ذَوَا عَدْلٍ مِّنكُمْ أَوْ ءَاخَرَانِ مِنْ غَيْرِكُمْ إِنْ أَنتُمْ ضَرَبْتُمْ فِى ٱلْأَرْضِ فَأَصَٰبَتْكُم مُّصِيبَةُ ٱلْمَوْتِ ۚ تَحْبِسُونَهُمَا مِنۢ بَعْدِ ٱلصَّلَوٰةِ فَيُقْسِمَانِ بِٱللَّهِ إِنِ ٱرْتَبْتُمْ لَا نَشْتَرِى بِهِۦ ثَمَنًا وَلَوْ كَانَ ذَا قُرْبَىٰ وَلَا نَكْتُمُ شَهَٰدَةَ ٱللَّهِ إِنَّآ إِذًا لَّمِنَ ٱلْـَٔاثِمِينَ ۝ فَإِنْ عُثِرَ عَلَىٰٓ أَنَّهُمَا ٱسْتَحَقَّآ إِثْمًا فَـَٔاخَرَانِ يَقُومَانِ مَقَامَهُمَا مِنَ ٱلَّذِينَ ٱسْتَحَقَّ عَلَيْهِمُ ٱلْأَوْلَيَٰنِ فَيُقْسِمَانِ بِٱللَّهِ لَشَهَٰدَتُنَآ أَحَقُّ مِن شَهَٰدَتِهِمَا وَمَا ٱعْتَدَيْنَآ إِنَّآ إِذًا لَّمِنَ ٱلظَّٰلِمِينَ ۝ ذَٰلِكَ أَدْنَىٰٓ أَن يَأْتُوا۟ بِٱلشَّهَٰدَةِ عَلَىٰ وَجْهِهَآ أَوْ يَخَافُوٓا۟ أَن تُرَدَّ أَيْمَٰنٌۢ بَعْدَ أَيْمَٰنِهِمْ ۗ وَٱتَّقُوا۟ ٱللَّهَ وَٱسْمَعُوا۟ ۗ وَٱللَّهُ لَا يَهْدِى ٱلْقَوْمَ ٱلْفَٰسِقِينَ ۝

104. Et quand on leur dit: «Venez vers ce qu'Allāh a fait descendre (la Révélation), et vers le Messager» ; ils disent: «Il nous suffit de ce sur quoi nous avons trouvé nos ancêtres». Quoi! Même si leurs ancêtres ne savaient rien et n'étaient pas sur le bon chemin...?

105. Ô les croyants! Vous êtes responsables de vous-mêmes[1]! Celui qui s'égare ne vous nuira point si vous vous avez pris la bonne voic. C'est vers Allāh que vous retournerez tous ; alors Il vous informera de ce que vous faisiez.

106. Ô les croyants! Quand la mort se présente à l'un de vous, le testament sera attesté par deux hommes intègres d'entre vous, ou deux autres, non des vôtres, si vous êtes en voyage dans le monde et que la mort vous frappe. Vous les retiendrez (les deux témoins), après la Ṣalāt, puis, si vous avez des doutes, vous les ferez jurer par Allāh: «Nous ne faisons aucun commerce[2] ou profit avec cela, même s'il s'agit d'un proche, et nous ne cacherons point le témoignage d'Allāh. Sinon, nous serions du nombre des pêcheurs».

107. Si l'on découvre que ces deux témoins sont coupables de péché, deux autres plus intègres, parmi ceux auxquels le tort a été fait, prendront leur place et tous deux jureront par Allāh: «En vérité, notre témoignage est plus juste que le témoignage de ces deux-là ; et nous ne transgressons point. Sinon, nous serions certainement du nombre des injustes».

108. C'est le moyen le plus sûr pour les inciter à fournir le témoignage dans sa forme réelle ; ou leur faire craindre de voir d'autres serments se substituer aux leurs. Et craignez Allāh et écoutez. Allāh ne guide pas les gens pervers.

---

1. *Responsables de vous-mêmes*: après avoir interdit le mal et ordonné le bien, vous n'êtes responsables que de vous-mêmes.
2. *Nous ne faisons aucun commerce*: (avec le témoignage), personne ne pourra acheter de nous un faux témoignage.

۞ يَوْمَ يَجْمَعُ ٱللَّهُ ٱلرُّسُلَ فَيَقُولُ مَاذَآ أُجِبْتُمْ قَالُوا۟ لَا عِلْمَ لَنَآ إِنَّكَ أَنتَ عَلَّامُ ٱلْغُيُوبِ ۝ إِذْ قَالَ ٱللَّهُ يَٰعِيسَى ٱبْنَ مَرْيَمَ ٱذْكُرْ نِعْمَتِى عَلَيْكَ وَعَلَىٰ وَٰلِدَتِكَ إِذْ أَيَّدتُّكَ بِرُوحِ ٱلْقُدُسِ تُكَلِّمُ ٱلنَّاسَ فِى ٱلْمَهْدِ وَكَهْلًا وَإِذْ عَلَّمْتُكَ ٱلْكِتَٰبَ وَٱلْحِكْمَةَ وَٱلتَّوْرَىٰةَ وَٱلْإِنجِيلَ وَإِذْ تَخْلُقُ مِنَ ٱلطِّينِ كَهَيْـَٔةِ ٱلطَّيْرِ بِإِذْنِى فَتَنفُخُ فِيهَا فَتَكُونُ طَيْرًۢا بِإِذْنِى وَتُبْرِئُ ٱلْأَكْمَهَ وَٱلْأَبْرَصَ بِإِذْنِى وَإِذْ تُخْرِجُ ٱلْمَوْتَىٰ بِإِذْنِى وَإِذْ كَفَفْتُ بَنِىٓ إِسْرَٰٓءِيلَ عَنكَ إِذْ جِئْتَهُم بِٱلْبَيِّنَٰتِ فَقَالَ ٱلَّذِينَ كَفَرُوا۟ مِنْهُمْ إِنْ هَٰذَآ إِلَّا سِحْرٌ مُّبِينٌ ۝ وَإِذْ أَوْحَيْتُ إِلَى ٱلْحَوَارِيِّۦنَ أَنْ ءَامِنُوا۟ بِى وَبِرَسُولِى قَالُوٓا۟ ءَامَنَّا وَٱشْهَدْ بِأَنَّنَا مُسْلِمُونَ ۝ إِذْ قَالَ ٱلْحَوَارِيُّونَ يَٰعِيسَى ٱبْنَ مَرْيَمَ هَلْ يَسْتَطِيعُ رَبُّكَ أَن يُنَزِّلَ عَلَيْنَا مَآئِدَةً مِّنَ ٱلسَّمَآءِ قَالَ ٱتَّقُوا۟ ٱللَّهَ إِن كُنتُم مُّؤْمِنِينَ ۝ قَالُوا۟ نُرِيدُ أَن نَّأْكُلَ مِنْهَا وَتَطْمَئِنَّ قُلُوبُنَا وَنَعْلَمَ أَن قَدْ صَدَقْتَنَا وَنَكُونَ عَلَيْهَا مِنَ ٱلشَّٰهِدِينَ ۝

109. (Rappelle-toi) le jour où Allāh rassemblera (tous) les messagers, et qu'Il dira: «Que vous a-t-on donné comme réponse?» Ils diront: «Nous n'avons aucun savoir: c'est Toi, vraiment, le grand connaisseur de tout ce qui est inconnu».

110. Et quand'Allāh dira: «Ô Jésus, fils de Marie, rappelle-toi Mon bienfait sur toi et sur ta mère quand Je te fortifiais du Saint-Esprit. Au berceau tu parlais aux gens, tout comme en ton âge mûr. Je t'enseignais le Livre, la Sagesse, la Thora et l'Evangile! Tu fabriquais de l'argile comme une forme d'oiseau par Ma permission ; puis tu soufflais dedans. Alors par Ma permission, elle devenait oiseau. Et tu guérissais par Ma permission, l'aveugle-né et le lépreux. Et par Ma permission, tu faisais revivre les morts. Je te protégeais contre les Enfants d'Israël pendant que tu leur apportais les preuves. Mais ceux d'entre eux qui ne croyaient pas dirent: «Ceci n'est que de la magie évidente».

111. Et quand J'ai révélé aux Apôtres ceci: «Croyez en Moi et en Mon messager (Jésus)». Ils dirent: «Nous croyons ; et atteste que nous sommes entièrement soumis».

112. (Rappelle-toi le moment) où les Apôtres dirent: «Ô Jésus, fils de Marie, se peut-il que ton Seigneur fasse descendre sur nous du ciel une table servie?» Il leur dit: «Craignez plutôt Allāh, si vous êtes croyants».

113. Ils dirent: «Nous voulons en manger, rassurer ainsi nos cœurs, savoir que tu nous as réellement dit la vérité et en être parmi les témoins».

قَالَ عِيسَى ابْنُ مَرْيَمَ اللَّهُمَّ رَبَّنَآ أَنزِلْ عَلَيْنَا مَآئِدَةً مِّنَ السَّمَآءِ تَكُونُ لَنَا عِيدًا لِّأَوَّلِنَا وَءَاخِرِنَا وَءَايَةً مِّنكَ وَارْزُقْنَا وَأَنتَ خَيْرُ الرَّازِقِينَ ۝ قَالَ اللَّهُ إِنِّي مُنَزِّلُهَا عَلَيْكُمْ فَمَن يَكْفُرْ بَعْدُ مِنكُمْ فَإِنِّي أُعَذِّبُهُ عَذَابًا لَّآ أُعَذِّبُهُ أَحَدًا مِّنَ الْعَالَمِينَ ۝ وَإِذْ قَالَ اللَّهُ يَا عِيسَى ابْنَ مَرْيَمَ ءَأَنتَ قُلْتَ لِلنَّاسِ اتَّخِذُونِي وَأُمِّيَ إِلَاهَيْنِ مِن دُونِ اللَّهِ قَالَ سُبْحَانَكَ مَا يَكُونُ لِي أَنْ أَقُولَ مَا لَيْسَ لِي بِحَقٍّ إِن كُنتُ قُلْتُهُ فَقَدْ عَلِمْتَهُ تَعْلَمُ مَا فِي نَفْسِي وَلَآ أَعْلَمُ مَا فِي نَفْسِكَ إِنَّكَ أَنتَ عَلَّامُ الْغُيُوبِ ۝ مَا قُلْتُ لَهُمْ إِلَّا مَآ أَمَرْتَنِي بِهِ أَنِ اعْبُدُوا اللَّهَ رَبِّي وَرَبَّكُمْ وَكُنتُ عَلَيْهِمْ شَهِيدًا مَّا دُمْتُ فِيهِمْ فَلَمَّا تَوَفَّيْتَنِي كُنتَ أَنتَ الرَّقِيبَ عَلَيْهِمْ وَأَنتَ عَلَىٰ كُلِّ شَيْءٍ شَهِيدٌ ۝ إِن تُعَذِّبْهُمْ فَإِنَّهُمْ عِبَادُكَ وَإِن تَغْفِرْ لَهُمْ فَإِنَّكَ أَنتَ الْعَزِيزُ الْحَكِيمُ ۝ قَالَ اللَّهُ هَٰذَا يَوْمُ يَنفَعُ الصَّادِقِينَ صِدْقُهُمْ لَهُمْ جَنَّاتٌ تَجْرِي مِن تَحْتِهَا الْأَنْهَارُ خَالِدِينَ فِيهَا أَبَدًا رَّضِيَ اللَّهُ عَنْهُمْ وَرَضُوا عَنْهُ ذَٰلِكَ الْفَوْزُ الْعَظِيمُ ۝ لِلَّهِ مُلْكُ السَّمَاوَاتِ وَالْأَرْضِ وَمَا فِيهِنَّ وَهُوَ عَلَىٰ كُلِّ شَيْءٍ قَدِيرٌ ۝

114. «Ô Allāh, notre Seigneur, dit Jésus, fils de Marie, fais descendre du ciel sur nous une table servie qui soit une fête pour nous, pour le premier d'entre nous, comme pour le dernier, ainsi qu'un signe de Ta part. Nourris-nous: Tu es le meilleur des nourrisseurs».

115. «Oui, dit Allāh, Je la ferai descendre sur vous. Mais ensuite, quiconque d'entre vous refuse de croire, Je le châtierai d'un châtiment dont Je ne châtierai personne d'autre dans l'univers».

116. (Rappelle-leur) le moment où Allāh dira[1]: «Ô Jésus, fils de Marie, est-ce toi qui as dit aux gens: «Prenez-moi, ainsi que ma mère, pour deux divinités en dehors d'Allāh?» Il dira: «Gloire et pureté à Toi! Il ne m'appartient pas de déclarer ce que je n'ai pas le droit de dire! Si je l'avais dit, Tu l'aurais su, certes. Tu sais ce qu'il y a en moi, et je ne sais pas ce qu'il y a en Toi. Tu es, en vérité, le grand connaisseur de tout ce qui est inconnu.

117. Je ne leur ai dit que ce que Tu m'avais commandé, (à savoir): «Adorez Allāh, mon Seigneur et votre Seigneur». Et je fus témoin contre eux aussi longtemps que je fus parmi eux. Puis quand Tu m'as rappelé, c'est Toi qui fus leur observateur attentif Et Tu es témoin de toute chose.

118. Si Tu les châties, ils sont Tes serviteurs. Et si Tu leur pardonnes, c'est Toi le Puissant, le Sage».

119. Allāh dira: «Voilà le jour où leur véracité va profiter aux véridiques: ils auront des Jardins sous lesquels coulent les ruisseaux pour y demeurer éternellement.» Allāh les a agréés et eux L'ont agréé. Voilà l'énorme succès.

120. À Allāh seul appartient le royaume des cieux, de la terre et de ce qu'ils renferment. Et Il est Omnipotent.

---

1. Où Allāh dira: Au jour du jugement dernier, en présence de ceux qui ont prétendu que Jésus était un dieu ou fils d'Allāh.

سُورَةُ الْأَنْعَامِ

بِسۡمِ ٱللَّهِ ٱلرَّحۡمَٰنِ ٱلرَّحِيمِ

ٱلۡحَمۡدُ لِلَّهِ ٱلَّذِى خَلَقَ ٱلسَّمَٰوَٰتِ وَٱلۡأَرۡضَ وَجَعَلَ ٱلظُّلُمَٰتِ وَٱلنُّورَۖ ثُمَّ ٱلَّذِينَ كَفَرُواْ بِرَبِّهِمۡ يَعۡدِلُونَ ۝ هُوَ ٱلَّذِى خَلَقَكُم مِّن طِينٍ ثُمَّ قَضَىٰٓ أَجَلٗاۖ وَأَجَلٞ مُّسَمًّى عِندَهُۥۖ ثُمَّ أَنتُمۡ تَمۡتَرُونَ ۝ وَهُوَ ٱللَّهُ فِى ٱلسَّمَٰوَٰتِ وَفِى ٱلۡأَرۡضِ يَعۡلَمُ سِرَّكُمۡ وَجَهۡرَكُمۡ وَيَعۡلَمُ مَا تَكۡسِبُونَ ۝ وَمَا تَأۡتِيهِم مِّنۡ ءَايَةٖ مِّنۡ ءَايَٰتِ رَبِّهِمۡ إِلَّا كَانُواْ عَنۡهَا مُعۡرِضِينَ ۝ فَقَدۡ كَذَّبُواْ بِٱلۡحَقِّ لَمَّا جَآءَهُمۡ فَسَوۡفَ يَأۡتِيهِمۡ أَنۢبَٰٓؤُاْ مَا كَانُواْ بِهِۦ يَسۡتَهۡزِءُونَ ۝ أَلَمۡ يَرَوۡاْ كَمۡ أَهۡلَكۡنَا مِن قَبۡلِهِم مِّن قَرۡنٖ مَّكَّنَّٰهُمۡ فِى ٱلۡأَرۡضِ مَا لَمۡ نُمَكِّن لَّكُمۡ وَأَرۡسَلۡنَا ٱلسَّمَآءَ عَلَيۡهِم مِّدۡرَارٗا وَجَعَلۡنَا ٱلۡأَنۡهَٰرَ تَجۡرِى مِن تَحۡتِهِمۡ فَأَهۡلَكۡنَٰهُم بِذُنُوبِهِمۡ وَأَنشَأۡنَا مِنۢ بَعۡدِهِمۡ قَرۡنًا ءَاخَرِينَ ۝ وَلَوۡ نَزَّلۡنَا عَلَيۡكَ كِتَٰبٗا فِى قِرۡطَاسٖ فَلَمَسُوهُ بِأَيۡدِيهِمۡ لَقَالَ ٱلَّذِينَ كَفَرُوٓاْ إِنۡ هَٰذَآ إِلَّا سِحۡرٞ مُّبِينٞ ۝ وَقَالُواْ لَوۡلَآ أُنزِلَ عَلَيۡهِ مَلَكٞۖ وَلَوۡ أَنزَلۡنَا مَلَكٗا لَّقُضِىَ ٱلۡأَمۡرُ ثُمَّ لَا يُنظَرُونَ ۝

AL-ANʿĀM (LES BESTIAUX)[1]
sourate 6   165 versets   Pré-hégirien n°55

Au nom d'Allāh, le Tout Miséricordieux, le Très Miséricordieux.

1. Louange à Allāh qui a créé les cieux et la terre, et établi les ténèbres et la lumière. Pourtant, les mécréants donnent des égaux à leur Seigneur.

2. C'est Lui qui vous a créés d'argile ; puis Il vous a décrété un terme, et il y a un terme fixé auprès de Lui. Pourtant, vous doutez encore[2]!

3. Et Lui, Il est Allāh dans les cieux et sur la terre. Il connaît ce que vous cachez en vous et ce que vous divulguez et Il sait ce que vous acquérez.

4. Et il ne leur vient aucun des signes d'entre les signes de leur Seigneur, sans qu'ils ne s'en détournent.

5. Ils traitent de mensonge la vérité quand celle-ci leur vient. Mais ils vont avoir des nouvelles de ce dont ils se moquent.

6. N'ont-ils pas vu combien de générations, avant eux, Nous avons détruites, auxquelles Nous avions donné pouvoir sur terre, bien plus que ce que Nous vous avons donné? Nous avions envoyé, sur eux, du ciel, la pluie en abondance, et Nous avions fait couler des rivières à leurs pieds. Puis Nous les avons détruites, pour leurs péchés ; et Nous avons créé, après eux, une nouvelle génération.

7. Même si Nous avions fait descendre sur toi (Muḥammad) un Livre en papier qu'ils pouvaient toucher de leurs mains, ceux qui ne croient pas auraient certainement dit: «Ce n'est que de la magie évidente!»

8. Et ils disent: «Pourquoi n'a-t-on pas fait descendre sur lui (Muḥammad) un Ange?» Si Nous avions fait descendre un Ange, ç'eût été, sûrement, affaire faite[3]; puis on ne leur eût point donné de délai.

---

1. Titre tiré des versets 136, 138, 139 et 142.
   Le terme désigne exclusivement les bêtes suivantes: les moutons, les chèvres, les bœufs et les chameaux.
2. *Il a décrété pour chacun de vous un terme (pour votre mort).*
   Un terme (pour votre résurrection).
3. *Affaire faite*: ç'eût été la fin. Quand l'Ange sera envoyé, ce sera l'heure du cataclysme et du jugement...

وَلَوْ جَعَلْنَٰهُ مَلَكًا لَّجَعَلْنَٰهُ رَجُلًا وَلَلَبَسْنَا عَلَيْهِم مَّا يَلْبِسُونَ ۝ وَلَقَدِ ٱسْتُهْزِئَ بِرُسُلٍ مِّن قَبْلِكَ فَحَاقَ بِٱلَّذِينَ سَخِرُوا۟ مِنْهُم مَّا كَانُوا۟ بِهِۦ يَسْتَهْزِءُونَ ۝ قُلْ سِيرُوا۟ فِى ٱلْأَرْضِ ثُمَّ ٱنظُرُوا۟ كَيْفَ كَانَ عَٰقِبَةُ ٱلْمُكَذِّبِينَ ۝ قُل لِّمَن مَّا فِى ٱلسَّمَٰوَٰتِ وَٱلْأَرْضِ قُل لِّلَّهِ كَتَبَ عَلَىٰ نَفْسِهِ ٱلرَّحْمَةَ لَيَجْمَعَنَّكُمْ إِلَىٰ يَوْمِ ٱلْقِيَٰمَةِ لَا رَيْبَ فِيهِ ٱلَّذِينَ خَسِرُوٓا۟ أَنفُسَهُمْ فَهُمْ لَا يُؤْمِنُونَ ۝ وَلَهُۥ مَا سَكَنَ فِى ٱلَّيْلِ وَٱلنَّهَارِ وَهُوَ ٱلسَّمِيعُ ٱلْعَلِيمُ ۝

قُلْ أَغَيْرَ ٱللَّهِ أَتَّخِذُ وَلِيًّا فَاطِرِ ٱلسَّمَٰوَٰتِ وَٱلْأَرْضِ وَهُوَ يُطْعِمُ وَلَا يُطْعَمُ قُلْ إِنِّىٓ أُمِرْتُ أَنْ أَكُونَ أَوَّلَ مَنْ أَسْلَمَ وَلَا تَكُونَنَّ مِنَ ٱلْمُشْرِكِينَ ۝ قُلْ إِنِّىٓ أَخَافُ إِنْ عَصَيْتُ رَبِّى عَذَابَ يَوْمٍ عَظِيمٍ ۝ مَّن يُصْرَفْ عَنْهُ يَوْمَئِذٍ فَقَدْ رَحِمَهُۥ وَذَٰلِكَ ٱلْفَوْزُ ٱلْمُبِينُ ۝ وَإِن يَمْسَسْكَ ٱللَّهُ بِضُرٍّ فَلَا كَاشِفَ لَهُۥٓ إِلَّا هُوَ وَإِن يَمْسَسْكَ بِخَيْرٍ فَهُوَ عَلَىٰ كُلِّ شَىْءٍ قَدِيرٌ ۝ وَهُوَ ٱلْقَاهِرُ فَوْقَ عِبَادِهِۦ وَهُوَ ٱلْحَكِيمُ ٱلْخَبِيرُ ۝

9. Si Nous avions désigne un Ange [comme prophète], Nous aurions fait de lui un homme et Nous leur aurions causé la même confusion que celle dans laquelle ils sont.

10. Certes, on s'est moqué de messagers avant toi, mais ceux qui se sont raillés d'eux, leur propre raillerie les enveloppa.

11. Dis: «Parcourez la terre et regardez ce qu'il est advenu de ceux qui traitaient la vérité de mensonge».

12. Dis: «À qui appartient ce qui est dans les cieux et la terre?» Dis: «À Allāh!» Il S'est à Lui-même prescrit la miséricorde[1]. Il vous rassemblera, certainement, au Jour de la Résurrection: il n'y a pas de doute là-dessus. Ceux qui font leur propre perte sont ceux qui ne croient pas.

13. Et à Lui tout ce qui réside dans la nuit et le jour. C'est Lui qui est l'Audient, l'Omniscient.

14. Dis: «Devais-je prendre pour allié autre qu'Allāh, le Créateur des cieux et de la terre? C'est Lui qui nourrit et personne ne Le nourrit. Dis: «On m'a commandé d'être le premier à me soumettre»[2]. Et ne sois jamais du nombre des associateurs.

15. Dis: «Je crains, si je désobéis à mon Seigneur, le châtiment d'un jour redoutable»[3].

16. En ce jour, quiconque est épargné, c'est qu'[Allāh] lui a fait miséricorde. Et voilà le succès éclatant.

17. Et si Allāh fait qu'un malheur te touche, nul autre que Lui ne peut l'enlever. Et s'Il fait qu'un bonheur te touche... c'est qu'Il est Omnipotent.

18. C'est Lui le Dominateur Suprême sur Ses serviteurs ; c'est Lui le Sage, le Parfaitement Connaisseur.

---

1. *S'est à Lui-même prescrit la miséricorde*: S'est attribué à Lui-même, exclusivement, le pouvoir de pardonner.
2. *Le premier à me soumettre*: à accepter l'Islām.
3. *Le châtiment d'un jour redoutable*: Le Jour de la Résurrection et du Jugement.

قُلْ أَىُّ شَىْءٍ أَكْبَرُ شَهَـٰدَةً قُلِ ٱللَّهُ شَهِيدٌۢ بَيْنِى وَبَيْنَكُمْ وَأُوحِىَ إِلَىَّ هَـٰذَا ٱلْقُرْءَانُ لِأُنذِرَكُم بِهِۦ وَمَنۢ بَلَغَ أَئِنَّكُمْ لَتَشْهَدُونَ أَنَّ مَعَ ٱللَّهِ ءَالِهَةً أُخْرَىٰ قُل لَّآ أَشْهَدُ قُلْ إِنَّمَا هُوَ إِلَـٰهٌ وَٰحِدٌ وَإِنَّنِى بَرِىٓءٌ مِّمَّا تُشْرِكُونَ ﴿١٩﴾ ٱلَّذِينَ ءَاتَيْنَـٰهُمُ ٱلْكِتَـٰبَ يَعْرِفُونَهُۥ كَمَا يَعْرِفُونَ أَبْنَآءَهُمُ ٱلَّذِينَ خَسِرُوٓا۟ أَنفُسَهُمْ فَهُمْ لَا يُؤْمِنُونَ ﴿٢٠﴾ وَمَنْ أَظْلَمُ مِمَّنِ ٱفْتَرَىٰ عَلَى ٱللَّهِ كَذِبًا أَوْ كَذَّبَ بِـَٔايَـٰتِهِۦٓ إِنَّهُۥ لَا يُفْلِحُ ٱلظَّـٰلِمُونَ ﴿٢١﴾ وَيَوْمَ نَحْشُرُهُمْ جَمِيعًا ثُمَّ نَقُولُ لِلَّذِينَ أَشْرَكُوٓا۟ أَيْنَ شُرَكَآؤُكُمُ ٱلَّذِينَ كُنتُمْ تَزْعُمُونَ ﴿٢٢﴾ ثُمَّ لَمْ تَكُن فِتْنَتُهُمْ إِلَّآ أَن قَالُوا۟ وَٱللَّهِ رَبِّنَا مَا كُنَّا مُشْرِكِينَ ﴿٢٣﴾ ٱنظُرْ كَيْفَ كَذَبُوا۟ عَلَىٰٓ أَنفُسِهِمْ وَضَلَّ عَنْهُم مَّا كَانُوا۟ يَفْتَرُونَ ﴿٢٤﴾ وَمِنْهُم مَّن يَسْتَمِعُ إِلَيْكَ وَجَعَلْنَا عَلَىٰ قُلُوبِهِمْ أَكِنَّةً أَن يَفْقَهُوهُ وَفِىٓ ءَاذَانِهِمْ وَقْرًا وَإِن يَرَوْا۟ كُلَّ ءَايَةٍ لَّا يُؤْمِنُوا۟ بِهَا حَتَّىٰٓ إِذَا جَآءُوكَ يُجَـٰدِلُونَكَ يَقُولُ ٱلَّذِينَ كَفَرُوٓا۟ إِنْ هَـٰذَآ إِلَّآ أَسَـٰطِيرُ ٱلْأَوَّلِينَ ﴿٢٥﴾ وَهُمْ يَنْهَوْنَ عَنْهُ وَيَنْـَٔوْنَ عَنْهُ وَإِن يُهْلِكُونَ إِلَّآ أَنفُسَهُمْ وَمَا يَشْعُرُونَ ﴿٢٦﴾ وَلَوْ تَرَىٰٓ إِذْ وُقِفُوا۟ عَلَى ٱلنَّارِ فَقَالُوا۟ يَـٰلَيْتَنَا نُرَدُّ وَلَا نُكَذِّبَ بِـَٔايَـٰتِ رَبِّنَا وَنَكُونَ مِنَ ٱلْمُؤْمِنِينَ ﴿٢٧﴾

19. Dis: «Qu'y a-t-il de plus grand en fait de témoignage?» Dis: «Allāh est témoin entre moi et vous ; et ce Qurʾān m'a été révélé pour que je vous avertisse, par sa voie, vous et tous ceux qu'il atteindra.» Est-ce vous vraiment qui attestez qu'il y ait avec Allāh d'autres divinités? Dis: «Je n'atteste pas». Dis [aussi]: «Il n'y a qu'une Divinité Unique. Et moi, je désavoue ce que vous (Lui) associez».

20. Ceux à qui Nous avons donné le Livre reconnaissent (le Messager Muḥammad) comme ils reconnaissent leurs propres enfants. Ceux qui font leur propre perte sont ceux qui ne croient pas.

21. Qui donc est plus injuste que celui qui invente un mensonge contre Allāh, ou qui traite de mensonge Ses versets[1]? Les injustes ne réussiront pas.

22. Et le Jour où Nous les rassemblerons tous puis dirons à ceux qui auront donné des associés: «Où sont donc vos associés que vous prétendiez?

23. Alors il ne leur restera comme excuse que de dire: «Par Allāh notre Seigneur! Nous n'étions jamais des associateurs».

24. Vois comment ils mentent à eux-mêmes! Et comment les abandonnent (les associés) qu'ils inventaient!

25. Il en est parmi eux qui viennent t'écouter, cependant que Nous avons entouré de voiles leurs cœurs, qui les empêchent de comprendre (le Qurʾān), et dans leurs oreilles est une lourdeur. Quand même ils verraient toutes sortes de preuves, ils n'y croiraient pas. Et quand ils viennent disputer avec toi, ceux qui ne croient pas disent alors: «Ce ne sont que des légendes des anciens».

26. Ils empêchent [les gens] de s'approcher de lui[2] et s'en écartent eux-mêmes. Ils ne feront périr qu'eux-mêmes sans s'en rendre compte.

27. Si tu les voyais, quand ils seront placés devant le Feu. Ils diront alors: «Hélas! Si nous pouvions être renvoyés (sur la terre), nous ne traiterions plus de mensonges les versets de notre Seigneur et nous serions du nombre des croyants».

---

1. *Ses versets*: le Qurʾān. Autre sens: Ses preuves.
2. *S'approcher de lui*: du Qurʾān ou de Muḥammad (ﷺ). Autre interprétation, il s'agit d'Abū Ṭālib l'oncle du Prophète qui empêchait les gens de nuire au Messager.

بَلْ بَدَا لَهُم مَّا كَانُواْ يُخْفُونَ مِن قَبْلُ وَلَوْ رُدُّواْ لَعَادُواْ لِمَا نُهُواْ عَنْهُ وَإِنَّهُمْ لَكَاذِبُونَ ۝ وَقَالُواْ إِنْ هِيَ إِلَّا حَيَاتُنَا الدُّنْيَا وَمَا نَحْنُ بِمَبْعُوثِينَ ۝ وَلَوْ تَرَىٰ إِذْ وُقِفُواْ عَلَىٰ رَبِّهِمْ قَالَ أَلَيْسَ هَـٰذَا بِالْحَقِّ قَالُواْ بَلَىٰ وَرَبِّنَا قَالَ فَذُوقُواْ الْعَذَابَ بِمَا كُنتُمْ تَكْفُرُونَ ۝ قَدْ خَسِرَ الَّذِينَ كَذَّبُواْ بِلِقَاءِ اللَّهِ حَتَّىٰ إِذَا جَاءَتْهُمُ السَّاعَةُ بَغْتَةً قَالُواْ يَا حَسْرَتَنَا عَلَىٰ مَا فَرَّطْنَا فِيهَا وَهُمْ يَحْمِلُونَ أَوْزَارَهُمْ عَلَىٰ ظُهُورِهِمْ أَلَا سَاءَ مَا يَزِرُونَ ۝ وَمَا الْحَيَاةُ الدُّنْيَا إِلَّا لَعِبٌ وَلَهْوٌ وَلَلدَّارُ الْآخِرَةُ خَيْرٌ لِّلَّذِينَ يَتَّقُونَ أَفَلَا تَعْقِلُونَ ۝ قَدْ نَعْلَمُ إِنَّهُ لَيَحْزُنُكَ الَّذِي يَقُولُونَ فَإِنَّهُمْ لَا يُكَذِّبُونَكَ وَلَـٰكِنَّ الظَّالِمِينَ بِآيَاتِ اللَّهِ يَجْحَدُونَ ۝ وَلَقَدْ كُذِّبَتْ رُسُلٌ مِّن قَبْلِكَ فَصَبَرُواْ عَلَىٰ مَا كُذِّبُواْ وَأُوذُواْ حَتَّىٰ أَتَاهُمْ نَصْرُنَا وَلَا مُبَدِّلَ لِكَلِمَاتِ اللَّهِ وَلَقَدْ جَاءَكَ مِن نَّبَإِ الْمُرْسَلِينَ ۝ وَإِن كَانَ كَبُرَ عَلَيْكَ إِعْرَاضُهُمْ فَإِنِ اسْتَطَعْتَ أَن تَبْتَغِيَ نَفَقًا فِي الْأَرْضِ أَوْ سُلَّمًا فِي السَّمَاءِ فَتَأْتِيَهُم بِآيَةٍ وَلَوْ شَاءَ اللَّهُ لَجَمَعَهُمْ عَلَى الْهُدَىٰ فَلَا تَكُونَنَّ مِنَ الْجَاهِلِينَ ۝

28. Mais non! Voilà que leur apparaîtra ce qu'auparavant ils cachaient1. Or, s'ils étaient rendus [à la vie terrestre], ils reviendraient sûrement à ce qui leur était interdit. Ce sont vraiment des menteurs.

29. Et ils disent: «Il n'y a pour nous [d'autre vie] que celle d'ici-bas ; et nous ne serons pas ressuscités».

30. Si tu les voyais, quand ils comparaîtront devant leur Seigneur. Il leur dira: «Cela2 n'est-il pas la vérité?» Ils diront: «Mais si! Par notre Seigneur!» Et, il dira: «Goûtez alors au châtiment pour n'avoir pas cru».

31. Sont perdants certes ceux qui traitent de mensonge la rencontre d'Allāh. Et quand soudain l'Heure leur viendra, ils diront: «Malheur à nous pour notre négligence à son égard3. Et ils porteront leurs fardeaux sur leurs dos, et quels mauvais fardeaux!

32. La présente vie n'est que jeu et amusement. La demeure dans l'au-delà sera meilleure pour ceux qui sont pieux. Eh bien, ne comprenez-vous pas?

33. Nous savons qu'en vérité ce qu'ils disent te chagrine. Or, vraiment ils ne croient pas que tu es menteur, mais ce sont les versets (le Qurʾān) d'Allāh, que les injustes renient.

34. Certes, des messagers avant toi (Muḥammad) ont été traités de menteurs. Ils endurèrent alors avec constance d'être traités de menteurs et d'être persécutés, jusqu'à ce que Notre secours leur vînt. Et nul ne peut changer les paroles d'Allāh, et il t'est déjà parvenu une partie de l'histoire des Envoyés.

35. Et si leur indifférence t'afflige énormément, et qu'il est dans ton pouvoir de chercher un tunnel à travers la terre, ou une échelle pour aller au ciel pour leur apporter un miracle4, [fais-le donc] .Et si Allāh voulait, Il pourrait les mettre tous sur le chemin droit. Ne sois pas du nombre des ignorants.

---

1. *Ce qu'auparavant ils cachaient*: l'évidence de l'unicité d'Allāh, ainsi que leurs méfaits.
2. *Cela*: la rencontre d'Allāh.
3. *A son égard*: l'Heure (la fin du monde). Autre interp. la vie terrestre.
4. *Un miracle*: parmi ceux que les associateurs ont demandé au Prophète.

إِنَّمَا يَسْتَجِيبُ الَّذِينَ يَسْمَعُونَ ۘ وَالْمَوْتَىٰ يَبْعَثُهُمُ اللَّهُ ثُمَّ إِلَيْهِ يُرْجَعُونَ ۝ وَقَالُوا لَوْلَا نُزِّلَ عَلَيْهِ ءَايَةٌ مِّن رَّبِّهِۦ ۚ قُلْ إِنَّ اللَّهَ قَادِرٌ عَلَىٰ أَن يُنَزِّلَ ءَايَةً وَلَٰكِنَّ أَكْثَرَهُمْ لَا يَعْلَمُونَ ۝ وَمَا مِن دَابَّةٍ فِى الْأَرْضِ وَلَا طَٰٓئِرٍ يَطِيرُ بِجَنَاحَيْهِ إِلَّا أُمَمٌ أَمْثَالُكُم ۚ مَّا فَرَّطْنَا فِى الْكِتَٰبِ مِن شَىْءٍ ۚ ثُمَّ إِلَىٰ رَبِّهِمْ يُحْشَرُونَ ۝ وَالَّذِينَ كَذَّبُوا بِـَٔايَٰتِنَا صُمٌّ وَبُكْمٌ فِى الظُّلُمَٰتِ ۗ مَن يَشَإِ اللَّهُ يُضْلِلْهُ وَمَن يَشَأْ يَجْعَلْهُ عَلَىٰ صِرَٰطٍ مُّسْتَقِيمٍ ۝ قُلْ أَرَءَيْتَكُمْ إِنْ أَتَىٰكُمْ عَذَابُ اللَّهِ أَوْ أَتَتْكُمُ السَّاعَةُ أَغَيْرَ اللَّهِ تَدْعُونَ إِن كُنتُمْ صَٰدِقِينَ ۝ بَلْ إِيَّاهُ تَدْعُونَ فَيَكْشِفُ مَا تَدْعُونَ إِلَيْهِ إِن شَآءَ وَتَنسَوْنَ مَا تُشْرِكُونَ ۝ وَلَقَدْ أَرْسَلْنَا إِلَىٰٓ أُمَمٍ مِّن قَبْلِكَ فَأَخَذْنَٰهُم بِالْبَأْسَآءِ وَالضَّرَّآءِ لَعَلَّهُمْ يَتَضَرَّعُونَ ۝ فَلَوْلَآ إِذْ جَآءَهُم بَأْسُنَا تَضَرَّعُوا وَلَٰكِن قَسَتْ قُلُوبُهُمْ وَزَيَّنَ لَهُمُ الشَّيْطَٰنُ مَا كَانُوا يَعْمَلُونَ ۝ فَلَمَّا نَسُوا مَا ذُكِّرُوا بِهِۦ فَتَحْنَا عَلَيْهِمْ أَبْوَٰبَ كُلِّ شَىْءٍ حَتَّىٰٓ إِذَا فَرِحُوا بِمَآ أُوتُوٓا أَخَذْنَٰهُم بَغْتَةً فَإِذَا هُم مُّبْلِسُونَ ۝

36. Seuls ceux qui entendent répondent à l'appel [de la foi]. Et quant aux morts, Allāh les ressuscitera ; puis ils Lui seront ramenés[1].

37. Et ils disent: «Pourquoi n'a-t-on pas fait descendre sur lui (Muḥammad) un miracle de la part de son Seigneur?» Dis: «Certes Allāh est capable de faire descendre un miracle. Mais la plupart d'entre eux ne savent pas».

38. Nulle bête marchant sur terre, nul oiseau volant de ses ailes, qui ne soit comme vous en communauté. Nous n'avons rien omis d'écrire dans le Livre. Puis, c'est vers leur Seigneur qu'ils seront ramenés.

39. Et ceux qui traitent de mensonges Nos versets, sont sourds et muets, dans les ténèbres. Allāh égare qui Il veut ; et Il place qui Il veut sur un chemin droit.

40. Dis: «Informez-moi: si le châtiment d'Allāh vous vient, ou que vous vient l'Heure, ferez-vous appel à autre qu'Allāh, si vous êtes véridiques?»

41. C'est plutôt à Lui que vous ferez appel. Puis, Il dissipera, s'Il veut, l'objet de votre appel[2] et vous oublierez ce que vous [Lui] associez.

42. Nous avons, certes, envoyé (des messagers) aux communautés avant toi. Ensuite Nous les avons saisies par l'adversité et la détresse - peut-être imploreront-ils (la miséricorde)! -

43. Pourquoi donc, lorsque Notre rigueur leur vînt, n'ont-ils pas imploré (la miséricorde)? Mais leurs cœurs s'étaient endurcis et le Diable enjolivait à leurs yeux ce qu'ils faisaient.

44. Puis, lorsqu'ils eurent oublié ce qu'on leur avait rappelé, Nous leur ouvrîmes les portes donnant sur toute chose (l'abondance) ; et lorsqu'ils eurent exulté de joie en raison de ce qui leur avait été donné, Nous les saisîmes soudain, et les voilà désespérés.

---

1. Seuls répondront à ton appel. Ô Muḥammad ceux qui entendent les paroles et les observent. Quant aux mécréants, ils sont semblables aux morts qui ne répondent à aucun appel. Cependant ils seront tous rappelés à Allāh.
2. *L'objet de votre appel*: le malheur qui vous pousse à appeler Allāh.

فَقُطِعَ دَابِرُ ٱلْقَوْمِ ٱلَّذِينَ ظَلَمُواْ وَٱلْحَمْدُ لِلَّهِ رَبِّ ٱلْعَٰلَمِينَ ﴿٤٥﴾

قُلْ أَرَءَيْتُمْ إِنْ أَخَذَ ٱللَّهُ سَمْعَكُمْ وَأَبْصَٰرَكُمْ وَخَتَمَ عَلَىٰ قُلُوبِكُم مَّنْ إِلَٰهٌ غَيْرُ ٱللَّهِ يَأْتِيكُم بِهِ ٱنظُرْ كَيْفَ نُصَرِّفُ ٱلْءَايَٰتِ ثُمَّ هُمْ يَصْدِفُونَ ﴿٤٦﴾ قُلْ أَرَءَيْتَكُمْ إِنْ أَتَىٰكُمْ عَذَابُ ٱللَّهِ بَغْتَةً أَوْ جَهْرَةً هَلْ يُهْلَكُ إِلَّا ٱلْقَوْمُ ٱلظَّٰلِمُونَ ﴿٤٧﴾ وَمَا نُرْسِلُ ٱلْمُرْسَلِينَ إِلَّا مُبَشِّرِينَ وَمُنذِرِينَ فَمَنْ ءَامَنَ وَأَصْلَحَ فَلَا خَوْفٌ عَلَيْهِمْ وَلَا هُمْ يَحْزَنُونَ ﴿٤٨﴾ وَٱلَّذِينَ كَذَّبُواْ بِـَٔايَٰتِنَا يَمَسُّهُمُ ٱلْعَذَابُ بِمَا كَانُواْ يَفْسُقُونَ ﴿٤٩﴾ قُل لَّا أَقُولُ لَكُمْ عِندِى خَزَآئِنُ ٱللَّهِ وَلَا أَعْلَمُ ٱلْغَيْبَ وَلَا أَقُولُ لَكُمْ إِنِّى مَلَكٌ إِنْ أَتَّبِعُ إِلَّا مَا يُوحَىٰ إِلَىَّ قُلْ هَلْ يَسْتَوِى ٱلْأَعْمَىٰ وَٱلْبَصِيرُ أَفَلَا تَتَفَكَّرُونَ ﴿٥٠﴾ وَأَنذِرْ بِهِ ٱلَّذِينَ يَخَافُونَ أَن يُحْشَرُوٓاْ إِلَىٰ رَبِّهِمْ لَيْسَ لَهُم مِّن دُونِهِ وَلِىٌّ وَلَا شَفِيعٌ لَّعَلَّهُمْ يَتَّقُونَ ﴿٥١﴾ وَلَا تَطْرُدِ ٱلَّذِينَ يَدْعُونَ رَبَّهُم بِٱلْغَدَوٰةِ وَٱلْعَشِىِّ يُرِيدُونَ وَجْهَهُۥ مَا عَلَيْكَ مِنْ حِسَابِهِم مِّن شَىْءٍ وَمَا مِنْ حِسَابِكَ عَلَيْهِم مِّن شَىْءٍ فَتَطْرُدَهُمْ فَتَكُونَ مِنَ ٱلظَّٰلِمِينَ ﴿٥٢﴾

45. Ainsi fut exterminé le dernier reste de ces injustes. Et louange à Allāh, Seigneur de l'Univers!

46. Dis: «Voyez-vous? Si Allāh prenait votre ouïe et votre vue, et scellait vos cœurs, quelle divinité autre qu'Allāh vous les rendrait? Regarde comment, à leur intention, Nous clarifions les preuves! Pourtant ils s'en détournent.

47. Dis: «Que vous en semble? Si le châtiment d'Allāh vous venait à l'improviste ou au grand jour, qui seront détruits sinon les gens injustes?»

48. Nous n'envoyons des messagers qu'en annonciateurs et avertisseurs: ceux qui croient donc et se réforment, nulle crainte sur eux et ils ne seront point affligés.

49. Et ceux qui traitent de mensonges Nos preuves, le châtiment les touchera, à cause de leur perversité.

50. Dis-[leur]: «Je ne vous dis pas que je détiens les trésors d'Allāh, ni que je connais l'Inconnaissable, et je ne vous dis pas que je suis un ange. Je ne fais que suivre ce qui m'est révélé». Dis: «Est-ce que sont égaux l'aveugle et celui qui voit? Ne réfléchissez-vous donc pas?»

51. Et avertis par ceci (le Qurʾān), ceux qui craignent d'être rassemblés devant leur Seigneur, qu'ils n'auront hors d'Allāh ni allié ni intercesseur. Peut-être deviendraient-ils pieux!

52. Et ne repousse pas ceux qui, matin et soir, implorent leur Seigneur, cherchant Sa Face «*Wajh*». Leur demander compte ne t'incombe en rien, et te demander compte ne leur incombe en rien. En les repoussant donc, tu serais du nombre des injustes[1].

---

1. *Wajh*: «Wajh» en arabe veut dire «visage», il est reconnu qu'Allāh ne ressemble point aux créatures. Ce verset est descendu pour répondre aux critiques des idolâtres et autres qui reprochaient au Prophète d'avoir comme disciples une foule de gens parmi les moins fortunés.
Cherchant Sa Face «Wajh»: Lui vouant la pureté du culte et obéissant exclusivement à tous Ses commandements.

وَكَذَٰلِكَ فَتَنَّا بَعْضَهُم بِبَعْضٍ لِّيَقُولُوٓا أَهَـٰٓؤُلَآءِ مَنَّ ٱللَّهُ

عَلَيْهِم مِّنۢ بَيْنِنَآ ۗ أَلَيْسَ ٱللَّهُ بِأَعْلَمَ بِٱلشَّـٰكِرِينَ ۝

وَإِذَا جَآءَكَ ٱلَّذِينَ يُؤْمِنُونَ بِـَٔايَـٰتِنَا فَقُلْ سَلَـٰمٌ عَلَيْكُمْ ۖ كَتَبَ

رَبُّكُمْ عَلَىٰ نَفْسِهِ ٱلرَّحْمَةَ ۖ أَنَّهُۥ مَنْ عَمِلَ مِنكُمْ سُوٓءًۢا

بِجَهَـٰلَةٍ ثُمَّ تَابَ مِنۢ بَعْدِهِۦ وَأَصْلَحَ فَأَنَّهُۥ غَفُورٌ رَّحِيمٌ ۝

وَكَذَٰلِكَ نُفَصِّلُ ٱلْـَٔايَـٰتِ وَلِتَسْتَبِينَ سَبِيلُ ٱلْمُجْرِمِينَ ۝

قُلْ إِنِّى نُهِيتُ أَنْ أَعْبُدَ ٱلَّذِينَ تَدْعُونَ مِن دُونِ ٱللَّهِ ۚ قُل لَّآ أَتَّبِعُ

أَهْوَآءَكُمْ ۙ قَدْ ضَلَلْتُ إِذًا وَمَآ أَنَا۠ مِنَ ٱلْمُهْتَدِينَ ۝

قُلْ إِنِّى عَلَىٰ بَيِّنَةٍ مِّن رَّبِّى وَكَذَّبْتُم بِهِۦ ۚ مَا عِندِى مَا

تَسْتَعْجِلُونَ بِهِۦٓ ۚ إِنِ ٱلْحُكْمُ إِلَّا لِلَّهِ ۖ يَقُصُّ ٱلْحَقَّ ۖ وَهُوَ خَيْرُ

ٱلْفَـٰصِلِينَ ۝ قُل لَّوْ أَنَّ عِندِى مَا تَسْتَعْجِلُونَ بِهِۦ لَقُضِىَ

ٱلْأَمْرُ بَيْنِى وَبَيْنَكُمْ ۗ وَٱللَّهُ أَعْلَمُ بِٱلظَّـٰلِمِينَ ۝

۞ وَعِندَهُۥ مَفَاتِحُ ٱلْغَيْبِ لَا يَعْلَمُهَآ إِلَّا هُوَ ۚ وَيَعْلَمُ مَا فِى

ٱلْبَرِّ وَٱلْبَحْرِ ۚ وَمَا تَسْقُطُ مِن وَرَقَةٍ إِلَّا يَعْلَمُهَا وَلَا حَبَّةٍ

فِى ظُلُمَـٰتِ ٱلْأَرْضِ وَلَا رَطْبٍ وَلَا يَابِسٍ إِلَّا فِى كِتَـٰبٍ مُّبِينٍ ۝

53. Ainsi, éprouvons-Nous (les gens) les uns par les autres[1], pour qu'ils disent: «Est-ce là ceux qu'Allāh a favorisés parmi nous?» N'est-ce pas Allah qui sait le mieux lesquels sont reconnaissants?

54. Et lorsque viennent vers toi ceux qui croient à nos versets (le Qurᵓān), dis: «Que la paix soit sur vous! Votre Seigneur S'est prescrit à Lui-même la miséricorde. Et quiconque d'entre vous a fait un mal par ignorance, et ensuite s'est repenti et s'est réformé... Il est, alors, Pardonneur et Miséricordieux».

55. C'est ainsi que Nous détaillons les versets, afin qu'apparaisse clairement le chemin des criminels.

56. Dis: «il m'a été interdit d'adorer ceux que vous priez en dehors d'Allāh». Dis: «Je ne suivrai pas vos passions: car ce serait m'égarer, et je ne serais plus parmi les bien-guidés».

57. Dis: «Je m'appuie sur une preuve évidente de la part de mon Seigneur, et vous avez traité cela de mensonge. Ce (le châtiment) que vous voulez hâter ne dépend pas de moi. Le jugement n'appartient qu'à Allāh: Il tranche en toute vérité et Il est le meilleur des juges.

58. Dis: «Si ce que vous voulez hâter dépendait de moi, ce serait affaire faite entre vous et moi». C'est Allāh qui connaît le mieux les injustes.

59. C'est Lui qui détient les clefs de l'Inconnaissable. Nul autre que Lui ne les connaît. Et Il connaît ce qui est dans la terre ferme, comme dans la mer. Et pas une feuille ne tombe qu'Il ne le sache. Et pas une graine dans les ténèbres de la terre, rien de frais ou de sec, qui ne soit consigné dans un livre explicite.

---

1. *Ainsi, éprouvons-Nous les uns par les autres*: La plupart des gens qui ont suivi au début le prophète furent parmi les plus faibles. Ce qui a fait dire aux notables mecquois: «Est-ce là ceux qu'Allāh a favorisés parmi nous?»
Allāh leur a répondu qu'Il est Celui qui connaît le mieux la pensée des gens et qu'Il guide ceux qui le méritent vers le droit chemin.

وَهُوَ ٱلَّذِى يَتَوَفَّىٰكُم بِٱلَّيْلِ وَيَعْلَمُ مَا جَرَحْتُم بِٱلنَّهَارِ ثُمَّ يَبْعَثُكُمْ فِيهِ لِيُقْضَىٰٓ أَجَلٌ مُّسَمًّى ثُمَّ إِلَيْهِ مَرْجِعُكُمْ ثُمَّ يُنَبِّئُكُم بِمَا كُنتُمْ تَعْمَلُونَ ۝ وَهُوَ ٱلْقَاهِرُ فَوْقَ عِبَادِهِۦ وَيُرْسِلُ عَلَيْكُمْ حَفَظَةً حَتَّىٰٓ إِذَا جَآءَ أَحَدَكُمُ ٱلْمَوْتُ تَوَفَّتْهُ رُسُلُنَا وَهُمْ لَا يُفَرِّطُونَ ۝ ثُمَّ رُدُّوٓاْ إِلَى ٱللَّهِ مَوْلَىٰهُمُ ٱلْحَقِّ أَلَا لَهُ ٱلْحُكْمُ وَهُوَ أَسْرَعُ ٱلْحَٰسِبِينَ ۝ قُلْ مَن يُنَجِّيكُم مِّن ظُلُمَٰتِ ٱلْبَرِّ وَٱلْبَحْرِ تَدْعُونَهُۥ تَضَرُّعًا وَخُفْيَةً لَّئِنْ أَنجَىٰنَا مِنْ هَٰذِهِۦ لَنَكُونَنَّ مِنَ ٱلشَّٰكِرِينَ ۝ قُلِ ٱللَّهُ يُنَجِّيكُم مِّنْهَا وَمِن كُلِّ كَرْبٍ ثُمَّ أَنتُمْ تُشْرِكُونَ ۝ قُلْ هُوَ ٱلْقَادِرُ عَلَىٰٓ أَن يَبْعَثَ عَلَيْكُمْ عَذَابًا مِّن فَوْقِكُمْ أَوْ مِن تَحْتِ أَرْجُلِكُمْ أَوْ يَلْبِسَكُمْ شِيَعًا وَيُذِيقَ بَعْضَكُم بَأْسَ بَعْضٍ ٱنظُرْ كَيْفَ نُصَرِّفُ ٱلْءَايَٰتِ لَعَلَّهُمْ يَفْقَهُونَ ۝ وَكَذَّبَ بِهِۦ قَوْمُكَ وَهُوَ ٱلْحَقُّ قُل لَّسْتُ عَلَيْكُم بِوَكِيلٍ ۝ لِّكُلِّ نَبَإٍ مُّسْتَقَرٌّ وَسَوْفَ تَعْلَمُونَ ۝ وَإِذَا رَأَيْتَ ٱلَّذِينَ يَخُوضُونَ فِىٓ ءَايَٰتِنَا فَأَعْرِضْ عَنْهُمْ حَتَّىٰ يَخُوضُواْ فِى حَدِيثٍ غَيْرِهِۦ وَإِمَّا يُنسِيَنَّكَ ٱلشَّيْطَٰنُ فَلَا تَقْعُدْ بَعْدَ ٱلذِّكْرَىٰ مَعَ ٱلْقَوْمِ ٱلظَّٰلِمِينَ ۝

60. Et, la nuit, c'est Lui qui prend vos âmes, et Il sait ce que vous avez acquis pendant le jour. Puis Il vous ressuscite le jour afin que s'accomplisse le terme fixé. Ensuite, c'est vers Lui que sera votre retour, et Il vous informera de ce que vous faisiez[1].

61. Et Il est le Dominateur Suprême sur Ses serviteurs. Et Il envoie sur vous des gardiens[2]. Et lorsque la mort atteint l'un de vous, Nos messagers (les Anges) enlèvent son âme sans aucune négligence.

62. Ils sont[3] ensuite ramenés vers Allāh, leur vrai Maître. C'est à Lui qu'appartient le jugement et Il est le plus prompt des juges.

63. Dis: «Qui vous délivre des ténèbres de la terre et de la mer?» Vous l'invoquez humblement[4] et en secret: «S'Il nous délivre de ceci, nous serons du nombre des reconnaissants.

64. Dis: «C'est Allāh qui vous en délivre ainsi que de toute angoisse. Pourtant, vous Lui donnez des associés».

65. Dis: «Il est capable, Lui, de susciter contre vous, d'en haut, ou de dessous vos pieds[5], un châtiment, ou de vous confondre dans le sectarisme. Et Il vous fait goûter l'ardeur [au combat] les uns aux autres.» Regarde comment Nous exposons Nos versets. Peut-être comprendront-ils?

66. Et ton peuple traite cela (le Qurʾān) de mensonge, alors que c'est la vérité. Dis: «Je ne suis pas votre garant[6].

67. Chaque annonce arrive en son temps et en son lieu. Et bientôt vous le saurez.»

68. Quand tu vois ceux qui pataugent dans des discussions à propos de Nos versets, éloigne-toi d'eux jusqu'à ce qu'ils entament une autre discussion. Et si le Diable te fait oublier[7], alors, dés que tu te rappelles, ne reste pas avec les injustes.

---

1. *Qui prend vos âmes*: qui vous plonge dans le sommeil, de sorte que vous ressemblez à des morts.
   Le terme fixé: pour la durée de la vie.
2. *Des gardiens*: (des Anges qui enregistrent, séance tenante, les actions des humains).
3. *Ils sont*: les Anges ou l'ensemble des créatures.
4. *Humblement*: autre interpr. publiquement.
5. *D'en haut ou de dessous vos pieds*: de partout.
6. *Votre garant*: «Je ne suis chargé que de la communication des enseignements de l'Islām».
7. *Te fait oublier*: si par oubli, Tu (Muḥammad) assistes à leur discussion.

وَمَا عَلَى ٱلَّذِينَ يَتَّقُونَ مِنْ حِسَابِهِم مِّن شَىْءٍ وَلَٰكِن ذِكْرَىٰ لَعَلَّهُمْ يَتَّقُونَ ۝ وَذَرِ ٱلَّذِينَ ٱتَّخَذُوا۟ دِينَهُمْ لَعِبًا وَلَهْوًا وَغَرَّتْهُمُ ٱلْحَيَوٰةُ ٱلدُّنْيَا وَذَكِّرْ بِهِ أَن تُبْسَلَ نَفْسٌۢ بِمَا كَسَبَتْ لَيْسَ لَهَا مِن دُونِ ٱللَّهِ وَلِىٌّ وَلَا شَفِيعٌ وَإِن تَعْدِلْ كُلَّ عَدْلٍ لَّا يُؤْخَذْ مِنْهَآ أُو۟لَٰٓئِكَ ٱلَّذِينَ أُبْسِلُوا۟ بِمَا كَسَبُوا۟ لَهُمْ شَرَابٌ مِّنْ حَمِيمٍ وَعَذَابٌ أَلِيمٌۢ بِمَا كَانُوا۟ يَكْفُرُونَ ۝ قُلْ أَنَدْعُوا۟ مِن دُونِ ٱللَّهِ مَا لَا يَنفَعُنَا وَلَا يَضُرُّنَا وَنُرَدُّ عَلَىٰٓ أَعْقَابِنَا بَعْدَ إِذْ هَدَىٰنَا ٱللَّهُ كَٱلَّذِى ٱسْتَهْوَتْهُ ٱلشَّيَٰطِينُ فِى ٱلْأَرْضِ حَيْرَانَ لَهُۥٓ أَصْحَٰبٌ يَدْعُونَهُۥٓ إِلَى ٱلْهُدَى ٱئْتِنَا قُلْ إِنَّ هُدَى ٱللَّهِ هُوَ ٱلْهُدَىٰ وَأُمِرْنَا لِنُسْلِمَ لِرَبِّ ٱلْعَٰلَمِينَ ۝ وَأَنْ أَقِيمُوا۟ ٱلصَّلَوٰةَ وَٱتَّقُوهُ وَهُوَ ٱلَّذِىٓ إِلَيْهِ تُحْشَرُونَ ۝ وَهُوَ ٱلَّذِى خَلَقَ ٱلسَّمَٰوَٰتِ وَٱلْأَرْضَ بِٱلْحَقِّ وَيَوْمَ يَقُولُ كُن فَيَكُونُ قَوْلُهُ ٱلْحَقُّ وَلَهُ ٱلْمُلْكُ يَوْمَ يُنفَخُ فِى ٱلصُّورِ عَٰلِمُ ٱلْغَيْبِ وَٱلشَّهَٰدَةِ وَهُوَ ٱلْحَكِيمُ ٱلْخَبِيرُ ۝

69. Il n'incombe nullement à ceux qui sont pieux de rendre compte pour ces gens là. Mais c'est à titre de rappel. Peut-être craindront-ils [Allāh].

70. Laisse ceux qui prennent leur religion pour jeu et amusement, et qui sont séduits par la vie sur terre. Et rappelle par ceci (le Qurʾān) pour qu'une âme ne s'expose pas à sa perte selon ce qu'elle aura acquis, elle n'aura en dehors d'Allāh, ni allié ni intercesseur. Et quelle que soit la compensation qu'elle offrirait, elle ne sera pas acceptée d'elle. Ceux-là se sont abandonnés à leur perdition à cause de ce qu'ils ont acquis. Leur breuvage sera l'eau bouillante et ils auront un châtiment douloureux, pour avoir mécru.

71. Dis: «Invoquerons-nous, au lieu d'Allāh, ce qui ne peut nous profiter ni nous nuire? Et reviendrons-nous sur nos talons après qu'Allāh nous a guidés comme quelqu'un que les diables ont séduit et qui erre perplexe sur la terre bien que des amis l'appellent vers le droit chemin (lui disant): -«Viens à nous.» Dis: «Le vrai chemin, c'est le chemin d'Allāh. Et il nous a été commandé de nous soumettre au Seigneur de l'Univers,

72. Et d'accomplir la Ṣalāt et de Le craindre. C'est vers Lui que vous serez rassemblés».

73. Et c'est Lui qui a créé les cieux et la terre, en toute vérité. Et le jour où Il dit: «Sois!» Cela est[1], Sa parole est la vérité. À Lui, [seul,] la royauté, le jour où l'on soufflera dans la Trompe. C'est Lui le Connaisseur de ce qui est voilé et de ce qui est manifeste. Et c'est Lui le Sage et le Parfaitement Connaisseur.

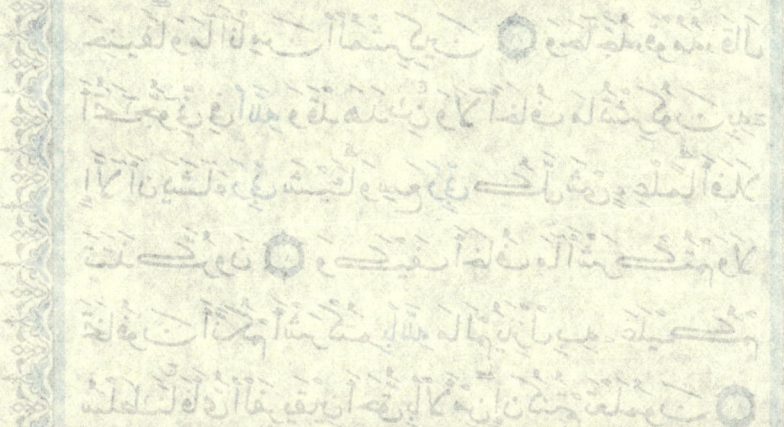

---

1. *Cela est*: cela se réalise dans l'immédiat.

۞ وَإِذْ قَالَ إِبْرَٰهِيمُ لِأَبِيهِ ءَازَرَ أَتَتَّخِذُ أَصْنَامًا ءَالِهَةً إِنِّىٓ
أَرَىٰكَ وَقَوْمَكَ فِى ضَلَٰلٍ مُّبِينٍ ﴿٧٤﴾ وَكَذَٰلِكَ نُرِىٓ إِبْرَٰهِيمَ
مَلَكُوتَ ٱلسَّمَٰوَٰتِ وَٱلْأَرْضِ وَلِيَكُونَ مِنَ ٱلْمُوقِنِينَ ﴿٧٥﴾
فَلَمَّا جَنَّ عَلَيْهِ ٱلَّيْلُ رَءَا كَوْكَبًا قَالَ هَٰذَا رَبِّى فَلَمَّآ أَفَلَ قَالَ
لَآ أُحِبُّ ٱلْءَافِلِينَ ﴿٧٦﴾ فَلَمَّا رَءَا ٱلْقَمَرَ بَازِغًا قَالَ هَٰذَا
رَبِّى فَلَمَّآ أَفَلَ قَالَ لَئِن لَّمْ يَهْدِنِى رَبِّى لَأَكُونَنَّ مِنَ ٱلْقَوْمِ
ٱلضَّآلِّينَ ﴿٧٧﴾ فَلَمَّا رَءَا ٱلشَّمْسَ بَازِغَةً قَالَ هَٰذَا رَبِّى هَٰذَآ
أَكْبَرُ فَلَمَّآ أَفَلَتْ قَالَ يَٰقَوْمِ إِنِّى بَرِىٓءٌ مِّمَّا تُشْرِكُونَ ﴿٧٨﴾
إِنِّى وَجَّهْتُ وَجْهِىَ لِلَّذِى فَطَرَ ٱلسَّمَٰوَٰتِ وَٱلْأَرْضَ
حَنِيفًا وَمَآ أَنَا۠ مِنَ ٱلْمُشْرِكِينَ ﴿٧٩﴾ وَحَآجَّهُۥ قَوْمُهُۥ قَالَ
أَتُحَٰجُّوٓنِّى فِى ٱللَّهِ وَقَدْ هَدَىٰنِ وَلَآ أَخَافُ مَا تُشْرِكُونَ بِهِۦٓ
إِلَّآ أَن يَشَآءَ رَبِّى شَيْئًا وَسِعَ رَبِّى كُلَّ شَىْءٍ عِلْمًا أَفَلَا
تَتَذَكَّرُونَ ﴿٨٠﴾ وَكَيْفَ أَخَافُ مَآ أَشْرَكْتُمْ وَلَا
تَخَافُونَ أَنَّكُمْ أَشْرَكْتُم بِٱللَّهِ مَا لَمْ يُنَزِّلْ بِهِۦ عَلَيْكُمْ
سُلْطَٰنًا فَأَىُّ ٱلْفَرِيقَيْنِ أَحَقُّ بِٱلْأَمْنِ إِن كُنتُمْ تَعْلَمُونَ ﴿٨١﴾

74. (Rappelle le moment) où Abraham dit à ʿAzar, son père: «Prends-tu des idoles comme divinités? Je te vois, toi et ton peuple, dans un égarement évident!».

75. Ainsi avons-Nous montré à Abraham le royaume des cieux et de la terre, afin qu'il fût de ceux qui croient avec conviction.

76. Quand la nuit l'enveloppa, il observa une étoile, et dit: «Voilà mon Seigneur!» Puis, lorsqu'elle disparut, il dit: «Je n'aime pas les choses qui disparaissent».

77. Lorsqu'ensuite il observa la lune se levant, il dit: «Voilà mon Seigneur!» Puis, lorsqu'elle disparut, il dit: «Si mon Seigneur ne me guide pas, je serai certes du nombre des gens égarés».

78. Lorsqu'ensuite il observa le soleil levant, il dit: «Voilà mon Seigneur. Celui-ci est plus grand» Puis lorsque le soleil disparut, il dit: «Ô mon peuple, je désavoue tout ce que vous associez à Allāh.

79. Je tourne mon visage exclusivement vers Celui qui a créé (à partir du néant) les cieux et la terre ; et je ne suis point de ceux qui Lui donnent des associés».

80. Son peuple disputa avec lui ; mais il dit: «Allez-vous disputer avec moi au sujet d'Allāh, alors qu'Il m'a guidé? Je n'ai pas peur des associés que vous Lui donnez. Je ne crains que ce que veut mon Seigneur. Mon Seigneur embrasse tout dans Sa science. Ne vous rappelez-vous donc pas?

81. Et comment aurais-je peur des associés que vous Lui donnez, alors que vous n'avez pas eu peur d'associer à Allāh des choses pour lesquelles Il ne vous a fait descendre aucune preuve? Lequel donc des deux partis a le plus droit à la sécurité? (Dites-le si vous savez.

ٱلَّذِينَ ءَامَنُوا۟ وَلَمْ يَلْبِسُوٓا۟ إِيمَٰنَهُم بِظُلْمٍ أُو۟لَٰٓئِكَ لَهُمُ ٱلْأَمْنُ وَهُم مُّهْتَدُونَ ۝ وَتِلْكَ حُجَّتُنَآ ءَاتَيْنَٰهَآ إِبْرَٰهِيمَ عَلَىٰ قَوْمِهِۦ نَرْفَعُ دَرَجَٰتٍ مَّن نَّشَآءُ إِنَّ رَبَّكَ حَكِيمٌ عَلِيمٌ ۝ وَوَهَبْنَا لَهُۥٓ إِسْحَٰقَ وَيَعْقُوبَ كُلًّا هَدَيْنَا وَنُوحًا هَدَيْنَا مِن قَبْلُ وَمِن ذُرِّيَّتِهِۦ دَاوُۥدَ وَسُلَيْمَٰنَ وَأَيُّوبَ وَيُوسُفَ وَمُوسَىٰ وَهَٰرُونَ وَكَذَٰلِكَ نَجْزِى ٱلْمُحْسِنِينَ ۝ وَزَكَرِيَّا وَيَحْيَىٰ وَعِيسَىٰ وَإِلْيَاسَ كُلٌّ مِّنَ ٱلصَّٰلِحِينَ ۝ وَإِسْمَٰعِيلَ وَٱلْيَسَعَ وَيُونُسَ وَلُوطًا وَكُلًّا فَضَّلْنَا عَلَى ٱلْعَٰلَمِينَ ۝ وَمِنْ ءَابَآئِهِمْ وَذُرِّيَّٰتِهِمْ وَإِخْوَٰنِهِمْ وَٱجْتَبَيْنَٰهُمْ وَهَدَيْنَٰهُمْ إِلَىٰ صِرَٰطٍ مُّسْتَقِيمٍ ۝ ذَٰلِكَ هُدَى ٱللَّهِ يَهْدِى بِهِۦ مَن يَشَآءُ مِنْ عِبَادِهِۦ وَلَوْ أَشْرَكُوا۟ لَحَبِطَ عَنْهُم مَّا كَانُوا۟ يَعْمَلُونَ ۝ أُو۟لَٰٓئِكَ ٱلَّذِينَ ءَاتَيْنَٰهُمُ ٱلْكِتَٰبَ وَٱلْحُكْمَ وَٱلنُّبُوَّةَ فَإِن يَكْفُرْ بِهَا هَٰٓؤُلَآءِ فَقَدْ وَكَّلْنَا بِهَا قَوْمًا لَّيْسُوا۟ بِهَا بِكَٰفِرِينَ ۝ أُو۟لَٰٓئِكَ ٱلَّذِينَ هَدَى ٱللَّهُ فَبِهُدَىٰهُمُ ٱقْتَدِهْ قُل لَّآ أَسْـَٔلُكُمْ عَلَيْهِ أَجْرًا إِنْ هُوَ إِلَّا ذِكْرَىٰ لِلْعَٰلَمِينَ ۝

82. Ceux qui ont cru et n'ont point troublé la pureté de leur foi par quelqu'iniquité (association), ceux-là ont la sécurité ; et ce sont eux les bien-guidés».

83. Tel est l'argument que Nous inspirâmes à Abraham contre son peuple. Nous élevons en haut rang qui Nous voulons. Ton Seigneur est Sage et Omniscient.

84. Et Nous lui avons donné Isaac et Jacob et Nous les avons guidés tous les deux. Et Noé, Nous l'avons guidé auparavant, et parmi la descendance (d'Abraham) (ou de Noé), David, Salomon, Job, Joseph, Moïse et Aaron. Et c'est ainsi que Nous récompensons les bienfaisants.

85. De même, Zacharie, Jean-Baptiste, Jésus et Elie, tous étant du nombre des gens de bien.

86. De même, Ismaël, Elisée, Jonas et Lot. Chacun d'eux Nous l'avons favorisé par dessus le reste du monde.

87. De même une partie de leurs ancêtres, de leurs descendants et de leurs frères et Nous les avons choisis et guidés vers un chemin droit.

88. Telle est la direction par laquelle Allāh guide qui Il veut parmi Ses serviteurs. Mais s'ils avaient donné à Allāh des associés, alors, tout ce qu'ils auraient fait eût certainement été vain.

89. C'est à eux que Nous avons apporté le Livre, la sagesse et la prophétie. Si ces autres-là n'y croient pas, du moins Nous avons confié ces choses à des gens qui ne les nient pas.

90. Voilà ceux qu'Allāh a guidés: suis donc leur direction. Dis: «Je ne vous demande pas pour cela de salaire». Ce n'est qu'un rappel à l'intention de tout l'univers.

وَمَا قَدَرُوا اللَّهَ حَقَّ قَدْرِهِ إِذْ قَالُوا مَا أَنزَلَ اللَّهُ عَلَىٰ بَشَرٍ مِّن شَيْءٍ ۗ قُلْ مَنْ أَنزَلَ الْكِتَابَ الَّذِي جَاءَ بِهِ مُوسَىٰ نُورًا وَهُدًى لِّلنَّاسِ ۖ تَجْعَلُونَهُ قَرَاطِيسَ تُبْدُونَهَا وَتُخْفُونَ كَثِيرًا ۖ وَعُلِّمْتُم مَّا لَمْ تَعْلَمُوا أَنتُمْ وَلَا آبَاؤُكُمْ ۖ قُلِ اللَّهُ ۖ ثُمَّ ذَرْهُمْ فِي خَوْضِهِمْ يَلْعَبُونَ ۝

وَهَٰذَا كِتَابٌ أَنزَلْنَاهُ مُبَارَكٌ مُّصَدِّقُ الَّذِي بَيْنَ يَدَيْهِ وَلِتُنذِرَ أُمَّ الْقُرَىٰ وَمَنْ حَوْلَهَا ۚ وَالَّذِينَ يُؤْمِنُونَ بِالْآخِرَةِ يُؤْمِنُونَ بِهِ ۖ وَهُمْ عَلَىٰ صَلَاتِهِمْ يُحَافِظُونَ ۝ وَمَنْ أَظْلَمُ مِمَّنِ افْتَرَىٰ عَلَى اللَّهِ كَذِبًا أَوْ قَالَ أُوحِيَ إِلَيَّ وَلَمْ يُوحَ إِلَيْهِ شَيْءٌ وَمَن قَالَ سَأُنزِلُ مِثْلَ مَا أَنزَلَ اللَّهُ ۗ وَلَوْ تَرَىٰ إِذِ الظَّالِمُونَ فِي غَمَرَاتِ الْمَوْتِ وَالْمَلَائِكَةُ بَاسِطُو أَيْدِيهِمْ أَخْرِجُوا أَنفُسَكُمُ ۖ الْيَوْمَ تُجْزَوْنَ عَذَابَ الْهُونِ بِمَا كُنتُمْ تَقُولُونَ عَلَى اللَّهِ غَيْرَ الْحَقِّ وَكُنتُمْ عَنْ آيَاتِهِ تَسْتَكْبِرُونَ ۝ وَلَقَدْ جِئْتُمُونَا فُرَادَىٰ كَمَا خَلَقْنَاكُمْ أَوَّلَ مَرَّةٍ وَتَرَكْتُم مَّا خَوَّلْنَاكُمْ وَرَاءَ ظُهُورِكُمْ ۖ وَمَا نَرَىٰ مَعَكُمْ شُفَعَاءَكُمُ الَّذِينَ زَعَمْتُمْ أَنَّهُمْ فِيكُمْ شُرَكَاءُ ۚ لَقَد تَّقَطَّعَ بَيْنَكُمْ وَضَلَّ عَنكُم مَّا كُنتُمْ تَزْعُمُونَ ۝

91. Ils n'apprécient pas Allāh comme Il le mérite quand ils disent: «Allāh n'a rien fait descendre sur un humain.» Dis: «Qui a fait descendre le Livre que Moïse a apporté comme lumière et guide, pour les gens? Vous le mettez en feuillets, pour en montrer une partie, tout en cachant beaucoup. Vous avez été instruits de ce que vous ne saviez pas, ni vous ni vos ancêtres. Dis: «C'est Allāh». Et puis, laisse-les s'amuser dans leur égarement.

92. Voici un Livre (le Qurʾān) béni que Nous avons fait descendre, confirmant ce qui existait déjà avant lui, afin que tu avertisses la Mère des Cités (la Mecque) et les gens tout autour. Ceux qui croient au Jour dernier, y croient[1] et demeurent assidus dans leur Ṣalāt.

93. Et quel pire injuste que celui qui fabrique un mensonge contre Allāh ou qui dit: «Révélation m'a été faite», quand rien ne lui a été révélé. De même celui qui dit: «Je vais faire descendre quelque chose de semblable à ce qu'Allāh a fait descendre». Si tu voyais les injustes lorsqu'ils seront dans les affres de la mort, et que les Anges leur tendront les mains (disant): «Laissez sortir vos âmes. Aujourd'hui vous allez être récompensés par le châtiment de l'humiliation pour ce que vous disiez sur Allāh d'autre que la vérité et parce que vous vous détourniez orgueilleusement de Ses enseignements».

94. Et vous voici venus à Nous, seuls, tout comme Nous vous avions créés la première fois, abandonnant derrière vos dos tout ce que Nous vous avions accordé. Nous ne vous voyons point accompagnés des intercesseurs que vous prétendiez être des associés[2]. Il y a certainement eu rupture entre vous: ils vous ont abandonnés, ceux que vous prétendiez (être vos intercesseurs).

---

1. *Y croient*: le Qurʾān.
2. *Des associés*: d'Allāh, dans vos actes d'adoration.

۞ إِنَّ ٱللَّهَ فَالِقُ ٱلْحَبِّ وَٱلنَّوَىٰ يُخْرِجُ ٱلْحَيَّ مِنَ ٱلْمَيِّتِ وَمُخْرِجُ ٱلْمَيِّتِ مِنَ ٱلْحَيِّ ذَٰلِكُمُ ٱللَّهُ فَأَنَّىٰ تُؤْفَكُونَ ۝ فَالِقُ ٱلْإِصْبَاحِ وَجَعَلَ ٱلَّيْلَ سَكَنًا وَٱلشَّمْسَ وَٱلْقَمَرَ حُسْبَانًا ذَٰلِكَ تَقْدِيرُ ٱلْعَزِيزِ ٱلْعَلِيمِ ۝ وَهُوَ ٱلَّذِى جَعَلَ لَكُمُ ٱلنُّجُومَ لِتَهْتَدُوا۟ بِهَا فِى ظُلُمَٰتِ ٱلْبَرِّ وَٱلْبَحْرِ قَدْ فَصَّلْنَا ٱلْءَايَٰتِ لِقَوْمٍ يَعْلَمُونَ ۝ وَهُوَ ٱلَّذِىٓ أَنشَأَكُم مِّن نَّفْسٍ وَٰحِدَةٍ فَمُسْتَقَرٌّ وَمُسْتَوْدَعٌ قَدْ فَصَّلْنَا ٱلْءَايَٰتِ لِقَوْمٍ يَفْقَهُونَ ۝ وَهُوَ ٱلَّذِىٓ أَنزَلَ مِنَ ٱلسَّمَآءِ مَآءً فَأَخْرَجْنَا بِهِۦ نَبَاتَ كُلِّ شَىْءٍ فَأَخْرَجْنَا مِنْهُ خَضِرًا نُّخْرِجُ مِنْهُ حَبًّا مُّتَرَاكِبًا وَمِنَ ٱلنَّخْلِ مِن طَلْعِهَا قِنْوَانٌ دَانِيَةٌ وَجَنَّٰتٍ مِّنْ أَعْنَابٍ وَٱلزَّيْتُونَ وَٱلرُّمَّانَ مُشْتَبِهًا وَغَيْرَ مُتَشَٰبِهٍ ٱنظُرُوٓا۟ إِلَىٰ ثَمَرِهِۦٓ إِذَآ أَثْمَرَ وَيَنْعِهِۦٓ إِنَّ فِى ذَٰلِكُمْ لَءَايَٰتٍ لِّقَوْمٍ يُؤْمِنُونَ ۝ وَجَعَلُوا۟ لِلَّهِ شُرَكَآءَ ٱلْجِنَّ وَخَلَقَهُمْ وَخَرَقُوا۟ لَهُۥ بَنِينَ وَبَنَٰتٍۭ بِغَيْرِ عِلْمٍ سُبْحَٰنَهُۥ وَتَعَٰلَىٰ عَمَّا يَصِفُونَ ۝ بَدِيعُ ٱلسَّمَٰوَٰتِ وَٱلْأَرْضِ أَنَّىٰ يَكُونُ لَهُۥ وَلَدٌ وَلَمْ تَكُن لَّهُۥ صَٰحِبَةٌ وَخَلَقَ كُلَّ شَىْءٍ وَهُوَ بِكُلِّ شَىْءٍ عَلِيمٌ ۝

95. C'est Allāh qui fait fendre la graine et le noyau[1]: du mort il fait sortir le vivant, et du vivant, il fait sortir le mort. Tel est Allāh. Comment donc vous laissez-vous détourner?

96. Fendeur de l'aube, Il a fait de la nuit une phase de repos ; le soleil et la lune pour mesurer le temps. Voilà l'ordre conçu par le Puissant, l'Omniscient.

97. Et c'est Lui qui vous a assigné les étoiles, pour que, par elles, vous vous guidiez dans les ténèbres de la terre et de la mer. Certes, Nous exposons les preuves pour ceux qui savent!

98. Et c'est Lui qui vous a créés à partir d'une personne unique (Adam). Et il y a une demeure et un lieu de dépôt (pour vous.) Nous avons exposé les preuves pour ceux qui comprennent[2].

99. Et c'est Lui qui, du ciel, a fait descendre l'eau. Puis par elle, Nous fîmes germer toute plante, de quoi Nous fîmes sortir une verdure, d'où Nous produisîmes des grains, superposés les uns sur les autres ; et du palmier, de sa spathe, des régimes de dattes qui se tendent[3]. Et aussi les jardins de raisins, l'olive et la grenade, semblables ou différents les uns des autres. Regardez leurs fruits au moment de leur production et de leur mûrissement. Voilà bien là des signes pour ceux qui ont la foi.

100. Et ils ont désigné des associés à Allāh: les djinns, alors que c'est Lui qui les a créés. Et ils Lui ont inventé, dans leur ignorance, des fils et des filles, Gloire à Lui! Il transcende tout ce qu'ils lui attribuent.

101. Créateur des cieux et de la terre. Comment aurait-Il un enfant, quand Il n'a pas de compagne? C'est Lui qui a tout créé, et Il est Omniscient.

---

1. *Fait fendre la graine et le noyau*: pour faire sortir le germe.
2. *Demeure*: Mustaqarr en arabe signifie: a) le ventre de la mère ; b) la vie sur terre ; c) la tombe ; d) l'au-delà.
Lieu de dépôt: Mustawdaʿ en arabe signifie: a) les reins du père ; b) la demeure dernière.
3. *Qui se tendent*: qui se rapprochent (à portée de la main).

ذَٰلِكُمُ ٱللَّهُ رَبُّكُمْ لَآ إِلَٰهَ إِلَّا هُوَ خَٰلِقُ كُلِّ شَيْءٍ فَٱعْبُدُوهُ وَهُوَ عَلَىٰ كُلِّ شَيْءٍ وَكِيلٌ ۞ لَّا تُدْرِكُهُ ٱلْأَبْصَٰرُ وَهُوَ يُدْرِكُ ٱلْأَبْصَٰرَ وَهُوَ ٱللَّطِيفُ ٱلْخَبِيرُ ۞ قَدْ جَآءَكُم بَصَآئِرُ مِن رَّبِّكُمْ فَمَنْ أَبْصَرَ فَلِنَفْسِهِ وَمَنْ عَمِيَ فَعَلَيْهَا وَمَآ أَنَا۠ عَلَيْكُم بِحَفِيظٍ ۞ وَكَذَٰلِكَ نُصَرِّفُ ٱلْآيَٰتِ وَلِيَقُولُوا۟ دَرَسْتَ وَلِنُبَيِّنَهُ لِقَوْمٍ يَعْلَمُونَ ۞ ٱتَّبِعْ مَآ أُوحِيَ إِلَيْكَ مِن رَّبِّكَ لَآ إِلَٰهَ إِلَّا هُوَ وَأَعْرِضْ عَنِ ٱلْمُشْرِكِينَ ۞ وَلَوْ شَآءَ ٱللَّهُ مَآ أَشْرَكُوا۟ وَمَا جَعَلْنَٰكَ عَلَيْهِمْ حَفِيظًا وَمَآ أَنتَ عَلَيْهِم بِوَكِيلٍ ۞ وَلَا تَسُبُّوا۟ ٱلَّذِينَ يَدْعُونَ مِن دُونِ ٱللَّهِ فَيَسُبُّوا۟ ٱللَّهَ عَدْوًا بِغَيْرِ عِلْمٍ كَذَٰلِكَ زَيَّنَّا لِكُلِّ أُمَّةٍ عَمَلَهُمْ ثُمَّ إِلَىٰ رَبِّهِم مَّرْجِعُهُمْ فَيُنَبِّئُهُم بِمَا كَانُوا۟ يَعْمَلُونَ ۞ وَأَقْسَمُوا۟ بِٱللَّهِ جَهْدَ أَيْمَٰنِهِمْ لَئِن جَآءَتْهُمْ ءَايَةٌ لَّيُؤْمِنُنَّ بِهَا قُلْ إِنَّمَا ٱلْآيَٰتُ عِندَ ٱللَّهِ وَمَا يُشْعِرُكُمْ أَنَّهَآ إِذَا جَآءَتْ لَا يُؤْمِنُونَ ۞ وَنُقَلِّبُ أَفْـِٔدَتَهُمْ وَأَبْصَٰرَهُمْ كَمَا لَمْ يُؤْمِنُوا۟ بِهِۦٓ أَوَّلَ مَرَّةٍ وَنَذَرُهُمْ فِي طُغْيَٰنِهِمْ يَعْمَهُونَ ۞

102. Voilà Allāh, votre Seigneur! Il n'y a de divinité que Lui, Créateur de tout. Adorez-Le donc. C'est Lui qui a charge de tout.

103. Les regards ne peuvent l'atteindre, cependant qu'Il saisit tous les regards. Et Il est le Doux, le Parfaitement Connaisseur.

104. Certes, il vous est parvenu des preuves évidentes, de la part de votre Seigneur. Donc, quiconque voit clair, c'est en sa faveur ; et quiconque reste aveugle, c'est à son détriment, car je ne suis nullement chargé de votre sauvegarde.

105. C'est ainsi que Nous expliquons les versets. Et afin qu'ils disent[1]: «Tu as étudié». Et afin de l'exposer clairement à des gens qui savent.

106. Suis ce qui t'est révélé de la part de ton Seigneur. Point de divinité autre que Lui. Et écarte-toi des associateurs.

107. Si Allāh voulait, ils ne seraient point associateurs! Mais Nous ne t'avons pas désigné comme gardien sur eux ; et tu n'es pas leur garant.

108. N'injuriez pas ceux qu'ils invoquent, en dehors d'Allāh, car par agressivité, ils injurieraient Allāh, dans leur ignorance. De même, Nous avons enjolivé (aux yeux) de chaque communauté sa propre action. Ensuite, c'est vers leur Seigneur que sera leur retour ; et Il les informera de ce qu'ils œuvraient.

109. Et ils jurent par Allāh de toute la force de leurs serments, que s'il leur venait un miracle, ils y croiraient (sans hésiter,) Dis: «En vérité, les miracles ne dépendent que d'Allāh.» Mais qu'est ce qui vous fait penser que quand cela (le signe) arrivera, ils n'y croiront pas?

110. Parce qu'ils n'ont pas cru la première fois, nous détournerons leurs cœurs et leurs yeux ; nous les laisserons marcher aveuglement dans leur rébellion.

---

1. *Afin qu'ils disent...*: tes mécréants disent que tu as appris cela dans les livres anciens. Accusation dont plusieurs fois on retrouvera des traces: «quelqu'un l'instruit», dit-on.

۞ وَلَوْ أَنَّنَا نَزَّلْنَا إِلَيْهِمُ الْمَلَـٰٓئِكَةَ وَكَلَّمَهُمُ الْمَوْتَىٰ وَحَشَرْنَا عَلَيْهِمْ كُلَّ شَىْءٍ قُبُلًا مَّا كَانُوا لِيُؤْمِنُوٓا إِلَّآ أَن يَشَآءَ اللَّهُ وَلَـٰكِنَّ أَكْثَرَهُمْ يَجْهَلُونَ ۝ وَكَذَٰلِكَ جَعَلْنَا لِكُلِّ نَبِىٍّ عَدُوًّا شَيَـٰطِينَ الْإِنسِ وَالْجِنِّ يُوحِى بَعْضُهُمْ إِلَىٰ بَعْضٍ زُخْرُفَ الْقَوْلِ غُرُورًا وَلَوْ شَآءَ رَبُّكَ مَا فَعَلُوهُ فَذَرْهُمْ وَمَا يَفْتَرُونَ ۝ وَلِتَصْغَىٰٓ إِلَيْهِ أَفْـِٔدَةُ الَّذِينَ لَا يُؤْمِنُونَ بِالْآخِرَةِ وَلِيَرْضَوْهُ وَلِيَقْتَرِفُوا مَا هُم مُّقْتَرِفُونَ ۝ أَفَغَيْرَ اللَّهِ أَبْتَغِى حَكَمًا وَهُوَ الَّذِىٓ أَنزَلَ إِلَيْكُمُ الْكِتَـٰبَ مُفَصَّلًا وَالَّذِينَ ءَاتَيْنَـٰهُمُ الْكِتَـٰبَ يَعْلَمُونَ أَنَّهُ مُنَزَّلٌ مِّن رَّبِّكَ بِالْحَقِّ فَلَا تَكُونَنَّ مِنَ الْمُمْتَرِينَ ۝ وَتَمَّتْ كَلِمَتُ رَبِّكَ صِدْقًا وَعَدْلًا لَّا مُبَدِّلَ لِكَلِمَـٰتِهِ وَهُوَ السَّمِيعُ الْعَلِيمُ ۝ وَإِن تُطِعْ أَكْثَرَ مَن فِى الْأَرْضِ يُضِلُّوكَ عَن سَبِيلِ اللَّهِ إِن يَتَّبِعُونَ إِلَّا الظَّنَّ وَإِنْ هُمْ إِلَّا يَخْرُصُونَ ۝ إِنَّ رَبَّكَ هُوَ أَعْلَمُ مَن يَضِلُّ عَن سَبِيلِهِ وَهُوَ أَعْلَمُ بِالْمُهْتَدِينَ ۝ فَكُلُوا مِمَّا ذُكِرَ اسْمُ اللَّهِ عَلَيْهِ إِن كُنتُم بِـَٔايَـٰتِهِ مُؤْمِنِينَ ۝

111. Et si Nous faisions descendre les Anges vers eux, [comme ils l'avaient proposé] si les morts leur parlaient, et si Nous rassemblions toute chose devant eux, ils ne croiraient que si Allāh veut. Mais la plupart d'entre eux ignorent.

112. Ainsi, à chaque prophète avons-Nous assigné un ennemi: des diables d'entre les hommes et les djinns, qui s'inspirent trompeusement les uns aux autres des paroles enjolivées. Si ton Seigneur avait voulu, ils ne l'auraient pas fait ; laisse-les donc avec ce qu'ils inventent.

113. Et pour que les cœurs de ceux qui ne croient pas à l'au-delà se penchent vers elles[1], qu'ils les agréent, et qu'ils perpètrent ce qu'ils perpètrent.

114. Chercherai-je un autre juge qu'Allāh, alors que c'est Lui qui a fait descendre vers vous ce Livre bien exposé? Ceux auxquels Nous avons donné le Livre savent qu'il est descendu avec la vérité venant de ton Seigneur. Ne sois donc point du nombre de ceux qui doutent.

115. Et la parole de ton Seigneur s'est accomplie en toute vérité et équité. Nul ne peut modifier Ses paroles. Il est l'Audient, l'Omniscient.

116. Et si tu obéis à la majorité de ceux qui sont sur la terre, ils t'égareront du sentier d'Allāh: ils ne suivent que la conjecture et ne font que fabriquer des mensonges.

117. Certes ton Seigneur connaît le mieux ceux qui s'égarent de Son sentier, et c'est Lui qui connaît le mieux les bien guidés.

118. Mangez donc de ce sur quoi on a prononcé le nom d'Allāh si vous êtes croyants en Ses versets (le Qur'ān).

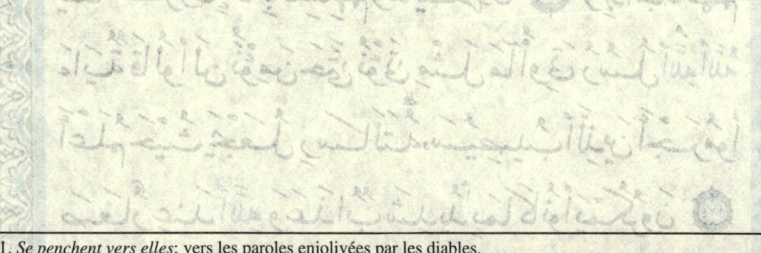

---

1. *Se penchent vers elles*: vers les paroles enjolivées par les diables.

وَمَا لَكُمْ أَلَّا تَأْكُلُوا مِمَّا ذُكِرَ اسْمُ اللَّهِ عَلَيْهِ وَقَدْ فَصَّلَ لَكُم مَّا حَرَّمَ عَلَيْكُمْ إِلَّا مَا اضْطُرِرْتُمْ إِلَيْهِ وَإِنَّ كَثِيرًا لَّيُضِلُّونَ بِأَهْوَائِهِم بِغَيْرِ عِلْمٍ إِنَّ رَبَّكَ هُوَ أَعْلَمُ بِالْمُعْتَدِينَ ﴿١١٩﴾ وَذَرُوا ظَاهِرَ الْإِثْمِ وَبَاطِنَهُ إِنَّ الَّذِينَ يَكْسِبُونَ الْإِثْمَ سَيُجْزَوْنَ بِمَا كَانُوا يَقْتَرِفُونَ ﴿١٢٠﴾ وَلَا تَأْكُلُوا مِمَّا لَمْ يُذْكَرِ اسْمُ اللَّهِ عَلَيْهِ وَإِنَّهُ لَفِسْقٌ وَإِنَّ الشَّيَاطِينَ لَيُوحُونَ إِلَىٰ أَوْلِيَائِهِمْ لِيُجَادِلُوكُمْ وَإِنْ أَطَعْتُمُوهُمْ إِنَّكُمْ لَمُشْرِكُونَ ﴿١٢١﴾ أَوَمَن كَانَ مَيْتًا فَأَحْيَيْنَاهُ وَجَعَلْنَا لَهُ نُورًا يَمْشِي بِهِ فِي النَّاسِ كَمَن مَّثَلُهُ فِي الظُّلُمَاتِ لَيْسَ بِخَارِجٍ مِّنْهَا كَذَٰلِكَ زُيِّنَ لِلْكَافِرِينَ مَا كَانُوا يَعْمَلُونَ ﴿١٢٢﴾ وَكَذَٰلِكَ جَعَلْنَا فِي كُلِّ قَرْيَةٍ أَكَابِرَ مُجْرِمِيهَا لِيَمْكُرُوا فِيهَا وَمَا يَمْكُرُونَ إِلَّا بِأَنفُسِهِمْ وَمَا يَشْعُرُونَ ﴿١٢٣﴾ وَإِذَا جَاءَتْهُمْ آيَةٌ قَالُوا لَن نُّؤْمِنَ حَتَّىٰ نُؤْتَىٰ مِثْلَ مَا أُوتِيَ رُسُلُ اللَّهِ اللَّهُ أَعْلَمُ حَيْثُ يَجْعَلُ رِسَالَتَهُ سَيُصِيبُ الَّذِينَ أَجْرَمُوا صَغَارٌ عِندَ اللَّهِ وَعَذَابٌ شَدِيدٌ بِمَا كَانُوا يَمْكُرُونَ ﴿١٢٤﴾

119. Qu'avez-vous à ne pas manger de ce sur quoi le nom d'Allāh a été prononcé? Alors qu'Il vous a détaillé ce qu'Il vous a interdit, à moins que vous ne soyez contraints d'y recourir. Beaucoup de gens égarent, sans savoir, par leurs passions. C'est ton Seigneur qui connaît le mieux les transgresseurs[1].

120. Evitez le péché apparent ou caché, (car) ceux qui acquièrent le péché seront rétribués selon ce qu'ils auront commis.

121. Et ne mangez pas de ce sur quoi le nom d'Allāh n'a pas été prononcé, car ce serait (assurément) une perversité. Les diables inspirent à leurs alliés de disputer avec vous. Si vous leur obéissez, vous deviendrez certes des associateurs.

122. Est-ce que celui qui était mort[2] et que Nous avons ramené à la vie et à qui Nous avons assigné une lumière grâce à laquelle il marche parmi les gens, est pareil à celui qui est dans les ténèbres sans pouvoir en sortir? Ainsi on a enjolivé aux mécréants ce qu'ils œuvrent.

123. Ainsi, Nous avons placé dans chaque cité de grands criminels qui y ourdissent des complots. Mais ils ne complotent que contre eux-mêmes et ils n'en sont pas conscients.

124. Et lorsqu'une preuve leur vient, ils disent: «Jamais nous ne croirons tant que nous n'aurons pas reçu un don semblable à celui qui a été donné aux messagers d'Allāh». Allāh sait mieux où placer Son message. Ceux qui ont commis le crime seront atteints d'un rapetissement auprès d'Allāh ainsi que d'un supplice sévère pour les ruses qu'ils tramaient.

---

1. *Le nom d'Allāh a été prononcé*: cet ordre est à double effet: il enjoint aux croyants de mentionner le nom d'Allāh sur la bête qu'ils égorgent, et de ne pas refuser de manger d'une bête qu'on a égorgée en prononçant le nom d'Allāh.
Sauf si vous y êtes contraints: Sauf si vous y êtes poussés par la faim et que vous ne trouvez rien d'autre.
2. *Mort*: au sens figuré. Allusion ici est faite aux mécréants qui refusent la lumière du Qurʾān.

فَمَن يُرِدِ ٱللَّهُ أَن يَهْدِيَهُ يَشْرَحْ صَدْرَهُ لِلْإِسْلَٰمِ وَمَن يُرِدْ أَن يُضِلَّهُ يَجْعَلْ صَدْرَهُ ضَيِّقًا حَرَجًا كَأَنَّمَا يَصَّعَّدُ فِى ٱلسَّمَآءِ كَذَٰلِكَ يَجْعَلُ ٱللَّهُ ٱلرِّجْسَ عَلَى ٱلَّذِينَ لَا يُؤْمِنُونَ ۝ وَهَٰذَا صِرَٰطُ رَبِّكَ مُسْتَقِيمًا قَدْ فَصَّلْنَا ٱلْءَايَٰتِ لِقَوْمٍ يَذَّكَّرُونَ ۝ ۩ لَهُمْ دَارُ ٱلسَّلَٰمِ عِندَ رَبِّهِمْ وَهُوَ وَلِيُّهُم بِمَا كَانُوا۟ يَعْمَلُونَ ۝ وَيَوْمَ يَحْشُرُهُمْ جَمِيعًا يَٰمَعْشَرَ ٱلْجِنِّ قَدِ ٱسْتَكْثَرْتُم مِّنَ ٱلْإِنسِ وَقَالَ أَوْلِيَآؤُهُم مِّنَ ٱلْإِنسِ رَبَّنَا ٱسْتَمْتَعَ بَعْضُنَا بِبَعْضٍ وَبَلَغْنَآ أَجَلَنَا ٱلَّذِىٓ أَجَّلْتَ لَنَا قَالَ ٱلنَّارُ مَثْوَىٰكُمْ خَٰلِدِينَ فِيهَآ إِلَّا مَا شَآءَ ٱللَّهُ إِنَّ رَبَّكَ حَكِيمٌ عَلِيمٌ ۝ وَكَذَٰلِكَ نُوَلِّى بَعْضَ ٱلظَّٰلِمِينَ بَعْضًۢا بِمَا كَانُوا۟ يَكْسِبُونَ ۝ يَٰمَعْشَرَ ٱلْجِنِّ وَٱلْإِنسِ أَلَمْ يَأْتِكُمْ رُسُلٌ مِّنكُمْ يَقُصُّونَ عَلَيْكُمْ ءَايَٰتِى وَيُنذِرُونَكُمْ لِقَآءَ يَوْمِكُمْ هَٰذَا قَالُوا۟ شَهِدْنَا عَلَىٰٓ أَنفُسِنَا وَغَرَّتْهُمُ ٱلْحَيَوٰةُ ٱلدُّنْيَا وَشَهِدُوا۟ عَلَىٰٓ أَنفُسِهِمْ أَنَّهُمْ كَانُوا۟ كَٰفِرِينَ ۝ ذَٰلِكَ أَن لَّمْ يَكُن رَّبُّكَ مُهْلِكَ ٱلْقُرَىٰ بِظُلْمٍ وَأَهْلُهَا غَٰفِلُونَ ۝

125. Et puis, quiconque Allāh veut guider, Il lui ouvre la poitrine à l'Islām[1]. Et quiconque Il veut égarer, Il rend sa poitrine étroite et gênée, comme s'il s'efforçait de monter au ciel. Ainsi Allāh inflige Sa punition à ceux qui ne croient pas.

126. Telle est la voie de ton Seigneur dans toute sa rectitude. Nous avons [effectivement] bien détaillé les signes (ou versets) à des gens qui se rappellent.

127. Pour eux la maison du Salut auprès de leur Seigneur. Et c'est Lui qui est leur protecteur, pour ce qu'ils faisaient (sur terre).

128. Et le jour où Il les rassemblera tous: «Ô communauté des djinns, vous avez trop abusé des humains». Et leurs alliés parmi les humains diront: «Ô notre Seigneur, nous avons profité les uns des autres, et nous avons atteint le terme que Tu avais fixé pour nous.» Il leur dira: «l'Enfer est votre demeure, pour y rester éternellement, sauf si Allāh en décide autrement.» Vraiment ton Seigneur est Sage et Omniscient.

129. Et ainsi accordons-Nous, à certains injustes l'autorité sur d'autres, (injustes) à cause de ce qu'ils ont acquis.

130. Ô communauté des djinns et des humains, ne vous est-il pas venu des messagers, choisis parmi vous, qui vous ont raconté Mes signes[2] et averti de la rencontre de ce jour? Ils diront: «Nous témoignons contre nous-mêmes». La vie présente les a trompés; et ils ont témoigné contre eux-mêmes qu'en (vérité) ils étaient mécréants.

131. C'est que ton Seigneur n'anéantit point injustement des cités dont les gens ne sont pas encore avertis[3].

---

1. *Ouvrir la poitrine à l'Islām*: signifie rendre quelqu'un bien disposé à recevoir l'Islām.
2. *Ont raconté Mes signes*: ont répété Mes enseignements, et les histoires des peuples infidèles.
3. *Autre interprétation*: c'est ainsi que ton Seigneur n'anéantit point des cités injustes dont les gens ne sont pas encore avertis (par un messager).

وَلِكُلٍّ دَرَجَٰتٌ مِّمَّا عَمِلُواْ وَمَا رَبُّكَ بِغَٰفِلٍ عَمَّا يَعْمَلُونَ ۝ وَرَبُّكَ ٱلْغَنِيُّ ذُو ٱلرَّحْمَةِ إِن يَشَأْ يُذْهِبْكُمْ وَيَسْتَخْلِفْ مِنۢ بَعْدِكُم مَّا يَشَآءُ كَمَآ أَنشَأَكُم مِّن ذُرِّيَّةِ قَوْمٍ ءَاخَرِينَ ۝ إِنَّ مَا تُوعَدُونَ لَءَاتٍ وَمَآ أَنتُم بِمُعْجِزِينَ ۝ قُلْ يَٰقَوْمِ ٱعْمَلُواْ عَلَىٰ مَكَانَتِكُمْ إِنِّي عَامِلٌ فَسَوْفَ تَعْلَمُونَ مَن تَكُونُ لَهُۥ عَٰقِبَةُ ٱلدَّارِ إِنَّهُۥ لَا يُفْلِحُ ٱلظَّٰلِمُونَ ۝ وَجَعَلُواْ لِلَّهِ مِمَّا ذَرَأَ مِنَ ٱلْحَرْثِ وَٱلْأَنْعَٰمِ نَصِيبًا فَقَالُواْ هَٰذَا لِلَّهِ بِزَعْمِهِمْ وَهَٰذَا لِشُرَكَآئِنَا فَمَا كَانَ لِشُرَكَآئِهِمْ فَلَا يَصِلُ إِلَى ٱللَّهِ وَمَا كَانَ لِلَّهِ فَهُوَ يَصِلُ إِلَىٰ شُرَكَآئِهِمْ سَآءَ مَا يَحْكُمُونَ ۝ وَكَذَٰلِكَ زَيَّنَ لِكَثِيرٍ مِّنَ ٱلْمُشْرِكِينَ قَتْلَ أَوْلَٰدِهِمْ شُرَكَآؤُهُمْ لِيُرْدُوهُمْ وَلِيَلْبِسُواْ عَلَيْهِمْ دِينَهُمْ وَلَوْ شَآءَ ٱللَّهُ مَا فَعَلُوهُ فَذَرْهُمْ وَمَا يَفْتَرُونَ ۝

132. À chacun des rangs (des récompenses) selon ses œuvres. Or ton Seigneur n'est pas inattentif à ce qu'ils font.

133. Ton Seigneur est le Suffisant à Soi-même, le Détenteur de la miséricorde. S'Il voulait, Il vous ferait périr et mettrait à votre place qui Il veut, de même qu'Il vous a créés d'une descendance d'un autre peuple.

134. Ce qui vous a été promis arrivera (certainement.) Et vous n'êtes pas à même de [Nous] réduire à l'impuissance.

135. Dis: «Ô mon peuple! Continuez à agir selon votre méthode ; moi aussi j'agirai selon la mienne. Ensuite, vous saurez qui aura un meilleur (sort) dans l'au-delà.» Certes, les injustes ne réussiront jamais.

136. Et ils assignent à Allāh une part de ce qu'il a Lui-même créé, en fait de récoltes et de bestiaux, et ils disent: «Ceci est à Allāh - selon leur prétention! - et ceci à nos divinités.» Mais ce qui est pour leurs divinités ne parvient pas à Allāh, tandis que ce qui est pour Allāh parvient à leurs divinités. Comme leur jugement est mauvais!

137. Et c'est ainsi que leurs divinités ont enjolivé à beaucoup d'associateurs le meurtre de leurs enfants, afin de les ruiner et de travestir à leurs yeux leur religion. Or si Allāh voulait, ils ne le feraient pas. Laisse-les donc, ainsi que ce qu'ils inventent.

وَقَالُوا۟ هَـٰذِهِۦٓ أَنْعَـٰمٌ وَحَرْثٌ حِجْرٌ لَّا يَطْعَمُهَآ إِلَّا مَن نَّشَآءُ بِزَعْمِهِمْ وَأَنْعَـٰمٌ حُرِّمَتْ ظُهُورُهَا وَأَنْعَـٰمٌ لَّا يَذْكُرُونَ ٱسْمَ ٱللَّهِ عَلَيْهَا ٱفْتِرَآءً عَلَيْهِ سَيَجْزِيهِم بِمَا كَانُوا۟ يَفْتَرُونَ ۝ وَقَالُوا۟ مَا فِى بُطُونِ هَـٰذِهِ ٱلْأَنْعَـٰمِ خَالِصَةٌ لِّذُكُورِنَا وَمُحَرَّمٌ عَلَىٰٓ أَزْوَٰجِنَا ۖ وَإِن يَكُن مَّيْتَةً فَهُمْ فِيهِ شُرَكَآءُ ۚ سَيَجْزِيهِمْ وَصْفَهُمْ ۚ إِنَّهُۥ حَكِيمٌ عَلِيمٌ ۝ قَدْ خَسِرَ ٱلَّذِينَ قَتَلُوٓا۟ أَوْلَـٰدَهُمْ سَفَهًۢا بِغَيْرِ عِلْمٍ وَحَرَّمُوا۟ مَا رَزَقَهُمُ ٱللَّهُ ٱفْتِرَآءً عَلَى ٱللَّهِ ۚ قَدْ ضَلُّوا۟ وَمَا كَانُوا۟ مُهْتَدِينَ ۝ ۞ وَهُوَ ٱلَّذِىٓ أَنشَأَ جَنَّـٰتٍ مَّعْرُوشَـٰتٍ وَغَيْرَ مَعْرُوشَـٰتٍ وَٱلنَّخْلَ وَٱلزَّرْعَ مُخْتَلِفًا أُكُلُهُۥ وَٱلزَّيْتُونَ وَٱلرُّمَّانَ مُتَشَـٰبِهًا وَغَيْرَ مُتَشَـٰبِهٍ ۚ كُلُوا۟ مِن ثَمَرِهِۦٓ إِذَآ أَثْمَرَ وَءَاتُوا۟ حَقَّهُۥ يَوْمَ حَصَادِهِۦ ۖ وَلَا تُسْرِفُوٓا۟ ۚ إِنَّهُۥ لَا يُحِبُّ ٱلْمُسْرِفِينَ ۝ وَمِنَ ٱلْأَنْعَـٰمِ حَمُولَةً وَفَرْشًا ۚ كُلُوا۟ مِمَّا رَزَقَكُمُ ٱللَّهُ وَلَا تَتَّبِعُوا۟ خُطُوَٰتِ ٱلشَّيْطَـٰنِ ۚ إِنَّهُۥ لَكُمْ عَدُوٌّ مُّبِينٌ ۝

138. Et ils dirent: «Voilà des bestiaux et des champs frappés d'interdiction: n'en mangeront que ceux que nous voudrons.» - selon leur prétention! - Et voilà des bêtes dont le dos est tabou, et des bêtes sur lesquelles ils ne mentionnent pas le nom d'Allāh. Des inventions contre Lui! Il les rétribuera pour ce qu'ils inventaient comme mensonges[1].

139. Et ils dirent: «Ce qui est dans le ventre de ces bêtes est réservé aux mâles d'entre nous, et interdit à nos femmes.» Et si c'est un mort-né, ils y participent tous. Bientôt, Il les rétribuera pour leur prescription[2], car Il est Sage et Omniscient.

140. Ils sont certes perdants, ceux qui ont, par sottise et ignorance tué leurs enfants, et ceux qui ont interdit ce qu'Allāh leur a attribué de nourriture, inventant des mensonges contre Allāh. Ils se sont égarés et ne sont point guidés.

141. C'est Lui qui a créé les jardins, treillagés et non treillagés ; ainsi que les palmiers et la culture aux récoltes diverses ; [de même que] l'olive et la grenade, d'espèces semblables et différentes. Mangez de leurs fruits, quand ils en produisent ; et acquittez-en les droits le jour de la récolte. Et ne gaspillez point car Il n'aime pas les gaspilleurs.

142. Et (Il a créé) parmi les bestiaux, certains pour le transport, et d'autres pour diverses utilités[3] mangez de ce qu'Allāh vous a attribué, et ne suivez pas les pas du Diable, car il est pour vous un ennemi déclaré.

---

1. *Des bêtes dont le dos est tabou*: sur lesquelles il est défendu de monter.
Sur lesquelles ils ne mentionnent pas le nom d'Allāh: quand on les égorge.
2. *Prescription*: le fait de décider de ce qui est licite et de ce qui ne l'est pas, sans se conformer aux lois d'Allāh, et selon leur bon vouloir.
3. *Diverses utilités*: pour leur laine, viande, lait, etc. et non pour le transport à cause de leur jeune âge ou de la petitesse de leur taille.

ثَمَٰنِيَةَ أَزْوَٰجٍ مِّنَ ٱلضَّأْنِ ٱثْنَيْنِ وَمِنَ ٱلْمَعْزِ ٱثْنَيْنِ قُلْ ءَآلذَّكَرَيْنِ حَرَّمَ أَمِ ٱلْأُنثَيَيْنِ أَمَّا ٱشْتَمَلَتْ عَلَيْهِ أَرْحَامُ ٱلْأُنثَيَيْنِ نَبِّ‍ُٔونِي بِعِلْمٍ إِن كُنتُمْ صَٰدِقِينَ ١٤٣ وَمِنَ ٱلْإِبِلِ ٱثْنَيْنِ وَمِنَ ٱلْبَقَرِ ٱثْنَيْنِ قُلْ ءَآلذَّكَرَيْنِ حَرَّمَ أَمِ ٱلْأُنثَيَيْنِ أَمَّا ٱشْتَمَلَتْ عَلَيْهِ أَرْحَامُ ٱلْأُنثَيَيْنِ أَمْ كُنتُمْ شُهَدَآءَ إِذْ وَصَّىٰكُمُ ٱللَّهُ بِهَٰذَا فَمَنْ أَظْلَمُ مِمَّنِ ٱفْتَرَىٰ عَلَى ٱللَّهِ كَذِبًا لِّيُضِلَّ ٱلنَّاسَ بِغَيْرِ عِلْمٍ إِنَّ ٱللَّهَ لَا يَهْدِي ٱلْقَوْمَ ٱلظَّٰلِمِينَ ١٤٤ قُل لَّآ أَجِدُ فِي مَآ أُوحِيَ إِلَيَّ مُحَرَّمًا عَلَىٰ طَاعِمٍ يَطْعَمُهُۥٓ إِلَّآ أَن يَكُونَ مَيْتَةً أَوْ دَمًا مَّسْفُوحًا أَوْ لَحْمَ خِنزِيرٍ فَإِنَّهُۥ رِجْسٌ أَوْ فِسْقًا أُهِلَّ لِغَيْرِ ٱللَّهِ بِهِۦ فَمَنِ ٱضْطُرَّ غَيْرَ بَاغٍ وَلَا عَادٍ فَإِنَّ رَبَّكَ غَفُورٌ رَّحِيمٌ ١٤٥ وَعَلَى ٱلَّذِينَ هَادُواْ حَرَّمْنَا كُلَّ ذِي ظُفُرٍ وَمِنَ ٱلْبَقَرِ وَٱلْغَنَمِ حَرَّمْنَا عَلَيْهِمْ شُحُومَهُمَآ إِلَّا مَا حَمَلَتْ ظُهُورُهُمَآ أَوِ ٱلْحَوَايَآ أَوْ مَا ٱخْتَلَطَ بِعَظْمٍ ذَٰلِكَ جَزَيْنَٰهُم بِبَغْيِهِمْ وَإِنَّا لَصَٰدِقُونَ ١٤٦

143. (Il en a créé) huit, en couples: deux pour les ovins, deux pour les caprins... dis: «Est-ce les deux mâles qu'Il a interdits ou les deux femelles, ou ce qui est dans les matrices des deux femelles[1]? Informez-moi de toute connaissance, si vous êtes véridiques» ;

144. ... deux pour les camélidés, deux pour les bovins... Dis: «Est-ce les deux mâles qu'Il a interdits ou les deux femelles, ou ce qui est dans les matrices des deux femelles? Ou bien étiez-vous témoins quand'Allāh vous l'enjoignit?» Qui est donc plus injuste que celui qui invente un mensonge contre Allāh pour égarer les gens sans se baser sur aucun savoir? Allāh ne guide pas les gens injustes.

145. Dis: «Dans ce qui m'a été révélé, je ne trouve d'interdit, à aucun mangeur d'en manger, que la bête (trouvée) morte, ou le sang qu'on a fait couler, ou la chair de porc[2] - car c'est une souillure - ou ce qui, par perversité, a été sacrifié à autre qu'Allāh». Quiconque est contraint, sans toutefois abuser ou transgresser, ton Seigneur est certes Pardonneur et Miséricordieux.

146. Aux Juifs, Nous avons interdit toute bête à ongle unique[3]. Des bovins et des ovins, Nous leur avons interdit les graisses, sauf ce que portent leur dos, leurs entrailles, ou ce qui est mêlé à l'os. Ainsi les avons-Nous punis pour leur rebellion. Et Nous sommes bien véridiques.

---

1. Dans ce verset et le suivant sont mises en relief des superstitions païennes selon lesquelles tel ou tel animal était déclaré tabou: parmi ces quatre couples de huit bêtes qu'Allāh a créées et qui sont toutes comestibles, pourquoi interdire telle ou telle dans des circonstances données?
2. *Ou la chair de porc*: voir S. 5, v. 3, note 1.
3. *Bête à ongle unique*: comme le chameau, l'autruche, etc.

فَإِن كَذَّبُوكَ فَقُل رَّبُّكُمْ ذُو رَحْمَةٍ وَاسِعَةٍ وَلَا يُرَدُّ بَأْسُهُ عَنِ الْقَوْمِ الْمُجْرِمِينَ ۝ سَيَقُولُ الَّذِينَ أَشْرَكُوا لَوْ شَاءَ اللَّهُ مَا أَشْرَكْنَا وَلَا ءَابَاؤُنَا وَلَا حَرَّمْنَا مِن شَيْءٍ كَذَٰلِكَ كَذَّبَ الَّذِينَ مِن قَبْلِهِم حَتَّىٰ ذَاقُوا بَأْسَنَا قُلْ هَلْ عِندَكُم مِّنْ عِلْمٍ فَتُخْرِجُوهُ لَنَا إِن تَتَّبِعُونَ إِلَّا الظَّنَّ وَإِنْ أَنتُمْ إِلَّا تَخْرُصُونَ ۝ قُلْ فَلِلَّهِ الْحُجَّةُ الْبَالِغَةُ فَلَوْ شَاءَ لَهَدَاكُمْ أَجْمَعِينَ ۝ قُلْ هَلُمَّ شُهَدَاءَكُمُ الَّذِينَ يَشْهَدُونَ أَنَّ اللَّهَ حَرَّمَ هَٰذَا فَإِن شَهِدُوا فَلَا تَشْهَدْ مَعَهُمْ وَلَا تَتَّبِعْ أَهْوَاءَ الَّذِينَ كَذَّبُوا بِآيَاتِنَا وَالَّذِينَ لَا يُؤْمِنُونَ بِالْآخِرَةِ وَهُم بِرَبِّهِمْ يَعْدِلُونَ ۝ قُل تَعَالَوْا أَتْلُ مَا حَرَّمَ رَبُّكُمْ عَلَيْكُمْ أَلَّا تُشْرِكُوا بِهِ شَيْئًا وَبِالْوَالِدَيْنِ إِحْسَانًا وَلَا تَقْتُلُوا أَوْلَادَكُم مِّنْ إِمْلَاقٍ نَّحْنُ نَرْزُقُكُمْ وَإِيَّاهُمْ وَلَا تَقْرَبُوا الْفَوَاحِشَ مَا ظَهَرَ مِنْهَا وَمَا بَطَنَ وَلَا تَقْتُلُوا النَّفْسَ الَّتِي حَرَّمَ اللَّهُ إِلَّا بِالْحَقِّ ذَٰلِكُمْ وَصَّاكُم بِهِ لَعَلَّكُمْ تَعْقِلُونَ ۝

147. Puis, s'ils te traitent de menteur, alors dis: «Votre Seigneur est Détenteur d'une immense miséricorde cependant que Sa rigueur ne saura être détournée des gens criminels».

148. Ceux qui ont associé diront: «Si Allāh avait voulu, nous ne lui aurions pas donné des associés, nos ancêtres non plus et nous n'aurions rien déclaré interdit». Ainsi leurs prédécesseurs traitaient de menteurs (les messagers) jusqu'à ce qu'ils eurent goûté Notre rigueur. Dis: «Avez-vous quelque science à nous produire? Vous ne suivez que la conjecture et ne faites que mentir».

149. Dis: «L'argument décisif appartient à Allāh. S'Il avait voulu certainement Il vous aurait tous guidés. (sur le droit chemin).

150. Dis: «Amenez-vos témoins qui attesteraient qu'Allāh a interdit cela». Si ensuite ils témoignent, alors toi, ne témoigne pas avec eux et ne suis pas les passions de ceux qui traitent de mensonges Nos signes et qui ne croient pas à l'au-delà, tandis qu'ils donnent des égaux à leur Seigneur.

151. Dis: «Venez, je vais réciter ce que votre Seigneur vous a interdit: ne Lui associez rien ; et soyez bienfaisants envers vos père et mère. Ne tuez pas vos enfants pour cause de pauvreté. Nous vous nourrissons tout comme eux. N'approchez pas des turpitudes ouvertement, ou en cachette. Ne tuez qu'en toute justice la vie qu'Allāh a fait sacrée. Voilà ce qu'[Allāh] vous a recommandé de faire ; peut-être comprendrez-vous.

وَلَا تَقْرَبُوا مَالَ الْيَتِيمِ إِلَّا بِالَّتِي هِيَ أَحْسَنُ حَتَّىٰ يَبْلُغَ أَشُدَّهُ ۖ وَأَوْفُوا الْكَيْلَ وَالْمِيزَانَ بِالْقِسْطِ ۖ لَا نُكَلِّفُ نَفْسًا إِلَّا وُسْعَهَا ۖ وَإِذَا قُلْتُمْ فَاعْدِلُوا وَلَوْ كَانَ ذَا قُرْبَىٰ ۖ وَبِعَهْدِ اللَّهِ أَوْفُوا ۚ ذَٰلِكُمْ وَصَّاكُم بِهِ لَعَلَّكُمْ تَذَكَّرُونَ ۝١٥٢ وَأَنَّ هَٰذَا صِرَاطِي مُسْتَقِيمًا فَاتَّبِعُوهُ ۖ وَلَا تَتَّبِعُوا السُّبُلَ فَتَفَرَّقَ بِكُمْ عَن سَبِيلِهِ ۚ ذَٰلِكُمْ وَصَّاكُم بِهِ لَعَلَّكُمْ تَتَّقُونَ ۝١٥٣ ثُمَّ ءَاتَيْنَا مُوسَى الْكِتَابَ تَمَامًا عَلَى الَّذِي أَحْسَنَ وَتَفْصِيلًا لِّكُلِّ شَيْءٍ وَهُدًى وَرَحْمَةً لَّعَلَّهُم بِلِقَاءِ رَبِّهِمْ يُؤْمِنُونَ ۝١٥٤ وَهَٰذَا كِتَابٌ أَنزَلْنَاهُ مُبَارَكٌ فَاتَّبِعُوهُ وَاتَّقُوا لَعَلَّكُمْ تُرْحَمُونَ ۝١٥٥ أَن تَقُولُوا إِنَّمَا أُنزِلَ الْكِتَابُ عَلَىٰ طَائِفَتَيْنِ مِن قَبْلِنَا وَإِن كُنَّا عَن دِرَاسَتِهِمْ لَغَافِلِينَ ۝١٥٦ أَوْ تَقُولُوا لَوْ أَنَّا أُنزِلَ عَلَيْنَا الْكِتَابُ لَكُنَّا أَهْدَىٰ مِنْهُمْ ۚ فَقَدْ جَاءَكُم بَيِّنَةٌ مِّن رَّبِّكُمْ وَهُدًى وَرَحْمَةٌ ۚ فَمَنْ أَظْلَمُ مِمَّن كَذَّبَ بِآيَاتِ اللَّهِ وَصَدَفَ عَنْهَا ۚ سَنَجْزِي الَّذِينَ يَصْدِفُونَ عَنْ ءَايَاتِنَا سُوءَ الْعَذَابِ بِمَا كَانُوا يَصْدِفُونَ ۝١٥٧

152. Et ne vous approchez des biens de l'orphelin que de la plus belle manière, jusqu'à ce qu'il ait atteint sa majorité[1]. Et donnez la juste mesure et le bon poids, en toute justice. Nous n'imposons à une âme que selon sa capacité. Et quand vous parlez, soyez équitables même s'il s'agit d'un proche parent. Et remplissez votre engagement envers Allāh. Voilà ce qu'Il vous enjoint. Peut-être vous rappellerez-vous.

153. «Et voilà Mon chemin dans toute sa rectitude, suivez-le donc ; et ne suivez pas les sentiers qui vous écartent de Sa voie.» Voilà ce qu'Il vous enjoint. Ainsi atteindrez-vous la piété.

154. Puis Nous avons donné à Moïse le Livre complet en récompense pour le bien qu'il avait fait, et comme un exposé détaillé de toute chose, un guide et une miséricorde. Peut-être croiraient-ils en leur rencontre avec leur Seigneur (au jour du Jugement dernier).

155. Et voici un Livre (le Qur'ān) béni que Nous avons fait descendre - suivez-le donc et soyez pieux, afin de recevoir la miséricorde -

156. afin que vous ne disiez point: «On n'a fait descendre le Livre que sur deux peuples avant nous, et nous avons été inattentifs à les étudier[2].

157. Ou que vous disiez: «Si c'était à nous qu'on avait fait descendre le Livre, nous aurions certainement été mieux guidés qu'eux» Voilà certes que vous sont venus, de votre Seigneur, preuve, guidée et miséricorde. Qui est plus injuste que celui qui traite de mensonges les versets d'Allāh et qui s'en détourne? Nous punirons ceux qui se détournent de Nos versets, par un mauvais châtiment, pour s'en être détournés.

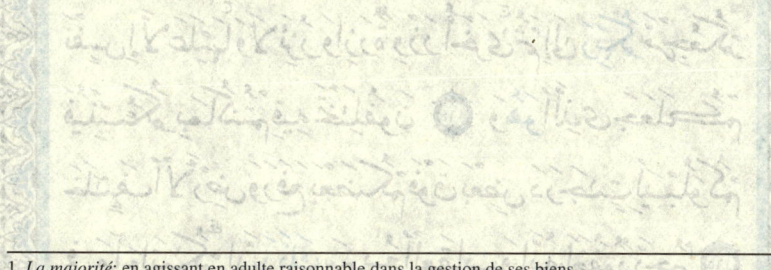

---

1. *La majorité*: en agissant en adulte raisonnable dans la gestion de ses biens.
2. *Peuples avant nous*: les Juifs et les Chrétiens
Les étudier: les livres précédents (la Thora et l'Evangile).

هَلْ يَنظُرُونَ إِلَّا أَن تَأْتِيَهُمُ ٱلْمَلَـٰٓئِكَةُ أَوْ يَأْتِيَ رَبُّكَ أَوْ يَأْتِيَ بَعْضُ ءَايَـٰتِ رَبِّكَ يَوْمَ يَأْتِي بَعْضُ ءَايَـٰتِ رَبِّكَ لَا يَنفَعُ نَفْسًا إِيمَـٰنُهَا لَمْ تَكُنْ ءَامَنَتْ مِن قَبْلُ أَوْ كَسَبَتْ فِى إِيمَـٰنِهَا خَيْرًا قُلِ ٱنتَظِرُوٓا۟ إِنَّا مُنتَظِرُونَ ﴿١٥٨﴾ إِنَّ ٱلَّذِينَ فَرَّقُوا۟ دِينَهُمْ وَكَانُوا۟ شِيَعًا لَّسْتَ مِنْهُمْ فِى شَىْءٍ إِنَّمَآ أَمْرُهُمْ إِلَى ٱللَّهِ ثُمَّ يُنَبِّئُهُم بِمَا كَانُوا۟ يَفْعَلُونَ ﴿١٥٩﴾ مَن جَآءَ بِٱلْحَسَنَةِ فَلَهُۥ عَشْرُ أَمْثَالِهَا وَمَن جَآءَ بِٱلسَّيِّئَةِ فَلَا يُجْزَىٰٓ إِلَّا مِثْلَهَا وَهُمْ لَا يُظْلَمُونَ ﴿١٦٠﴾ قُلْ إِنَّنِى هَدَىٰنِى رَبِّىٓ إِلَىٰ صِرَٰطٍ مُّسْتَقِيمٍ دِينًا قِيَمًا مِّلَّةَ إِبْرَٰهِيمَ حَنِيفًا وَمَا كَانَ مِنَ ٱلْمُشْرِكِينَ ﴿١٦١﴾ قُلْ إِنَّ صَلَاتِى وَنُسُكِى وَمَحْيَاىَ وَمَمَاتِى لِلَّهِ رَبِّ ٱلْعَـٰلَمِينَ ﴿١٦٢﴾ لَا شَرِيكَ لَهُۥ وَبِذَٰلِكَ أُمِرْتُ وَأَنَا۟ أَوَّلُ ٱلْمُسْلِمِينَ ﴿١٦٣﴾ قُلْ أَغَيْرَ ٱللَّهِ أَبْغِى رَبًّا وَهُوَ رَبُّ كُلِّ شَىْءٍ وَلَا تَكْسِبُ كُلُّ نَفْسٍ إِلَّا عَلَيْهَا وَلَا تَزِرُ وَازِرَةٌ وِزْرَ أُخْرَىٰ ثُمَّ إِلَىٰ رَبِّكُم مَّرْجِعُكُمْ فَيُنَبِّئُكُم بِمَا كُنتُمْ فِيهِ تَخْتَلِفُونَ ﴿١٦٤﴾ وَهُوَ ٱلَّذِى جَعَلَكُمْ خَلَـٰٓئِفَ ٱلْأَرْضِ وَرَفَعَ بَعْضَكُمْ فَوْقَ بَعْضٍ دَرَجَـٰتٍ لِّيَبْلُوَكُمْ فِى مَآ ءَاتَىٰكُمْ إِنَّ رَبَّكَ سَرِيعُ ٱلْعِقَابِ وَإِنَّهُۥ لَغَفُورٌ رَّحِيمٌ ﴿١٦٥﴾

158. Qu'attendent-ils? Que les Anges leur viennent? Que vienne ton Seigneur? Ou que viennent certains signes de ton Seigneur? Le jour où certains signes de ton Seigneur viendront, la foi en Lui ne profitera à aucune âme qui n'avait pas cru auparavant ou qui n'avait acquis aucun mérite de sa croyance. Dis: «Attendez!» Nous attendons, Nous aussi.

159. Ceux qui émiettent leur religion et se divisent en sectes, de ceux-là tu n'es responsable en rien: leur sort ne dépend que d'Allāh. Puis Il les informera de ce qu'ils faisaient.

160. Quiconque viendra avec le bien aura dix fois autant ; et quiconque viendra avec le mal ne sera rétribué que par son équivalent. Et on ne leur fera aucune injustice.

161. Dis: «Moi, mon Seigneur m'a guidé vers un chemin droit, une religion droite, la religion d'Abraham, le soumis exclusivement à Allāh et qui n'était point parmi les associateurs.

162. Dis: «En vérité, ma Ṣalāt, mes actes de dévotion, ma vie et ma mort appartiennent à Allāh, Seigneur de l'Univers.

163. À Lui nul associé! Et voilà ce qu'il m'a été ordonné, et je suis le premier à me soumettre».

164. Dis: «Chercherais-je un autre Seigneur qu'Allāh, alors qu'Il est le Seigneur de toute chose? Chacun n'acquiert [le mal] qu'à son détriment: personne ne portera le fardeau (responsabilité) d'autrui. Puis vers votre Seigneur sera votre retour et Il vous informera de ce en quoi vous divergez.

165. C'est Lui qui a fait de vous les successeurs sur terre et qui vous a élevés, en rangs, les uns au-dessus des autres, afin de vous éprouver en ce qu'Il vous a donné. (Vraiment) ton Seigneur est prompt en punition, Il est aussi Pardonneur et Miséricordieux.

سُورَةُ الأَعْرَافِ

بِسْمِ اللَّهِ الرَّحْمَٰنِ الرَّحِيمِ

المص ۝ كِتَٰبٌ أُنزِلَ إِلَيْكَ فَلَا يَكُن فِى صَدْرِكَ حَرَجٌ مِّنْهُ لِتُنذِرَ بِهِۦ وَذِكْرَىٰ لِلْمُؤْمِنِينَ ۝ ٱتَّبِعُوا۟ مَآ أُنزِلَ إِلَيْكُم مِّن رَّبِّكُمْ وَلَا تَتَّبِعُوا۟ مِن دُونِهِۦٓ أَوْلِيَآءَ قَلِيلًا مَّا تَذَكَّرُونَ ۝ وَكَم مِّن قَرْيَةٍ أَهْلَكْنَٰهَا فَجَآءَهَا بَأْسُنَا بَيَٰتًا أَوْ هُمْ قَآئِلُونَ ۝ فَمَا كَانَ دَعْوَىٰهُمْ إِذْ جَآءَهُم بَأْسُنَآ إِلَّآ أَن قَالُوٓا۟ إِنَّا كُنَّا ظَٰلِمِينَ ۝ فَلَنَسْـَٔلَنَّ ٱلَّذِينَ أُرْسِلَ إِلَيْهِمْ وَلَنَسْـَٔلَنَّ ٱلْمُرْسَلِينَ ۝ فَلَنَقُصَّنَّ عَلَيْهِم بِعِلْمٍ وَمَا كُنَّا غَآئِبِينَ ۝ وَٱلْوَزْنُ يَوْمَئِذٍ ٱلْحَقُّ فَمَن ثَقُلَتْ مَوَٰزِينُهُۥ فَأُو۟لَٰٓئِكَ هُمُ ٱلْمُفْلِحُونَ ۝ وَمَنْ خَفَّتْ مَوَٰزِينُهُۥ فَأُو۟لَٰٓئِكَ ٱلَّذِينَ خَسِرُوٓا۟ أَنفُسَهُم بِمَا كَانُوا۟ بِـَٔايَٰتِنَا يَظْلِمُونَ ۝ وَلَقَدْ مَكَّنَّٰكُمْ فِى ٱلْأَرْضِ وَجَعَلْنَا لَكُمْ فِيهَا مَعَٰيِشَ قَلِيلًا مَّا تَشْكُرُونَ ۝ وَلَقَدْ خَلَقْنَٰكُمْ ثُمَّ صَوَّرْنَٰكُمْ ثُمَّ قُلْنَا لِلْمَلَٰٓئِكَةِ ٱسْجُدُوا۟ لِـَٔادَمَ فَسَجَدُوٓا۟ إِلَّآ إِبْلِيسَ لَمْ يَكُن مِّنَ ٱلسَّٰجِدِينَ ۝

AL-AʿRĀF[1]
sourate 7   206 versets   Pré-hégirien n°39

Au nom d'Allāh, le Tout Miséricordieux, le Très Miséricordieux.

1. Alif, Lām, Mim, Ṣād.

2. C'est un Livre qui t'a été descendu ; qu'il n'y ait, à son sujet, nulle gêne dans ton cœur, afin que par cela tu avertisses, et (qu'il soit) un Rappel aux croyants.

3. Suivez ce qui vous a été descendu venant de votre Seigneur et ne suivez pas d'autres alliés que Lui. Mais vous vous souvenez peu.

4. Que de cités Nous avons détruites! Or, Notre rigueur les atteignit au cours du repos nocturne ou durant leur sieste.

5. Leur invocation, lorsque leur survint notre rigueur, se limita à ces paroles: Certes nous étions injustes».

6. Nous interrogerons ceux vers qui furent envoyés des messagers et Nous interrogerons aussi les envoyés[2].

7. Nous leur raconterons en toute connaissance (ce qu'ils faisaient) car Nous n'étions pas absent!

8. Et la pesée, ce jour-là, sera équitable. Donc, celui dont les bonnes actions pèseront lourd... voilà ceux qui réussiront!

9. Et quant à celui dont les bonnes actions pèseront léger... voilà ceux qui auront causé la perte de leurs âmes parce qu'ils étaient injustes envers Nos enseignements.

10. Certes, Nous vous avons donné du pouvoir sur terre et Nous vous y avons assigné subsistance. (Mais) vous êtes très peu reconnaissants!

11. Nous vous avons créés, puis Nous vous avons donné une forme, ensuite Nous avons dit aux Anges: «Prosternez-vous devant Adam.» Ils se prosternèrent, à l'exception d'Iblis qui ne fut point de ceux qui se prosternèrent.

---

1. *Al-Aʿrāf*: endroit surélevé entre le Paradis et l'Enfer, sur lequel vont se trouver des gens qui auront une vue sur les deux. Nous conserverons le mot Al-Aʿrāf parce qu'il n'y a pas d'équivalent convenable en français. Titre tiré des versets: 46, 48...
2. *Les envoyés*: ici les prophètes qui ont une mission auprès des hommes ou les Anges qui exécutent les ordres d'Allāh.

قَالَ مَا مَنَعَكَ أَلَّا تَسْجُدَ إِذْ أَمَرْتُكَ قَالَ أَنَا۠ خَيْرٌ مِّنْهُ خَلَقْتَنِي مِن نَّارٍ وَخَلَقْتَهُۥ مِن طِينٍ ﴿١٢﴾ قَالَ فَٱهْبِطْ مِنْهَا فَمَا يَكُونُ لَكَ أَن تَتَكَبَّرَ فِيهَا فَٱخْرُجْ إِنَّكَ مِنَ ٱلصَّٰغِرِينَ ﴿١٣﴾ قَالَ أَنظِرْنِي إِلَىٰ يَوْمِ يُبْعَثُونَ ﴿١٤﴾ قَالَ إِنَّكَ مِنَ ٱلْمُنظَرِينَ ﴿١٥﴾ قَالَ فَبِمَا أَغْوَيْتَنِي لَأَقْعُدَنَّ لَهُمْ صِرَٰطَكَ ٱلْمُسْتَقِيمَ ﴿١٦﴾ ثُمَّ لَءَاتِيَنَّهُم مِّنۢ بَيْنِ أَيْدِيهِمْ وَمِنْ خَلْفِهِمْ وَعَنْ أَيْمَٰنِهِمْ وَعَن شَمَآئِلِهِمْ وَلَا تَجِدُ أَكْثَرَهُمْ شَٰكِرِينَ ﴿١٧﴾ قَالَ ٱخْرُجْ مِنْهَا مَذْءُومًا مَّدْحُورًا لَّمَن تَبِعَكَ مِنْهُمْ لَأَمْلَأَنَّ جَهَنَّمَ مِنكُمْ أَجْمَعِينَ ﴿١٨﴾ وَيَٰٓـَٔادَمُ ٱسْكُنْ أَنتَ وَزَوْجُكَ ٱلْجَنَّةَ فَكُلَا مِنْ حَيْثُ شِئْتُمَا وَلَا تَقْرَبَا هَٰذِهِ ٱلشَّجَرَةَ فَتَكُونَا مِنَ ٱلظَّٰلِمِينَ ﴿١٩﴾ فَوَسْوَسَ لَهُمَا ٱلشَّيْطَٰنُ لِيُبْدِيَ لَهُمَا مَا وُۥرِيَ عَنْهُمَا مِن سَوْءَٰتِهِمَا وَقَالَ مَا نَهَىٰكُمَا رَبُّكُمَا عَنْ هَٰذِهِ ٱلشَّجَرَةِ إِلَّا أَن تَكُونَا مَلَكَيْنِ أَوْ تَكُونَا مِنَ ٱلْخَٰلِدِينَ ﴿٢٠﴾ وَقَاسَمَهُمَآ إِنِّي لَكُمَا لَمِنَ ٱلنَّٰصِحِينَ ﴿٢١﴾ فَدَلَّىٰهُمَا بِغُرُورٍ فَلَمَّا ذَاقَا ٱلشَّجَرَةَ بَدَتْ لَهُمَا سَوْءَٰتُهُمَا وَطَفِقَا يَخْصِفَانِ عَلَيْهِمَا مِن وَرَقِ ٱلْجَنَّةِ وَنَادَىٰهُمَا رَبُّهُمَآ أَلَمْ أَنْهَكُمَا عَن تِلْكُمَا ٱلشَّجَرَةِ وَأَقُل لَّكُمَآ إِنَّ ٱلشَّيْطَٰنَ لَكُمَا عَدُوٌّ مُّبِينٌ ﴿٢٢﴾

12. [Allāh] dit: «Qu'est-ce qui t'empêche de te prosterner quand Je te l'ai commandé?» Il répondit: «Je suis meilleur que lui: Tu m'as créé de feu, alors que Tu l'as créé d'argile».

13. [Allāh] dit: «Descends d'ici, Tu n'as pas à t'enfler d'orgueil ici. Sors, te voilà parmi les méprisés».

14. «Accorde-moi un délai, dit (Satan), jusqu'au jour où ils seront ressuscités».

15. [Allāh] dit: «Tu es de ceux à qui délai est accordé».

16. «Puisque Tu m'as mis en erreur, dit [Satan], je m'assoirai pour eux sur Ton droit chemin,

17. puis je les assaillirai de devant, de derrière, de leur droite et de leur gauche. Et, pour la plupart, Tu ne les trouveras pas reconnaissants».

18. «Sors de là», dit (Allāh), banni et rejeté. Quiconque te suit parmi eux... de vous tous, J'emplirai l'Enfer».

19. «Ô Adam, habite le Paradis, toi et ton épouse ; et mangez en vous deux, à votre guise ; et n'approchez pas l'arbre que voici ; sinon, vous seriez du nombre des injustes».

20. Puis le Diable, afin de leur rendre visible ce qui leur était caché - leurs nudités[1] - leur chuchota, disant: «Votre Seigneur ne vous a interdit cet arbre que pour vous empêcher de devenir des Anges ou d'être immortels».

21. Et il leur jura: «Vraiment, je suis pour vous deux un bon conseiller».

22. Alors il les fit tomber par tromperie. Puis, lorsqu'ils eurent goûté de l'arbre, leurs nudités leur devinrent visibles ; et ils commencèrent tous deux à y attacher des feuilles du Paradis. Et leur Seigneur les appela: «Ne vous avais-Je pas interdit cet arbre? Et ne vous avais-Je pas dit que le Diable était pour vous un ennemi déclaré?»

---

1. *Leurs nudités*: leurs parties génitales qui leur étaient jusqu'alors cachées.

قَالَا رَبَّنَا ظَلَمْنَا أَنفُسَنَا وَإِن لَّمْ تَغْفِرْ لَنَا وَتَرْحَمْنَا لَنَكُونَنَّ مِنَ الْخَاسِرِينَ ۞ قَالَ اهْبِطُواْ بَعْضُكُمْ لِبَعْضٍ عَدُوٌّ وَلَكُمْ فِي الْأَرْضِ مُسْتَقَرٌّ وَمَتَاعٌ إِلَىٰ حِينٍ ۞ قَالَ فِيهَا تَحْيَوْنَ وَفِيهَا تَمُوتُونَ وَمِنْهَا تُخْرَجُونَ ۞ يَا بَنِي ءَادَمَ قَدْ أَنزَلْنَا عَلَيْكُمْ لِبَاسًا يُوَارِي سَوْءَ تِكُمْ وَرِيشًا وَلِبَاسُ التَّقْوَىٰ ذَلِكَ خَيْرٌ ذَلِكَ مِنْ ءَايَتِ اللَّهِ لَعَلَّهُمْ يَذَّكَّرُونَ ۞ يَا بَنِي ءَادَمَ لَا يَفْتِنَنَّكُمُ الشَّيْطَنُ كَمَا أَخْرَجَ أَبَوَيْكُم مِّنَ الْجَنَّةِ يَنزِعُ عَنْهُمَا لِبَاسَهُمَا لِيُرِيَهُمَا سَوْءَ تِهِمَا إِنَّهُ يَرَاكُمْ هُوَ وَقَبِيلُهُ مِنْ حَيْثُ لَا تَرَوْنَهُمْ إِنَّا جَعَلْنَا الشَّيَطِينَ أَوْلِيَاءَ لِلَّذِينَ لَا يُؤْمِنُونَ ۞ وَإِذَا فَعَلُواْ فَحِشَةً قَالُواْ وَجَدْنَا عَلَيْهَا ءَابَاءَنَا وَاللَّهُ أَمَرَنَا بِهَا قُلْ إِنَّ اللَّهَ لَا يَأْمُرُ بِالْفَحْشَاءِ أَتَقُولُونَ عَلَى اللَّهِ مَا لَا تَعْلَمُونَ ۞ قُلْ أَمَرَ رَبِّي بِالْقِسْطِ وَأَقِيمُواْ وُجُوهَكُمْ عِندَ كُلِّ مَسْجِدٍ وَادْعُوهُ مُخْلِصِينَ لَهُ الدِّينَ كَمَا بَدَأَكُمْ تَعُودُونَ ۞ فَرِيقًا هَدَىٰ وَفَرِيقًا حَقَّ عَلَيْهِمُ الضَّلَلَةُ إِنَّهُمُ اتَّخَذُواْ الشَّيَطِينَ أَوْلِيَاءَ مِن دُونِ اللَّهِ وَيَحْسَبُونَ أَنَّهُم مُّهْتَدُونَ ۞

23. Tous deux dirent: «Ô notre Seigneur, nous avons fait du tort à nous-mêmes. Et si Tu ne nous pardonnes pas et ne nous fais pas miséricorde, nous serons très certainement du nombre des perdants».

24. «Descendez, dit [Allāh],vous serez ennemis les uns des autres. Et il y aura pour vous sur terre séjour et jouissance, pour un temps.»

25. «Là, dit (Allāh), vous vivrez, là vous mourrez, et de là on vous fera sortir»

26. Ô enfants d'Adam! Nous avons fait descendre[1] sur vous un vêtement pour cacher vos nudités, ainsi que des parures. - Mais le vêtement de la piété voilà qui est meilleur. - C'est un des signes (de la puissance) d'Allāh. Afin qu'ils se rappellent.

27. Ô enfants d'Adam! Que le Diable ne vous tente point, comme il a fait sortir du Paradis vos père et mère, leur arrachant leur vêtement pour leur rendre visibles leurs nudités. Il vous voit, lui et ses suppôts, d'où vous ne les voyez pas. Nous avons désigné les diables pour alliés à ceux qui ne croient point,

28. et quand ceux-ci commettent une turpitude, ils disent: «C'est une coutume léguée par nos ancêtres et prescrite par Allāh.» Dis: «[Non,] Allāh ne commande point la turpitude. Direz-vous contre Allāh ce que vous ne savez pas?»

29. Dis: «Mon Seigneur a commandé l'équité. Que votre prosternation soit exclusivement pour Lui. Et invoquez-Le, sincères dans votre culte[2]. De même qu'Il vous a créés, vous retournerez à Lui».

30. Il guide une partie, tandis qu'une autre partie a mérité l'égarement parce qu'ils ont pris, au lieu d'Allāh, les diables pour alliés, et ils pensent qu'ils sont bien-guidés!

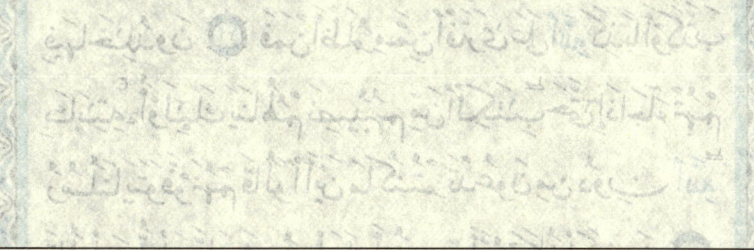

---

1. *Fait descendre*: don d'Allāh le Très Haut.
2. *Sincères dans votre culte*: Allāh n'agrée point un acte d'adoration s'il ne répond pas à deux conditions: a) qu'il soit conforme à la loi divine (Šarī‘a) ; b) qu'il soit exclusivement voué à Allāh.

۞ يَـٰبَنِىٓ ءَادَمَ خُذُوا۟ زِينَتَكُمْ عِندَ كُلِّ مَسْجِدٍ وَكُلُوا۟ وَٱشْرَبُوا۟ وَلَا تُسْرِفُوٓا۟ إِنَّهُۥ لَا يُحِبُّ ٱلْمُسْرِفِينَ ۝ قُلْ مَنْ حَرَّمَ زِينَةَ ٱللَّهِ ٱلَّتِىٓ أَخْرَجَ لِعِبَادِهِۦ وَٱلطَّيِّبَـٰتِ مِنَ ٱلرِّزْقِ قُلْ هِىَ لِلَّذِينَ ءَامَنُوا۟ فِى ٱلْحَيَوٰةِ ٱلدُّنْيَا خَالِصَةً يَوْمَ ٱلْقِيَـٰمَةِ كَذَٰلِكَ نُفَصِّلُ ٱلْـَٔايَـٰتِ لِقَوْمٍ يَعْلَمُونَ ۝ قُلْ إِنَّمَا حَرَّمَ رَبِّىَ ٱلْفَوَٰحِشَ مَا ظَهَرَ مِنْهَا وَمَا بَطَنَ وَٱلْإِثْمَ وَٱلْبَغْىَ بِغَيْرِ ٱلْحَقِّ وَأَن تُشْرِكُوا۟ بِٱللَّهِ مَا لَمْ يُنَزِّلْ بِهِۦ سُلْطَـٰنًا وَأَن تَقُولُوا۟ عَلَى ٱللَّهِ مَا لَا تَعْلَمُونَ ۝ وَلِكُلِّ أُمَّةٍ أَجَلٌ فَإِذَا جَآءَ أَجَلُهُمْ لَا يَسْتَأْخِرُونَ سَاعَةً وَلَا يَسْتَقْدِمُونَ ۝ يَـٰبَنِىٓ ءَادَمَ إِمَّا يَأْتِيَنَّكُمْ رُسُلٌ مِّنكُمْ يَقُصُّونَ عَلَيْكُمْ ءَايَـٰتِى فَمَنِ ٱتَّقَىٰ وَأَصْلَحَ فَلَا خَوْفٌ عَلَيْهِمْ وَلَا هُمْ يَحْزَنُونَ ۝ وَٱلَّذِينَ كَذَّبُوا۟ بِـَٔايَـٰتِنَا وَٱسْتَكْبَرُوا۟ عَنْهَآ أُو۟لَـٰٓئِكَ أَصْحَـٰبُ ٱلنَّارِ هُمْ فِيهَا خَـٰلِدُونَ ۝ فَمَنْ أَظْلَمُ مِمَّنِ ٱفْتَرَىٰ عَلَى ٱللَّهِ كَذِبًا أَوْ كَذَّبَ بِـَٔايَـٰتِهِۦٓ أُو۟لَـٰٓئِكَ يَنَالُهُمْ نَصِيبُهُم مِّنَ ٱلْكِتَـٰبِ حَتَّىٰٓ إِذَا جَآءَتْهُمْ رُسُلُنَا يَتَوَفَّوْنَهُمْ قَالُوٓا۟ أَيْنَ مَا كُنتُمْ تَدْعُونَ مِن دُونِ ٱللَّهِ قَالُوا۟ ضَلُّوا۟ عَنَّا وَشَهِدُوا۟ عَلَىٰٓ أَنفُسِهِمْ أَنَّهُمْ كَانُوا۟ كَـٰفِرِينَ ۝

31. Ô enfants d'Adam, dans chaque lieu de Ṣalāt portez votre parure (vos habits). Et mangez et buvez ; et ne commettez pas d'excès, car Il [Allāh] n'aime pas ceux qui commettent des excès[1].

32. Dis: «Qui a interdit la parure d'Allāh, qu'Il a produite pour Ses serviteurs, ainsi que les bonnes nourritures?» Dis: «Elles sont destinées à ceux qui ont la foi, dans cette vie, et exclusivement à eux au Jour de la Résurrection.» Ainsi exposons-Nous clairement les versets pour les gens qui savent.

33. Dis: «Mon Seigneur n'a interdit que les turpitudes (les grands péchés), tant apparentes que secrètes, de même que le péché, l'agression sans droit et d'associer à Allāh ce dont Il n'a fait descendre aucune preuve, et de dire sur Allāh ce que vous ne savez pas».

34. Pour chaque communauté il y a un terme. Quand leur terme vient, ils ne peuvent le retarder d'une heure et ils ne peuvent le hâter non plus.

35. Ô enfants d'Adam! Si des messagers [choisis] parmi vous viennent pour vous exposer Mes signes, alors ceux qui acquièrent la piété et se réforment, n'auront aucune crainte et ne seront point affligés.

36. Et ceux qui traitent de mensonges Nos signes et s'en écartent avec orgueil, sont les gens du Feu et ils y demeureront éternellement.

37. Quel pire injuste, que celui qui invente un mensonge contre Allāh, ou qui traite de mensonges Ses signes? Ceux là auront la part qui leur a été prescrite ; jusqu'au moment où Nos Envoyés [Nos Anges] viennent à eux pour leur enlever l'âme, en leur disant: «Où sont ceux que vous invoquiez en dehors d'Allāh?» - Ils répondront: «Nous ne les trouvons plus». Et ils témoigneront contre eux-mêmes qu'ils étaient mécréants.

---

1. *Des excès*: L'Islām combat tout excès en matière de nourriture et de boisson, de nature à exposer l'individu à toutes sortes de maladies.
La médecine préventive actuelle ne fait que confirmer les enseignements de l'Islām, soucieux de préserver la santé de l'homme.

قَالَ ادْخُلُوا فِي أُمَمٍ قَدْ خَلَتْ مِن قَبْلِكُم مِّنَ الْجِنِّ وَالْإِنسِ فِي النَّارِ كُلَّمَا دَخَلَتْ أُمَّةٌ لَّعَنَتْ أُخْتَهَا حَتَّىٰ إِذَا ادَّارَكُوا فِيهَا جَمِيعًا قَالَتْ أُخْرَاهُمْ لِأُولَاهُمْ رَبَّنَا هَٰؤُلَاءِ أَضَلُّونَا فَآتِهِمْ عَذَابًا ضِعْفًا مِّنَ النَّارِ قَالَ لِكُلٍّ ضِعْفٌ وَلَٰكِن لَّا تَعْلَمُونَ ﴿٣٨﴾ وَقَالَتْ أُولَاهُمْ لِأُخْرَاهُمْ فَمَا كَانَ لَكُمْ عَلَيْنَا مِن فَضْلٍ فَذُوقُوا الْعَذَابَ بِمَا كُنتُمْ تَكْسِبُونَ ﴿٣٩﴾ إِنَّ الَّذِينَ كَذَّبُوا بِآيَاتِنَا وَاسْتَكْبَرُوا عَنْهَا لَا تُفَتَّحُ لَهُمْ أَبْوَابُ السَّمَاءِ وَلَا يَدْخُلُونَ الْجَنَّةَ حَتَّىٰ يَلِجَ الْجَمَلُ فِي سَمِّ الْخِيَاطِ وَكَذَٰلِكَ نَجْزِي الْمُجْرِمِينَ ﴿٤٠﴾ لَهُم مِّن جَهَنَّمَ مِهَادٌ وَمِن فَوْقِهِمْ غَوَاشٍ وَكَذَٰلِكَ نَجْزِي الظَّالِمِينَ ﴿٤١﴾ وَالَّذِينَ آمَنُوا وَعَمِلُوا الصَّالِحَاتِ لَا نُكَلِّفُ نَفْسًا إِلَّا وُسْعَهَا أُولَٰئِكَ أَصْحَابُ الْجَنَّةِ هُمْ فِيهَا خَالِدُونَ ﴿٤٢﴾ وَنَزَعْنَا مَا فِي صُدُورِهِم مِّنْ غِلٍّ تَجْرِي مِن تَحْتِهِمُ الْأَنْهَارُ وَقَالُوا الْحَمْدُ لِلَّهِ الَّذِي هَدَانَا لِهَٰذَا وَمَا كُنَّا لِنَهْتَدِيَ لَوْلَا أَنْ هَدَانَا اللَّهُ لَقَدْ جَاءَتْ رُسُلُ رَبِّنَا بِالْحَقِّ وَنُودُوا أَن تِلْكُمُ الْجَنَّةُ أُورِثْتُمُوهَا بِمَا كُنتُمْ تَعْمَلُونَ ﴿٤٣﴾

38. «Entrez dans le Feu», dira [Allāh,] «parmi les djinns et les hommes des communautés qui vous ont précédés.» Chaque fois qu'une communauté entrera, elle maudira celle qui l'aura précédée. Puis, lorsque tous s'y retrouveront, la dernière fournée dira de la première: «Ô notre Seigneur! Voilà ceux qui nous ont égarés: donne-leur donc double châtiment du feu.» Il dira: «A chacun le double, mais vous ne savez pas».

39. Et la première fournée dira à la dernière: «Mais vous n'avez sur nous aucun avantage. Goûtez donc au châtiment, pour ce que vous avez acquis».

40. Pour ceux qui traitent de mensonges Nos enseignements et qui s'en écartent par orgueil, les portes du ciel ne leur seront pas ouvertes, et ils n'entreront au Paradis que quand le chameau pénètre dans le chas de l'aiguille. Ainsi rétribuons-Nous les criminels.

41. L'Enfer leur servira de lit et, comme couverture, ils auront des voiles de ténèbres. Ainsi rétribuons-Nous les injustes.

42. Et ceux qui croient et font de bonnes œuvres - Nous n'imposons aucune charge à personne que selon sa capacité - ceux-là seront les gens du Paradis: ils y demeureront éternellement.

43. Et Nous enlèverons toute la rancune de leurs poitrines, sous eux couleront les ruisseaux, et ils diront: «Louange à Allāh qui nous a guidés à ceci. Nous n'aurions pas été guidés, si Allāh ne nous avait pas guidés. Les messagers de notre Seigneur sont venus avec la vérité.» Et on leur proclamera: «Voilà le Paradis qui vous a été donné en héritage pour ce que vous faisiez».

وَنَادَىٰ أَصْحَٰبُ ٱلْجَنَّةِ أَصْحَٰبَ ٱلنَّارِ أَن قَدْ وَجَدْنَا مَا وَعَدَنَا رَبُّنَا حَقًّا فَهَلْ وَجَدتُّم مَّا وَعَدَ رَبُّكُمْ حَقًّا ۖ قَالُوا۟ نَعَمْ ۚ فَأَذَّنَ مُؤَذِّنٌۢ بَيْنَهُمْ أَن لَّعْنَةُ ٱللَّهِ عَلَى ٱلظَّٰلِمِينَ ۝ ٱلَّذِينَ يَصُدُّونَ عَن سَبِيلِ ٱللَّهِ وَيَبْغُونَهَا عِوَجًا وَهُم بِٱلْءَاخِرَةِ كَٰفِرُونَ ۝ وَبَيْنَهُمَا حِجَابٌ ۚ وَعَلَى ٱلْأَعْرَافِ رِجَالٌ يَعْرِفُونَ كُلًّۢا بِسِيمَىٰهُمْ ۚ وَنَادَوْا۟ أَصْحَٰبَ ٱلْجَنَّةِ أَن سَلَٰمٌ عَلَيْكُمْ ۚ لَمْ يَدْخُلُوهَا وَهُمْ يَطْمَعُونَ ۝ ۞ وَإِذَا صُرِفَتْ أَبْصَٰرُهُمْ تِلْقَآءَ أَصْحَٰبِ ٱلنَّارِ قَالُوا۟ رَبَّنَا لَا تَجْعَلْنَا مَعَ ٱلْقَوْمِ ٱلظَّٰلِمِينَ ۝ وَنَادَىٰ أَصْحَٰبُ ٱلْأَعْرَافِ رِجَالًا يَعْرِفُونَهُم بِسِيمَىٰهُمْ قَالُوا۟ مَآ أَغْنَىٰ عَنكُمْ جَمْعُكُمْ وَمَا كُنتُمْ تَسْتَكْبِرُونَ ۝ أَهَٰٓؤُلَآءِ ٱلَّذِينَ أَقْسَمْتُمْ لَا يَنَالُهُمُ ٱللَّهُ بِرَحْمَةٍ ۚ ٱدْخُلُوا۟ ٱلْجَنَّةَ لَا خَوْفٌ عَلَيْكُمْ وَلَآ أَنتُمْ تَحْزَنُونَ ۝ وَنَادَىٰٓ أَصْحَٰبُ ٱلنَّارِ أَصْحَٰبَ ٱلْجَنَّةِ أَنْ أَفِيضُوا۟ عَلَيْنَا مِنَ ٱلْمَآءِ أَوْ مِمَّا رَزَقَكُمُ ٱللَّهُ ۚ قَالُوٓا۟ إِنَّ ٱللَّهَ حَرَّمَهُمَا عَلَى ٱلْكَٰفِرِينَ ۝ ٱلَّذِينَ ٱتَّخَذُوا۟ دِينَهُمْ لَهْوًا وَلَعِبًا وَغَرَّتْهُمُ ٱلْحَيَوٰةُ ٱلدُّنْيَا ۚ فَٱلْيَوْمَ نَنسَىٰهُمْ كَمَا نَسُوا۟ لِقَآءَ يَوْمِهِمْ هَٰذَا وَمَا كَانُوا۟ بِـَٔايَٰتِنَا يَجْحَدُونَ ۝

44. Les gens du Paradis crieront aux gens du Feu: «Certes, nous avons trouvé vrai ce que notre Seigneur nous avait promis. Avez-vous aussi trouvé vrai ce que votre Seigneur avait promis?» «Oui», diront-ils. Un héraut annoncera alors au milieu d'eux: Que la malédiction d'Allāh soit sur les injustes,

45. qui obstruaient le sentier d'Allāh, qui voulaient le rendre tortueux, et qui ne croyaient pas à l'au-delà.»

46. Et entre les deux, il y aura un mur, et, sur *al-Aʿrâf* seront des gens qui reconnaîtront tout le monde par leurs traits caractéristiques[1]. Et ils crieront aux gens du Paradis: «Paix sur vous!» Ils n'y sont pas entrés bien qu'ils le souhaitent.

47. Et quand leurs regards seront tournés vers les gens du Feu, ils diront ; «Ô notre Seigneur! Ne nous mets pas avec le peuple injuste».

48. Et les gens d'al-Aʿrâf appelant certains hommes qu'ils reconnaîtront par leurs traits caractéristiques, diront: «Vous n'avez tiré aucun profit de tout ce que vous aviez amassé et de l'orgueil dont vous étiez enflés!

49. Est-ce donc ceux-là au sujet desquels vous juriez qu'ils n'obtiendront de la part d'Allāh aucune miséricorde...? - Entrez au Paradis! Vous serez à l'abri de toute crainte et vous ne serez point affligés.

50. Et les gens du Feu crieront aux gens du Paradis: «Déversez sur nous de l'eau, ou de ce qu'Allāh vous a attribué.» «Ils répondront: Allāh les a interdits aux mécréants».

51. Ceux-ci prenaient leur religion comme distraction et jeu, et la vie d'ici-bas les trompait. Aujourd'hui, Nous les oublierons comme ils ont oublié la rencontre de leur jour que voici, et parce qu'ils reniaient Nos enseignements.

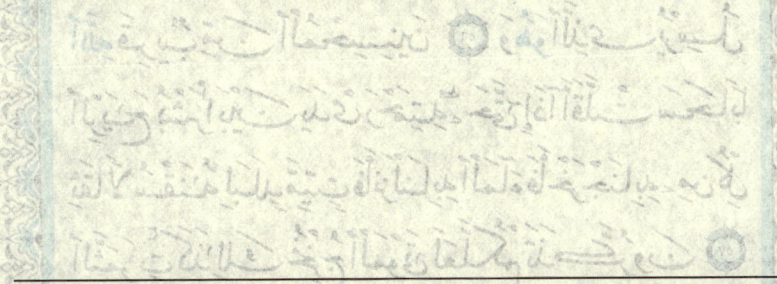

---

1. Sur le terme Al-Aʿrāf, cf. p.151 note 1.

وَلَقَدْ جِئْنَـٰهُم بِكِتَـٰبٍ فَصَّلْنَـٰهُ عَلَىٰ عِلْمٍ هُدًى وَرَحْمَةً لِّقَوْمٍ

يُؤْمِنُونَ ۝ هَلْ يَنظُرُونَ إِلَّا تَأْوِيلَهُۥ يَوْمَ يَأْتِى تَأْوِيلُهُۥ يَقُولُ

ٱلَّذِينَ نَسُوهُ مِن قَبْلُ قَدْ جَآءَتْ رُسُلُ رَبِّنَا بِٱلْحَقِّ فَهَل لَّنَا

مِن شُفَعَآءَ فَيَشْفَعُوا۟ لَنَآ أَوْ نُرَدُّ فَنَعْمَلَ غَيْرَ ٱلَّذِى كُنَّا نَعْمَلُ

قَدْ خَسِرُوٓا۟ أَنفُسَهُمْ وَضَلَّ عَنْهُم مَّا كَانُوا۟ يَفْتَرُونَ

۝ إِنَّ رَبَّكُمُ ٱللَّهُ ٱلَّذِى خَلَقَ ٱلسَّمَـٰوَٰتِ وَٱلْأَرْضَ فِى سِتَّةِ

أَيَّامٍ ثُمَّ ٱسْتَوَىٰ عَلَى ٱلْعَرْشِ يُغْشِى ٱلَّيْلَ ٱلنَّهَارَ يَطْلُبُهُۥ حَثِيثًا

وَٱلشَّمْسَ وَٱلْقَمَرَ وَٱلنُّجُومَ مُسَخَّرَٰتٍۭ بِأَمْرِهِۦٓ أَلَا لَهُ ٱلْخَلْقُ

وَٱلْأَمْرُ تَبَارَكَ ٱللَّهُ رَبُّ ٱلْعَـٰلَمِينَ ۝ ٱدْعُوا۟ رَبَّكُمْ تَضَرُّعًا

وَخُفْيَةً إِنَّهُۥ لَا يُحِبُّ ٱلْمُعْتَدِينَ ۝ وَلَا تُفْسِدُوا۟ فِى

ٱلْأَرْضِ بَعْدَ إِصْلَـٰحِهَا وَٱدْعُوهُ خَوْفًا وَطَمَعًا إِنَّ رَحْمَتَ

ٱللَّهِ قَرِيبٌ مِّنَ ٱلْمُحْسِنِينَ ۝ وَهُوَ ٱلَّذِى يُرْسِلُ

ٱلرِّيَـٰحَ بُشْرًۢا بَيْنَ يَدَىْ رَحْمَتِهِۦ حَتَّىٰٓ إِذَآ أَقَلَّتْ سَحَابًا

ثِقَالًا سُقْنَـٰهُ لِبَلَدٍ مَّيِّتٍ فَأَنزَلْنَا بِهِ ٱلْمَآءَ فَأَخْرَجْنَا بِهِۦ مِن كُلِّ

ٱلثَّمَرَٰتِ كَذَٰلِكَ نُخْرِجُ ٱلْمَوْتَىٰ لَعَلَّكُمْ تَذَكَّرُونَ ۝

52. Nous leur avons, certes, apporté un Livre que Nous avons détaillé, en toute connaissance, à titre de guide et de miséricorde pour les gens qui croient.

53. Attendent-ils uniquement la réalisation (de Sa menace et de Ses promesses?). Le jour où sa (véritable) réalisation viendra, ceux qui auparavant l'oubliaient diront: «Les messagers de notre Seigneur sont venus avec la vérité. Y a-t-il pour nous des intercesseurs qui puissent intercéder en notre faveur? Ou pourrons-nous être renvoyés [sur terre], afin que nous œuvrions autrement que ce que nous faisions auparavant?» Ils ont certes créé leur propre perte ; et ce qu'ils inventaient les a délaissés.

54. Votre Seigneur, c'est Allāh, qui a créé les cieux et la terre en six jours, puis S'est établi «istawâ» sur le Trône[1]. Il couvre le jour de la nuit qui poursuit celui-ci sans arrêt. (Il a créé) le soleil, la lune et les étoiles, soumis à Son commandement. La création et le commandement n'appartiennent qu'à Lui. Toute gloire à Allāh, Seigneur de l'Univers!

55. Invoquez votre Seigneur en toute humilité et recueillement et avec discrétion. Certes, Il n'aime pas les transgresseurs.

56. Et ne semez pas la corruption sur la terre après qu'elle ait été réformée. Et invoquez-Le avec crainte et espoir, car la miséricorde d'Allāh est proche des bienfaisants.

57. C'est Lui qui envoie les vents comme une annonce de Sa Miséricorde. Puis, lorsqu'ils transportent une nuée lourde, Nous la dirigeons vers un pays mort [de sécheresse], puis Nous en faisons descendre l'eau, ensuite Nous en faisons sortir toutes espèces de fruits. Ainsi ferons-Nous sortir les morts. Peut-être vous rappellerez-vous.

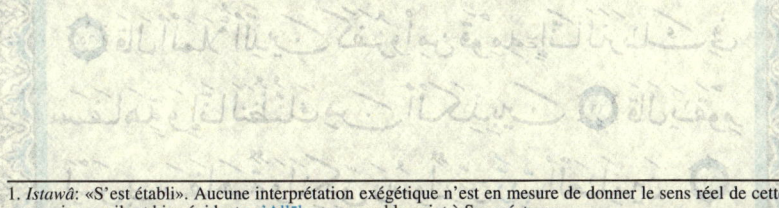

---

1. *Istawâ*: «S'est établi». Aucune interprétation exégétique n'est en mesure de donner le sens réel de cette expression car il est bien évident qu'Allāh ne ressemble point à Ses créatures.

وَالْبَلَدُ الطَّيِّبُ يَخْرُجُ نَبَاتُهُۥ بِإِذْنِ رَبِّهِۦ ۖ وَالَّذِى خَبُثَ لَا يَخْرُجُ إِلَّا نَكِدًا ۚ كَذَٰلِكَ نُصَرِّفُ الْآيَاتِ لِقَوْمٍ يَشْكُرُونَ ٥٨

لَقَدْ أَرْسَلْنَا نُوحًا إِلَىٰ قَوْمِهِۦ فَقَالَ يَا قَوْمِ اعْبُدُوا اللَّهَ مَا لَكُم مِّنْ إِلَٰهٍ غَيْرُهُۥٓ إِنِّىٓ أَخَافُ عَلَيْكُمْ عَذَابَ يَوْمٍ عَظِيمٍ ٥٩

قَالَ الْمَلَأُ مِن قَوْمِهِۦٓ إِنَّا لَنَرَاكَ فِى ضَلَٰلٍ مُّبِينٍ ٦٠ قَالَ يَا قَوْمِ لَيْسَ بِى ضَلَٰلَةٌ وَلَٰكِنِّى رَسُولٌ مِّن رَّبِّ الْعَالَمِينَ ٦١ أُبَلِّغُكُمْ رِسَالَاتِ رَبِّى وَأَنصَحُ لَكُمْ وَأَعْلَمُ مِنَ اللَّهِ مَا لَا تَعْلَمُونَ ٦٢ أَوَعَجِبْتُمْ أَن جَاءَكُمْ ذِكْرٌ مِّن رَّبِّكُمْ عَلَىٰ رَجُلٍ مِّنكُمْ لِيُنذِرَكُمْ وَلِتَتَّقُوا وَلَعَلَّكُمْ تُرْحَمُونَ ٦٣ فَكَذَّبُوهُ فَأَنجَيْنَٰهُ وَالَّذِينَ مَعَهُۥ فِى الْفُلْكِ وَأَغْرَقْنَا الَّذِينَ كَذَّبُوا بِآيَاتِنَا ۚ إِنَّهُمْ كَانُوا قَوْمًا عَمِينَ ٦٤ ۞ وَإِلَىٰ عَادٍ أَخَاهُمْ هُودًا ۗ قَالَ يَا قَوْمِ اعْبُدُوا اللَّهَ مَا لَكُم مِّنْ إِلَٰهٍ غَيْرُهُۥٓ ۚ أَفَلَا تَتَّقُونَ ٦٥

قَالَ الْمَلَأُ الَّذِينَ كَفَرُوا مِن قَوْمِهِۦٓ إِنَّا لَنَرَاكَ فِى سَفَاهَةٍ وَإِنَّا لَنَظُنُّكَ مِنَ الْكَاذِبِينَ ٦٦ قَالَ يَا قَوْمِ لَيْسَ بِى سَفَاهَةٌ وَلَٰكِنِّى رَسُولٌ مِّن رَّبِّ الْعَالَمِينَ ٦٧

58. Le bon pays, sa végétation pousse avec la grâce de son Seigneur ; quant au mauvais pays, (sa végétation) ne sort qu'insuffisamment et difficilement. Ainsi déployons-Nous les enseignements pour des gens reconnaissants[1].

59. Nous avons envoyé Noé vers son peuple. Il dit: «Ô mon peuple, adorez Allāh. Pour vous, pas d'autre divinité que Lui. Je crains pour vous le châtiment d'un jour terrible».

60. Les notables de son peuple dirent: «Nous te voyons dans un égarement manifeste».

61. Il dit: «Ô mon peuple, il n'y a pas d'égarement en moi ; mais je suis un Messager de la part du Seigneur de l'Univers.

62. Je vous communique les messages de mon Seigneur, et je vous donne conseil sincère, et je sais d'Allāh ce que vous ne savez pas.

63. Est-ce que vous vous étonnez qu'un rappel vous vienne de votre Seigneur à travers un homme issu de vous, pour qu'il vous avertisse et que vous deveniez pieux et que la miséricorde vous soit accordée?»

64. Et ils le traitèrent de menteur. Or, Nous le sauvâmes, lui et ceux qui étaient avec lui dans l'arche, et noyâmes ceux qui traitaient de mensonges Nos miracles. C'étaient des gens aveugles, vraiment.

65. Et aux 'Aad, leur frère Hûd: «Ô mon peuple, dit-il, adorez Allāh. Pour vous, pas d'autre divinité que Lui. Ne [Le] craignez-vous donc pas[2]?»

66. Les notables de son peuple qui ne croyaient pas dirent: «Certes, nous te voyons en pleine sottise, et nous pensons que tu es du nombre des menteurs».

67. Il dit: «Ô mon peuple, il n'y a point de sottise en moi ; mais je suis un Messager de la part du Seigneur de l'Univers.

---

1. *Ibn-Abbas a dit au sujet de ce verset*: c'est un exemple qui illustre la différence de comportement du croyant et du mécréant.
Le premier se conforme à l'appel de la vérité et agit en bonté avec tout le monde. Quant au second, en choisissant la voie de l'égarement, il agit mal avec autrui.
2. *Et aux 'Aad (Nous avons envoyé) leur frère Hûd*: les 'Aad (ou 'Aadites) et les Ṯamūd (ou Ṯamūdites) dont il sera question au v. 73, sont d'anciennes peuplades d'Arabie, exterminées... leurs crimes et leur châtiment seront plus d'une fois cités en exemple.

أُبَلِّغُكُمْ رِسَالَاتِ رَبِّي وَأَنْصَحُ لَكُمْ نَاصِحٌ أَمِينٌ ۝ أَوَعَجِبْتُمْ أَن جَآءَكُمْ ذِكْرٌ مِّن رَّبِّكُمْ عَلَىٰ رَجُلٍ مِّنكُمْ لِيُنذِرَكُمْ ۚ وَاذْكُرُوٓا إِذْ جَعَلَكُمْ خُلَفَآءَ مِنۢ بَعْدِ قَوْمِ نُوحٍ وَزَادَكُمْ فِي الْخَلْقِ بَصۜطَةً ۖ فَاذْكُرُوٓا ءَالَآءَ اللَّهِ لَعَلَّكُمْ تُفْلِحُونَ ۝ قَالُوٓا أَجِئْتَنَا لِنَعْبُدَ اللَّهَ وَحْدَهُ وَنَذَرَ مَا كَانَ يَعْبُدُ ءَابَآؤُنَا ۖ فَأْتِنَا بِمَا تَعِدُنَآ إِن كُنتَ مِنَ الصَّٰدِقِينَ ۝ قَالَ قَدْ وَقَعَ عَلَيْكُم مِّن رَّبِّكُمْ رِجْسٌ وَغَضَبٌ ۖ أَتُجَٰدِلُونَنِي فِيٓ أَسْمَآءٍ سَمَّيْتُمُوهَآ أَنتُمْ وَءَابَآؤُكُم مَّا نَزَّلَ اللَّهُ بِهَا مِن سُلْطَٰنٍ ۚ فَانتَظِرُوٓا إِنِّي مَعَكُم مِّنَ الْمُنتَظِرِينَ ۝ فَأَنجَيْنَٰهُ وَالَّذِينَ مَعَهُۥ بِرَحْمَةٍ مِّنَّا وَقَطَعْنَا دَابِرَ الَّذِينَ كَذَّبُوا۟ بِـَٔايَٰتِنَا ۖ وَمَا كَانُوا۟ مُؤْمِنِينَ ۝ ۞ وَإِلَىٰ ثَمُودَ أَخَاهُمْ صَٰلِحًا ۗ قَالَ يَٰقَوْمِ اعْبُدُوا۟ اللَّهَ مَا لَكُم مِّنْ إِلَٰهٍ غَيْرُهُۥ ۖ قَدْ جَآءَتْكُم بَيِّنَةٌ مِّن رَّبِّكُمْ ۖ هَٰذِهِۦ نَاقَةُ اللَّهِ لَكُمْ ءَايَةً ۖ فَذَرُوهَا تَأْكُلْ فِيٓ أَرْضِ اللَّهِ ۖ وَلَا تَمَسُّوهَا بِسُوٓءٍ فَيَأْخُذَكُمْ عَذَابٌ أَلِيمٌ ۝

68. Je vous communique les messages de mon Seigneur, et je suis pour vous un conseiller digne de confiance.

69. Quoi! Vous vous étonnez qu'un rappel vous vienne de votre Seigneur à travers un homme issu de vous, pour qu'il vous avertisse? Et rappelez-vous quand Il vous a fait succéder au peuple de Noé, et qu'Il accrut votre corps en hauteur (et puissance). Eh bien, rappelez-vous les bienfaits d'Allāh afin que vous réussissiez.

70. Ils dirent: «Es-tu venu à nous pour que nous adorions Allāh seul, et que nous délaissions ce que nos ancêtres adoraient? Fais donc venir ce dont tu nous menaces, si tu es du nombre des véridiques».

71. Il dit: «Vous voilà, frappés de la part de votre Seigneur d'un supplice et d'une colère. Allez-vous vous disputer avec moi au sujet de noms[1] que vous et vos ancêtres avez donné, sans qu'Allāh n'y fasse descendre la moindre preuve? Attendez donc! Moi aussi j'attends avec vous.

72. Or, Nous l'avons sauvé, (lui) et ceux qui étaient avec lui, par miséricorde de Notre part, et Nous avons exterminé ceux qui traitaient de mensonges Nos enseignements et qui n'étaient pas croyants.

73. Et aux Ṯamūd, leur frère Ṣāliḥ: «Ô mon peuple, dit-il, adorez Allāh. Pour vous, pas d'autre divinité que Lui. Certes, une preuve vous est venue de votre Seigneur: voici la chamelle d'Allāh, un signe pour vous. Laissez-la donc manger sur la terre d'Allāh et ne lui faites aucun mal ; sinon un châtiment douloureux vous saisira[2].

---

1. Il s'agit des noms des idôles qui ne sont que des noms fictifs.
2. *Et aux* Ṯamūd *(Nous avons envoyé) leur frère Ṣāliḥ*: les Ṯamūd habitaient en Arabie du Nord où d'importantes ruines subsistent encore à Madain Ṣāliḥ.
La chamelle d'Allāh: envoyée par Allāh pour mettre les Ṯamūd à l'épreuve. On saura, par bribes, en quoi *consista cette épreuve*: par exemple en S. 11, vv. 64 et 65.

وَاذْكُرُوٓاْ إِذْ جَعَلَكُمْ خُلَفَآءَ مِنۢ بَعْدِ عَادٍ وَبَوَّأَكُمْ فِى ٱلْأَرْضِ تَتَّخِذُونَ مِن سُهُولِهَا قُصُورًا وَتَنْحِتُونَ ٱلْجِبَالَ بُيُوتًا فَٱذْكُرُوٓاْ ءَالَآءَ ٱللَّهِ وَلَا تَعْثَوْاْ فِى ٱلْأَرْضِ مُفْسِدِينَ ٧٤ قَالَ ٱلْمَلَأُ ٱلَّذِينَ ٱسْتَكْبَرُواْ مِن قَوْمِهِۦ لِلَّذِينَ ٱسْتُضْعِفُواْ لِمَنْ ءَامَنَ مِنْهُمْ أَتَعْلَمُونَ أَنَّ صَـٰلِحًا مُّرْسَلٌ مِّن رَّبِّهِۦ قَالُوٓاْ إِنَّا بِمَآ أُرْسِلَ بِهِۦ مُؤْمِنُونَ ٧٥ قَالَ ٱلَّذِينَ ٱسْتَكْبَرُوٓاْ إِنَّا بِٱلَّذِىٓ ءَامَنتُم بِهِۦ كَـٰفِرُونَ ٧٦ فَعَقَرُواْ ٱلنَّاقَةَ وَعَتَوْاْ عَنْ أَمْرِ رَبِّهِمْ وَقَالُواْ يَـٰصَـٰلِحُ ٱئْتِنَا بِمَا تَعِدُنَآ إِن كُنتَ مِنَ ٱلْمُرْسَلِينَ ٧٧ فَأَخَذَتْهُمُ ٱلرَّجْفَةُ فَأَصْبَحُواْ فِى دَارِهِمْ جَـٰثِمِينَ ٧٨ فَتَوَلَّىٰ عَنْهُمْ وَقَالَ يَـٰقَوْمِ لَقَدْ أَبْلَغْتُكُمْ رِسَالَةَ رَبِّى وَنَصَحْتُ لَكُمْ وَلَـٰكِن لَّا تُحِبُّونَ ٱلنَّـٰصِحِينَ ٧٩ وَلُوطًا إِذْ قَالَ لِقَوْمِهِۦٓ أَتَأْتُونَ ٱلْفَـٰحِشَةَ مَا سَبَقَكُم بِهَا مِنْ أَحَدٍ مِّنَ ٱلْعَـٰلَمِينَ ٨٠ إِنَّكُمْ لَتَأْتُونَ ٱلرِّجَالَ شَهْوَةً مِّن دُونِ ٱلنِّسَآءِ بَلْ أَنتُمْ قَوْمٌ مُّسْرِفُونَ ٨١

74. Et rappelez-vous quand Il vous fit succéder aux ʿAd et vous installa sur la terre. Vous avez édifié des palais dans ses plaines, et taillé en maisons les montagnes. Rappelez-vous donc les bienfaits d'Allāh et ne répandez pas la corruption sur la terre «comme des fauteurs de trouble».

75. Les notables de son peuple qui s'enflaient d'orgueil dirent aux opprimés, à ceux d'entre eux qui avaient la foi: «Savez-vous si Ṣāliḥ est envoyé de la part de son Seigneur?» Ils dirent: «Oui, nous sommes croyants à son message».

76. Ceux qui s'enflaient d'orgueil dirent: «Nous, nous ne croyons certainement pas en ce que vous avez cru».

77. Ils tuèrent la chamelle, désobéirent au commandement de leur Seigneur et dirent: «Ô Ṣāliḥ, fais nous venir ce dont tu nous menaces, si tu es du nombre des Envoyés».

78. Le cataclysme les saisit ; et les voilà étendus gisant dans leurs demeures.

79. Alors il se détourna d'eux et dit: «Ô mon peuple, je vous avais communiqué le message de mon Seigneur et vous avais conseillé sincèrement. Mais vous n'aimez pas les conseillers sincères!»

80. Et Lot, quand il dit à son peuple: «Vous livrez vous à cette turpitude que nul, parmi les mondes, n'a commise avant vous?

81. Certes, vous assouvissez vos désirs charnels avec les hommes au lieu des femmes! Vous êtes bien un peuple outrancier.»

وَمَا كَانَ جَوَابَ قَوْمِهِ إِلَّا أَن قَالُوٓا۟ أَخْرِجُوهُم مِّن
قَرْيَتِكُمْ إِنَّهُمْ أُنَاسٌ يَتَطَهَّرُونَ ۝ فَأَنجَيْنَٰهُ وَأَهْلَهُۥٓ
إِلَّا ٱمْرَأَتَهُۥ كَانَتْ مِنَ ٱلْغَٰبِرِينَ ۝ وَأَمْطَرْنَا عَلَيْهِم
مَّطَرًا فَٱنظُرْ كَيْفَ كَانَ عَٰقِبَةُ ٱلْمُجْرِمِينَ ۝
وَإِلَىٰ مَدْيَنَ أَخَاهُمْ شُعَيْبًا قَالَ يَٰقَوْمِ ٱعْبُدُوا۟ ٱللَّهَ
مَا لَكُم مِّنْ إِلَٰهٍ غَيْرُهُۥ قَدْ جَآءَتْكُم بَيِّنَةٌ مِّن
رَّبِّكُمْ فَأَوْفُوا۟ ٱلْكَيْلَ وَٱلْمِيزَانَ وَلَا تَبْخَسُوا۟
ٱلنَّاسَ أَشْيَآءَهُمْ وَلَا تُفْسِدُوا۟ فِى ٱلْأَرْضِ بَعْدَ
إِصْلَٰحِهَا ذَٰلِكُمْ خَيْرٌ لَّكُمْ إِن كُنتُم مُّؤْمِنِينَ
۝ وَلَا تَقْعُدُوا۟ بِكُلِّ صِرَٰطٍ تُوعِدُونَ وَتَصُدُّونَ
عَن سَبِيلِ ٱللَّهِ مَنْ ءَامَنَ بِهِۦ وَتَبْغُونَهَا عِوَجًا
وَٱذْكُرُوٓا۟ إِذْ كُنتُمْ قَلِيلًا فَكَثَّرَكُمْ وَٱنظُرُوا۟
كَيْفَ كَانَ عَٰقِبَةُ ٱلْمُفْسِدِينَ ۝ وَإِن كَانَ طَآئِفَةٌ
مِّنكُمْ ءَامَنُوا۟ بِٱلَّذِىٓ أُرْسِلْتُ بِهِۦ وَطَآئِفَةٌ لَّمْ يُؤْمِنُوا۟
فَٱصْبِرُوا۟ حَتَّىٰ يَحْكُمَ ٱللَّهُ بَيْنَنَا وَهُوَ خَيْرُ ٱلْحَٰكِمِينَ ۝

١٦١

82. Et pour toute réponse, son peuple ne fit que dire: «Expulsez-les de votre cité. Ce sont des gens qui veulent se garder purs»[1].

83. Or, Nous l'avons sauvé, lui et sa famille, sauf sa femme qui fut parmi les exterminés.

84. Et Nous avons fait pleuvoir sur eux une pluie[2]. Regarde donc ce que fut la fin des criminels!

85. Et aux Madyan, leur frère Šuʿaïb: «Ô mon peuple, dit-il, adorez Allāh. Pour vous, pas d'autre divinité que Lui. Une preuve vous est venue de votre Seigneur. Donnez donc la pleine mesure et le poids et ne donnez pas aux gens moins que ce qui leur est dû. Et ne commettez pas de la corruption sur la terre après sa réforme. Ce sera mieux pour vous si vous êtes croyants.

86. Et ne vous placez pas sur tout chemin, menaçant, empêchant du sentier d'Allāh celui qui croit en Lui et cherchant à rendre ce sentier tortueux. Rappelez-vous quand vous étiez peu nombreux et qu'Il vous a multipliés en grand nombre. Et regardez ce qui est advenu aux fauteurs de désordre.

87. Si une partie d'entre vous a cru au message avec lequel j'ai été envoyé, et qu'une partie n'a pas cru, patientez donc jusqu'à ce qu'Allāh juge parmi nous car Il est le Meilleur des juges.»

---

1. *Des gens qui veulent se garder purs*: expression dite par ironie.
2. Pluie de roches. Cf. S. 11, v. 82.

۞ قَالَ ٱلْمَلَأُ ٱلَّذِينَ ٱسْتَكْبَرُواْ مِن قَوْمِهِۦ لَنُخْرِجَنَّكَ يَٰشُعَيْبُ وَٱلَّذِينَ ءَامَنُواْ مَعَكَ مِن قَرْيَتِنَآ أَوْ لَتَعُودُنَّ فِى مِلَّتِنَا قَالَ أَوَلَوْ كُنَّا كَٰرِهِينَ ۝ قَدِ ٱفْتَرَيْنَا عَلَى ٱللَّهِ كَذِبًا إِنْ عُدْنَا فِى مِلَّتِكُم بَعْدَ إِذْ نَجَّىٰنَا ٱللَّهُ مِنْهَا وَمَا يَكُونُ لَنَآ أَن نَّعُودَ فِيهَآ إِلَّآ أَن يَشَآءَ ٱللَّهُ رَبُّنَا وَسِعَ رَبُّنَا كُلَّ شَىْءٍ عِلْمًا عَلَى ٱللَّهِ تَوَكَّلْنَا رَبَّنَا ٱفْتَحْ بَيْنَنَا وَبَيْنَ قَوْمِنَا بِٱلْحَقِّ وَأَنتَ خَيْرُ ٱلْفَٰتِحِينَ ۝ وَقَالَ ٱلْمَلَأُ ٱلَّذِينَ كَفَرُواْ مِن قَوْمِهِۦ لَئِنِ ٱتَّبَعْتُمْ شُعَيْبًا إِنَّكُمْ إِذًا لَّخَٰسِرُونَ ۝ فَأَخَذَتْهُمُ ٱلرَّجْفَةُ فَأَصْبَحُواْ فِى دَارِهِمْ جَٰثِمِينَ ۝ ٱلَّذِينَ كَذَّبُواْ شُعَيْبًا كَأَن لَّمْ يَغْنَوْاْ فِيهَا ٱلَّذِينَ كَذَّبُواْ شُعَيْبًا كَانُواْ هُمُ ٱلْخَٰسِرِينَ ۝ فَتَوَلَّىٰ عَنْهُمْ وَقَالَ يَٰقَوْمِ لَقَدْ أَبْلَغْتُكُمْ رِسَٰلَٰتِ رَبِّى وَنَصَحْتُ لَكُمْ فَكَيْفَ ءَاسَىٰ عَلَىٰ قَوْمٍ كَٰفِرِينَ ۝ وَمَآ أَرْسَلْنَا فِى قَرْيَةٍ مِّن نَّبِىٍّ إِلَّآ أَخَذْنَآ أَهْلَهَا بِٱلْبَأْسَآءِ وَٱلضَّرَّآءِ لَعَلَّهُمْ يَضَّرَّعُونَ ۝ ثُمَّ بَدَّلْنَا مَكَانَ ٱلسَّيِّئَةِ ٱلْحَسَنَةَ حَتَّىٰ عَفَواْ وَّقَالُواْ قَدْ مَسَّ ءَابَآءَنَا ٱلضَّرَّآءُ وَٱلسَّرَّآءُ فَأَخَذْنَٰهُم بَغْتَةً وَهُمْ لَا يَشْعُرُونَ ۝

88. Les notables de son peuple qui s'enflaient d'orgueil, dirent: «Nous t'expulserons certes de notre cité, ô Šuʿaïb, toi et ceux qui ont cru avec toi. Où que vous reveniez à notre religion.» - Il dit: «Est-ce même quand cela nous répugne?»

89. Certes, nous aurions forgé un mensonge contre Allāh si nous revenions à votre religion après qu'Allāh nous en a sauvés. Il ne nous appartient pas d'y retourner à moins qu'Allāh notre Seigneur ne le veuille. Notre Seigneur embrasse toute chose de Sa science. C'est en Allāh que nous plaçons notre confiance. Ô notre Seigneur, tranche par la vérité, entre nous et notre peuple car Tu es le meilleur des juges.»

90. Et les notables de son peuple qui ne croyaient pas, dirent: «Si vous suivez Šuʿaïb, vous serez assurément perdants».

91. Alors le tremblement (de terre) les saisit ; et les voilà étendus, gisant dans leurs demeures.

92. Ceux qui traitaient Šuʿaïb de menteur (disparurent) comme s'ils n'y avaient jamais vécu. Ceux qui traitaient Šuʿaïb de menteur furent eux les perdants.

93. Il se détourna d'eux et dit: «Ô mon peuple, je vous ai bien communiqué les messages de mon Seigneur et donné des conseils. Comment donc m'attristerais-je sur des gens mécréants?»

94. Nous n'avons envoyé aucun prophète dans une cité, sans que Nous n'ayons pris[1] ses habitants ensuite par l'adversité et la détresse afin qu'ils implorent (le pardon).

95. Puis Nous avons changé leur mauvaise condition en y substituant le bien, au point qu'ayant grandi en nombre et en richesse, ils dirent: «La détresse et l'aisance ont touché nos ancêtres aussi.» Eh bien, Nous les avons saisis soudain, sans qu'ils s'en rendent compte.

---

1. *Pris*: puni à cause de leur rejet du message.

وَلَوۡ أَنَّ أَهۡلَ ٱلۡقُرَىٰٓ ءَامَنُواْ وَٱتَّقَوۡاْ لَفَتَحۡنَا عَلَيۡهِم بَرَكَٰتٍ مِّنَ ٱلسَّمَآءِ وَٱلۡأَرۡضِ وَلَٰكِن كَذَّبُواْ فَأَخَذۡنَٰهُم بِمَا كَانُواْ يَكۡسِبُونَ ۝ أَفَأَمِنَ أَهۡلُ ٱلۡقُرَىٰٓ أَن يَأۡتِيَهُم بَأۡسُنَا بَيَٰتٗا وَهُمۡ نَآئِمُونَ ۝ أَوَأَمِنَ أَهۡلُ ٱلۡقُرَىٰٓ أَن يَأۡتِيَهُم بَأۡسُنَا ضُحٗى وَهُمۡ يَلۡعَبُونَ ۝ أَفَأَمِنُواْ مَكۡرَ ٱللَّهِ فَلَا يَأۡمَنُ مَكۡرَ ٱللَّهِ إِلَّا ٱلۡقَوۡمُ ٱلۡخَٰسِرُونَ ۝ أَوَلَمۡ يَهۡدِ لِلَّذِينَ يَرِثُونَ ٱلۡأَرۡضَ مِنۢ بَعۡدِ أَهۡلِهَآ أَن لَّوۡ نَشَآءُ أَصَبۡنَٰهُم بِذُنُوبِهِمۡۚ وَنَطۡبَعُ عَلَىٰ قُلُوبِهِمۡ فَهُمۡ لَا يَسۡمَعُونَ ۝ تِلۡكَ ٱلۡقُرَىٰ نَقُصُّ عَلَيۡكَ مِنۡ أَنۢبَآئِهَاۚ وَلَقَدۡ جَآءَتۡهُمۡ رُسُلُهُم بِٱلۡبَيِّنَٰتِ فَمَا كَانُواْ لِيُؤۡمِنُواْ بِمَا كَذَّبُواْ مِن قَبۡلُۚ كَذَٰلِكَ يَطۡبَعُ ٱللَّهُ عَلَىٰ قُلُوبِ ٱلۡكَٰفِرِينَ ۝ وَمَا وَجَدۡنَا لِأَكۡثَرِهِم مِّنۡ عَهۡدٖۖ وَإِن وَجَدۡنَآ أَكۡثَرَهُمۡ لَفَٰسِقِينَ ۝ ثُمَّ بَعَثۡنَا مِنۢ بَعۡدِهِم مُّوسَىٰ بِـَٔايَٰتِنَآ إِلَىٰ فِرۡعَوۡنَ وَمَلَإِيْهِۦ فَظَلَمُواْ بِهَاۖ فَٱنظُرۡ كَيۡفَ كَانَ عَٰقِبَةُ ٱلۡمُفۡسِدِينَ ۝ وَقَالَ مُوسَىٰ يَٰفِرۡعَوۡنُ إِنِّي رَسُولٞ مِّن رَّبِّ ٱلۡعَٰلَمِينَ ۝

96. Si les habitants des cités avaient cru et avaient été pieux, Nous leur aurions certainement accordé des bénédictions du ciel et de la terre. Mais ils ont démenti et Nous les avons donc saisis, pour ce qu'ils avaient acquis.

97. Les gens des cités sont-ils sûrs que Notre châtiment rigoureux ne les atteindra pas la nuit, pendant qu'ils sont endormis?

98. Les gens des cités sont-ils sûrs que Notre châtiment rigoureux ne les atteindra pas le jour, pendant qu'ils s'amusent?

99. Sont-ils à l'abri du stratagème d'Allāh? Seuls les gens perdus se sentent à l'abri du stratagème d'Allāh.

100. N'est-il pas prouvé à ceux qui reçoivent la terre en héritage des peuples précédents que, si Nous voulions, Nous les frapperions pour leurs péchés et scellerions leurs cœurs, et ils n'entendraient plus rien?

101. Voilà les cités dont Nous te racontons certaines de leurs nouvelles. [A ceux-là] en vérité, leurs messagers leur avaient apporté les preuves, mais ils n'étaient pas prêts à accepter ce qu'auparavant ils avaient traité de mensonge. C'est ainsi qu'Allāh scelle les cœurs des mécréants.

102. Et Nous n'avons trouvé chez la plupart d'entre eux aucun respect de l'engagement; mais Nous avons trouvé la plupart d'entre eux pervers.

103. Puis, après [ces messagers] Nous avons envoyé Moïse avec Nos miracles vers Pharaon et ses notables. Mais ils se montrèrent injustes envers Nos signes. Considère donc quelle fut la fin des corrupteurs.

104. Et Moïse dit: «Ô Pharaon, je suis un Messager de la part du Seigneur de l'Univers,

حَقِيقٌ عَلَىٰ أَن لَّا أَقُولَ عَلَى ٱللَّهِ إِلَّا ٱلْحَقَّ قَدْ جِئْتُكُم
بِبَيِّنَةٍ مِّن رَّبِّكُمْ فَأَرْسِلْ مَعِىَ بَنِىٓ إِسْرَٰٓءِيلَ ۝ قَالَ إِن كُنتَ
جِئْتَ بِـَٔايَةٍ فَأْتِ بِهَآ إِن كُنتَ مِنَ ٱلصَّٰدِقِينَ ۝ فَأَلْقَىٰ
عَصَاهُ فَإِذَا هِىَ ثُعْبَانٌ مُّبِينٌ ۝ وَنَزَعَ يَدَهُۥ فَإِذَا هِىَ بَيْضَآءُ
لِلنَّٰظِرِينَ ۝ قَالَ ٱلْمَلَأُ مِن قَوْمِ فِرْعَوْنَ إِنَّ هَٰذَا لَسَٰحِرٌ
عَلِيمٌ ۝ يُرِيدُ أَن يُخْرِجَكُم مِّنْ أَرْضِكُمْ فَمَاذَا تَأْمُرُونَ ۝
قَالُوٓا۟ أَرْجِهْ وَأَخَاهُ وَأَرْسِلْ فِى ٱلْمَدَآئِنِ حَٰشِرِينَ ۝ يَأْتُوكَ
بِكُلِّ سَٰحِرٍ عَلِيمٍ ۝ وَجَآءَ ٱلسَّحَرَةُ فِرْعَوْنَ قَالُوٓا۟ إِنَّ
لَنَا لَأَجْرًا إِن كُنَّا نَحْنُ ٱلْغَٰلِبِينَ ۝ قَالَ نَعَمْ وَإِنَّكُمْ
لَمِنَ ٱلْمُقَرَّبِينَ ۝ قَالُوا۟ يَٰمُوسَىٰٓ إِمَّآ أَن تُلْقِىَ وَإِمَّآ أَن
نَّكُونَ نَحْنُ ٱلْمُلْقِينَ ۝ قَالَ أَلْقُوا۟ فَلَمَّآ أَلْقَوْا۟ سَحَرُوٓا۟
أَعْيُنَ ٱلنَّاسِ وَٱسْتَرْهَبُوهُمْ وَجَآءُو بِسِحْرٍ عَظِيمٍ
۝ وَأَوْحَيْنَآ إِلَىٰ مُوسَىٰٓ أَنْ أَلْقِ عَصَاكَ فَإِذَا هِىَ تَلْقَفُ مَا
يَأْفِكُونَ ۝ فَوَقَعَ ٱلْحَقُّ وَبَطَلَ مَا كَانُوا۟ يَعْمَلُونَ ۝ فَغُلِبُوا۟
هُنَالِكَ وَٱنقَلَبُوا۟ صَٰغِرِينَ ۝ وَأُلْقِىَ ٱلسَّحَرَةُ سَٰجِدِينَ ۝

105. Je ne dois dire sur Allāh que la vérité. Je suis venu à vous avec une preuve de la part de votre Seigneur. Laisse donc partir avec moi les Enfants d'Israël.»

106. «Si tu es venu avec un miracle, dit (Pharaon,) apporte-le donc, si tu es du nombre des véridiques.»

107. Il jeta son bâton et voilà que c'était un serpent évident.

108. Et il sortit sa main et voilà qu'elle était blanche (éclatante), pour ceux qui regardaient.

109. Les notables du peuple de Pharaon dirent: «Voilà, certes, un magicien chevronné.

110. Il veut vous expulser de votre pays.» -« Alors, que commandez-vous?»

111. Ils dirent: «Fais-le attendre, lui et son frère, et envoie des rassembleurs dans les villes,

112. qui t'amèneront tout magicien averti.

113. Et les magiciens vinrent à Pharaon en disant: «Y aura-t-il vraiment une récompense pour nous, si nous sommes les vainqueurs?»

114. Il dit: «Oui, et vous serez certainement du nombre de mes rapprochés».

115. Ils dirent: «Ô Moïse, ou bien tu jetteras (le premier), ou bien nous serons les premiers à jeter».

116. «Jetez» dit-il. Puis lorsqu'ils eurent jeté, ils ensorcelèrent les yeux des gens et les épouvantèrent, et vinrent avec une puissante magie.

117. Et Nous révélâmes à Moïse: «Jette ton bâton». Et voilà que celui-ci se mit à engloutir ce qu'ils avaient fabriqué.

118. Ainsi la vérité se manifesta et ce qu'ils firent fût vain.

119. Ainsi ils furent battus et se trouvèrent humiliés.

120. Et les magiciens se jetèrent prosternés.

قَالُوٓاْ ءَامَنَّا بِرَبِّ ٱلْعَٰلَمِينَ ۝ رَبِّ مُوسَىٰ وَهَٰرُونَ ۝ قَالَ

فِرْعَوْنُ ءَامَنتُم بِهِۦ قَبْلَ أَنْ ءَاذَنَ لَكُمْ إِنَّ هَٰذَا لَمَكْرٌ مَّكَرْتُمُوهُ

فِى ٱلْمَدِينَةِ لِتُخْرِجُواْ مِنْهَآ أَهْلَهَا فَسَوْفَ تَعْلَمُونَ ۝ لَأُقَطِّعَنَّ

أَيْدِيَكُمْ وَأَرْجُلَكُم مِّنْ خِلَٰفٍ ثُمَّ لَأُصَلِّبَنَّكُمْ أَجْمَعِينَ ۝

قَالُوٓاْ إِنَّآ إِلَىٰ رَبِّنَا مُنقَلِبُونَ ۝ وَمَا تَنقِمُ مِنَّآ إِلَّآ أَنْ ءَامَنَّا

بِـَٔايَٰتِ رَبِّنَا لَمَّا جَآءَتْنَا رَبَّنَآ أَفْرِغْ عَلَيْنَا صَبْرًا وَتَوَفَّنَا مُسْلِمِينَ

۝ وَقَالَ ٱلْمَلَأُ مِن قَوْمِ فِرْعَوْنَ أَتَذَرُ مُوسَىٰ وَقَوْمَهُۥ لِيُفْسِدُواْ

فِى ٱلْأَرْضِ وَيَذَرَكَ وَءَالِهَتَكَ قَالَ سَنُقَتِّلُ أَبْنَآءَهُمْ وَنَسْتَحْىِۦ

نِسَآءَهُمْ وَإِنَّا فَوْقَهُمْ قَٰهِرُونَ ۝ قَالَ مُوسَىٰ لِقَوْمِهِ

ٱسْتَعِينُواْ بِٱللَّهِ وَٱصْبِرُوٓاْ إِنَّ ٱلْأَرْضَ لِلَّهِ يُورِثُهَا مَن

يَشَآءُ مِنْ عِبَادِهِۦ وَٱلْعَٰقِبَةُ لِلْمُتَّقِينَ ۝ قَالُوٓاْ أُوذِينَا

مِن قَبْلِ أَن تَأْتِيَنَا وَمِنۢ بَعْدِ مَا جِئْتَنَا قَالَ عَسَىٰ رَبُّكُمْ

أَن يُهْلِكَ عَدُوَّكُمْ وَيَسْتَخْلِفَكُمْ فِى ٱلْأَرْضِ

فَيَنظُرَ كَيْفَ تَعْمَلُونَ ۝ وَلَقَدْ أَخَذْنَآ ءَالَ فِرْعَوْنَ

بِٱلسِّنِينَ وَنَقْصٍ مِّنَ ٱلثَّمَرَٰتِ لَعَلَّهُمْ يَذَّكَّرُونَ ۝

121. Ils dirent: «Nous croyons au Seigneur de l'Univers,

122. au Seigneur de Moïse et d'Aaron.»

123. «Y avez-vous cru avant que je ne vous (le) permette? dit Pharaon. C'est bien un stratagème que vous avez manigancé dans la ville, afin d'en faire partir ses habitants. Vous saurez bientôt...

124. Je vais vous couper la main et la jambe opposées, et puis, je vous crucifierai tous».

125. Ils dirent: «En vérité, c'est vers notre Seigneur que nous retournerons.

126. Tu ne te venges de nous que parce que nous avons cru aux preuves de notre Seigneur, lorsqu'elles nous sont venues. Ô notre Seigneur! Déverse sur nous l'endurance et fais nous mourir entièrement soumis.»

127. Et les notables du peuple de Pharaon dirent: «Laisseras-tu Moïse et son peuple commettre du désordre sur la terre, et lui-même te délaisser, toi et tes divinités?» Il dit: «Nous allons massacrer leurs fils et laisser vivre leurs femmes. Nous aurons le dessus sur eux et les dominerons.»

128. Moïse dit à son peuple: «Demandez aide auprès d'Allāh et soyez patients, car la terre appartient à Allāh. Il en fait héritier qui Il veut parmi Ses serviteurs. Et la fin (heureuse) sera aux pieux».

129. Ils dirent: «Nous avons été persécutés avant que tu ne viennes à nous, et après ton arrivée.» Il dit: «Il se peut que votre Seigneur détruise votre ennemi et vous donne la lieutenance sur terre, et Il verra ensuite comment vous agirez».

130. Nous avons éprouvé les gens de Pharaon par des années de disette et par une diminution des fruits afin qu'ils se rappellent.

فَإِذَا جَاءَتْهُمُ ٱلْحَسَنَةُ قَالُوا۟ لَنَا هَٰذِهِۦ ۖ وَإِن تُصِبْهُمْ سَيِّئَةٌ يَطَّيَّرُوا۟ بِمُوسَىٰ وَمَن مَّعَهُۥٓ ۗ أَلَآ إِنَّمَا طَٰٓئِرُهُمْ عِندَ ٱللَّهِ وَلَٰكِنَّ أَكْثَرَهُمْ لَا يَعْلَمُونَ ﴿١٣١﴾ وَقَالُوا۟ مَهْمَا تَأْتِنَا بِهِۦ مِنْ ءَايَةٍ لِّتَسْحَرَنَا بِهَا فَمَا نَحْنُ لَكَ بِمُؤْمِنِينَ ﴿١٣٢﴾ فَأَرْسَلْنَا عَلَيْهِمُ ٱلطُّوفَانَ وَٱلْجَرَادَ وَٱلْقُمَّلَ وَٱلضَّفَادِعَ وَٱلدَّمَ ءَايَٰتٍ مُّفَصَّلَٰتٍ فَٱسْتَكْبَرُوا۟ وَكَانُوا۟ قَوْمًا مُّجْرِمِينَ ﴿١٣٣﴾ وَلَمَّا وَقَعَ عَلَيْهِمُ ٱلرِّجْزُ قَالُوا۟ يَٰمُوسَى ٱدْعُ لَنَا رَبَّكَ بِمَا عَهِدَ عِندَكَ ۖ لَئِن كَشَفْتَ عَنَّا ٱلرِّجْزَ لَنُؤْمِنَنَّ لَكَ وَلَنُرْسِلَنَّ مَعَكَ بَنِىٓ إِسْرَٰٓءِيلَ ﴿١٣٤﴾ فَلَمَّا كَشَفْنَا عَنْهُمُ ٱلرِّجْزَ إِلَىٰٓ أَجَلٍ هُم بَٰلِغُوهُ إِذَا هُمْ يَنكُثُونَ ﴿١٣٥﴾ فَٱنتَقَمْنَا مِنْهُمْ فَأَغْرَقْنَٰهُمْ فِى ٱلْيَمِّ بِأَنَّهُمْ كَذَّبُوا۟ بِـَٔايَٰتِنَا وَكَانُوا۟ عَنْهَا غَٰفِلِينَ ﴿١٣٦﴾ وَأَوْرَثْنَا ٱلْقَوْمَ ٱلَّذِينَ كَانُوا۟ يُسْتَضْعَفُونَ مَشَٰرِقَ ٱلْأَرْضِ وَمَغَٰرِبَهَا ٱلَّتِى بَٰرَكْنَا فِيهَا ۖ وَتَمَّتْ كَلِمَتُ رَبِّكَ ٱلْحُسْنَىٰ عَلَىٰ بَنِىٓ إِسْرَٰٓءِيلَ بِمَا صَبَرُوا۟ ۖ وَدَمَّرْنَا مَا كَانَ يَصْنَعُ فِرْعَوْنُ وَقَوْمُهُۥ وَمَا كَانُوا۟ يَعْرِشُونَ ﴿١٣٧﴾

131. Et quand le bien-être leur vint, ils dirent: «Cela nous est dû» ; et si un mal les atteignait, ils voyaient en Moïse et ceux qui étaient avec lui un mauvais augure. En vérité leur sort dépend uniquement d'Allāh? Mais la plupart d'entre eux ne savent pas.

132. Et ils dirent: «Quel que soit le miracle que tu nous apportes pour nous fasciner, nous ne croirons pas en toi».

133. Et Nous avons alors envoyé sur eux l'inondation, les sauterelles, les poux (ou la calandre), les grenouilles et le sang, comme signes explicites. Mais ils s'enflèrent d'orgueil et demeurèrent un peuple criminel.

134. Et quand le châtiment les frappa, ils dirent: «Ô Moïse, invoque pour nous ton Seigneur en vertu de l'engagement qu'Il t'a donné. Si tu éloignes de nous le châtiment, nous croirons certes en toi et laisserons partir avec toi les enfants d'Israël».

135. Et quand Nous eûmes éloigné d'eux le châtiment jusqu'au terme fixé qu'ils devaient atteindre, voilà qu'ils violèrent l'engagement.

136. Alors Nous Nous sommes vengés d'eux ; Nous les avons noyés dans les flots, parce qu'ils traitaient de mensonges Nos signes et n'y prêtaient aucune attention.

137. Et les gens qui étaient opprimés, Nous les avons fait hériter les contrées orientales et occidentales de la terre que Nous avons bénies. Et la très belle promesse de ton Seigneur sur les enfants d'Israël s'accomplit pour prix de leur endurance. Et Nous avons détruit ce que faisaient Pharaon et son peuple, ainsi que ce qu'ils construisaient.

وَجَٰوَزْنَا بِبَنِىٓ إِسْرَٰٓءِيلَ ٱلْبَحْرَ فَأَتَوْا۟ عَلَىٰ قَوْمٍ يَعْكُفُونَ عَلَىٰٓ أَصْنَامٍ لَّهُمْ قَالُوا۟ يَٰمُوسَى ٱجْعَل لَّنَآ إِلَٰهًا كَمَا لَهُمْ ءَالِهَةٌ قَالَ إِنَّكُمْ قَوْمٌ تَجْهَلُونَ ۝ إِنَّ هَٰٓؤُلَآءِ مُتَبَّرٌ مَّا هُمْ فِيهِ وَبَٰطِلٌ مَّا كَانُوا۟ يَعْمَلُونَ ۝ قَالَ أَغَيْرَ ٱللَّهِ أَبْغِيكُمْ إِلَٰهًا وَهُوَ فَضَّلَكُمْ عَلَى ٱلْعَٰلَمِينَ ۝ وَإِذْ أَنجَيْنَٰكُم مِّنْ ءَالِ فِرْعَوْنَ يَسُومُونَكُمْ سُوٓءَ ٱلْعَذَابِ يُقَتِّلُونَ أَبْنَآءَكُمْ وَيَسْتَحْيُونَ نِسَآءَكُمْ وَفِى ذَٰلِكُم بَلَآءٌ مِّن رَّبِّكُمْ عَظِيمٌ ۝ وَوَٰعَدْنَا مُوسَىٰ ثَلَٰثِينَ لَيْلَةً وَأَتْمَمْنَٰهَا بِعَشْرٍ فَتَمَّ مِيقَٰتُ رَبِّهِۦٓ أَرْبَعِينَ لَيْلَةً وَقَالَ مُوسَىٰ لِأَخِيهِ هَٰرُونَ ٱخْلُفْنِى فِى قَوْمِى وَأَصْلِحْ وَلَا تَتَّبِعْ سَبِيلَ ٱلْمُفْسِدِينَ ۝ وَلَمَّا جَآءَ مُوسَىٰ لِمِيقَٰتِنَا وَكَلَّمَهُۥ رَبُّهُۥ قَالَ رَبِّ أَرِنِىٓ أَنظُرْ إِلَيْكَ قَالَ لَن تَرَىٰنِى وَلَٰكِنِ ٱنظُرْ إِلَى ٱلْجَبَلِ فَإِنِ ٱسْتَقَرَّ مَكَانَهُۥ فَسَوْفَ تَرَىٰنِى فَلَمَّا تَجَلَّىٰ رَبُّهُۥ لِلْجَبَلِ جَعَلَهُۥ دَكًّا وَخَرَّ مُوسَىٰ صَعِقًا فَلَمَّآ أَفَاقَ قَالَ سُبْحَٰنَكَ تُبْتُ إِلَيْكَ وَأَنَا۠ أَوَّلُ ٱلْمُؤْمِنِينَ ۝

138. Et Nous avons fait traverser la Mer aux Enfants d'Israël. Ils passèrent auprès d'un peuple attaché à ses idoles et dirent: «Ô Moïse, désigne-nous une divinité semblable à leurs dieux.» Il dit: «Vous êtes certes des gens ignorants.

139. Le culte, auquel ceux-là s'adonnent, est caduc ; et tout ce qu'ils font est nul et sans valeur.»

140. Il dit: «Chercherai-je pour vous une autre divinité qu'Allāh, alors que c'est Lui qui vous a préférés à toutes les créatures [de leur époque]?»

141. (Rappelez-vous) le moment où Nous vous sauvâmes des gens de Pharaon qui vous infligeaient le pire châtiment. Ils massacraient vos fils et laissaient vivre vos femmes. C'était là une terrible épreuve de la part de votre Seigneur.

142. Et Nous donnâmes à Moïse rendez-vous pendant trente nuits, et Nous les complétâmes par dix, de sorte que le temps fixé par son Seigneur se termina au bout de quarante nuits. Et Moïse dit à Aaron son frère: «Remplace-moi auprès de mon peuple, et agis en bien, et ne suis pas le sentier des corrupteurs».

143. Et lorsque Moïse vint à Notre rendez-vous et que son Seigneur lui eut parlé, il dit: «Ô mon Seigneur, montre Toi à moi pour que je Te voie!» Il dit: «Tu ne Me verras pas; mais regarde le Mont: s'il tient en sa place, alors tu Me verras.» Mais lorsque son Seigneur Se manifesta au Mont, Il le pulvérisa, et Moïse s'effondra foudroyé. Lorsqu'il se fut remis, il dit: «Gloire à Toi! A Toi je me repens ; et je suis le premier des croyants».

قَالَ يَٰمُوسَىٰٓ إِنِّى ٱصْطَفَيْتُكَ عَلَى ٱلنَّاسِ بِرِسَٰلَٰتِى وَبِكَلَٰمِى فَخُذْ مَآ ءَاتَيْتُكَ وَكُن مِّنَ ٱلشَّٰكِرِينَ ﴿١٤٤﴾ وَكَتَبْنَا لَهُۥ فِى ٱلْأَلْوَاحِ مِن كُلِّ شَىْءٍ مَّوْعِظَةً وَتَفْصِيلًا لِّكُلِّ شَىْءٍ فَخُذْهَا بِقُوَّةٍ وَأْمُرْ قَوْمَكَ يَأْخُذُواْ بِأَحْسَنِهَا سَأُوْرِيكُمْ دَارَ ٱلْفَٰسِقِينَ ﴿١٤٥﴾ سَأَصْرِفُ عَنْ ءَايَٰتِىَ ٱلَّذِينَ يَتَكَبَّرُونَ فِى ٱلْأَرْضِ بِغَيْرِ ٱلْحَقِّ وَإِن يَرَوْاْ كُلَّ ءَايَةٍ لَّا يُؤْمِنُواْ بِهَا وَإِن يَرَوْاْ سَبِيلَ ٱلرُّشْدِ لَا يَتَّخِذُوهُ سَبِيلًا وَإِن يَرَوْاْ سَبِيلَ ٱلْغَىِّ يَتَّخِذُوهُ سَبِيلًا ذَٰلِكَ بِأَنَّهُمْ كَذَّبُواْ بِـَٔايَٰتِنَا وَكَانُواْ عَنْهَا غَٰفِلِينَ ﴿١٤٦﴾ وَٱلَّذِينَ كَذَّبُواْ بِـَٔايَٰتِنَا وَلِقَآءِ ٱلْءَاخِرَةِ حَبِطَتْ أَعْمَٰلُهُمْ هَلْ يُجْزَوْنَ إِلَّا مَا كَانُواْ يَعْمَلُونَ ﴿١٤٧﴾ وَٱتَّخَذَ قَوْمُ مُوسَىٰ مِنۢ بَعْدِهِۦ مِنْ حُلِيِّهِمْ عِجْلًا جَسَدًا لَّهُۥ خُوَارٌ أَلَمْ يَرَوْاْ أَنَّهُۥ لَا يُكَلِّمُهُمْ وَلَا يَهْدِيهِمْ سَبِيلًا ٱتَّخَذُوهُ وَكَانُواْ ظَٰلِمِينَ ﴿١٤٨﴾ وَلَمَّا سُقِطَ فِىٓ أَيْدِيهِمْ وَرَأَوْاْ أَنَّهُمْ قَدْ ضَلُّواْ قَالُواْ لَئِن لَّمْ يَرْحَمْنَا رَبُّنَا وَيَغْفِرْ لَنَا لَنَكُونَنَّ مِنَ ٱلْخَٰسِرِينَ ﴿١٤٩﴾

144. Et (Allāh) dit: «Ô Moïse, Je t'ai préféré à tous les hommes, par Mes messages et par Ma parole. Prends donc ce que Je te donne, et sois du nombre des reconnaissants».

145. Et Nous écrivîmes pour lui, sur les tablettes, une exhortation concernant toute chose, et un exposé détaillé de toute chose. «Prends-les donc fermement et commande à ton peuple d'en adopter le meilleur. Bientôt Je vous ferai voir la demeure des pervers.

146. J'écarterai de Mes signes ceux qui, sans raison, s'enflent d'orgueil sur terre. Même s'ils voyaient tous les miracles, ils n'y croiraient pas. Et s'ils voient le bon sentier, ils ne le prennent pas comme sentier. Mais s'ils voient le sentier de l'erreur, ils le prennent comme sentier. C'est qu'en vérité ils traitent de mensonges Nos preuves et ils ne leur accordaient aucune attention.

147. Et ceux qui traitent de mensonges Nos preuves ainsi que la rencontre de l'au-delà, leurs œuvres sont vaines. Seraient-ils rétribués autrement que selon leurs œuvres?»

148. Et le peuple de Moïse adopta après lui un veau, fait de leurs parures: un corps qui semblait mugir. N'ont-ils pas vu qu'il ne leur parlait point et qu'il ne les guidait sur aucun chemin? Ils l'adoptèrent [comme divinité], et ils étaient des injustes[1].

149. Et quand ils éprouvèrent des regrets, et qu'ils virent qu'ils étaient bel et bien égarés, ils dirent: «Si notre Seigneur ne nous fait pas miséricorde et ne nous pardonne pas, nous serons très certainement du nombre des perdants».

---

1. *Après lui*: pendant son absence.
Un veau: comme divinité.
Semblait mugir: le veau émettait un son qui ressemblait au mugissement du bœuf.

وَلَمَّا رَجَعَ مُوسَىٰٓ إِلَىٰ قَوْمِهِۦ غَضْبَٰنَ أَسِفًا قَالَ بِئْسَمَا خَلَفْتُمُونِى مِنۢ بَعْدِىٓ أَعَجِلْتُمْ أَمْرَ رَبِّكُمْ وَأَلْقَى ٱلْأَلْوَاحَ وَأَخَذَ بِرَأْسِ أَخِيهِ يَجُرُّهُۥٓ إِلَيْهِ قَالَ ٱبْنَ أُمَّ إِنَّ ٱلْقَوْمَ ٱسْتَضْعَفُونِى وَكَادُوا۟ يَقْتُلُونَنِى فَلَا تُشْمِتْ بِىَ ٱلْأَعْدَآءَ وَلَا تَجْعَلْنِى مَعَ ٱلْقَوْمِ ٱلظَّٰلِمِينَ ۝ قَالَ رَبِّ ٱغْفِرْ لِى وَلِأَخِى وَأَدْخِلْنَا فِى رَحْمَتِكَ وَأَنتَ أَرْحَمُ ٱلرَّٰحِمِينَ ۝ إِنَّ ٱلَّذِينَ ٱتَّخَذُوا۟ ٱلْعِجْلَ سَيَنَالُهُمْ غَضَبٌ مِّن رَّبِّهِمْ وَذِلَّةٌ فِى ٱلْحَيَوٰةِ ٱلدُّنْيَا وَكَذَٰلِكَ نَجْزِى ٱلْمُفْتَرِينَ ۝ وَٱلَّذِينَ عَمِلُوا۟ ٱلسَّيِّـَٔاتِ ثُمَّ تَابُوا۟ مِنۢ بَعْدِهَا وَءَامَنُوٓا۟ إِنَّ رَبَّكَ مِنۢ بَعْدِهَا لَغَفُورٌ رَّحِيمٌ ۝ وَلَمَّا سَكَتَ عَن مُّوسَى ٱلْغَضَبُ أَخَذَ ٱلْأَلْوَاحَ وَفِى نُسْخَتِهَا هُدًى وَرَحْمَةٌ لِّلَّذِينَ هُمْ لِرَبِّهِمْ يَرْهَبُونَ ۝ وَٱخْتَارَ مُوسَىٰ قَوْمَهُۥ سَبْعِينَ رَجُلًا لِّمِيقَٰتِنَا فَلَمَّآ أَخَذَتْهُمُ ٱلرَّجْفَةُ قَالَ رَبِّ لَوْ شِئْتَ أَهْلَكْتَهُم مِّن قَبْلُ وَإِيَّٰىَ أَتُهْلِكُنَا بِمَا فَعَلَ ٱلسُّفَهَآءُ مِنَّآ إِنْ هِىَ إِلَّا فِتْنَتُكَ تُضِلُّ بِهَا مَن تَشَآءُ وَتَهْدِى مَن تَشَآءُ أَنتَ وَلِيُّنَا فَٱغْفِرْ لَنَا وَٱرْحَمْنَا وَأَنتَ خَيْرُ ٱلْغَٰفِرِينَ ۝

150. Et lorsque Moïse retourna à son peuple, fâché, attristé, il dit: «Vous avez très mal agi pendant mon absence! Avez-vous voulu hâter le commandement de votre Seigneur?»[1] Il jeta les tablettes et prit la tête de son frère, en la tirant à lui: «Ô fils de ma mère, (dit Aaron), le peuple m'a traité en faible, et peu s'en est fallu qu'ils ne me tuent. Ne fais donc pas que les ennemis se réjouissent à mes dépens, et ne m'assigne pas la compagnie des gens injustes».

151. Et (Moïse) dit: «Ô mon Seigneur, pardonne à moi et à mon frère et fais-nous entrer en Ta miséricorde, car Tu es Le plus Miséricordieux des miséricordieux».

152. Ceux qui prenaient le veau (comme divinité), bientôt tombera sur eux de la part de leur Seigneur, une colère, et un avilissement dans la vie présente. Ainsi, Nous rétribuons les inventeurs (d'idoles).

153. Ceux qui ont fait de mauvaises actions et qui ensuite se sont repentis et ont cru... ton Seigneur, après cela est sûrement Pardonneur et Miséricordieux.

154. Et quand la colère de Moïse se fut calmée, il prit les tablettes. Il y avait dans leur texte guide et miséricorde à l'intention de ceux qui craignent leur Seigneur.

155. Et Moïse choisit de son peuple soixante-dix hommes pour un rendez-vous avec Nous. Puis lorsqu'ils furent saisis par le tremblement (de terre), il dit: «Mon Seigneur, si Tu avais voulu, Tu les aurais détruits avant, et moi avec. Vas-Tu nous détruire pour ce que des sots d'entre nous ont fait? Ce n'est là qu'une épreuve de Toi, par laquelle Tu égares qui Tu veux, et guides qui Tu veux. Tu es notre Maître. Pardonne-nous et fais-nous miséricorde, car Tu es le Meilleur des pardonneurs[2].

---

1. *Hâter le commandement*: hâter mon retour qui ne dépendait que du commandement d'Allāh.
2. Certains commentateurs pensent que ce verset se réfère aux hommes qui avaient demandé de voir Allāh. Un tremblement de terre mit fin à leur curiosité.

❊ وَٱكْتُبْ لَنَا فِى هَٰذِهِ ٱلدُّنْيَا حَسَنَةً وَفِى ٱلْأَخِرَةِ إِنَّا هُدْنَآ إِلَيْكَ قَالَ عَذَابِىٓ أُصِيبُ بِهِۦ مَنْ أَشَآءُ وَرَحْمَتِى وَسِعَتْ كُلَّ شَىْءٍ فَسَأَكْتُبُهَا لِلَّذِينَ يَتَّقُونَ وَيُؤْتُونَ ٱلزَّكَوٰةَ وَٱلَّذِينَ هُم بِـَٔايَٰتِنَا يُؤْمِنُونَ ۝١٥٦ ٱلَّذِينَ يَتَّبِعُونَ ٱلرَّسُولَ ٱلنَّبِىَّ ٱلْأُمِّىَّ ٱلَّذِى يَجِدُونَهُۥ مَكْتُوبًا عِندَهُمْ فِى ٱلتَّوْرَىٰةِ وَٱلْإِنجِيلِ يَأْمُرُهُم بِٱلْمَعْرُوفِ وَيَنْهَىٰهُمْ عَنِ ٱلْمُنكَرِ وَيُحِلُّ لَهُمُ ٱلطَّيِّبَٰتِ وَيُحَرِّمُ عَلَيْهِمُ ٱلْخَبَٰٓئِثَ وَيَضَعُ عَنْهُمْ إِصْرَهُمْ وَٱلْأَغْلَٰلَ ٱلَّتِى كَانَتْ عَلَيْهِمْ فَٱلَّذِينَ ءَامَنُواْ بِهِۦ وَعَزَّرُوهُ وَنَصَرُوهُ وَٱتَّبَعُواْ ٱلنُّورَ ٱلَّذِىٓ أُنزِلَ مَعَهُۥٓ أُوْلَٰٓئِكَ هُمُ ٱلْمُفْلِحُونَ ۝١٥٧ قُلْ يَٰٓأَيُّهَا ٱلنَّاسُ إِنِّى رَسُولُ ٱللَّهِ إِلَيْكُمْ جَمِيعًا ٱلَّذِى لَهُۥ مُلْكُ ٱلسَّمَٰوَٰتِ وَٱلْأَرْضِ لَآ إِلَٰهَ إِلَّا هُوَ يُحْىِۦ وَيُمِيتُ فَـَٔامِنُواْ بِٱللَّهِ وَرَسُولِهِ ٱلنَّبِىِّ ٱلْأُمِّىِّ ٱلَّذِى يُؤْمِنُ بِٱللَّهِ وَكَلِمَٰتِهِۦ وَٱتَّبِعُوهُ لَعَلَّكُمْ تَهْتَدُونَ ۝١٥٨ وَمِن قَوْمِ مُوسَىٰٓ أُمَّةٌ يَهْدُونَ بِٱلْحَقِّ وَبِهِۦ يَعْدِلُونَ ۝١٥٩

156. Et prescris pour nous le bien ici-bas ainsi que dans l'au-delà. Nous voilà revenus vers Toi, repentis.» Et (Allāh) dit: «Je ferai que Mon châtiment atteigne qui Je veux. Et Ma miséricorde embrasse toute chose. Je la prescrirai à ceux qui (Me) craignent, acquittent la Zakāt, et ont foi en Nos signes,

157. Ceux qui suivent le Messager, le Prophète illettré qu'ils trouvent écrit (mentionné) chez eux dans la Thora et l'Evangile. Il leur ordonne le convenable, leur défend le blâmable, leur rend licites les bonnes choses, leur interdit les mauvaises, et leur ôte le fardeau et les jougs qui étaient sur eux. Ceux qui croiront en lui, le soutiendront, lui porteront secours et suivront la lumière descendue avec lui[1]; ceux-là seront les gagnants.

158. Dis: «Ô hommes! Je suis pour vous tous le Messager d'Allāh, à Qui appartient la royauté des cieux et de la terre. Pas de divinité à part Lui. Il donne la vie et Il donne la mort. Croyez donc en Allāh, en Son messager, le Prophète illettré qui croit en Allāh et en Ses paroles. Et suivez-le afin que vous soyez bien guidés».

159. Parmi le peuple de Moïse, il est une communauté qui guide (les autres) avec la vérité, et qui, par là, exerce la justice.

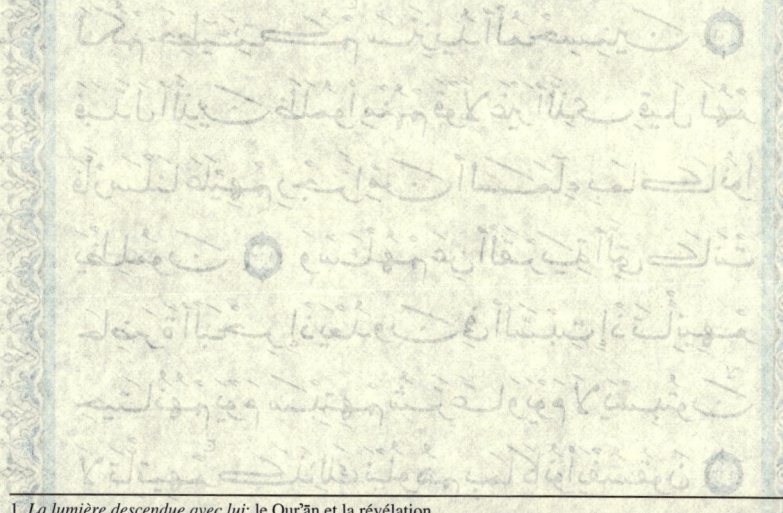

---

1. *La lumière descendue avec lui*: le Qurʾān et la révélation.

وَقَطَّعْنَٰهُمُ ٱثْنَتَىْ عَشْرَةَ أَسْبَاطًا أُمَمًا وَأَوْحَيْنَآ إِلَىٰ مُوسَىٰٓ إِذِ ٱسْتَسْقَىٰهُ قَوْمُهُۥٓ أَنِ ٱضْرِب بِّعَصَاكَ ٱلْحَجَرَ فَٱنۢبَجَسَتْ مِنْهُ ٱثْنَتَا عَشْرَةَ عَيْنًا قَدْ عَلِمَ كُلُّ أُنَاسٍ مَّشْرَبَهُمْ وَظَلَّلْنَا عَلَيْهِمُ ٱلْغَمَٰمَ وَأَنزَلْنَا عَلَيْهِمُ ٱلْمَنَّ وَٱلسَّلْوَىٰ كُلُواْ مِن طَيِّبَٰتِ مَا رَزَقْنَٰكُمْ وَمَا ظَلَمُونَا وَلَٰكِن كَانُوٓاْ أَنفُسَهُمْ يَظْلِمُونَ ۝ وَإِذْ قِيلَ لَهُمُ ٱسْكُنُواْ هَٰذِهِ ٱلْقَرْيَةَ وَكُلُواْ مِنْهَا حَيْثُ شِئْتُمْ وَقُولُواْ حِطَّةٌ وَٱدْخُلُواْ ٱلْبَابَ سُجَّدًا نَّغْفِرْ لَكُمْ خَطِيٓـَٰٔتِكُمْ سَنَزِيدُ ٱلْمُحْسِنِينَ ۝ فَبَدَّلَ ٱلَّذِينَ ظَلَمُواْ مِنْهُمْ قَوْلًا غَيْرَ ٱلَّذِى قِيلَ لَهُمْ فَأَرْسَلْنَا عَلَيْهِمْ رِجْزًا مِّنَ ٱلسَّمَآءِ بِمَا كَانُواْ يَظْلِمُونَ ۝ وَسْـَٔلْهُمْ عَنِ ٱلْقَرْيَةِ ٱلَّتِى كَانَتْ حَاضِرَةَ ٱلْبَحْرِ إِذْ يَعْدُونَ فِى ٱلسَّبْتِ إِذْ تَأْتِيهِمْ حِيتَانُهُمْ يَوْمَ سَبْتِهِمْ شُرَّعًا وَيَوْمَ لَا يَسْبِتُونَ لَا تَأْتِيهِمْ كَذَٰلِكَ نَبْلُوهُم بِمَا كَانُواْ يَفْسُقُونَ ۝

160. Nous les répartîmes en douze tribus, (en douze) communautés. Et Nous révélâmes à Moïse, lorsque son peuple lui demanda de l'eau: «Frappe le rocher avec ton bâton.» Et voilà qu'en jaillirent douze sources. Chaque tribu sut son abreuvoir. Nous les couvrîmes de l'ombre du nuage, et fîmes descendre sur eux la manne et les cailles: «Mangez des bonnes choses que Nous vous avons attribuées.» Et ce n'est pas à Nous qu'ils ont fait du tort, mais c'est à eux-mêmes qu'ils en faisaient.

161. Et lorsqu'il leur fut dit: «Habitez cette cité et mangez [de ses produits] à votre guise, mais dites: rémission [à nos péchés] et entrez par la porte en vous prosternant. Nous vous pardonnerons vos fautes ; et aux bienfaisants (d'entre vous,) Nous accorderons davantage».

162. Puis, les injustes parmi eux changèrent en une autre, la parole qui leur était dite. Alors, Nous envoyâmes du ciel un châtiment sur eux, pour le méfait qu'ils avaient commis.

163. Et interroge-les au sujet de la cité qui donnait sur la mer, lorsqu'on y transgressait le Sabbat! Que leurs poissons venaient à eux faisant surface, au jour de leur Sabbat, et ne venaient pas à eux le jour où ce n'était pas Sabbat! Ainsi les éprouvions-Nous pour la perversité qu'ils commettaient[1].

---

1. C'est une épreuve par laquelle Allāh a voulu mesurer le degré d'observance des interdictions édictées concernant le Sabbat.

وَإِذْ قَالَتْ أُمَّةٌ مِّنْهُمْ لِمَ تَعِظُونَ قَوْمًا ۙ اللَّهُ مُهْلِكُهُمْ أَوْ مُعَذِّبُهُمْ عَذَابًا شَدِيدًا ۖ قَالُوا مَعْذِرَةً إِلَىٰ رَبِّكُمْ وَلَعَلَّهُمْ يَتَّقُونَ ۝

فَلَمَّا نَسُوا مَا ذُكِّرُوا بِهِ أَنجَيْنَا الَّذِينَ يَنْهَوْنَ عَنِ السُّوءِ وَأَخَذْنَا الَّذِينَ ظَلَمُوا بِعَذَابٍ بَئِيسٍ بِمَا كَانُوا يَفْسُقُونَ ۝

فَلَمَّا عَتَوْا عَن مَّا نُهُوا عَنْهُ قُلْنَا لَهُمْ كُونُوا قِرَدَةً خَاسِئِينَ ۝

وَإِذْ تَأَذَّنَ رَبُّكَ لَيَبْعَثَنَّ عَلَيْهِمْ إِلَىٰ يَوْمِ الْقِيَامَةِ مَن يَسُومُهُمْ سُوءَ الْعَذَابِ ۗ إِنَّ رَبَّكَ لَسَرِيعُ الْعِقَابِ ۖ وَإِنَّهُ لَغَفُورٌ رَّحِيمٌ ۝ وَقَطَّعْنَاهُمْ فِي الْأَرْضِ أُمَمًا ۖ مِّنْهُمُ الصَّالِحُونَ وَمِنْهُمْ دُونَ ذَٰلِكَ ۖ وَبَلَوْنَاهُم بِالْحَسَنَاتِ وَالسَّيِّئَاتِ لَعَلَّهُمْ يَرْجِعُونَ ۝ فَخَلَفَ مِن بَعْدِهِمْ خَلْفٌ وَرِثُوا الْكِتَابَ يَأْخُذُونَ عَرَضَ هَٰذَا الْأَدْنَىٰ وَيَقُولُونَ سَيُغْفَرُ لَنَا وَإِن يَأْتِهِمْ عَرَضٌ مِّثْلُهُ يَأْخُذُوهُ ۚ أَلَمْ يُؤْخَذْ عَلَيْهِم مِّيثَاقُ الْكِتَابِ أَن لَّا يَقُولُوا عَلَى اللَّهِ إِلَّا الْحَقَّ وَدَرَسُوا مَا فِيهِ ۗ وَالدَّارُ الْآخِرَةُ خَيْرٌ لِّلَّذِينَ يَتَّقُونَ ۗ أَفَلَا تَعْقِلُونَ ۝ وَالَّذِينَ يُمَسِّكُونَ بِالْكِتَابِ وَأَقَامُوا الصَّلَاةَ إِنَّا لَا نُضِيعُ أَجْرَ الْمُصْلِحِينَ ۝

164. Et quand parmi eux une communauté dit: «Pourquoi exhortez-vous un peuple qu'Allāh va anéantir ou châtier d'un châtiment sévère?» Ils répondirent: «Pour dégager notre responsabilité vis-à-vis de votre Seigneur ; et que peut-être ils deviendront pieux!»

165. Puis, lorsqu'ils oublièrent ce qu'on leur avait rappelé, Nous sauvâmes ceux qui (leur) avaient interdit le mal et saisîmes par un châtiment rigoureux les injustes pour leurs actes pervers.

166. Puis, lorsqu'ils refusèrent (par orgueil) d'abandonner ce qui leur avait été interdit, Nous leur dîmes: «Soyez des singes abjects».

167. Et lorsque ton Seigneur annonça qu'Il enverra certes contre eux quelqu'un qui leur imposera le pire châtiment jusqu'au Jour de la Résurrection. En vérité ton Seigneur est prompt à punir mais Il est aussi Pardonneur et Miséricordieux.

168. Et Nous les avons répartis en communautés sur la terre. Il y a parmi eux des gens de bien, mais il y en a qui le sont moins. Nous les avons éprouvés par des biens et par des maux, peut-être reviendraient-ils (au droit chemin).

169. Puis les suivirent des successeurs qui héritèrent le Livre, mais qui préférèrent ce qu'offre la vie d'ici-bas en disant: «Nous aurons le pardon.» Et si des choses semblables s'offrent à eux, ils les acceptent. N'avait-on pas pris d'eux l'engagement du Livre, qu'ils ne diraient sur Allāh que la vérité? Ils avaient pourtant étudié ce qui s'y trouve. Et l'ultime demeure est meilleure pour ceux qui pratiquent la piété, - Ne comprendrez-vous donc pas[1]? -

170. Et ceux qui se conforment au Livre et accomplissent la Ṣalāt, [en vérité], Nous ne laissons pas perdre la récompense de ceux qui s'amendent.

---

1. *Qui héritèrent le Livre*: il s'agit de la Thora.
Ce qu'offre la vie d'ici-bas: au lieu d'appeler les gens au droit chemin, ils s'attachent à la vie d'ici-bas, toutem espérant se faire pardonner par Allāh.
Et si des choses semblables s'offrent à eux: Les fils d'Israël espéraient le pardon d'Allāh alors qu'ils ne rataient aucune occasion pour profiter des biens de ce monde, que ce soit de façon licite ou illicite.
Etudié ce qui s'y trouve: il est mentionné dans leur livre (la Thora) qu'il n'y a point de repentir tant que l'intention de s'abstenir du péché n'est pas sincère. Comment donc ont-ils osé prétendre qu'Allāh leur pardonnera alors qu'ils n'ont pas cessé de commettre les péchés?

۞ وَإِذْ نَتَقْنَا ٱلْجَبَلَ فَوْقَهُمْ كَأَنَّهُۥ ظُلَّةٌ وَظَنُّوٓاْ أَنَّهُۥ وَاقِعٌۢ بِهِمْ خُذُواْ مَآ ءَاتَيْنَٰكُم بِقُوَّةٍ وَٱذْكُرُواْ مَا فِيهِ لَعَلَّكُمْ تَتَّقُونَ ۞

وَإِذْ أَخَذَ رَبُّكَ مِنۢ بَنِىٓ ءَادَمَ مِن ظُهُورِهِمْ ذُرِّيَّتَهُمْ وَأَشْهَدَهُمْ عَلَىٰٓ أَنفُسِهِمْ أَلَسْتُ بِرَبِّكُمْ قَالُواْ بَلَىٰ شَهِدْنَآ أَن تَقُولُواْ يَوْمَ ٱلْقِيَٰمَةِ إِنَّا كُنَّا عَنْ هَٰذَا غَٰفِلِينَ ۞ أَوْ تَقُولُوٓاْ إِنَّمَآ أَشْرَكَ ءَابَآؤُنَا مِن قَبْلُ وَكُنَّا ذُرِّيَّةً مِّنۢ بَعْدِهِمْ أَفَتُهْلِكُنَا بِمَا فَعَلَ ٱلْمُبْطِلُونَ ۞ وَكَذَٰلِكَ نُفَصِّلُ ٱلْءَايَٰتِ وَلَعَلَّهُمْ يَرْجِعُونَ ۞

وَٱتْلُ عَلَيْهِمْ نَبَأَ ٱلَّذِىٓ ءَاتَيْنَٰهُ ءَايَٰتِنَا فَٱنسَلَخَ مِنْهَا فَأَتْبَعَهُ ٱلشَّيْطَٰنُ فَكَانَ مِنَ ٱلْغَاوِينَ ۞ وَلَوْ شِئْنَا لَرَفَعْنَٰهُ بِهَا وَلَٰكِنَّهُۥٓ أَخْلَدَ إِلَى ٱلْأَرْضِ وَٱتَّبَعَ هَوَىٰهُ فَمَثَلُهُۥ كَمَثَلِ ٱلْكَلْبِ إِن تَحْمِلْ عَلَيْهِ يَلْهَثْ أَوْ تَتْرُكْهُ يَلْهَث ذَّٰلِكَ مَثَلُ ٱلْقَوْمِ ٱلَّذِينَ كَذَّبُواْ بِـَٔايَٰتِنَا فَٱقْصُصِ ٱلْقَصَصَ لَعَلَّهُمْ يَتَفَكَّرُونَ ۞ سَآءَ مَثَلًا ٱلْقَوْمُ ٱلَّذِينَ كَذَّبُواْ بِـَٔايَٰتِنَا وَأَنفُسَهُمْ كَانُواْ يَظْلِمُونَ ۞ مَن يَهْدِ ٱللَّهُ فَهُوَ ٱلْمُهْتَدِى وَمَن يُضْلِلْ فَأُوْلَٰٓئِكَ هُمُ ٱلْخَٰسِرُونَ ۞

171. Et lorsque Nous avons brandi au-dessus d'eux le Mont, comme si c'eût été une ombrelle. Ils pensaient qu'il allait tomber sur eux. «Tenez fermement à ce que Nous vous donnons et rappelez-vous son contenu. Peut-être craindrez vous Allāh»[1].

172. Et quand ton Seigneur tira une descendance des reins des fils d'Adam et les fit témoigner sur eux-mêmes: «Ne suis-Je pas votre Seigneur?» Ils répondirent: «Mais si, nous en témoignons...» - afin que vous ne disiez point, au Jour de la Résurrection: «Vraiment, nous n'y avons pas fait attention»,

173. ou que vous auriez dit (tout simplement): «Nos ancêtres autrefois donnaient des associés à Allāh, et nous sommes leurs descendants, après eux. Vas-Tu nous détruire pour ce qu'ont fait les imposteurs?»

174. Et c'est ainsi que Nous expliquons intelligemment les signes. Peut-être reviendront-ils!

175. Et raconte-leur l'histoire de celui à qui Nous avions donné Nos signes et qui s'en écarta. Le Diable, donc, l'entraîna dans sa suite et il devint ainsi du nombre des égarés.

176. Et si Nous avions voulu, Nous l'aurions élevé par ces mêmes enseignements, mais il s'inclina vers la terre et suivit sa propre passion. Il est semblable à un chien qui halète si tu l'attaques, et qui halète aussi si tu le laisses. Tel est l'exemple des gens qui traitent de mensonges Nos signes. Eh bien, raconte le récit. Peut-être réfléchiront-ils!

177. Quel mauvais exemple que ces gens qui traitent de mensonges Nos signes, cependant que c'est à eux-mêmes qu'ils font du tort.

178. Quiconque Allāh guide, voilà le bien guidé. Et quiconque Il égare, voilà les perdants.

---

1. *Le Mont*: le mont «Ṭūr».
Tenez fermement...: aux prescriptions de la Thora.

وَلَقَدْ ذَرَأْنَا لِجَهَنَّمَ كَثِيرًا مِّنَ ٱلْجِنِّ وَٱلْإِنسِ لَهُمْ قُلُوبٌ لَّا يَفْقَهُونَ بِهَا وَلَهُمْ أَعْيُنٌ لَّا يُبْصِرُونَ بِهَا وَلَهُمْ ءَاذَانٌ لَّا يَسْمَعُونَ بِهَا أُوْلَٰٓئِكَ كَٱلْأَنْعَٰمِ بَلْ هُمْ أَضَلُّ أُوْلَٰٓئِكَ هُمُ ٱلْغَٰفِلُونَ ۝

وَلِلَّهِ ٱلْأَسْمَآءُ ٱلْحُسْنَىٰ فَٱدْعُوهُ بِهَا وَذَرُوا۟ ٱلَّذِينَ يُلْحِدُونَ فِىٓ أَسْمَٰٓئِهِۦ سَيُجْزَوْنَ مَا كَانُوا۟ يَعْمَلُونَ ۝ وَمِمَّنْ خَلَقْنَآ أُمَّةٌ يَهْدُونَ بِٱلْحَقِّ وَبِهِۦ يَعْدِلُونَ ۝ وَٱلَّذِينَ كَذَّبُوا۟ بِـَٔايَٰتِنَا سَنَسْتَدْرِجُهُم مِّنْ حَيْثُ لَا يَعْلَمُونَ ۝ وَأُمْلِى لَهُمْ إِنَّ كَيْدِى مَتِينٌ ۝ أَوَلَمْ يَتَفَكَّرُوا۟ مَا بِصَاحِبِهِم مِّن جِنَّةٍ إِنْ هُوَ إِلَّا نَذِيرٌ مُّبِينٌ ۝ أَوَلَمْ يَنظُرُوا۟ فِى مَلَكُوتِ ٱلسَّمَٰوَٰتِ وَٱلْأَرْضِ وَمَا خَلَقَ ٱللَّهُ مِن شَىْءٍ وَأَنْ عَسَىٰٓ أَن يَكُونَ قَدِ ٱقْتَرَبَ أَجَلُهُمْ فَبِأَىِّ حَدِيثٍ بَعْدَهُۥ يُؤْمِنُونَ ۝ مَن يُضْلِلِ ٱللَّهُ فَلَا هَادِىَ لَهُۥ وَيَذَرُهُمْ فِى طُغْيَٰنِهِمْ يَعْمَهُونَ ۝ يَسْـَٔلُونَكَ عَنِ ٱلسَّاعَةِ أَيَّانَ مُرْسَىٰهَا قُلْ إِنَّمَا عِلْمُهَا عِندَ رَبِّى لَا يُجَلِّيهَا لِوَقْتِهَآ إِلَّا هُوَ ثَقُلَتْ فِى ٱلسَّمَٰوَٰتِ وَٱلْأَرْضِ لَا تَأْتِيكُمْ إِلَّا بَغْتَةً يَسْـَٔلُونَكَ كَأَنَّكَ حَفِىٌّ عَنْهَا قُلْ إِنَّمَا عِلْمُهَا عِندَ ٱللَّهِ وَلَٰكِنَّ أَكْثَرَ ٱلنَّاسِ لَا يَعْلَمُونَ ۝

179. Nous avons destiné beaucoup de djinns et d'hommes pour l'Enfer. Ils ont des cœurs, mais ne comprennent pas. Ils ont des yeux, mais ne voient pas. Ils ont des oreilles, mais n'entendent pas. Ceux-là sont comme les bestiaux, même plus égarés encore. Tels sont les insouciants.

180. C'est à Allāh qu'appartiennent les noms les plus beaux. Invoquez-Le par ces noms et laissez ceux qui profanent Ses noms[1]: ils seront rétribués pour ce qu'ils ont fait.

181. Parmi ceux que Nous avons créés, il y a une communauté qui guide (les autres) selon la vérité et par celle-ci exerce la justice.

182. Ceux qui traitent de mensonges Nos enseignements, Nous allons les conduire graduellement vers leur perte par des voies qu'ils ignorent.

183. Et Je leur accorderai un délai, car Mon stratagème est solide!

184. Est-ce qu'ils n'ont pas réfléchi? Il n'y a point de folie en leur compagnon (Muḥammad): il n'est qu'un avertisseur explicite!

185. N'ont-ils pas médité sur le royaume des cieux et de la terre, et toute chose qu'Allāh a créée, et que leur terme est peut-être déjà proche? En quelle parole croiront-ils après cela?

186. Quiconque Allāh égare, pas de guide pour lui. Et Il les laisse dans leur transgression confus et hésitants.

187. Ils t'interrogent sur l'Heure: «Quand arrivera-t-elle?» Dis: «Seul mon Seigneur en a connaissance. Lui seul la manifestera en son temps. Lourde elle sera dans les cieux et (sur) la terre et elle ne viendra à vous que soudainement.» Ils t'interrogent comme si tu en étais averti. Dis: «Seul Allāh en a connaissance.» Mais beaucoup de gens ne savent pas.

---

1. *Profanent Ses noms*: les païens prétendaient que le mot Lāt était lié au mot Allāh, 'Uzza à al-'Azīz, et Manāt à al-Mannān ; Lāt, 'Uzza et Manāt étant des idoles, et al-'Aziz (le puissant) et al-Mannān (le bienfaisant) étant des épithètes d'Allāh.

قُل لَّآ أَمۡلِكُ لِنَفۡسِى نَفۡعًا وَلَا ضَرًّا إِلَّا مَا شَآءَ ٱللَّهُ وَلَوۡ كُنتُ أَعۡلَمُ ٱلۡغَيۡبَ لَٱسۡتَكۡثَرۡتُ مِنَ ٱلۡخَيۡرِ وَمَا مَسَّنِىَ ٱلسُّوٓءُ إِنۡ أَنَا۠ إِلَّا نَذِيرٌ وَبَشِيرٌ لِّقَوۡمٍ يُؤۡمِنُونَ ۝ ۞ هُوَ ٱلَّذِى خَلَقَكُم مِّن نَّفۡسٍ وَٰحِدَةٍ وَجَعَلَ مِنۡهَا زَوۡجَهَا لِيَسۡكُنَ إِلَيۡهَا فَلَمَّا تَغَشَّىٰهَا حَمَلَتۡ حَمۡلًا خَفِيفًا فَمَرَّتۡ بِهِۦ فَلَمَّآ أَثۡقَلَت دَّعَوَا ٱللَّهَ رَبَّهُمَا لَئِنۡ ءَاتَيۡتَنَا صَٰلِحًا لَّنَكُونَنَّ مِنَ ٱلشَّٰكِرِينَ ۝ فَلَمَّآ ءَاتَىٰهُمَا صَٰلِحًا جَعَلَا لَهُۥ شُرَكَآءَ فِيمَآ ءَاتَىٰهُمَا فَتَعَٰلَى ٱللَّهُ عَمَّا يُشۡرِكُونَ ۝ أَيُشۡرِكُونَ مَا لَا يَخۡلُقُ شَيۡـًٔا وَهُمۡ يُخۡلَقُونَ ۝ وَلَا يَسۡتَطِيعُونَ لَهُمۡ نَصۡرًا وَلَآ أَنفُسَهُمۡ يَنصُرُونَ ۝ وَإِن تَدۡعُوهُمۡ إِلَى ٱلۡهُدَىٰ لَا يَتَّبِعُوكُمۡ سَوَآءٌ عَلَيۡكُمۡ أَدَعَوۡتُمُوهُمۡ أَمۡ أَنتُمۡ صَٰمِتُونَ ۝ إِنَّ ٱلَّذِينَ تَدۡعُونَ مِن دُونِ ٱللَّهِ عِبَادٌ أَمۡثَالُكُمۡ فَٱدۡعُوهُمۡ فَلۡيَسۡتَجِيبُوا۟ لَكُمۡ إِن كُنتُمۡ صَٰدِقِينَ ۝ أَلَهُمۡ أَرۡجُلٌ يَمۡشُونَ بِهَآ أَمۡ لَهُمۡ أَيۡدٍ يَبۡطِشُونَ بِهَآ أَمۡ لَهُمۡ أَعۡيُنٌ يُبۡصِرُونَ بِهَآ أَمۡ لَهُمۡ ءَاذَانٌ يَسۡمَعُونَ بِهَا قُلِ ٱدۡعُوا۟ شُرَكَآءَكُمۡ ثُمَّ كِيدُونِ فَلَا تُنظِرُونِ ۝

188. Dis: «Je ne détiens pour moi-même ni profit ni dommage, sauf ce qu'Allāh veut. Et si je connaissais l'Inconnaissable, j'aurais eu des biens en abondance, et aucun mal ne m'aurait touché. Je ne suis, pour les gens qui croient, qu'un avertisseur et un annonciateur»[1].

189. C'est Lui qui vous a créés d'un seul être dont il a tiré son épouse, pour qu'il trouve de la tranquillité auprès d'elle ; et lorsque celui-ci eut cohabité avec elle, elle conçut une légère grossesse, avec quoi elle se déplaçait (facilement). Puis lorsqu'elle se trouva alourdie, tous deux invoquèrent leur Seigneur: «Si Tu nous donnes un (enfant) sain, nous serons certainement du nombre des reconnaissants».

190. Puis, lorsqu'Il leur eût donné un (enfant) sain, tous deux assignèrent à Allāh des associés en ce qu'Il leur avait donné. Mais Allāh est bien au-dessus des associés qu'on Lui assigne.

191. Est-ce qu'ils assignent comme associés ce qui ne crée rien et qui eux-mêmes sont créés,

192. et qui ne peuvent ni les secourir ni se secourir eux-mêmes?

193. Si vous les appelez vers le chemin droit, ils ne vous suivront pas. Le résultat pour vous est le même, que vous les appeliez ou que vous gardiez le silence.

194. Ceux que vous invoquez en dehors d'Allāh sont des serviteurs comme vous. Invoquez-les donc et qu'ils vous répondent, si vous êtes véridiques.

195. Ont-ils des jambes pour marcher? Ont-ils de mains pour frapper? Ont-ils des yeux pour observer? Ont-ils des oreilles pour entendre? Dis: «Invoquez vos associés, et puis, rusez contre moi ; et ne me donnez pas de répit.

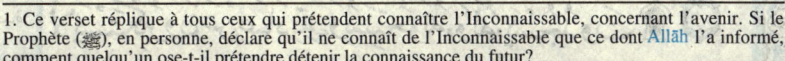

---

1. Ce verset réplique à tous ceux qui prétendent connaître l'Inconnaissable, concernant l'avenir. Si le Prophète (ﷺ), en personne, déclare qu'il ne connaît de l'Inconnaissable que ce dont Allāh l'a informé, comment quelqu'un ose-t-il prétendre détenir la connaissance du futur?

إِنَّ وَلِـِّۧىَ ٱللَّهُ ٱلَّذِى نَزَّلَ ٱلْكِتَٰبَ وَهُوَ يَتَوَلَّى ٱلصَّٰلِحِينَ ۝

وَٱلَّذِينَ تَدْعُونَ مِن دُونِهِۦ لَا يَسْتَطِيعُونَ نَصْرَكُمْ وَلَا أَنفُسَهُمْ يَنصُرُونَ ۝ وَإِن تَدْعُوهُمْ إِلَى ٱلْهُدَىٰ لَا يَسْمَعُوا۟ وَتَرَىٰهُمْ يَنظُرُونَ إِلَيْكَ وَهُمْ لَا يُبْصِرُونَ ۝ خُذِ ٱلْعَفْوَ وَأْمُرْ بِٱلْعُرْفِ وَأَعْرِضْ عَنِ ٱلْجَٰهِلِينَ ۝ وَإِمَّا يَنزَغَنَّكَ مِنَ ٱلشَّيْطَٰنِ نَزْغٌ فَٱسْتَعِذْ بِٱللَّهِ إِنَّهُۥ سَمِيعٌ عَلِيمٌ ۝ إِنَّ ٱلَّذِينَ ٱتَّقَوْا۟ إِذَا مَسَّهُمْ طَٰٓئِفٌ مِّنَ ٱلشَّيْطَٰنِ تَذَكَّرُوا۟ فَإِذَا هُم مُّبْصِرُونَ ۝ وَإِخْوَٰنُهُمْ يَمُدُّونَهُمْ فِى ٱلْغَىِّ ثُمَّ لَا يُقْصِرُونَ ۝ وَإِذَا لَمْ تَأْتِهِم بِـَٔايَةٍ قَالُوا۟ لَوْلَا ٱجْتَبَيْتَهَا قُلْ إِنَّمَآ أَتَّبِعُ مَا يُوحَىٰٓ إِلَىَّ مِن رَّبِّى هَٰذَا بَصَآئِرُ مِن رَّبِّكُمْ وَهُدًى وَرَحْمَةٌ لِّقَوْمٍ يُؤْمِنُونَ ۝ وَإِذَا قُرِئَ ٱلْقُرْءَانُ فَٱسْتَمِعُوا۟ لَهُۥ وَأَنصِتُوا۟ لَعَلَّكُمْ تُرْحَمُونَ ۝ وَٱذْكُر رَّبَّكَ فِى نَفْسِكَ تَضَرُّعًا وَخِيفَةً وَدُونَ ٱلْجَهْرِ مِنَ ٱلْقَوْلِ بِٱلْغُدُوِّ وَٱلْءَاصَالِ وَلَا تَكُن مِّنَ ٱلْغَٰفِلِينَ ۝ إِنَّ ٱلَّذِينَ عِندَ رَبِّكَ لَا يَسْتَكْبِرُونَ عَنْ عِبَادَتِهِۦ وَيُسَبِّحُونَهُۥ وَلَهُۥ يَسْجُدُونَ ۩ ۝

سجدة

196. Certes mon Maître, c'est Allāh qui a fait descendre le Livre (le Qur'ān). C'est Lui qui se charge (de la protection) des vertueux.

197. Et ceux que vous invoquez en dehors de Lui ne sont capables ni de vous secourir, ni de se secourir eux-mêmes.»

198. Et si tu les appelles vers le chemin droit, ils n'entendent pas. Tu les vois qui te regardent, (mais) ils ne voient pas.

199. Accepte ce qu'on t'offre de raisonnable[1], commande ce qui est convenable et éloigne-toi des ignorants.

200. Et si jamais le Diable t'incite à faire le mal, cherche refuge auprès d'Allāh. Car Il entend, et sait tout.

201. Ceux qui pratiquent la piété, lorsqu'une suggestion du Diable les touche se rappellent [du châtiment d'Allāh]: et les voilà devenus clairvoyants.

202. (Quant aux méchants), leurs partenaires diaboliques les enfoncent dans l'aberration, puis ils ne cessent (de s'enfoncer).

203. Quand tu ne leur apportes pas de miracle, ils disent: «Pourquoi ne l'inventes- tu pas?» Dis: «Je ne fais que suivre ce qui m'est révélé de mon Seigneur. Ces [versets qur'āniques] sont des preuves illuminantes venant de votre Seigneur, un guide et une grâce pour des gens qui croient.

204. Et quand on récite le Qur'ān, prêtez-lui l'oreille attentivement et observez le silence, afin que vous obteniez la miséricorde (d'Allāh).

205. Et invoque ton Seigneur en toi-même, en humilité et crainte, à mi-voix, le matin et le soir, et ne sois pas du nombre des insouciants.

206. Ceux qui sont auprès de ton Seigneur [les anges] ne dédaignent pas de L'adorer. Ils Le glorifient et se prosternent devant Lui[2].

---

1. *Raisonnable*: dans ce qui touche aux bonnes actions, au bon comportement dans les relations sociales etc.
2. Après ce verset, dans la récitation liturgique du Qur'ān, on se prosterne. Cette prosternation se trouve en quatorze endroits du Qur'ān. Il s'agit ici de la première prosternation.

سُورَةُ الأَنْفَالِ

بِسْمِ اللَّهِ الرَّحْمَٰنِ الرَّحِيمِ

يَسْـَٔلُونَكَ عَنِ ٱلْأَنفَالِ قُلِ ٱلْأَنفَالُ لِلَّهِ وَٱلرَّسُولِ فَٱتَّقُوا۟ ٱللَّهَ وَأَصْلِحُوا۟ ذَاتَ بَيْنِكُمْ وَأَطِيعُوا۟ ٱللَّهَ وَرَسُولَهُۥٓ إِن كُنتُم مُّؤْمِنِينَ ۝ إِنَّمَا ٱلْمُؤْمِنُونَ ٱلَّذِينَ إِذَا ذُكِرَ ٱللَّهُ وَجِلَتْ قُلُوبُهُمْ وَإِذَا تُلِيَتْ عَلَيْهِمْ ءَايَٰتُهُۥ زَادَتْهُمْ إِيمَٰنًا وَعَلَىٰ رَبِّهِمْ يَتَوَكَّلُونَ ۝ ٱلَّذِينَ يُقِيمُونَ ٱلصَّلَوٰةَ وَمِمَّا رَزَقْنَٰهُمْ يُنفِقُونَ ۝ أُو۟لَٰٓئِكَ هُمُ ٱلْمُؤْمِنُونَ حَقًّا لَّهُمْ دَرَجَٰتٌ عِندَ رَبِّهِمْ وَمَغْفِرَةٌ وَرِزْقٌ كَرِيمٌ ۝ كَمَآ أَخْرَجَكَ رَبُّكَ مِنۢ بَيْتِكَ بِٱلْحَقِّ وَإِنَّ فَرِيقًا مِّنَ ٱلْمُؤْمِنِينَ لَكَٰرِهُونَ ۝ يُجَٰدِلُونَكَ فِى ٱلْحَقِّ بَعْدَمَا تَبَيَّنَ كَأَنَّمَا يُسَاقُونَ إِلَى ٱلْمَوْتِ وَهُمْ يَنظُرُونَ ۝ وَإِذْ يَعِدُكُمُ ٱللَّهُ إِحْدَى ٱلطَّآئِفَتَيْنِ أَنَّهَا لَكُمْ وَتَوَدُّونَ أَنَّ غَيْرَ ذَاتِ ٱلشَّوْكَةِ تَكُونُ لَكُمْ وَيُرِيدُ ٱللَّهُ أَن يُحِقَّ ٱلْحَقَّ بِكَلِمَٰتِهِۦ وَيَقْطَعَ دَابِرَ ٱلْكَٰفِرِينَ ۝ لِيُحِقَّ ٱلْحَقَّ وَيُبْطِلَ ٱلْبَٰطِلَ وَلَوْ كَرِهَ ٱلْمُجْرِمُونَ ۝

AL-ANFĀL (LE BUTIN)[1]
sourate 8   75 versets   Post-hégirien n°88

Au nom d'Allāh, le Tout Miséricordieux, le Très Miséricordieux.

1. Ils t'interrogent au sujet du butin. Dis: «Le butin est à Allāh et à Son messager.» Craignez Allāh, maintenez la concorde entre vous et obéissez à Allāh et à Son messager, si vous êtes croyants.

2. Les vrais croyants sont ceux dont les cœurs frémissent quand on mentionne Allāh. Et quand Ses versets leur sont récités, cela fait augmenter leur foi. Et ils placent leur confiance en leur Seigneur.

3. Ceux qui accomplissent la Ṣalāt et qui dépensent [dans le sentier d'Allāh] de ce que Nous leur avons attribué.

4. Ceux-là sont, en toute vérité les croyants: à eux des degrés (élevés) auprès de leur Seigneur, ainsi qu'un pardon et une dotation généreuse.

5. De même, c'est au nom de la vérité que ton Seigneur t'a fait sortir de ta demeure, malgré la répulsion d'une partie des croyants[2].

6. Ils discutent avec toi au sujet de la vérité après qu'elle fut clairement apparue ; comme si on les poussait vers la mort et qu'ils (la) voyaient[3].

7. (Rappelez-vous), quand' Allāh vous promettait qu'une des deux bandes sera à vous. «Vous désiriez vous emparer de celle qui était sans armes, alors qu'Allāh voulait par Ses paroles faire triompher la vérité et anéantir les mécréants jusqu'au dernier[4].

8. afin qu'Il fasse triompher la vérité et anéantir le faux, en dépit de la répulsion qu'en avaient les criminels.

---

1. Titre tiré du v. 1:
Le butin: comprend toutes les prises de guerre.
2. Allusion à la bataille de Badr, vis-à-vis de laquelle une partie des croyants avait manifesté une certaine répulsion. L'issue de la bataille leur a quand même prouvé qu'il leur était meilleur de sortir au combat.
3. Le Prophète dressa une embuscade à Badr, mais la caravane a pu y échapper grâce à la vigilance de son chef, Abū Sufyān. Malgré cela, le Prophète décida de ne pas rentrer à Médine mais d'affronter l'armée mecquoise qui avait accouru pour assurer la sauvegarde de la caravane. Mal préparés à cette éventualité, quelques uns des Musulmans (cf. verset 5) eurent peur. La rencontre survint quelques jours plus tard, avec la retentissante victoire des Musulmans. (Voir S. 3, v. 123 et la note).
La vérité: le combat.
Qu'ils la voyaient: à l'expectative comme si la mort était présente à leurs yeux.
4. *L'une des deux bandes* (ennemies): il y avait une caravane et une troupe armée. Or c'est la caravane que certains membres de l'armée musulmane désiraient ; tandis qu'Allāh leur destinait l'autre, la troupe. Allāh voulait ainsi que fût plus évident le triomphe de la vérité, et la défaite de la mécréance.

إِذْ تَسْتَغِيثُونَ رَبَّكُمْ فَاسْتَجَابَ لَكُمْ أَنِّى مُمِدُّكُم بِأَلْفٍ مِّنَ الْمَلَٰٓئِكَةِ مُرْدِفِينَ ۞ وَمَا جَعَلَهُ اللَّهُ إِلَّا بُشْرَىٰ وَلِتَطْمَئِنَّ بِهِ قُلُوبُكُمْ وَمَا النَّصْرُ إِلَّا مِنْ عِندِ اللَّهِ إِنَّ اللَّهَ عَزِيزٌ حَكِيمٌ ۞ إِذْ يُغَشِّيكُمُ النُّعَاسَ أَمَنَةً مِّنْهُ وَيُنَزِّلُ عَلَيْكُم مِّنَ السَّمَاءِ مَاءً لِّيُطَهِّرَكُم بِهِ وَيُذْهِبَ عَنكُمْ رِجْزَ الشَّيْطَٰنِ وَلِيَرْبِطَ عَلَىٰ قُلُوبِكُمْ وَيُثَبِّتَ بِهِ الْأَقْدَامَ ۞ إِذْ يُوحِى رَبُّكَ إِلَى الْمَلَٰٓئِكَةِ أَنِّى مَعَكُمْ فَثَبِّتُوا الَّذِينَ ءَامَنُوا سَأُلْقِى فِى قُلُوبِ الَّذِينَ كَفَرُوا الرُّعْبَ فَاضْرِبُوا فَوْقَ الْأَعْنَاقِ وَاضْرِبُوا مِنْهُمْ كُلَّ بَنَانٍ ۞ ذَٰلِكَ بِأَنَّهُمْ شَاقُّوا اللَّهَ وَرَسُولَهُ وَمَن يُشَاقِقِ اللَّهَ وَرَسُولَهُ فَإِنَّ اللَّهَ شَدِيدُ الْعِقَابِ ۞ ذَٰلِكُمْ فَذُوقُوهُ وَأَنَّ لِلْكَٰفِرِينَ عَذَابَ النَّارِ ۞ يَٰٓأَيُّهَا الَّذِينَ ءَامَنُوا إِذَا لَقِيتُمُ الَّذِينَ كَفَرُوا زَحْفًا فَلَا تُوَلُّوهُمُ الْأَدْبَارَ ۞ وَمَن يُوَلِّهِمْ يَوْمَئِذٍ دُبُرَهُ إِلَّا مُتَحَرِّفًا لِّقِتَالٍ أَوْ مُتَحَيِّزًا إِلَىٰ فِئَةٍ فَقَدْ بَاءَ بِغَضَبٍ مِّنَ اللَّهِ وَمَأْوَىٰهُ جَهَنَّمُ وَبِئْسَ الْمَصِيرُ ۞

9. (Et rappelez-vous) le moment où vous imploriez le secours de votre Seigneur et qu'Il vous exauça aussitôt: «Je vais vous aider d'un millier d'Anges déferlant les uns à la suite des autres.

10. Allāh ne fit cela que pour (vous) apporter une bonne nouvelle et pour qu'avec cela vos cœurs se tranquillisent. Il n'y a de victoire que de la part d'Allāh. Allāh est Puissant et Sage.

11. Et quand Il vous enveloppa de sommeil comme d'une sécurité de Sa part, et du ciel Il fit descendre de l'eau sur vous afin de vous en purifier, d'écarter de vous la souillure du Diable, de renforcer les cœurs et d'en raffermir les pas! [vos pas].

12. Et ton Seigneur révéla aux Anges: «Je suis avec vous: affermissez donc les croyants. Je vais jeter l'effroi dans les cœurs des mécréants. Frappez donc au-dessus des cous et frappez-les sur tous les bouts des doigts.

13. Ce, parce qu'ils ont désobéi à Allāh et à Son messager.» Et quiconque désobéit à Allāh et à Son messager... Allāh est certainement dur en punition!

14. Voilà (votre sort) ; goûtez-le donc! Et aux mécréants le châtiment du Feu (sera réservé).

15. Ô vous qui croyez quand vous rencontrez (l'armée) des mécréants en marche[1], ne leur tournez point le dos.

16. Quiconque, ce jour-là, leur tourne le dos, - à moins que ce soit par tactique de combat, ou pour rallier un autre groupe, - celui-là encourt la colère d'Allāh et son refuge sera l'Enfer. Et quelle mauvaise destination!

---

1. *En marche*: allant à la guerre en rangs serrés.

فَلَمْ تَقْتُلُوهُمْ وَلَٰكِنَّ ٱللَّهَ قَتَلَهُمْ وَمَا رَمَيْتَ إِذْ رَمَيْتَ وَلَٰكِنَّ ٱللَّهَ رَمَىٰ وَلِيُبْلِىَ ٱلْمُؤْمِنِينَ مِنْهُ بَلَآءً حَسَنًا إِنَّ ٱللَّهَ سَمِيعٌ عَلِيمٌ ۝ ذَٰلِكُمْ وَأَنَّ ٱللَّهَ مُوهِنُ كَيْدِ ٱلْكَٰفِرِينَ ۝ إِن تَسْتَفْتِحُوا۟ فَقَدْ جَآءَكُمُ ٱلْفَتْحُ وَإِن تَنتَهُوا۟ فَهُوَ خَيْرٌ لَّكُمْ وَإِن تَعُودُوا۟ نَعُدْ وَلَن تُغْنِىَ عَنكُمْ فِئَتُكُمْ شَيْـًٔا وَلَوْ كَثُرَتْ وَأَنَّ ٱللَّهَ مَعَ ٱلْمُؤْمِنِينَ ۝ يَٰٓأَيُّهَا ٱلَّذِينَ ءَامَنُوٓا۟ أَطِيعُوا۟ ٱللَّهَ وَرَسُولَهُۥ وَلَا تَوَلَّوْا۟ عَنْهُ وَأَنتُمْ تَسْمَعُونَ ۝ وَلَا تَكُونُوا۟ كَٱلَّذِينَ قَالُوا۟ سَمِعْنَا وَهُمْ لَا يَسْمَعُونَ ۝ إِنَّ شَرَّ ٱلدَّوَآبِّ عِندَ ٱللَّهِ ٱلصُّمُّ ٱلْبُكْمُ ٱلَّذِينَ لَا يَعْقِلُونَ ۝ وَلَوْ عَلِمَ ٱللَّهُ فِيهِمْ خَيْرًا لَّأَسْمَعَهُمْ وَلَوْ أَسْمَعَهُمْ لَتَوَلَّوا۟ وَّهُم مُّعْرِضُونَ ۝ يَٰٓأَيُّهَا ٱلَّذِينَ ءَامَنُوا۟ ٱسْتَجِيبُوا۟ لِلَّهِ وَلِلرَّسُولِ إِذَا دَعَاكُمْ لِمَا يُحْيِيكُمْ وَٱعْلَمُوٓا۟ أَنَّ ٱللَّهَ يَحُولُ بَيْنَ ٱلْمَرْءِ وَقَلْبِهِۦ وَأَنَّهُۥٓ إِلَيْهِ تُحْشَرُونَ ۝ وَٱتَّقُوا۟ فِتْنَةً لَّا تُصِيبَنَّ ٱلَّذِينَ ظَلَمُوا۟ مِنكُمْ خَآصَّةً وَٱعْلَمُوٓا۟ أَنَّ ٱللَّهَ شَدِيدُ ٱلْعِقَابِ ۝

17. Ce n'est pas vous qui les avez tués: mais c'est Allāh qui les a tués. Et lorsque tu lançais (une poignée de terre)[1], ce n'est pas toi qui lançais: mais c'est Allāh qui lançait, et ce pour éprouver les croyants d'une belle épreuve de Sa part! Allāh est Audient et Omniscient.

18. Voilà! Allāh réduit à rien la ruse des mécréants.

19. Si vous avez imploré l'arbitrage d'Allāh vous connaissez maintenant la sentence [d'Allāh] Et si vous cessez [la mécréance et l'hostilité contre le Prophète..], c'est mieux pour vous. Mais si vous revenez, Nous reviendrons, et votre masse, même nombreuse, ne vous sera d'aucune utilité. Car Allāh est vraiment avec les croyants.

20. Ô vous qui croyez! Obéissez à Allāh et à Son messager et ne vous détournez pas de lui quand vous l'entendez (parler).

21. Et ne soyez pas comme ceux qui disent: «Nous avons entendu», alors qu'ils n'entendent pas.

22. Les pires des bêtes auprès d'Allāh, sont, [en vérité], les sourds-muets qui ne raisonnent pas[2].

23. Et si Allāh avait reconnu en eux quelque bien, Il aurait fait qu'ils entendent. Mais, même s'Il les faisait entendre, ils tourneraient [sûrement] le dos en s'éloignant.

24. Ô vous qui croyez! Répondez à Allāh et au Messager lorsqu'il vous appelle à ce qui vous donne la (vraie) vie, et sachez qu'Allāh s'interpose entre l'homme et son cœur, et que c'est vers Lui que vous serez rassemblés.

25. Et craignez une calamité qui n'affligera pas exclusivement les injustes d'entre vous. Et sachez qu'Allāh est dur en punition.

---

1. *Lançais*: le Prophète(ﷺ) prit une poignée de terre et la lança dans la direction de l'ennemi avant la bataille.
2. Ceux qui refusent d'entendre l'appel de la vérité sont des sourds-muets comparables aux pires des bêtes...

وَٱذْكُرُوٓا۟ إِذْ أَنتُمْ قَلِيلٌ مُّسْتَضْعَفُونَ فِى ٱلْأَرْضِ تَخَافُونَ أَن يَتَخَطَّفَكُمُ ٱلنَّاسُ فَـَٔاوَىٰكُمْ وَأَيَّدَكُم بِنَصْرِهِۦ وَرَزَقَكُم مِّنَ ٱلطَّيِّبَٰتِ لَعَلَّكُمْ تَشْكُرُونَ ۝ يَٰٓأَيُّهَا ٱلَّذِينَ ءَامَنُوا۟ لَا تَخُونُوا۟ ٱللَّهَ وَٱلرَّسُولَ وَتَخُونُوٓا۟ أَمَٰنَٰتِكُمْ وَأَنتُمْ تَعْلَمُونَ ۝ وَٱعْلَمُوٓا۟ أَنَّمَآ أَمْوَٰلُكُمْ وَأَوْلَٰدُكُمْ فِتْنَةٌ وَأَنَّ ٱللَّهَ عِندَهُۥٓ أَجْرٌ عَظِيمٌ ۝ يَٰٓأَيُّهَا ٱلَّذِينَ ءَامَنُوٓا۟ إِن تَتَّقُوا۟ ٱللَّهَ يَجْعَل لَّكُمْ فُرْقَانًا وَيُكَفِّرْ عَنكُمْ سَيِّـَٔاتِكُمْ وَيَغْفِرْ لَكُمْ وَٱللَّهُ ذُو ٱلْفَضْلِ ٱلْعَظِيمِ ۝ وَإِذْ يَمْكُرُ بِكَ ٱلَّذِينَ كَفَرُوا۟ لِيُثْبِتُوكَ أَوْ يَقْتُلُوكَ أَوْ يُخْرِجُوكَ وَيَمْكُرُونَ وَيَمْكُرُ ٱللَّهُ وَٱللَّهُ خَيْرُ ٱلْمَٰكِرِينَ ۝ وَإِذَا تُتْلَىٰ عَلَيْهِمْ ءَايَٰتُنَا قَالُوا۟ قَدْ سَمِعْنَا لَوْ نَشَآءُ لَقُلْنَا مِثْلَ هَٰذَآ إِنْ هَٰذَآ إِلَّآ أَسَٰطِيرُ ٱلْأَوَّلِينَ ۝ وَإِذْ قَالُوا۟ ٱللَّهُمَّ إِن كَانَ هَٰذَا هُوَ ٱلْحَقَّ مِنْ عِندِكَ فَأَمْطِرْ عَلَيْنَا حِجَارَةً مِّنَ ٱلسَّمَآءِ أَوِ ٱئْتِنَا بِعَذَابٍ أَلِيمٍ ۝ وَمَا كَانَ ٱللَّهُ لِيُعَذِّبَهُمْ وَأَنتَ فِيهِمْ وَمَا كَانَ ٱللَّهُ مُعَذِّبَهُمْ وَهُمْ يَسْتَغْفِرُونَ ۝

26. Et rappelez-vous quand vous étiez peu nombreux, opprimés sur terre, craignant de vous faire enlever par des gens. Il vous donna asile, vous renforça de Son secours et vous attribua de bonnes choses afin que vous soyez reconnaissants.

27. Ô vous qui croyez! Ne trahissez pas Allāh et le Messager. Ne trahissez pas sciemment la confiance qu'on a placée en vous[1]?

28. Et sachez que vos biens et vos enfants ne sont qu'une épreuve et qu'auprès d'Allāh il y a une énorme récompense.

29. Ô vous qui croyez! Si vous craignez Allāh, Il vous accordera la faculté de discerner (entre le bien et le mal), vous effacera vos méfaits et vous pardonnera. Et Allāh est le Détenteur de l'énorme grâce.

30. (Et rappelle-toi) le moment où les mécréants complotaient contre toi pour t'emprisonner ou t'assassiner ou te bannir. Ils complotèrent. mais Allāh a fait échouer leur complot, et Allāh est le meilleur en stratagèmes[2].

31. Et lorsque Nos versets leur sont récités, ils disent: «Nous avons écouté, certes! Si nous voulions, nous dirions pareil à cela, ce ne sont que des légendes d'anciens.

32. Et quand ils dirent: «Ô Allāh, si cela est la vérité de Ta part, alors, fais pleuvoir du ciel des pierres sur nous, ou fais venir sur nous un châtiment douloureux».

33. Allāh n'est point tel qu'Il les châtie, alors que tu es au milieu d'eux. Et Allāh n'est point tel qu'il les châtie alors qu'Ils demandent pardon.

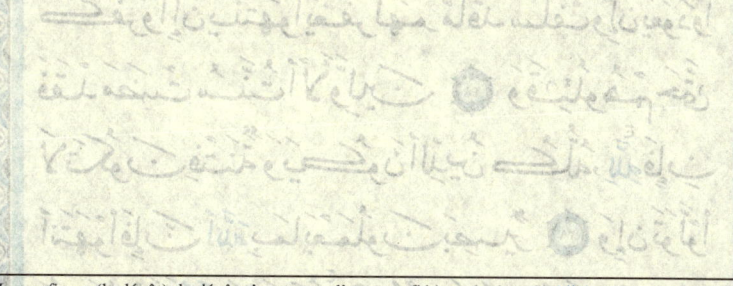

---

1. *La confiance* (le dépôt): le dépôt c'est ce que l'on a confié à quelqu'un. Si Allāh et Son messager vous confient quoi que ce soit, c'est dans votre propre intérêt: en les trahissant et en leur désobéissant, vous ne faites que nuire à vous-mêmes.
2. *Les mécréants complotaient*: ce qui obligea le Prophète à s'expatrier et à s'installer à Médine.

وَمَا لَهُمْ أَلَّا يُعَذِّبَهُمُ اللَّهُ وَهُمْ يَصُدُّونَ عَنِ الْمَسْجِدِ الْحَرَامِ وَمَا كَانُوٓا أَوْلِيَآءَهُۥٓ إِنْ أَوْلِيَآؤُهُۥٓ إِلَّا الْمُتَّقُونَ وَلَٰكِنَّ أَكْثَرَهُمْ لَا يَعْلَمُونَ ۝ وَمَا كَانَ صَلَاتُهُمْ عِندَ الْبَيْتِ إِلَّا مُكَآءً وَتَصْدِيَةً فَذُوقُوا الْعَذَابَ بِمَا كُنتُمْ تَكْفُرُونَ ۝ إِنَّ الَّذِينَ كَفَرُوا يُنفِقُونَ أَمْوَٰلَهُمْ لِيَصُدُّوا عَن سَبِيلِ اللَّهِ فَسَيُنفِقُونَهَا ثُمَّ تَكُونُ عَلَيْهِمْ حَسْرَةً ثُمَّ يُغْلَبُونَ وَالَّذِينَ كَفَرُوٓا إِلَىٰ جَهَنَّمَ يُحْشَرُونَ ۝ لِيَمِيزَ اللَّهُ الْخَبِيثَ مِنَ الطَّيِّبِ وَيَجْعَلَ الْخَبِيثَ بَعْضَهُۥ عَلَىٰ بَعْضٍ فَيَرْكُمَهُۥ جَمِيعًا فَيَجْعَلَهُۥ فِي جَهَنَّمَ أُوْلَٰٓئِكَ هُمُ الْخَٰسِرُونَ ۝ قُل لِّلَّذِينَ كَفَرُوٓا إِن يَنتَهُوا يُغْفَرْ لَهُم مَّا قَدْ سَلَفَ وَإِن يَعُودُوا فَقَدْ مَضَتْ سُنَّتُ الْأَوَّلِينَ ۝ وَقَٰتِلُوهُمْ حَتَّىٰ لَا تَكُونَ فِتْنَةٌ وَيَكُونَ الدِّينُ كُلُّهُۥ لِلَّهِ فَإِنِ انتَهَوْا فَإِنَّ اللَّهَ بِمَا يَعْمَلُونَ بَصِيرٌ ۝ وَإِن تَوَلَّوْا فَاعْلَمُوٓا أَنَّ اللَّهَ مَوْلَىٰكُمْ نِعْمَ الْمَوْلَىٰ وَنِعْمَ النَّصِيرُ ۝

34. Qu'ont-ils donc pour qu'Allāh ne les châtie pas, alors qu'ils repoussent (les croyants) de la Mosquée sacrée, quoiqu'ils n'en soient pas les gardiens, car ses gardiens ne sont que les pieux. Mais la plupart d'entre eux ne le savent pas.

35. Et leur prière[1], auprès de la Maison, n'est que sifflement et battements de mains: «Goûtez donc au châtiment, à cause de votre mécréance!»

36. Ceux qui ne croient pas dépensent leurs biens pour éloigner (les gens) du sentier d'Allāh. Or, après les avoir dépensés, ils seront pour eux un sujet de regret. Puis ils seront vaincus, et tous ceux qui ne croient pas seront rassemblés vers l'Enfer,

37. afin qu'Allāh distingue le mauvais du bon, et qu'Il place les mauvais les uns sur les autres, pour en faire un amoncellement qu'Il jettera dans l'Enfer. Ceux-là sont les perdants.

38. Dis à ceux qui ne croient pas que, s'ils cessent, on leur pardonnera ce qui s'est passé. Et s'ils récidivent, (ils seront châtiés) ; à l'exemple de (leurs) devanciers.

39. Et combattez-les jusqu'à ce qu'il ne subsiste plus d'association, et que la religion soit entièrement à Allāh. Puis, s'ils cessent (ils seront pardonnés car) Allāh observe bien ce qu'ils œuvrent.

40. Et s'ils tournent le dos, sachez alors qu'Allāh est votre Maître. Quel excellent Maître et quel excellent Protecteur!

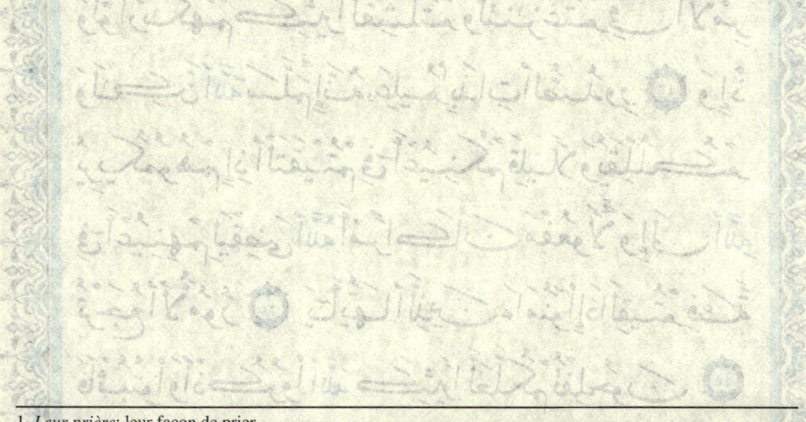

---

1. *Leur prière*: leur façon de prier.

۞ وَٱعْلَمُوٓاْ أَنَّمَا غَنِمْتُم مِّن شَيْءٍ فَأَنَّ لِلَّهِ خُمُسَهُۥ وَلِلرَّسُولِ وَلِذِى ٱلْقُرْبَىٰ وَٱلْيَتَٰمَىٰ وَٱلْمَسَٰكِينِ وَٱبْنِ ٱلسَّبِيلِ إِن كُنتُمْ ءَامَنتُم بِٱللَّهِ وَمَآ أَنزَلْنَا عَلَىٰ عَبْدِنَا يَوْمَ ٱلْفُرْقَانِ يَوْمَ ٱلْتَقَى ٱلْجَمْعَانِۚ وَٱللَّهُ عَلَىٰ كُلِّ شَيْءٍ قَدِيرٌ ۝ إِذْ أَنتُم بِٱلْعُدْوَةِ ٱلدُّنْيَا وَهُم بِٱلْعُدْوَةِ ٱلْقُصْوَىٰ وَٱلرَّكْبُ أَسْفَلَ مِنكُمْۚ وَلَوْ تَوَاعَدتُّمْ لَٱخْتَلَفْتُمْ فِى ٱلْمِيعَٰدِ وَلَٰكِن لِّيَقْضِىَ ٱللَّهُ أَمْرًا كَانَ مَفْعُولًا لِّيَهْلِكَ مَنْ هَلَكَ عَنۢ بَيِّنَةٍ وَيَحْيَىٰ مَنْ حَىَّ عَنۢ بَيِّنَةٍۗ وَإِنَّ ٱللَّهَ لَسَمِيعٌ عَلِيمٌ ۝ إِذْ يُرِيكَهُمُ ٱللَّهُ فِى مَنَامِكَ قَلِيلًاۖ وَلَوْ أَرَىٰكَهُمْ كَثِيرًا لَّفَشِلْتُمْ وَلَتَنَٰزَعْتُمْ فِى ٱلْأَمْرِ وَلَٰكِنَّ ٱللَّهَ سَلَّمَۗ إِنَّهُۥ عَلِيمٌۢ بِذَاتِ ٱلصُّدُورِ ۝ وَإِذْ يُرِيكُمُوهُمْ إِذِ ٱلْتَقَيْتُمْ فِىٓ أَعْيُنِكُمْ قَلِيلًا وَيُقَلِّلُكُمْ فِىٓ أَعْيُنِهِمْ لِيَقْضِىَ ٱللَّهُ أَمْرًا كَانَ مَفْعُولًاۗ وَإِلَى ٱللَّهِ تُرْجَعُ ٱلْأُمُورُ ۝ يَٰٓأَيُّهَا ٱلَّذِينَ ءَامَنُوٓاْ إِذَا لَقِيتُمْ فِئَةً فَٱثْبُتُواْ وَٱذْكُرُواْ ٱللَّهَ كَثِيرًا لَّعَلَّكُمْ تُفْلِحُونَ ۝

41. Et sachez que, de tout butin que vous avez ramassé, le cinquième appartient à Allāh, au messager, à ses proches parents, aux orphelins, aux pauvres, et aux voyageurs (en détresse), si vous croyez en Allāh et en ce que Nous avons fait descendre sur Notre serviteur, le jour du Discernement: le jour où les deux groupes s'étaient rencontrés, et Allāh est l'Omnipotent[1].

42. Vous étiez sur le versant le plus proche, et eux (les ennemis) sur le versant le plus éloigné, tandis que la caravane était plus bas que vous. Si vous vous étiez donné rendez-vous, vous l'auriez manqué (effrayés par le nombre de l'ennemi). Mais il fallait qu'Allāh accomplît un ordre qui devait être exécuté, pour que, sur preuve, pérît celui qui (devait) périr, et vécût, sur preuve, celui qui (devait) vivre. Et certes, Allāh est Audient et Omniscient[2].

43. En songe, Allāh te les avait montrés peu nombreux! Car s'Il te les avait montrés nombreux, vous auriez certainement fléchi, et vous vous seriez certainement disputés à propos de l'affaire. Mais Allāh vous en a préservés. Il connaît le contenu des cœurs.

44. Et aussi, au moment de la rencontre, Il vous les montrait peu nombreux à Vos yeux, de même qu'Il vous faisant paraître à leurs yeux peu nombreux afin qu'Allāh parachève un ordre qui devait être exécuté. C'est à Allāh que sont ramenées les choses.

45. Ô vous qui croyez! Lorsque vous rencontrez une troupe (ennemie), soyez fermes, et invoquez beaucoup Allāh afin de réussir.

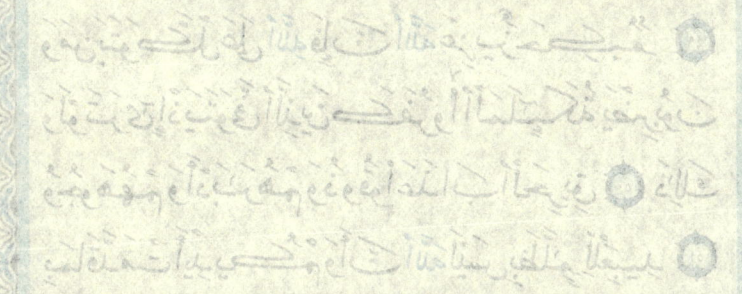

---

1. *En ce que Nous avons fait descendre* (de secours) *sur notre serviteur* (Muḥammad) (ﷺ).
Le jour du Discernement: le jour de Badr où l'on discerna le croyant du mécréant et le bien du mal.
2. Description du combat de Badr:
Plus bas que vous: vous étiez à Badr et la caravane était sur le littoral de la Mer Rouge (à environ 25 kms du lieu de la bataille).
Pour que, sur preuve, pérît...: si l'infidèle persiste dans son égarement, après la victoire inattendue des croyants en petit nombre sur les idolâtres en nombre imposant, son choix, malgré cette preuve évidente constitue une charge à son encontre.

وَأَطِيعُوا۟ ٱللَّهَ وَرَسُولَهُۥ وَلَا تَنَـٰزَعُوا۟ فَتَفْشَلُوا۟ وَتَذْهَبَ رِيحُكُمْ ۖ وَٱصْبِرُوٓا۟ ۚ إِنَّ ٱللَّهَ مَعَ ٱلصَّـٰبِرِينَ ۝ وَلَا تَكُونُوا۟ كَٱلَّذِينَ خَرَجُوا۟ مِن دِيَـٰرِهِم بَطَرًا وَرِئَآءَ ٱلنَّاسِ وَيَصُدُّونَ عَن سَبِيلِ ٱللَّهِ ۚ وَٱللَّهُ بِمَا يَعْمَلُونَ مُحِيطٌ ۝ وَإِذْ زَيَّنَ لَهُمُ ٱلشَّيْطَـٰنُ أَعْمَـٰلَهُمْ وَقَالَ لَا غَالِبَ لَكُمُ ٱلْيَوْمَ مِنَ ٱلنَّاسِ وَإِنِّى جَارٌ لَّكُمْ ۖ فَلَمَّا تَرَآءَتِ ٱلْفِئَتَانِ نَكَصَ عَلَىٰ عَقِبَيْهِ وَقَالَ إِنِّى بَرِىٓءٌ مِّنكُمْ إِنِّىٓ أَرَىٰ مَا لَا تَرَوْنَ إِنِّىٓ أَخَافُ ٱللَّهَ ۚ وَٱللَّهُ شَدِيدُ ٱلْعِقَابِ ۝ إِذْ يَقُولُ ٱلْمُنَـٰفِقُونَ وَٱلَّذِينَ فِى قُلُوبِهِم مَّرَضٌ غَرَّ هَـٰٓؤُلَآءِ دِينُهُمْ ۗ وَمَن يَتَوَكَّلْ عَلَى ٱللَّهِ فَإِنَّ ٱللَّهَ عَزِيزٌ حَكِيمٌ ۝ وَلَوْ تَرَىٰٓ إِذْ يَتَوَفَّى ٱلَّذِينَ كَفَرُوا۟ ۙ ٱلْمَلَـٰٓئِكَةُ يَضْرِبُونَ وُجُوهَهُمْ وَأَدْبَـٰرَهُمْ وَذُوقُوا۟ عَذَابَ ٱلْحَرِيقِ ۝ ذَٰلِكَ بِمَا قَدَّمَتْ أَيْدِيكُمْ وَأَنَّ ٱللَّهَ لَيْسَ بِظَلَّـٰمٍ لِّلْعَبِيدِ ۝ كَدَأْبِ ءَالِ فِرْعَوْنَ ۙ وَٱلَّذِينَ مِن قَبْلِهِمْ ۚ كَفَرُوا۟ بِـَٔايَـٰتِ ٱللَّهِ فَأَخَذَهُمُ ٱللَّهُ بِذُنُوبِهِمْ ۗ إِنَّ ٱللَّهَ قَوِىٌّ شَدِيدُ ٱلْعِقَابِ ۝

46. Et obéissez à Allāh et à Son messager ; et ne vous disputez pas, sinon vous fléchirez et perdrez votre force. Et soyez endurants, car Allāh est avec les endurants.

47. Et ne soyez pas comme ceux qui sortirent de leurs demeures pour repousser la vérité et avec ostentation publique, obstruant le chemin d'Allāh. Et Allāh cerne ce qu'ils font[1].

48. Et quand le Diable leur eut embelli leurs actions et dit: «Nul parmi les humains ne peut vous dominer aujourd'hui, et je suis votre soutien.» Mais, lorsque les deux groupes furent en vue l'un de l'autre, il tourna les deux talons et dit: «Je vous désavoue. Je vois ce que vous ne voyez pas ; je crains Allāh, et Allāh est dur en punition»[2].

49. (Et rappelez-vous), quand les hypocrites et ceux qui ont une maladie au cœur [dont la foi est douteuse] disaient: «Ces gens-là, leur religion les trompe.» Mais quiconque place sa confiance en Allāh (sera victorieux)... car Allāh est Puissant et Sage.

50. Si tu voyais, lorsque les Anges arrachaient les âmes aux mécréants! Ils les frappaient sur leurs visages et leurs derrières, (en disant):«Goûtez au châtiment du Feu[3].

51. Cela (le châtiment), pour ce que vos mains ont accompli.» Et Allāh n'est point injuste envers les esclaves.

52. Il en fut de même des gens de Pharaon et ceux qui avant eux n'avaient pas cru aux signes (enseignements) d'Allāh. Allāh les saisit pour leurs péchés. Allāh est certes Fort et sévère en punition[4].

---

1. Il s'agit des Mecquois qui se précipitèrent au secours de leur caravane menacée à Badr. Quoique rassurés par la suite sur sa sécurité, ils marchèrent jusqu'à Badr avec toute la fanfare dont parle le verset.
2. *Nul ne peut...*: les Mecquois craignaient, s'ils marchaient jusqu'à Badr, de se faire attaquer par une tribu ennemie. Satan, se montrant en tant que chef de tribu, leur apparut pour dire qu'au contraire, il leur était solidaire contre les Musulmans. A l'arrivée des Anges, il se sauva.
3. Pendant la bataille de Badr, à laquelle les Anges participèrent à côté des Musulmans (cf. supra v. 9) cependant le sens du verset n'est pas borné à la bataille.
4. Rapprochement entre l'aide divine à Muḥammad (ﷺ) à Badr, et celle accordée à Moïse lors de l'Exode (voir v. 54).

ذَلِكَ بِأَنَّ ٱللَّهَ لَمْ يَكُ مُغَيِّرًا نِّعْمَةً أَنْعَمَهَا عَلَىٰ قَوْمٍ حَتَّىٰ يُغَيِّرُواْ مَا بِأَنفُسِهِمْ وَأَنَّ ٱللَّهَ سَمِيعٌ عَلِيمٌ ۝ كَدَأْبِ ءَالِ فِرْعَوْنَ وَٱلَّذِينَ مِن قَبْلِهِمْ كَذَّبُواْ بِـَٔايَٰتِ رَبِّهِمْ فَأَهْلَكْنَٰهُم بِذُنُوبِهِمْ وَأَغْرَقْنَآ ءَالَ فِرْعَوْنَ وَكُلٌّ كَانُواْ ظَٰلِمِينَ ۝ إِنَّ شَرَّ ٱلدَّوَآبِّ عِندَ ٱللَّهِ ٱلَّذِينَ كَفَرُواْ فَهُمْ لَا يُؤْمِنُونَ ۝ ٱلَّذِينَ عَٰهَدتَّ مِنْهُمْ ثُمَّ يَنقُضُونَ عَهْدَهُمْ فِى كُلِّ مَرَّةٍ وَهُمْ لَا يَتَّقُونَ ۝ فَإِمَّا تَثْقَفَنَّهُمْ فِى ٱلْحَرْبِ فَشَرِّدْ بِهِم مَّنْ خَلْفَهُمْ لَعَلَّهُمْ يَذَّكَّرُونَ ۝ وَإِمَّا تَخَافَنَّ مِن قَوْمٍ خِيَانَةً فَٱنۢبِذْ إِلَيْهِمْ عَلَىٰ سَوَآءٍ إِنَّ ٱللَّهَ لَا يُحِبُّ ٱلْخَآئِنِينَ ۝ وَلَا يَحْسَبَنَّ ٱلَّذِينَ كَفَرُواْ سَبَقُوٓاْ إِنَّهُمْ لَا يُعْجِزُونَ ۝ وَأَعِدُّواْ لَهُم مَّا ٱسْتَطَعْتُم مِّن قُوَّةٍ وَمِن رِّبَاطِ ٱلْخَيْلِ تُرْهِبُونَ بِهِۦ عَدُوَّ ٱللَّهِ وَعَدُوَّكُمْ وَءَاخَرِينَ مِن دُونِهِمْ لَا تَعْلَمُونَهُمُ ٱللَّهُ يَعْلَمُهُمْ وَمَا تُنفِقُواْ مِن شَىْءٍ فِى سَبِيلِ ٱللَّهِ يُوَفَّ إِلَيْكُمْ وَأَنتُمْ لَا تُظْلَمُونَ ۝ وَإِن جَنَحُواْ لِلسَّلْمِ فَٱجْنَحْ لَهَا وَتَوَكَّلْ عَلَى ٱللَّهِ إِنَّهُۥ هُوَ ٱلسَّمِيعُ ٱلْعَلِيمُ ۝

53. C'est qu'en effet Allāh ne modifie pas un bienfait dont Il a gratifié un peuple avant que celui-ci change ce qui est en lui-même[1]. Et Allāh est, Audient et Omniscient.

54. Il en fut de même des gens de Pharaon et ceux qui avant eux avaient traité de mensonges les signes (enseignements) de leur Seigneur. Nous les avons fait périr pour leurs péchés. Et Nous avons noyé les gens de Pharaon. Car ils étaient tous des injustes.

55. Les pires bêtes, auprès d'Allāh, sont ceux qui ont été infidèles (dans le passé) et qui ne croient donc point (actuellement),

56. ceux-là mêmes avec lesquels tu as fait un pacte et qui chaque fois le rompent, sans aucune crainte [d'Allāh].

57. Donc, si tu les maîtrises à la guerre, inflige-leur un châtiment exemplaire de telle sorte que ceux qui sont derrière eux soient effarouchés. Afin qu'ils se souviennent.

58. Et si jamais tu crains vraiment une trahison de la part d'un peuple, dénonce alors le pacte (que tu as conclu avec), d'une façon franche et loyale car Allāh n'aime pas les traîtres.

59. Que les mécréants ne pensent pas qu'ils Nous ont échappé. Non, ils ne pourront jamais Nous empêcher (de les rattraper à n'importe quel moment).

60. Et préparez [pour lutter] contre eux tout ce que vous pouvez comme force et comme cavalerie équipée, afin d'effrayer l'ennemi d'Allāh et le vôtre, et d'autres encore que vous ne connaissez pas en dehors de ceux-ci mais qu'Allāh connaît. Et tout ce que vous dépensez dans le sentier d'Allāh vous sera remboursé pleinement et vous ne serez point lésés.

61. Et s'ils inclinent à la paix, incline vers celle-ci (toi aussi) et place ta confiance en Allāh, car c'est Lui l'Audient, l'Omniscient.

---

1. Il s'agit du changement de leur conduite religieuse.

وَإِن يُرِيدُوٓاْ أَن يَخْدَعُوكَ فَإِنَّ حَسْبَكَ ٱللَّهُ هُوَ ٱلَّذِىٓ أَيَّدَكَ بِنَصْرِهِۦ وَبِٱلْمُؤْمِنِينَ ۝ وَأَلَّفَ بَيْنَ قُلُوبِهِمْ لَوْ أَنفَقْتَ مَا فِى ٱلْأَرْضِ جَمِيعًا مَّآ أَلَّفْتَ بَيْنَ قُلُوبِهِمْ وَلَٰكِنَّ ٱللَّهَ أَلَّفَ بَيْنَهُمْ إِنَّهُۥ عَزِيزٌ حَكِيمٌ ۝ يَٰٓأَيُّهَا ٱلنَّبِىُّ حَسْبُكَ ٱللَّهُ وَمَنِ ٱتَّبَعَكَ مِنَ ٱلْمُؤْمِنِينَ ۝ يَٰٓأَيُّهَا ٱلنَّبِىُّ حَرِّضِ ٱلْمُؤْمِنِينَ عَلَى ٱلْقِتَالِ إِن يَكُن مِّنكُمْ عِشْرُونَ صَٰبِرُونَ يَغْلِبُواْ مِائَتَيْنِ وَإِن يَكُن مِّنكُم مِّائَةٌ يَغْلِبُوٓاْ أَلْفًا مِّنَ ٱلَّذِينَ كَفَرُواْ بِأَنَّهُمْ قَوْمٌ لَّا يَفْقَهُونَ ۝ ٱلْـَٰٔنَ خَفَّفَ ٱللَّهُ عَنكُمْ وَعَلِمَ أَنَّ فِيكُمْ ضَعْفًا فَإِن يَكُن مِّنكُم مِّائَةٌ صَابِرَةٌ يَغْلِبُواْ مِائَتَيْنِ وَإِن يَكُن مِّنكُمْ أَلْفٌ يَغْلِبُوٓاْ أَلْفَيْنِ بِإِذْنِ ٱللَّهِ وَٱللَّهُ مَعَ ٱلصَّٰبِرِينَ ۝ مَا كَانَ لِنَبِىٍّ أَن يَكُونَ لَهُۥٓ أَسْرَىٰ حَتَّىٰ يُثْخِنَ فِى ٱلْأَرْضِ تُرِيدُونَ عَرَضَ ٱلدُّنْيَا وَٱللَّهُ يُرِيدُ ٱلْءَاخِرَةَ وَٱللَّهُ عَزِيزٌ حَكِيمٌ ۝ لَّوْلَا كِتَٰبٌ مِّنَ ٱللَّهِ سَبَقَ لَمَسَّكُمْ فِيمَآ أَخَذْتُمْ عَذَابٌ عَظِيمٌ ۝ فَكُلُواْ مِمَّا غَنِمْتُمْ حَلَٰلًا طَيِّبًا وَٱتَّقُواْ ٱللَّهَ إِنَّ ٱللَّهَ غَفُورٌ رَّحِيمٌ ۝

62. Et s'ils veulent te tromper, alors Allāh te suffira. C'est Lui qui t'a soutenu par Son secours, ainsi que par (l'assistance) des croyants.

63. Il a uni leurs cœurs (par la foi). Aurais-tu dépensé tout ce qui est sur terre, tu n'aurais pu unir leurs cœurs ; mais c'est Allāh qui les a unis, car Il est Puissant et Sage[1].

64. Ô Prophète, Allāh et ceux des croyants qui te suivent te suffisent.

65. Ô Prophète, incite les croyants au combat. S'il se trouve parmi vous vingt endurants, ils vaincront deux cents ; et s'il s'en trouve cent, ils vaincront mille mécréants, car ce sont vraiment des gens qui ne comprennent pas.

66. Maintenant, Allāh a allégé votre tâche, sachant qu'il y a de la faiblesse en vous. S'il y a cent endurants parmi vous, ils vaincront deux cents ; et s'il y en a mille, ils vaincront deux mille, par la grâce d'Allāh. Et Allāh est avec les endurants.

67. Un prophète ne devrait pas faire de prisonniers avant d'avoir prévalu [mis les mécréants hors de combat] sur la terre. Vous voulez les biens d'ici-bas, tandis qu'Allāh veut l'au-delà. Allāh est Puissant et Sage[2].

68. N'eût-été une prescription préalable d'Allāh, un énorme châtiment vous aurait touché pour ce que vous avez pris. [de la rançon]

69. Mangez donc de ce qui vous est échu en butin, tant qu'il est licite et pur. Et craignez Allāh, car Allāh est Pardonneur et Miséricordieux.

---

1. Allusion probable aux querelles sanglantes entre les deux tribus arabes de Médine, les Aws et les Ḥazraj. L'Islām mit fin à leur long antagonisme.
2. Selon ce verset, lors de la bataille de Badr, les croyants auraient mieux fait de tuer les infidèles, au lieu de les avoir capturés, afin que cesse toute hostilité à leur égard. Ce, n'est que plus tard qu'Allāh a permis et l'emprisonnement et la rançon (voir S. 47, v. 4).

يَـٰٓأَيُّهَا ٱلنَّبِىُّ قُل لِّمَن فِىٓ أَيْدِيكُم مِّنَ ٱلْأَسْرَىٰٓ إِن يَعْلَمِ ٱللَّهُ فِى قُلُوبِكُمْ خَيْرًا يُؤْتِكُمْ خَيْرًا مِّمَّآ أُخِذَ مِنكُمْ وَيَغْفِرْ لَكُمْ وَٱللَّهُ غَفُورٌ رَّحِيمٌ ۝ وَإِن يُرِيدُوا۟ خِيَانَتَكَ فَقَدْ خَانُوا۟ ٱللَّهَ مِن قَبْلُ فَأَمْكَنَ مِنْهُمْ وَٱللَّهُ عَلِيمٌ حَكِيمٌ ۝ إِنَّ ٱلَّذِينَ ءَامَنُوا۟ وَهَاجَرُوا۟ وَجَـٰهَدُوا۟ بِأَمْوَٰلِهِمْ وَأَنفُسِهِمْ فِى سَبِيلِ ٱللَّهِ وَٱلَّذِينَ ءَاوَوا۟ وَّنَصَرُوٓا۟ أُو۟لَـٰٓئِكَ بَعْضُهُمْ أَوْلِيَآءُ بَعْضٍ وَٱلَّذِينَ ءَامَنُوا۟ وَلَمْ يُهَاجِرُوا۟ مَا لَكُم مِّن وَلَـٰيَتِهِم مِّن شَىْءٍ حَتَّىٰ يُهَاجِرُوا۟ وَإِنِ ٱسْتَنصَرُوكُمْ فِى ٱلدِّينِ فَعَلَيْكُمُ ٱلنَّصْرُ إِلَّا عَلَىٰ قَوْمٍۭ بَيْنَكُمْ وَبَيْنَهُم مِّيثَـٰقٌ وَٱللَّهُ بِمَا تَعْمَلُونَ بَصِيرٌ ۝ وَٱلَّذِينَ كَفَرُوا۟ بَعْضُهُمْ أَوْلِيَآءُ بَعْضٍ إِلَّا تَفْعَلُوهُ تَكُن فِتْنَةٌ فِى ٱلْأَرْضِ وَفَسَادٌ كَبِيرٌ ۝ وَٱلَّذِينَ ءَامَنُوا۟ وَهَاجَرُوا۟ وَجَـٰهَدُوا۟ فِى سَبِيلِ ٱللَّهِ وَٱلَّذِينَ ءَاوَوا۟ وَّنَصَرُوٓا۟ أُو۟لَـٰٓئِكَ هُمُ ٱلْمُؤْمِنُونَ حَقًّا لَّهُم مَّغْفِرَةٌ وَرِزْقٌ كَرِيمٌ ۝ وَٱلَّذِينَ ءَامَنُوا۟ مِنۢ بَعْدُ وَهَاجَرُوا۟ وَجَـٰهَدُوا۟ مَعَكُمْ فَأُو۟لَـٰٓئِكَ مِنكُمْ وَأُو۟لُوا۟ ٱلْأَرْحَامِ بَعْضُهُمْ أَوْلَىٰ بِبَعْضٍ فِى كِتَـٰبِ ٱللَّهِ إِنَّ ٱللَّهَ بِكُلِّ شَىْءٍ عَلِيمٌۢ ۝

70. Ô Prophète, dis aux captifs qui sont entre vos mains: «Si Allāh sait qu'il y a quelque bien dans vos cœurs, Il vous donnera mieux que ce qui vous a été pris et vous pardonnera. Allāh est Pardonneur et Miséricordieux.

71. Et s'ils veulent te trahir... , c'est qu'ils ont déjà trahi Allāh [par la mécréance] ; mais Il a donné prise sur eux [le jour de Badr]. Et Allāh est Omniscient et Sage.

72. Ceux qui ont cru, émigré et lutté de leurs biens et de leurs personnes dans le sentier d'Allāh, ainsi que ceux qui leur ont donné refuge et secours, ceux-là sont alliés les uns des autres. Quant à ceux qui ont cru et n'ont pas émigré, vous ne serez pas liés à eux, jusqu'à ce qu`ils émigrent. Et s'ils vous demandent secours au nom de la religion, à vous alors de leur porter secours, mais pas contre un peuple auquel vous êtes liés par un pacte. Et Allāh observe bien ce que vous œuvrez[1].

73. Et ceux qui n'ont pas cru sont alliés les uns des autres. Si vous n'agissez pas ainsi [en rompant les liens avec les infidèles], il y aura discorde sur terre et grand désordre.

74. Et ceux qui ont cru, émigré et lutté dans le sentier d'Allāh, ainsi que ceux qui leur ont donné refuge et porté secours, ceux-là sont les vrais croyants: à eux, le pardon et une récompense généreuse.

75. Et ceux qui après cela ont cru et émigré et lutté en votre compagnie, ceux-là sont des vôtres. Cependant ceux qui sont liés par la parenté ont priorité les uns envers les autres, d'après le Livre d'Allāh. Certes, Allāh est Omniscient[2].

---

1. *Alliés les uns des autres* ; le Prophète unifia les émigrés venant de la Mecque aux habitants de Médine par une fraternité, qui leur permettait de secourir l'un l'autre et même d'hériter les uns des autres. Mais ces liens de fraternité ne s'appliquaient pas aux croyants restés à la Mecque. Le droit d'héritage entre émigrés et Médinois fut aboli par le v. 75 infra.
2. Ce verset a abrogé le droit d'héritage des frères contractuels mentionné dans S. 4, v. 33.

سُورَةُ التَّوْبَةِ

نصف
الحزب
١٩

بَرَآءَةٌ مِّنَ ٱللَّهِ وَرَسُولِهِۦٓ إِلَى ٱلَّذِينَ عَٰهَدتُّم مِّنَ ٱلْمُشْرِكِينَ ۝

فَسِيحُواْ فِى ٱلْأَرْضِ أَرْبَعَةَ أَشْهُرٍ وَٱعْلَمُوٓاْ أَنَّكُمْ غَيْرُ مُعْجِزِى ٱللَّهِ وَأَنَّ ٱللَّهَ مُخْزِى ٱلْكَٰفِرِينَ ۝ وَأَذَٰنٌ مِّنَ ٱللَّهِ وَرَسُولِهِۦٓ إِلَى ٱلنَّاسِ يَوْمَ ٱلْحَجِّ ٱلْأَكْبَرِ أَنَّ ٱللَّهَ بَرِىٓءٌ مِّنَ ٱلْمُشْرِكِينَ وَرَسُولُهُۥ فَإِن تُبْتُمْ فَهُوَ خَيْرٌ لَّكُمْ وَإِن تَوَلَّيْتُمْ فَٱعْلَمُوٓاْ أَنَّكُمْ غَيْرُ مُعْجِزِى ٱللَّهِ وَبَشِّرِ ٱلَّذِينَ كَفَرُواْ بِعَذَابٍ أَلِيمٍ ۝ إِلَّا ٱلَّذِينَ عَٰهَدتُّم مِّنَ ٱلْمُشْرِكِينَ ثُمَّ لَمْ يَنقُصُوكُمْ شَيْـًٔا وَلَمْ يُظَٰهِرُواْ عَلَيْكُمْ أَحَدًا فَأَتِمُّوٓاْ إِلَيْهِمْ عَهْدَهُمْ إِلَىٰ مُدَّتِهِمْ إِنَّ ٱللَّهَ يُحِبُّ ٱلْمُتَّقِينَ ۝ فَإِذَا ٱنسَلَخَ ٱلْأَشْهُرُ ٱلْحُرُمُ فَٱقْتُلُواْ ٱلْمُشْرِكِينَ حَيْثُ وَجَدتُّمُوهُمْ وَخُذُوهُمْ وَٱحْصُرُوهُمْ وَٱقْعُدُواْ لَهُمْ كُلَّ مَرْصَدٍ فَإِن تَابُواْ وَأَقَامُواْ ٱلصَّلَوٰةَ وَءَاتَوُاْ ٱلزَّكَوٰةَ فَخَلُّواْ سَبِيلَهُمْ إِنَّ ٱللَّهَ غَفُورٌ رَّحِيمٌ ۝ وَإِنْ أَحَدٌ مِّنَ ٱلْمُشْرِكِينَ ٱسْتَجَارَكَ فَأَجِرْهُ حَتَّىٰ يَسْمَعَ كَلَٰمَ ٱللَّهِ ثُمَّ أَبْلِغْهُ مَأْمَنَهُۥ ذَٰلِكَ بِأَنَّهُمْ قَوْمٌ لَّا يَعْلَمُونَ ۝

AT-TAWBA (LE REPENTIR)[1]
sourate 9   129 versets   Post-hégirien n° 113

1. Désaveu de la part d'Allāh et de Son messager à l'égard des associateurs avec qui vous avez conclu un pacte:

2. Parcourez la terre durant quatre mois ; et sachez que vous ne réduirez pas Allāh à l'impuissance et qu'Allāh couvre d'ignominie les mécréants[2].»

3. Et proclamation aux gens, de la part d'Allāh et de Son messager, au jour du Grand Pèlerinage[3], qu'Allāh et Son messager, désavouent les associateurs. Si vous vous repentez, ce sera mieux pour vous. Mais si vous vous détournez, sachez que vous ne réduirez pas Allāh à l'impuissance. Et annonce un châtiment douloureux à ceux qui ne croient pas.

4. A l'exception des associateurs avec lesquels vous avez conclu un pacte, puis ils ne vous ont manqué en rien, et n'ont soutenu personne [à lutter] contre vous: respectez pleinement le pacte conclu avec eux jusqu'au terme convenu. Allāh aime les pieux.

5. Après que les mois sacrés[4] expirent, tuez les associateurs où que vous les trouviez. Capturez-les, assiégez-les et guettez-les dans toute embuscade. Si ensuite ils se repentent, accomplissent la Ṣalāt et acquittent la Zakāt, alors laissez-leur la voie libre, car Allāh est Pardonneur et Miséricordieux.

6. Et si l'un des associateurs te demande asile, accorde-le lui, afin qu'il entende la parole d'Allāh, puis fais-le parvenir à son lieu de sécurité. Car ce sont des gens qui ne savent pas.

---

1. *Cette sourate a deux titres*: «le Désaveu», tiré du verset 1, et, «le Repentir», du verset 118. Elle est la seule qui ne commence pas par le nom d'Allāh [Basmala], étant considérée comme une continuation de la sourate 8, ou du fait qu'elle annonce la fin de la paix entre musulmans et associateurs.
2. C'est la proclamation de *ce désaveu* aux idolâtres.
3. *Au jour du grand Pèlerinage*: ʿAlī Ibn Abī Ṭālib a été chargé de faire la proclamation à Mina, au lendemain d'Arafāt en l'an de Hégire.
4. *Les mois sacrés*: sont les 4 mois de la trêve mentionnée au v. 2 supra.

كَيْفَ يَكُونُ لِلْمُشْرِكِينَ عَهْدٌ عِندَ اللَّهِ وَعِندَ رَسُولِهِ إِلَّا الَّذِينَ عَاهَدتُّمْ عِندَ الْمَسْجِدِ الْحَرَامِ فَمَا اسْتَقَامُوا لَكُمْ فَاسْتَقِيمُوا لَهُمْ إِنَّ اللَّهَ يُحِبُّ الْمُتَّقِينَ ۞ كَيْفَ وَإِن يَظْهَرُوا عَلَيْكُمْ لَا يَرْقُبُوا فِيكُمْ إِلًّا وَلَا ذِمَّةً يُرْضُونَكُم بِأَفْوَاهِهِمْ وَتَأْبَىٰ قُلُوبُهُمْ وَأَكْثَرُهُمْ فَاسِقُونَ ۞ اشْتَرَوْا بِآيَاتِ اللَّهِ ثَمَنًا قَلِيلًا فَصَدُّوا عَن سَبِيلِهِ إِنَّهُمْ سَاءَ مَا كَانُوا يَعْمَلُونَ ۞ لَا يَرْقُبُونَ فِي مُؤْمِنٍ إِلًّا وَلَا ذِمَّةً وَأُولَٰئِكَ هُمُ الْمُعْتَدُونَ ۞ فَإِن تَابُوا وَأَقَامُوا الصَّلَاةَ وَآتَوُا الزَّكَاةَ فَإِخْوَانُكُمْ فِي الدِّينِ وَنُفَصِّلُ الْآيَاتِ لِقَوْمٍ يَعْلَمُونَ ۞ وَإِن نَّكَثُوا أَيْمَانَهُم مِّن بَعْدِ عَهْدِهِمْ وَطَعَنُوا فِي دِينِكُمْ فَقَاتِلُوا أَئِمَّةَ الْكُفْرِ إِنَّهُمْ لَا أَيْمَانَ لَهُمْ لَعَلَّهُمْ يَنتَهُونَ ۞ أَلَا تُقَاتِلُونَ قَوْمًا نَّكَثُوا أَيْمَانَهُمْ وَهَمُّوا بِإِخْرَاجِ الرَّسُولِ وَهُم بَدَءُوكُمْ أَوَّلَ مَرَّةٍ أَتَخْشَوْنَهُمْ فَاللَّهُ أَحَقُّ أَن تَخْشَوْهُ إِن كُنتُم مُّؤْمِنِينَ ۞

7. Comment y aurait-il pour les associateurs un pacte admis par Allāh et par Son messager? A l'exception de ceux avec lesquels vous avez conclu un pacte près de la Mosquée sacrée[1]. Tant qu'ils sont droits envers vous, soyez droits envers eux. Car Allāh aime les pieux.

8. Comment donc! Quand ils triomphent de vous, ils ne respectent à votre égard, ni parenté ni pacte conclu. Ils vous satisfont de leurs bouches, tandis que leurs cœurs se refusent ; et la plupart d'entre eux sont des pervers.

9. Ils troquent à vil prix les versets d'Allāh (le Qur'ān) et obstruent Son chemin. Ce qu'ils font est très mauvais!

10. Ils ne respectent, à l'égard d'un croyant, ni parenté ni pacte conclu. Et ceux-là sont les transgresseurs.

11. Mais s'ils se repentent, accomplissent la Ṣalāt et acquittent la Zakāt, ils deviendront vos frères en religion. Nous exposons intelligiblement les versets pour des gens qui savent.

12. Et si, après le pacte, ils violent leurs serments et attaquent votre religion, combattez alors les chefs de la mécréance - car, ils ne tiennent aucun serment - peut-être cesseront-ils?

13. Ne combattrez-vous pas des gens qui ont violé leurs serments, qui ont voulu bannir le Messager et alors que ce sont eux qui vous ont attaqués les premiers? Les redoutiez-vous? C'est Allāh qui est plus digne de votre crainte si vous êtes croyants!

---

1. *Ceux avec qui.. Mosquée sacrée*: Qurayš et tribus alliées couvertes par le traité de Ḥudaïbiyya.

قَـٰتِلُوهُمْ يُعَذِّبْهُمُ ٱللَّهُ بِأَيْدِيكُمْ وَيُخْزِهِمْ وَيَنصُرْكُمْ

عَلَيْهِمْ وَيَشْفِ صُدُورَ قَوْمٍ مُّؤْمِنِينَ ۝ وَيُذْهِبْ

غَيْظَ قُلُوبِهِمْ وَيَتُوبُ ٱللَّهُ عَلَىٰ مَن يَشَآءُ وَٱللَّهُ عَلِيمٌ حَكِيمٌ

۝ أَمْ حَسِبْتُمْ أَن تُتْرَكُوا وَلَمَّا يَعْلَمِ ٱللَّهُ ٱلَّذِينَ جَٰهَدُوا

مِنكُمْ وَلَمْ يَتَّخِذُوا مِن دُونِ ٱللَّهِ وَلَا رَسُولِهِ وَلَا ٱلْمُؤْمِنِينَ

وَلِيجَةً وَٱللَّهُ خَبِيرٌۢ بِمَا تَعْمَلُونَ ۝ مَا كَانَ لِلْمُشْرِكِينَ

أَن يَعْمُرُوا مَسَٰجِدَ ٱللَّهِ شَٰهِدِينَ عَلَىٰٓ أَنفُسِهِم بِٱلْكُفْرِ

أُوْلَـٰٓئِكَ حَبِطَتْ أَعْمَٰلُهُمْ وَفِى ٱلنَّارِ هُمْ خَٰلِدُونَ ۝

إِنَّمَا يَعْمُرُ مَسَٰجِدَ ٱللَّهِ مَنْ ءَامَنَ بِٱللَّهِ وَٱلْيَوْمِ ٱلْءَاخِرِ

وَأَقَامَ ٱلصَّلَوٰةَ وَءَاتَى ٱلزَّكَوٰةَ وَلَمْ يَخْشَ إِلَّا ٱللَّهَ فَعَسَىٰٓ

أُوْلَـٰٓئِكَ أَن يَكُونُوا مِنَ ٱلْمُهْتَدِينَ ۝ ۞ أَجَعَلْتُمْ سِقَايَةَ

ٱلْحَآجِّ وَعِمَارَةَ ٱلْمَسْجِدِ ٱلْحَرَامِ كَمَنْ ءَامَنَ بِٱللَّهِ وَٱلْيَوْمِ ٱلْءَاخِرِ

وَجَٰهَدَ فِى سَبِيلِ ٱللَّهِ لَا يَسْتَوُۥنَ عِندَ ٱللَّهِ وَٱللَّهُ لَا يَهْدِى ٱلْقَوْمَ

ٱلظَّٰلِمِينَ ۝ ٱلَّذِينَ ءَامَنُوا وَهَاجَرُوا وَجَٰهَدُوا فِى سَبِيلِ ٱللَّهِ

بِأَمْوَٰلِهِمْ وَأَنفُسِهِمْ أَعْظَمُ دَرَجَةً عِندَ ٱللَّهِ وَأُوْلَـٰٓئِكَ هُمُ ٱلْفَآئِزُونَ ۝

ثلاثة أرباع
الحزب
١٩

14. Combattez-les. Allāh, par vos mains, les châtiera, les couvrira d'ignominie, vous donnera la victoire sur eux et guérira les poitrines d'un peuple croyant.

15. Et il fera partir la colère de leurs cœurs. Allāh accueille le repentir de qui Il veut. Allāh est Omniscient et Sage.

16. Pensez-vous que vous serez délaissés, cependant qu'Allāh n'a pas encore distingué ceux d'entre vous qui ont lutté et qui n'ont pas cherché des alliés en dehors d'Allāh, de Son messager et des croyants? Et Allāh est parfaitement Connaisseur de ce que vous faites.

17. Il n'appartient pas aux associateurs de peupler les mosquées d'Allāh, vu qu'ils témoignent contre eux-mêmes de leur mécréance. Voilà ceux dont les œuvres sont vaines ; et dans le Feu ils demeureront éternellement[1].

18. Ne peupleront les mosquées d'Allāh que ceux qui croient en Allāh et au Jour dernier, accomplissent la Ṣalāt, acquittent la Zakāt et ne craignent qu'Allāh. Il se peut que ceux-là soient du nombre des bien-guidés.

19. Ferez-vous de la charge de donner à boire aux pèlerins et d'entretenir la Mosquée sacrée (des devoirs) comparables [au mérite] de celui qui croit en Allāh et au Jour dernier et lutte dans le sentier d'Allāh? Ils ne sont pas égaux auprès d'Allāh et Allāh ne guide pas les gens injustes.

20. Ceux qui ont cru, qui ont émigré et qui ont lutté par leurs biens et leurs personnes dans le sentier d'Allāh, ont les plus hauts rangs auprès d'Allāh... et ce sont eux les victorieux.

---

1. A la suite de la révélation de ce verset, la Ka'ba devint un lieu strictement réservé au culte islāmique.

يُبَشِّرُهُمْ رَبُّهُم بِرَحْمَةٍ مِّنْهُ وَرِضْوَانٍ وَجَنَّاتٍ لَّهُمْ فِيهَا نَعِيمٌ مُّقِيمٌ ۝ خَالِدِينَ فِيهَا أَبَدًا إِنَّ اللَّهَ عِندَهُ أَجْرٌ عَظِيمٌ ۝ يَا أَيُّهَا الَّذِينَ آمَنُوا لَا تَتَّخِذُوا آبَاءَكُمْ وَإِخْوَانَكُمْ أَوْلِيَاءَ إِنِ اسْتَحَبُّوا الْكُفْرَ عَلَى الْإِيمَانِ وَمَن يَتَوَلَّهُم مِّنكُمْ فَأُولَٰئِكَ هُمُ الظَّالِمُونَ ۝ قُلْ إِن كَانَ آبَاؤُكُمْ وَأَبْنَاؤُكُمْ وَإِخْوَانُكُمْ وَأَزْوَاجُكُمْ وَعَشِيرَتُكُمْ وَأَمْوَالٌ اقْتَرَفْتُمُوهَا وَتِجَارَةٌ تَخْشَوْنَ كَسَادَهَا وَمَسَاكِنُ تَرْضَوْنَهَا أَحَبَّ إِلَيْكُم مِّنَ اللَّهِ وَرَسُولِهِ وَجِهَادٍ فِي سَبِيلِهِ فَتَرَبَّصُوا حَتَّىٰ يَأْتِيَ اللَّهُ بِأَمْرِهِ ۗ وَاللَّهُ لَا يَهْدِي الْقَوْمَ الْفَاسِقِينَ ۝ لَقَدْ نَصَرَكُمُ اللَّهُ فِي مَوَاطِنَ كَثِيرَةٍ وَيَوْمَ حُنَيْنٍ إِذْ أَعْجَبَتْكُمْ كَثْرَتُكُمْ فَلَمْ تُغْنِ عَنكُمْ شَيْئًا وَضَاقَتْ عَلَيْكُمُ الْأَرْضُ بِمَا رَحُبَتْ ثُمَّ وَلَّيْتُم مُّدْبِرِينَ ۝ ثُمَّ أَنزَلَ اللَّهُ سَكِينَتَهُ عَلَىٰ رَسُولِهِ وَعَلَى الْمُؤْمِنِينَ وَأَنزَلَ جُنُودًا لَّمْ تَرَوْهَا وَعَذَّبَ الَّذِينَ كَفَرُوا ۚ وَذَٰلِكَ جَزَاءُ الْكَافِرِينَ ۝

21. Leur Seigneur leur annonce de Sa part, miséricorde et agrément, et des Jardins où il y aura pour eux un délice permanent

22. où ils demeureront éternellement. Certes il y a auprès d'Allāh une énorme récompense

23. Ô vous qui croyez! Ne prenez pas pour alliés, vos pères et vos frères s'ils préfèrent la mécréance à la foi. Et quiconque parmi vous les prend pour alliés... ceux-là sont les injustes.

24. Dis: «Si vos pères, vos enfants, vos frères, vos épouses, vos clans, les biens que vous gagnez, le négoce dont vous craignez le déclin et les demeures qui vous sont agréables, vous sont plus chers qu'Allāh, Son messager et la lutte dans le sentier d'Allāh, alors attendez qu'Allāh fasse venir Son ordre[1]. Et Allāh ne guide pas les gens pervers».

25. Allāh vous a déjà secourus en maints endroits. Et [rappelez-vous] le jour de Ḥunayn, quand vous étiez fiers de votre grand nombre et que cela ne vous a servi à rien. La terre, malgré son étendue vous devint bien étroite ; puis vous avez tourné le dos en fuyards.

26. Puis, Allāh fit descendre Sa quiétude [Sa «sakīna»] sur Son messager et sur les croyants. Il fit descendre des troupes (Anges) que vous ne voyiez pas, et châtia ceux qui ont mécru. Telle est la rétribution des mécréants.

---

1. *Son ordre*: l'accomplissement de Sa menace.

ثُمَّ يَتُوبُ اللَّهُ مِنۢ بَعْدِ ذَٰلِكَ عَلَىٰ مَن يَشَآءُ ۗ وَاللَّهُ غَفُورٌ

رَّحِيمٌ ۝ يَٰٓأَيُّهَا الَّذِينَ ءَامَنُوٓا إِنَّمَا الْمُشْرِكُونَ

نَجَسٌ فَلَا يَقْرَبُوا الْمَسْجِدَ الْحَرَامَ بَعْدَ عَامِهِمْ هَٰذَا ۚ

وَإِنْ خِفْتُمْ عَيْلَةً فَسَوْفَ يُغْنِيكُمُ اللَّهُ مِن فَضْلِهِۦٓ إِن

شَآءَ ۚ إِنَّ اللَّهَ عَلِيمٌ حَكِيمٌ ۝ قَٰتِلُوا الَّذِينَ

لَا يُؤْمِنُونَ بِاللَّهِ وَلَا بِالْيَوْمِ الْءَاخِرِ وَلَا يُحَرِّمُونَ مَا حَرَّمَ

اللَّهُ وَرَسُولُهُۥ وَلَا يَدِينُونَ دِينَ الْحَقِّ مِنَ الَّذِينَ أُوتُوا

الْكِتَٰبَ حَتَّىٰ يُعْطُوا الْجِزْيَةَ عَن يَدٍ وَهُمْ صَٰغِرُونَ

۝ وَقَالَتِ الْيَهُودُ عُزَيْرٌ ابْنُ اللَّهِ وَقَالَتِ النَّصَٰرَى

الْمَسِيحُ ابْنُ اللَّهِ ۖ ذَٰلِكَ قَوْلُهُم بِأَفْوَٰهِهِمْ ۖ

يُضَٰهِـُٔونَ قَوْلَ الَّذِينَ كَفَرُوا مِن قَبْلُ ۚ قَٰتَلَهُمُ

اللَّهُ ۚ أَنَّىٰ يُؤْفَكُونَ ۝ اتَّخَذُوٓا أَحْبَارَهُمْ

وَرُهْبَٰنَهُمْ أَرْبَابًا مِّن دُونِ اللَّهِ وَالْمَسِيحَ ابْنَ

مَرْيَمَ وَمَآ أُمِرُوٓا إِلَّا لِيَعْبُدُوٓا إِلَٰهًا وَٰحِدًا ۖ

لَّآ إِلَٰهَ إِلَّا هُوَ ۚ سُبْحَٰنَهُۥ عَمَّا يُشْرِكُونَ ۝

27. Après cela Allāh, accueillera le repentir de qui Il veut, car Allāh est Pardonneur et Miséricordieux.

28. Ô vous qui croyez! Les associateurs ne sont qu'impureté: qu'ils ne s'approchent plus de la Mosquée sacrée, après cette année-ci[1]. Et si vous redoutez une pénurie, Allāh vous enrichira, s'Il veut, de par Sa grâce. Car Allāh est Omniscient et Sage.

29. Combattez ceux qui ne croient ni en Allāh ni au Jour dernier, qui n'interdisent pas ce qu'Allāh et Son messager ont interdit et qui ne professent pas la religion de la vérité, parmi ceux qui ont reçu le Livre, jusqu'à ce qu'ils versent la capitation par leurs propres mains, après s'être humiliés[2].

30. Les Juifs disent: «ʿUzayr est fils d'Allāh» et les Chrétiens disent: «Le Christ est fils d'Allāh». Telle est leur parole provenant de leurs bouches. Ils imitent le dire des mécréants avant eux. Qu'Allāh les anéantisse! Comment s'écartent-ils (de la vérité)?

31. Ils ont pris leurs rabbins et leurs moines, ainsi que le Christ fils de Marie, comme Seigneurs en dehors d'Allāh, alors qu'on ne leur a commandé que d'adorer un Dieu unique. Pas de divinité à part Lui! Gloire à Lui! Il est au-dessus de ce qu'ils [Lui] associent.

---

1. *Après cette année-ci*: en l'an 8 H., la Mecque fut rattachée à l'Etat islāmique ; mais c'est seulement un an plus tard que le Prophète envoya cette proclamation promulguant que, désormais, les polythéistes ne pourraient plus se servir de la Kaʿba pour leur culte idolâtre. L'exclusion de ces pèlerins commerçants affecta l'économie de la Ville sainte. Allāh a rassuré les musulmans de la Mecque contre leur crainte d'une pénurie.
2. *Capitation* (jizya): c'est la taxe qu'on exige, dans un état islāmique, des sujets non-musulmans, ce qui les exempte de l'impôt sur les épargnes, de même que du service militaire... les femmes, les esclaves, les mineurs, les âgés et les pauvres sont exemptés de la dite capitation.

يُرِيدُونَ أَن يُطْفِئُوا نُورَ ٱللَّهِ بِأَفْوَٰهِهِمْ وَيَأْبَى ٱللَّهُ إِلَّا أَن يُتِمَّ نُورَهُۥ وَلَوْ كَرِهَ ٱلْكَـٰفِرُونَ ۝ هُوَ ٱلَّذِى أَرْسَلَ رَسُولَهُۥ بِٱلْهُدَىٰ وَدِينِ ٱلْحَقِّ لِيُظْهِرَهُۥ عَلَى ٱلدِّينِ كُلِّهِۦ وَلَوْ كَرِهَ ٱلْمُشْرِكُونَ ۝ يَـٰٓأَيُّهَا ٱلَّذِينَ ءَامَنُوٓا إِنَّ كَثِيرًا مِّنَ ٱلْأَحْبَارِ وَٱلرُّهْبَانِ لَيَأْكُلُونَ أَمْوَٰلَ ٱلنَّاسِ بِٱلْبَـٰطِلِ وَيَصُدُّونَ عَن سَبِيلِ ٱللَّهِ وَٱلَّذِينَ يَكْنِزُونَ ٱلذَّهَبَ وَٱلْفِضَّةَ وَلَا يُنفِقُونَهَا فِى سَبِيلِ ٱللَّهِ فَبَشِّرْهُم بِعَذَابٍ أَلِيمٍ ۝ يَوْمَ يُحْمَىٰ عَلَيْهَا فِى نَارِ جَهَنَّمَ فَتُكْوَىٰ بِهَا جِبَاهُهُمْ وَجُنُوبُهُمْ وَظُهُورُهُمْ هَـٰذَا مَا كَنَزْتُمْ لِأَنفُسِكُمْ فَذُوقُوا مَا كُنتُمْ تَكْنِزُونَ ۝ إِنَّ عِدَّةَ ٱلشُّهُورِ عِندَ ٱللَّهِ ٱثْنَا عَشَرَ شَهْرًا فِى كِتَـٰبِ ٱللَّهِ يَوْمَ خَلَقَ ٱلسَّمَـٰوَٰتِ وَٱلْأَرْضَ مِنْهَآ أَرْبَعَةٌ حُرُمٌ ذَٰلِكَ ٱلدِّينُ ٱلْقَيِّمُ فَلَا تَظْلِمُوا فِيهِنَّ أَنفُسَكُمْ وَقَـٰتِلُوا ٱلْمُشْرِكِينَ كَآفَّةً كَمَا يُقَـٰتِلُونَكُمْ كَآفَّةً وَٱعْلَمُوٓا أَنَّ ٱللَّهَ مَعَ ٱلْمُتَّقِينَ ۝

32. Ils veulent éteindre avec leurs bouches la lumière d'Allāh, alors qu'Allāh ne veut que parachever Sa lumière, quelque répulsion qu'en aient les mécréants.

33. C'est Lui qui a envoyé Son messager avec la bonne direction et la religion de la vérité, afin qu'elle triomphe sur toute autre religion, quelque répulsion qu'en aient les associateurs.

34. Ô vous qui croyez! Beaucoup de rabbins et de moines dévorent, les biens des gens illégalement et [leur] obstruent le sentier d'Allāh. A ceux qui thésaurisent l'or et l'argent et ne les dépensent pas dans le sentier d'Allāh, annonce un châtiment douloureux,

35. le jour où (ces trésors) seront portés à l'incandescence dans le feu de l'Enfer et qu'ils en seront cautérisés, front, flancs et dos: voici ce que vous avez thésaurisé pour vous-mêmes. Goûtez de ce que vous thésaurisiez.»

36. Le nombre de mois, auprès d'Allāh, est de douze [mois], dans la prescription d'Allāh, le jour où Il créa les cieux et la terre. Quatre[1] d'entre eux sont sacrés: telle est la religion droite. [Durant ces mois], ne faites pas de tort à vous-mêmes. Combattez les associateurs sans exception, comme ils vous combattent sans exception. Et sachez qu'Allāh est avec les pieux.

---

1. *Quatre sont sacrés*: les mois de Dū-l-qaʿda, Dū-l-ḥijja, Muḥarram et Rajab.

إِنَّمَا ٱلنَّسِيٓءُ زِيَادَةٌ فِى ٱلْكُفْرِ يُضَلُّ بِهِ ٱلَّذِينَ كَفَرُوا۟ يُحِلُّونَهُۥ عَامًا وَيُحَرِّمُونَهُۥ عَامًا لِّيُوَاطِـُٔوا۟ عِدَّةَ مَا حَرَّمَ ٱللَّهُ فَيُحِلُّوا۟ مَا حَرَّمَ ٱللَّهُ زُيِّنَ لَهُمْ سُوٓءُ أَعْمَـٰلِهِمْ وَٱللَّهُ لَا يَهْدِى ٱلْقَوْمَ ٱلْكَـٰفِرِينَ ۝ يَـٰٓأَيُّهَا ٱلَّذِينَ ءَامَنُوا۟ مَا لَكُمْ إِذَا قِيلَ لَكُمُ ٱنفِرُوا۟ فِى سَبِيلِ ٱللَّهِ ٱثَّاقَلْتُمْ إِلَى ٱلْأَرْضِ أَرَضِيتُم بِٱلْحَيَوٰةِ ٱلدُّنْيَا مِنَ ٱلْـَٔاخِرَةِ فَمَا مَتَـٰعُ ٱلْحَيَوٰةِ ٱلدُّنْيَا فِى ٱلْـَٔاخِرَةِ إِلَّا قَلِيلٌ ۝ إِلَّا تَنفِرُوا۟ يُعَذِّبْكُمْ عَذَابًا أَلِيمًا وَيَسْتَبْدِلْ قَوْمًا غَيْرَكُمْ وَلَا تَضُرُّوهُ شَيْـًٔا وَٱللَّهُ عَلَىٰ كُلِّ شَىْءٍ قَدِيرٌ ۝ إِلَّا تَنصُرُوهُ فَقَدْ نَصَرَهُ ٱللَّهُ إِذْ أَخْرَجَهُ ٱلَّذِينَ كَفَرُوا۟ ثَانِىَ ٱثْنَيْنِ إِذْ هُمَا فِى ٱلْغَارِ إِذْ يَقُولُ لِصَـٰحِبِهِۦ لَا تَحْزَنْ إِنَّ ٱللَّهَ مَعَنَا فَأَنزَلَ ٱللَّهُ سَكِينَتَهُۥ عَلَيْهِ وَأَيَّدَهُۥ بِجُنُودٍ لَّمْ تَرَوْهَا وَجَعَلَ كَلِمَةَ ٱلَّذِينَ كَفَرُوا۟ ٱلسُّفْلَىٰ وَكَلِمَةُ ٱللَّهِ هِىَ ٱلْعُلْيَا وَٱللَّهُ عَزِيزٌ حَكِيمٌ ۝

37. Le report d'un mois sacré à un autre est un surcroît de mécréance. Par là, les mécréants sont égarés: une année, ils le font profane, et une année, ils le font sacré, afin d'ajuster le nombre de mois qu'Allāh a fait sacrés. Ainsi rendent-ils profane ce qu'Allāh a fait sacré. Leurs méfaits leurs sont enjolivés. Et Allāh ne guide pas les gens mécréants.

38. Ô vous qui croyez! Qu'avez-vous? Lorsque l'on vous a dit: «Elancez-vous dans le sentier d'Allāh» ; vous vous êtes appesantis sur la terre. La vie présente vous agrée-t-elle plus que l'au-delà? - Or, la jouissance de la vie présente ne sera que peu de chose, comparée à l'au-delà!

39. Si vous ne vous lancez pas au combat, Il vous châtiera d'un châtiment douloureux et vous remplacera par un autre peuple. Vous ne Lui nuirez en rien. Et Allāh est Omnipotent[1].

40. Si vous ne lui portez pas secours... Allāh l'a déjà secouru, lorsque ceux qui avaient mécru l'avaient banni, deuxième de deux. Quand ils étaient dans la grotte et qu'il disait à son compagnon: «Ne t'afflige pas, car Allāh est avec nous.» Allāh fit alors descendre sur lui Sa sérénité [Sa «sakīna»] et le soutint de soldats (Anges) que vous ne voyiez pas, et Il abaissa ainsi la parole des mécréants, tandis que la parole d'Allāh eut le dessus. Et Allāh est Puissant et Sage[2].

---

1. Allusion à la bataille de Tabūk, au Nord de l'Arabie, dirigée en l'an 9 H., contre le territoire byzantin, où l'on avait assassiné un ambassadeur musulman. La distance, la saison des chaleurs, ainsi que la gravité de l'expédition avaient permis de distinguer les sincères des hypocrites, etc.
2. *Si vous ne lui portez pas secours*: (ô Muḥammad) (ﷺ).
Deuxième de deux: le Prophète s'était réfugié dans la grotte de Ṭawr avec Abū Bakr, lors de l'émigration de Médine.

انفِرُوا خِفَافًا وَثِقَالًا وَجَاهِدُوا بِأَمْوَالِكُمْ وَأَنفُسِكُمْ فِى سَبِيلِ اللَّهِ ذَٰلِكُمْ خَيْرٌ لَّكُمْ إِن كُنتُمْ تَعْلَمُونَ ۝ لَوْ كَانَ عَرَضًا قَرِيبًا وَسَفَرًا قَاصِدًا لَّاتَّبَعُوكَ وَلَٰكِن بَعُدَتْ عَلَيْهِمُ الشُّقَّةُ وَسَيَحْلِفُونَ بِاللَّهِ لَوِ اسْتَطَعْنَا لَخَرَجْنَا مَعَكُمْ يُهْلِكُونَ أَنفُسَهُمْ وَاللَّهُ يَعْلَمُ إِنَّهُمْ لَكَاذِبُونَ ۝ عَفَا اللَّهُ عَنكَ لِمَ أَذِنتَ لَهُمْ حَتَّىٰ يَتَبَيَّنَ لَكَ الَّذِينَ صَدَقُوا وَتَعْلَمَ الْكَاذِبِينَ ۝ لَا يَسْتَأْذِنُكَ الَّذِينَ يُؤْمِنُونَ بِاللَّهِ وَالْيَوْمِ الْآخِرِ أَن يُجَاهِدُوا بِأَمْوَالِهِمْ وَأَنفُسِهِمْ وَاللَّهُ عَلِيمٌ بِالْمُتَّقِينَ ۝ إِنَّمَا يَسْتَأْذِنُكَ الَّذِينَ لَا يُؤْمِنُونَ بِاللَّهِ وَالْيَوْمِ الْآخِرِ وَارْتَابَتْ قُلُوبُهُمْ فَهُمْ فِى رَيْبِهِمْ يَتَرَدَّدُونَ ۝ وَلَوْ أَرَادُوا الْخُرُوجَ لَأَعَدُّوا لَهُ عُدَّةً وَلَٰكِن كَرِهَ اللَّهُ انبِعَاثَهُمْ فَثَبَّطَهُمْ وَقِيلَ اقْعُدُوا مَعَ الْقَاعِدِينَ ۝ لَوْ خَرَجُوا فِيكُم مَّا زَادُوكُمْ إِلَّا خَبَالًا وَلَأَوْضَعُوا خِلَالَكُمْ يَبْغُونَكُمُ الْفِتْنَةَ وَفِيكُمْ سَمَّاعُونَ لَهُمْ وَاللَّهُ عَلِيمٌ بِالظَّالِمِينَ ۝

41. Légers ou lourds, lancez-vous au combat, et luttez avec vos biens et vos personnes dans le sentier d'Allāh. Cela est meilleur pour vous, si vous saviez.

42. S'il s'était agi d'un profit facile ou d'un court voyage, ils t'auraient suivi ; mais la distance leur parut longue[1]. Et ils jureront par Allāh: «Si nous avions pu, nous serions sortis en votre compagnie.» Ils se perdent eux-mêmes. Et Allāh sait bien qu'ils mentent.

43. Qu'Allāh te pardonne! Pourquoi leur as-tu donné permission[2] avant que tu ne puisses distinguer ceux qui disaient vrai et reconnaître les menteurs?

44. Ceux qui croient en Allāh et au Jour dernier ne te demandent pas permission quand il s'agit de mener combat avec leurs biens et leurs personnes. Et Allāh connaît bien les pieux.

45. Ne te demandent permission que ceux qui ne croient pas en Allāh et au Jour dernier, et dont les cœurs sont emplis de doute. Ils ne font qu'hésiter dans leur incertitude.

46. Et s'ils avaient voulu partir (au combat), ils lui auraient fait des préparatifs. Mais leur départ répugna à Allāh ; Il les a rendus paresseux. Et il leur fut dit: «Restez avec ceux qui restent»[3].

47. S'ils étaient sortis avec vous, ils n'auraient fait qu'accroître votre trouble et jeter la dissension dans vos rangs, cherchant à créer la discorde entre vous. Et il y en a parmi vous qui les écoutent. Et Allāh connaît bien les injustes.

---

1. *Un profit facile*: un butin pas trop éloigné de Médine.
Ils t'auraient suivi (ô Muḥammad) (ﷺ).
2. Permission: de rester chez eux et de ne pas aller à la guerre.
3. *Ceux qui restent*: femmes, enfants, vieillards, malades, etc.

لَقَدِ ٱبْتَغَوُا۟ ٱلْفِتْنَةَ مِن قَبْلُ وَقَلَّبُوا۟ لَكَ ٱلْأُمُورَ حَتَّىٰ جَآءَ ٱلْحَقُّ وَظَهَرَ أَمْرُ ٱللَّهِ وَهُمْ كَٰرِهُونَ ٤٨

وَمِنْهُم مَّن يَقُولُ ٱئْذَن لِّى وَلَا تَفْتِنِّىٓ أَلَا فِى ٱلْفِتْنَةِ سَقَطُوا۟ وَإِنَّ جَهَنَّمَ لَمُحِيطَةٌۢ بِٱلْكَٰفِرِينَ ٤٩

إِن تُصِبْكَ حَسَنَةٌ تَسُؤْهُمْ وَإِن تُصِبْكَ مُصِيبَةٌ يَقُولُوا۟ قَدْ أَخَذْنَآ أَمْرَنَا مِن قَبْلُ وَيَتَوَلَّوا۟ وَّهُمْ فَرِحُونَ ٥٠ قُل لَّن يُصِيبَنَآ إِلَّا مَا كَتَبَ ٱللَّهُ لَنَا هُوَ مَوْلَىٰنَا وَعَلَى ٱللَّهِ فَلْيَتَوَكَّلِ ٱلْمُؤْمِنُونَ ٥١ قُلْ هَلْ تَرَبَّصُونَ بِنَآ إِلَّآ إِحْدَى ٱلْحُسْنَيَيْنِ وَنَحْنُ نَتَرَبَّصُ بِكُمْ أَن يُصِيبَكُمُ ٱللَّهُ بِعَذَابٍ مِّنْ عِندِهِۦٓ أَوْ بِأَيْدِينَا فَتَرَبَّصُوٓا۟ إِنَّا مَعَكُم مُّتَرَبِّصُونَ ٥٢ قُلْ أَنفِقُوا۟ طَوْعًا أَوْ كَرْهًا لَّن يُتَقَبَّلَ مِنكُمْ إِنَّكُمْ كُنتُمْ قَوْمًا فَٰسِقِينَ ٥٣ وَمَا مَنَعَهُمْ أَن تُقْبَلَ مِنْهُمْ نَفَقَٰتُهُمْ إِلَّآ أَنَّهُمْ كَفَرُوا۟ بِٱللَّهِ وَبِرَسُولِهِۦ وَلَا يَأْتُونَ ٱلصَّلَوٰةَ إِلَّا وَهُمْ كُسَالَىٰ وَلَا يُنفِقُونَ إِلَّا وَهُمْ كَٰرِهُونَ ٥٤

48. Ils ont, auparavant, cherché à semer la discorde (dans vos rangs) et à embrouiller tes affaires jusqu'à ce que vînt la vérité et triomphât le commandement d'Allāh, en dépit de leur hostilité.

49. Parmi eux il en est qui dit: «Donne-moi la permission (de rester) et ne me mets pas en tentation.» Or, c'est bien dans la tentation qu'ils sont tombés ; l'Enfer est tout autour des mécréants[1].

50. Qu'un bonheur t'atteigne, ça les afflige. Et que t'atteigne un malheur, ils disent: «Heureusement que nous avions pris d'avance nos précautions.» Et ils se détournent tout en exultant.

51. Dis: «Rien ne nous atteindra, en dehors de ce qu'Allāh a prescrit pour nous. Il est notre Protecteur. C'est en Allāh que les croyants doivent mettre leur confiance».

52. Dis: «Qu'attendez-vous pour nous, sinon l'une des deux meilleures choses[2]? Tandis que ce que nous attendons pour vous, c'est qu'Allāh vous inflige un châtiment de Sa part ou par nos mains. Attendez donc! Nous attendons aussi, avec vous».

53. Dis: «Dépensez bon gré, mal gré[3]: jamais cela ne sera accepté de vous, car vous êtes des gens pervers».

54. Ce qui empêche leurs dons d'être agréés, c'est le fait qu'ils n'ont pas cru en Allāh et Son messager, qu'ils ne se rendent à la Ṣalāt que paresseusement, et qu'ils ne dépensent (dans les bonnes œuvres) qu'à contre-cœur.

---

1. Allusion à quelqu'un (Aljad Ibn Qays) qui donna comme prétexte (pour ne pas sortir) que les belles Byzantines le tenteraient.
Plus grande tentation: la désobéissance au Prophète et le refus de partir en guerre.
2. *L'une des deux meilleures choses*: la victoire ou la mort en martyr.
3. *Dépensez*: c.-à-d.: dépensez de vos biens dans les bonnes œuvres.

فَلَا تُعْجِبْكَ أَمْوَٰلُهُمْ وَلَآ أَوْلَٰدُهُمْ إِنَّمَا يُرِيدُ ٱللَّهُ لِيُعَذِّبَهُم بِهَا فِي ٱلْحَيَوٰةِ ٱلدُّنْيَا وَتَزْهَقَ أَنفُسُهُمْ وَهُمْ كَٰفِرُونَ ۝ وَيَحْلِفُونَ بِٱللَّهِ إِنَّهُمْ لَمِنكُمْ وَمَا هُم مِّنكُمْ وَلَٰكِنَّهُمْ قَوْمٌ يَفْرَقُونَ ۝ لَوْ يَجِدُونَ مَلْجَأً أَوْ مَغَٰرَٰتٍ أَوْ مُدَّخَلًا لَّوَلَّوْا۟ إِلَيْهِ وَهُمْ يَجْمَحُونَ ۝ وَمِنْهُم مَّن يَلْمِزُكَ فِي ٱلصَّدَقَٰتِ فَإِنْ أُعْطُوا۟ مِنْهَا رَضُوا۟ وَإِن لَّمْ يُعْطَوْا۟ مِنْهَآ إِذَا هُمْ يَسْخَطُونَ ۝ وَلَوْ أَنَّهُمْ رَضُوا۟ مَآ ءَاتَىٰهُمُ ٱللَّهُ وَرَسُولُهُۥ وَقَالُوا۟ حَسْبُنَا ٱللَّهُ سَيُؤْتِينَا ٱللَّهُ مِن فَضْلِهِۦ وَرَسُولُهُۥٓ إِنَّآ إِلَى ٱللَّهِ رَٰغِبُونَ ۝ ۞ إِنَّمَا ٱلصَّدَقَٰتُ لِلْفُقَرَآءِ وَٱلْمَسَٰكِينِ وَٱلْعَٰمِلِينَ عَلَيْهَا وَٱلْمُؤَلَّفَةِ قُلُوبُهُمْ وَفِي ٱلرِّقَابِ وَٱلْغَٰرِمِينَ وَفِي سَبِيلِ ٱللَّهِ وَٱبْنِ ٱلسَّبِيلِ فَرِيضَةً مِّنَ ٱللَّهِ وَٱللَّهُ عَلِيمٌ حَكِيمٌ ۝ وَمِنْهُمُ ٱلَّذِينَ يُؤْذُونَ ٱلنَّبِيَّ وَيَقُولُونَ هُوَ أُذُنٌ قُلْ أُذُنُ خَيْرٍ لَّكُمْ يُؤْمِنُ بِٱللَّهِ وَيُؤْمِنُ لِلْمُؤْمِنِينَ وَرَحْمَةٌ لِّلَّذِينَ ءَامَنُوا۟ مِنكُمْ وَٱلَّذِينَ يُؤْذُونَ رَسُولَ ٱللَّهِ لَهُمْ عَذَابٌ أَلِيمٌ ۝

55. Que leurs biens et leurs enfants ne t'émerveillent point! Allāh ne veut par là que les châtier dans la vie présente, et que (les voir) rendre péniblement l'âme en état de mécréance.

56. Et ils (les hypocrites) jurent par Allāh qu'ils sont vraiment des vôtres ; alors qu'ils ne le sont pas. Mais ce sont des gens peureux.

57. S'ils trouvaient un refuge, des cavernes ou un souterrain, ils s'y tourneraient donc et s'y précipiteraient à bride abattue.

58. Il en est parmi eux qui te critiquent au sujet des Ṣadaqāt-s[1]: s'il leur en est donné, les voilà contents ; mais s'il ne leur en est pas donné, les voilà pleins de rancœur.

59. S'ils s'étaient contentés de ce qu'Allāh leur avait donné ainsi que Son messager et avaient dit: «Allāh nous suffit. Bientôt Allāh nous accordera Sa faveur de même que Son messager!... C'est vers Allāh que va tout notre désir».

60. Les ṣadaqāt-s ne sont destinés que pour les pauvres, les indigents, ceux qui y travaillent, ceux dont les cœurs sont à gagner (à l'Islām), l'affranchissement des jougs, ceux qui sont lourdement endettés, dans le sentier d'Allāh, et pour le voyageur (en détresse). C'est un décret d'Allāh! Et Allāh est Omniscient et Sage[2].

61. Et il en est parmi eux ceux qui font du tort au Prophète et disent: «Il est tout oreille»[3]. - Dis: «Une oreille pour votre bien. Il croit en Allāh et fait confiance aux croyants, et il est une miséricorde pour ceux d'entre vous qui croient. Et ceux qui font du tort au Messager d'Allāh auront un châtiment douloureux.

---

1. *Ṣadaqāt*: Il s'agit de la Zakāt car le verset 60 en énumère les bénéficiaires. Mais on peut aussi inclure dans les Ṣadaqāt 1e butin de guerre que le Prophète distribuait aux croyants.
2. *Pauvres*: ceux qui ne possèdent rien.
Indigents: ceux dont les besoins dépassent les biens dont ils disposent.
Ceux qui y travaillent: ceux qui collectent et distribuent les Ṣadaqāt.
Cœurs à gagner: les nouveaux Musulmans dont la foi n'est pas encore très ferme.
Jougs: esclaves.
Voyageur en détresse: A condition que le but du voyage ne soit pas pour commettre un pêché.
3. *Il est tout oreille*: il est attentif à tout ce que les gens disent.

يَحْلِفُونَ بِٱللَّهِ لَكُمْ لِيُرْضُوكُمْ وَٱللَّهُ وَرَسُولُهُۥٓ أَحَقُّ أَن يُرْضُوهُ إِن كَانُوا۟ مُؤْمِنِينَ ۝ أَلَمْ يَعْلَمُوٓا۟ أَنَّهُۥ مَن يُحَادِدِ ٱللَّهَ وَرَسُولَهُۥ فَأَنَّ لَهُۥ نَارَ جَهَنَّمَ خَٰلِدًا فِيهَا ذَٰلِكَ ٱلْخِزْىُ ٱلْعَظِيمُ ۝ يَحْذَرُ ٱلْمُنَٰفِقُونَ أَن تُنَزَّلَ عَلَيْهِمْ سُورَةٌ تُنَبِّئُهُم بِمَا فِى قُلُوبِهِمْ قُلِ ٱسْتَهْزِءُوٓا۟ إِنَّ ٱللَّهَ مُخْرِجٌ مَّا تَحْذَرُونَ ۝ وَلَئِن سَأَلْتَهُمْ لَيَقُولُنَّ إِنَّمَا كُنَّا نَخُوضُ وَنَلْعَبُ قُلْ أَبِٱللَّهِ وَءَايَٰتِهِۦ وَرَسُولِهِۦ كُنتُمْ تَسْتَهْزِءُونَ ۝ لَا تَعْتَذِرُوا۟ قَدْ كَفَرْتُم بَعْدَ إِيمَٰنِكُمْ إِن نَّعْفُ عَن طَآئِفَةٍ مِّنكُمْ نُعَذِّبْ طَآئِفَةًۢ بِأَنَّهُمْ كَانُوا۟ مُجْرِمِينَ ۝ ٱلْمُنَٰفِقُونَ وَٱلْمُنَٰفِقَٰتُ بَعْضُهُم مِّنۢ بَعْضٍ يَأْمُرُونَ بِٱلْمُنكَرِ وَيَنْهَوْنَ عَنِ ٱلْمَعْرُوفِ وَيَقْبِضُونَ أَيْدِيَهُمْ نَسُوا۟ ٱللَّهَ فَنَسِيَهُمْ إِنَّ ٱلْمُنَٰفِقِينَ هُمُ ٱلْفَٰسِقُونَ ۝ وَعَدَ ٱللَّهُ ٱلْمُنَٰفِقِينَ وَٱلْمُنَٰفِقَٰتِ وَٱلْكُفَّارَ نَارَ جَهَنَّمَ خَٰلِدِينَ فِيهَا هِىَ حَسْبُهُمْ وَلَعَنَهُمُ ٱللَّهُ وَلَهُمْ عَذَابٌ مُّقِيمٌ ۝

62. Ils vous jurent par Allāh pour vous satisfaire. Alors qu'Allāh - ainsi que Son messager - est plus en droit qu'ils Le satisfassent, s'ils sont vraiment croyants.

63. Ne savent-ils pas qu'en vérité quiconque s'oppose à Allāh et à Son messager, aura le feu de l'Enfer pour y demeurer éternellement? Et voilà l'immense opprobre.

64. Les hypocrites craignent que l'on fasse descendre sur eux une sourate leur dévoilant ce qu'il y a dans leurs cœurs. Dis: «Moquez-vous! Allāh fera surgir ce que vous prenez la précaution (de cacher).»

65. Et si tu les interrogeais, ils diraient très certainement: «Vraiment, nous ne faisions que bavarder et jouer.» Dis: «Est-ce d'Allāh, de Ses versets (le Qur'ān) et de Son messager que vous vous moquiez?»

66. Ne vous excusez pas: vous avez bel et bien rejeté la foi après avoir cru. Si Nous pardonnons à une partie des vôtres[1], Nous en châtierons une autre pour avoir été des criminels.

67. Les hypocrites, hommes et femmes, appartiennent les uns aux autres. Ils commandent le blâmable, interdisent le convenable, et replient leurs mains (d'avarice). Ils ont oublié Allāh et Il les a alors oubliés. En vérité, les hypocrites sont les pervers.

68. Aux hypocrites, hommes et femmes, et aux mécréants, Allāh a promis le feu de l'Enfer pour qu'ils y demeurent éternellement. C'est suffisant pour eux. Allāh les a maudits. Et pour eux, il y aura un châtiment permanent.

---

1. *Une partie des vôtres*: Allāh leur pardonnera parce qu'ils se sont repentis.

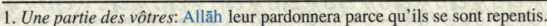

كَالَّذِينَ مِن قَبْلِكُمْ كَانُوٓاْ أَشَدَّ مِنكُمْ قُوَّةً وَأَكْثَرَ أَمْوَٰلًا وَأَوْلَٰدًا فَٱسْتَمْتَعُواْ بِخَلَٰقِهِمْ فَٱسْتَمْتَعْتُم بِخَلَٰقِكُمْ كَمَا ٱسْتَمْتَعَ ٱلَّذِينَ مِن قَبْلِكُم بِخَلَٰقِهِمْ وَخُضْتُمْ كَٱلَّذِى خَاضُوٓاْ أُوْلَٰٓئِكَ حَبِطَتْ أَعْمَٰلُهُمْ فِى ٱلدُّنْيَا وَٱلْءَاخِرَةِ وَأُوْلَٰٓئِكَ هُمُ ٱلْخَٰسِرُونَ ﴿٦٩﴾ أَلَمْ يَأْتِهِمْ نَبَأُ ٱلَّذِينَ مِن قَبْلِهِمْ قَوْمِ نُوحٍ وَعَادٍ وَثَمُودَ وَقَوْمِ إِبْرَٰهِيمَ وَأَصْحَٰبِ مَدْيَنَ وَٱلْمُؤْتَفِكَٰتِ أَتَتْهُمْ رُسُلُهُم بِٱلْبَيِّنَٰتِ فَمَا كَانَ ٱللَّهُ لِيَظْلِمَهُمْ وَلَٰكِن كَانُوٓاْ أَنفُسَهُمْ يَظْلِمُونَ ﴿٧٠﴾ وَٱلْمُؤْمِنُونَ وَٱلْمُؤْمِنَٰتُ بَعْضُهُمْ أَوْلِيَآءُ بَعْضٍ يَأْمُرُونَ بِٱلْمَعْرُوفِ وَيَنْهَوْنَ عَنِ ٱلْمُنكَرِ وَيُقِيمُونَ ٱلصَّلَوٰةَ وَيُؤْتُونَ ٱلزَّكَوٰةَ وَيُطِيعُونَ ٱللَّهَ وَرَسُولَهُۥٓ أُوْلَٰٓئِكَ سَيَرْحَمُهُمُ ٱللَّهُ إِنَّ ٱللَّهَ عَزِيزٌ حَكِيمٌ ﴿٧١﴾ وَعَدَ ٱللَّهُ ٱلْمُؤْمِنِينَ وَٱلْمُؤْمِنَٰتِ جَنَّٰتٍ تَجْرِى مِن تَحْتِهَا ٱلْأَنْهَٰرُ خَٰلِدِينَ فِيهَا وَمَسَٰكِنَ طَيِّبَةً فِى جَنَّٰتِ عَدْنٍ وَرِضْوَٰنٌ مِّنَ ٱللَّهِ أَكْبَرُ ذَٰلِكَ هُوَ ٱلْفَوْزُ ٱلْعَظِيمُ ﴿٧٢﴾

69. [Il en fut] de même de ceux qui vous ont précédés: ils étaient plus forts que vous, plus riches et avaient plus d'enfants. Ils jouirent de leur lot [en ce monde] et vous avez joui de votre lot comme ont joui vos prédécesseurs de leur lot. Et vous avez discuté à tort et à travers comme ce qu'ils avaient discuté. Ceux-là verront leurs œuvres anéantis dans ce monde et dans l'autre et ceux-là sont les perdants.

70. Est-ce que ne leur est pas parvenue l'histoire de ceux qui les ont précédés: le peuple de Noé, des ʿAad, des Ṯamūd, d'Abraham, des gens de Madyan, et des Villes renversées[1]? Leurs messagers leur avaient apporté des preuves évidentes. Ce ne fut pas Allāh qui leur fit du tort, mais ils se firent du tort à eux-mêmes.

71. Les croyants et les croyantes sont alliés les uns des autres. Ils commandent le convenable, interdisent le blâmable accomplissent la Ṣalāt, acquittent la Zakāt et obéissent à Allāh et à Son messager. Voilà ceux auxquels Allāh fera miséricorde, car Allāh est Puissant et Sage.

72. Aux croyants et aux croyantes, Allāh a promis des Jardins sous lesquels coulent les ruisseaux, pour qu'ils y demeurent éternellement, et des demeures excellentes, aux jardins d'Eden [du séjour permanent]. Et la satisfaction d'Allāh est plus grande encore, et c'est là l'énorme succès[2].

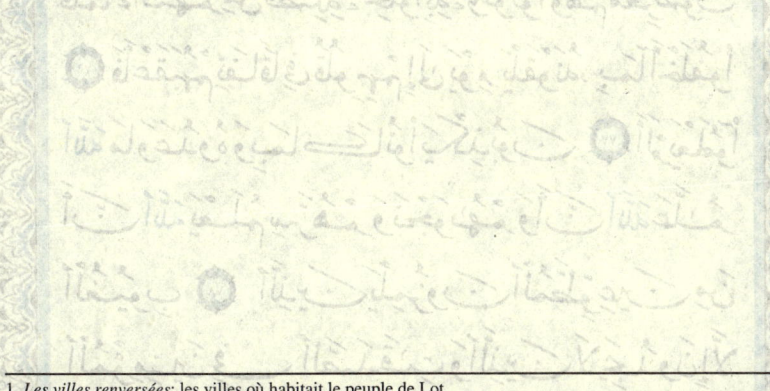

---

1. *Les villes renversées*: les villes où habitait le peuple de Lot.
2. Verset important montrant que les délices du Paradis ne sont que peu de chose en comparaison à la satisfaction divine.

يَـٰٓأَيُّهَا ٱلنَّبِيُّ جَـٰهِدِ ٱلْكُفَّارَ وَٱلْمُنَـٰفِقِينَ وَٱغْلُظْ عَلَيْهِمْ ۚ وَمَأْوَىٰهُمْ جَهَنَّمُ ۖ وَبِئْسَ ٱلْمَصِيرُ ۝٧٣ يَحْلِفُونَ بِٱللَّهِ مَا قَالُوا۟ وَلَقَدْ قَالُوا۟ كَلِمَةَ ٱلْكُفْرِ وَكَفَرُوا۟ بَعْدَ إِسْلَـٰمِهِمْ وَهَمُّوا۟ بِمَا لَمْ يَنَالُوا۟ ۚ وَمَا نَقَمُوٓا۟ إِلَّآ أَنْ أَغْنَىٰهُمُ ٱللَّهُ وَرَسُولُهُۥ مِن فَضْلِهِۦ ۚ فَإِن يَتُوبُوا۟ يَكُ خَيْرًا لَّهُمْ ۖ وَإِن يَتَوَلَّوْا۟ يُعَذِّبْهُمُ ٱللَّهُ عَذَابًا أَلِيمًا فِى ٱلدُّنْيَا وَٱلْأَخِرَةِ ۚ وَمَا لَهُمْ فِى ٱلْأَرْضِ مِن وَلِىٍّ وَلَا نَصِيرٍ ۝٧٤ ۞ وَمِنْهُم مَّنْ عَـٰهَدَ ٱللَّهَ لَئِنْ ءَاتَىٰنَا مِن فَضْلِهِۦ لَنَصَّدَّقَنَّ وَلَنَكُونَنَّ مِنَ ٱلصَّـٰلِحِينَ ۝٧٥ فَلَمَّآ ءَاتَىٰهُم مِّن فَضْلِهِۦ بَخِلُوا۟ بِهِۦ وَتَوَلَّوا۟ وَّهُم مُّعْرِضُونَ ۝٧٦ فَأَعْقَبَهُمْ نِفَاقًا فِى قُلُوبِهِمْ إِلَىٰ يَوْمِ يَلْقَوْنَهُۥ بِمَآ أَخْلَفُوا۟ ٱللَّهَ مَا وَعَدُوهُ وَبِمَا كَانُوا۟ يَكْذِبُونَ ۝٧٧ أَلَمْ يَعْلَمُوٓا۟ أَنَّ ٱللَّهَ يَعْلَمُ سِرَّهُمْ وَنَجْوَىٰهُمْ وَأَنَّ ٱللَّهَ عَلَّـٰمُ ٱلْغُيُوبِ ۝٧٨ ٱلَّذِينَ يَلْمِزُونَ ٱلْمُطَّوِّعِينَ مِنَ ٱلْمُؤْمِنِينَ فِى ٱلصَّدَقَـٰتِ وَٱلَّذِينَ لَا يَجِدُونَ إِلَّا جُهْدَهُمْ فَيَسْخَرُونَ مِنْهُمْ ۙ سَخِرَ ٱللَّهُ مِنْهُمْ وَلَهُمْ عَذَابٌ أَلِيمٌ ۝٧٩

ثلاثة أرباع الحزب ٢٠

73. Ô Prophète, lutte contre les mécréants et les hypocrites, et sois rude avec eux ; l'Enfer sera leur refuge, et quelle mauvaise destination!

74. Ils jurent par Allāh qu'ils n'ont pas dit (ce qu'ils ont proféré), alors qu'en vérité ils ont dit la parole de la mécréance et ils ont rejeté la foi après avoir été musulmans. Ils ont projeté ce qu'ils n'ont pu accomplir. Mais ils n'ont pas de reproche à faire si ce n'est qu'Allāh - ainsi que Son messager - les a enrichis par Sa grâce. S'ils se repentaient, c e serait mieux pour eux. Et s'ils tournent le dos, Allāh les châtiera d'un douloureux châtiment, ici-bas et dans l'au-delà ; et ils n'auront sur terre ni allié ni secoureur[1].

75. Et parmi eux il en est qui avaient pris l'engagement envers Allāh: «S'Il nous donne de Sa grâce, nous payerons, certes, la Zakāt, et serons du nombre des gens de bien».

76. Mais, lorsqu'Il leur donna de Sa grâce, ils s'en montrèrent avares et tournèrent le dos en faisant volte-face.

77. Il a donc suscité l'hypocrisie dans leurs cœurs, et cela jusqu'au jour où ils Le rencontreront, pour avoir violé ce qu'ils avaient promis à Allāh et pour avoir menti.

78. Ne savent-ils pas qu'Allāh connaît leur secret et leurs conversations confidentielles et qu'Allāh connaît parfaitement les (choses) inconnaissables.

79. Ceux-là qui dirigent leurs calomnies contre les croyants qui font des aumônes volontaires et contre ceux qui ne trouvent que leurs faibles moyens (à offrir), et ils se moquent alors d'eux. Qu'Allāh les raille. Et ils auront un châtiment douloureux.

---

1. *Ce qu'ils n'ont pu accomplir*: certains hypocrites voulaient assassiner le Prophète à son retour de Tabūk. *Reproche*: ici, reproches d'ingratitude, au lieu de remerciements à Allāh et à Son Prophète pour les avoir enrichis.

ٱسْتَغْفِرْ لَهُمْ أَوْ لَا تَسْتَغْفِرْ لَهُمْ إِن تَسْتَغْفِرْ لَهُمْ سَبْعِينَ مَرَّةً فَلَن يَغْفِرَ ٱللَّهُ لَهُمْ ذَٰلِكَ بِأَنَّهُمْ كَفَرُواْ بِٱللَّهِ وَرَسُولِهِۦ وَٱللَّهُ لَا يَهْدِى ٱلْقَوْمَ ٱلْفَٰسِقِينَ ﴿٨٠﴾ فَرِحَ ٱلْمُخَلَّفُونَ بِمَقْعَدِهِمْ خِلَٰفَ رَسُولِ ٱللَّهِ وَكَرِهُوٓاْ أَن يُجَٰهِدُواْ بِأَمْوَٰلِهِمْ وَأَنفُسِهِمْ فِى سَبِيلِ ٱللَّهِ وَقَالُواْ لَا تَنفِرُواْ فِى ٱلْحَرِّ قُلْ نَارُ جَهَنَّمَ أَشَدُّ حَرًّا لَّوْ كَانُواْ يَفْقَهُونَ ﴿٨١﴾ فَلْيَضْحَكُواْ قَلِيلًا وَلْيَبْكُواْ كَثِيرًا جَزَآءًۢ بِمَا كَانُواْ يَكْسِبُونَ ﴿٨٢﴾ فَإِن رَّجَعَكَ ٱللَّهُ إِلَىٰ طَآئِفَةٍ مِّنْهُمْ فَٱسْتَـْٔذَنُوكَ لِلْخُرُوجِ فَقُل لَّن تَخْرُجُواْ مَعِىَ أَبَدًا وَلَن تُقَٰتِلُواْ مَعِىَ عَدُوًّا إِنَّكُمْ رَضِيتُم بِٱلْقُعُودِ أَوَّلَ مَرَّةٍ فَٱقْعُدُواْ مَعَ ٱلْخَٰلِفِينَ ﴿٨٣﴾ وَلَا تُصَلِّ عَلَىٰٓ أَحَدٍ مِّنْهُم مَّاتَ أَبَدًا وَلَا تَقُمْ عَلَىٰ قَبْرِهِۦٓ إِنَّهُمْ كَفَرُواْ بِٱللَّهِ وَرَسُولِهِۦ وَمَاتُواْ وَهُمْ فَٰسِقُونَ ﴿٨٤﴾ وَلَا تُعْجِبْكَ أَمْوَٰلُهُمْ وَأَوْلَٰدُهُمْ إِنَّمَا يُرِيدُ ٱللَّهُ أَن يُعَذِّبَهُم بِهَا فِى ٱلدُّنْيَا وَتَزْهَقَ أَنفُسُهُمْ وَهُمْ كَٰفِرُونَ ﴿٨٥﴾ وَإِذَآ أُنزِلَتْ سُورَةٌ أَنْ ءَامِنُواْ بِٱللَّهِ وَجَٰهِدُواْ مَعَ رَسُولِهِ ٱسْتَـْٔذَنَكَ أُوْلُواْ ٱلطَّوْلِ مِنْهُمْ وَقَالُواْ ذَرْنَا نَكُن مَّعَ ٱلْقَٰعِدِينَ ﴿٨٦﴾

80. Que tu demandes pardon pour eux, ou que tu ne le demandes pas - et si tu demandes pardon pour eux soixante dix fois - Allāh ne leur pardonnera point. Et ce parce qu'ils n'ont pas cru en Allāh et en Son messager et Allāh ne guide pas les gens pervers.

81. Ceux qui ont été laissés à l'arrière se sont réjouis de pouvoir rester chez eux à l'arrière du Messager d'Allāh, ils ont répugné à lutter par leurs biens et leurs personnes dans le sentier d'Allāh, et ont dit: «Ne partez pas au combat pendant cette chaleur!» Dis: «Le feu de l'Enfer est plus intense en chaleur.» - S'ils comprenaient[1]! -

82. Qu'ils rient un peu et qu'ils pleurent beaucoup en récompense de ce qu'ils se sont acquise[2].

83. Si Allāh te ramène vers un groupe de ces (gens-là), et qu'ils te demandent permission de partir au combat, alors dis: «Vous ne sortirez plus jamais en ma compagnie, et vous ne combattrez plus jamais d'ennemis avec moi. Vous avez été plus contents de rester chez vous la première fois ; demeurez donc chez vous en compagnie de ceux qui se tiennent à l'arrière»[3].

84. Et ne fais jamais la Ṣalāt sur l'un d'entre eux qui meurt, et ne te tiens pas debout auprès de sa tombe, parce qu'ils n'ont pas cru en Allāh et en Son messager, et ils sont morts tout en étant pervers[4].

85. Et que ni leurs biens ni leurs enfants ne t'émerveillent! Allāh ne veut par là, que les châtier ici-bas, et qu'ils rendent péniblement l'âme en mécréants[5].

86. Et lorsqu'une sourate est révélée: «Croyez en Allāh et luttez en compagnie de Son messager», les gens qui ont tous les moyens (de combattre) parmi eux te demandent de les dispenser (du combat), et disent: «Laisse-nous avec ceux qui restent».

---

1. Ces versets se réfèrent aussi à la guerre de Tabūk.
2. *Rient*: ici bas.
Pleurent: dans l'au-delà.
3. *Allāh te ramène*: de la guerre de Tabūk.
Qui restent derrière: les enfants, les femmes, les malades et les infirmes.
4. *Ne te tiens pas debout*: pour prier pour le mort.
5. Selon certains commentateurs ce verset prouve que quiconque s'attache à ses enfants, à ses biens ou à tout autre chose et qu'il les préfère à l'obéissance à Allāh, l'objet de son attachement sera pour lui une source de malheur, d'angoisse et de souffrance dans ce monde.

رَضُوا بِأَن يَكُونُوا مَعَ ٱلْخَوَالِفِ وَطُبِعَ عَلَىٰ قُلُوبِهِمْ فَهُمْ لَا يَفْقَهُونَ ۝ لَٰكِنِ ٱلرَّسُولُ وَٱلَّذِينَ ءَامَنُوا مَعَهُۥ جَٰهَدُوا بِأَمْوَٰلِهِمْ وَأَنفُسِهِمْ وَأُوْلَٰٓئِكَ لَهُمُ ٱلْخَيْرَٰتُ وَأُوْلَٰٓئِكَ هُمُ ٱلْمُفْلِحُونَ ۝ أَعَدَّ ٱللَّهُ لَهُمْ جَنَّٰتٍ تَجْرِى مِن تَحْتِهَا ٱلْأَنْهَٰرُ خَٰلِدِينَ فِيهَا ذَٰلِكَ ٱلْفَوْزُ ٱلْعَظِيمُ ۝ وَجَآءَ ٱلْمُعَذِّرُونَ مِنَ ٱلْأَعْرَابِ لِيُؤْذَنَ لَهُمْ وَقَعَدَ ٱلَّذِينَ كَذَبُوا ٱللَّهَ وَرَسُولَهُۥ سَيُصِيبُ ٱلَّذِينَ كَفَرُوا مِنْهُمْ عَذَابٌ أَلِيمٌ ۝ لَّيْسَ عَلَى ٱلضُّعَفَآءِ وَلَا عَلَى ٱلْمَرْضَىٰ وَلَا عَلَى ٱلَّذِينَ لَا يَجِدُونَ مَا يُنفِقُونَ حَرَجٌ إِذَا نَصَحُوا لِلَّهِ وَرَسُولِهِۦ مَا عَلَى ٱلْمُحْسِنِينَ مِن سَبِيلٍ وَٱللَّهُ غَفُورٌ رَّحِيمٌ ۝ وَلَا عَلَى ٱلَّذِينَ إِذَا مَآ أَتَوْكَ لِتَحْمِلَهُمْ قُلْتَ لَآ أَجِدُ مَآ أَحْمِلُكُمْ عَلَيْهِ تَوَلَّوا وَّأَعْيُنُهُمْ تَفِيضُ مِنَ ٱلدَّمْعِ حَزَنًا أَلَّا يَجِدُوا مَا يُنفِقُونَ ۝ إِنَّمَا ٱلسَّبِيلُ عَلَى ٱلَّذِينَ يَسْتَـٔذِنُونَكَ وَهُمْ أَغْنِيَآءُ رَضُوا بِأَن يَكُونُوا مَعَ ٱلْخَوَالِفِ وَطَبَعَ ٱللَّهُ عَلَىٰ قُلُوبِهِمْ فَهُمْ لَا يَعْلَمُونَ ۝

87. Il leur plaît, (après le départ des combattants) de demeurer avec celles qui sont restées à l'arrière. Leurs cœurs ont été scellés et ils ne comprennent rien[1].

88. Mais le Messager et ceux qui ont cru avec lui ont lutté avec leurs biens et leurs personnes. Ceux-là auront les bonnes choses et ce sont eux qui réussiront.

89. Allāh a préparé pour eux des Jardins sous lesquels coulent les ruisseaux, pour qu'ils y demeurent éternellement. Voilà l'énorme succès!

90. Et parmi les Bédouins, certains sont venus demander d'être dispensés (du combat). Et ceux qui ont menti à Allāh et à Son messager sont restés chez eux. Un châtiment douloureux affligera les mécréants d'entre eux.

91. Nul grief sur les faibles, ni sur les malades, ni sur ceux qui ne trouvent pas de quoi dépenser (pour la cause d'Allāh), s'ils sont sincères envers Allāh et Son messager. Pas de reproche contre les bienfaiteurs. Allāh est Pardonneur et Miséricordieux.

92. (Pas de reproche) non plus à ceux qui vinrent te trouver pour que tu leur fournisses une monture et à qui tu dis: «Je ne trouve pas de monture pour vous». Ils retournèrent les yeux débordant de larmes, tristes de ne pas trouver de quoi dépenser.

93. Il n'y a de voie (de reproche à), vraiment, que contre ceux qui demandent d'être dispensés, alors qu'ils sont riches. Il leur plaît de demeurer avec celles qui sont restées à l'arrière. Et Allāh a scellé leurs cœurs et ils ne savent pas.

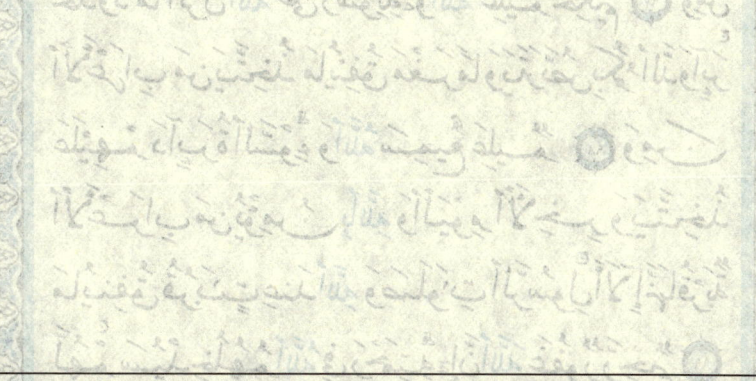

---

1. *Avec celles... à l'arrière*: il s'agit des hommes qui ne sont pas partis au combat à l'exemple des femmes qui sont restées dans leur foyer.

يَعْتَذِرُونَ إِلَيْكُمْ إِذَا رَجَعْتُمْ إِلَيْهِمْ قُل لَّا تَعْتَذِرُوا۟ لَن
نُّؤْمِنَ لَكُمْ قَدْ نَبَّأَنَا ٱللَّهُ مِنْ أَخْبَارِكُمْ وَسَيَرَى
ٱللَّهُ عَمَلَكُمْ وَرَسُولُهُۥ ثُمَّ تُرَدُّونَ إِلَىٰ عَٰلِمِ ٱلْغَيْبِ
وَٱلشَّهَٰدَةِ فَيُنَبِّئُكُم بِمَا كُنتُمْ تَعْمَلُونَ ۝ سَيَحْلِفُونَ
بِٱللَّهِ لَكُمْ إِذَا ٱنقَلَبْتُمْ إِلَيْهِمْ لِتُعْرِضُوا۟ عَنْهُمْ فَأَعْرِضُوا۟
عَنْهُمْ إِنَّهُمْ رِجْسٌ وَمَأْوَىٰهُمْ جَهَنَّمُ جَزَآءً بِمَا كَانُوا۟
يَكْسِبُونَ ۝ يَحْلِفُونَ لَكُمْ لِتَرْضَوْا۟ عَنْهُمْ فَإِن
تَرْضَوْا۟ عَنْهُمْ فَإِنَّ ٱللَّهَ لَا يَرْضَىٰ عَنِ ٱلْقَوْمِ ٱلْفَٰسِقِينَ
۝ ٱلْأَعْرَابُ أَشَدُّ كُفْرًا وَنِفَاقًا وَأَجْدَرُ أَلَّا يَعْلَمُوا۟
حُدُودَ مَآ أَنزَلَ ٱللَّهُ عَلَىٰ رَسُولِهِۦ وَٱللَّهُ عَلِيمٌ حَكِيمٌ ۝ وَمِنَ
ٱلْأَعْرَابِ مَن يَتَّخِذُ مَا يُنفِقُ مَغْرَمًا وَيَتَرَبَّصُ بِكُمُ ٱلدَّوَآئِرَ
عَلَيْهِمْ دَآئِرَةُ ٱلسَّوْءِ وَٱللَّهُ سَمِيعٌ عَلِيمٌ ۝ وَمِنَ
ٱلْأَعْرَابِ مَن يُؤْمِنُ بِٱللَّهِ وَٱلْيَوْمِ ٱلْأَخِرِ وَيَتَّخِذُ
مَا يُنفِقُ قُرُبَٰتٍ عِندَ ٱللَّهِ وَصَلَوَٰتِ ٱلرَّسُولِ أَلَآ إِنَّهَا قُرْبَةٌ
لَّهُمْ سَيُدْخِلُهُمُ ٱللَّهُ فِى رَحْمَتِهِۦٓ إِنَّ ٱللَّهَ غَفُورٌ رَّحِيمٌ ۝

94. Ils vous présentent des excuses quand vous revenez à eux. Dis: «Ne présentez pas d'excuses: nous ne vous croyons pas. Allāh nous a déjà informés de vos nouvelles. Et Allāh verra votre œuvre, ainsi que Son messager. Puis vous serez ramenés vers Celui qui connaît bien l'invisible et le visible, et alors, Il vous informera de ce que vous faisiez.

95. Ils vous feront des serments par Allāh, quand vous êtes de retour vers eux, afin que vous passiez (sur leur tort). Détournez-vous d'eux. Ils sont une souillure et leur refuge est l'Enfer, en rétribution de ce qu'ils acquéraient.

96. Ils vous font des serments pour se faire agréer de vous, même si vous les agréez. Allāh n'agrée pas les gens pervers.

97. Les Bédouins sont plus endurcis dans leur impiété et dans leur hypocrisie, et les plus enclins à méconnaître les préceptes qu'Allāh a révélés à Son messager. Et Allāh est Omniscient et Sage.

98. Parmi les Bédouins, certains prennent leur dépense (en aumône ou à la guerre) comme une charge onéreuse, et attendent pour vous un revers de fortune. Que le malheur retombe sur eux! Allāh est Audient et Omniscient.

99. (Tel autre), parmi les Bédouins, croit en Allāh et au Jour dernier et prend ce qu'il dépense comme moyen de se rapprocher d'Allāh et afin de bénéficier des invocations du Messager. C'est vraiment pour eux (un moyen) de se rapprocher (d'Allāh) et Allāh les admettra en Sa miséricorde. Car Allāh est Pardonneur et Miséricordieux.

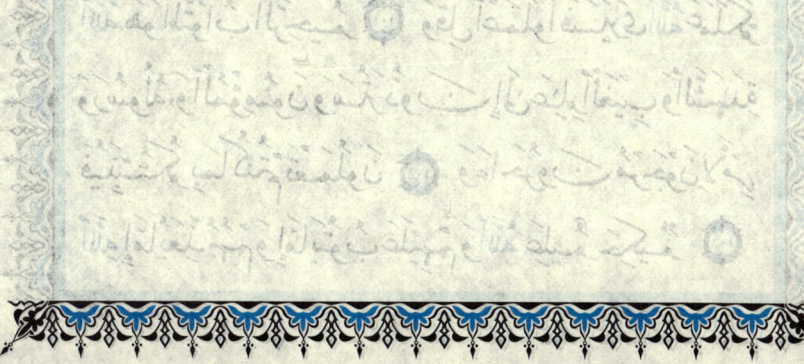

وَالسَّٰبِقُونَ الْأَوَّلُونَ مِنَ الْمُهَٰجِرِينَ وَالْأَنصَارِ وَالَّذِينَ ٱتَّبَعُوهُم بِإِحْسَٰنٍ رَّضِىَ ٱللَّهُ عَنْهُمْ وَرَضُوا۟ عَنْهُ وَأَعَدَّ لَهُمْ جَنَّٰتٍ تَجْرِى تَحْتَهَا ٱلْأَنْهَٰرُ خَٰلِدِينَ فِيهَآ أَبَدًا ذَٰلِكَ ٱلْفَوْزُ ٱلْعَظِيمُ ۝ وَمِمَّنْ حَوْلَكُم مِّنَ ٱلْأَعْرَابِ مُنَٰفِقُونَ وَمِنْ أَهْلِ ٱلْمَدِينَةِ مَرَدُوا۟ عَلَى ٱلنِّفَاقِ لَا تَعْلَمُهُمْ نَحْنُ نَعْلَمُهُمْ سَنُعَذِّبُهُم مَّرَّتَيْنِ ثُمَّ يُرَدُّونَ إِلَىٰ عَذَابٍ عَظِيمٍ ۝ وَءَاخَرُونَ ٱعْتَرَفُوا۟ بِذُنُوبِهِمْ خَلَطُوا۟ عَمَلًا صَٰلِحًا وَءَاخَرَ سَيِّئًا عَسَى ٱللَّهُ أَن يَتُوبَ عَلَيْهِمْ إِنَّ ٱللَّهَ غَفُورٌ رَّحِيمٌ ۝ خُذْ مِنْ أَمْوَٰلِهِمْ صَدَقَةً تُطَهِّرُهُمْ وَتُزَكِّيهِم بِهَا وَصَلِّ عَلَيْهِمْ إِنَّ صَلَوٰتَكَ سَكَنٌ لَّهُمْ وَٱللَّهُ سَمِيعٌ عَلِيمٌ ۝ أَلَمْ يَعْلَمُوٓا۟ أَنَّ ٱللَّهَ هُوَ يَقْبَلُ ٱلتَّوْبَةَ عَنْ عِبَادِهِۦ وَيَأْخُذُ ٱلصَّدَقَٰتِ وَأَنَّ ٱللَّهَ هُوَ ٱلتَّوَّابُ ٱلرَّحِيمُ ۝ وَقُلِ ٱعْمَلُوا۟ فَسَيَرَى ٱللَّهُ عَمَلَكُمْ وَرَسُولُهُۥ وَٱلْمُؤْمِنُونَ وَسَتُرَدُّونَ إِلَىٰ عَٰلِمِ ٱلْغَيْبِ وَٱلشَّهَٰدَةِ فَيُنَبِّئُكُم بِمَا كُنتُمْ تَعْمَلُونَ ۝ وَءَاخَرُونَ مُرْجَوْنَ لِأَمْرِ ٱللَّهِ إِمَّا يُعَذِّبُهُمْ وَإِمَّا يَتُوبُ عَلَيْهِمْ وَٱللَّهُ عَلِيمٌ حَكِيمٌ ۝

100. Les tout premiers [croyants] parmi les Emigrés et les Auxiliaires et ceux qui les ont suivis dans un beau comportement, Allāh les agrée, et ils L'agréent. Il a préparé pour eux des Jardins sous lesquels coulent les ruisseaux, et ils y demeureront éternellement. Voilà l'énorme succès[1]!

101. Et parmi les Bédouins qui vous entourent, il y a des hypocrites, tout comme une partie des habitants de Médine. Ils s'obstinent dans l'hypocrisie. Tu ne les connais pas mais Nous les connaissons. Nous les châtierons deux fois puis ils seront ramenés vers un énorme châtiment.

102. D'autres ont reconnu leurs péchés, ils ont mêlé de bonnes actions à d'autres mauvaises. Il se peut qu'Allāh accueille leur repentir. Car Allāh est Pardonneur et Miséricordieux.

103. Prélève de leurs biens une Ṣadaqa[2] par laquelle tu les purifies et les bénis, et prie pour eux. Ta prière est une quiétude pour eux. Et Allāh est Audient et Omniscient.

104. Ne savent-ils pas que c'est Allāh qui accueille le repentir de Ses serviteurs, et qui reçoit les Ṣadaqāt[3], et qu'Allāh est L'Accueillant au repentir et le Miséricordieux.

105. Et dis: «Œuvrez, car Allāh va voir votre œuvre, de même que Son messager et les croyants, et vous serez ramenés vers Celui qui connaît bien l'invisible et le visible. Alors Il vous informera de ce que vous faisiez».

106. Et d'autres[4] sont laissés dans l'attente de la décision d'Allāh, soit qu'Il les punisse, soit qu'Il leur pardonne. Et Allāh est Omniscient et Sage.

---

1. *Les Emigrés*: les Mecquois qui ont suivi le Prophète.
Les Auxiliaires: les Médinois musulmans (Anṣār) qui accueillirent bien volontiers les réfugiés mecquois.
2. L'ordre d'Allāh au Prophète est de prélever une ṣadaqa sur tous leurs biens. Cette ṣadaqa ne peut ainsi être autre chose que la Zakāt.
3. Ici Ṣadaqāt est au pluriel. Ils comprennent la Zakāt et tout autre don volontaire fait ou par l'intermédiaire du Prophète, ou directement aux nécessiteux.
4. *D'autres*: Il s'agit des trois personnes qui n'ont pas participé à la bataille de Tabūk, non par hypocrisie, mais par paresse et à la recherche du repos.

وَالَّذِينَ اتَّخَذُوا مَسْجِدًا ضِرَارًا وَكُفْرًا وَتَفْرِيقًا بَيْنَ الْمُؤْمِنِينَ وَإِرْصَادًا لِّمَنْ حَارَبَ اللَّهَ وَرَسُولَهُ مِن قَبْلُ وَلَيَحْلِفُنَّ إِنْ أَرَدْنَا إِلَّا الْحُسْنَىٰ وَاللَّهُ يَشْهَدُ إِنَّهُمْ لَكَاذِبُونَ ۝ لَا تَقُمْ فِيهِ أَبَدًا لَّمَسْجِدٌ أُسِّسَ عَلَى التَّقْوَىٰ مِنْ أَوَّلِ يَوْمٍ أَحَقُّ أَن تَقُومَ فِيهِ فِيهِ رِجَالٌ يُحِبُّونَ أَن يَتَطَهَّرُوا وَاللَّهُ يُحِبُّ الْمُطَّهِّرِينَ ۝ أَفَمَنْ أَسَّسَ بُنْيَانَهُ عَلَىٰ تَقْوَىٰ مِنَ اللَّهِ وَرِضْوَانٍ خَيْرٌ أَم مَّنْ أَسَّسَ بُنْيَانَهُ عَلَىٰ شَفَا جُرُفٍ هَارٍ فَانْهَارَ بِهِ فِي نَارِ جَهَنَّمَ وَاللَّهُ لَا يَهْدِي الْقَوْمَ الظَّالِمِينَ ۝ لَا يَزَالُ بُنْيَانُهُمُ الَّذِي بَنَوْا رِيبَةً فِي قُلُوبِهِمْ إِلَّا أَن تَقَطَّعَ قُلُوبُهُمْ وَاللَّهُ عَلِيمٌ حَكِيمٌ ۝ ۞ إِنَّ اللَّهَ اشْتَرَىٰ مِنَ الْمُؤْمِنِينَ أَنفُسَهُمْ وَأَمْوَالَهُم بِأَنَّ لَهُمُ الْجَنَّةَ يُقَاتِلُونَ فِي سَبِيلِ اللَّهِ فَيَقْتُلُونَ وَيُقْتَلُونَ وَعْدًا عَلَيْهِ حَقًّا فِي التَّوْرَاةِ وَالْإِنجِيلِ وَالْقُرْآنِ وَمَنْ أَوْفَىٰ بِعَهْدِهِ مِنَ اللَّهِ فَاسْتَبْشِرُوا بِبَيْعِكُمُ الَّذِي بَايَعْتُم بِهِ وَذَٰلِكَ هُوَ الْفَوْزُ الْعَظِيمُ ۝

107. Ceux qui ont édifié une mosquée pour en faire [un mobile] de rivalité, d'impiété et de division entre les croyants, qui la préparent pour celui qui auparavant avait combattu Allāh et Son Envoyé et jurent en disant: «Nous ne voulions que le bien!» [Ceux-là], Allāh atteste qu'ils mentent[1].

108. Ne te tiens jamais dans (cette mosquée). Car une Mosquée fondée dès le premier jour, sur la piété, est plus digne que tu t'y tiennes debout. [pour y prier] On y trouve des gens qui aiment bien se purifier, et Allāh aime ceux qui se purifient[2].

109. Lequel est plus méritant? Est-ce celui qui a fondé son édifice sur la piété et l'agrément d'Allāh, ou bien celui qui a placé les assises de sa construction sur le bord d'une falaise croulante et qui croula avec lui dans le feu de l'Enfer? Et Allāh ne guide pas les gens injustes.

110. La construction qu'ils ont édifiée sera toujours une source de doute dans leurs cœurs, jusqu'à ce que leurs cœurs se déchirent. Et Allāh est Omniscient et Sage.

111. Certes, Allāh a acheté des croyants, leurs personnes et leurs biens en échange du Paradis. Ils combattent dans le sentier d'Allāh: ils tuent, et ils se font tuer. C'est une promesse authentique qu'Il a prise sur Lui-même dans la Thora, l'Evangile et le Qur'ān. Et qui est plus fidèle qu'Allāh à son engagement? Réjouissez-vous donc de l'échange que vous avez fait: Et c'est là le très grand succès[3].

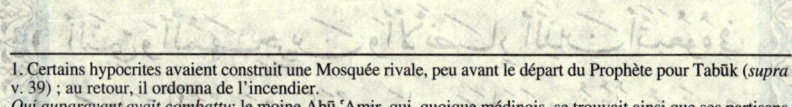

---

1. Certains hypocrites avaient construit une Mosquée rivale, peu avant le départ du Prophète pour Tabūk (*supra* v. 39) ; au retour, il ordonna de l'incendier.
Qui auparavant avait combattu: le moine Abū ʿAmir, qui, quoique médinois, se trouvait ainsi que ses partisans dans le camp des Mecquois, lors de la bataille d'Uhud (an 3 H.).
2. *La Mosquée fondée sur la piété*: est la Mosquée de Qubā, banlieue sud de Médine, où Muḥammad (ﷺ) s'arrêta d'abord, lors de l'Hégire, avant de s'installer à Médine. C'est lui-même qui la fit construire. La «Mosquée rivale», dont on trouve encore l'emplacement, était à proximité de la Mosquée de Qubā.
3. *De l'échange que vous avez fait*: du bon marché que vous avez fait (votre personne et vos biens contre le Paradis).

التَّابِئُونَ الْعَبِدُونَ الْحَمِدُونَ السَّبِحُونَ الرَّكِعُونَ السَّجِدُونَ الْأَمِرُونَ بِالْمَعْرُوفِ وَالنَّاهُونَ عَنِ الْمُنكَرِ وَالْحَفِظُونَ لِحُدُودِ اللَّهِ وَبَشِّرِ الْمُؤْمِنِينَ ۞ مَا كَانَ لِلنَّبِيِّ وَالَّذِينَ ءَامَنُوٓاْ أَن يَسْتَغْفِرُواْ لِلْمُشْرِكِينَ وَلَوْ كَانُوٓاْ أُوْلِى قُرْبَىٰ مِنۢ بَعْدِ مَا تَبَيَّنَ لَهُمْ أَنَّهُمْ أَصْحَبُ الْجَحِيمِ ۞ وَمَا كَانَ اسْتِغْفَارُ إِبْرَهِيمَ لِأَبِيهِ إِلَّا عَن مَّوْعِدَةٍ وَعَدَهَآ إِيَّاهُ فَلَمَّا تَبَيَّنَ لَهُۥٓ أَنَّهُۥ عَدُوٌّ لِّلَّهِ تَبَرَّأَ مِنْهُ إِنَّ إِبْرَهِيمَ لَأَوَّهٌ حَلِيمٌ ۞ وَمَا كَانَ اللَّهُ لِيُضِلَّ قَوْمًۢا بَعْدَ إِذْ هَدَىٰهُمْ حَتَّىٰ يُبَيِّنَ لَهُم مَّا يَتَّقُونَ إِنَّ اللَّهَ بِكُلِّ شَىْءٍ عَلِيمٌ ۞ إِنَّ اللَّهَ لَهُۥ مُلْكُ السَّمَوَتِ وَالْأَرْضِ يُحْىِۦ وَيُمِيتُ وَمَا لَكُم مِّن دُونِ اللَّهِ مِن وَلِيٍّ وَلَا نَصِيرٍ ۞ لَّقَد تَّابَ اللَّهُ عَلَى النَّبِيِّ وَالْمُهَجِرِينَ وَالْأَنصَارِ الَّذِينَ اتَّبَعُوهُ فِى سَاعَةِ الْعُسْرَةِ مِنۢ بَعْدِ مَا كَادَ يَزِيغُ قُلُوبُ فَرِيقٍ مِّنْهُمْ ثُمَّ تَابَ عَلَيْهِمْ إِنَّهُۥ بِهِمْ رَءُوفٌ رَّحِيمٌ ۞

112. Ils sont ceux qui se repentent, qui adorent, qui louent, qui parcourent la terre (ou qui jeûnent), qui s'inclinent, qui se prosternent, qui commandent le convenable et interdisent le blâmable et qui observent les lois d'Allāh... et fais bonne annonce aux croyants¹.

113. Il n'appartient pas au Prophète et aux croyants d'implorer le pardon en faveur des associateurs, fussent-ils des parents alors qu'il leur est apparu clairement que ce sont les gens de l'Enfer.

114. Abraham ne demanda pardon en faveur de son père qu'à cause d'une promesse² qu'il lui avait faite. Mais, dès qu'il lui apparut clairement qu'il était un ennemi d'Allāh, il le désavoua. Abraham était certes plein de sollicitude et indulgent.

115. Allāh n'est point tel à égarer un peuple après qu'Il les a guidés, jusqu'à ce qu'Il leur ait montré clairement ce qu'ils doivent éviter. Certes, Allāh est Omniscient.

116. À Allāh appartient la royauté des cieux et de la terre. Il donne la vie et Il donne la mort. Et il n'y a pour vous, en dehors d'Allāh, ni allié ni protecteur.

117. Allāh a accueilli le repentir du Prophète, celui des Emigrés et des Auxiliaires qui l'ont suivi à un moment difficile, après que les cœurs d'un groupe d'entre eux étaient sur le point de dévier. Puis Il accueillit leur repentir car Il est Compatissant et Miséricordieux à leur égard³.

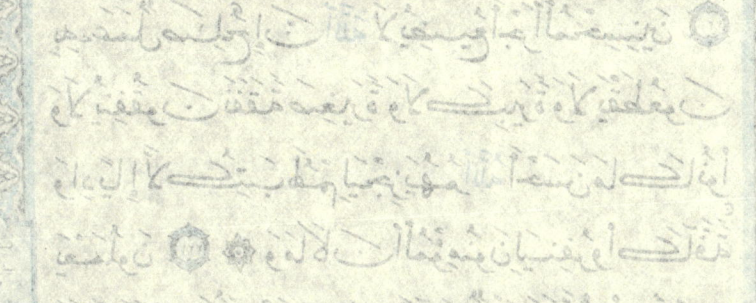

---

1. *Commandent le convenable ...le blâmable*: ces termes sont intéressants: le bien reconnu comme tel par tout le monde... et le mal reconnu (ou désavoué) comme tel par tout le monde. Voilà la base de la philosophie juridique des Musulmans. Il faut obligatoirement faire ce qui est bien, s'abstenir et même interdire ce qui est mal. Là où le bien est prépondérant, il sera recommandé, et le mal prépondérant sera découragé.
2. À propos de la promesse d'Abraham, voir sourate 19, v. 41 à 48 et sourate 60, v. 4.
3. *Allāh a accueilli le repentir du Prophète*: Allāh lui a pardonné d'avoir permis à certains de rester chez eux. *Un moment difficile*: l'extrême chaleur et la soif des combattants.

وَعَلَى ٱلثَّلَٰثَةِ ٱلَّذِينَ خُلِّفُواْ حَتَّىٰٓ إِذَا ضَاقَتْ عَلَيْهِمُ ٱلْأَرْضُ بِمَا رَحُبَتْ وَضَاقَتْ عَلَيْهِمْ أَنفُسُهُمْ وَظَنُّوٓاْ أَن لَّا مَلْجَأَ مِنَ ٱللَّهِ إِلَّآ إِلَيْهِ ثُمَّ تَابَ عَلَيْهِمْ لِيَتُوبُوٓاْ إِنَّ ٱللَّهَ هُوَ ٱلتَّوَّابُ ٱلرَّحِيمُ ﴿١١٨﴾ يَٰٓأَيُّهَا ٱلَّذِينَ ءَامَنُواْ ٱتَّقُواْ ٱللَّهَ وَكُونُواْ مَعَ ٱلصَّٰدِقِينَ ﴿١١٩﴾ مَا كَانَ لِأَهْلِ ٱلْمَدِينَةِ وَمَنْ حَوْلَهُم مِّنَ ٱلْأَعْرَابِ أَن يَتَخَلَّفُواْ عَن رَّسُولِ ٱللَّهِ وَلَا يَرْغَبُواْ بِأَنفُسِهِمْ عَن نَّفْسِهِۦ ذَٰلِكَ بِأَنَّهُمْ لَا يُصِيبُهُمْ ظَمَأٌ وَلَا نَصَبٌ وَلَا مَخْمَصَةٌ فِي سَبِيلِ ٱللَّهِ وَلَا يَطَـُٔونَ مَوْطِئًا يَغِيظُ ٱلْكُفَّارَ وَلَا يَنَالُونَ مِنْ عَدُوٍّ نَّيْلًا إِلَّا كُتِبَ لَهُم بِهِۦ عَمَلٌ صَٰلِحٌ إِنَّ ٱللَّهَ لَا يُضِيعُ أَجْرَ ٱلْمُحْسِنِينَ ﴿١٢٠﴾ وَلَا يُنفِقُونَ نَفَقَةً صَغِيرَةً وَلَا كَبِيرَةً وَلَا يَقْطَعُونَ وَادِيًا إِلَّا كُتِبَ لَهُمْ لِيَجْزِيَهُمُ ٱللَّهُ أَحْسَنَ مَا كَانُواْ يَعْمَلُونَ ﴿١٢١﴾ ۞ وَمَا كَانَ ٱلْمُؤْمِنُونَ لِيَنفِرُواْ كَآفَّةً فَلَوْلَا نَفَرَ مِن كُلِّ فِرْقَةٍ مِّنْهُمْ طَآئِفَةٌ لِّيَتَفَقَّهُواْ فِي ٱلدِّينِ وَلِيُنذِرُواْ قَوْمَهُمْ إِذَا رَجَعُوٓاْ إِلَيْهِمْ لَعَلَّهُمْ يَحْذَرُونَ ﴿١٢٢﴾

118. Et [Il accueillit le repentir] des trois qui étaient restés à l'arrière si bien que, toute vaste qu'elle fût, la terre leur paraissait exiguë ; ils se sentaient à l'étroit, dans leur propre personne et ils pensaient qu'il n'y avait d'autre refuge d'Allāh qu'auprès de Lui. Puis Il agréa leur repentir pour qu'ils reviennent [à Lui], car Allāh est L'accueillant au repentir, le Miséricordieux[1].

119. Ô vous qui croyez! Craignez Allāh et soyez avec les véridiques.

120. Il n'appartient pas aux habitants de Médine, ni aux Bédouins qui sont autour d'eux, de traîner loin derrière le Messager d'Allāh, ni de préférer leur propre vie à la sienne. Car ils n'éprouveront ni soif, ni fatigue, ni faim dans le sentier d'Allāh, ils ne fouleront aucune terre en provoquant la colère des infidèles, et n'obtiendront aucun avantage sur un ennemi, sans qu'il ne leur soit écrit pour cela une bonne action. En vérité, Allāh ne laisse pas perdre la récompense des bienfaiteurs.

121. Ils ne supporteront aucune dépense, minime ou importante, ne traverseront aucune vallée, sans que (cela) ne soit inscrit à leur actif, en sorte qu'Allāh les récompense pour le meilleur de ce qu'ils faisaient.

122. Les croyants n'ont pas à quitter tous leurs foyers. Pourquoi de chaque clan quelques hommes ne viendraient-il pas s'instruire dans la religion, pour pouvoir à leur retour, avertir leur peuple afin qu'ils soient sur leur garde[2].

---

1. Lors de l'expédition de Tabūk (an 9 H.), trois personnes, retardèrent leur départ sous un faux prétexte, jusqu'à ce que le Prophète revînt à eux. Ils avouèrent leur faute, et comme punition, personne même pas leurs femmes, ne devait avoir aucune relation avec eux. Parmi eux, était le poète Ka'b ibn Mālik. Ce verset fût révélé pour mettre un terme à leur punition.
2. Après la guerre de Tabūk - et suite à la révélation des versets précédents - tous les Musulmans voulaient accompagner le Prophète au combat.

يَـٰٓأَيُّهَا ٱلَّذِينَ ءَامَنُواْ قَـٰتِلُواْ ٱلَّذِينَ يَلُونَكُم مِّنَ ٱلْكُفَّارِ وَلْيَجِدُواْ فِيكُمْ غِلْظَةً ۚ وَٱعْلَمُوٓاْ أَنَّ ٱللَّهَ مَعَ ٱلْمُتَّقِينَ ۝

وَإِذَا مَآ أُنزِلَتْ سُورَةٌ فَمِنْهُم مَّن يَقُولُ أَيُّكُمْ زَادَتْهُ هَـٰذِهِۦٓ إِيمَـٰنًا ۚ فَأَمَّا ٱلَّذِينَ ءَامَنُواْ فَزَادَتْهُمْ إِيمَـٰنًا وَهُمْ يَسْتَبْشِرُونَ ۝

وَأَمَّا ٱلَّذِينَ فِى قُلُوبِهِم مَّرَضٌ فَزَادَتْهُمْ رِجْسًا إِلَىٰ رِجْسِهِمْ وَمَاتُواْ وَهُمْ كَـٰفِرُونَ ۝ أَوَلَا يَرَوْنَ أَنَّهُمْ يُفْتَنُونَ فِى كُلِّ عَامٍ مَّرَّةً أَوْ مَرَّتَيْنِ ثُمَّ لَا يَتُوبُونَ وَلَا هُمْ يَذَّكَّرُونَ ۝ وَإِذَا مَآ أُنزِلَتْ سُورَةٌ نَّظَرَ بَعْضُهُمْ إِلَىٰ بَعْضٍ هَلْ يَرَىٰكُم مِّنْ أَحَدٍ ثُمَّ ٱنصَرَفُواْ ۚ صَرَفَ ٱللَّهُ قُلُوبَهُم بِأَنَّهُمْ قَوْمٌ لَّا يَفْقَهُونَ ۝ لَقَدْ جَآءَكُمْ رَسُولٌ مِّنْ أَنفُسِكُمْ عَزِيزٌ عَلَيْهِ مَا عَنِتُّمْ حَرِيصٌ عَلَيْكُم بِٱلْمُؤْمِنِينَ رَءُوفٌ رَّحِيمٌ ۝ فَإِن تَوَلَّوْاْ فَقُلْ حَسْبِىَ ٱللَّهُ لَآ إِلَـٰهَ إِلَّا هُوَ ۖ عَلَيْهِ تَوَكَّلْتُ ۖ وَهُوَ رَبُّ ٱلْعَرْشِ ٱلْعَظِيمِ ۝

سُورَةُ يُونُسَ

123. Ô vous qui croyez! Combattez ceux des mécréants qui sont près de vous ; et qu'ils trouvent de la dureté en vous. Et sachez qu'Allāh est avec les pieux.

124. Et quand une sourate est révélée, il en est parmi eux qui dit: «Quel est celui d'entre vous dont elle fait croître la foi?» Quant aux croyants, elle fait certes croître leur foi, et ils s'en réjouissent.

125. Mais quant à ceux dont les cœurs sont malades elle ajoute une souillure à leur souillure[1], et ils meurent dans la mécréance.

126. Ne voient-ils pas que chaque année on les éprouve une ou deux fois? Malgré cela, ils ne se repentent, ni ne se souviennent.

127. Et quand une sourate est révélée, ils se regardent les uns les autres [et se disent]: «Quelqu'un vous voit-il[2]?» Puis ils se détournent. Qu'Allāh détourne leurs cœurs, puisque ce sont des gens qui ne comprennent rien.

128. Certes, un Messager pris parmi vous, est venu à vous, auquel pèsent lourd les difficultés que vous subissez, qui est plein de sollicitude pour vous, qui est compatissant et miséricordieux envers les croyants.

129. Alors, s'ils se détournent, dis: «Allāh me suffit. Il n'y a de divinité que Lui. En Lui je place ma confiance ; et Il est le Seigneur du Trône immense».

---

1. *Souillure à leur souillure*: doute, hypocrisie ou péché...
2. *Quelqu'un vous voit-il?*: se disent les hypocrites. Si personne ne les regarde, ils se retirent.

بِسْمِ اللَّهِ الرَّحْمَٰنِ الرَّحِيمِ

الٓرۚ تِلْكَ ءَايَٰتُ ٱلْكِتَٰبِ ٱلْحَكِيمِ ۝ أَكَانَ لِلنَّاسِ عَجَبًا

أَنْ أَوْحَيْنَآ إِلَىٰ رَجُلٍ مِّنْهُمْ أَنْ أَنذِرِ ٱلنَّاسَ وَبَشِّرِ ٱلَّذِينَ ءَامَنُوٓا۟

أَنَّ لَهُمْ قَدَمَ صِدْقٍ عِندَ رَبِّهِمْۗ قَالَ ٱلْكَٰفِرُونَ إِنَّ هَٰذَا

لَسَٰحِرٌ مُّبِينٌ ۝ إِنَّ رَبَّكُمُ ٱللَّهُ ٱلَّذِى خَلَقَ ٱلسَّمَٰوَٰتِ وَٱلْأَرْضَ

فِى سِتَّةِ أَيَّامٍ ثُمَّ ٱسْتَوَىٰ عَلَى ٱلْعَرْشِۖ يُدَبِّرُ ٱلْأَمْرَۖ مَا مِن شَفِيعٍ

إِلَّا مِنۢ بَعْدِ إِذْنِهِۦۚ ذَٰلِكُمُ ٱللَّهُ رَبُّكُمْ فَٱعْبُدُوهُۚ أَفَلَا

تَذَكَّرُونَ ۝ إِلَيْهِ مَرْجِعُكُمْ جَمِيعًاۖ وَعْدَ ٱللَّهِ حَقًّاۚ إِنَّهُۥ

يَبْدَؤُا۟ ٱلْخَلْقَ ثُمَّ يُعِيدُهُۥ لِيَجْزِىَ ٱلَّذِينَ ءَامَنُوا۟ وَعَمِلُوا۟ ٱلصَّٰلِحَٰتِ

بِٱلْقِسْطِۚ وَٱلَّذِينَ كَفَرُوا۟ لَهُمْ شَرَابٌ مِّنْ حَمِيمٍ وَعَذَابٌ

أَلِيمٌۢ بِمَا كَانُوا۟ يَكْفُرُونَ ۝ هُوَ ٱلَّذِى جَعَلَ ٱلشَّمْسَ

ضِيَآءً وَٱلْقَمَرَ نُورًا وَقَدَّرَهُۥ مَنَازِلَ لِتَعْلَمُوا۟ عَدَدَ ٱلسِّنِينَ

وَٱلْحِسَابَۚ مَا خَلَقَ ٱللَّهُ ذَٰلِكَ إِلَّا بِٱلْحَقِّۚ يُفَصِّلُ ٱلْءَايَٰتِ

لِقَوْمٍ يَعْلَمُونَ ۝ إِنَّ فِى ٱخْتِلَٰفِ ٱلَّيْلِ وَٱلنَّهَارِ وَمَا خَلَقَ

ٱللَّهُ فِى ٱلسَّمَٰوَٰتِ وَٱلْأَرْضِ لَءَايَٰتٍ لِّقَوْمٍ يَتَّقُونَ ۝

YŪNUS (JONAS)[1]

sourate 10   109 versets   Pré-hégirien n°51

Au nom d'Allāh, le Tout Miséricordieux, le Très Miséricordieux.

1. Alif, Lām, Rā[2]. Voici les versets du Livre plein de sagesse.

2. Est-il étonnant pour les gens, que Nous ayons révélé à un homme d'entre eux: «Avertis les gens, et annonce la bonne nouvelle aux croyants qu'ils ont auprès de leur Seigneur une présence méritée [pour leur loyauté antérieure]? Les mécréants dirent alors: «Celui-ci est certainement un magicien évident».

3. Votre Seigneur est, Allāh qui créa les cieux et la terre en six jours, puis S'est établi «Istawā»[3] sur le Trône, administrant toute chose. Il n'y a d'intercesseur qu'avec Sa permission. Tel est Allāh votre Seigneur. Adorez-Le donc. Ne réfléchissez-vous pas?

4. C'est vers Lui que vous retournerez tous, c'est là, la promesse d'Allāh en toute vérité! C'est Lui qui fait la création une première fois puis la refait (en la ressuscitant) afin de rétribuer en toute équité ceux qui ont cru et fait de bonnes œuvres. Quant à ceux qui n'ont pas cru, ils auront un breuvage d'eau bouillante et un châtiment douloureux à cause de leur mécréance!

5. C'est Lui qui a fait du soleil une clarté et de la lune une lumière, et Il en a déterminé les phases afin que vous sachiez le nombre des années et le calcul (du temps).
Allāh n'a créé cela qu'en toute vérité. Il expose les signes pour les gens doués de savoir.

6. Dans l'alternance de la nuit et du jour, et aussi dans tout ce qu'Allāh a créé dans les cieux et la terre, il y a des signes, certes, pour des gens qui craignent (Allāh).

---

1. Titre tiré du verset n°98. Jonas, prophète des gens de Ninive.
2. Alif, Lām, Rā: voir la note à S. 2, v. 1.
3. *Istawā*: «S'est établi». Seul Allāh en connaît le comment. Il est bien connu qu'Allāh ne ressemble point aux créatures.

إِنَّ ٱلَّذِينَ لَا يَرْجُونَ لِقَآءَنَا وَرَضُواْ بِٱلْحَيَوٰةِ ٱلدُّنْيَا وَٱطْمَأَنُّواْ بِهَا وَٱلَّذِينَ هُمْ عَنْ ءَايَٰتِنَا غَٰفِلُونَ ۝ أُوْلَٰٓئِكَ مَأْوَىٰهُمُ ٱلنَّارُ بِمَا كَانُواْ يَكْسِبُونَ ۝ إِنَّ ٱلَّذِينَ ءَامَنُواْ وَعَمِلُواْ ٱلصَّٰلِحَٰتِ يَهْدِيهِمْ رَبُّهُم بِإِيمَٰنِهِمْ تَجْرِي مِن تَحْتِهِمُ ٱلْأَنْهَٰرُ فِي جَنَّٰتِ ٱلنَّعِيمِ ۝ دَعْوَىٰهُمْ فِيهَا سُبْحَٰنَكَ ٱللَّهُمَّ وَتَحِيَّتُهُمْ فِيهَا سَلَٰمٌ وَءَاخِرُ دَعْوَىٰهُمْ أَنِ ٱلْحَمْدُ لِلَّهِ رَبِّ ٱلْعَٰلَمِينَ ۝ ۞ وَلَوْ يُعَجِّلُ ٱللَّهُ لِلنَّاسِ ٱلشَّرَّ ٱسْتِعْجَالَهُم بِٱلْخَيْرِ لَقُضِيَ إِلَيْهِمْ أَجَلُهُمْ فَنَذَرُ ٱلَّذِينَ لَا يَرْجُونَ لِقَآءَنَا فِي طُغْيَٰنِهِمْ يَعْمَهُونَ ۝ وَإِذَا مَسَّ ٱلْإِنسَٰنَ ٱلضُّرُّ دَعَانَا لِجَنبِهِۦٓ أَوْ قَاعِدًا أَوْ قَآئِمًا فَلَمَّا كَشَفْنَا عَنْهُ ضُرَّهُۥ مَرَّ كَأَن لَّمْ يَدْعُنَآ إِلَىٰ ضُرٍّ مَّسَّهُۥ كَذَٰلِكَ زُيِّنَ لِلْمُسْرِفِينَ مَا كَانُواْ يَعْمَلُونَ ۝ وَلَقَدْ أَهْلَكْنَا ٱلْقُرُونَ مِن قَبْلِكُمْ لَمَّا ظَلَمُواْ وَجَآءَتْهُمْ رُسُلُهُم بِٱلْبَيِّنَٰتِ وَمَا كَانُواْ لِيُؤْمِنُواْ كَذَٰلِكَ نَجْزِي ٱلْقَوْمَ ٱلْمُجْرِمِينَ ۝ ثُمَّ جَعَلْنَٰكُمْ خَلَٰٓئِفَ فِي ٱلْأَرْضِ مِنۢ بَعْدِهِمْ لِنَنظُرَ كَيْفَ تَعْمَلُونَ ۝

7. Ceux qui n'espèrent pas Notre rencontre, qui sont satisfaits de la vie présente et s'y sentent en sécurité, et ceux qui sont inattentifs à Nos signes [ou versets],

8. leur refuge sera le Feu, pour ce qu'ils acquéraient.

9. Ceux qui croient et font de bonnes œuvres, leur Seigneur les guidera à cause de leur foi. À leurs pieds les ruisseaux couleront dans les Jardins des délices.

10. Là, leur invocation sera« Gloire à Toi, Ô Allāh», et leur salutation: «Salām», [Paix!] et la fin de leur invocation: «Louange à Allāh, Seigneur de l'Univers».

11. Et si Allāh hâtait le malheur des gens avec autant de hâte qu'ils cherchent le bonheur, le terme de leur vie aurait été décrété. Mais Nous laissons ceux qui n'espèrent pas Notre rencontre confus et hésitants dans leur transgression.

12. Et quand le malheur touche l'homme, il fait appel à Nous, couché sur le côté, assis, ou debout. Puis quand Nous le délivrons de son malheur, il s'en va comme s'il ne Nous avait point imploré pour un mal qui l'a touché. C'est ainsi que furent embellies aux outranciers leurs actions.

13. Nous avons fait périr les générations d'avant vous lorsqu'elles eurent été injustes alors que leurs messagers leur avaient apporté des preuves. Cependant, elles n'étaient pas disposées à croire. C'est ainsi que Nous rétribuons les gens criminels.

14. Puis nous fîmes de vous des successeurs sur terre après eux, pour voir comment vous agiriez.

وَإِذَا تُتْلَىٰ عَلَيْهِمْ ءَايَاتُنَا بَيِّنَٰتٍ ۙ قَالَ ٱلَّذِينَ لَا يَرْجُونَ
لِقَآءَنَا ٱئْتِ بِقُرْءَانٍ غَيْرِ هَٰذَآ أَوْ بَدِّلْهُ ۚ قُلْ مَا يَكُونُ لِىٓ
أَنْ أُبَدِّلَهُۥ مِن تِلْقَآئِ نَفْسِىٓ ۖ إِنْ أَتَّبِعُ إِلَّا مَا يُوحَىٰٓ إِلَىَّ ۖ إِنِّىٓ
أَخَافُ إِنْ عَصَيْتُ رَبِّى عَذَابَ يَوْمٍ عَظِيمٍ ﴿١٥﴾ قُل لَّوْ شَآءَ
ٱللَّهُ مَا تَلَوْتُهُۥ عَلَيْكُمْ وَلَآ أَدْرَىٰكُم بِهِۦ ۖ فَقَدْ لَبِثْتُ
فِيكُمْ عُمُرًا مِّن قَبْلِهِۦٓ ۚ أَفَلَا تَعْقِلُونَ ﴿١٦﴾ فَمَنْ أَظْلَمُ
مِمَّنِ ٱفْتَرَىٰ عَلَى ٱللَّهِ كَذِبًا أَوْ كَذَّبَ بِـَٔايَٰتِهِۦٓ ۚ إِنَّهُۥ
لَا يُفْلِحُ ٱلْمُجْرِمُونَ ﴿١٧﴾ وَيَعْبُدُونَ مِن دُونِ ٱللَّهِ
مَا لَا يَضُرُّهُمْ وَلَا يَنفَعُهُمْ وَيَقُولُونَ هَٰٓؤُلَآءِ شُفَعَٰٓؤُنَا
عِندَ ٱللَّهِ ۚ قُلْ أَتُنَبِّـُٔونَ ٱللَّهَ بِمَا لَا يَعْلَمُ فِى ٱلسَّمَٰوَٰتِ وَلَا
فِى ٱلْأَرْضِ ۚ سُبْحَٰنَهُۥ وَتَعَٰلَىٰ عَمَّا يُشْرِكُونَ ﴿١٨﴾ وَمَا كَانَ
ٱلنَّاسُ إِلَّآ أُمَّةً وَٰحِدَةً فَٱخْتَلَفُوا۟ ۚ وَلَوْلَا كَلِمَةٌ
سَبَقَتْ مِن رَّبِّكَ لَقُضِىَ بَيْنَهُمْ فِيمَا فِيهِ يَخْتَلِفُونَ
﴿١٩﴾ وَيَقُولُونَ لَوْلَآ أُنزِلَ عَلَيْهِ ءَايَةٌ مِّن رَّبِّهِۦ ۖ فَقُلْ إِنَّمَا
ٱلْغَيْبُ لِلَّهِ فَٱنتَظِرُوٓا۟ إِنِّى مَعَكُم مِّنَ ٱلْمُنتَظِرِينَ ﴿٢٠﴾

15. Et quand leur sont récités Nos versets en toute clarté, ceux qui n'espèrent pas notre rencontre disent: «Apporte un Qur'ān autre que celui-ci» ou bien «Change-le». Dis: «Il ne m'appartient pas de le changer de mon propre chef. Je ne fais que suivre ce qui m'est révélé. Je crains, si je désobéis à mon Seigneur, le châtiment d'un jour terrible».

16. Dis: «Si Allāh avait voulu, je ne vous l'aurais pas récité et Il ne vous l'aurait pas non plus fait connaître. Je suis bien resté, avant cela, tout un âge parmi vous. Ne raisonnez-vous donc pas?»[1]

17. Qui est plus injuste que celui qui invente un mensonge contre Allāh, ou qui traite de mensonges Ses versets (le Qur'ān)? Vraiment, les criminels ne réussissent pas.

18. Ils adorent au lieu d'Allāh ce qui ne peut ni leur nuire ni leur profiter et disent: «Ceux-ci sont nos intercesseurs auprès d'Allāh». Dis: «Informerez-vous Allāh de ce qu'Il ne connaît pas dans les cieux et sur la terre?» Pureté à Lui, Il est Très élevé au-dessus de ce qu'Ils Lui associent!

19. Les gens ne formaient (à l'origine) qu'une seule communauté. Puis ils divergèrent. Et si ce n'était une décision préalable de ton Seigneur, les litiges qui les opposaient auraient été tranchés.

20. Et ils disent: «Que ne fait-on descendre sur lui (Muḥammad) un miracle[2] de son Seigneur?» Alors, dis: «L'inconnaissable relève seulement d'Allāh. Attendez donc; je serai avec vous parmi ceux qui attendent.

---

1. *Je ne vous l'aurais pas récité*: (ce Qur'ān)
Tout un âge: quarante ans.
2. *Un miracle*: semblable à ceux des Envoyés antérieurs, tels le bâton de Moïse et la chamelle de Ṣāliḥ, etc.

وَإِذَآ أَذَقْنَا ٱلنَّاسَ رَحْمَةً مِّنۢ بَعْدِ ضَرَّآءَ مَسَّتْهُمْ إِذَا لَهُم مَّكْرٌ فِىٓ ءَايَاتِنَا قُلِ ٱللَّهُ أَسْرَعُ مَكْرًا إِنَّ رُسُلَنَا يَكْتُبُونَ مَا تَمْكُرُونَ ۞ هُوَ ٱلَّذِى يُسَيِّرُكُمْ فِى ٱلْبَرِّ وَٱلْبَحْرِ حَتَّىٰٓ إِذَا كُنتُمْ فِى ٱلْفُلْكِ وَجَرَيْنَ بِهِم بِرِيحٍ طَيِّبَةٍ وَفَرِحُوا۟ بِهَا جَآءَتْهَا رِيحٌ عَاصِفٌ وَجَآءَهُمُ ٱلْمَوْجُ مِن كُلِّ مَكَانٍ وَظَنُّوٓا۟ أَنَّهُمْ أُحِيطَ بِهِمْ دَعَوُا۟ ٱللَّهَ مُخْلِصِينَ لَهُ ٱلدِّينَ لَئِنْ أَنجَيْتَنَا مِنْ هَٰذِهِۦ لَنَكُونَنَّ مِنَ ٱلشَّٰكِرِينَ ۞ فَلَمَّآ أَنجَىٰهُمْ إِذَا هُمْ يَبْغُونَ فِى ٱلْأَرْضِ بِغَيْرِ ٱلْحَقِّ يَٰٓأَيُّهَا ٱلنَّاسُ إِنَّمَا بَغْيُكُمْ عَلَىٰٓ أَنفُسِكُم مَّتَٰعَ ٱلْحَيَوٰةِ ٱلدُّنْيَا ثُمَّ إِلَيْنَا مَرْجِعُكُمْ فَنُنَبِّئُكُم بِمَا كُنتُمْ تَعْمَلُونَ ۞ إِنَّمَا مَثَلُ ٱلْحَيَوٰةِ ٱلدُّنْيَا كَمَآءٍ أَنزَلْنَٰهُ مِنَ ٱلسَّمَآءِ فَٱخْتَلَطَ بِهِۦ نَبَاتُ ٱلْأَرْضِ مِمَّا يَأْكُلُ ٱلنَّاسُ وَٱلْأَنْعَٰمُ حَتَّىٰٓ إِذَآ أَخَذَتِ ٱلْأَرْضُ زُخْرُفَهَا وَٱزَّيَّنَتْ وَظَنَّ أَهْلُهَآ أَنَّهُمْ قَٰدِرُونَ عَلَيْهَآ أَتَىٰهَآ أَمْرُنَا لَيْلًا أَوْ نَهَارًا فَجَعَلْنَٰهَا حَصِيدًا كَأَن لَّمْ تَغْنَ بِٱلْأَمْسِ كَذَٰلِكَ نُفَصِّلُ ٱلْءَايَٰتِ لِقَوْمٍ يَتَفَكَّرُونَ ۞ وَٱللَّهُ يَدْعُوٓا۟ إِلَىٰ دَارِ ٱلسَّلَٰمِ وَيَهْدِى مَن يَشَآءُ إِلَىٰ صِرَٰطٍ مُّسْتَقِيمٍ ۞

21. Et quand Nous faisons goûter aux gens une miséricorde après qu'un malheur les a touchés, voilà qu'ils dénigrent Nos versets. Dis: «Allāh est plus prompt à réprimer (ceux qui dénigrent Ses versets).» Car Nos anges enregistrent vos dénigrements[1].

22. C'est Lui qui vous fait aller sur terre et sur mer, quand vous êtes en bateau. [Ces bateaux] les emportèrent, grâce à un bon vent. Ils s'en réjouirent jusqu'au moment où, assaillis par un vent impétueux, assaillis de tous côtés par les vagues, se jugeant enveloppés [par la mort], ils prièrent Allāh, Lui vouant le culte [et disant]: «Certes, si Tu nous sauves de ceci, nous serons parmi les reconnaissants!»

23. Lorsqu'Il les a sauvés, les voilà qui, sur terre, transgressent injustement. Ô gens! Votre transgression ne retombera que sur vous-mêmes. C'est une jouissance temporaire de la vie présente. Ensuite, c'est vers Nous que sera votre retour, et Nous vous rappellerons alors ce que vous faisiez.

24. La vie présente est comparable à une eau que Nous faisons descendre du ciel et qui se mélange à la végétation de la terre dont se nourrissent les hommes et les bêtes. Puis, lorsque la terre prend sa parure et s'embellit, et que ses habitants pensent qu'elle est à leur entière disposition, Notre Ordre lui vient, de nuit ou de jour, c'est alors que Nous la rendrons toute moissonnée, comme si elle n'avait pas été florissante la veille. Ainsi exposons-Nous les preuves pour des gens qui réfléchissent.

25. Allāh appelle à la demeure de la paix et guide qui Il veut vers un droit chemin.

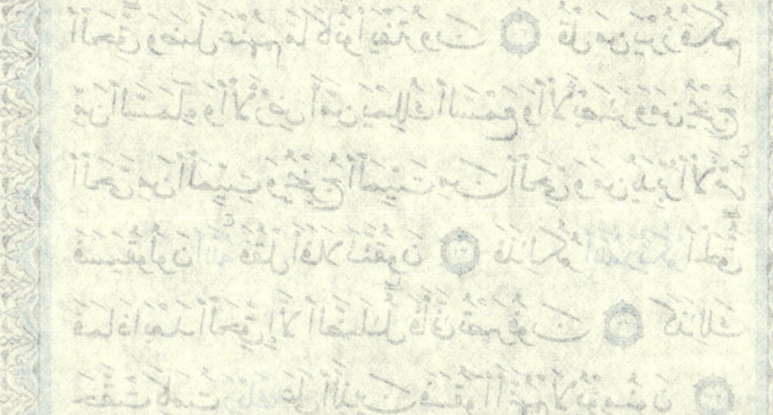

---

1. Les Anges consignent les actes de chaque personne, pour les lui présenter au Jour du Jugement Dernier.

۞ لِّلَّذِينَ أَحْسَنُوا۟ الْحُسْنَىٰ وَزِيَادَةٌ ۖ وَلَا يَرْهَقُ وُجُوهَهُمْ قَتَرٌ

وَلَا ذِلَّةٌ ۚ أُو۟لَٰٓئِكَ أَصْحَٰبُ الْجَنَّةِ ۖ هُمْ فِيهَا خَٰلِدُونَ ۝ وَالَّذِينَ

كَسَبُوا۟ السَّيِّئَاتِ جَزَآءُ سَيِّئَةٍۭ بِمِثْلِهَا وَتَرْهَقُهُمْ ذِلَّةٌ ۖ مَّا لَهُم مِّنَ

اللَّهِ مِنْ عَاصِمٍ ۖ كَأَنَّمَآ أُغْشِيَتْ وُجُوهُهُمْ قِطَعًا مِّنَ الَّيْلِ مُظْلِمًا ۚ

أُو۟لَٰٓئِكَ أَصْحَٰبُ النَّارِ ۖ هُمْ فِيهَا خَٰلِدُونَ ۝ وَيَوْمَ نَحْشُرُهُمْ

جَمِيعًا ثُمَّ نَقُولُ لِلَّذِينَ أَشْرَكُوا۟ مَكَانَكُمْ أَنتُمْ وَشُرَكَآؤُكُمْ ۚ فَزَيَّلْنَا

بَيْنَهُمْ ۖ وَقَالَ شُرَكَآؤُهُم مَّا كُنتُمْ إِيَّانَا تَعْبُدُونَ ۝ فَكَفَىٰ بِاللَّهِ

شَهِيدًۢا بَيْنَنَا وَبَيْنَكُمْ إِن كُنَّا عَنْ عِبَادَتِكُمْ لَغَٰفِلِينَ ۝

هُنَالِكَ تَبْلُوا۟ كُلُّ نَفْسٍ مَّآ أَسْلَفَتْ ۚ وَرُدُّوٓا۟ إِلَى اللَّهِ مَوْلَىٰهُمُ

الْحَقِّ ۖ وَضَلَّ عَنْهُم مَّا كَانُوا۟ يَفْتَرُونَ ۝ قُلْ مَن يَرْزُقُكُم

مِّنَ السَّمَآءِ وَالْأَرْضِ أَمَّن يَمْلِكُ السَّمْعَ وَالْأَبْصَٰرَ وَمَن يُخْرِجُ

الْحَيَّ مِنَ الْمَيِّتِ وَيُخْرِجُ الْمَيِّتَ مِنَ الْحَيِّ وَمَن يُدَبِّرُ الْأَمْرَ ۚ

فَسَيَقُولُونَ اللَّهُ ۚ فَقُلْ أَفَلَا تَتَّقُونَ ۝ فَذَٰلِكُمُ اللَّهُ رَبُّكُمُ الْحَقُّ ۖ

فَمَاذَا بَعْدَ الْحَقِّ إِلَّا الضَّلَٰلُ ۖ فَأَنَّىٰ تُصْرَفُونَ ۝ كَذَٰلِكَ

حَقَّتْ كَلِمَتُ رَبِّكَ عَلَى الَّذِينَ فَسَقُوٓا۟ أَنَّهُمْ لَا يُؤْمِنُونَ ۝

26. À ceux qui agissent en bien est réservée la meilleure (récompense) et même davantage. Nulle fumée noircissante, nul avilissement ne couvriront leurs visages. Ceux-là sont les gens du Paradis, où ils demeureront éternellement[1].

27. Et ceux qui ont commis de mauvaises actions, la rétribution d'une mauvaise action sera l'équivalent. Un avilissement les couvrira, - pas de protecteur pour eux contre Allāh - , comme si leurs visages se couvraient de lambeaux de ténèbres nocturnes. Ceux-là sont là les gens du Feu où ils demeureront éternellement.

28. (Et rappelle-toi) le jour où Nous les rassemblerons tous. Puis, Nous dirons à ceux qui ont donné [à Allāh] des associés: «À votre place, vous et vos associés.» Nous les séparerons les uns des autres et leurs associés diront: «Ce n'est pas nous que vous adoriez».

29. Allāh suffit comme témoin entre nous et vous. En vérité, nous étions indifférents à votre adoration».

30. Là, chaque âme éprouvera (les conséquences de) ce qu'elle a précédemment accompli. Et ils seront ramenés vers Allāh leur vrai Maître ; et leurs inventions (idoles) s'éloigneront d'eux.

31. Dis: «Qui vous attribue de la nourriture du ciel et de la terre? Qui détient l'ouïe et la vue, et qui fait sortir le vivant du mort et fait sortir le mort du vivant, et qui administre tout?» Ils diront: «Allāh». Dis alors: «Ne Le craignez-vous donc pas?»

32. Tel est Allāh. votre vrai Seigneur. Au-delà de la vérité qu'y a-t-il donc sinon l'égarement? Comment alors pouvez-vous, vous détourner?»

33. C'est ainsi que s'est réalisée la parole de ton Seigneur contre ceux qui sont pervers: «Ils ne croiront pas».

---

1. *La meilleure* (récompense): le Paradis.
Et même davantage: selon Muslim, le Prophète se référait à ce verset, pour dire qu'après le Paradis, il y aura la vision divine, ultime récompense des gens de bien.

قُل هَل مِن شُرَكَآئِكُم مَّن يَبْدَؤُاْ الْخَلْقَ ثُمَّ يُعِيدُهُ قُلِ اللَّهُ يَبْدَؤُاْ الْخَلْقَ ثُمَّ يُعِيدُهُ فَأَنَّىٰ تُؤْفَكُونَ ﴿٣٤﴾ قُلْ هَلْ مِن شُرَكَآئِكُم مَّن يَهْدِى إِلَى الْحَقِّ قُلِ اللَّهُ يَهْدِى لِلْحَقِّ أَفَمَن يَهْدِىٓ إِلَى الْحَقِّ أَحَقُّ أَن يُتَّبَعَ أَمَّن لَّا يَهِدِّىٓ إِلَّآ أَن يُهْدَىٰ فَمَا لَكُمْ كَيْفَ تَحْكُمُونَ ﴿٣٥﴾ وَمَا يَتَّبِعُ أَكْثَرُهُمْ إِلَّا ظَنًّا إِنَّ الظَّنَّ لَا يُغْنِى مِنَ الْحَقِّ شَيْئًا إِنَّ اللَّهَ عَلِيمٌۢ بِمَا يَفْعَلُونَ ﴿٣٦﴾ وَمَا كَانَ هَٰذَا الْقُرْءَانُ أَن يُفْتَرَىٰ مِن دُونِ اللَّهِ وَلَٰكِن تَصْدِيقَ الَّذِى بَيْنَ يَدَيْهِ وَتَفْصِيلَ الْكِتَٰبِ لَا رَيْبَ فِيهِ مِن رَّبِّ الْعَٰلَمِينَ ﴿٣٧﴾ أَمْ يَقُولُونَ افْتَرَىٰهُ قُلْ فَأْتُواْ بِسُورَةٍ مِّثْلِهِ وَادْعُواْ مَنِ اسْتَطَعْتُم مِّن دُونِ اللَّهِ إِن كُنتُمْ صَٰدِقِينَ ﴿٣٨﴾ بَلْ كَذَّبُواْ بِمَا لَمْ يُحِيطُواْ بِعِلْمِهِ وَلَمَّا يَأْتِهِمْ تَأْوِيلُهُ كَذَٰلِكَ كَذَّبَ الَّذِينَ مِن قَبْلِهِمْ فَانظُرْ كَيْفَ كَانَ عَٰقِبَةُ الظَّٰلِمِينَ ﴿٣٩﴾ وَمِنْهُم مَّن يُؤْمِنُ بِهِ وَمِنْهُم مَّن لَّا يُؤْمِنُ بِهِ وَرَبُّكَ أَعْلَمُ بِالْمُفْسِدِينَ ﴿٤٠﴾ وَإِن كَذَّبُوكَ فَقُل لِّى عَمَلِى وَلَكُمْ عَمَلُكُمْ أَنتُم بَرِيٓـُٔونَ مِمَّآ أَعْمَلُ وَأَنَا۠ بَرِىٓءٌ مِّمَّا تَعْمَلُونَ ﴿٤١﴾ وَمِنْهُم مَّن يَسْتَمِعُونَ إِلَيْكَ أَفَأَنتَ تُسْمِعُ الصُّمَّ وَلَوْ كَانُواْ لَا يَعْقِلُونَ ﴿٤٢﴾

34. Dis: «Parmi vos associés, qui donne la vie par une première création et la redonne [après la mort]?» Dis: «Allāh [seul] donne la vie par une première création et la redonne. Comment pouvez-vous vous écarter [de l'adoration d'Allāh]?»

35. Dis: «Est-ce qu'il y a parmi vos associés un qui guide vers la vérité?» Dis: «C'est Allāh qui guide vers la vérité. Celui qui guide vers la vérité est-il plus digne d'être suivi, ou bien celui qui ne se dirige qu'autant qu'il est lui-même dirigé? Qu'avez-vous donc? Comment jugez-vous ainsi?»

36. Et la plupart d'entre eux ne suivent[1] que conjecture. Mais, la conjecture ne sert à rien contre la vérité! Allāh sait parfaitement ce qu'ils font.

37. Ce Qur'ān n'est nullement à être forgé en dehors d'Allāh mais c'est la confirmation de ce qui existait déjà avant lui, et l'exposé détaillé du Livre en quoi il n'y a pas de doute, venu du Seigneur de l'Univers.

38. Ou bien ils disent: «Il (Muḥammad) l'a inventé?» Dis: «Composez donc une sourate semblable à ceci, et appelez à votre aide n'importe qui vous pourrez, en dehors Allāh, si vous êtes véridiques».

39. Bien au contraire: ils ont traité de mensonge ce qu'ils ne peuvent embrasser de leur savoir, et dont l'interprétation ne leur est pas encore parvenue. Ainsi ceux qui vivaient avant eux traitaient d'imposteurs (leurs messagers). Regarde comment a été la fin des injustes!

40. Certains d'entre eux y croient, et d'autres n'y croient pas. Et ton Seigneur connaît le mieux les fauteurs de désordre.

41. Et s'ils te traitent de menteur, dis alors: «À moi mon œuvre, et à vous la vôtre. Vous êtes irresponsables de ce que je fais et je suis irresponsable de ce que vous faites».

42. Et il en est parmi eux qui te prêtent l'oreille. Est-ce toi qui fait entendre les sourds, même s'ils sont incapables de comprendre.

---

1. *Ne suivent*: dans leur adoration des idoles.

 وَمِنْهُم مَّن يَنظُرُ إِلَيْكَ أَفَأَنتَ تَهْدِي الْعُمْىَ وَلَوْ كَانُوا۟ لَا يُبْصِرُونَ ۝ إِنَّ اللَّهَ لَا يَظْلِمُ النَّاسَ شَيْـًٔا وَلَٰكِنَّ النَّاسَ أَنفُسَهُمْ يَظْلِمُونَ ۝ وَيَوْمَ يَحْشُرُهُمْ كَأَن لَّمْ يَلْبَثُوٓا۟ إِلَّا سَاعَةً مِّنَ النَّهَارِ يَتَعَارَفُونَ بَيْنَهُمْ قَدْ خَسِرَ الَّذِينَ كَذَّبُوا۟ بِلِقَآءِ اللَّهِ وَمَا كَانُوا۟ مُهْتَدِينَ ۝ وَإِمَّا نُرِيَنَّكَ بَعْضَ الَّذِي نَعِدُهُمْ أَوْ نَتَوَفَّيَنَّكَ فَإِلَيْنَا مَرْجِعُهُمْ ثُمَّ اللَّهُ شَهِيدٌ عَلَىٰ مَا يَفْعَلُونَ ۝ وَلِكُلِّ أُمَّةٍ رَّسُولٌ فَإِذَا جَآءَ رَسُولُهُمْ قُضِىَ بَيْنَهُم بِالْقِسْطِ وَهُمْ لَا يُظْلَمُونَ ۝ وَيَقُولُونَ مَتَىٰ هَٰذَا الْوَعْدُ إِن كُنتُمْ صَٰدِقِينَ ۝ قُل لَّآ أَمْلِكُ لِنَفْسِي ضَرًّا وَلَا نَفْعًا إِلَّا مَا شَآءَ اللَّهُ لِكُلِّ أُمَّةٍ أَجَلٌ إِذَا جَآءَ أَجَلُهُمْ فَلَا يَسْتَـْٔخِرُونَ سَاعَةً وَلَا يَسْتَقْدِمُونَ ۝ قُلْ أَرَءَيْتُمْ إِنْ أَتَىٰكُمْ عَذَابُهُۥ بَيَٰتًا أَوْ نَهَارًا مَّاذَا يَسْتَعْجِلُ مِنْهُ الْمُجْرِمُونَ ۝ أَثُمَّ إِذَا مَا وَقَعَ ءَامَنتُم بِهِۦٓ ءَآلْـَٰٔنَ وَقَدْ كُنتُم بِهِۦ تَسْتَعْجِلُونَ ۝ ثُمَّ قِيلَ لِلَّذِينَ ظَلَمُوا۟ ذُوقُوا۟ عَذَابَ الْخُلْدِ هَلْ تُجْزَوْنَ إِلَّا بِمَا كُنتُمْ تَكْسِبُونَ ۝ وَيَسْتَنۢبِـُٔونَكَ أَحَقٌّ هُوَ قُلْ إِى وَرَبِّىٓ إِنَّهُۥ لَحَقٌّ وَمَآ أَنتُم بِمُعْجِزِينَ ۝

۞ ربع الحزب ٢٢

43. Et il en est parmi eux qui te regardent. Est-ce toi qui peux guider les aveugles, même s'ils ne voient pas?

44. En vérité, Allāh n'est point injuste à l'égard des gens, mais ce sont les gens qui font du tort à eux-mêmes.

45. Et le jour où Il les rassemblera, ce sera comme s'ils n'étaient restés [dans leur tombeau] qu'une heure du jour et ils se reconnaîtront mutuellement. Perdants seront alors ceux qui auront traité de mensonge la rencontre d'Allāh, et ils n'auront pas été bien guidés.

46. Que Nous te fassions voir une partie de ce dont Nous les menaçons, ou que Nous te fassions mourir[1], (en tout cas), c'est vers Nous que sera leur retour. Allāh est en outre, témoin de ce qu'ils font.

47. À chaque communauté un Messager. Et lorsque leur messager vint, tout se décida en équité entre eux et ils ne furent point lésés.

48. Et ils disent: «À quand cette promesse[2], si vous êtes véridiques»?

49. Dis: «Je ne détiens pour moi rien qui peut me nuire ou me profiter, excepté ce qu'Allāh veut. À chaque communauté un terme. Quand leur terme arrive, ils ne peuvent ni le retarder d'une heure ni l'avancer».

50. Dis: «Voyez-vous! Si Son châtiment vous arrivait de nuit ou de jour, les criminels pourraient-ils en hâter quelque chose?

51. «Est-ce au moment où le châtiment se produira que vous croirez? [Il vous sera dit: «Inutile»] Maintenant! Autrefois, vous en réclamiez [ironiquement] la prompte arrivée!»

52. Puis il sera dit aux injustes: «Goûtez au châtiment éternel! Etes-vous rétribués autrement qu'en rapport de ce que vous acquériez?»

53. Et ils s'informent auprès de toi: «Est-ce vrai?»[3] - Dis: «Oui! Par mon Seigneur! C'est bien vrai. Et vous ne pouvez vous soustraire à la puissance d'Allāh».

---

1. *Nous te fassions mourir*: avant cette réalisation.
2. *Cette promesse*: cette menace du Jour dernier.
3. *Est-ce vrai?*: le châtiment ou la résurrection.

وَلَوۡ أَنَّ لِكُلِّ نَفۡسٍ ظَلَمَتۡ مَا فِى ٱلۡأَرۡضِ لَٱفۡتَدَتۡ بِهِۦۗ وَأَسَرُّواْ ٱلنَّدَامَةَ لَمَّا رَأَوُاْ ٱلۡعَذَابَۖ وَقُضِىَ بَيۡنَهُم بِٱلۡقِسۡطِ وَهُمۡ لَا يُظۡلَمُونَ ۝ أَلَآ إِنَّ لِلَّهِ مَا فِى ٱلسَّمَٰوَٰتِ وَٱلۡأَرۡضِۗ أَلَآ إِنَّ وَعۡدَ ٱللَّهِ حَقّٞ وَلَٰكِنَّ أَكۡثَرَهُمۡ لَا يَعۡلَمُونَ ۝ هُوَ يُحۡیِۦ وَيُمِيتُ وَإِلَيۡهِ تُرۡجَعُونَ ۝ يَٰٓأَيُّهَا ٱلنَّاسُ قَدۡ جَآءَتۡكُم مَّوۡعِظَةٞ مِّن رَّبِّكُمۡ وَشِفَآءٞ لِّمَا فِى ٱلصُّدُورِ وَهُدٗى وَرَحۡمَةٞ لِّلۡمُؤۡمِنِينَ ۝ قُلۡ بِفَضۡلِ ٱللَّهِ وَبِرَحۡمَتِهِۦ فَبِذَٰلِكَ فَلۡيَفۡرَحُواْ هُوَ خَيۡرٞ مِّمَّا يَجۡمَعُونَ ۝ قُلۡ أَرَءَيۡتُم مَّآ أَنزَلَ ٱللَّهُ لَكُم مِّن رِّزۡقٖ فَجَعَلۡتُم مِّنۡهُ حَرَامٗا وَحَلَٰلٗا قُلۡ ءَآللَّهُ أَذِنَ لَكُمۡۖ أَمۡ عَلَى ٱللَّهِ تَفۡتَرُونَ ۝ وَمَا ظَنُّ ٱلَّذِينَ يَفۡتَرُونَ عَلَى ٱللَّهِ ٱلۡكَذِبَ يَوۡمَ ٱلۡقِيَٰمَةِۗ إِنَّ ٱللَّهَ لَذُو فَضۡلٍ عَلَى ٱلنَّاسِ وَلَٰكِنَّ أَكۡثَرَهُمۡ لَا يَشۡكُرُونَ ۝ وَمَا تَكُونُ فِى شَأۡنٖ وَمَا تَتۡلُواْ مِنۡهُ مِن قُرۡءَانٖ وَلَا تَعۡمَلُونَ مِنۡ عَمَلٍ إِلَّا كُنَّا عَلَيۡكُمۡ شُهُودًا إِذۡ تُفِيضُونَ فِيهِۚ وَمَا يَعۡزُبُ عَن رَّبِّكَ مِن مِّثۡقَالِ ذَرَّةٖ فِى ٱلۡأَرۡضِ وَلَا فِى ٱلسَّمَآءِ وَلَآ أَصۡغَرَ مِن ذَٰلِكَ وَلَآ أَكۡبَرَ إِلَّا فِى كِتَٰبٖ مُّبِينٍ ۝

54. Si chaque âme injuste possédait tout ce qu'il y a sur terre, elle le donnerait pour sa rançon. Ils dissimuleront leur regret quand ils verront le châtiment. Et il sera décidé entre eux en toute équité, et ils ne seront point lésés.

55. C'est à Allāh qu'appartient, certes, tout ce qui est dans les cieux et sur la terre. Certes, la promesse d'Allāh est vérité. Mais la plupart d'entre eux ne (le) savent pas.

56. C'est Lui qui donne la vie et qui donne la mort ; et c'est vers Lui que vous serez ramenés.

57. Ô gens! Une exhortation vous est venue, de votre Seigneur, une guérison de ce qui est dans les poitrines, un guide et une miséricorde pour les croyants.

58. Dis:« [Ceci provient] de la grâce d'Allāh et de Sa miséricorde ; Voilà de quoi ils devraient se réjouir. C'est bien mieux que tout ce qu'ils amassent».

59. Que dites-vous de ce qu'Allāh a fait descendre[1] pour vous comme subsistance et dont vous avez alors fait des choses licites et des choses interdites?
- Dis: «Est-ce Allāh qui vous l'a permis? Ou bien forgez vous (des mensonges) contre Allāh»?

60. Et que penseront, au Jour de la Résurrection, ceux qui forgent le mensonge contre Allāh? - Certes, Allāh est Détenteur de grâce pour les gens, mais la plupart d'entre eux ne sont pas reconnaissants.

61. Tu ne te trouveras dans aucune situation, tu ne réciteras aucun passage du Qur'ān, vous n'accomplirez aucun acte sans que Nous soyons témoin au moment où vous l'entreprendrez. Il n'échappe à ton seigneur ni le poids d'un atome sur terre ou dans le ciel, ni un poids plus petit ou plus grand qui ne soit déjà inscrit dans un livre évident.

---

1. *Fait descendre*: a créé.

أَلَا إِنَّ أَوْلِيَاءَ ٱللَّهِ لَا خَوْفٌ عَلَيْهِمْ وَلَا هُمْ يَحْزَنُونَ ۝ ٱلَّذِينَ ءَامَنُوا وَكَانُوا يَتَّقُونَ ۝ لَهُمُ ٱلْبُشْرَىٰ فِي ٱلْحَيَوٰةِ ٱلدُّنْيَا وَفِي ٱلْآخِرَةِ لَا تَبْدِيلَ لِكَلِمَٰتِ ٱللَّهِ ذَٰلِكَ هُوَ ٱلْفَوْزُ ٱلْعَظِيمُ ۝ وَلَا يَحْزُنكَ قَوْلُهُمْ إِنَّ ٱلْعِزَّةَ لِلَّهِ جَمِيعًا هُوَ ٱلسَّمِيعُ ٱلْعَلِيمُ ۝ أَلَا إِنَّ لِلَّهِ مَن فِي ٱلسَّمَٰوَٰتِ وَمَن فِي ٱلْأَرْضِ وَمَا يَتَّبِعُ ٱلَّذِينَ يَدْعُونَ مِن دُونِ ٱللَّهِ شُرَكَاءَ إِن يَتَّبِعُونَ إِلَّا ٱلظَّنَّ وَإِنْ هُمْ إِلَّا يَخْرُصُونَ ۝ هُوَ ٱلَّذِي جَعَلَ لَكُمُ ٱلَّيْلَ لِتَسْكُنُوا فِيهِ وَٱلنَّهَارَ مُبْصِرًا إِنَّ فِي ذَٰلِكَ لَآيَٰتٍ لِّقَوْمٍ يَسْمَعُونَ ۝ قَالُوا ٱتَّخَذَ ٱللَّهُ وَلَدًا سُبْحَٰنَهُ هُوَ ٱلْغَنِيُّ لَهُ مَا فِي ٱلسَّمَٰوَٰتِ وَمَا فِي ٱلْأَرْضِ إِنْ عِندَكُم مِّن سُلْطَٰنٍ بِهَٰذَا أَتَقُولُونَ عَلَى ٱللَّهِ مَا لَا تَعْلَمُونَ ۝ قُلْ إِنَّ ٱلَّذِينَ يَفْتَرُونَ عَلَى ٱللَّهِ ٱلْكَذِبَ لَا يُفْلِحُونَ ۝ مَتَٰعٌ فِي ٱلدُّنْيَا ثُمَّ إِلَيْنَا مَرْجِعُهُمْ ثُمَّ نُذِيقُهُمُ ٱلْعَذَابَ ٱلشَّدِيدَ بِمَا كَانُوا يَكْفُرُونَ ۝

62. En vérité, les bien-aimés d'Allāh seront à l'abri de toute crainte, et ils ne seront point affligés,

63. ceux qui croient et qui craignent [Allāh].

64. Il y a pour eux une bonne annonce dans la vie d'ici-bas tout comme dans la vie ultime. - Il n'y aura pas de changement aux paroles d'Allāh - . Voilà l'énorme succès!

65. Que ce qu'ils disent ne t'afflige pas. La puissance toute entière appartient à Allāh. C'est Lui qui est l'Audient, l'Omniscient.

66. C'est à Allāh qu'appartient, ce qui est dans les cieux et ce qui est sur la terre. Que suivent donc ceux qui invoquent, en dehors d'Allāh, [des divinités] qu'ils Lui associent? Ils ne suivent que la conjecture et ne font que mentir.

67. C'est Lui qui vous a désigné la nuit pour que vous vous y reposiez, et le jour pour vous permettre de voir. Ce sont en vérité des signes pour les gens qui entendent[1]!

68. Ils disent: «Allāh S'est donné un enfant» Gloire et Pureté à Lui! Il est Le Riche par excellence. À Lui appartient tout ce qui est aux cieux et sur la terre. ; - vous n'avez pour cela aucune preuve[2]. Allez-vous dire contre Allāh ce que vous ne savez pas?

69. Dis: «En vérité, ceux qui forgent le mensonge contre Allāh ne réussiront pas».

70. C'est une jouissance (temporaire) dans la vie d'ici-bas ; puis ils retourneront vers Nous et Nous leur ferons goûter au dur châtiment, à titre de sanction pour leur mécréance.

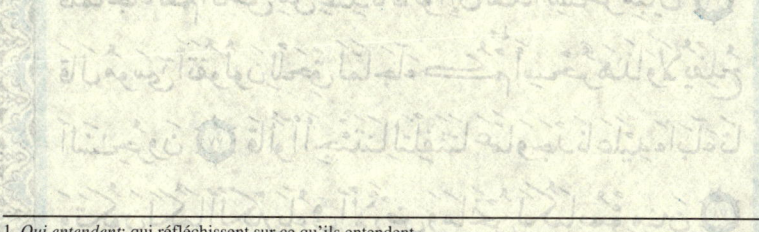

---

1. *Qui entendent*: qui réfléchissent sur ce qu'ils entendent.
2. *Pour cela aucune preuve*: pour attribuer un enfant à Allāh.

۞ وَاتْلُ عَلَيْهِمْ نَبَأَ نُوحٍ إِذْ قَالَ لِقَوْمِهِ يَٰقَوْمِ إِن كَانَ كَبُرَ عَلَيْكُم

مَّقَامِى وَتَذْكِيرِى بِـَٔايَٰتِ ٱللَّهِ فَعَلَى ٱللَّهِ تَوَكَّلْتُ فَأَجْمِعُوٓا۟

أَمْرَكُمْ وَشُرَكَآءَكُمْ ثُمَّ لَا يَكُنْ أَمْرُكُمْ عَلَيْكُمْ غُمَّةً ثُمَّ ٱقْضُوٓا۟

إِلَىَّ وَلَا تُنظِرُونِ ۞ فَإِن تَوَلَّيْتُمْ فَمَا سَأَلْتُكُم مِّنْ أَجْرٍ إِنْ

أَجْرِىَ إِلَّا عَلَى ٱللَّهِ وَأُمِرْتُ أَنْ أَكُونَ مِنَ ٱلْمُسْلِمِينَ ۞

فَكَذَّبُوهُ فَنَجَّيْنَٰهُ وَمَن مَّعَهُۥ فِى ٱلْفُلْكِ وَجَعَلْنَٰهُمْ خَلَٰٓئِفَ

وَأَغْرَقْنَا ٱلَّذِينَ كَذَّبُوا۟ بِـَٔايَٰتِنَا فَٱنظُرْ كَيْفَ كَانَ عَٰقِبَةُ ٱلْمُنذَرِينَ

۞ ثُمَّ بَعَثْنَا مِنۢ بَعْدِهِۦ رُسُلًا إِلَىٰ قَوْمِهِمْ فَجَآءُوهُم بِٱلْبَيِّنَٰتِ

فَمَا كَانُوا۟ لِيُؤْمِنُوا۟ بِمَا كَذَّبُوا۟ بِهِۦ مِن قَبْلُ كَذَٰلِكَ نَطْبَعُ عَلَىٰ قُلُوبِ

ٱلْمُعْتَدِينَ ۞ ثُمَّ بَعَثْنَا مِنۢ بَعْدِهِم مُّوسَىٰ وَهَٰرُونَ إِلَىٰ

فِرْعَوْنَ وَمَلَإِي۟هِۦ بِـَٔايَٰتِنَا فَٱسْتَكْبَرُوا۟ وَكَانُوا۟ قَوْمًا مُّجْرِمِينَ ۞

فَلَمَّا جَآءَهُمُ ٱلْحَقُّ مِنْ عِندِنَا قَالُوٓا۟ إِنَّ هَٰذَا لَسِحْرٌ مُّبِينٌ ۞

قَالَ مُوسَىٰٓ أَتَقُولُونَ لِلْحَقِّ لَمَّا جَآءَكُمْ أَسِحْرٌ هَٰذَا وَلَا يُفْلِحُ

ٱلسَّٰحِرُونَ ۞ قَالُوٓا۟ أَجِئْتَنَا لِتَلْفِتَنَا عَمَّا وَجَدْنَا عَلَيْهِ ءَابَآءَنَا

وَتَكُونَ لَكُمَا ٱلْكِبْرِيَآءُ فِى ٱلْأَرْضِ وَمَا نَحْنُ لَكُمَا بِمُؤْمِنِينَ ۞

71. Raconte-leur l'histoire de Noé, quand il dit à son peuple: «Ô mon peuple, si mon séjour (parmi vous), et mon rappel des signes d'Allāh vous pèsent trop, alors c'est en Allāh que je place (entièrement) ma confiance. Concertez-vous avec vos associés, et ne cachez pas vos desseins. Puis, décidez de moi et ne me donnez pas de répit.

72. Si vous vous détournez, alors je ne vous ai pas demandé de salaire ...¹ Mon salaire n'incombe qu'à Allāh. Et il m'a été commandé d'être du nombre des soumis».

73. Ils le traitèrent de menteur. Nous le sauvâmes, lui et ceux qui étaient avec lui dans l'arche, desquels Nous fîmes les successeurs (sur la terre). Nous noyâmes ceux qui traitaient de mensonge Nos preuves. Regarde comment a été la fin de ceux qui avaient été avertis!

74. Puis Nous envoyâmes après lui des messagers à leurs peuples. Ils leur vinrent avec les preuves. Mais (les gens) étaient tels qu'ils ne pouvaient croire à ce qu'auparavant ils avaient traité de mensonge. Ainsi scellons-Nous les cœurs des transgresseurs.

75. Ensuite, Nous envoyâmes après eux Moïse et Aaron, munis de Nos preuves à Pharaon et ses notables. Mais (ces gens) s'enflèrent d'orgueil et ils étaient un peuple criminel.

76. Et lorsque la vérité leur vint de Notre part, ils dirent: «Voilà certes, une magie manifeste!»

77. Moïse dit: «Dites-vous à la Vérité quand elle vous est venue: Est-ce que cela est de la magie? Alors que les magiciens ne réussissent pas....»

78. Ils dirent: «Est-ce pour nous écarter de ce sur quoi nous avons trouvé nos ancêtres que tu es venu à nous, et pour que la grandeur appartienne à vous deux sur la terre? Et nous ne croyons pas en vous!»

---

1. *Je ne vous ai pas demandé de salaire*: c.-à-d.: pourquoi me tournez-vous le dos alors que je ne vous demande aucun salaire?

وَقَالَ فِرْعَوْنُ ائْتُونِي بِكُلِّ سَاحِرٍ عَلِيمٍ ۝ فَلَمَّا جَاءَ السَّحَرَةُ قَالَ لَهُم مُّوسَىٰ أَلْقُوا مَا أَنتُم مُّلْقُونَ ۝ فَلَمَّا أَلْقَوْا قَالَ مُوسَىٰ مَا جِئْتُم بِهِ السِّحْرُ إِنَّ اللَّهَ سَيُبْطِلُهُ إِنَّ اللَّهَ لَا يُصْلِحُ عَمَلَ الْمُفْسِدِينَ ۝ وَيُحِقُّ اللَّهُ الْحَقَّ بِكَلِمَاتِهِ وَلَوْ كَرِهَ الْمُجْرِمُونَ ۝ فَمَا آمَنَ لِمُوسَىٰ إِلَّا ذُرِّيَّةٌ مِّن قَوْمِهِ عَلَىٰ خَوْفٍ مِّن فِرْعَوْنَ وَمَلَئِهِمْ أَن يَفْتِنَهُمْ وَإِنَّ فِرْعَوْنَ لَعَالٍ فِي الْأَرْضِ وَإِنَّهُ لَمِنَ الْمُسْرِفِينَ ۝ وَقَالَ مُوسَىٰ يَا قَوْمِ إِن كُنتُمْ آمَنتُم بِاللَّهِ فَعَلَيْهِ تَوَكَّلُوا إِن كُنتُم مُّسْلِمِينَ ۝ فَقَالُوا عَلَى اللَّهِ تَوَكَّلْنَا رَبَّنَا لَا تَجْعَلْنَا فِتْنَةً لِّلْقَوْمِ الظَّالِمِينَ ۝ وَنَجِّنَا بِرَحْمَتِكَ مِنَ الْقَوْمِ الْكَافِرِينَ ۝ وَأَوْحَيْنَا إِلَىٰ مُوسَىٰ وَأَخِيهِ أَن تَبَوَّآ لِقَوْمِكُمَا بِمِصْرَ بُيُوتًا وَاجْعَلُوا بُيُوتَكُمْ قِبْلَةً وَأَقِيمُوا الصَّلَاةَ وَبَشِّرِ الْمُؤْمِنِينَ ۝ وَقَالَ مُوسَىٰ رَبَّنَا إِنَّكَ آتَيْتَ فِرْعَوْنَ وَمَلَأَهُ زِينَةً وَأَمْوَالًا فِي الْحَيَاةِ الدُّنْيَا رَبَّنَا لِيُضِلُّوا عَن سَبِيلِكَ رَبَّنَا اطْمِسْ عَلَىٰ أَمْوَالِهِمْ وَاشْدُدْ عَلَىٰ قُلُوبِهِمْ فَلَا يُؤْمِنُوا حَتَّىٰ يَرَوُا الْعَذَابَ الْأَلِيمَ ۝

79. Et Pharaon dit: «Amenez-moi tout magicien savant!»

80. Puis, lorsque vinrent les magiciens, Moïse leur dit: «Jetez ce que vous avez à jeter».

81. Lorsqu'ils jetèrent, Moïse dit: «Ce que vous avez produit est magie! Allāh l'annulera. Car Allāh ne fait pas prospérer ce que font les fauteurs de désordre.

82. Et par Ses paroles, Allāh fera triompher la Vérité, quelque répulsion qu'en aient les criminels».

83. Personne ne crut (au message) de Moïse, sauf un groupe de jeunes gens de son[1] peuple, par crainte de représailles de Pharaon et de leurs notables. En vérité, Pharaon fut certes superbe sur terre et il fut du nombre des extravagants.

84. Et Moïse dit: «Ô mon peuple, si vous croyez en Allāh, placez votre confiance en Lui si vous (Lui) êtes soumis».

85. Ils dirent: «En Allāh nous plaçons notre confiance. Ô notre Seigneur, ne fais pas de nous une cible pour les persécutions des injustes.

86. Et délivre-nous, par Ta miséricorde, des gens mécréants».

87. Et Nous révélâmes à Moïse et à son frère: «Prenez pour votre peuple des maisons en Egypte, faîtes de vos maisons un lieu de prière et soyez assidus dans la prière. Et fais la bonne annonce aux croyants».

88. Et Moïse dit: «Ô notre Seigneur, Tu as accordé à Pharaon et ses notables des parures et des biens dans la vie présente, et voilà, Ô notre Seigneur, qu'avec cela ils égarent (les gens loin) de Ton sentier. Ô notre Seigneur, anéantis leurs biens et endurcis leurs cœurs, afin qu'ils ne croient pas, jusqu'à ce qu'ils aient vu le châtiment douloureux».

---

1. *Son peuple*: le peuple de Pharaon.

قَالَ قَدْ أُجِيبَت دَّعْوَتُكُمَا فَاسْتَقِيمَا وَلَا تَتَّبِعَآنِّ سَبِيلَ الَّذِينَ لَا يَعْلَمُونَ ۞ ۝ وَجَوَزْنَا بِبَنِيٓ إِسْرَٰٓءِيلَ الْبَحْرَ فَأَتْبَعَهُمْ فِرْعَوْنُ وَجُنُودُهُۥ بَغْيًا وَعَدْوًا حَتَّىٰٓ إِذَآ أَدْرَكَهُ الْغَرَقُ قَالَ ءَامَنتُ أَنَّهُۥ لَآ إِلَٰهَ إِلَّا الَّذِىٓ ءَامَنَتْ بِهِۦ بَنُوٓا إِسْرَٰٓءِيلَ وَأَنَا۠ مِنَ الْمُسْلِمِينَ ۝ ءَآلْـَٰٔنَ وَقَدْ عَصَيْتَ قَبْلُ وَكُنتَ مِنَ الْمُفْسِدِينَ ۝ فَالْيَوْمَ نُنَجِّيكَ بِبَدَنِكَ لِتَكُونَ لِمَنْ خَلْفَكَ ءَايَةً وَإِنَّ كَثِيرًا مِّنَ النَّاسِ عَنْ ءَايَٰتِنَا لَغَٰفِلُونَ ۝ وَلَقَدْ بَوَّأْنَا بَنِيٓ إِسْرَٰٓءِيلَ مُبَوَّأَ صِدْقٍ وَرَزَقْنَٰهُم مِّنَ الطَّيِّبَٰتِ فَمَا اخْتَلَفُوا حَتَّىٰ جَآءَهُمُ الْعِلْمُ إِنَّ رَبَّكَ يَقْضِى بَيْنَهُمْ يَوْمَ الْقِيَٰمَةِ فِيمَا كَانُوا فِيهِ يَخْتَلِفُونَ ۝ فَإِن كُنتَ فِى شَكٍّ مِّمَّآ أَنزَلْنَآ إِلَيْكَ فَسْـَٔلِ الَّذِينَ يَقْرَءُونَ الْكِتَٰبَ مِن قَبْلِكَ لَقَدْ جَآءَكَ الْحَقُّ مِن رَّبِّكَ فَلَا تَكُونَنَّ مِنَ الْمُمْتَرِينَ ۝ وَلَا تَكُونَنَّ مِنَ الَّذِينَ كَذَّبُوا بِـَٔايَٰتِ اللَّهِ فَتَكُونَ مِنَ الْخَٰسِرِينَ ۝ إِنَّ الَّذِينَ حَقَّتْ عَلَيْهِمْ كَلِمَتُ رَبِّكَ لَا يُؤْمِنُونَ ۝ وَلَوْ جَآءَتْهُمْ كُلُّ ءَايَةٍ حَتَّىٰ يَرَوُا الْعَذَابَ الْأَلِيمَ ۝

89. Il dit: «Votre prière est exaucée. Restez tous deux sur le chemin droit, et ne suivez point le sentier de ceux qui ne savent pas».

90. Et Nous fîmes traverser la mer aux Enfants d'Israël. Pharaon et ses armées les poursuivirent avec acharnement et inimité. Puis, quand la noyade l'eut atteint, il dit: «Je crois qu'il n'y a d'autre divinité que Celui en qui ont cru les enfants d'Israël. Et je suis du nombre des soumis».

91. [Allāh dit]: Maintenant? Alors qu'auparavant tu as désobéi et que tu as été du nombre des corrupteurs!

92. Nous allons aujourd'hui épargner ton corps[1], afin que tu deviennes un signe à tes successeurs. Cependant beaucoup de gens ne prêtent aucune attention à Nos signes (d'avertissement).

93. Certes, Nous avons établi les Enfants d'Israël dans un endroit honorable, et leur avons attribué comme nourriture de bons aliments. Par la suite, ils n'ont divergé qu'au moment où leur vint la science. Ton Seigneur décidera entre eux, au Jour de la Résurrection sur ce qui les divisait.

94. Et si tu es en doute sur ce que Nous avons fait descendre vers toi, interroge alors ceux qui lisent le Livre révélé avant toi. La vérité certes t'est venue de ton Seigneur: ne sois donc point de ceux qui doutent.

95. Et ne sois point de ceux qui traitent de mensonge les versets d'Allāh. Tu serais alors du nombre des perdants.

96. Ceux contre qui la parole (la menace) de ton Seigneur se réalisera ne croiront pas,

97. même si tous les signes leur parvenaient, jusqu'à ce qu'ils voient le châtiment douloureux.

---

1. *Epargner ton corps*: l'empêcher de disparaître dans la mer. Selon certains théologiens la momie de Ramsès II qui se trouve au musée du Caire est une explication à ce verset.

فَلَوْلَا كَانَتْ قَرْيَةٌ ءَامَنَتْ فَنَفَعَهَآ إِيمَٰنُهَآ إِلَّا قَوْمَ يُونُسَ لَمَّآ ءَامَنُوا۟ كَشَفْنَا عَنْهُمْ عَذَابَ ٱلْخِزْىِ فِى ٱلْحَيَوٰةِ ٱلدُّنْيَا وَمَتَّعْنَٰهُمْ إِلَىٰ حِينٍ ۝ وَلَوْ شَآءَ رَبُّكَ لَءَامَنَ مَن فِى ٱلْأَرْضِ كُلُّهُمْ جَمِيعًا أَفَأَنتَ تُكْرِهُ ٱلنَّاسَ حَتَّىٰ يَكُونُوا۟ مُؤْمِنِينَ ۝ وَمَا كَانَ لِنَفْسٍ أَن تُؤْمِنَ إِلَّا بِإِذْنِ ٱللَّهِ وَيَجْعَلُ ٱلرِّجْسَ عَلَى ٱلَّذِينَ لَا يَعْقِلُونَ ۝ قُلِ ٱنظُرُوا۟ مَاذَا فِى ٱلسَّمَٰوَٰتِ وَٱلْأَرْضِ وَمَا تُغْنِى ٱلْءَايَٰتُ وَٱلنُّذُرُ عَن قَوْمٍ لَّا يُؤْمِنُونَ ۝ فَهَلْ يَنتَظِرُونَ إِلَّا مِثْلَ أَيَّامِ ٱلَّذِينَ خَلَوْا۟ مِن قَبْلِهِمْ قُلْ فَٱنتَظِرُوٓا۟ إِنِّى مَعَكُم مِّنَ ٱلْمُنتَظِرِينَ ۝ ثُمَّ نُنَجِّى رُسُلَنَا وَٱلَّذِينَ ءَامَنُوا۟ كَذَٰلِكَ حَقًّا عَلَيْنَا نُنجِ ٱلْمُؤْمِنِينَ ۝ قُلْ يَٰٓأَيُّهَا ٱلنَّاسُ إِن كُنتُمْ فِى شَكٍّ مِّن دِينِى فَلَآ أَعْبُدُ ٱلَّذِينَ تَعْبُدُونَ مِن دُونِ ٱللَّهِ وَلَٰكِنْ أَعْبُدُ ٱللَّهَ ٱلَّذِى يَتَوَفَّىٰكُمْ وَأُمِرْتُ أَنْ أَكُونَ مِنَ ٱلْمُؤْمِنِينَ ۝ وَأَنْ أَقِمْ وَجْهَكَ لِلدِّينِ حَنِيفًا وَلَا تَكُونَنَّ مِنَ ٱلْمُشْرِكِينَ ۝ وَلَا تَدْعُ مِن دُونِ ٱللَّهِ مَا لَا يَنفَعُكَ وَلَا يَضُرُّكَ فَإِن فَعَلْتَ فَإِنَّكَ إِذًا مِّنَ ٱلظَّٰلِمِينَ ۝

98. Si seulement il y avait, à part le peuple de Yūnus (Jonas), une cité qui ait cru et à qui sa croyance eut ensuite profité! Lorsqu'ils eurent cru[1], Nous leur enlevâmes le châtiment d'ignominie dans la vie présente et leur donnâmes jouissance pour un certain temps.

99. Si ton Seigneur l'avait voulu, tous ceux qui sont sur la terre auraient cru. Est-ce à toi de contraindre les gens à devenir croyants[2]?

100. Il n'appartient nullement à une âme de croire si ce n'est avec la permission d'Allāh. Et Il voue au châtiment ceux qui ne raisonnent pas.

101. Dis: «Regardez ce qui est dans les cieux et sur la terre». Mais ni les preuves ni les avertisseurs (prophètes) ne suffisent à des gens qui ne croient pas.

102. Est-ce qu'ils attendent autre chose que des châtiments semblables à ceux des peuples antérieurs[3]? Dis: «Attendez! Moi aussi, j'attends avec vous».

103. Ensuite, Nous délivrerons Nos messagers et les croyants. C'est ainsi qu'il Nous incombe [en toute justice] de délivrer les croyants.

104. Dis: «Ô gens! Si vous êtes en doute sur ma religion, moi, je n'adore point ceux que vous adorez en dehors d'Allāh ; mais j'adore Allāh qui vous fera mourir. Et il m'a été commandé d'être du nombre des croyants».

105. Et (il m'a été dit): «Oriente-toi exclusivement sur la religion en pur monothéiste! Et ne sois pas du nombre des Associateurs ;

106. et n'invoque pas, en dehors d'Allāh, ce qui ne peut te profiter ni te nuire. Et si tu le fais, tu seras alors du nombre des injustes».

---

1. *Lorsqu'ils eurent cru*: Il s'agit du peuple de Jonas.
2. Au sujet de la tolérance en matière de foi religieuse (voir S. 2, v. 256).
3. *Les peuples antérieurs*: qui ont traité d'imposteurs leurs messagers.

وَإِن يَمْسَسْكَ ٱللَّهُ بِضُرٍّ فَلَا كَاشِفَ لَهُۥ إِلَّا هُوَۖ وَإِن يُرِدْكَ بِخَيْرٍ فَلَا رَآدَّ لِفَضْلِهِۦۚ يُصِيبُ بِهِۦ مَن يَشَآءُ مِنْ عِبَادِهِۦۚ وَهُوَ ٱلْغَفُورُ ٱلرَّحِيمُ ۝ قُلْ يَٰٓأَيُّهَا ٱلنَّاسُ قَدْ جَآءَكُمُ ٱلْحَقُّ مِن رَّبِّكُمْۖ فَمَنِ ٱهْتَدَىٰ فَإِنَّمَا يَهْتَدِى لِنَفْسِهِۦۖ وَمَن ضَلَّ فَإِنَّمَا يَضِلُّ عَلَيْهَاۖ وَمَآ أَنَا۠ عَلَيْكُم بِوَكِيلٍ ۝ وَٱتَّبِعْ مَا يُوحَىٰٓ إِلَيْكَ وَٱصْبِرْ حَتَّىٰ يَحْكُمَ ٱللَّهُۚ وَهُوَ خَيْرُ ٱلْحَٰكِمِينَ ۝

سُورَةُ هُودٍ

بِسْمِ ٱللَّهِ ٱلرَّحْمَٰنِ ٱلرَّحِيمِ

الٓرۚ كِتَٰبٌ أُحْكِمَتْ ءَايَٰتُهُۥ ثُمَّ فُصِّلَتْ مِن لَّدُنْ حَكِيمٍ خَبِيرٍ ۝ أَلَّا تَعْبُدُوٓا۟ إِلَّا ٱللَّهَۚ إِنَّنِى لَكُم مِّنْهُ نَذِيرٌ وَبَشِيرٌ ۝ وَأَنِ ٱسْتَغْفِرُوا۟ رَبَّكُمْ ثُمَّ تُوبُوٓا۟ إِلَيْهِ يُمَتِّعْكُم مَّتَٰعًا حَسَنًا إِلَىٰٓ أَجَلٍ مُّسَمًّى وَيُؤْتِ كُلَّ ذِى فَضْلٍ فَضْلَهُۥۖ وَإِن تَوَلَّوْا۟ فَإِنِّىٓ أَخَافُ عَلَيْكُمْ عَذَابَ يَوْمٍ كَبِيرٍ ۝ إِلَى ٱللَّهِ مَرْجِعُكُمْۖ وَهُوَ عَلَىٰ كُلِّ شَىْءٍ قَدِيرٌ ۝ أَلَآ إِنَّهُمْ يَثْنُونَ صُدُورَهُمْ لِيَسْتَخْفُوا۟ مِنْهُۚ أَلَا حِينَ يَسْتَغْشُونَ ثِيَابَهُمْ يَعْلَمُ مَا يُسِرُّونَ وَمَا يُعْلِنُونَۚ إِنَّهُۥ عَلِيمٌۢ بِذَاتِ ٱلصُّدُورِ ۝

۲۲۱

107. Et si Allāh fait qu'un mal te touche, nul ne peut l'écarter en dehors de Lui. Et s'Il te veut un bien, nul ne peut repousser Sa grâce. Il en gratifie qui Il veut parmi Ses serviteurs. Et c'est Lui le Pardonneur, le Miséricordieux.

108. Dis: «Ô gens! Certes la vérité vous est venue de votre Seigneur. Donc, quiconque est dans le bon chemin ne l'est que pour lui-même ; et quiconque s'égare, ne s'égare qu'à son propre détriment. Je ne suis nullement un protecteur pour vous[1].

109. Et suis ce qui t'est révélé, et sois constant jusqu'à ce qu'Allāh rende Son jugement car Il est le meilleur des juges.

HŪD[2]
sourate 11   123 versets   Pré-hégirien n°52

Au nom d'Allāh le Tout Miséricordieux, le Très Miséricordieux.

1. Alif, Lām, Rā. C'est un Livre dont les versets sont parfaits en style et en sens, émanant d'un Sage. Parfaitement Connaisseur[3].

2. N'adorez qu'Allāh. Moi, je suis pour vous, de Sa part, un avertisseur et un annonciateur.

3. Demandez pardon à votre Seigneur ; ensuite, revenez à Lui. Il vous accordera une belle jouissance jusqu'à un terme fixé, et Il accordera à chaque méritant l'honneur qu'il mérite. Mais si vous tournez le dos, je crains alors pour vous le châtiment d'un grand jour.

4. C'est à Allāh que sera votre retour ; et Il est Omnipotent.

5. Eh quoi! Ils replient leurs poitrines afin de se cacher de Lui. Même lorsqu'ils se couvrent de leurs vêtements, Il sait ce qu'ils cachent et ce qu'ils divulguent car Il connaît certes le contenu des poitrines.

---

1. Expression fréquente dans le Qur'ān qui veut dire: je ne suis pas responsable de ce que vous faites.
2. *Hūd*: l'apôtre des ʿĀd. Voir v. 50, et la note à S. 7, v. 65.
3. *Alif, Lām, Rā*: (Voir la note à S. 2, v. 1).
Émanant d'un Sage, Parfaitement Connaisseur: Allāh.

۞ وَمَا مِن دَآبَّةٍ فِي ٱلْأَرْضِ إِلَّا عَلَى ٱللَّهِ رِزْقُهَا وَيَعْلَمُ مُسْتَقَرَّهَا وَمُسْتَوْدَعَهَا ۚ كُلٌّ فِي كِتَٰبٍ مُّبِينٍ ٦ وَهُوَ ٱلَّذِي خَلَقَ ٱلسَّمَٰوَٰتِ وَٱلْأَرْضَ فِي سِتَّةِ أَيَّامٍ وَكَانَ عَرْشُهُۥ عَلَى ٱلْمَآءِ لِيَبْلُوَكُمْ أَيُّكُمْ أَحْسَنُ عَمَلًا ۗ وَلَئِن قُلْتَ إِنَّكُم مَّبْعُوثُونَ مِنۢ بَعْدِ ٱلْمَوْتِ لَيَقُولَنَّ ٱلَّذِينَ كَفَرُوٓا۟ إِنْ هَٰذَآ إِلَّا سِحْرٌ مُّبِينٌ ٧ وَلَئِنْ أَخَّرْنَا عَنْهُمُ ٱلْعَذَابَ إِلَىٰٓ أُمَّةٍ مَّعْدُودَةٍ لَّيَقُولُنَّ مَا يَحْبِسُهُۥٓ ۗ أَلَا يَوْمَ يَأْتِيهِمْ لَيْسَ مَصْرُوفًا عَنْهُمْ وَحَاقَ بِهِم مَّا كَانُوا۟ بِهِۦ يَسْتَهْزِءُونَ ٨ وَلَئِنْ أَذَقْنَا ٱلْإِنسَٰنَ مِنَّا رَحْمَةً ثُمَّ نَزَعْنَٰهَا مِنْهُ إِنَّهُۥ لَيَـُٔوسٌ كَفُورٌ ٩ وَلَئِنْ أَذَقْنَٰهُ نَعْمَآءَ بَعْدَ ضَرَّآءَ مَسَّتْهُ لَيَقُولَنَّ ذَهَبَ ٱلسَّيِّـَٔاتُ عَنِّىٓ ۚ إِنَّهُۥ لَفَرِحٌ فَخُورٌ ١٠ إِلَّا ٱلَّذِينَ صَبَرُوا۟ وَعَمِلُوا۟ ٱلصَّٰلِحَٰتِ أُو۟لَٰٓئِكَ لَهُم مَّغْفِرَةٌ وَأَجْرٌ كَبِيرٌ ١١ فَلَعَلَّكَ تَارِكٌۢ بَعْضَ مَا يُوحَىٰٓ إِلَيْكَ وَضَآئِقٌۢ بِهِۦ صَدْرُكَ أَن يَقُولُوا۟ لَوْلَآ أُنزِلَ عَلَيْهِ كَنزٌ أَوْ جَآءَ مَعَهُۥ مَلَكٌ ۚ إِنَّمَآ أَنتَ نَذِيرٌ ۚ وَٱللَّهُ عَلَىٰ كُلِّ شَىْءٍ وَكِيلٌ ١٢

6. Il n'y a point de bête sur terre dont la subsistance n'incombe à Allāh qui connaît son gîte et son dépôt ; tout est dans un Livre explicite.

7. Et c'est Lui qui a créé les cieux et la terre en six jours, - alors que Son Trône était sur l'eau, - afin d'éprouver lequel de vous agirait le mieux. Et si tu dis: «Vous serez ressuscités après la mort», ceux qui ne croient pas diront: «Ce n'est là qu'une magie évidente».

8. Et si Nous retardons pour eux le châtiment jusqu'à une période fixée, ils diront: «Qu'est-ce qui le retient?» - Mais le jour où cela leur viendra, il ne sera pas détourné d'eux ; et ce dont ils se moquaient les enveloppera.

9. Et si Nous faisons goûter à l'homme une grâce de Notre part, et qu'ensuite Nous la lui arrachons, le voilà désespéré et ingrat.

10. Et si Nous lui faisons goûter le bonheur, après qu'un malheur l'ait touché, il dira: «Les maux se sont éloignés de moi», et le voilà qui exulte, plein de gloriole.

11. sauf ceux qui sont endurants et font de bonnes œuvres. Ceux-là obtiendront pardon et une grosse récompense.

12. Il se peut que tu négliges une partie de ce qui t'est révélé, et que ta poitrine s'en sente compressée ; parce qu'ils disent: «Que n'a-t-on fait descendre sur lui un trésor?» Ou bien: «Que n'est-il venu un Ange en sa compagnie?» - Tu n'es qu'un avertisseur. Et Allāh est Le protecteur de toute chose[1].

---

1. *Il se peut que tu*: Muḥammad.
Tu négliges une partie de ce qui t'est révélé: en ne la transmettant pas.

أَمْ يَقُولُونَ ٱفْتَرَىٰهُ قُلْ فَأْتُوا۟ بِعَشْرِ سُوَرٍ مِّثْلِهِۦ مُفْتَرَيَٰتٍ وَٱدْعُوا۟ مَنِ ٱسْتَطَعْتُم مِّن دُونِ ٱللَّهِ إِن كُنتُمْ صَٰدِقِينَ ۝

فَإِلَّمْ يَسْتَجِيبُوا۟ لَكُمْ فَٱعْلَمُوٓا۟ أَنَّمَآ أُنزِلَ بِعِلْمِ ٱللَّهِ وَأَن لَّآ إِلَٰهَ إِلَّا هُوَ فَهَلْ أَنتُم مُّسْلِمُونَ ۝ مَن كَانَ يُرِيدُ ٱلْحَيَوٰةَ ٱلدُّنْيَا وَزِينَتَهَا نُوَفِّ إِلَيْهِمْ أَعْمَٰلَهُمْ فِيهَا وَهُمْ فِيهَا لَا يُبْخَسُونَ ۝ أُو۟لَٰٓئِكَ ٱلَّذِينَ لَيْسَ لَهُمْ فِى ٱلْءَاخِرَةِ إِلَّا ٱلنَّارُ وَحَبِطَ مَا صَنَعُوا۟ فِيهَا وَبَٰطِلٌ مَّا كَانُوا۟ يَعْمَلُونَ ۝ أَفَمَن كَانَ عَلَىٰ بَيِّنَةٍ مِّن رَّبِّهِۦ وَيَتْلُوهُ شَاهِدٌ مِّنْهُ وَمِن قَبْلِهِۦ كِتَٰبُ مُوسَىٰٓ إِمَامًا وَرَحْمَةً أُو۟لَٰٓئِكَ يُؤْمِنُونَ بِهِۦ وَمَن يَكْفُرْ بِهِۦ مِنَ ٱلْأَحْزَابِ فَٱلنَّارُ مَوْعِدُهُۥ فَلَا تَكُ فِى مِرْيَةٍ مِّنْهُ إِنَّهُ ٱلْحَقُّ مِن رَّبِّكَ وَلَٰكِنَّ أَكْثَرَ ٱلنَّاسِ لَا يُؤْمِنُونَ ۝ وَمَنْ أَظْلَمُ مِمَّنِ ٱفْتَرَىٰ عَلَى ٱللَّهِ كَذِبًا أُو۟لَٰٓئِكَ يُعْرَضُونَ عَلَىٰ رَبِّهِمْ وَيَقُولُ ٱلْأَشْهَٰدُ هَٰٓؤُلَآءِ ٱلَّذِينَ كَذَبُوا۟ عَلَىٰ رَبِّهِمْ أَلَا لَعْنَةُ ٱللَّهِ عَلَى ٱلظَّٰلِمِينَ ۝ ٱلَّذِينَ يَصُدُّونَ عَن سَبِيلِ ٱللَّهِ وَيَبْغُونَهَا عِوَجًا وَهُم بِٱلْءَاخِرَةِ هُمْ كَٰفِرُونَ ۝

13. Où bien ils disent: «Il l'a forgé [le Qur'ān]» - Dis: «Apportez donc dix Sourates semblables à ceci, forgées (par vous). Et appelez qui vous pourrez (pour vous aider), hormis Allāh, si vous êtes véridiques».

14. S'ils ne vous répondent pas, sachez alors que c'est par la science d'Allāh qu'il est descendu, et qu'il n'y a de divinité que Lui. Etes-vous soumis (à Lui)?

15. Ceux qui veulent la vie présente avec sa parure, Nous les rétribuerons exactement selon leurs actions sur terre, sans que rien leur en soit diminué.

16. Ceux-là qui n'ont rien, dans l'au-delà, que le Feu. Ce qu'ils auront fait ici-bas sera un échec, et sera vain ce qu'ils auront œuvré.

17. Est-ce que celui qui se fonde sur une preuve évidente (le Qur'ān) venant de son Seigneur et récitée par un témoin [l'archange Gabriel] de Sa part, cependant qu'avant lui [Muḥammad] il y a le livre de Moïse tenant lieu de guide et de miséricorde... [est meilleur ou bien celui qui ne se fonde sur aucune preuve valable?]. Ceux-là y croient; mais quiconque d'entre les factions n'y croit pas, aura le Feu comme rendez-vous. Ne sois donc pas en doute au sujet de ceci (le Qur'ān). Oui, c'est la vérité venant de ton Seigneur ; mais la plupart des gens n'y croient pas.

18. Et quel pire injuste que celui qui forge un mensonge contre Allāh? Ceux-là seront présentés à leur Seigneur, et les témoins (les anges) diront: «Voilà ceux qui ont menti contre leur Seigneur». Que la malédiction d'Allāh (frappe) les injustes,

19. qui obstruent le sentier d'Allāh (aux gens), cherchent à le rendre tortueux et ne croient pas en l'au-delà.

أُوْلَٰٓئِكَ لَمْ يَكُونُوا۟ مُعْجِزِينَ فِى ٱلْأَرْضِ وَمَا كَانَ لَهُم مِّن دُونِ ٱللَّهِ مِنْ أَوْلِيَآءَ يُضَٰعَفُ لَهُمُ ٱلْعَذَابُ مَا كَانُوا۟ يَسْتَطِيعُونَ ٱلسَّمْعَ وَمَا كَانُوا۟ يُبْصِرُونَ ﴿٢٠﴾ أُو۟لَٰٓئِكَ ٱلَّذِينَ خَسِرُوٓا۟ أَنفُسَهُمْ وَضَلَّ عَنْهُم مَّا كَانُوا۟ يَفْتَرُونَ ﴿٢١﴾ لَا جَرَمَ أَنَّهُمْ فِى ٱلْءَاخِرَةِ هُمُ ٱلْأَخْسَرُونَ ﴿٢٢﴾ إِنَّ ٱلَّذِينَ ءَامَنُوا۟ وَعَمِلُوا۟ ٱلصَّٰلِحَٰتِ وَأَخْبَتُوٓا۟ إِلَىٰ رَبِّهِمْ أُو۟لَٰٓئِكَ أَصْحَٰبُ ٱلْجَنَّةِ هُمْ فِيهَا خَٰلِدُونَ ﴿٢٣﴾ ۞ مَثَلُ ٱلْفَرِيقَيْنِ كَٱلْأَعْمَىٰ وَٱلْأَصَمِّ وَٱلْبَصِيرِ وَٱلسَّمِيعِ هَلْ يَسْتَوِيَانِ مَثَلًا أَفَلَا تَذَكَّرُونَ ﴿٢٤﴾ وَلَقَدْ أَرْسَلْنَا نُوحًا إِلَىٰ قَوْمِهِۦٓ إِنِّى لَكُمْ نَذِيرٌ مُّبِينٌ ﴿٢٥﴾ أَن لَّا تَعْبُدُوٓا۟ إِلَّا ٱللَّهَ إِنِّىٓ أَخَافُ عَلَيْكُمْ عَذَابَ يَوْمٍ أَلِيمٍ ﴿٢٦﴾ فَقَالَ ٱلْمَلَأُ ٱلَّذِينَ كَفَرُوا۟ مِن قَوْمِهِۦ مَا نَرَىٰكَ إِلَّا بَشَرًا مِّثْلَنَا وَمَا نَرَىٰكَ ٱتَّبَعَكَ إِلَّا ٱلَّذِينَ هُمْ أَرَاذِلُنَا بَادِىَ ٱلرَّأْىِ وَمَا نَرَىٰ لَكُمْ عَلَيْنَا مِن فَضْلٍۭ بَلْ نَظُنُّكُمْ كَٰذِبِينَ ﴿٢٧﴾ قَالَ يَٰقَوْمِ أَرَءَيْتُمْ إِن كُنتُ عَلَىٰ بَيِّنَةٍ مِّن رَّبِّى وَءَاتَىٰنِى رَحْمَةً مِّنْ عِندِهِۦ فَعُمِّيَتْ عَلَيْكُمْ أَنُلْزِمُكُمُوهَا وَأَنتُمْ لَهَا كَٰرِهُونَ ﴿٢٨﴾

20. Ceux-là ne peuvent réduire (Allāh) à l'impuissance sur terre! Pas d'alliés pour eux en dehors d'Allāh et leur châtiment sera doublé. Ils étaient incapables d'entendre ; ils ne voyaient pas non plus.

21. Ce sont ceux-là qui ont causé la perte de leurs propres âmes. Et leurs inventions (idoles) se sont éloignées d'eux.

22. Ce sont eux, infailliblement, qui dans l'au-delà seront les plus grands perdants.

23. Certes ceux qui croient, font de bonnes œuvres et s'humilient devant leur Seigneur, voilà les gens du Paradis où ils demeureront éternellement.

24. Les deux groupes ressemblent, l'un à l'aveugle et au sourd, l'autre à celui qui voit et qui entend. Les deux sont-ils comparativement égaux? Ne vous souvenez-vous pas?

25. Nous avons déjà envoyé Noé à son peuple: «Je suis pour vous un avertisseur explicite

26. afin que vous n'adoriez qu'Allāh. Je crains pour vous le châtiment d'un jour douloureux».

27. Les notables de son peuple qui avaient mécru, dirent alors: «Nous ne voyons en toi qu'un homme comme nous ; et nous voyons que ce sont seulement les vils parmi nous qui te suivent sans réfléchir ; et nous ne voyons en vous aucune supériorité sur nous. Plutôt, nous pensons que vous êtes des menteurs».

28. Il dit: «Ô mon peuple! Que vous en semble? Si je me conforme à une preuve de mon Seigneur, si une Miséricorde, (prophétie) échappant à vos yeux, est venue à moi de Sa part, devrons-nous vous l'imposer alors que vous la répugnez?

وَيَٰقَوْمِ لَآ أَسْـَٔلُكُمْ عَلَيْهِ مَالًا ۖ إِنْ أَجْرِىَ إِلَّا عَلَى ٱللَّهِ ۚ وَمَآ أَنَا۠ بِطَارِدِ ٱلَّذِينَ ءَامَنُوٓا۟ ۚ إِنَّهُم مُّلَٰقُوا۟ رَبِّهِمْ وَلَٰكِنِّىٓ أَرَىٰكُمْ قَوْمًا تَجْهَلُونَ ۝

وَيَٰقَوْمِ مَن يَنصُرُنِى مِنَ ٱللَّهِ إِن طَرَدتُّهُمْ ۚ أَفَلَا تَذَكَّرُونَ ۝ وَلَآ أَقُولُ لَكُمْ عِندِى خَزَآئِنُ ٱللَّهِ وَلَآ أَعْلَمُ ٱلْغَيْبَ وَلَآ أَقُولُ إِنِّى مَلَكٌ وَلَآ أَقُولُ لِلَّذِينَ تَزْدَرِىٓ أَعْيُنُكُمْ لَن يُؤْتِيَهُمُ ٱللَّهُ خَيْرًا ۖ ٱللَّهُ أَعْلَمُ بِمَا فِىٓ أَنفُسِهِمْ ۖ إِنِّىٓ إِذًا لَّمِنَ ٱلظَّٰلِمِينَ ۝

قَالُوا۟ يَٰنُوحُ قَدْ جَٰدَلْتَنَا فَأَكْثَرْتَ جِدَٰلَنَا فَأْتِنَا بِمَا تَعِدُنَآ إِن كُنتَ مِنَ ٱلصَّٰدِقِينَ ۝ قَالَ إِنَّمَا يَأْتِيكُم بِهِ ٱللَّهُ إِن شَآءَ وَمَآ أَنتُم بِمُعْجِزِينَ ۝ وَلَا يَنفَعُكُمْ نُصْحِىٓ إِنْ أَرَدتُّ أَنْ أَنصَحَ لَكُمْ إِن كَانَ ٱللَّهُ يُرِيدُ أَن يُغْوِيَكُمْ ۚ هُوَ رَبُّكُمْ وَإِلَيْهِ تُرْجَعُونَ ۝ أَمْ يَقُولُونَ ٱفْتَرَىٰهُ ۖ قُلْ إِنِ ٱفْتَرَيْتُهُۥ فَعَلَىَّ إِجْرَامِى وَأَنَا۠ بَرِىٓءٌ مِّمَّا تُجْرِمُونَ ۝

وَأُوحِىَ إِلَىٰ نُوحٍ أَنَّهُۥ لَن يُؤْمِنَ مِن قَوْمِكَ إِلَّا مَن قَدْ ءَامَنَ فَلَا تَبْتَئِسْ بِمَا كَانُوا۟ يَفْعَلُونَ ۝ وَٱصْنَعِ ٱلْفُلْكَ بِأَعْيُنِنَا وَوَحْيِنَا وَلَا تُخَٰطِبْنِى فِى ٱلَّذِينَ ظَلَمُوٓا۟ ۚ إِنَّهُم مُّغْرَقُونَ ۝

29. Ô mon peuple, je ne vous demande pas de richesse en retour. Mon salaire n'incombe qu'à Allāh. Je ne repousserai point ceux qui ont cru, ils auront à rencontrer leur Seigneur. Mais je vous trouve des gens ignorants[1].

30. Ô mon peuple, qui me secourra contre (la punition d') Allāh si je les repousse? Ne vous souvenez-vous pas?

31. Et je ne vous dis pas que je détiens les trésors d'Allāh, je ne connais pas l'Inconnaissable, et je ne dis pas que je suis un Ange ; et je ne dis pas non plus aux gens, que vos yeux méprisent, qu'Allāh ne leur accordera aucune faveur ; Allāh connaît mieux ce qu'il y a dans leurs âmes. [Si je le leur disais], je serais du nombre des injustes.

32. Ils dirent: «Ô Noé, tu as disputé avec nous et multiplié les discussions. Apporte-nous donc ce dont tu nous menaces, si tu es du nombre des véridiques».

33. Il dit: «C'est Allāh seul qui vous l'apportera - s'Il veut - et vous ne saurez y échapper.

34. Et mon conseil ne vous profiterait pas, au cas où je voulais vous conseiller, et qu'Allāh veuille vous égarer. Il est votre Seigneur, et c'est vers Lui que vous serez ramenés».

35. Où bien ils disent: il l'a inventé? Dis: «Si je l'ai inventé, que mon crime retombe sur moi! Et je suis innocent de vos criminelles accusations».

36. Et il fut révélé à Noé: «De ton peuple, il n'y aura plus de croyants que ceux qui ont déjà cru. Ne t'afflige pas de ce qu'ils faisaient.

37. Et construis l'arche sous Nos yeux et d'après Notre révélation. Et ne M'interpelle plus au sujet des injustes, car ils vont être noyés».

---

1. *Je ne vous demande... en retour*: pour avoir transmis le message.
Je ne repousserai point: comme vous me l'avez demandé.
Ils auront à rencontrer leur Seigneur: le jour de la résurrection. Ils seront alors récompensés tandis que leurs adversaires seront châtiés.

وَيَصْنَعُ الْفُلْكَ وَكُلَّمَا مَرَّ عَلَيْهِ مَلَأٌ مِّن قَوْمِهِ سَخِرُوا۟

مِنْهُ قَالَ إِن تَسْخَرُوا۟ مِنَّا فَإِنَّا نَسْخَرُ مِنكُمْ كَمَا تَسْخَرُونَ ۞ ۳۸

فَسَوْفَ تَعْلَمُونَ مَن يَأْتِيهِ عَذَابٌ يُخْزِيهِ وَيَحِلُّ عَلَيْهِ عَذَابٌ

مُّقِيمٌ ۞ ۳۹ حَتَّىٰ إِذَا جَآءَ أَمْرُنَا وَفَارَ ٱلتَّنُّورُ قُلْنَا ٱحْمِلْ فِيهَا

مِن كُلٍّ زَوْجَيْنِ ٱثْنَيْنِ وَأَهْلَكَ إِلَّا مَن سَبَقَ عَلَيْهِ ٱلْقَوْلُ

وَمَنْ ءَامَنَ وَمَآ ءَامَنَ مَعَهُۥٓ إِلَّا قَلِيلٌ ۞ ۞ ۴۰ وَقَالَ ٱرْكَبُوا۟

فِيهَا بِسْمِ ٱللَّهِ مَجْر۪ىٰهَا وَمُرْسَىٰهَآ إِنَّ رَبِّي لَغَفُورٌ رَّحِيمٌ ۞ ۴۱ وَهِىَ

تَجْرِى بِهِمْ فِى مَوْجٍ كَٱلْجِبَالِ وَنَادَىٰ نُوحٌ ٱبْنَهُۥ وَكَانَ

فِى مَعْزِلٍ يَٰبُنَىَّ ٱرْكَب مَّعَنَا وَلَا تَكُن مَّعَ ٱلْكَٰفِرِينَ ۞ ۴۲

قَالَ سَـَٔاوِىٓ إِلَىٰ جَبَلٍ يَعْصِمُنِى مِنَ ٱلْمَآءِ قَالَ لَا عَاصِمَ

ٱلْيَوْمَ مِنْ أَمْرِ ٱللَّهِ إِلَّا مَن رَّحِمَ وَحَالَ بَيْنَهُمَا ٱلْمَوْجُ فَكَانَ

مِنَ ٱلْمُغْرَقِينَ ۞ ۴۳ وَقِيلَ يَٰٓأَرْضُ ٱبْلَعِى مَآءَكِ وَيَٰسَمَآءُ

أَقْلِعِى وَغِيضَ ٱلْمَآءُ وَقُضِىَ ٱلْأَمْرُ وَٱسْتَوَتْ عَلَى ٱلْجُودِىِّ وَقِيلَ

بُعْدًا لِّلْقَوْمِ ٱلظَّٰلِمِينَ ۞ ۴۴ وَنَادَىٰ نُوحٌ رَّبَّهُۥ فَقَالَ رَبِّ إِنَّ

ٱبْنِى مِنْ أَهْلِى وَإِنَّ وَعْدَكَ ٱلْحَقُّ وَأَنتَ أَحْكَمُ ٱلْحَٰكِمِينَ ۞ ۴۵

نصف الحزب ۲۳

38. Et il construisait l'arche. Et chaque fois que des notables de son peuple passaient prés de lui, ils se moquaient de lui. Il dit: «Si vous vous moquez de nous, eh bien, nous nous moquerons de vous, comme vous vous moquez [de nous].

39. Et vous saurez bientôt à qui viendra un châtiment qui l'humiliera, et sur qui s'abattra un châtiment durable!»

40. Puis, lorsque Notre commandement vint et que le four se mit à bouillonner [d'eau], Nous dîmes: «Charge [dans l'arche] un couple de chaque espèce ainsi que ta famille - sauf ceux contre qui le décret est déjà prononcé - et ceux qui croient». Or, ceux qui avaient cru avec lui étaient peu nombreux.

41. Et il dit: «Montez dedans. Que sa course et son mouillage soient au nom d'Allāh. Certes mon Seigneur est Pardonneur et Miséricordieux».

42. Et elle vogua en les emportant au milieu des vagues comme des montagnes. Et Noé appela son fils, qui restait en un lieu écarté (non loin de l'arche): «Ô mon enfant, monte avec nous et ne reste pas avec les mécréants».

43. Il répondit: «Je vais me réfugier vers un mont qui me protègera de l'eau». Et Noé lui dit: «Il n'y a aujourd'hui aucun protecteur contre l'ordre d'Allāh. (Tous périront) sauf celui à qui Il fait miséricorde». Et les vagues s'interposèrent entre les deux, et le fils fut alors du nombre des noyés.

44. Et il fut dit: «Ô terre, absorbe ton eau! Et toi, ciel, cesse [de pleuvoir]!» L'eau baissa, l'ordre fut exécuté, et l'arche s'installa sur le Jūdī[1], et il fut dit: «Que disparaissent les gens pervers»!

45. Et Noé invoqua son Seigneur et dit: «Ô mon Seigneur, certes mon fils est de ma famille et Ta promesse[2] est vérité. Tu es le plus juste des juges».

---

1. *Le Jūdī*: nom d'une montagne.
2. *Ta promesse*: concernant le sauvetage de ma famille (voir la note suivante).

قَالَ يَٰنُوحُ إِنَّهُۥ لَيْسَ مِنْ أَهْلِكَ إِنَّهُۥ عَمَلٌ غَيْرُ صَٰلِحٍ فَلَا تَسْـَٔلْنِ مَا لَيْسَ لَكَ بِهِۦ عِلْمٌ إِنِّىٓ أَعِظُكَ أَن تَكُونَ مِنَ ٱلْجَٰهِلِينَ ۝

قَالَ رَبِّ إِنِّىٓ أَعُوذُ بِكَ أَنْ أَسْـَٔلَكَ مَا لَيْسَ لِى بِهِۦ عِلْمٌ وَإِلَّا تَغْفِرْ لِى وَتَرْحَمْنِىٓ أَكُن مِّنَ ٱلْخَٰسِرِينَ ۝ قِيلَ يَٰنُوحُ ٱهْبِطْ بِسَلَٰمٍ مِّنَّا وَبَرَكَٰتٍ عَلَيْكَ وَعَلَىٰٓ أُمَمٍ مِّمَّن مَّعَكَ وَأُمَمٌ سَنُمَتِّعُهُمْ ثُمَّ يَمَسُّهُم مِّنَّا عَذَابٌ أَلِيمٌ ۝ تِلْكَ مِنْ أَنۢبَآءِ ٱلْغَيْبِ نُوحِيهَآ إِلَيْكَ مَا كُنتَ تَعْلَمُهَآ أَنتَ وَلَا قَوْمُكَ مِن قَبْلِ هَٰذَا فَٱصْبِرْ إِنَّ ٱلْعَٰقِبَةَ لِلْمُتَّقِينَ ۝ وَإِلَىٰ عَادٍ أَخَاهُمْ هُودًا قَالَ يَٰقَوْمِ ٱعْبُدُوا۟ ٱللَّهَ مَا لَكُم مِّنْ إِلَٰهٍ غَيْرُهُۥٓ إِنْ أَنتُمْ إِلَّا مُفْتَرُونَ ۝ يَٰقَوْمِ لَآ أَسْـَٔلُكُمْ عَلَيْهِ أَجْرًا إِنْ أَجْرِىَ إِلَّا عَلَى ٱلَّذِى فَطَرَنِىٓ أَفَلَا تَعْقِلُونَ ۝ وَيَٰقَوْمِ ٱسْتَغْفِرُوا۟ رَبَّكُمْ ثُمَّ تُوبُوٓا۟ إِلَيْهِ يُرْسِلِ ٱلسَّمَآءَ عَلَيْكُم مِّدْرَارًا وَيَزِدْكُمْ قُوَّةً إِلَىٰ قُوَّتِكُمْ وَلَا تَتَوَلَّوْا۟ مُجْرِمِينَ ۝ قَالُوا۟ يَٰهُودُ مَا جِئْتَنَا بِبَيِّنَةٍ وَمَا نَحْنُ بِتَارِكِىٓ ءَالِهَتِنَا عَن قَوْلِكَ وَمَا نَحْنُ لَكَ بِمُؤْمِنِينَ ۝

46. Il dit: «Ô Noé, il n'est pas de ta famille car il[1] a commis un acte infâme. Ne me demande pas ce dont tu n'as aucune connaissance. Je t'exhorte afin que tu ne sois pas du nombre des ignorants».

47. Alors Noé dit: «Seigneur, je cherche Ta protection contre toute demande de ce dont je n'ai aucune connaissance. Et si Tu ne me pardonnes pas et ne me fais pas miséricorde, je serai au nombre des perdants».

48. Il fut dit: «Ô Noé, débarque avec Notre sécurité et Nos bénédictions sur toi et sur des communautés [issues] de ceux qui sont avec toi. Et il y (en) aura des communautés auxquelles Nous accorderons une jouissance temporaire ; puis un châtiment douloureux venant de Nous les touchera»[2].

49. Voilà quelques nouvelles de l'Inconnaissable que Nous te révélons. Tu ne les savais pas, ni toi ni ton peuple, avant cela[3]. Sois patient. La fin heureuse sera aux pieux.

50. Et (Nous avons envoyé) aux ʿĀd, leur frère Hūd, qui leur dit: «Ô mon peuple, adorez Allāh. Vous n'avez point de divinité à part Lui. Vous n'êtes que des forgeurs (de mensonges).

51. Ô mon peuple, je ne vous demande pas de salaire pour cela. Mon salaire n'incombe qu'à Celui qui m'a créé. Ne raisonnez-vous pas?

52. Ô mon peuple, implorez le pardon de votre Seigneur et repentez-vous à Lui pour qu'Il envoie sur vous du ciel des pluies abondantes et qu'Il ajoute force à votre force. Et ne vous détournez pas [de Lui] en devenant coupables».

53. Ils dirent: «Ô Hūd, tu n'es pas venu à nous avec une preuve, et nous ne sommes pas disposés à abandonner nos divinités sur ta parole, et nous n'avons pas foi en toi.

---

1. Il s'agit bien du fils de Noé, mais qui n'était pas croyant. C'est pourquoi Allāh, dit qu'il n'est pas de Sa famille, de même que dans le v. 40 supra (de la même sourate), il est mentionné que certains membres de sa famille ne seront pas sauvés.
2. *Notre sécurité*: autre sens: salut venu de Notre part.
Des communautés issues...: les croyants parmi celles-ci.
3. *Avant cela*: avant la révélation du Qurʾān.

إِن نَّقُولُ إِلَّا ٱعْتَرَىٰكَ بَعْضُ ءَالِهَتِنَا بِسُوٓءٍۗ قَالَ إِنِّىٓ أُشْهِدُ ٱللَّهَ وَٱشْهَدُوٓاْ أَنِّى بَرِىٓءٌ مِّمَّا تُشْرِكُونَ ۝ مِن دُونِهِۦۖ فَكِيدُونِى جَمِيعًا ثُمَّ لَا تُنظِرُونِ ۝ إِنِّى تَوَكَّلْتُ عَلَى ٱللَّهِ رَبِّى وَرَبِّكُمۚ مَّا مِن دَآبَّةٍ إِلَّا هُوَ ءَاخِذٌۢ بِنَاصِيَتِهَآۚ إِنَّ رَبِّى عَلَىٰ صِرَٰطٍ مُّسْتَقِيمٍ ۝ فَإِن تَوَلَّوْاْ فَقَدْ أَبْلَغْتُكُم مَّآ أُرْسِلْتُ بِهِۦٓ إِلَيْكُمْۚ وَيَسْتَخْلِفُ رَبِّى قَوْمًا غَيْرَكُمْ وَلَا تَضُرُّونَهُۥ شَيْـًٔاۚ إِنَّ رَبِّى عَلَىٰ كُلِّ شَىْءٍ حَفِيظٌ ۝ وَلَمَّا جَآءَ أَمْرُنَا نَجَّيْنَا هُودًا وَٱلَّذِينَ ءَامَنُواْ مَعَهُۥ بِرَحْمَةٍ مِّنَّا وَنَجَّيْنَٰهُم مِّنْ عَذَابٍ غَلِيظٍ ۝ وَتِلْكَ عَادٌۖ جَحَدُواْ بِـَٔايَٰتِ رَبِّهِمْ وَعَصَوْاْ رُسُلَهُۥ وَٱتَّبَعُوٓاْ أَمْرَ كُلِّ جَبَّارٍ عَنِيدٍ ۝ وَأُتْبِعُواْ فِى هَٰذِهِ ٱلدُّنْيَا لَعْنَةً وَيَوْمَ ٱلْقِيَٰمَةِۗ أَلَآ إِنَّ عَادًا كَفَرُواْ رَبَّهُمْۗ أَلَا بُعْدًا لِّعَادٍ قَوْمِ هُودٍ ۝ ۞ وَإِلَىٰ ثَمُودَ أَخَاهُمْ صَٰلِحًاۚ قَالَ يَٰقَوْمِ ٱعْبُدُواْ ٱللَّهَ مَا لَكُم مِّنْ إِلَٰهٍ غَيْرُهُۥۖ هُوَ أَنشَأَكُم مِّنَ ٱلْأَرْضِ وَٱسْتَعْمَرَكُمْ فِيهَا فَٱسْتَغْفِرُوهُ ثُمَّ تُوبُوٓاْ إِلَيْهِۚ إِنَّ رَبِّى قَرِيبٌ مُّجِيبٌ ۝ قَالُواْ يَٰصَٰلِحُ قَدْ كُنتَ فِينَا مَرْجُوًّا قَبْلَ هَٰذَاۖ أَتَنْهَىٰنَآ أَن نَّعْبُدَ مَا يَعْبُدُ ءَابَآؤُنَا وَإِنَّنَا لَفِى شَكٍّ مِّمَّا تَدْعُونَآ إِلَيْهِ مُرِيبٍ ۝

54. Nous dirons plutôt qu'une de nos divinités t'a affligé d'un mal»[1] Il dit: «Je prends Allāh à témoin - et vous aussi soyez témoins - qu'en vérité, je désavoue ce que vous asssociez,

55. en dehors de Lui. Rusez donc tous[2] contre moi et ne me donnez pas de répit.

56. Je place ma confiance en Allāh, mon Seigneur et le vôtre. Il n'y a pas d'être vivant qu'Il ne tienne par son toupet[3]. Mon Seigneur, certes, est sur un droit chemin.

57. Si vous vous détournez... voilà que je vous ai transmis [le message] que j'étais chargé de vous faire parvenir. Et mon Seigneur vous remplacera par un autre peuple, sans que vous ne Lui nuisiez en rien, car mon Seigneur, est gardien par excellence sur toute chose».

58. Et quand vint Notre Ordre, Nous sauvâmes par une miséricorde de Notre part, Hūd et ceux qui avec lui avaient cru. Et Nous les sauvâmes d'un terrible châtiment.

59. Voilà les ʿĀd. Ils avaient nié les signes (enseignements) de leur Seigneur, désobéi à Ses messagers et suivi le commandement de tout tyran entêté.

60. Et ils furent poursuivis, ici-bas, d'une malédiction, ainsi qu'au Jour de la Résurrection. En vérité les ʿĀd n'ont pas cru en leur Seigneur. Que s'éloignent (périssent) les ʿĀd, peuple de Hūd!

61. Et (Nous avons envoyé) aux Ṯamūd, leur frère Ṣāliḥ qui dit: «Ô mon peuple, adorez Allāh. Vous n'avez point de divinité en dehors de Lui. De la terre Il vous a créés, et Il vous l'a fait peupler (et exploiter). Implorez donc Son pardon, puis repentez-vous à Lui. Mon Seigneur est bien proche et Il répond toujours (aux appels)».

62. Ils dirent: «Ô Ṣāliḥ, tu étais auparavant un espoir[4] pour nous. Nous interdirais-tu d'adorer ce qu'adoraient nos ancêtres? Cependant, nous voilà bien dans un doute troublant au sujet de ce vers quoi tu nous invites».

---

1. *T'a affligé d'un mal*: l'une de nos divinités t'a rendu fou.
2. *Rusez donc tous*: vous et vos divinités.
3. *Tenir par le toupet*: tenir dans Sa possession et sous son ordre et contrôle.
4. *Un espoir*: littér. un espéré (une source d'espérance).

قَالَ يَٰقَوْمِ أَرَءَيْتُمْ إِن كُنتُ عَلَىٰ بَيِّنَةٍ مِّن رَّبِّى وَءَاتَىٰنِى
مِنْهُ رَحْمَةً فَمَن يَنصُرُنِى مِنَ ٱللَّهِ إِنْ عَصَيْتُهُۥ فَمَا تَزِيدُونَنِى
غَيْرَ تَخْسِيرٍ ٦٣ وَيَٰقَوْمِ هَٰذِهِۦ نَاقَةُ ٱللَّهِ لَكُمْ ءَايَةً
فَذَرُوهَا تَأْكُلْ فِىٓ أَرْضِ ٱللَّهِ وَلَا تَمَسُّوهَا بِسُوٓءٍ فَيَأْخُذَكُمْ
عَذَابٌ قَرِيبٌ ٦٤ فَعَقَرُوهَا فَقَالَ تَمَتَّعُوا۟ فِى دَارِكُمْ
ثَلَٰثَةَ أَيَّامٍ ذَٰلِكَ وَعْدٌ غَيْرُ مَكْذُوبٍ ٦٥ فَلَمَّا جَآءَ
أَمْرُنَا نَجَّيْنَا صَٰلِحًا وَٱلَّذِينَ ءَامَنُوا۟ مَعَهُۥ بِرَحْمَةٍ مِّنَّا
وَمِنْ خِزْىِ يَوْمِئِذٍ إِنَّ رَبَّكَ هُوَ ٱلْقَوِىُّ ٱلْعَزِيزُ ٦٦ وَأَخَذَ
ٱلَّذِينَ ظَلَمُوا۟ ٱلصَّيْحَةُ فَأَصْبَحُوا۟ فِى دِيَٰرِهِمْ جَٰثِمِينَ
٦٧ كَأَن لَّمْ يَغْنَوْا۟ فِيهَآ أَلَآ إِنَّ ثَمُودَا۟ كَفَرُوا۟ رَبَّهُمْ أَلَا بُعْدًا
لِّثَمُودَ ٦٨ وَلَقَدْ جَآءَتْ رُسُلُنَآ إِبْرَٰهِيمَ بِٱلْبُشْرَىٰ قَالُوا۟
سَلَٰمًا قَالَ سَلَٰمٌ فَمَا لَبِثَ أَن جَآءَ بِعِجْلٍ حَنِيذٍ ٦٩ فَلَمَّا
رَءَآ أَيْدِيَهُمْ لَا تَصِلُ إِلَيْهِ نَكِرَهُمْ وَأَوْجَسَ مِنْهُمْ خِيفَةً
قَالُوا۟ لَا تَخَفْ إِنَّآ أُرْسِلْنَآ إِلَىٰ قَوْمِ لُوطٍ ٧٠ وَٱمْرَأَتُهُۥ قَآئِمَةٌ
فَضَحِكَتْ فَبَشَّرْنَٰهَا بِإِسْحَٰقَ وَمِن وَرَآءِ إِسْحَٰقَ يَعْقُوبَ ٧١

63. Il dit: «Ô mon peuple! Que vous ensemble, si je m'appuie sur une preuve évidente émanant de mon Seigneur et s'Il m'a accordé, de Sa part, une miséricorde, qui donc me protègera contre Allāh si je Lui désobéis? Vous ne ferez qu'accroître ma perte.

64. Ô mon peuple, voici la chamelle d'Allāh qu'Il vous a envoyée comme signe. Laissez-la donc paître sur la terre d'Allāh, et ne lui faites aucun mal sinon, un châtiment proche vous saisira!»

65. Ils la tuèrent. Alors, il leur dit: «Jouissez (de vos biens) dans vos demeures pendant trois jours (encore)! Voilà une promesse qui ne sera pas démentie».

66. Puis, lorsque Notre ordre vint, Nous sauvâmes Ṣāliḥ et ceux qui avaient cru avec lui, - par une miséricorde venant de Nous - de l'ignominie de ce jour-là. En vérité, c'est ton Seigneur qui est le Fort, le Puissant.

67. Et le Cri saisit les injustes[1]. Et les voilà foudroyés dans leurs demeures,

68. comme s'ils n'y avaient jamais prospéré. En vérité, les Ṯamūd n'ont pas cru en leur Seigneur. Que périssent les Ṯamūd!

69. Et Nos émissaires sont, certes, venus à Abraham avec la bonne nouvelle, en disant: «Salām!». Il dit: «Salām!» , et il ne tarda pas à apporter un veau rôti[2].

70. Puis, lorsqu'il vit que leurs mains ne l'approchaient pas, il fut pris de suspicion à leur égard et ressentit de la peur vis-à-vis d'eux. Ils dirent: «N'aie pas peur, nous sommes envoyés au peuple de Lot».

71. Sa femme était debout, et elle rit alors ; Nous lui annonçâmes donc (la naissance d') Isaac, et après Isaac, Jacob[3].

---

1. *Le Cri*: un cri terrible qui accompagna le cataclysme.
2. *Nos émissaires*: les Anges.
La nouvelle: est l'annonce de la naissance d'Isaac.
Salām: la salutation des Musulmans qui signifie paix.
3. *Elle rit*: réjouie de l'anéantissement du peuple de Lot.
Sa femme: Sārra, la femme d'Abraham.

قَالَتْ يَوَيْلَتَىٰٓ ءَأَلِدُ وَأَنَا۠ عَجُوزٌ وَهَٰذَا بَعْلِى شَيْخًا إِنَّ هَٰذَا لَشَىْءٌ عَجِيبٌ ۝ قَالُوٓاْ أَتَعْجَبِينَ مِنْ أَمْرِ ٱللَّهِ رَحْمَتُ ٱللَّهِ وَبَرَكَٰتُهُۥ عَلَيْكُمْ أَهْلَ ٱلْبَيْتِ إِنَّهُۥ حَمِيدٌ مَّجِيدٌ ۝ فَلَمَّا ذَهَبَ عَنْ إِبْرَٰهِيمَ ٱلرَّوْعُ وَجَآءَتْهُ ٱلْبُشْرَىٰ يُجَٰدِلُنَا فِى قَوْمِ لُوطٍ ۝ إِنَّ إِبْرَٰهِيمَ لَحَلِيمٌ أَوَّٰهٌ مُّنِيبٌ ۝ يَٰٓإِبْرَٰهِيمُ أَعْرِضْ عَنْ هَٰذَآ إِنَّهُۥ قَدْ جَآءَ أَمْرُ رَبِّكَ وَإِنَّهُمْ ءَاتِيهِمْ عَذَابٌ غَيْرُ مَرْدُودٍ ۝ وَلَمَّا جَآءَتْ رُسُلُنَا لُوطًا سِىٓءَ بِهِمْ وَضَاقَ بِهِمْ ذَرْعًا وَقَالَ هَٰذَا يَوْمٌ عَصِيبٌ ۝ وَجَآءَهُۥ قَوْمُهُۥ يُهْرَعُونَ إِلَيْهِ وَمِن قَبْلُ كَانُواْ يَعْمَلُونَ ٱلسَّيِّـَٔاتِ قَالَ يَٰقَوْمِ هَٰٓؤُلَآءِ بَنَاتِى هُنَّ أَطْهَرُ لَكُمْ فَٱتَّقُواْ ٱللَّهَ وَلَا تُخْزُونِ فِى ضَيْفِىٓ أَلَيْسَ مِنكُمْ رَجُلٌ رَّشِيدٌ ۝ قَالُواْ لَقَدْ عَلِمْتَ مَا لَنَا فِى بَنَاتِكَ مِنْ حَقٍّ وَإِنَّكَ لَتَعْلَمُ مَا نُرِيدُ ۝ قَالَ لَوْ أَنَّ لِى بِكُمْ قُوَّةً أَوْ ءَاوِىٓ إِلَىٰ رُكْنٍ شَدِيدٍ ۝ قَالُواْ يَٰلُوطُ إِنَّا رُسُلُ رَبِّكَ لَن يَصِلُوٓاْ إِلَيْكَ فَأَسْرِ بِأَهْلِكَ بِقِطْعٍ مِّنَ ٱلَّيْلِ وَلَا يَلْتَفِتْ مِنكُمْ أَحَدٌ إِلَّا ٱمْرَأَتَكَ إِنَّهُۥ مُصِيبُهَا مَآ أَصَابَهُمْ إِنَّ مَوْعِدَهُمُ ٱلصُّبْحُ أَلَيْسَ ٱلصُّبْحُ بِقَرِيبٍ ۝

72. Elle dit: «Malheur à moi! Vais-je enfanter alors que je suis vieille et que mon mari, que voici, est un vieillard? C'est là vraiment une chose étrange!»

73. Ils dirent: «T'étonnes-tu de l'ordre[1] d'Allāh? Que la miséricorde d'Allāh et Ses bénédictions soient sur vous, gens de cette maison! Il est vraiment, digne de louange et de glorification!»

74. Lorsque l'effroi eut quitté Abraham et que la bonne nouvelle l'eut atteint, voilà qu'il discuta avec Nous (en faveur) du peuple de Lot,

75. Abraham était, certes, longanime, très implorant et repentant.

76. Ô Abraham, renonce à cela ; car l'ordre de Ton Seigneur est déjà venu, et un châtiment irrévocable va leur arriver».

77. Et quand Nos émissaires (Anges) vinrent à Lot, il fut chagriné pour eux, et en éprouva une grande gêne. Et il dit: «Voici un jour terrible».

78. Quant à son peuple, ils vinrent à lui, accourant. Auparavant ils commettaient des mauvaises actions. Il dit: «Ô mon peuple, voici mes filles: elles sont plus pures pour vous. Craignez Allāh donc, et ne me déshonorez pas dans mes hôtes. N'y a-t-il pas parmi vous un homme raisonnable[2]?»

79. Ils dirent: Tu sais très bien que nous n'avons pas de droit sur tes filles[3]. Et en vérité, tu sais bien ce que nous voulons».

80. Il dit: «[Ah!] si j'avais de la force pour vous résister! ou bien si je trouvais un appui solide!»

81. Alors [les hôtes] dirent: «Ô Lot, nous sommes vraiment les émissaires de ton Seigneur. Ils ne pourront jamais t'atteindre. Pars avec ta famille à un moment de la nuit. Et que nul d'entre vous ne se retourne en arrière. Exception faite de ta femme qui sera atteinte par ce qui frappera les autres. Ce qui les menace s'accomplira à l'aube. L'aube n'est-elle pas proche?»

---

1. *L'ordre d'Allāh,*: Son omnipotence
2. *Mauvaises actions*: homosexualité.
Mes filles: les femmes de son peuple. C'est-à-dire prenez des femmes pour épouses au lieu de vous livrer aux pratiques homosexuelles.
3. *Nous n'avons pas de droit*: nous n'avons pas envie.

الحزب ٢٤

فَلَمَّا جَآءَ أَمْرُنَا جَعَلْنَا عَٰلِيَهَا سَافِلَهَا وَأَمْطَرْنَا عَلَيْهَا

حِجَارَةً مِّن سِجِّيلٍ مَّنضُودٍ ۝ مُّسَوَّمَةً عِندَ رَبِّكَ

وَمَا هِيَ مِنَ ٱلظَّٰلِمِينَ بِبَعِيدٍ ۝ وَإِلَىٰ مَدْيَنَ أَخَاهُمْ

شُعَيْبًا قَالَ يَٰقَوْمِ ٱعْبُدُوا۟ ٱللَّهَ مَا لَكُم مِّنْ إِلَٰهٍ غَيْرُهُۥ

وَلَا تَنقُصُوا۟ ٱلْمِكْيَالَ وَٱلْمِيزَانَ إِنِّىٓ أَرَىٰكُم بِخَيْرٍ

وَإِنِّىٓ أَخَافُ عَلَيْكُمْ عَذَابَ يَوْمٍ مُّحِيطٍ ۝ وَيَٰقَوْمِ

أَوْفُوا۟ ٱلْمِكْيَالَ وَٱلْمِيزَانَ بِٱلْقِسْطِ وَلَا تَبْخَسُوا۟

ٱلنَّاسَ أَشْيَآءَهُمْ وَلَا تَعْثَوْا۟ فِى ٱلْأَرْضِ مُفْسِدِينَ

۝ بَقِيَّتُ ٱللَّهِ خَيْرٌ لَّكُمْ إِن كُنتُم مُّؤْمِنِينَ وَمَآ أَنَا۠ عَلَيْكُم

بِحَفِيظٍ ۝ قَالُوا۟ يَٰشُعَيْبُ أَصَلَوٰتُكَ تَأْمُرُكَ أَن

نَّتْرُكَ مَا يَعْبُدُ ءَابَآؤُنَآ أَوْ أَن نَّفْعَلَ فِىٓ أَمْوَٰلِنَا مَا نَشَٰٓؤُا۟

إِنَّكَ لَأَنتَ ٱلْحَلِيمُ ٱلرَّشِيدُ ۝ قَالَ يَٰقَوْمِ أَرَءَيْتُمْ إِن

كُنتُ عَلَىٰ بَيِّنَةٍ مِّن رَّبِّى وَرَزَقَنِى مِنْهُ رِزْقًا حَسَنًا وَمَآ أُرِيدُ أَنْ

أُخَالِفَكُمْ إِلَىٰ مَآ أَنْهَىٰكُمْ عَنْهُ إِنْ أُرِيدُ إِلَّا ٱلْإِصْلَٰحَ

مَا ٱسْتَطَعْتُ وَمَا تَوْفِيقِىٓ إِلَّا بِٱللَّهِ عَلَيْهِ تَوَكَّلْتُ وَإِلَيْهِ أُنِيبُ ۝

82. Et, lorsque vint Notre ordre, Nous renversâmes [la cité] de fond en comble, et fîmes pleuvoir sur elle en masse, des pierres d'argile succédant les unes aux autres,

83. portant une marque connue de ton Seigneur. Et elles (ces pierres) ne sont pas loin des injustes[1].

84. Et (Nous avons envoyé) aux Madyan, leur frère Šuʿayb qui leur dit: «Ô mon peuple, adorez Allāh ; vous n'avez point de divinité en dehors Lui. Et ne diminuez pas les mesures et le poids. Je vous vois dans l'aisance, et je crains pour vous [si vous ne croyez pas] le châtiment d'un jour qui enveloppera tout.

85. Ô mon peuple, faites équitablement pleine mesure et plein poids, ne dépréciez pas aux gens leurs valeurs et ne semez pas la corruption sur terre.

86. Ce qui demeure auprès d'Allāh est meilleur pour vous si vous êtes croyants! Et je ne suis pas un gardien pour vous».

87. Ils dirent: «Ô Šuʿayb! Est-ce que ta prière te demande de nous faire abandonner ce qu'adoraient nos ancêtres, ou de ne plus faire de nos biens ce que nous voulons? Est-ce toi l'indulgent, le droit?»

88. Il dit: «Ô mon peuple, voyez-vous si je me base sur une preuve évidente émanant de mon Seigneur, et s'Il m'attribue de Sa part une excellente donation?... Je ne veux nullement faire ce que je vous interdis. Je ne veux que la réforme, autant que je le puis. Et ma réussite ne dépend que d'Allāh. En Lui je place ma confiance, et c'est vers Lui que je reviens repentant.

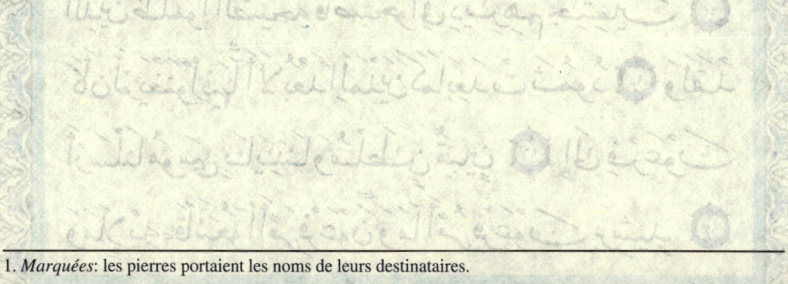

---

1. *Marquées*: les pierres portaient les noms de leurs destinataires.

وَيَٰقَوْمِ لَا يَجْرِمَنَّكُمْ شِقَاقِىٓ أَن يُصِيبَكُم مِّثْلُ مَآ أَصَابَ قَوْمَ نُوحٍ أَوْ قَوْمَ هُودٍ أَوْ قَوْمَ صَٰلِحٍ وَمَا قَوْمُ لُوطٍ مِّنكُم بِبَعِيدٍ ۝ وَٱسْتَغْفِرُوا۟ رَبَّكُمْ ثُمَّ تُوبُوٓا۟ إِلَيْهِ إِنَّ رَبِّى رَحِيمٌ وَدُودٌ ۝ قَالُوا۟ يَٰشُعَيْبُ مَا نَفْقَهُ كَثِيرًا مِّمَّا تَقُولُ وَإِنَّا لَنَرَىٰكَ فِينَا ضَعِيفًا وَلَوْلَا رَهْطُكَ لَرَجَمْنَٰكَ وَمَآ أَنتَ عَلَيْنَا بِعَزِيزٍ ۝ قَالَ يَٰقَوْمِ أَرَهْطِىٓ أَعَزُّ عَلَيْكُم مِّنَ ٱللَّهِ وَٱتَّخَذْتُمُوهُ وَرَآءَكُمْ ظِهْرِيًّا إِنَّ رَبِّى بِمَا تَعْمَلُونَ مُحِيطٌ ۝ وَيَٰقَوْمِ ٱعْمَلُوا۟ عَلَىٰ مَكَانَتِكُمْ إِنِّى عَٰمِلٌ سَوْفَ تَعْلَمُونَ مَن يَأْتِيهِ عَذَابٌ يُخْزِيهِ وَمَنْ هُوَ كَٰذِبٌ وَٱرْتَقِبُوٓا۟ إِنِّى مَعَكُمْ رَقِيبٌ ۝ وَلَمَّا جَآءَ أَمْرُنَا نَجَّيْنَا شُعَيْبًا وَٱلَّذِينَ ءَامَنُوا۟ مَعَهُۥ بِرَحْمَةٍ مِّنَّا وَأَخَذَتِ ٱلَّذِينَ ظَلَمُوا۟ ٱلصَّيْحَةُ فَأَصْبَحُوا۟ فِى دِيَٰرِهِمْ جَٰثِمِينَ ۝ كَأَن لَّمْ يَغْنَوْا۟ فِيهَآ أَلَا بُعْدًا لِّمَدْيَنَ كَمَا بَعِدَتْ ثَمُودُ ۝ وَلَقَدْ أَرْسَلْنَا مُوسَىٰ بِـَٔايَٰتِنَا وَسُلْطَٰنٍ مُّبِينٍ ۝ إِلَىٰ فِرْعَوْنَ وَمَلَإِي۟هِۦ فَٱتَّبَعُوٓا۟ أَمْرَ فِرْعَوْنَ وَمَآ أَمْرُ فِرْعَوْنَ بِرَشِيدٍ ۝

89. Ô mon peuple, que votre répugnance et votre hostilité à mon égard ne vous entraînent pas à encourir les mêmes châtiments qui atteignirent le peuple de Noé, le peuple de Hūd, ou le peuple de Ṣāliḥ et (l'exemple du) peuple de Loṭ n'est pas éloigné de vous[1].

90. Et implorez le pardon de votre Seigneur et repentez-vous à Lui. Mon Seigneur est vraiment Miséricordieux et plein d'amour».

91. Ils dirent: «Ô Šuʿayb, nous ne comprenons pas grand chose à ce que tu dis ; et vraiment nous te considérons comme un faible parmi nous. Si ce n'est ton clan, nous t'aurions certainement lapidé. Et rien ne nous empêche de t'atteindre».

92. Il dit: «Ô mon peuple, mon clan est-il à vos yeux plus puissant qu'Allāh à qui vous tournez ouvertement le dos? Mon Seigneur embrasse (en Sa science) tout ce que vous œuvrez.

93. Ô mon peuple, agissez autant que vous voulez. Moi aussi j'agis. Bientôt, vous saurez sur qui tombera un châtiment qui le déshonorera, et qui de nous est l'imposteur. Et attendez (la conséquence de vos actes)! Moi aussi j'attends avec vous».

94. Lorsque vint Notre ordre, Nous sauvâmes, par une miséricorde de Notre part, Šuʿayb et ceux qui avaient cru avec lui. Et le Cri terrible saisit les injustes, et ils gisèrent dans leurs demeures,

95. comme s'ils n'y avaient jamais prospéré. Que les Madyan s'éloignent comme les Ṯamūd se sont éloignés[2].

96. Et Nous avions envoyé Moïse, avec Nos miracles et une autorité incontestable,

97. à Pharaon et ses notables. Mais ils suivirent l'ordre de Pharaon, bien que l'ordre de Pharaon n'avait rien de sensé.

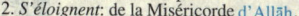

---

1. *L'exemple du peuple de* Loṭ *n'est pas loin de vous*: c.-à-d.: l'histoire de Loṭ est assez récente et Madian n'est pas loin de Sodome non plus.
2. *S'éloignent*: de la Miséricorde d'Allāh.

يَقْدُمُ قَوْمَهُۥ يَوْمَ ٱلْقِيَٰمَةِ فَأَوْرَدَهُمُ ٱلنَّارَ وَبِئْسَ ٱلْوِرْدُ ٱلْمَوْرُودُ ۝ وَأُتْبِعُوا۟ فِى هَٰذِهِۦ لَعْنَةً وَيَوْمَ ٱلْقِيَٰمَةِ بِئْسَ ٱلرِّفْدُ ٱلْمَرْفُودُ ۝ ذَٰلِكَ مِنْ أَنۢبَآءِ ٱلْقُرَىٰ نَقُصُّهُۥ عَلَيْكَ مِنْهَا قَآئِمٌ وَحَصِيدٌ ۝ وَمَا ظَلَمْنَٰهُمْ وَلَٰكِن ظَلَمُوٓا۟ أَنفُسَهُمْ فَمَآ أَغْنَتْ عَنْهُمْ ءَالِهَتُهُمُ ٱلَّتِى يَدْعُونَ مِن دُونِ ٱللَّهِ مِن شَىْءٍ لَّمَّا جَآءَ أَمْرُ رَبِّكَ وَمَا زَادُوهُمْ غَيْرَ تَتْبِيبٍ ۝ وَكَذَٰلِكَ أَخْذُ رَبِّكَ إِذَآ أَخَذَ ٱلْقُرَىٰ وَهِىَ ظَٰلِمَةٌ إِنَّ أَخْذَهُۥٓ أَلِيمٌ شَدِيدٌ ۝ إِنَّ فِى ذَٰلِكَ لَءَايَةً لِّمَنْ خَافَ عَذَابَ ٱلْءَاخِرَةِ ذَٰلِكَ يَوْمٌ مَّجْمُوعٌ لَّهُ ٱلنَّاسُ وَذَٰلِكَ يَوْمٌ مَّشْهُودٌ ۝ وَمَا نُؤَخِّرُهُۥٓ إِلَّا لِأَجَلٍ مَّعْدُودٍ ۝ يَوْمَ يَأْتِ لَا تَكَلَّمُ نَفْسٌ إِلَّا بِإِذْنِهِۦ فَمِنْهُمْ شَقِىٌّ وَسَعِيدٌ ۝ فَأَمَّا ٱلَّذِينَ شَقُوا۟ فَفِى ٱلنَّارِ لَهُمْ فِيهَا زَفِيرٌ وَشَهِيقٌ ۝ خَٰلِدِينَ فِيهَا مَا دَامَتِ ٱلسَّمَٰوَٰتُ وَٱلْأَرْضُ إِلَّا مَا شَآءَ رَبُّكَ إِنَّ رَبَّكَ فَعَّالٌ لِّمَا يُرِيدُ ۝ وَأَمَّا ٱلَّذِينَ سُعِدُوا۟ فَفِى ٱلْجَنَّةِ خَٰلِدِينَ فِيهَا مَا دَامَتِ ٱلسَّمَٰوَٰتُ وَٱلْأَرْضُ إِلَّا مَا شَآءَ رَبُّكَ عَطَآءً غَيْرَ مَجْذُوذٍ ۝

٢٣٣

98. Il précédera son peuple, au Jour de la Résurrection. Il les mènera à l'aiguade du Feu. Et quelle détestable aiguade!

99. Et ils sont poursuivis par une malédiction ici-bas et au Jour de la Résurrection. Quel détestable don leur sera donné!

100. Cela fait partie des récits que Nous te [Muḥammad] racontons concernant des cités: les unes sont encore debout, tandis que d'autres (sont complètement) rasées.

101. Nous ne leur avons fait aucun tort. Mais ils se sont fait du tort à eux-mêmes. Leurs divinités, qu'ils invoquaient en dehors d'Allāh, ne leur ont servi à rien, quand l'Ordre (le châtiment) de ton Seigneur fut venu ; elles n'ont fait qu'accroître leur perte.

102. Telle est la rigueur de la prise de ton Seigneur quand Il frappe les cités lorsqu'elles sont injustes. Son châtiment est bien douloureux et bien dur.

103. Il y a bien là un signe pour celui qui craint le châtiment de l'au-delà. C'est un jour où les gens seront rassemblés ; et c'est un jour solennel (attesté par tous).

104. Et Nous ne le retardons que pour un terme bien déterminé.

105. Le jour où cela arrivera, nulle âme ne parlera qu'avec Sa permission (celle d'Allāh). Il y aura des damnés et des heureux.

106. Ceux qui sont damnés seront dans le Feu où ils ont des soupirs et des sanglots.

107. Pour y demeurer éternellement tant que dureront les cieux et la terre - à moins que ton Seigneur en décide autrement - car ton Seigneur fait absolument tout ce qu'Il veut.

108. Et quant aux bienheureux, ils seront au Paradis, pour y demeurer éternellement tant que dureront les cieux et la terre -à moins que ton Seigneur n'en décide autrement- c'est là un don qui n'est jamais interrompu.

فَلَا تَكُ فِى مِرْيَةٍ مِّمَّا يَعْبُدُ هَٰٓؤُلَآءِ ۚ مَا يَعْبُدُونَ إِلَّا كَمَا يَعْبُدُ ءَابَآؤُهُم مِّن قَبْلُ ۚ وَإِنَّا لَمُوَفُّوهُمْ نَصِيبَهُمْ غَيْرَ مَنقُوصٍ ۝

وَلَقَدْ ءَاتَيْنَا مُوسَى ٱلْكِتَٰبَ فَٱخْتُلِفَ فِيهِ ۚ وَلَوْلَا كَلِمَةٌ سَبَقَتْ مِن رَّبِّكَ لَقُضِىَ بَيْنَهُمْ ۚ وَإِنَّهُمْ لَفِى شَكٍّ مِّنْهُ مُرِيبٍ ۝

وَإِنَّ كُلًّا لَّمَّا لَيُوَفِّيَنَّهُمْ رَبُّكَ أَعْمَٰلَهُمْ ۚ إِنَّهُۥ بِمَا يَعْمَلُونَ خَبِيرٌ ۝

فَٱسْتَقِمْ كَمَآ أُمِرْتَ وَمَن تَابَ مَعَكَ وَلَا تَطْغَوْا ۚ إِنَّهُۥ بِمَا تَعْمَلُونَ بَصِيرٌ ۝

وَلَا تَرْكَنُوٓا إِلَى ٱلَّذِينَ ظَلَمُوا فَتَمَسَّكُمُ ٱلنَّارُ وَمَا لَكُم مِّن دُونِ ٱللَّهِ مِنْ أَوْلِيَآءَ ثُمَّ لَا تُنصَرُونَ ۝

وَأَقِمِ ٱلصَّلَوٰةَ طَرَفَىِ ٱلنَّهَارِ وَزُلَفًا مِّنَ ٱلَّيْلِ ۚ إِنَّ ٱلْحَسَنَٰتِ يُذْهِبْنَ ٱلسَّيِّـَٔاتِ ۚ ذَٰلِكَ ذِكْرَىٰ لِلذَّٰكِرِينَ ۝

وَٱصْبِرْ فَإِنَّ ٱللَّهَ لَا يُضِيعُ أَجْرَ ٱلْمُحْسِنِينَ ۝

فَلَوْلَا كَانَ مِنَ ٱلْقُرُونِ مِن قَبْلِكُمْ أُو۟لُوا۟ بَقِيَّةٍ يَنْهَوْنَ عَنِ ٱلْفَسَادِ فِى ٱلْأَرْضِ إِلَّا قَلِيلًا مِّمَّنْ أَنجَيْنَا مِنْهُمْ ۗ وَٱتَّبَعَ ٱلَّذِينَ ظَلَمُوا مَآ أُتْرِفُوا فِيهِ وَكَانُوا مُجْرِمِينَ ۝

وَمَا كَانَ رَبُّكَ لِيُهْلِكَ ٱلْقُرَىٰ بِظُلْمٍ وَأَهْلُهَا مُصْلِحُونَ ۝

109. Ne sois donc pas en doute au sujet de ce que ceux-là adorent, Ils n'adorent que comme leurs ancêtres adoraient auparavant. Et Nous leur donnerons la totalité de leur part, sans en rien retrancher.

110. Et Nous avons déjà donné à Moïse le Livre. Il y eut des divergences à son sujet. S'il n'y avait pas un décret préalable de la part de ton Seigneur, tout aurait été décidé entre eux. Et ils sont, à son sujet[1] plein d'un doute troublant.

111. Très certainement, ton Seigneur fera leur pleine rétribution à tous pour leurs œuvres... Il est Parfaitement Connaisseur de ce qu'ils font.

112. Demeure sur le droit chemin comme il t'est commandé, ainsi que ceux qui sont revenus [à Allāh] avec toi. Et ne commettez pas d'excès. Car vraiment Il observe ce que vous faites.

113. Et ne vous penchez pas vers les injustes: sinon le Feu vous atteindrait. Vous n'avez pas d'alliés en dehors d'Allāh. Et vous ne serez pas secourus.

114. Et accomplis la Ṣalāt aux deux extrémités du jour et à certaines heures de la nuit. Les bonnes œuvres dissipent les mauvaises. Cela est une exhortation pour ceux qui réfléchissent.

115. Et sois patient. Car Allāh ne laisse pas perdre la récompense des gens bienfaisants.

116. Si seulement il existait, dans les générations d'avant vous, des gens vertueux qui interdisent la corruption sur terre! (Hélas) Il n'y en avait qu'un petit nombre que Nous sauvâmes, alors que les injustes persistaient dans le luxe (exagéré) dans lequel ils vivaient, et ils étaient des criminels.

117. Et ton Seigneur n'est point tel à détruire injustement des cités dont les habitants sont des réformateurs.

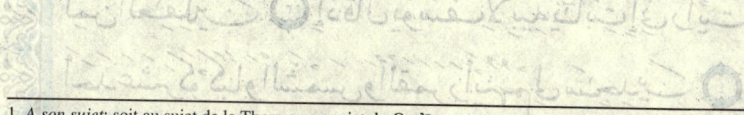

---

1. *A son sujet*: soit au sujet de la Thora ou au sujet du Qur'ān.

وَلَوْ شَاءَ رَبُّكَ لَجَعَلَ ٱلنَّاسَ أُمَّةً وَٰحِدَةً وَلَا يَزَالُونَ مُخْتَلِفِينَ

إِلَّا مَن رَّحِمَ رَبُّكَ وَلِذَٰلِكَ خَلَقَهُمْ وَتَمَّتْ كَلِمَةُ رَبِّكَ لَأَمْلَأَنَّ جَهَنَّمَ مِنَ ٱلْجِنَّةِ وَٱلنَّاسِ أَجْمَعِينَ ۝١١٩ وَكُلًّا نَّقُصُّ

عَلَيْكَ مِنْ أَنبَاءِ ٱلرُّسُلِ مَا نُثَبِّتُ بِهِۦ فُؤَادَكَ وَجَاءَكَ فِي هَٰذِهِ ٱلْحَقُّ وَمَوْعِظَةٌ وَذِكْرَىٰ لِلْمُؤْمِنِينَ ۝١٢٠ وَقُل لِّلَّذِينَ لَا يُؤْمِنُونَ

ٱعْمَلُوا۟ عَلَىٰ مَكَانَتِكُمْ إِنَّا عَٰمِلُونَ ۝١٢١ وَٱنتَظِرُوٓا۟ إِنَّا مُنتَظِرُونَ

۝١٢٢ وَلِلَّهِ غَيْبُ ٱلسَّمَٰوَٰتِ وَٱلْأَرْضِ وَإِلَيْهِ يُرْجَعُ ٱلْأَمْرُ كُلُّهُۥ

فَٱعْبُدْهُ وَتَوَكَّلْ عَلَيْهِ وَمَا رَبُّكَ بِغَٰفِلٍ عَمَّا تَعْمَلُونَ ۝١٢٣

سورة يوسف

بِسْمِ ٱللَّهِ ٱلرَّحْمَٰنِ ٱلرَّحِيمِ

الٓر تِلْكَ ءَايَٰتُ ٱلْكِتَٰبِ ٱلْمُبِينِ ۝١ إِنَّا أَنزَلْنَٰهُ قُرْءَٰنًا عَرَبِيًّا

لَّعَلَّكُمْ تَعْقِلُونَ ۝٢ نَحْنُ نَقُصُّ عَلَيْكَ أَحْسَنَ ٱلْقَصَصِ

بِمَآ أَوْحَيْنَآ إِلَيْكَ هَٰذَا ٱلْقُرْءَانَ وَإِن كُنتَ مِن قَبْلِهِۦ

لَمِنَ ٱلْغَٰفِلِينَ ۝٣ إِذْ قَالَ يُوسُفُ لِأَبِيهِ يَٰٓأَبَتِ إِنِّي رَأَيْتُ

أَحَدَ عَشَرَ كَوْكَبًا وَٱلشَّمْسَ وَٱلْقَمَرَ رَأَيْتُهُمْ لِي سَٰجِدِينَ ۝٤

118. Et si ton Seigneur avait voulu, Il aurait fait des gens une seule communauté[1]. Or, ils ne cessent d'être on désaccord (entre eux,)

119. sauf ceux à qui ton Seigneur a accordé miséricorde. C'est pour cela qu'Il les a créés. Et la parole de ton Seigneur s'accomplît: «Très certainement, Je remplirai l'Enfer de djinns et d'hommes, tous ensemble».

120. Et tout ce que Nous te racontons des récits des messagers, c'est pour en raffermir ton cœur. Et de ceux-ci t'est venue la vérité ainsi qu'une exhortation et un rappel aux croyants.

121. Et dis à ceux qui ne croient pas: «Œuvrez autant que vous pouvez. Nous aussi, nous œuvrons.

122. Et attendez. Nous aussi nous attendons!»

123. À Allāh appartient l'Inconnaissable des cieux et de la terre, et c'est à Lui que revient l'ordre tout entier. Adore-Le donc et place ta confiance en Lui. Ton Seigneur n'est pas inattentif à ce que vous faites.

YŪSUF (JOSEPH)
sourate 12   111 versets   Pré-hégirien N° 53

Au nom d'Allāh, le Tout Miséricordieux, le Très Miséricordieux.

1. Alif, Lām, Rā[2]. Tels sont les versets du Livre explicite.

2. Nous l'avons fait descendre, un Qur'ān en [langue] arabe, afin que vous raisonniez.

3. Nous te racontons le meilleur récit, grâce à la révélation que Nous te faisons dans ce Qur'ān même si tu étais auparavant du nombre des inattentifs (à ces récits).

4. Quand Joseph dit à son père: «Ô mon père, j'ai vu [en songe], onze étoiles, et aussi le soleil et la lune ; je les ai vus prosternés devant moi».

---

1. *Une seule communauté*: gens de même confession.
2. Voir note S. 2, v. 1.

قَالَ يَـٰبُنَىَّ لَا تَقْصُصْ رُءْيَاكَ عَلَىٰٓ إِخْوَتِكَ فَيَكِيدُوا۟ لَكَ كَيْدًا إِنَّ ٱلشَّيْطَـٰنَ لِلْإِنسَـٰنِ عَدُوٌّ مُّبِينٌ ۝ وَكَذَٰلِكَ يَجْتَبِيكَ رَبُّكَ وَيُعَلِّمُكَ مِن تَأْوِيلِ ٱلْأَحَادِيثِ وَيُتِمُّ نِعْمَتَهُۥ عَلَيْكَ وَعَلَىٰٓ ءَالِ يَعْقُوبَ كَمَآ أَتَمَّهَا عَلَىٰٓ أَبَوَيْكَ مِن قَبْلُ إِبْرَٰهِيمَ وَإِسْحَـٰقَ إِنَّ رَبَّكَ عَلِيمٌ حَكِيمٌ ۝ ۞ لَّقَدْ كَانَ فِى يُوسُفَ وَإِخْوَتِهِۦٓ ءَايَـٰتٌ لِّلسَّآئِلِينَ ۝ إِذْ قَالُوا۟ لَيُوسُفُ وَأَخُوهُ أَحَبُّ إِلَىٰٓ أَبِينَا مِنَّا وَنَحْنُ عُصْبَةٌ إِنَّ أَبَانَا لَفِى ضَلَـٰلٍ مُّبِينٍ ۝ ٱقْتُلُوا۟ يُوسُفَ أَوِ ٱطْرَحُوهُ أَرْضًا يَخْلُ لَكُمْ وَجْهُ أَبِيكُمْ وَتَكُونُوا۟ مِنۢ بَعْدِهِۦ قَوْمًا صَـٰلِحِينَ ۝ قَالَ قَآئِلٌ مِّنْهُمْ لَا تَقْتُلُوا۟ يُوسُفَ وَأَلْقُوهُ فِى غَيَـٰبَتِ ٱلْجُبِّ يَلْتَقِطْهُ بَعْضُ ٱلسَّيَّارَةِ إِن كُنتُمْ فَـٰعِلِينَ ۝ قَالُوا۟ يَـٰٓأَبَانَا مَا لَكَ لَا تَأْمَ۬نَّا عَلَىٰ يُوسُفَ وَإِنَّا لَهُۥ لَنَـٰصِحُونَ ۝ أَرْسِلْهُ مَعَنَا غَدًا يَرْتَعْ وَيَلْعَبْ وَإِنَّا لَهُۥ لَحَـٰفِظُونَ ۝ قَالَ إِنِّى لَيَحْزُنُنِىٓ أَن تَذْهَبُوا۟ بِهِۦ وَأَخَافُ أَن يَأْكُلَهُ ٱلذِّئْبُ وَأَنتُمْ عَنْهُ غَـٰفِلُونَ ۝ قَالُوا۟ لَئِنْ أَكَلَهُ ٱلذِّئْبُ وَنَحْنُ عُصْبَةٌ إِنَّآ إِذًا لَّخَـٰسِرُونَ ۝

5. «Ô mon fils, dit-il, ne raconte pas ta vision à tes frères car ils monteraient un complot contre toi ; le Diable est certainement pour l'homme un ennemi déclaré.

6. Ainsi ton Seigneur te choisira et t'enseignera l'interprétation des rêves, et Il parfera Son bienfait sur toi et sur la famille de Jacob, tout comme Il l'a parfait auparavant sur tes deux ancêtres, Abraham et Isaac car ton Seigneur est Omniscient et Sage.

7. Il y avait certainement, en Joseph et ses frères, des exhortations pour ceux qui interrogent,

8. quand ceux-ci dirent: «Joseph et son frère[1] sont plus aimés de notre père que nous, alors que nous sommes un groupe bien fort. Notre père est vraiment dans un tort évident.

9. Tuez Joseph ou bien éloignez-le dans n'importe quel pays, afin que le visage de votre père se tourne exclusivement vers vous, et que vous soyez après cela des gens de bien»[2].

10. L'un d'eux dit: «Ne tuez pas Joseph, mais jetez-le si vous êtes disposés à agir, au fond du puits afin que quelque caravane le recueille».

11. Ils dirent: «Ô notre père, qu'as-tu à ne pas te fier à nous au sujet de Joseph? Nous sommes cependant bien intentionnés à son égard.

12. Envoie-le demain avec nous faire une promenade et jouer. Et nous veillerons sur lui».

13. Il dit: «Certes, je m'attristerai que vous l'emmeniez ; et je crains que le loup ne le dévore dans un moment où vous ne ferez pas attention à lui».

14. Ils dirent: «Si le loup le dévore alors que nous sommes nombreux, nous serons vraiment les perdants».

---

1. *Joseph et son frère*: son frère germain qui s'appelle Benyamin.
2. *Se tourne*: littér.: devienne exclusivement pour vous. Le visage étant pris pour la personne elle-même.
Des gens de bien: après votre repentir et après s'être excusés auprès de votre père.

فَلَمَّا ذَهَبُوا بِهِ وَأَجْمَعُوا أَن يَجْعَلُوهُ فِي غَيَبَتِ ٱلْجُبِّ وَأَوْحَيْنَا إِلَيْهِ لَتُنَبِّئَنَّهُم بِأَمْرِهِمْ هَٰذَا وَهُمْ لَا يَشْعُرُونَ ۝ وَجَآءُو أَبَاهُمْ عِشَآءً يَبْكُونَ ۝ قَالُوا يَٰأَبَانَآ إِنَّا ذَهَبْنَا نَسْتَبِقُ وَتَرَكْنَا يُوسُفَ عِندَ مَتَٰعِنَا فَأَكَلَهُ ٱلذِّئْبُ وَمَآ أَنتَ بِمُؤْمِنٍ لَّنَا وَلَوْ كُنَّا صَٰدِقِينَ ۝ وَجَآءُو عَلَىٰ قَمِيصِهِ بِدَمٍ كَذِبٍ قَالَ بَلْ سَوَّلَتْ لَكُمْ أَنفُسُكُمْ أَمْرًا فَصَبْرٌ جَمِيلٌ وَٱللَّهُ ٱلْمُسْتَعَانُ عَلَىٰ مَا تَصِفُونَ ۝ وَجَآءَتْ سَيَّارَةٌ فَأَرْسَلُوا وَارِدَهُمْ فَأَدْلَىٰ دَلْوَهُۥ قَالَ يَٰبُشْرَىٰ هَٰذَا غُلَٰمٌ وَأَسَرُّوهُ بِضَٰعَةً وَٱللَّهُ عَلِيمٌ بِمَا يَعْمَلُونَ ۝ وَشَرَوْهُ بِثَمَنٍ بَخْسٍ دَرَٰهِمَ مَعْدُودَةٍ وَكَانُوا فِيهِ مِنَ ٱلزَّٰهِدِينَ ۝ وَقَالَ ٱلَّذِي ٱشْتَرَىٰهُ مِن مِّصْرَ لِٱمْرَأَتِهِۦٓ أَكْرِمِي مَثْوَىٰهُ عَسَىٰٓ أَن يَنفَعَنَآ أَوْ نَتَّخِذَهُۥ وَلَدًا وَكَذَٰلِكَ مَكَّنَّا لِيُوسُفَ فِي ٱلْأَرْضِ وَلِنُعَلِّمَهُۥ مِن تَأْوِيلِ ٱلْأَحَادِيثِ وَٱللَّهُ غَالِبٌ عَلَىٰٓ أَمْرِهِۦ وَلَٰكِنَّ أَكْثَرَ ٱلنَّاسِ لَا يَعْلَمُونَ ۝ وَلَمَّا بَلَغَ أَشُدَّهُۥٓ ءَاتَيْنَٰهُ حُكْمًا وَعِلْمًا وَكَذَٰلِكَ نَجْزِي ٱلْمُحْسِنِينَ ۝

15. Et lorsqu'ils l'eurent emmené, et se furent mis d'accord pour le jeter dans les profondeurs invisibles du puits, Nous lui révélâmes: «Tu les informeras sûrement de cette affaire sans qu'ils s'en rendent compte».

16. Et ils vinrent à leur père, le soir, en pleurant.

17. Ils dirent: «Ô notre père, nous sommes allés faire une course, et nous avons laissé Joseph auprès de nos effets ; et le loup l'a dévoré. Tu ne nous croiras pas, même si nous disons la vérité».

18. Ils apportèrent sa tunique tachée d'un faux sang. Il dit: «Vos âmes, plutôt, vous ont suggéré quelque chose... [Il ne me reste plus donc] qu'une belle patience! C'est Allāh qu'il faut appeler au secours contre ce que vous racontez!»

19. Or, vint une caravane. Ils envoyèrent leur chercheur d'eau, qui fit descendre son seau. Il dit: «Bonne nouvelle! Voilà un garçon!» Et ils le dissimulèrent [pour le vendre] telle une marchandise. Allāh cependant savait fort bien ce qu'ils faisaient.

20. Et ils le vendirent à vil prix: pour quelques dirhams comptés. Ils le considéraient comme indésirable.

21. Et celui qui l'acheta était de l'Egypte. Il dit à sa femme[1]: «Accorde lui une généreuse hospitalité. Il se peut qu'il nous soit utile ou que nous l'adoptions comme notre enfant». Ainsi avons-nous raffermi Joseph dans le pays et nous lui avons appris l'interprétation des rêves. Et Allāh est souverain en Son Commandement: mais la plupart des gens ne savent pas.

22. Et quand il eut atteint sa maturité Nous lui accordâmes sagesse et savoir. C'est ainsi que nous récompensons les bienfaisants.

---

1. *Celui qui l'acheta*: il s'agit de Putiphar, grand intendant d'Egypte dont la femme s'appelait Zuliḥa.

وَرَٰوَدَتْهُ ٱلَّتِي هُوَ فِي بَيْتِهَا عَن نَّفْسِهِۦ وَغَلَّقَتِ ٱلْأَبْوَٰبَ وَقَالَتْ هَيْتَ لَكَ قَالَ مَعَاذَ ٱللَّهِ إِنَّهُۥ رَبِّي أَحْسَنَ مَثْوَايَ إِنَّهُۥ لَا يُفْلِحُ ٱلظَّٰلِمُونَ ۝ وَلَقَدْ هَمَّتْ بِهِۦ وَهَمَّ بِهَا لَوْلَآ أَن رَّءَا بُرْهَٰنَ رَبِّهِۦ كَذَٰلِكَ لِنَصْرِفَ عَنْهُ ٱلسُّوٓءَ وَٱلْفَحْشَآءَ إِنَّهُۥ مِنْ عِبَادِنَا ٱلْمُخْلَصِينَ ۝ وَٱسْتَبَقَا ٱلْبَابَ وَقَدَّتْ قَمِيصَهُۥ مِن دُبُرٍ وَأَلْفَيَا سَيِّدَهَا لَدَا ٱلْبَابِ قَالَتْ مَا جَزَآءُ مَنْ أَرَادَ بِأَهْلِكَ سُوٓءًا إِلَّآ أَن يُسْجَنَ أَوْ عَذَابٌ أَلِيمٌ ۝ قَالَ هِيَ رَٰوَدَتْنِي عَن نَّفْسِي وَشَهِدَ شَاهِدٌ مِّنْ أَهْلِهَآ إِن كَانَ قَمِيصُهُۥ قُدَّ مِن قُبُلٍ فَصَدَقَتْ وَهُوَ مِنَ ٱلْكَٰذِبِينَ ۝ وَإِن كَانَ قَمِيصُهُۥ قُدَّ مِن دُبُرٍ فَكَذَبَتْ وَهُوَ مِنَ ٱلصَّٰدِقِينَ ۝ فَلَمَّا رَءَا قَمِيصَهُۥ قُدَّ مِن دُبُرٍ قَالَ إِنَّهُۥ مِن كَيْدِكُنَّ إِنَّ كَيْدَكُنَّ عَظِيمٌ ۝ يُوسُفُ أَعْرِضْ عَنْ هَٰذَا وَٱسْتَغْفِرِي لِذَنۢبِكِ إِنَّكِ كُنتِ مِنَ ٱلْخَاطِـِٔينَ ۝ وَقَالَ نِسْوَةٌ فِي ٱلْمَدِينَةِ ٱمْرَأَتُ ٱلْعَزِيزِ تُرَٰوِدُ فَتَىٰهَا عَن نَّفْسِهِۦ قَدْ شَغَفَهَا حُبًّا إِنَّا لَنَرَىٰهَا فِي ضَلَٰلٍ مُّبِينٍ ۝

23. Or celle [Zuliḫa] qui l'avait reçu dans sa maison essaya de le séduire. Et elle ferma bien les portes et dit: «Viens, (je suis prête pour toi!)» - Il dit: «Qu'Allāh me protège! C'est mon maître[1] qui m'a accordé un bon asile. Vraiment les injustes ne réussissent pas».

24. Et, elle le désira. Et il l'aurait désirée n'eût été ce qu'il vit comme preuve évidente de son Seigneur. Ainsi [Nous avons agi] pour écarter de lui le mal et la turpitude. Il était certes un de Nos serviteurs élus.

25. Et tous deux coururent vers la porte, et elle lui déchira sa tunique par derrière. Ils trouvèrent le mari [de cette femme] à la porte. Elle dit:
«Quelle serait la punition de quiconque a voulu faire du mal à ta famille, sinon la prison, ou un châtiment douloureux?»

26. [Joseph] dit: «C'est elle qui a voulu me séduire». Et un témoin, de la famille de celle-ci témoigna: «Si sa tunique [à lui] est déchirée par devant, alors c'est elle qui dit la vérité, tandis qu'il est du nombre des menteurs.

27. Mais si sa tunique est déchirée par derrière, alors c'est elle qui mentit, tandis qu'il est du nombre des véridiques».

28. Puis, quand il (le mari) vit la tunique déchirée par derrière, il dit: «C'est bien de votre ruse de femmes! Vos ruses sont vraiment énormes!

29. Joseph, ne pense plus à cela! Et toi, (femme), implore le pardon pour ton péché car tu es fautive».

30. Et dans la ville, des femmes dirent: «La femme d'Al-ʿAzīz[2] essaye de séduire son valet! Il l'a vraiment rendue folle d'amour. Nous la trouvons certes dans un égarement évident.

---

1. *C'est mon maître*: allusion à Al-ʿAzīz, mari de Zuliḫa.
2. *Al-ʿAzīz*: titre de noblesse donné par le roi d'Egypte à cette époque à un grand fonctionnaire ou ministre.

فَلَمَّا سَمِعَتْ بِمَكْرِهِنَّ أَرْسَلَتْ إِلَيْهِنَّ وَأَعْتَدَتْ لَهُنَّ مُتَّكَأً وَءَاتَتْ كُلَّ وَٰحِدَةٍ مِّنْهُنَّ سِكِّينًا وَقَالَتِ ٱخْرُجْ عَلَيْهِنَّ فَلَمَّا رَأَيْنَهُ أَكْبَرْنَهُ وَقَطَّعْنَ أَيْدِيَهُنَّ وَقُلْنَ حَٰشَ لِلَّهِ مَا هَٰذَا بَشَرًا إِنْ هَٰذَا إِلَّا مَلَكٌ كَرِيمٌ ۝ قَالَتْ فَذَٰلِكُنَّ ٱلَّذِى لُمْتُنَّنِى فِيهِ وَلَقَدْ رَٰوَدتُّهُۥ عَن نَّفْسِهِۦ فَٱسْتَعْصَمَ وَلَئِن لَّمْ يَفْعَلْ مَآ ءَامُرُهُۥ لَيُسْجَنَنَّ وَلَيَكُونًا مِّنَ ٱلصَّٰغِرِينَ ۝ قَالَ رَبِّ ٱلسِّجْنُ أَحَبُّ إِلَىَّ مِمَّا يَدْعُونَنِى إِلَيْهِ وَإِلَّا تَصْرِفْ عَنِّى كَيْدَهُنَّ أَصْبُ إِلَيْهِنَّ وَأَكُن مِّنَ ٱلْجَٰهِلِينَ ۝ فَٱسْتَجَابَ لَهُۥ رَبُّهُۥ فَصَرَفَ عَنْهُ كَيْدَهُنَّ إِنَّهُۥ هُوَ ٱلسَّمِيعُ ٱلْعَلِيمُ ۝ ثُمَّ بَدَا لَهُم مِّنۢ بَعْدِ مَا رَأَوُا۟ ٱلْءَايَٰتِ لَيَسْجُنُنَّهُۥ حَتَّىٰ حِينٍ ۝ وَدَخَلَ مَعَهُ ٱلسِّجْنَ فَتَيَانِ قَالَ أَحَدُهُمَآ إِنِّىٓ أَرَىٰنِىٓ أَعْصِرُ خَمْرًا وَقَالَ ٱلْءَاخَرُ إِنِّىٓ أَرَىٰنِىٓ أَحْمِلُ فَوْقَ رَأْسِى خُبْزًا تَأْكُلُ ٱلطَّيْرُ مِنْهُ نَبِّئْنَا بِتَأْوِيلِهِۦٓ إِنَّا نَرَىٰكَ مِنَ ٱلْمُحْسِنِينَ ۝ قَالَ لَا يَأْتِيكُمَا طَعَامٌ تُرْزَقَانِهِۦٓ إِلَّا نَبَّأْتُكُمَا بِتَأْوِيلِهِۦ قَبْلَ أَن يَأْتِيَكُمَا ذَٰلِكُمَا مِمَّا عَلَّمَنِى رَبِّىٓ إِنِّى تَرَكْتُ مِلَّةَ قَوْمٍ لَّا يُؤْمِنُونَ بِٱللَّهِ وَهُم بِٱلْءَاخِرَةِ هُمْ كَٰفِرُونَ ۝

31. Lorsqu'elle eut entendu leur fourberie, elle leur envoya [des invitations,] et prépara pour elles une collation ; et elle remit à chacune d'elles un couteau. Puis elle dit: «Sors devant elles, (Joseph!)» - Lorsqu'elles le virent, elles l'admirèrent, se coupèrent les mains et dirent: «À Allāh ne plaise! Ce n'est pas un être humain, ce n'est qu'un ange noble!»

32. Elle dit: «Voilà donc celui à propos duquel vous me blâmiez. J'ai essayé de le séduire mais il s'en défendit fermement. Or, s'il ne fait pas ce que je lui commande, il sera très certainement emprisonné et sera certes parmi les humiliés».

33. Il dit: «Ô mon Seigneur, la prison m'est préférable à ce à quoi elles m'invitent. Et si Tu n'écartes pas de moi leur ruse, je pencherai vers elles et serai du nombre des ignorants» [des pêcheurs].

34. Son Seigneur l'exauça donc, et éloigna de lui leur ruse. C'est Lui, vraiment, qui est l'Audient et l'Omniscient.

35. Puis, après qu'ils eurent vu les preuves (de son innocence), il leur sembla qu'ils devaient l'emprisonner pour un temps.

36. Deux valets entrèrent avec lui en prison. L'un d'eux dit: «Je me voyais [en rêve] pressant du raisin...» Et l'autre dit: «Et moi, je me voyais portant sur ma tête du pain dont les oiseaux mangeaient. Apprends-nous l'interprétation (de nos rêves), nous te voyons au nombre des bienfaisants».

37. «La nourriture qui vous est attribuée ne vous parviendra point, dit-il, que je ne vous aie avisés de son interprétation [de votre nourriture] avant qu'elle ne vous arrive. Cela[1] fait partie de ce que mon Seigneur m'a enseigné. Certes, j'ai abandonné la religion d'un peuple qui ne croit pas en Allāh et qui nie la vie future».

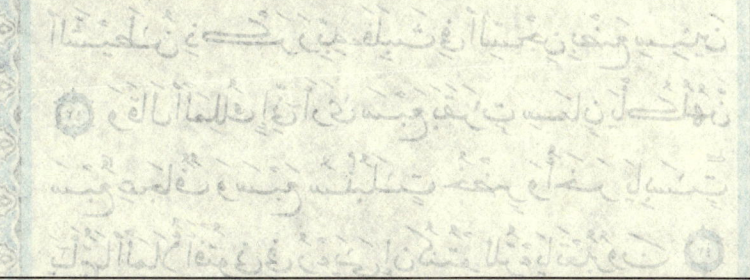

---

1. *Cela*: il s'agit de deux choses: l'interprétation des rêves, et l'information de ce qui relève de l'Inconnaissable.

وَٱتَّبَعْتُ مِلَّةَ ءَابَآءِىٓ إِبْرَٰهِيمَ وَإِسْحَٰقَ وَيَعْقُوبَ مَا كَانَ لَنَآ أَن نُّشْرِكَ بِٱللَّهِ مِن شَىْءٍ ذَٰلِكَ مِن فَضْلِ ٱللَّهِ عَلَيْنَا وَعَلَى ٱلنَّاسِ وَلَٰكِنَّ أَكْثَرَ ٱلنَّاسِ لَا يَشْكُرُونَ ﴿٣٨﴾ يَٰصَٰحِبَىِ ٱلسِّجْنِ ءَأَرْبَابٌ مُّتَفَرِّقُونَ خَيْرٌ أَمِ ٱللَّهُ ٱلْوَٰحِدُ ٱلْقَهَّارُ ﴿٣٩﴾ مَا تَعْبُدُونَ مِن دُونِهِۦٓ إِلَّآ أَسْمَآءً سَمَّيْتُمُوهَآ أَنتُمْ وَءَابَآؤُكُم مَّآ أَنزَلَ ٱللَّهُ بِهَا مِن سُلْطَٰنٍ إِنِ ٱلْحُكْمُ إِلَّا لِلَّهِ أَمَرَ أَلَّا تَعْبُدُوٓا۟ إِلَّآ إِيَّاهُ ذَٰلِكَ ٱلدِّينُ ٱلْقَيِّمُ وَلَٰكِنَّ أَكْثَرَ ٱلنَّاسِ لَا يَعْلَمُونَ ﴿٤٠﴾ يَٰصَٰحِبَىِ ٱلسِّجْنِ أَمَّآ أَحَدُكُمَا فَيَسْقِى رَبَّهُۥ خَمْرًا وَأَمَّا ٱلْءَاخَرُ فَيُصْلَبُ فَتَأْكُلُ ٱلطَّيْرُ مِن رَّأْسِهِۦ قُضِىَ ٱلْأَمْرُ ٱلَّذِى فِيهِ تَسْتَفْتِيَانِ ﴿٤١﴾ وَقَالَ لِلَّذِى ظَنَّ أَنَّهُۥ نَاجٍ مِّنْهُمَا ٱذْكُرْنِى عِندَ رَبِّكَ فَأَنسَىٰهُ ٱلشَّيْطَٰنُ ذِكْرَ رَبِّهِۦ فَلَبِثَ فِى ٱلسِّجْنِ بِضْعَ سِنِينَ ﴿٤٢﴾ وَقَالَ ٱلْمَلِكُ إِنِّىٓ أَرَىٰ سَبْعَ بَقَرَٰتٍ سِمَانٍ يَأْكُلُهُنَّ سَبْعٌ عِجَافٌ وَسَبْعَ سُنۢبُلَٰتٍ خُضْرٍ وَأُخَرَ يَابِسَٰتٍ يَٰٓأَيُّهَا ٱلْمَلَأُ أَفْتُونِى فِى رُءْيَٰىَ إِن كُنتُمْ لِلرُّءْيَا تَعْبُرُونَ ﴿٤٣﴾

38. Et j'ai suivi la religion de mes ancêtres, Abraham, Isaac et Jacob. Il ne nous convient pas d'associer à Allāh quoi que ce soit. Ceci[1] est une grâce d'Allāh sur nous et sur tout le monde ; mais la plupart des gens ne sont pas reconnaissants.

39. Ô mes deux compagnons de prison! Qui est le meilleur: des Seigneurs éparpillés ou Allāh, l'Unique, le Dominateur suprême?

40. Vous n'adorez, en dehors de Lui, que des noms que vous avez inventés, vous et vos ancêtres, et à l'appui desquels Allāh n'a fait descendre aucune preuve. Le pouvoir n'appartient qu'à Allāh. Il vous a commandé de n'adorer que Lui. Telle est la religion droite ; mais la plupart des gens ne savent pas.

41. Ô mes deux compagnons de prison! L'un de vous donnera du vin à boire à son maître ; quant à l'autre, il sera crucifié, et les oiseaux mangeront de sa tête. L'affaire sur laquelle vous me consultez est déjà décidée.»

42. Et il dit à celui des deux dont il pensait qu'il serait délivré: «Parle de moi auprès de ton maître»[2]. Mais le Diable fit qu'il oublia de rappeler (le cas de Joseph) à son maître. Joseph resta donc en prison quelques années.

43. Et le roi dit: «En vérité, je voyais (en rêve) sept vaches grasses mangées par sept maigres ; et sept épis verts, et autant d'autres, secs. Ô conseil de notables, donnez-moi une explication de ma vision, si vous savez interpréter le rêve».

---

1. *Ceci*: cette religion monothéiste.
2. Ce maître était le roi d'Egypte.

قَالُوٓا۟ أَضْغَٰثُ أَحْلَٰمٍ وَمَا نَحْنُ بِتَأْوِيلِ ٱلْأَحْلَٰمِ بِعَٰلِمِينَ ﴿٤٤﴾ وَقَالَ ٱلَّذِى نَجَا مِنْهُمَا وَٱدَّكَرَ بَعْدَ أُمَّةٍ أَنَا۠ أُنَبِّئُكُم بِتَأْوِيلِهِۦ فَأَرْسِلُونِ ﴿٤٥﴾ يُوسُفُ أَيُّهَا ٱلصِّدِّيقُ أَفْتِنَا فِى سَبْعِ بَقَرَٰتٍ سِمَانٍ يَأْكُلُهُنَّ سَبْعٌ عِجَافٌ وَسَبْعِ سُنۢبُلَٰتٍ خُضْرٍ وَأُخَرَ يَابِسَٰتٍ لَّعَلِّىٓ أَرْجِعُ إِلَى ٱلنَّاسِ لَعَلَّهُمْ يَعْلَمُونَ ﴿٤٦﴾ قَالَ تَزْرَعُونَ سَبْعَ سِنِينَ دَأَبًا فَمَا حَصَدتُّمْ فَذَرُوهُ فِى سُنۢبُلِهِۦٓ إِلَّا قَلِيلًا مِّمَّا تَأْكُلُونَ ﴿٤٧﴾ ثُمَّ يَأْتِى مِنۢ بَعْدِ ذَٰلِكَ سَبْعٌ شِدَادٌ يَأْكُلْنَ مَا قَدَّمْتُمْ لَهُنَّ إِلَّا قَلِيلًا مِّمَّا تُحْصِنُونَ ﴿٤٨﴾ ثُمَّ يَأْتِى مِنۢ بَعْدِ ذَٰلِكَ عَامٌ فِيهِ يُغَاثُ ٱلنَّاسُ وَفِيهِ يَعْصِرُونَ ﴿٤٩﴾ وَقَالَ ٱلْمَلِكُ ٱئْتُونِى بِهِۦ فَلَمَّا جَآءَهُ ٱلرَّسُولُ قَالَ ٱرْجِعْ إِلَىٰ رَبِّكَ فَسْـَٔلْهُ مَا بَالُ ٱلنِّسْوَةِ ٱلَّٰتِى قَطَّعْنَ أَيْدِيَهُنَّ إِنَّ رَبِّى بِكَيْدِهِنَّ عَلِيمٌ ﴿٥٠﴾ قَالَ مَا خَطْبُكُنَّ إِذْ رَٰوَدتُّنَّ يُوسُفَ عَن نَّفْسِهِۦ قُلْنَ حَٰشَ لِلَّهِ مَا عَلِمْنَا عَلَيْهِ مِن سُوٓءٍ قَالَتِ ٱمْرَأَتُ ٱلْعَزِيزِ ٱلْـَٰٔنَ حَصْحَصَ ٱلْحَقُّ أَنَا۠ رَٰوَدتُّهُۥ عَن نَّفْسِهِۦ وَإِنَّهُۥ لَمِنَ ٱلصَّٰدِقِينَ ﴿٥١﴾ ذَٰلِكَ لِيَعْلَمَ أَنِّى لَمْ أَخُنْهُ بِٱلْغَيْبِ وَأَنَّ ٱللَّهَ لَا يَهْدِى كَيْدَ ٱلْخَآئِنِينَ ﴿٥٢﴾

44. Ils dirent: «C'est un amas de rêves! Et nous ne savons pas interpréter les rêves!»

45. Or, celui des deux qui avait été délivré et qui, après quelque temps se rappela, dit: «Je vous en donnerai l'interprétation. Envoyez-moi donc».

46. «Ô toi, Joseph, le véridique! Eclaire-nous au sujet de sept vaches grasses que mangent sept très maigres, et sept épis verts et autant d'autres, secs, afin que je retourne aux gens et qu'ils sachent [l'interprétation exacte du rêve].»

47. Alors [Joseph dit]: «Vous sèmerez pendant sept années consécutives. Tout ce que vous aurez moissonné, laissez-le en épi, sauf le peu que vous consommerez.

48. Viendront ensuite sept années de disette qui consommeront tout ce que vous aurez amassé pour elles sauf le peu que vous aurez réservé [comme semence].

49. Puis, viendra après cela une année où les gens seront secourus [par la pluie] et iront au pressoir.»

50. Et le roi dit: «Amenez-le moi». Puis, lorsque l'émissaire arriva auprès de lui, [Joseph] dit: «Retourne auprès de ton maître et demande-lui: «Quelle était la raison qui poussa les femmes à se couper les mains? Mon Seigneur connaît bien leur ruse».

51. Alors, [le roi leur] dit: «Qu'est-ce donc qui vous a poussées à essayer de séduire Joseph?» Elles dirent: «À Allāh ne plaise! Nous ne connaissons rien de mauvais contre lui». Et la femme d'Al-ʿAziz dit: «Maintenant la vérité s'est manifestée. C'est moi qui ai voulu le séduire. Et c'est lui, vraiment, qui est du nombre des véridiques!»

52. «Cela afin qu'il sache que je ne l'ai pas trahi en son absence, et qu'en vérité Allāh ne guide pas la ruse des traîtres.

۞ وَمَآ أُبَرِّئُ نَفْسِىٓ إِنَّ ٱلنَّفْسَ لَأَمَّارَةٌۢ بِٱلسُّوٓءِ إِلَّا مَا رَحِمَ رَبِّىٓ إِنَّ رَبِّى غَفُورٌ رَّحِيمٌ ۞ وَقَالَ ٱلْمَلِكُ ٱئْتُونِى بِهِۦٓ أَسْتَخْلِصْهُ لِنَفْسِى فَلَمَّا كَلَّمَهُۥ قَالَ إِنَّكَ ٱلْيَوْمَ لَدَيْنَا مَكِينٌ أَمِينٌ ۞ قَالَ ٱجْعَلْنِى عَلَىٰ خَزَآئِنِ ٱلْأَرْضِ إِنِّى حَفِيظٌ عَلِيمٌ ۞ وَكَذَٰلِكَ مَكَّنَّا لِيُوسُفَ فِى ٱلْأَرْضِ يَتَبَوَّأُ مِنْهَا حَيْثُ يَشَآءُ نُصِيبُ بِرَحْمَتِنَا مَن نَّشَآءُ وَلَا نُضِيعُ أَجْرَ ٱلْمُحْسِنِينَ ۞ وَلَأَجْرُ ٱلْأَخِرَةِ خَيْرٌ لِّلَّذِينَ ءَامَنُوا۟ وَكَانُوا۟ يَتَّقُونَ ۞ وَجَآءَ إِخْوَةُ يُوسُفَ فَدَخَلُوا۟ عَلَيْهِ فَعَرَفَهُمْ وَهُمْ لَهُۥ مُنكِرُونَ ۞ وَلَمَّا جَهَّزَهُم بِجَهَازِهِمْ قَالَ ٱئْتُونِى بِأَخٍ لَّكُم مِّنْ أَبِيكُمْ أَلَا تَرَوْنَ أَنِّىٓ أُوفِى ٱلْكَيْلَ وَأَنَا۠ خَيْرُ ٱلْمُنزِلِينَ ۞ فَإِن لَّمْ تَأْتُونِى بِهِۦ فَلَا كَيْلَ لَكُمْ عِندِى وَلَا تَقْرَبُونِ ۞ قَالُوا۟ سَنُرَٰوِدُ عَنْهُ أَبَاهُ وَإِنَّا لَفَٰعِلُونَ ۞ وَقَالَ لِفِتْيَٰنِهِ ٱجْعَلُوا۟ بِضَٰعَتَهُمْ فِى رِحَالِهِمْ لَعَلَّهُمْ يَعْرِفُونَهَآ إِذَا ٱنقَلَبُوٓا۟ إِلَىٰٓ أَهْلِهِمْ لَعَلَّهُمْ يَرْجِعُونَ ۞ فَلَمَّا رَجَعُوٓا۟ إِلَىٰٓ أَبِيهِمْ قَالُوا۟ يَٰٓأَبَانَا مُنِعَ مِنَّا ٱلْكَيْلُ فَأَرْسِلْ مَعَنَآ أَخَانَا نَكْتَلْ وَإِنَّا لَهُۥ لَحَٰفِظُونَ ۞

53. Je ne m'innocente cependant pas, car l'âme est très incitatrice au mal, à moins que mon Seigneur, par miséricorde, [ne la préserve du péché]. Mon Seigneur est certes Pardonneur et très Miséricordieux».

54. Et le roi dit: «Amenez-le moi: je me le réserve pour moi-même». Et lorsqu'il lui eut parlé, il dit: «Tu es dès aujourd'hui près de nous, en une position d'autorité et de confiance».

55. Et [Joseph] dit: «Assigne-moi les dépôts du territoire: je suis bon gardien et connaisseur».

56. Ainsi avons-nous affermi (l'autorité de) Joseph dans ce territoire et il s'y installait là où il le voulait. Nous touchons de Notre miséricorde qui Nous voulons et ne faisons pas perdre aux hommes de bien le mérite [de leurs œuvres].

57. Et la récompense de l'au-delà est meilleure pour ceux qui ont cru et ont pratiqué la piété.

58. Et les frères de Joseph vinrent et entrèrent auprès de lui. Il les reconnut, mais eux ne le reconnurent pas.

59. Et quand il leur eut fourni leur provision, il dit: «Amenez-moi un frère que vous avez de votre père. Ne voyez-vous pas que je donne la pleine mesure et que je suis le meilleur des hôtes?

60. Et si vous ne me l'amenez pas, alors il n'y aura plus de provision pour vous, chez moi ; et vous ne m'approcherez plus».

61. Ils dirent: «Nous essayerons de persuader son père. Certes, nous le ferons».

62. Et il dit à Ses serviteurs: «Remettez leurs marchandises dans leurs sacs: peut-être les reconnaîtront-ils quand ils seront de retour vers leur famille et peut-être qu'ils reviendront»[1].

63. Et lorsqu'ils revinrent à leur père, ils dirent: «Ô notre père, il nous sera refusé [à l'avenir] de nous ravitailler [en grain]. Envoie donc avec nous notre frère, afin que nous obtenions des provisions. Nous le surveillerons bien».

---

1. Joseph fait remettre dans les bagages de ses frères les marchandises avec lesquelles ils avaient payé le grain d'Egypte. Il espère ainsi les forcer à revenir, car, en gens honnêtes, ils devaient penser que Cela avait été fait par erreur.

فَلَمَّا جَهَّزَهُم بِجَهَازِهِمْ جَعَلَ ٱلسِّقَايَةَ فِى رَحْلِ أَخِيهِ ثُمَّ

أَذَّنَ مُؤَذِّنٌ أَيَّتُهَا ٱلْعِيرُ إِنَّكُمْ لَسَٰرِقُونَ ۞ قَالُوا۟ وَأَقْبَلُوا۟

عَلَيْهِم مَّاذَا تَفْقِدُونَ ۞ قَالُوا۟ نَفْقِدُ صُوَاعَ ٱلْمَلِكِ

وَلِمَن جَآءَ بِهِۦ حِمْلُ بَعِيرٍ وَأَنَا۠ بِهِۦ زَعِيمٌ ۞ قَالُوا۟ تَٱللَّهِ

لَقَدْ عَلِمْتُم مَّا جِئْنَا لِنُفْسِدَ فِى ٱلْأَرْضِ وَمَا كُنَّا سَٰرِقِينَ

۞ قَالُوا۟ فَمَا جَزَٰٓؤُهُۥٓ إِن كُنتُمْ كَٰذِبِينَ ۞ قَالُوا۟ جَزَٰٓؤُهُۥ

مَن وُجِدَ فِى رَحْلِهِۦ فَهُوَ جَزَٰٓؤُهُۥ كَذَٰلِكَ نَجْزِى ٱلظَّٰلِمِينَ

۞ فَبَدَأَ بِأَوْعِيَتِهِمْ قَبْلَ وِعَآءِ أَخِيهِ ثُمَّ ٱسْتَخْرَجَهَا مِن

وِعَآءِ أَخِيهِ كَذَٰلِكَ كِدْنَا لِيُوسُفَ مَا كَانَ لِيَأْخُذَ أَخَاهُ

فِى دِينِ ٱلْمَلِكِ إِلَّآ أَن يَشَآءَ ٱللَّهُ نَرْفَعُ دَرَجَٰتٍ مَّن نَّشَآءُ

وَفَوْقَ كُلِّ ذِى عِلْمٍ عَلِيمٌ ۞ قَالُوٓا۟ إِن يَسْرِقْ

فَقَدْ سَرَقَ أَخٌ لَّهُۥ مِن قَبْلُ فَأَسَرَّهَا يُوسُفُ فِى نَفْسِهِۦ

وَلَمْ يُبْدِهَا لَهُمْ قَالَ أَنتُمْ شَرٌّ مَّكَانًا وَٱللَّهُ أَعْلَمُ بِمَا

تَصِفُونَ ۞ قَالُوا۟ يَٰٓأَيُّهَا ٱلْعَزِيزُ إِنَّ لَهُۥٓ أَبًا شَيْخًا كَبِيرًا

فَخُذْ أَحَدَنَا مَكَانَهُۥٓ إِنَّا نَرَىٰكَ مِنَ ٱلْمُحْسِنِينَ ۞

64. Il dit: «Vais-je vous le confier comme, auparavant, je vous ai confié son frère? Mais Allāh est le meilleur gardien, et Il est Le plus Miséricordieux des miséricordieux!»

65. Et lorsqu'ils ouvrirent leurs bagages, ils trouvèrent qu'on leur avait rendu leurs marchandises. Ils dirent: «Ô notre père. Que désirons-nous [de plus]? Voici que nos marchandises nous ont été rendues. Et ainsi nous approvisionnerons notre famille, nous veillerons à la sécurité de notre frère et nous nous ajouterons la charge d'un chameau et c'est une charge facile».

66. - Il dit: «Jamais je ne l'enverrai avec vous, jusqu'à ce que vous m'apportiez l'engagement formel au nom d'Allāh que vous me le ramènerez à moins que vous ne soyez cernés». Lorsqu'ils lui eurent apporté l'engagement, il dit: «Allāh est garant de ce que nous disons».

67. Et il dit: «Ô mes fils, n'entrez pas par une seule porte, mais entrez par portes séparées. Je ne peux cependant vous être d'aucune utilité contre les desseins d'Allāh. La décision n'appartient qu'à Allāh: en Lui je place ma confiance. Et que ceux qui placent leur confiance la placent en Lui».

68. Etant entrés comme leur père le leur avait commandé [cela] ne leur servit à rien contre (les décrets d') Allāh. Ce n'était [au reste] qu'une précaution que Jacob avait jugé [de leur recommander]. Il avait pleine connaissance de ce que Nous lui avions enseigné. Mais la plupart des gens ne savent pas.

69. Et quand ils furent entrés auprès de Joseph, [celui-ci] retînt son frère auprès de lui en disant; «Je suis ton frère. Ne te chagrine donc pas pour ce qu'ils faisaient».

70. Puis, quand il leur eut fourni leurs provisions, il mit la coupe dans le sac de son frère. Ensuite un crieur annonça: «Caravaniers! vous êtes des voleurs».

71. Ils se retournèrent en disant: «Qu'avez-vous perdu?»

72. Ils répondirent: «Nous cherchons la grande coupe du roi. La charge d'un chameau à qui l'apportera et j'en suis garant».

73. «Par Allāh. dirent-ils, vous savez certes que nous ne sommes pas venus pour semer la corruption sur le territoire et que nous ne sommes pas des voleurs».

74. - Quelle sera donc la sanction si vous êtes des menteurs? (dirent-ils).

75. Ils dirent: «La sanction infligée à celui dont les bagages de qui la coupe sera retrouvée est: [qu'il soit livré] lui-même [à titre d'esclave à la victime du vol]. C'est ainsi que nous punissons les malfaiteurs».

76. [Joseph] commença par les sacs des autres avant celui de son frère ; puis il la fit sortir du sac de son frère. Ainsi suggérâmes-Nous cet artifice à Joseph. Car il ne pouvait pas se saisir de son frère, selon la justice[1] du roi, à moins qu'Allāh ne l'eût voulu. Nous élevons en rang qui Nous voulons. Et au-dessus de tout homme détenant la science il y a un savant [plus docte que lui].

77. Ils dirent: «S'il a commis un vol, un frère à lui auparavant a volé aussi.» Mais Joseph tint sa pensée secrète, et ne la leur dévoila pas. Il dit [en lui même]: «Votre position est bien pire encore! Et Allāh connaît mieux ce que vous décrivez».

78. - Ils dirent: «Ô Al-ʿAziz, il a un père très vieux ; saisis-toi donc de l'un de nous, à sa place. Nous voyons que tu es vraiment du nombre des gens bienfaisants».

---

1. *La justice du roi*: consistait à infliger un châtiment corporel au voleur et à lui faire payer le double de la valeur de l'objet volé, alors que la tradition de Jacob condamnait le voleur à l'esclavage.

قَالَ مَعَاذَ ٱللَّهِ أَن نَّأْخُذَ إِلَّا مَن وَجَدْنَا مَتَٰعَنَا عِندَهُۥٓ إِنَّآ إِذًا لَّظَٰلِمُونَ ۝ فَلَمَّا ٱسْتَيْـَٔسُوا۟ مِنْهُ خَلَصُوا۟ نَجِيًّا ۖ قَالَ كَبِيرُهُمْ أَلَمْ تَعْلَمُوٓا۟ أَنَّ أَبَاكُمْ قَدْ أَخَذَ عَلَيْكُم مَّوْثِقًا مِّنَ ٱللَّهِ وَمِن قَبْلُ مَا فَرَّطتُمْ فِى يُوسُفَ ۖ فَلَنْ أَبْرَحَ ٱلْأَرْضَ حَتَّىٰ يَأْذَنَ لِىٓ أَبِىٓ أَوْ يَحْكُمَ ٱللَّهُ لِى ۖ وَهُوَ خَيْرُ ٱلْحَٰكِمِينَ ۝ ٱرْجِعُوٓا۟ إِلَىٰٓ أَبِيكُمْ فَقُولُوا۟ يَٰٓأَبَانَآ إِنَّ ٱبْنَكَ سَرَقَ وَمَا شَهِدْنَآ إِلَّا بِمَا عَلِمْنَا وَمَا كُنَّا لِلْغَيْبِ حَٰفِظِينَ ۝ وَسْـَٔلِ ٱلْقَرْيَةَ ٱلَّتِى كُنَّا فِيهَا وَٱلْعِيرَ ٱلَّتِىٓ أَقْبَلْنَا فِيهَا ۖ وَإِنَّا لَصَٰدِقُونَ ۝ قَالَ بَلْ سَوَّلَتْ لَكُمْ أَنفُسُكُمْ أَمْرًا ۖ فَصَبْرٌ جَمِيلٌ ۖ عَسَى ٱللَّهُ أَن يَأْتِيَنِى بِهِمْ جَمِيعًا ۚ إِنَّهُۥ هُوَ ٱلْعَلِيمُ ٱلْحَكِيمُ ۝ وَتَوَلَّىٰ عَنْهُمْ وَقَالَ يَٰٓأَسَفَىٰ عَلَىٰ يُوسُفَ وَٱبْيَضَّتْ عَيْنَاهُ مِنَ ٱلْحُزْنِ فَهُوَ كَظِيمٌ ۝ قَالُوا۟ تَٱللَّهِ تَفْتَؤُا۟ تَذْكُرُ يُوسُفَ حَتَّىٰ تَكُونَ حَرَضًا أَوْ تَكُونَ مِنَ ٱلْهَٰلِكِينَ ۝ قَالَ إِنَّمَآ أَشْكُوا۟ بَثِّى وَحُزْنِىٓ إِلَى ٱللَّهِ وَأَعْلَمُ مِنَ ٱللَّهِ مَا لَا تَعْلَمُونَ ۝

79. - Il dit: «Qu'Allāh nous garde de prendre un autre que celui chez qui nous avons trouvé notre bien! Nous serions alors vraiment injustes.

80. Puis, lorsqu'ils eurent perdu tout espoir [de ramener Benyamin] ils se concertèrent en secret. Leur aîné dit: «Ne savez-vous pas que votre père a pris de vous un engagement formel au nom d'Allāh, et que déjà vous y avez manqué autrefois à propos de Joseph? Je ne quitterai point le territoire, jusqu'à ce que mon père me le permette ou qu'Allāh juge en ma faveur, et Il est le meilleur des juges.

81. Retournez à votre père et dites: «Ô notre père, ton fils a volé. Et nous n'attestons que ce que nous savons. Et nous n'étions nullement au courant de l'inconnu.

82. Et interroge la ville où nous étions, ainsi que la caravane dans laquelle nous sommes arrivés. Nous disons réellement la vérité».

83. Alors [Jacob] dit: «Vos âmes plutôt vous ont inspiré [d'entreprendre] quelque chose!... Oh! belle patience. Il se peut qu'Allāh me les ramènera tous les deux. Car c'est Lui l'Omniscient, le Sage».

84. Et il se détourna d'eux et dit: «Que mon chagrin est grand pour Joseph!»Et ses yeux blanchirent d'affliction. Et il était accablé.

85. - Ils dirent: «Par Allāh! Tu ne cesseras pas d'évoquer Joseph, jusqu'à ce que tu t'épuises ou que tu sois parmi les morts».

86. - Il dit: «Je ne me plains qu'à Allāh de mon déchirement et de mon chagrin. Et, je sais de la part d'Allāh, ce que vous ne savez pas.

يَـٰبَنِىَّ ٱذْهَبُوا۟ فَتَحَسَّسُوا۟ مِن يُوسُفَ وَأَخِيهِ وَلَا تَا۟يْـَٔسُوا۟ مِن رَّوْحِ ٱللَّهِ إِنَّهُۥ لَا يَا۟يْـَٔسُ مِن رَّوْحِ ٱللَّهِ إِلَّا ٱلْقَوْمُ ٱلْكَـٰفِرُونَ ۝ فَلَمَّا دَخَلُوا۟ عَلَيْهِ قَالُوا۟ يَـٰٓأَيُّهَا ٱلْعَزِيزُ مَسَّنَا وَأَهْلَنَا ٱلضُّرُّ وَجِئْنَا بِبِضَـٰعَةٍ مُّزْجَىٰةٍ فَأَوْفِ لَنَا ٱلْكَيْلَ وَتَصَدَّقْ عَلَيْنَآ إِنَّ ٱللَّهَ يَجْزِى ٱلْمُتَصَدِّقِينَ ۝ قَالَ هَلْ عَلِمْتُم مَّا فَعَلْتُم بِيُوسُفَ وَأَخِيهِ إِذْ أَنتُمْ جَـٰهِلُونَ ۝ قَالُوٓا۟ أَءِنَّكَ لَأَنتَ يُوسُفُ قَالَ أَنَا۠ يُوسُفُ وَهَـٰذَآ أَخِى قَدْ مَنَّ ٱللَّهُ عَلَيْنَآ إِنَّهُۥ مَن يَتَّقِ وَيَصْبِرْ فَإِنَّ ٱللَّهَ لَا يُضِيعُ أَجْرَ ٱلْمُحْسِنِينَ ۝ قَالُوا۟ تَٱللَّهِ لَقَدْ ءَاثَرَكَ ٱللَّهُ عَلَيْنَا وَإِن كُنَّا لَخَـٰطِـِٔينَ ۝ قَالَ لَا تَثْرِيبَ عَلَيْكُمُ ٱلْيَوْمَ يَغْفِرُ ٱللَّهُ لَكُمْ وَهُوَ أَرْحَمُ ٱلرَّٰحِمِينَ ۝ ٱذْهَبُوا۟ بِقَمِيصِى هَـٰذَا فَأَلْقُوهُ عَلَىٰ وَجْهِ أَبِى يَأْتِ بَصِيرًا وَأْتُونِى بِأَهْلِكُمْ أَجْمَعِينَ ۝ وَلَمَّا فَصَلَتِ ٱلْعِيرُ قَالَ أَبُوهُمْ إِنِّى لَأَجِدُ رِيحَ يُوسُفَ لَوْلَآ أَن تُفَنِّدُونِ ۝ قَالُوا۟ تَٱللَّهِ إِنَّكَ لَفِى ضَلَـٰلِكَ ٱلْقَدِيمِ ۝

87. Ô mes fils! Partez et enquérez-vous de Joseph et de son frère. Et ne désespérez pas de la miséricorde d'Allāh. Ce sont seulement les gens mécréants qui désespèrent de la miséricorde d'Allāh».

88. Et lorsqu'ils s'introduisirent auprès de [Joseph,] ils dirent: «Ô al-ʿAziz, la famine nous a touchés, nous et notre famille ; et nous venons avec une marchandise sans grande valeur. Donne-nous une pleine mesure, et fais-nous la charité[1]. Certes, Allāh récompense les charitables!».

89. - Il dit: «Savez-vous ce que vous avez fait de Joseph et de son frère alors que vous étiez ignorants? [injustes].»

90. - Ils dirent: «Est-ce que tu es.. Certes, tu es Joseph!» - Il dit: «Je suis Joseph, et voici mon frère. Certes, Allāh nous a favorisés. Quiconque craint et patiente... Et très certainement, Allāh ne fait pas perdre la récompense des bienfaisants».

91. - Ils dirent: «Par Allāh! Vraiment Allāh t'a préféré à nous et nous avons été fautifs».

92. - Il dit: «Pas de récrimination contre vous aujourd'hui! Qu'Allāh vous pardonne. C'est Lui Le plus Miséricordieux des miséricordieux.

93. Emportez ma tunique que voici, et appliquez-la sur le visage de mon père: il recouvrera [aussitôt] la vue. Et amenez-moi toute votre famille».

94. - Et dès que la caravane franchit la frontière [de Canaʿān], leur père dit: «Je décèle, certes, l'odeur de Joseph, même si vous dites que je radote».

95. Ils lui dirent: «Par Allāh te voilà bien dans ton ancien égarement».

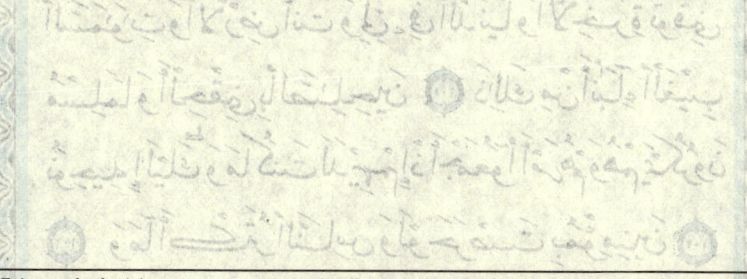

---

1. *Fais-nous la charité*: en acceptant cette marchandise, ou en nous rendant notre frère.

فَلَمَّآ أَن جَآءَ ٱلْبَشِيرُ أَلْقَىٰهُ عَلَىٰ وَجْهِهِۦ فَٱرْتَدَّ بَصِيرًا قَالَ أَلَمْ أَقُل لَّكُمْ إِنِّىٓ أَعْلَمُ مِنَ ٱللَّهِ مَا لَا تَعْلَمُونَ ۝ قَالُواْ يَٰٓأَبَانَا ٱسْتَغْفِرْ لَنَا ذُنُوبَنَآ إِنَّا كُنَّا خَٰطِـِٔينَ ۝ قَالَ سَوْفَ أَسْتَغْفِرُ لَكُمْ رَبِّىٓ إِنَّهُۥ هُوَ ٱلْغَفُورُ ٱلرَّحِيمُ ۝ فَلَمَّا دَخَلُواْ عَلَىٰ يُوسُفَ ءَاوَىٰٓ إِلَيْهِ أَبَوَيْهِ وَقَالَ ٱدْخُلُواْ مِصْرَ إِن شَآءَ ٱللَّهُ ءَامِنِينَ ۝ وَرَفَعَ أَبَوَيْهِ عَلَى ٱلْعَرْشِ وَخَرُّواْ لَهُۥ سُجَّدًا وَقَالَ يَٰٓأَبَتِ هَٰذَا تَأْوِيلُ رُءْيَٰىَ مِن قَبْلُ قَدْ جَعَلَهَا رَبِّى حَقًّا وَقَدْ أَحْسَنَ بِىٓ إِذْ أَخْرَجَنِى مِنَ ٱلسِّجْنِ وَجَآءَ بِكُم مِّنَ ٱلْبَدْوِ مِنۢ بَعْدِ أَن نَّزَغَ ٱلشَّيْطَٰنُ بَيْنِى وَبَيْنَ إِخْوَتِىٓ إِنَّ رَبِّى لَطِيفٌ لِّمَا يَشَآءُ إِنَّهُۥ هُوَ ٱلْعَلِيمُ ٱلْحَكِيمُ ۝ ۞ رَبِّ قَدْ ءَاتَيْتَنِى مِنَ ٱلْمُلْكِ وَعَلَّمْتَنِى مِن تَأْوِيلِ ٱلْأَحَادِيثِ فَاطِرَ ٱلسَّمَٰوَٰتِ وَٱلْأَرْضِ أَنتَ وَلِىِّۦ فِى ٱلدُّنْيَا وَٱلْأَخِرَةِ تَوَفَّنِى مُسْلِمًا وَأَلْحِقْنِى بِٱلصَّٰلِحِينَ ۝ ذَٰلِكَ مِنْ أَنۢبَآءِ ٱلْغَيْبِ نُوحِيهِ إِلَيْكَ وَمَا كُنتَ لَدَيْهِمْ إِذْ أَجْمَعُوٓاْ أَمْرَهُمْ وَهُمْ يَمْكُرُونَ ۝ وَمَآ أَكْثَرُ ٱلنَّاسِ وَلَوْ حَرَصْتَ بِمُؤْمِنِينَ ۝

96. Puis quand arriva le porteur de bonne annonce, il l'appliqua [la tunique] sur le visage de Jacob. Celui-ci recouvra [aussitôt] la vue, et dit: «Ne vous ai-je pas dit que je sais, par Allāh, ce que vous ne savez pas?»

97. - Ils dirent: «Ô notre père, implore pour nous la rémission de nos péchés. Nous étions vraiment fautifs».

98. - Il dit: «J'implorerai pour vous le pardon de mon Seigneur. Car c'est Lui le Pardonneur, le Très Miséricordieux».

99. Lorsqu'ils s'introduisirent auprès de Joseph, celui-ci accueillit ses père et mère, et leur dit: «Entrez en Egypte, en toute sécurité, si Allāh le veut!»

100. Et il éleva ses parents sur le trône, et tous tombèrent devant lui, prosternés[1]. Et il dit: «Ô mon père, voilà l'interprétation de mon rêve de jadis. Seigneurl'a bel et bien réalisé... Et Il m'a certainement fait du bien quand Il m'a fait sortir de prison et qu'Il vous a fait venir de la campagne, [du désert], après que le Diable ait suscité la discorde entre mes frères et moi. Mon Seigneur est plein de douceur pour ce qu'Il veut. Et c'est Lui l'Omniscient, le Sage.

101. Ô mon Seigneur, Tu m'as donné du pouvoir et m'as enseigné l'interprétation des rêves. [C'est Toi Le] Créateur des cieux et de la terre, Tu es mon patron, ici-bas et dans l'au-delà. Fais-moi mourir en parfaite soumission et fait moi rejoindre les vertueux.

102. Ce sont là des récits inconnus que Nous te révélons. Et tu n'étais pas auprès d'eux quand ils se mirent d'accord pour comploter.

103. Et la plupart des gens ne sont pas croyants malgré ton désir ardent.

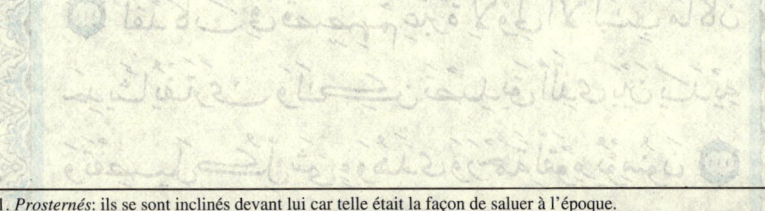

---

1. *Prosternés*: ils se sont inclinés devant lui car telle était la façon de saluer à l'époque.

وَمَا تَسْـَٔلُهُمْ عَلَيْهِ مِنْ أَجْرٍ إِنْ هُوَ إِلَّا ذِكْرٌ لِّلْعَٰلَمِينَ ١٠٤

وَكَأَيِّن مِّنْ ءَايَةٍ فِى ٱلسَّمَٰوَٰتِ وَٱلْأَرْضِ يَمُرُّونَ عَلَيْهَا وَهُمْ عَنْهَا مُعْرِضُونَ ١٠٥ وَمَا يُؤْمِنُ أَكْثَرُهُم بِٱللَّهِ إِلَّا وَهُم مُّشْرِكُونَ ١٠٦ أَفَأَمِنُوٓاْ أَن تَأْتِيَهُمْ غَٰشِيَةٌ مِّنْ عَذَابِ ٱللَّهِ أَوْ تَأْتِيَهُمُ ٱلسَّاعَةُ بَغْتَةً وَهُمْ لَا يَشْعُرُونَ ١٠٧ قُلْ هَٰذِهِۦ سَبِيلِىٓ أَدْعُوٓاْ إِلَى ٱللَّهِ عَلَىٰ بَصِيرَةٍ أَنَا۠ وَمَنِ ٱتَّبَعَنِى وَسُبْحَٰنَ ٱللَّهِ وَمَآ أَنَا۠ مِنَ ٱلْمُشْرِكِينَ ١٠٨ وَمَآ أَرْسَلْنَا مِن قَبْلِكَ إِلَّا رِجَالًا نُّوحِىٓ إِلَيْهِم مِّنْ أَهْلِ ٱلْقُرَىٰٓ أَفَلَمْ يَسِيرُواْ فِى ٱلْأَرْضِ فَيَنظُرُواْ كَيْفَ كَانَ عَٰقِبَةُ ٱلَّذِينَ مِن قَبْلِهِمْ وَلَدَارُ ٱلْءَاخِرَةِ خَيْرٌ لِّلَّذِينَ ٱتَّقَوْاْ أَفَلَا تَعْقِلُونَ ١٠٩ حَتَّىٰٓ إِذَا ٱسْتَيْـَٔسَ ٱلرُّسُلُ وَظَنُّوٓاْ أَنَّهُمْ قَدْ كُذِبُواْ جَآءَهُمْ نَصْرُنَا فَنُجِّىَ مَن نَّشَآءُ وَلَا يُرَدُّ بَأْسُنَا عَنِ ٱلْقَوْمِ ٱلْمُجْرِمِينَ ١١٠ لَقَدْ كَانَ فِى قَصَصِهِمْ عِبْرَةٌ لِّأُوْلِى ٱلْأَلْبَٰبِ مَا كَانَ حَدِيثًا يُفْتَرَىٰ وَلَٰكِن تَصْدِيقَ ٱلَّذِى بَيْنَ يَدَيْهِ وَتَفْصِيلَ كُلِّ شَىْءٍ وَهُدًى وَرَحْمَةً لِّقَوْمٍ يُؤْمِنُونَ ١١١

104. Et tu ne leur demandes aucun salaire pour cela. Ce n'est là qu'un rappel adressé à l'univers.

105. Et dans les cieux et sur la terre, que de signes auprès desquels les gens passent, en s'en détournant!

106. Et la plupart d'entre eux ne croient en Allāh, qu'en lui donnant des associés.

107. Est-ce qu'ils sont sûrs que le châtiment d'Allāh ne viendra pas les couvrir ou que l'Heure ne leur viendra pas soudainement, sans qu'ils s'en rendent compte?

108. Dis: «Voici ma voie, j'appelle les gens [à la religion] d'Allāh, moi et ceux qui me suivent, nous basant sur une preuve évidente. Gloire à Allāh! Et je ne suis point du nombre des associateurs.

109. Nous n'avons envoyé avant toi que des hommes originaires des cités, à qui Nous avons fait des révélations. [Ces gens là] n'ont-ils pas parcouru la terre et considéré quelle fut la fin de ceux qui ont vécu avant eux? La demeure de l'au-delà est assurément meilleure pour ceux qui craignent [Allāh]. Ne raisonnerez-vous donc pas?

110. Quand les messagers faillirent perdre espoir (et que leurs adeptes) eurent pensé qu'ils étaient dupés voilà que vint à eux Notre secours. Et furent sauvés ceux que Nous voulûmes. Mais Notre rigueur ne saurait être détournée des gens criminels.

111. Dans leurs récits il y a certes une leçon pour les gens doués d'intelligence. Ce n'est point là un récit fabriqué[1]. C'est au contraire la confirmation de ce qui existait déjà avant lui, un exposé détaillé de toute chose, un guide et une miséricorde pour des gens qui croient.

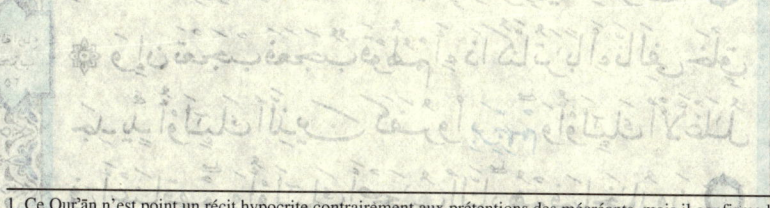

---

1. Ce Qur'ān n'est point un récit hypocrite contrairement aux prétentions des mécréants, mais il confirme les révélations divines antérieures.

سُورَةُ الرَّعْد

بِسْمِ ٱللَّهِ ٱلرَّحْمَٰنِ ٱلرَّحِيمِ

الٓمٓرۚ تِلْكَ ءَايَٰتُ ٱلْكِتَٰبِۗ وَٱلَّذِىٓ أُنزِلَ إِلَيْكَ مِن رَّبِّكَ ٱلْحَقُّ وَلَٰكِنَّ أَكْثَرَ ٱلنَّاسِ لَا يُؤْمِنُونَ ۝ ٱللَّهُ ٱلَّذِى رَفَعَ ٱلسَّمَٰوَٰتِ بِغَيْرِ عَمَدٍ تَرَوْنَهَاۖ ثُمَّ ٱسْتَوَىٰ عَلَى ٱلْعَرْشِۖ وَسَخَّرَ ٱلشَّمْسَ وَٱلْقَمَرَۖ كُلٌّ يَجْرِى لِأَجَلٍ مُّسَمًّىۚ يُدَبِّرُ ٱلْأَمْرَ يُفَصِّلُ ٱلْءَايَٰتِ لَعَلَّكُم بِلِقَآءِ رَبِّكُمْ تُوقِنُونَ ۝ وَهُوَ ٱلَّذِى مَدَّ ٱلْأَرْضَ وَجَعَلَ فِيهَا رَوَٰسِىَ وَأَنْهَٰرًاۖ وَمِن كُلِّ ٱلثَّمَرَٰتِ جَعَلَ فِيهَا زَوْجَيْنِ ٱثْنَيْنِۖ يُغْشِى ٱلَّيْلَ ٱلنَّهَارَۚ إِنَّ فِى ذَٰلِكَ لَءَايَٰتٍ لِّقَوْمٍ يَتَفَكَّرُونَ ۝ وَفِى ٱلْأَرْضِ قِطَعٌ مُّتَجَٰوِرَٰتٌ وَجَنَّٰتٌ مِّنْ أَعْنَٰبٍ وَزَرْعٌ وَنَخِيلٌ صِنْوَانٌ وَغَيْرُ صِنْوَانٍ يُسْقَىٰ بِمَآءٍ وَٰحِدٍ وَنُفَضِّلُ بَعْضَهَا عَلَىٰ بَعْضٍ فِى ٱلْأُكُلِۚ إِنَّ فِى ذَٰلِكَ لَءَايَٰتٍ لِّقَوْمٍ يَعْقِلُونَ ۝ ۞ وَإِن تَعْجَبْ فَعَجَبٌ قَوْلُهُمْ أَءِذَا كُنَّا تُرَٰبًا أَءِنَّا لَفِى خَلْقٍ جَدِيدٍۗ أُو۟لَٰٓئِكَ ٱلَّذِينَ كَفَرُوا۟ بِرَبِّهِمْۖ وَأُو۟لَٰٓئِكَ ٱلْأَغْلَٰلُ فِىٓ أَعْنَاقِهِمْۖ وَأُو۟لَٰٓئِكَ أَصْحَٰبُ ٱلنَّارِۖ هُمْ فِيهَا خَٰلِدُونَ ۝

AR-RAʿD (LE TONNERRE)[1]
sourate 13   43 versets   Post-hégirien n°96

Au nom d'Allāh, le Tout Miséricordieux, le Très Miséricordieux.

1. Alif, Lām, Mīm, Rā[2]. Voici les versets du Livre ; et ce qui t'a été révélé par ton Seigneur est la vérité ; mais la plupart des gens ne croient pas.

2. Allāh est Celui qui a élevé [bien haut] les cieux sans piliers visibles. Il S'est établi [istawā][3] sur le Trône et a soumis le soleil et la lune, chacun poursuivant sa course vers un terme fixé. Il règle l'Ordre [de tout] et expose en détail les signes afin que vous ayez la certitude de la rencontre de votre Seigneur.

3. Et c'est Lui qui a étendu la terre et y a placé montagnes et fleuves. Et de chaque espèce de fruits Il y établit deux éléments de couple. Il fait que la nuit couvre le jour. Voilà bien là des preuves pour des gens qui réfléchissent.

4. Et sur la terre il y a des parcelles voisines les unes des autres, des jardins [plantés] de vignes, et des céréales et des palmiers, en touffes ou espacés, arrosés de la même eau, cependant Nous rendons supérieurs les uns aux autres quant au goût. Voilà bien là des preuves pour des gens qui raisonnent.

5. Et si tu dois t'étonner, rien de plus étonnant que leurs dires: «Quand nous seront poussière, reviendrons-nous vraiment à une nouvelle création?» Ceux-là sont ceux qui ne croient pas en leur Seigneur. Et ce sont eux qui auront des jougs à leur cou. Et ce sont eux les gens du Feu, où ils demeureront éternellement.

---

1. Le titre est tiré du verset 13.
2. Voir à ce propos la note sur le verset 1 de la sourate 2.
3. *Istawā*: signifie littéralement «s'installer». Voir S. 10, v. 3.

وَيَسْتَعْجِلُونَكَ بِالسَّيِّئَةِ قَبْلَ الْحَسَنَةِ وَقَدْ خَلَتْ مِن
قَبْلِهِمُ الْمَثُلَاتُ وَإِنَّ رَبَّكَ لَذُو مَغْفِرَةٍ لِّلنَّاسِ عَلَىٰ ظُلْمِهِمْ
وَإِنَّ رَبَّكَ لَشَدِيدُ الْعِقَابِ ۞ وَيَقُولُ الَّذِينَ كَفَرُوا لَوْلَا
أُنزِلَ عَلَيْهِ ءَايَةٌ مِّن رَّبِّهِ إِنَّمَا أَنتَ مُنذِرٌ وَلِكُلِّ قَوْمٍ هَادٍ
۞ اللَّهُ يَعْلَمُ مَا تَحْمِلُ كُلُّ أُنثَىٰ وَمَا تَغِيضُ الْأَرْحَامُ
وَمَا تَزْدَادُ وَكُلُّ شَيْءٍ عِندَهُ بِمِقْدَارٍ ۞ عَالِمُ الْغَيْبِ
وَالشَّهَٰدَةِ الْكَبِيرُ الْمُتَعَالِ ۞ سَوَاءٌ مِّنكُم مَّنْ أَسَرَّ
الْقَوْلَ وَمَن جَهَرَ بِهِ وَمَنْ هُوَ مُسْتَخْفٍ بِالَّيْلِ وَسَارِبٌ
بِالنَّهَارِ ۞ لَهُ مُعَقِّبَاتٌ مِّن بَيْنِ يَدَيْهِ وَمِنْ خَلْفِهِ يَحْفَظُونَهُ
مِنْ أَمْرِ اللَّهِ إِنَّ اللَّهَ لَا يُغَيِّرُ مَا بِقَوْمٍ حَتَّىٰ يُغَيِّرُوا مَا بِأَنفُسِهِمْ
وَإِذَا أَرَادَ اللَّهُ بِقَوْمٍ سُوءًا فَلَا مَرَدَّ لَهُ وَمَا لَهُم مِّن دُونِهِ مِن
وَالٍ ۞ هُوَ الَّذِي يُرِيكُمُ الْبَرْقَ خَوْفًا وَطَمَعًا
وَيُنشِئُ السَّحَابَ الثِّقَالَ ۞ وَيُسَبِّحُ الرَّعْدُ بِحَمْدِهِ
وَالْمَلَٰئِكَةُ مِنْ خِيفَتِهِ وَيُرْسِلُ الصَّوَاعِقَ فَيُصِيبُ بِهَا
مَن يَشَاءُ وَهُمْ يُجَٰدِلُونَ فِي اللَّهِ وَهُوَ شَدِيدُ الْمِحَالِ ۞

6. Et ils te demandent de hâter [la venue] du malheur plutôt que celle du bonheur. Certes, il s'est produit avant eux des châtiments exemplaires. Ton Seigneur est Détenteur du pardon pour les gens, malgré leurs méfaits. Et ton Seigneur est assurément dur en punition.

7. Et ceux qui ont mécru disent: «Pourquoi n'a-t-on pas fait descendre sur celui-ci (Muḥammad) un miracle venant de son Seigneur?» Tu n'es qu'un avertisseur, et à chaque peuple un guide.

8. Allāh sait ce que porte chaque femelle, et de combien la période de gestation dans la matrice est écourtée ou prolongée. Et toute chose a auprès de Lui sa mesure.

9. Le Connaisseur de ce qui est caché et de ce qui est apparent, Le Grand, Le Sublime.

10. Sont égaux pour lui, celui parmi vous qui tient secrète sa parole, et celui qui la divulgue, celui qui se cache la nuit comme celui qui se montre au grand jour.

11. Il [l'homme] a par devant lui et derrière lui des Anges qui se relaient et qui veillent sur lui par ordre d'Allāh. En vérité, Allāh ne modifie point l'état d'un peuple, tant que les [individus qui le composent] ne modifient pas ce qui est en eux-mêmes. Et lorsqu'Allāh veut [infliger] un mal à un peuple, nul ne peut le repousser: ils n'ont en dehors de lui aucun protecteur.

12. C'est lui qui vous fait voir l'éclair (qui vous inspire) crainte et espoir[1] ; et Il crée les nuages lourds.

13. Le tonnerre Le glorifie par Sa louange, et aussi les Anges, sous l'effet de Sa crainte. Et Il lance les foudres dont Il atteint qui Il veut. Or ils disputent au sujet d'Allāh alors qu'Il est redoutable en Sa force[2].

---

1. La crainte est suscitée par la foudre et l'espoir par la pluie.
2. D'autres exégètes interprètent ce terme par «violence».

لَهُ دَعْوَةُ الْحَقِّ ۖ وَالَّذِينَ يَدْعُونَ مِن دُونِهِ لَا يَسْتَجِيبُونَ لَهُم بِشَيْءٍ إِلَّا كَبَاسِطِ كَفَّيْهِ إِلَى الْمَاءِ لِيَبْلُغَ فَاهُ وَمَا هُوَ بِبَالِغِهِ ۚ وَمَا دُعَاءُ الْكَافِرِينَ إِلَّا فِي ضَلَالٍ ﴿١٤﴾ وَلِلَّهِ يَسْجُدُ مَن فِي السَّمَاوَاتِ وَالْأَرْضِ طَوْعًا وَكَرْهًا وَظِلَالُهُم بِالْغُدُوِّ وَالْآصَالِ ۩ ﴿١٥﴾ قُلْ مَن رَّبُّ السَّمَاوَاتِ وَالْأَرْضِ قُلِ اللَّهُ ۚ قُلْ أَفَاتَّخَذْتُم مِّن دُونِهِ أَوْلِيَاءَ لَا يَمْلِكُونَ لِأَنفُسِهِمْ نَفْعًا وَلَا ضَرًّا ۚ قُلْ هَلْ يَسْتَوِي الْأَعْمَىٰ وَالْبَصِيرُ أَمْ هَلْ تَسْتَوِي الظُّلُمَاتُ وَالنُّورُ ۗ أَمْ جَعَلُوا لِلَّهِ شُرَكَاءَ خَلَقُوا كَخَلْقِهِ فَتَشَابَهَ الْخَلْقُ عَلَيْهِمْ ۚ قُلِ اللَّهُ خَالِقُ كُلِّ شَيْءٍ وَهُوَ الْوَاحِدُ الْقَهَّارُ ﴿١٦﴾ أَنزَلَ مِنَ السَّمَاءِ مَاءً فَسَالَتْ أَوْدِيَةٌ بِقَدَرِهَا فَاحْتَمَلَ السَّيْلُ زَبَدًا رَّابِيًا ۚ وَمِمَّا يُوقِدُونَ عَلَيْهِ فِي النَّارِ ابْتِغَاءَ حِلْيَةٍ أَوْ مَتَاعٍ زَبَدٌ مِّثْلُهُ ۚ كَذَٰلِكَ يَضْرِبُ اللَّهُ الْحَقَّ وَالْبَاطِلَ ۚ فَأَمَّا الزَّبَدُ فَيَذْهَبُ جُفَاءً ۖ وَأَمَّا مَا يَنفَعُ النَّاسَ فَيَمْكُثُ فِي الْأَرْضِ ۚ كَذَٰلِكَ يَضْرِبُ اللَّهُ الْأَمْثَالَ ﴿١٧﴾ لِلَّذِينَ اسْتَجَابُوا لِرَبِّهِمُ الْحُسْنَىٰ ۚ وَالَّذِينَ لَمْ يَسْتَجِيبُوا لَهُ لَوْ أَنَّ لَهُم مَّا فِي الْأَرْضِ جَمِيعًا وَمِثْلَهُ مَعَهُ لَافْتَدَوْا بِهِ ۚ أُولَٰئِكَ لَهُمْ سُوءُ الْحِسَابِ وَمَأْوَاهُمْ جَهَنَّمُ ۖ وَبِئْسَ الْمِهَادُ ﴿١٨﴾

سجدة

14. À lui l'appel de la Vérité[1]! Ceux qu'ils invoquent en dehors de Lui ne leur répondent d'aucune façon ; semblables à celui qui étend ses deux mains vers l'eau pour la porter à sa bouche, mais qui ne parvient jamais à l'atteindre. L'invocation des mécréants n'est que vanité.

15. Et c'est à Allāh que se prosternent, bon gré mal gré, tous ceux qui sont dans les cieux et Sur la terre, ainsi que leurs ombres, au début et à la fin de la journée[2].

16. Dis: «Qui est le Seigneur des cieux et de la terre?» Dis: «Allāh». Dis: «Et prendrez-vous en dehors de Lui, des maîtres qui ne détiennent pour eux-mêmes ni bien ni mal?» Dis: «Sont-ils égaux, l'aveugle et celui qui voit? Ou sont-elles égales, les ténèbres et la lumière? Ou donnent-ils à Allāh des associés qui créent comme Sa création au point que les deux créations se soient confondues à eux? Dis: «Allāh est le Créateur de toute chose, et c'est Lui l'Unique, le Dominateur suprême».

17. Il a fait descendre une eau du ciel à laquelle des vallées servent de lit, selon leur grandeur. Le flot débordé a charrié une écume flottante ; et semblable à celle-ci est [l'] écume provenant de ce qu'on porte à fusion, dans le feu pour [fabriquer] des bijoux et des ustensiles. Ainsi Allāh représente en parabole la Vérité et le Faux: l'écume [du torrent et du métal fondu] s'en va, au rebut, tandis que [l'eau et les objets] utiles aux Hommes demeurent sur la terre. Ainsi Allāh propose des paraboles.

18. La meilleure [fin] est pour ceux qui répondent à [l'appel] de leur Seigneur. Et quant à ceux qui ne Lui répondent pas, s'ils avaient tout ce qui est sur la terre, et autant encore, ils l'offriraient en rançon. Ceux-là auront le détestable rendement de compte et l'Enfer sera leur refuge. Quel détestable lit de repos!

---

1. *L'appel de la vérité*: Il s'agit de la proclamation de l'Unicité divine.
2. Il est recommandé de se prosterner après la lecture de ce verset.

۞ أَفَمَن يَعْلَمُ أَنَّمَآ أُنزِلَ إِلَيْكَ مِن رَّبِّكَ ٱلْحَقُّ كَمَنْ هُوَ أَعْمَىٰٓ إِنَّمَا يَتَذَكَّرُ

أُوْلُواْ ٱلْأَلْبَٰبِ ۝ ٱلَّذِينَ يُوفُونَ بِعَهْدِ ٱللَّهِ وَلَا يَنقُضُونَ ٱلْمِيثَٰقَ

۝ وَٱلَّذِينَ يَصِلُونَ مَآ أَمَرَ ٱللَّهُ بِهِۦٓ أَن يُوصَلَ وَيَخْشَوْنَ رَبَّهُمْ

وَيَخَافُونَ سُوٓءَ ٱلْحِسَابِ ۝ وَٱلَّذِينَ صَبَرُواْ ٱبْتِغَآءَ وَجْهِ رَبِّهِمْ

وَأَقَامُواْ ٱلصَّلَوٰةَ وَأَنفَقُواْ مِمَّا رَزَقْنَٰهُمْ سِرًّا وَعَلَانِيَةً وَيَدْرَءُونَ

بِٱلْحَسَنَةِ ٱلسَّيِّئَةَ أُوْلَٰٓئِكَ لَهُمْ عُقْبَى ٱلدَّارِ ۝ جَنَّٰتُ عَدْنٍ يَدْخُلُونَهَا

وَمَن صَلَحَ مِنْ ءَابَآئِهِمْ وَأَزْوَٰجِهِمْ وَذُرِّيَّٰتِهِمْ وَٱلْمَلَٰٓئِكَةُ يَدْخُلُونَ

عَلَيْهِم مِّن كُلِّ بَابٍ ۝ سَلَٰمٌ عَلَيْكُم بِمَا صَبَرْتُمْ فَنِعْمَ عُقْبَى ٱلدَّارِ

۝ وَٱلَّذِينَ يَنقُضُونَ عَهْدَ ٱللَّهِ مِنۢ بَعْدِ مِيثَٰقِهِۦ وَيَقْطَعُونَ مَآ

أَمَرَ ٱللَّهُ بِهِۦٓ أَن يُوصَلَ وَيُفْسِدُونَ فِى ٱلْأَرْضِ أُوْلَٰٓئِكَ لَهُمُ ٱللَّعْنَةُ

وَلَهُمْ سُوٓءُ ٱلدَّارِ ۝ ٱللَّهُ يَبْسُطُ ٱلرِّزْقَ لِمَن يَشَآءُ وَيَقْدِرُ وَفَرِحُواْ

بِٱلْحَيَوٰةِ ٱلدُّنْيَا وَمَا ٱلْحَيَوٰةُ ٱلدُّنْيَا فِى ٱلْءَاخِرَةِ إِلَّا مَتَٰعٌ ۝ وَيَقُولُ

ٱلَّذِينَ كَفَرُواْ لَوْلَآ أُنزِلَ عَلَيْهِ ءَايَةٌ مِّن رَّبِّهِۦ قُلْ إِنَّ ٱللَّهَ يُضِلُّ

مَن يَشَآءُ وَيَهْدِىٓ إِلَيْهِ مَنْ أَنَابَ ۝ ٱلَّذِينَ ءَامَنُواْ وَتَطْمَئِنُّ

قُلُوبُهُم بِذِكْرِ ٱللَّهِ أَلَا بِذِكْرِ ٱللَّهِ تَطْمَئِنُّ ٱلْقُلُوبُ ۝

19. Celui qui sait que ce qui t'est révélé de la part de ton Seigneur est la vérité, est-il semblable à l'aveugle¹? Seuls les gens doués d'intelligence réfléchissent bien,

20. ceux qui remplissent leur engagement envers Allāh et ne violent pas le pacte,

21. qui unissent ce qu'Allāh a commandé d'unir², redoutent leur Seigneur et craignent une malheureuse reddition de compte,

22. et qui endurent dans la recherche de l'agrément d'Allāh³, accomplissent la Ṣalāt et dépensent (dans le bien), en secret et en public, de ce que Nous leur avons attribué, et repoussent le mal par le bien. À ceux-là, la bonne demeure finale,

23. les jardins d'Eden, où ils entreront, ainsi que tous ceux de leurs ascendants, conjoints et descendants, qui ont été de bons croyants. De chaque porte, les Anges entreront auprès d'eux:

24. - «Paix sur vous, pour ce que vous avez enduré!» - Comme est bonne votre demeure finale!»

25. [Mais] ceux qui violent leur pacte avec Allāh après l'avoir engagé, et rompent ce qu'Allāh a commandé d'unir et commettent le désordre sur terre, auront la malédiction et la mauvaise demeure.

26. Allāh étend largement Ses dons ou [les] restreint à qui Il veut. Ils se réjouissent de la vie sur terre, mais la vie d'ici-bas ne paraîtra que comme une jouissance éphémère en comparaison de l'au-delà.

27. Ceux qui ont mécru disent: «Pourquoi n'a-t-on pas descendu sur lui (Muḥammad) un miracle venant de son Seigneur?» Dis: «En vérité, Allāh égare qui Il veut ; et Il guide vers Lui celui qui se repent,

28. ceux qui ont cru, et dont les cœurs se tranquillisent à l'évocation d'Allāh». N'est-ce point par l'évocation d'Allāh que se tranquillisent les cœurs?

---

1. *Celui qui est aveugle*: l'égaré qui s'est écarté du chemin de la vérité.
2. *Qui unissent ... d'unir*: ceux qui respectent les liens entre les gens et notamment les parents et les proches.
3. *De l'agrément d'Allāh*: littéralement: du visage d'Allāh. D'autres interprétations disent: dans leur recherche de voir Allāh au Paradis.

ٱلَّذِينَ ءَامَنُوا۟ وَعَمِلُوا۟ ٱلصَّـٰلِحَـٰتِ طُوبَىٰ لَهُمْ وَحُسْنُ مَـَٔابٍ ۝

كَذَٰلِكَ أَرْسَلْنَـٰكَ فِىٓ أُمَّةٍ قَدْ خَلَتْ مِن قَبْلِهَآ أُمَمٌ لِّتَتْلُوَا۟ عَلَيْهِمُ ٱلَّذِىٓ أَوْحَيْنَآ إِلَيْكَ وَهُمْ يَكْفُرُونَ بِٱلرَّحْمَـٰنِ ۚ قُلْ هُوَ رَبِّى لَآ إِلَـٰهَ إِلَّا هُوَ عَلَيْهِ تَوَكَّلْتُ وَإِلَيْهِ مَتَابِ ۝

وَلَوْ أَنَّ قُرْءَانًا سُيِّرَتْ بِهِ ٱلْجِبَالُ أَوْ قُطِّعَتْ بِهِ ٱلْأَرْضُ أَوْ كُلِّمَ بِهِ ٱلْمَوْتَىٰ ۗ بَل لِّلَّهِ ٱلْأَمْرُ جَمِيعًا ۗ أَفَلَمْ يَا۟يْـَٔسِ ٱلَّذِينَ ءَامَنُوٓا۟ أَن لَّوْ يَشَآءُ ٱللَّهُ لَهَدَى ٱلنَّاسَ جَمِيعًا ۗ وَلَا يَزَالُ ٱلَّذِينَ كَفَرُوا۟ تُصِيبُهُم بِمَا صَنَعُوا۟ قَارِعَةٌ أَوْ تَحُلُّ قَرِيبًا مِّن دَارِهِمْ حَتَّىٰ يَأْتِىَ وَعْدُ ٱللَّهِ ۚ إِنَّ ٱللَّهَ لَا يُخْلِفُ ٱلْمِيعَادَ ۝ وَلَقَدِ ٱسْتُهْزِئَ بِرُسُلٍ مِّن قَبْلِكَ فَأَمْلَيْتُ لِلَّذِينَ كَفَرُوا۟ ثُمَّ أَخَذْتُهُمْ ۖ فَكَيْفَ كَانَ عِقَابِ ۝ أَفَمَنْ هُوَ قَآئِمٌ عَلَىٰ كُلِّ نَفْسٍۭ بِمَا كَسَبَتْ ۗ وَجَعَلُوا۟ لِلَّهِ شُرَكَآءَ قُلْ سَمُّوهُمْ ۚ أَمْ تُنَبِّـُٔونَهُۥ بِمَا لَا يَعْلَمُ فِى ٱلْأَرْضِ أَم بِظَـٰهِرٍ مِّنَ ٱلْقَوْلِ ۗ بَلْ زُيِّنَ لِلَّذِينَ كَفَرُوا۟ مَكْرُهُمْ وَصُدُّوا۟ عَنِ ٱلسَّبِيلِ ۗ وَمَن يُضْلِلِ ٱللَّهُ فَمَا لَهُۥ مِنْ هَادٍ ۝ لَّهُمْ عَذَابٌ فِى ٱلْحَيَوٰةِ ٱلدُّنْيَا ۖ وَلَعَذَابُ ٱلْءَاخِرَةِ أَشَقُّ ۖ وَمَا لَهُم مِّنَ ٱللَّهِ مِن وَاقٍ ۝

29. Ceux qui croient et font de bonnes œuvres, auront le plus grand bien et aussi le plus bon retour.

30. Ainsi Nous t'envoyons dans une communauté - que d'autres communautés ont précédée - pour que tu leur récites ce que Nous te révélons [le Qurʾān], cependant qu'ils ne croient pas au Tout Miséricordieux. Dis: «C'est Lui mon Seigneur. Pas d'autre divinité à part Lui. En Lui je place ma confiance. Et à Lui je me repens».

31. S'il y avait un Qurʾān à mettre les montagnes en marche, à fendre la terre ou à faire parler les morts (ce serait celui-ci). C'est plutôt à Allāh le commandement tout entier. Les croyants ne savent-ils pas que, si Allāh voulait, Il aurait dirigé tous les hommes vers le droit chemin. Cependant, ceux qui ne croient pas ne manqueront pas, pour prix de ce qu'ils font, d'être frappés par un cataclysme, ou [qu'un cataclysme] s'abattra[1] près de leurs demeures jusqu'à ce que vienne la promesse d'Allāh. Car Allāh, ne manque pas à Sa promesse[2].

32. On s'est certes moqué des messagers avant toi. Alors, J'ai donné un répit aux mécréants. Ensuite, Je les ai saisis. Et quel fut Mon châtiment!

33. Est-ce que Celui qui observe ce que chaque âme acquiert [est semblable aux associés?...] Et pourtant ils donnent des associés à Allāh. Dis [leur:] «Nommez-les. Ou essayez-vous de Lui apprendre ce qu'Il ne connaît pas sur la terre? Ou avez-vous été simplement séduits par de faux noms?» En fait, on a embelli aux mécréants leur stratagème et on les a empêchés de prendre le droit chemin. Et quiconque Allāh laisse égarer, n'a plus personne pour le guider.

34. Un châtiment les atteindra dans la vie présente. Le châtiment de l'au-delà sera cependant plus écrasant et ils n'auront nul protecteur contre Allāh.

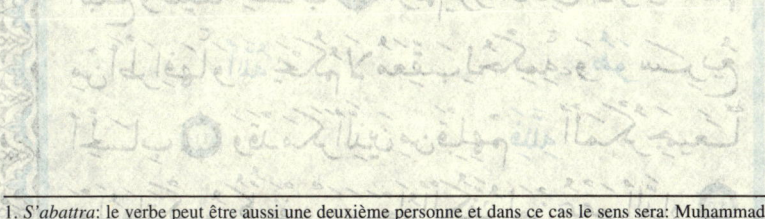

---

1. S'abattra: le verbe peut être aussi une deuxième personne et dans ce cas le sens sera: Muḥammad tu camperas près de leurs demeures (lors de la prise de la Mecque).
2. Il s'agit ici de la promesse portant sur la conquête de la Mecque.

۞ مَّثَلُ ٱلْجَنَّةِ ٱلَّتِى وُعِدَ ٱلْمُتَّقُونَ تَجْرِى مِن تَحْتِهَا ٱلْأَنْهَٰرُ أُكُلُهَا دَآئِمٌ وَظِلُّهَا تِلْكَ عُقْبَى ٱلَّذِينَ ٱتَّقَوا۟ وَّعُقْبَى ٱلْكَٰفِرِينَ ٱلنَّارُ ﴿٣٥﴾ وَٱلَّذِينَ ءَاتَيْنَٰهُمُ ٱلْكِتَٰبَ يَفْرَحُونَ بِمَآ أُنزِلَ إِلَيْكَ وَمِنَ ٱلْأَحْزَابِ مَن يُنكِرُ بَعْضَهُۥ قُلْ إِنَّمَآ أُمِرْتُ أَنْ أَعْبُدَ ٱللَّهَ وَلَآ أُشْرِكَ بِهِۦٓ إِلَيْهِ أَدْعُوا۟ وَإِلَيْهِ مَـَٔابِ ﴿٣٦﴾ وَكَذَٰلِكَ أَنزَلْنَٰهُ حُكْمًا عَرَبِيًّا وَلَئِنِ ٱتَّبَعْتَ أَهْوَآءَهُم بَعْدَمَا جَآءَكَ مِنَ ٱلْعِلْمِ مَا لَكَ مِنَ ٱللَّهِ مِن وَلِىٍّ وَلَا وَاقٍ ﴿٣٧﴾ وَلَقَدْ أَرْسَلْنَا رُسُلًا مِّن قَبْلِكَ وَجَعَلْنَا لَهُمْ أَزْوَٰجًا وَذُرِّيَّةً وَمَا كَانَ لِرَسُولٍ أَن يَأْتِىَ بِـَٔايَةٍ إِلَّا بِإِذْنِ ٱللَّهِ لِكُلِّ أَجَلٍ كِتَابٌ ﴿٣٨﴾ يَمْحُوا۟ ٱللَّهُ مَا يَشَآءُ وَيُثْبِتُ وَعِندَهُۥٓ أُمُّ ٱلْكِتَٰبِ ﴿٣٩﴾ وَإِن مَّا نُرِيَنَّكَ بَعْضَ ٱلَّذِى نَعِدُهُمْ أَوْ نَتَوَفَّيَنَّكَ فَإِنَّمَا عَلَيْكَ ٱلْبَلَٰغُ وَعَلَيْنَا ٱلْحِسَابُ ﴿٤٠﴾ أَوَلَمْ يَرَوْا۟ أَنَّا نَأْتِى ٱلْأَرْضَ نَنقُصُهَا مِنْ أَطْرَافِهَا وَٱللَّهُ يَحْكُمُ لَا مُعَقِّبَ لِحُكْمِهِۦ وَهُوَ سَرِيعُ ٱلْحِسَابِ ﴿٤١﴾ وَقَدْ مَكَرَ ٱلَّذِينَ مِن قَبْلِهِمْ فَلِلَّهِ ٱلْمَكْرُ جَمِيعًا يَعْلَمُ مَا تَكْسِبُ كُلُّ نَفْسٍ وَسَيَعْلَمُ ٱلْكُفَّارُ لِمَنْ عُقْبَى ٱلدَّارِ ﴿٤٢﴾

35. Tel est le paradis qui a été promis aux pieux: sous lequel coulent les ruisseaux ; ses fruits sont perpétuels, ainsi que son ombrage. Voilà la fin de ceux qui pratiquent la piété, tandis que la fin des mécréants sera le Feu.

36. Et ceux à qui Nous avons déjà donné le Livre se réjouissent de ce qu'on a fait descendre vers toi. Tandis que certaines factions en rejettent une partie. Dis: «Il m'a seulement été commandé d'adorer Allāh et de ne rien Lui associer. C'est à Lui que j'appelle [les gens], Et c'est vers Lui que sera mon retour».

37. Ainsi l'avons-Nous fait descendre (le Qur'ān) [sous forme] de loi en arabe. Et si tu suis leurs passions après ce que tu as reçu comme savoir, il n'y aura pour toi, contre Allāh, ni allié ni protecteur.

38. Et Nous avons certes envoyé avant toi des messagers, et leur avons donné des épouses et des descendants. Et il n'appartient pas à un Messager d'apporter un miracle, si ce n'est qu'avec la permission d'Allāh. Chaque échéance a son terme prescrit.

39. Allāh efface ou confirme ce qu'Il veut et l'Ecriture primordiale est auprès de Lui.

40. Que Nous te fassions voir une partie de ce dont Nous les menaçons, ou que Nous te fassions mourir (avant cela), ton devoir est seulement la communication du message, et le règlement de compte sera à Nous.

41. Ne voient-ils pas que Nous frappons la terre et que Nous la réduisons de tous côtés? C'est Allāh qui juge et personne ne peut s'opposer à Son jugement, et Il est prompt à régler les comptes.

42. Certes ceux d'avant eux ont manigancé (contre leur Messager) ; le stratagème tout entier appartient à Allāh. Il sait ce que chaque âme acquiert. Et les mécréants sauront bientôt à qui appartient la bonne demeure finale.

وَيَقُولُ ٱلَّذِينَ كَفَرُواْ لَسْتَ مُرْسَلًا قُلْ كَفَىٰ بِٱللَّهِ شَهِيدًۢا بَيْنِى وَبَيْنَكُمْ وَمَنْ عِندَهُۥ عِلْمُ ٱلْكِتَٰبِ ۝

سُورَةُ ابراهِيمَ

بِسْمِ ٱللَّهِ ٱلرَّحْمَٰنِ ٱلرَّحِيمِ

الٓرۚ كِتَٰبٌ أَنزَلْنَٰهُ إِلَيْكَ لِتُخْرِجَ ٱلنَّاسَ مِنَ ٱلظُّلُمَٰتِ إِلَى ٱلنُّورِ بِإِذْنِ رَبِّهِمْ إِلَىٰ صِرَٰطِ ٱلْعَزِيزِ ٱلْحَمِيدِ ۝

ٱللَّهِ ٱلَّذِى لَهُۥ مَا فِى ٱلسَّمَٰوَٰتِ وَمَا فِى ٱلْأَرْضِ وَوَيْلٌ لِّلْكَٰفِرِينَ مِنْ عَذَابٍ شَدِيدٍ ۝ ٱلَّذِينَ يَسْتَحِبُّونَ ٱلْحَيَوٰةَ ٱلدُّنْيَا عَلَى ٱلْءَاخِرَةِ وَيَصُدُّونَ عَن سَبِيلِ ٱللَّهِ وَيَبْغُونَهَا عِوَجًا أُوْلَٰئِكَ فِى ضَلَٰلٍ بَعِيدٍ ۝ وَمَآ أَرْسَلْنَا مِن رَّسُولٍ إِلَّا بِلِسَانِ قَوْمِهِۦ لِيُبَيِّنَ لَهُمْ فَيُضِلُّ ٱللَّهُ مَن يَشَآءُ وَيَهْدِى مَن يَشَآءُ وَهُوَ ٱلْعَزِيزُ ٱلْحَكِيمُ ۝ وَلَقَدْ أَرْسَلْنَا مُوسَىٰ بِـَٔايَٰتِنَآ أَنْ أَخْرِجْ قَوْمَكَ مِنَ ٱلظُّلُمَٰتِ إِلَى ٱلنُّورِ وَذَكِّرْهُم بِأَيَّىٰمِ ٱللَّهِ إِنَّ فِى ذَٰلِكَ لَءَايَٰتٍ لِّكُلِّ صَبَّارٍ شَكُورٍ ۝

43. Et ceux qui ne croient pas disent: «Tu n'es pas un Messager». Dis: «Allāh suffit, comme témoin entre vous et moi, et ceux qui ont la connaissance du Livre (sont aussi témoins)»[1].

IBRAHĪM (ABRAHAM)[2]
sourate 14   52 versets   Pré-hégirien n°72

Au nom d'Allāh, le Tout Miséricordieux, le Très Miséricordieux.

1. Alif, Lām, Rā[3]. (Voici) un livre que nous avons fait descendre sur toi, afin que - par la permission de leur Seigneur - tu fasses sortir les gens des ténèbres vers la lumière, sur la voie du Tout Puissant, du Digne de louange,

2. Allāh, à qui appartient tout ce qui est dans les cieux et sur la terre. Et malheur aux mécréants, pour un dur châtiment [qu'ils subiront].

3. Ceux qui préfèrent la vie d'ici bas à l'au-delà, obstruent [aux gens] le chemin d'Allāh et cherchent à le rendre tortueux, ceux-là sont loin dans l'égarement.

4. Et Nous n'avons envoyé de Messager qu'avec la langue de son peuple, afin de les éclairer. Allāh égare[4] qui Il veut et guide qui Il veut. Et, c'est Lui le Tout Puissant, le Sage.

5. Nous avons certes, envoyé Moïse avec Nos miracles [en lui disant]: «Fais sortir ton peuple des ténèbres vers la lumière, et rappelle-leur les jours d'Allāh». [Ses bienfaits]. Dans tout cela il y a des signes pour tout homme plein d'endurance et de reconnaissance.

---

1. *Ceux... Livre*: Les savants croyants parmi les Juifs et les Chrétiens qui trouvent mentionnée dans leurs Livres l'annonce de l'arrivée de Muḥammad(ﷺ).
2. Le titre de cette sourate est tiré du verset 35.
3. Voir à propos de ces lettres la note sur S. 2, v. 1.
4. *Allāh égare qui Il veut*: à cause du refus de l'homme de rechercher et de suivre la vérité.

وَإِذْ قَالَ مُوسَىٰ لِقَوْمِهِ ٱذْكُرُوا۟ نِعْمَةَ ٱللَّهِ عَلَيْكُمْ

إِذْ أَنجَىٰكُم مِّنْ ءَالِ فِرْعَوْنَ يَسُومُونَكُمْ سُوٓءَ ٱلْعَذَابِ

وَيُذَبِّحُونَ أَبْنَآءَكُمْ وَيَسْتَحْيُونَ نِسَآءَكُمْ ۚ وَفِى

ذَٰلِكُم بَلَآءٌ مِّن رَّبِّكُمْ عَظِيمٌ ۝ وَإِذْ تَأَذَّنَ

رَبُّكُمْ لَئِن شَكَرْتُمْ لَأَزِيدَنَّكُمْ ۖ وَلَئِن كَفَرْتُمْ إِنَّ

عَذَابِى لَشَدِيدٌ ۝ وَقَالَ مُوسَىٰٓ إِن تَكْفُرُوٓا۟ أَنتُمْ وَمَن فِى ٱلْأَرْضِ

جَمِيعًا فَإِنَّ ٱللَّهَ لَغَنِىٌّ حَمِيدٌ ۝ أَلَمْ يَأْتِكُمْ نَبَؤُا۟ ٱلَّذِينَ

مِن قَبْلِكُمْ قَوْمِ نُوحٍ وَعَادٍ وَثَمُودَ ۛ وَٱلَّذِينَ مِنۢ

بَعْدِهِمْ ۛ لَا يَعْلَمُهُمْ إِلَّا ٱللَّهُ ۚ جَآءَتْهُمْ رُسُلُهُم بِٱلْبَيِّنَٰتِ

فَرَدُّوٓا۟ أَيْدِيَهُمْ فِىٓ أَفْوَٰهِهِمْ وَقَالُوٓا۟ إِنَّا كَفَرْنَا بِمَآ أُرْسِلْتُم

بِهِۦ وَإِنَّا لَفِى شَكٍّ مِّمَّا تَدْعُونَنَآ إِلَيْهِ مُرِيبٍ ۝ ۞ قَالَتْ

رُسُلُهُمْ أَفِى ٱللَّهِ شَكٌّ فَاطِرِ ٱلسَّمَٰوَٰتِ وَٱلْأَرْضِ ۖ يَدْعُوكُمْ

لِيَغْفِرَ لَكُم مِّن ذُنُوبِكُمْ وَيُؤَخِّرَكُمْ إِلَىٰٓ أَجَلٍ

مُّسَمًّى ۚ قَالُوٓا۟ إِنْ أَنتُمْ إِلَّا بَشَرٌ مِّثْلُنَا تُرِيدُونَ أَن تَصُدُّونَا

عَمَّا كَانَ يَعْبُدُ ءَابَآؤُنَا فَأْتُونَا بِسُلْطَٰنٍ مُّبِينٍ ۝

6. (Rappelle-toi) quand Moïse dit à son peuple: «Rappellez-vous le bienfait d'Allāh sur vous quand Il vous sauva des gens de Pharaon qui vous infligeaient le pire châtiment. Ils massacraient vos fils et laissaient en vie vos filles. Il y avait là une dure épreuve de la part de votre Seigneur»,

7. Et lorsque votre Seigneur proclama: «Si vous êtes reconnaissants, très certainement J'augmenterai [Mes bienfaits] pour vous. Mais si vous êtes ingrats[1], Mon châtiment sera terrible».

8. Et Moïse dit: «Si vous êtes ingrats, vous ainsi que tous ceux qui sont sur terre, [sachez] qu'Allāh Se suffit à Lui-même et qu'Il est digne de louange».

9. Ne vous est-il pas parvenu le récit de ceux d'avant vous, du peuple de Noé, des ʿĀd des Ṭamūd et de ceux qui vécurent après eux, et que seul Allāh connaît? Leurs messagers vinrent à eux avec des preuves, mais ils dirent, ramenant leurs mains à leurs bouches[2]: «Nous ne croyons pas [au message] avec lequel vous avez été envoyés et nous sommes, au sujet de ce à quoi vous nous appelez, dans un doute vraiment troublant».

10. Leurs messagers dirent: «Y a-t-il un doute au sujet d'Allāh, Créateur des cieux et de la terre, qui vous appelle pour vous pardonner une partie de vos péchés et vous donner un délai jusqu'à un terme fixé?» [Les mécréants] répondirent: «Vous n'êtes que des hommes comme nous. Vous voulez nous empêcher de ce que nos ancêtres adoraient. Apportez-nous donc une preuve évidente».

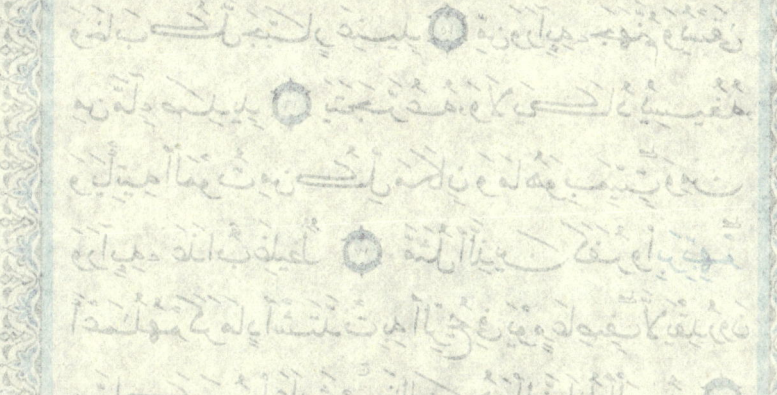

1. Le terme traduit par ingrat peut également signifier: infidèle.
2. Ils ramenaient leurs mains à leurs bouches pour exprimer étonnement, désapprobation ou mépris.

قَالَتْ لَهُمْ رُسُلُهُمْ إِن نَّحْنُ إِلَّا بَشَرٌ مِّثْلُكُمْ وَلَٰكِنَّ ٱللَّهَ يَمُنُّ عَلَىٰ مَن يَشَآءُ مِنْ عِبَادِهِۦۖ وَمَا كَانَ لَنَآ أَن نَّأْتِيَكُم بِسُلْطَٰنٍ إِلَّا بِإِذْنِ ٱللَّهِۚ وَعَلَى ٱللَّهِ فَلْيَتَوَكَّلِ ٱلْمُؤْمِنُونَ ۝

وَمَا لَنَآ أَلَّا نَتَوَكَّلَ عَلَى ٱللَّهِ وَقَدْ هَدَىٰنَا سُبُلَنَاۚ وَلَنَصْبِرَنَّ عَلَىٰ مَآ ءَاذَيْتُمُونَاۚ وَعَلَى ٱللَّهِ فَلْيَتَوَكَّلِ ٱلْمُتَوَكِّلُونَ ۝

وَقَالَ ٱلَّذِينَ كَفَرُوا۟ لِرُسُلِهِمْ لَنُخْرِجَنَّكُم مِّنْ أَرْضِنَآ أَوْ لَتَعُودُنَّ فِى مِلَّتِنَاۖ فَأَوْحَىٰٓ إِلَيْهِمْ رَبُّهُمْ لَنُهْلِكَنَّ ٱلظَّٰلِمِينَ ۝ وَلَنُسْكِنَنَّكُمُ ٱلْأَرْضَ مِنۢ بَعْدِهِمْۚ ذَٰلِكَ لِمَنْ خَافَ مَقَامِى وَخَافَ وَعِيدِ ۝ وَٱسْتَفْتَحُوا۟ وَخَابَ كُلُّ جَبَّارٍ عَنِيدٍ ۝ مِّن وَرَآئِهِۦ جَهَنَّمُ وَيُسْقَىٰ مِن مَّآءٍ صَدِيدٍ ۝ يَتَجَرَّعُهُۥ وَلَا يَكَادُ يُسِيغُهُۥ وَيَأْتِيهِ ٱلْمَوْتُ مِن كُلِّ مَكَانٍ وَمَا هُوَ بِمَيِّتٍۖ وَمِن وَرَآئِهِۦ عَذَابٌ غَلِيظٌ ۝ مَّثَلُ ٱلَّذِينَ كَفَرُوا۟ بِرَبِّهِمْۖ أَعْمَٰلُهُمْ كَرَمَادٍ ٱشْتَدَّتْ بِهِ ٱلرِّيحُ فِى يَوْمٍ عَاصِفٍۖ لَّا يَقْدِرُونَ مِمَّا كَسَبُوا۟ عَلَىٰ شَىْءٍۚ ذَٰلِكَ هُوَ ٱلضَّلَٰلُ ٱلْبَعِيدُ ۝

11. Leurs messagers leur dirent: «Certes, nous ne sommes que des humains comme vous. Mais Allāh favorise qui Il veut parmi Ses serviteurs. Il ne nous appartient de vous apporter quelque preuve, que par la permission d'Allāh. Et c'est en Allāh que les croyants doivent placer leur confiance.

12. Et qu'aurions-nous à ne pas placer notre confiance en Allāh, alors qu'Il nous a guidés sur les sentiers [que nous devions suivre]? Nous endurerons sûrement la persécution que vous nous infligez. Et ceux qui ont confiance en Allāh s'en remettent entièrement à Lui.»

13. Et ceux qui ont mécru dirent à leurs messagers: «Nous vous expulserons certainement de notre territoire, à moins que vous ne réintégriez notre religion!». Alors, leur Seigneur leur révéla: «Assurément Nous anéantirons les injustes,

14. et vous établirons dans le pays après eux. Cela est pour celui qui craint Ma présence[1] et craint Ma menace».

15. Et ils[2] demandèrent [à Allāh] la victoire. Et tout tyran insolent fut déçu.

16. L'Enfer est sa destination et il sera abreuvé d'une eau purulente

17. qu'il tentera d'avaler à petites gorgées. Mais c'est à peine s'il peut l'avaler. La mort lui viendra de toutes parts, mais il ne mourra pas ; et il aura un châtiment terrible.

18. Les œuvres de ceux qui ont mécru en leur Seigneur sont comparables à de la cendre violemment frappée par le vent, dans un jour de tempête. Ils ne tireront aucun profit de ce qu'ils ont acquis. C'est cela l'égarement profond.

---

1. Par l'expression, il faut entendre la comparution des hommes devant Allāh au Jour dernier.
2. *Ils*: peut se référer soit aux prophètes qui voulaient avoir la victoire contre les mécréants ou aux autres qui voulaient mettre fin aux menaces des prophètes contre eux.

أَلَمْ تَرَ أَنَّ ٱللَّهَ خَلَقَ ٱلسَّمَٰوَٰتِ وَٱلْأَرْضَ بِٱلْحَقِّ إِن يَشَأْ يُذْهِبْكُمْ وَيَأْتِ بِخَلْقٍ جَدِيدٍ ۝ وَمَا ذَٰلِكَ عَلَى ٱللَّهِ بِعَزِيزٍ ۝ وَبَرَزُوا۟ لِلَّهِ جَمِيعًا فَقَالَ ٱلضُّعَفَٰٓؤُا۟ لِلَّذِينَ ٱسْتَكْبَرُوٓا۟ إِنَّا كُنَّا لَكُمْ تَبَعًا فَهَلْ أَنتُم مُّغْنُونَ عَنَّا مِنْ عَذَابِ ٱللَّهِ مِن شَىْءٍ قَالُوا۟ لَوْ هَدَىٰنَا ٱللَّهُ لَهَدَيْنَٰكُمْ سَوَآءٌ عَلَيْنَآ أَجَزِعْنَآ أَمْ صَبَرْنَا مَا لَنَا مِن مَّحِيصٍ ۝ وَقَالَ ٱلشَّيْطَٰنُ لَمَّا قُضِىَ ٱلْأَمْرُ إِنَّ ٱللَّهَ وَعَدَكُمْ وَعْدَ ٱلْحَقِّ وَوَعَدتُّكُمْ فَأَخْلَفْتُكُمْ وَمَا كَانَ لِىَ عَلَيْكُم مِّن سُلْطَٰنٍ إِلَّآ أَن دَعَوْتُكُمْ فَٱسْتَجَبْتُمْ لِى فَلَا تَلُومُونِى وَلُومُوٓا۟ أَنفُسَكُم مَّآ أَنَا۠ بِمُصْرِخِكُمْ وَمَآ أَنتُم بِمُصْرِخِىَّ إِنِّى كَفَرْتُ بِمَآ أَشْرَكْتُمُونِ مِن قَبْلُ إِنَّ ٱلظَّٰلِمِينَ لَهُمْ عَذَابٌ أَلِيمٌ ۝ وَأُدْخِلَ ٱلَّذِينَ ءَامَنُوا۟ وَعَمِلُوا۟ ٱلصَّٰلِحَٰتِ جَنَّٰتٍ تَجْرِى مِن تَحْتِهَا ٱلْأَنْهَٰرُ خَٰلِدِينَ فِيهَا بِإِذْنِ رَبِّهِمْ تَحِيَّتُهُمْ فِيهَا سَلَٰمٌ ۝ أَلَمْ تَرَ كَيْفَ ضَرَبَ ٱللَّهُ مَثَلًا كَلِمَةً طَيِّبَةً كَشَجَرَةٍ طَيِّبَةٍ أَصْلُهَا ثَابِتٌ وَفَرْعُهَا فِى ٱلسَّمَآءِ ۝

19. Ne vois-tu pas qu'Allāh a créé les cieux et la terre pour une juste raison? S'il voulait, Il vous ferait disparaître et ferait venir de nouvelles créatures,

20. et cela n'est nullement difficile pour Allāh.

21. Et tous comparaîtront devant Allāh. Puis, les faibles diront à ceux qui s enflaient d'orgueil: «Nous étions bien vos suiveurs. Pouvez-vous nous être de quelque utilité contre le châtiment d'Allāh?» - Alors, les autres diront: «Si Allāh nous avait guidés nous vous aurions certainement guidés. Il est indifférent pour nous de nous plaindre ou d'endurer ; nous n'avons pas d'échappatoire».

22. Et quand tout sera accompli, le Diable dira: «Certes, Allāh vous avait fait une promesse de vérité ; tandis que moi, je vous ai fait une promesse que je n'ai pas tenue. Je n'avais aucune autorité sur vous si ce n'est que je vous ai appelés, et que vous m'avez répondu. Ne me faites donc pas de reproches ; mais faites-en à vous-mêmes. Je ne vous suis d'aucun secours et vous ne m'êtes d'aucun secours. Je vous renie de m'avoir jadis associé [à Allāh].» Certes, un châtiment douloureux attend les injustes [les associateurs].

23. Et on fera entrer ceux qui croient et font de bonnes œuvres, dans les jardins sous lesquels coulent les ruisseaux, pour y demeurer éternellement, par permission de leur Seigneur. Et là, leur salutation sera: «Salām» (Paix).

24. N'as-tu pas vu comment Allāh propose en parabole une bonne parole[1] pareille à un bel arbre dont la racine est ferme et la ramure s'élançant dans le ciel?

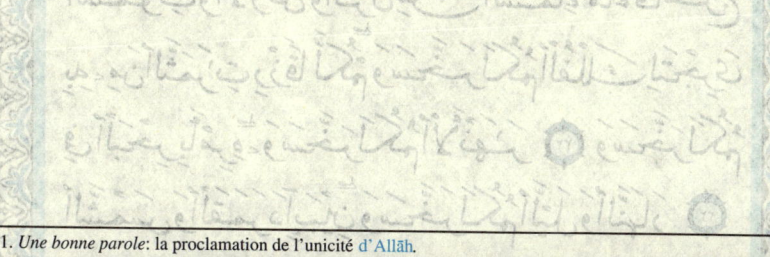

---

1. *Une bonne parole*: la proclamation de l'unicité d'Allāh.

تُؤْتِىٓ أُكُلَهَا كُلَّ حِينٍۭ بِإِذْنِ رَبِّهَا ۗ وَيَضْرِبُ ٱللَّهُ ٱلْأَمْثَالَ لِلنَّاسِ لَعَلَّهُمْ يَتَذَكَّرُونَ ۝ وَمَثَلُ كَلِمَةٍ خَبِيثَةٍ كَشَجَرَةٍ خَبِيثَةٍ ٱجْتُثَّتْ مِن فَوْقِ ٱلْأَرْضِ مَا لَهَا مِن قَرَارٍ ۝ يُثَبِّتُ ٱللَّهُ ٱلَّذِينَ ءَامَنُوا۟ بِٱلْقَوْلِ ٱلثَّابِتِ فِى ٱلْحَيَوٰةِ ٱلدُّنْيَا وَفِى ٱلْءَاخِرَةِ ۖ وَيُضِلُّ ٱللَّهُ ٱلظَّٰلِمِينَ ۚ وَيَفْعَلُ ٱللَّهُ مَا يَشَآءُ ۝ ۞ أَلَمْ تَرَ إِلَى ٱلَّذِينَ بَدَّلُوا۟ نِعْمَتَ ٱللَّهِ كُفْرًا وَأَحَلُّوا۟ قَوْمَهُمْ دَارَ ٱلْبَوَارِ ۝ جَهَنَّمَ يَصْلَوْنَهَا ۖ وَبِئْسَ ٱلْقَرَارُ ۝ وَجَعَلُوا۟ لِلَّهِ أَندَادًا لِّيُضِلُّوا۟ عَن سَبِيلِهِۦ ۗ قُلْ تَمَتَّعُوا۟ فَإِنَّ مَصِيرَكُمْ إِلَى ٱلنَّارِ ۝ قُل لِّعِبَادِىَ ٱلَّذِينَ ءَامَنُوا۟ يُقِيمُوا۟ ٱلصَّلَوٰةَ وَيُنفِقُوا۟ مِمَّا رَزَقْنَٰهُمْ سِرًّا وَعَلَانِيَةً مِّن قَبْلِ أَن يَأْتِىَ يَوْمٌ لَّا بَيْعٌ فِيهِ وَلَا خِلَٰلٌ ۝ ٱللَّهُ ٱلَّذِى خَلَقَ ٱلسَّمَٰوَٰتِ وَٱلْأَرْضَ وَأَنزَلَ مِنَ ٱلسَّمَآءِ مَآءً فَأَخْرَجَ بِهِۦ مِنَ ٱلثَّمَرَٰتِ رِزْقًا لَّكُمْ ۖ وَسَخَّرَ لَكُمُ ٱلْفُلْكَ لِتَجْرِىَ فِى ٱلْبَحْرِ بِأَمْرِهِۦ ۖ وَسَخَّرَ لَكُمُ ٱلْأَنْهَٰرَ ۝ وَسَخَّرَ لَكُمُ ٱلشَّمْسَ وَٱلْقَمَرَ دَآئِبَيْنِ ۖ وَسَخَّرَ لَكُمُ ٱلَّيْلَ وَٱلنَّهَارَ ۝

25. il donne à tout instant ses fruits, par la grâce de son Seigneur. Allāh propose des paraboles à l'intention des gens afin qu'ils s'exhortent.

26. Et une mauvaise parole est pareille à un mauvais arbre, déraciné de la surface de la terre et qui n'a point de stabilité.

27. Allāh affermit les croyants par une parole ferme, dans la vie présente et dans l'au-delà[1]. Tandis qu'Il égare[2] les injustes. Et Allāh fait ce qu'Il veut.

28. Ne vois-tu point ceux qui troquent les bienfaits d'Allāh contre l'ingratitude et établissent leur peuple dans la demeure de la perdition

29. ... l'Enfer, où ils brûleront? Et quel mauvais gîte!

30. Et ils ont donné à Allāh des égaux afin d'égarer (les gens) de Son sentier. - Dis: «Jouissez [de cette vie] car votre destination sera le feu».

31. Dis à Mes serviteurs qui ont cru, qu'ils accomplissent la Ṣalāt et qu'ils dépensent [dans le bien] en secret et en public de ce que Nous leur avons attribué, avant que vienne le jour où il n'y a ni rachat ni amitié.

32. Allāh, c'est Lui qui a créé les cieux et la terre et qui, du ciel, a fait descendre l'eau; grâce à laquelle Il a produit des fruits pour vous nourrir. Il a soumis à votre service les vaisseaux qui, par Son ordre, voguent sur la mer. Et Il a soumis à votre service les rivières.

33. Et pour vous, Il a assujetti le soleil et la lune à une perpétuelle révolution. Et Il vous a assujetti la nuit et le jour.

---

1. *Dans l'au-delà*: concerne l'interrogatoire qui sera fait aux morts dans leurs tombes.
2. voir note 4 V. 4 de la même sourate.

وَءَاتَىٰكُم مِّن كُلِّ مَا سَأَلْتُمُوهُ وَإِن تَعُدُّواْ نِعْمَتَ ٱللَّهِ لَا تُحْصُوهَآ إِنَّ ٱلْإِنسَٰنَ لَظَلُومٌ كَفَّارٌ ۞ وَإِذْ قَالَ إِبْرَٰهِيمُ رَبِّ ٱجْعَلْ هَٰذَا ٱلْبَلَدَ ءَامِنًا وَٱجْنُبْنِي وَبَنِيَّ أَن نَّعْبُدَ ٱلْأَصْنَامَ ۞ رَبِّ إِنَّهُنَّ أَضْلَلْنَ كَثِيرًا مِّنَ ٱلنَّاسِ فَمَن تَبِعَنِي فَإِنَّهُۥ مِنِّي وَمَنْ عَصَانِي فَإِنَّكَ غَفُورٌ رَّحِيمٌ ۞ رَّبَّنَآ إِنِّي أَسْكَنتُ مِن ذُرِّيَّتِي بِوَادٍ غَيْرِ ذِي زَرْعٍ عِندَ بَيْتِكَ ٱلْمُحَرَّمِ رَبَّنَا لِيُقِيمُواْ ٱلصَّلَوٰةَ فَٱجْعَلْ أَفْـِٔدَةً مِّنَ ٱلنَّاسِ تَهْوِي إِلَيْهِمْ وَٱرْزُقْهُم مِّنَ ٱلثَّمَرَٰتِ لَعَلَّهُمْ يَشْكُرُونَ ۞ رَبَّنَآ إِنَّكَ تَعْلَمُ مَا نُخْفِي وَمَا نُعْلِنُ وَمَا يَخْفَىٰ عَلَى ٱللَّهِ مِن شَيْءٍ فِي ٱلْأَرْضِ وَلَا فِي ٱلسَّمَآءِ ۞ ٱلْحَمْدُ لِلَّهِ ٱلَّذِي وَهَبَ لِي عَلَى ٱلْكِبَرِ إِسْمَٰعِيلَ وَإِسْحَٰقَ إِنَّ رَبِّي لَسَمِيعُ ٱلدُّعَآءِ ۞ رَبِّ ٱجْعَلْنِي مُقِيمَ ٱلصَّلَوٰةِ وَمِن ذُرِّيَّتِي رَبَّنَا وَتَقَبَّلْ دُعَآءِ ۞ رَبَّنَا ٱغْفِرْ لِي وَلِوَٰلِدَيَّ وَلِلْمُؤْمِنِينَ يَوْمَ يَقُومُ ٱلْحِسَابُ ۞ وَلَا تَحْسَبَنَّ ٱللَّهَ غَٰفِلًا عَمَّا يَعْمَلُ ٱلظَّٰلِمُونَ إِنَّمَا يُؤَخِّرُهُمْ لِيَوْمٍ تَشْخَصُ فِيهِ ٱلْأَبْصَٰرُ ۞

34. Il vous a accordé de tout ce que vous Lui avez demandé. Et si vous comptiez les bienfaits d'Allāh, vous ne sauriez les dénombrer. L'homme est vraiment très injuste, très ingrat.

35. Et (rappelle-toi) quand Abraham dit: «Ô mon Seigneur, fais de cette cité un lieu sûr, et préserve-moi ainsi que mes enfants de l'adoration des idoles.

36. Ô mon Seigneur, elles (les idoles) ont égaré beaucoup de gens. Quiconque me suit est des miens. Quand à celui qui me désobéit ... c'est Toi, le Pardonneur, le Très Miséricordieux[1]!

37. Ô notre Seigneur, j'ai établi une partie de ma descendance dans une vallée sans agriculture, près de Ta Maison sacrée [la Kaʿba], - ô notre Seigneur - afin qu'ils accomplissent la Ṣalāt. Fais donc que se penchent vers eux les cœurs d'une partie des gens. Et nourris-les de fruits. Peut-être seront-ils reconnaissants?

38. Ô notre Seigneur, Tu sais, vraiment, ce que nous cachons et ce que nous divulguons: - et rien n'échappe à Allāh, ni sur terre, ni au ciel! -

39. Louange à Allāh, qui en dépit de ma vieillesse, m'a donné Ismaël et Isaac. Certes, mon Seigneur entend bien les prières.

40. Ô mon Seigneur! Fais que j'accomplisse assidûment la Ṣalāt ainsi qu'une partie de ma descendance ; exauce ma prière, ô notre Seigneur!

41. Ô notre Seigneur! Pardonne-moi, ainsi qu'à mes père et mère et aux croyants, le jour de la reddition des comptes».

42. Et ne pense point qu'Allāh soit inattentif à ce que font les injustes. Ils leur accordera un délai jusqu'au jour où leurs regards se figeront.

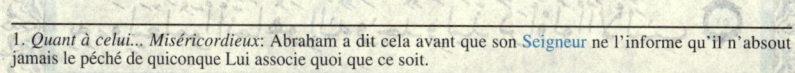

---

1. *Quant à celui... Miséricordieux*: Abraham a dit cela avant que son Seigneur ne l'informe qu'il n'absout jamais le péché de quiconque Lui associe quoi que ce soit.

مُهْطِعِينَ مُقْنِعِي رُءُوسِهِمْ لَا يَرْتَدُّ إِلَيْهِمْ طَرْفُهُمْ وَأَفْئِدَتُهُمْ

هَوَاءٌ ۝ وَأَنذِرِ ٱلنَّاسَ يَوْمَ يَأْتِيهِمُ ٱلْعَذَابُ فَيَقُولُ ٱلَّذِينَ

ظَلَمُوا۟ رَبَّنَآ أَخِّرْنَآ إِلَىٰٓ أَجَلٍ قَرِيبٍ نُّجِبْ دَعْوَتَكَ وَنَتَّبِعِ

ٱلرُّسُلَ أَوَلَمْ تَكُونُوٓا۟ أَقْسَمْتُم مِّن قَبْلُ مَا لَكُم

مِّن زَوَالٍ ۝ وَسَكَنتُمْ فِي مَسَٰكِنِ ٱلَّذِينَ ظَلَمُوٓا۟

أَنفُسَهُمْ وَتَبَيَّنَ لَكُمْ كَيْفَ فَعَلْنَا بِهِمْ وَضَرَبْنَا

لَكُمُ ٱلْأَمْثَالَ ۝ وَقَدْ مَكَرُوا۟ مَكْرَهُمْ وَعِندَ ٱللَّهِ

مَكْرُهُمْ وَإِن كَانَ مَكْرُهُمْ لِتَزُولَ مِنْهُ ٱلْجِبَالُ

۝ فَلَا تَحْسَبَنَّ ٱللَّهَ مُخْلِفَ وَعْدِهِ رُسُلَهُۥٓ إِنَّ ٱللَّهَ عَزِيزٌ

ذُو ٱنتِقَامٍ ۝ يَوْمَ تُبَدَّلُ ٱلْأَرْضُ غَيْرَ ٱلْأَرْضِ وَٱلسَّمَٰوَٰتُ

وَبَرَزُوا۟ لِلَّهِ ٱلْوَٰحِدِ ٱلْقَهَّارِ ۝ وَتَرَى ٱلْمُجْرِمِينَ يَوْمَئِذٍ

مُّقَرَّنِينَ فِي ٱلْأَصْفَادِ ۝ سَرَابِيلُهُم مِّن قَطِرَانٍ وَتَغْشَىٰ

وُجُوهَهُمُ ٱلنَّارُ ۝ لِيَجْزِيَ ٱللَّهُ كُلَّ نَفْسٍ مَّا كَسَبَتْ

إِنَّ ٱللَّهَ سَرِيعُ ٱلْحِسَابِ ۝ هَٰذَا بَلَٰغٌ لِّلنَّاسِ وَلِيُنذَرُوا۟

بِهِۦ وَلِيَعْلَمُوٓا۟ أَنَّمَا هُوَ إِلَٰهٌ وَٰحِدٌ وَلِيَذَّكَّرَ أُو۟لُوا۟ ٱلْأَلْبَٰبِ ۝

43. Ils courront [suppliant], levant la tête, les yeux hagards et les cœurs vides.

44. Et avertis les gens du jour où le châtiment les atteindra et ceux qui auront été injustes diront: «Ô notre Seigneur accorde-nous un court délai, nous répondrons à Ton appel et suivrons les messagers». - N'avez-vous pas juré auparavant que vous ne deviez jamais disparaître?

45. Et vous avez habité, les demeures de ceux qui s'étaient fait du tort à eux-mêmes. Il vous est apparu en toute évidence comment Nous les avions traité et Nous vous avons cité les exemples.

46. Ils ont certes comploté. Or leur complot est (inscrit) auprès d'Allāh même si leur complot était assez puissant pour faire disparaître les montagnes...[1]

47. Ne pense point qu'Allāh manque à Sa promesse envers Ses messagers. Certes Allāh est Tout Puissant et Détenteur du pouvoir de punir,

48. au jour où la terre sera remplacée par une autre, de même que les cieux et où (les hommes) comparaîtront devant Allāh, l'Unique, le Dominateur Suprême.

49. Et ce jour-là, tu verras les coupables, enchaînés les uns aux autres,

50. leurs tuniques seront de goudron et le feu couvrira leurs visages.

51. (Tout cela) afin qu'Allāh rétribue chaque âme de ce qu'elle aura acquis. Certes Allāh est prompt dans Ses comptes.

52. Ceci est un message (le Qur'ān) pour les gens afin qu'ils soient avertis, qu'ils sachent qu'il n'est qu'un Dieu unique, et pour que les doués d'intelligence s'exhortent.

---

1. L'expression «est inscrit» peut également signifier que leur punition pour ce complot est bien connue auprès d'Allāh!

بِسْمِ اللَّهِ الرَّحْمَنِ الرَّحِيمِ

الٓرۚ تِلْكَ ءَايَٰتُ ٱلْكِتَٰبِ وَقُرْءَانٍ مُّبِينٍ ۝١ رُّبَمَا يَوَدُّ ٱلَّذِينَ كَفَرُوا۟ لَوْ كَانُوا۟ مُسْلِمِينَ ۝٢ ذَرْهُمْ يَأْكُلُوا۟ وَيَتَمَتَّعُوا۟ وَيُلْهِهِمُ ٱلْأَمَلُ فَسَوْفَ يَعْلَمُونَ ۝٣ وَمَآ أَهْلَكْنَا مِن قَرْيَةٍ إِلَّا وَلَهَا كِتَابٌ مَّعْلُومٌ ۝٤ مَّا تَسْبِقُ مِنْ أُمَّةٍ أَجَلَهَا وَمَا يَسْتَـْٔخِرُونَ ۝٥ وَقَالُوا۟ يَٰٓأَيُّهَا ٱلَّذِى نُزِّلَ عَلَيْهِ ٱلذِّكْرُ إِنَّكَ لَمَجْنُونٌ ۝٦ لَّوْ مَا تَأْتِينَا بِٱلْمَلَٰٓئِكَةِ إِن كُنتَ مِنَ ٱلصَّٰدِقِينَ ۝٧ مَا نُنَزِّلُ ٱلْمَلَٰٓئِكَةَ إِلَّا بِٱلْحَقِّ وَمَا كَانُوٓا۟ إِذًا مُّنظَرِينَ ۝٨ إِنَّا نَحْنُ نَزَّلْنَا ٱلذِّكْرَ وَإِنَّا لَهُۥ لَحَٰفِظُونَ ۝٩ وَلَقَدْ أَرْسَلْنَا مِن قَبْلِكَ فِى شِيَعِ ٱلْأَوَّلِينَ ۝١٠ وَمَا يَأْتِيهِم مِّن رَّسُولٍ إِلَّا كَانُوا۟ بِهِۦ يَسْتَهْزِءُونَ ۝١١ كَذَٰلِكَ نَسْلُكُهُۥ فِى قُلُوبِ ٱلْمُجْرِمِينَ ۝١٢ لَا يُؤْمِنُونَ بِهِۦ وَقَدْ خَلَتْ سُنَّةُ ٱلْأَوَّلِينَ ۝١٣ وَلَوْ فَتَحْنَا عَلَيْهِم بَابًا مِّنَ ٱلسَّمَآءِ فَظَلُّوا۟ فِيهِ يَعْرُجُونَ ۝١٤ لَقَالُوٓا۟ إِنَّمَا سُكِّرَتْ أَبْصَٰرُنَا بَلْ نَحْنُ قَوْمٌ مَّسْحُورُونَ ۝١٥

AL-ḤIJR[1]
sourate 15   99 versets   Pré-hégirien n°54

Au nom d'Allāh, le Tout Miséricordieux, le Très Miséricordieux.

1. Alif, Lām, Rā. Voici les versets du Livre et d'une Lecture explicite[2].

2. [Le Jour du Jugement Dernier] les mécréants voudraient avoir été Musulmans [soumis].

3. Laisse-les manger, jouir (un temps), et être distraits par l'espoir ; car bientôt ils sauront!

4. Or Nous ne détruisons aucune cité sans qu'elle n'ait eu [un terme fixé en] une Ecriture connue.

5. Nulle communauté ne devance son terme, ni ne le retarde.

6. Et ils (les mecquois) disent: «Ô toi sur qui on a fait descendre le Qur'ān, tu es certainement fou!

7. Pourquoi ne nous es-tu pas venu avec les Anges, si tu es du nombre des véridiques?»

8. Nous ne faisons descendre les Anges qu'avec la vérité ; et alors, il ne leur sera pas accordé de répit [à ces impies].

9. En vérité c'est Nous qui avons fait descendre le Qur'ān, et c'est Nous qui en sommes gardien[3].

10. Et nous avons certes envoyé, avant toi, [des Messagers] parmi les peuples des Anciens[4].

11. Et pas un Messager ne leur est venu sans qu'ils s'en soient moqués.

12. C'est ainsi que Nous faisons pénétrer (la mécréance) dans les cœurs des coupables.

13. Ils ne croiront pas en lui [le Messager ou le Qur'ān] bien que se soit accompli le sort traditionnel des anciens.

14. Et même si Nous ouvrions pour eux une porte du ciel, et qu'ils pussent y monter,

15. ils diraient: «Vraiment nos yeux sont voilés. Mais plutôt, nous sommes des gens ensorcelés».

---

1. Titre tiré du v. 80, al-Ḥijr: une région dans l'Arabie du Nord, pays du prophète Ṣāliḥ.
2. Pour les lettres isolées qui ouvrent les Sourates, voir S. 2, v. 1. Les termes Livre et Lecture désignent le Qur'ān.
3. Contrairement aux autres livres révélés confiés aux hommes (voir S. 55, v. 44) et qui ont subi toutes sortes de modifications, la conservation à travers les siècles de l'intégrité du Qur'ān, est un miracle.
4. Nous avons envoyé (des messagers) avant toi (ô Muḥammad).

وَلَقَدْ جَعَلْنَا فِى ٱلسَّمَاءِ بُرُوجًا وَزَيَّنَّهَا لِلنَّظِرِينَ ۝

وَحَفِظْنَهَا مِن كُلِّ شَيْطَنٍ رَّجِيمٍ ۝ إِلَّا مَنِ ٱسْتَرَقَ ٱلسَّمْعَ

فَأَتْبَعَهُۥ شِهَابٌ مُّبِينٌ ۝ وَٱلْأَرْضَ مَدَدْنَهَا وَأَلْقَيْنَا فِيهَا

رَوَسِىَ وَأَنۢبَتْنَا فِيهَا مِن كُلِّ شَىْءٍ مَّوْزُونٍ ۝ وَجَعَلْنَا لَكُمْ فِيهَا

مَعَيِشَ وَمَن لَّسْتُمْ لَهُۥ بِرَزِقِينَ ۝ وَإِن مِّن شَىْءٍ إِلَّا عِندَنَا

خَزَائِنُهُۥ وَمَا نُنَزِّلُهُۥٓ إِلَّا بِقَدَرٍ مَّعْلُومٍ ۝ وَأَرْسَلْنَا ٱلرِّيَحَ

لَوَقِحَ فَأَنزَلْنَا مِنَ ٱلسَّمَاءِ مَاءً فَأَسْقَيْنَكُمُوهُ وَمَآ أَنتُمْ لَهُۥ

بِخَزِنِينَ ۝ وَإِنَّا لَنَحْنُ نُحْىِۦ وَنُمِيتُ وَنَحْنُ ٱلْوَرِثُونَ ۝

وَلَقَدْ عَلِمْنَا ٱلْمُسْتَقْدِمِينَ مِنكُمْ وَلَقَدْ عَلِمْنَا ٱلْمُسْتَـْٔخِرِينَ ۝

وَإِنَّ رَبَّكَ هُوَ يَحْشُرُهُمْۚ إِنَّهُۥ حَكِيمٌ عَلِيمٌ ۝ وَلَقَدْ خَلَقْنَا ٱلْإِنسَنَ

مِن صَلْصَلٍ مِّنْ حَمَإٍ مَّسْنُونٍ ۝ وَٱلْجَآنَّ خَلَقْنَهُ مِن قَبْلُ مِن نَّارِ

ٱلسَّمُومِ ۝ وَإِذْ قَالَ رَبُّكَ لِلْمَلَـٰٓئِكَةِ إِنِّى خَلِقٌ بَشَرًا مِّن

صَلْصَلٍ مِّنْ حَمَإٍ مَّسْنُونٍ ۝ فَإِذَا سَوَّيْتُهُۥ وَنَفَخْتُ فِيهِ مِن

رُّوحِى فَقَعُوا لَهُۥ سَجِدِينَ ۝ فَسَجَدَ ٱلْمَلَـٰٓئِكَةُ كُلُّهُمْ

أَجْمَعُونَ ۝ إِلَّآ إِبْلِيسَ أَبَىٰٓ أَن يَكُونَ مَعَ ٱلسَّجِدِينَ ۝

16. Certes Nous avons placé dans le ciel ces constellations et Nous l'avons embelli pour ceux qui regardent.

17. Et Nous l'avons protégé contre tout diable banni.

18. À moins que l'un d'eux parvienne subrepticement à écouter, une flamme brillante alors le poursuit.

19. Et quant à la terre, Nous l'avons étalée et y avons placé des montagnes (immobiles) et y avons fait pousser toute chose harmonieusement proportionnée.

20. Et Nous y avons placé des vivres pour vous, et (placé aussi pour vous) des êtres que vous ne nourrissez pas.

21. Et il n'est rien dont Nous n'ayons les réserves et Nous ne le faisons descendre que dans une mesure déterminée.

22. Et Nous envoyons les vents fécondants ; et Nous faisons alors descendre du ciel une eau dont Nous vous abreuvons et que vous n'êtes pas en mesure de conserver[1].

23. Et c'est bien Nous qui donnons la vie et donnons la mort, et c'est Nous qui sommes l'héritier [de tout].

24. Et Nous connaissons certes ceux qui parmi vous ont avancé et Nous connaissons ceux qui tardent encore[2].

25. Certes, c'est ton Seigneur qui les rassemblera. Car c'est lui le Sage, l'Omniscient.

26. Nous créâmes l'homme d'une argile crissante, extraite d'une boue malléable.

27. Et quand au djinn[3], Nous l'avions auparavant créé d'un feu d'une chaleur ardente.

28. Et lorsque ton Seigneur dit aux Anges: «Je vais créer un homme d'argile crissante, extraite d'une boue malléable,

29. et dès que Je l'aurai harmonieusement formé et lui aurai insufflé Mon souffle de vie, jetez-vous alors, prosternés devant lui»[4].

30. Alors, les Anges se prosternèrent tous ensemble,

31. excepté Iblis qui refusa d'être avec les prosternés.

---

1. Ce verset nous apprend, bien avant que la science ne le confirme, que les vents sont chargés de pollen mâle destiné à la fécondation des plantes.
De même que ces vents sont facteurs de fécondation des nuages, ce qui entraîne la descente de la pluie.
En outre, nul n'est en mesure de conserver cette eau à cause du phénomène de l'évaporation.
2. *Ont avancé*: sont passés, sont morts.
Retardent: qui ne sont pas morts encore, c.-à-d.: les générations présentes et futures.
3. *Le djinn*: Satan.
4. Une prosternation sous forme d'inclination, en signe de glorification de l'Ordre divin.

قَالَ يَٰٓإِبْلِيسُ مَا لَكَ أَلَّا تَكُونَ مَعَ ٱلسَّٰجِدِينَ ۝ قَالَ لَمْ أَكُن

لِّأَسْجُدَ لِبَشَرٍ خَلَقْتَهُۥ مِن صَلْصَٰلٍ مِّنْ حَمَإٍ مَّسْنُونٍ ۝ قَالَ

فَٱخْرُجْ مِنْهَا فَإِنَّكَ رَجِيمٌ ۝ وَإِنَّ عَلَيْكَ ٱللَّعْنَةَ إِلَىٰ يَوْمِ

ٱلدِّينِ ۝ قَالَ رَبِّ فَأَنظِرْنِىٓ إِلَىٰ يَوْمِ يُبْعَثُونَ ۝ قَالَ فَإِنَّكَ

مِنَ ٱلْمُنظَرِينَ ۝ إِلَىٰ يَوْمِ ٱلْوَقْتِ ٱلْمَعْلُومِ ۝ قَالَ رَبِّ بِمَآ

أَغْوَيْتَنِى لَأُزَيِّنَنَّ لَهُمْ فِى ٱلْأَرْضِ وَلَأُغْوِيَنَّهُمْ أَجْمَعِينَ ۝

إِلَّا عِبَادَكَ مِنْهُمُ ٱلْمُخْلَصِينَ ۝ قَالَ هَٰذَا صِرَٰطٌ عَلَىَّ

مُسْتَقِيمٌ ۝ إِنَّ عِبَادِى لَيْسَ لَكَ عَلَيْهِمْ سُلْطَٰنٌ إِلَّا مَنِ

ٱتَّبَعَكَ مِنَ ٱلْغَاوِينَ ۝ وَإِنَّ جَهَنَّمَ لَمَوْعِدُهُمْ أَجْمَعِينَ ۝

لَهَا سَبْعَةُ أَبْوَٰبٍ لِّكُلِّ بَابٍ مِّنْهُمْ جُزْءٌ مَّقْسُومٌ ۝ إِنَّ

ٱلْمُتَّقِينَ فِى جَنَّٰتٍ وَعُيُونٍ ۝ ٱدْخُلُوهَا بِسَلَٰمٍ ءَامِنِينَ ۝

وَنَزَعْنَا مَا فِى صُدُورِهِم مِّنْ غِلٍّ إِخْوَٰنًا عَلَىٰ سُرُرٍ مُّتَقَٰبِلِينَ

۝ لَا يَمَسُّهُمْ فِيهَا نَصَبٌ وَمَا هُم مِّنْهَا بِمُخْرَجِينَ ۝

۞ نَبِّئْ عِبَادِىٓ أَنِّىٓ أَنَا ٱلْغَفُورُ ٱلرَّحِيمُ ۝ وَأَنَّ عَذَابِى

هُوَ ٱلْعَذَابُ ٱلْأَلِيمُ ۝ وَنَبِّئْهُمْ عَن ضَيْفِ إِبْرَٰهِيمَ ۝

32. Alors [Allāh] dit: «Ô Iblis, pourquoi n'es-tu pas au nombre des prosternés?»

33. Il dit: «Je ne puis me prosterner devant un homme que Tu as créé d'argile crissante, extraite d'une boue malléable».

34. - Et [Allāh] dit: «Sors de là [du Paradis], car te voilà banni!

35. Et malédiction sur toi, jusqu'au Jour de la rétribution!»

36. - Il dit: «Ô mon Seigneur, donne-moi donc un délai jusqu'au jour où ils (les gens) seront ressuscités».

37. [Allāh] dit: tu es de ceux à qui ce délai est accordé,

38. jusqu'au jour de l'instant connu» [d'Allāh].

39. - Il dit: «Ô mon Seigneur, parce que Tu m'as induit en erreur, eh bien je leur enjoliverai la vie sur terre et les égarerai tous,

40. à l'exception, parmi eux, de Tes serviteurs élus.»

41. -« [Allāh] dit: voici une voie droite [qui mène] vers Moi.

42. Sur Mes serviteurs tu n'auras aucune autorité, excepté sur celui qui te suivra parmi les dévoyés.

43. Et l'Enfer sera sûrement leur lieu de rendez-vous à tous.

44. Il a sept portes ; et chaque porte en a sa part déterminée».

45. Certes, les pieux seront dans des jardins avec des sources.

46. «Entrez-y en paix et en sécurité».

47. Et Nous aurons arraché toute rancune de leurs poitrines: et ils se sentiront frères, faisant face les uns aux autres sur des lits.

48. Nulle fatigue ne les y touchera. Et on ne les en fera pas sortir.

49. Informe[1] Mes serviteurs que c'est Moi le Pardonneur, le Très Miséricordieux.

50. et que Mon châtiment est certes le châtiment douloureux.

51. Et informe-les au sujet des hôtes[2] d'Abraham.

---

1. Informe, Ô toi Muḥammad.
2. *Les hôtes*: les anges.

إِذْ دَخَلُوا عَلَيْهِ فَقَالُوا سَلَامًا قَالَ إِنَّا مِنكُمْ وَجِلُونَ ۝ قَالُوا

لَا تَوْجَلْ إِنَّا نُبَشِّرُكَ بِغُلَامٍ عَلِيمٍ ۝ قَالَ أَبَشَّرْتُمُونِي عَلَى أَن

مَّسَّنِيَ الْكِبَرُ فَبِمَ تُبَشِّرُونَ ۝ قَالُوا بَشَّرْنَاكَ بِالْحَقِّ

فَلَا تَكُن مِّنَ الْقَانِطِينَ ۝ قَالَ وَمَن يَقْنَطُ مِن رَّحْمَةِ

رَبِّهِ إِلَّا الضَّالُّونَ ۝ قَالَ فَمَا خَطْبُكُمْ أَيُّهَا الْمُرْسَلُونَ

۝ قَالُوا إِنَّا أُرْسِلْنَا إِلَىٰ قَوْمٍ مُّجْرِمِينَ ۝ إِلَّا آلَ لُوطٍ

إِنَّا لَمُنَجُّوهُمْ أَجْمَعِينَ ۝ إِلَّا امْرَأَتَهُ قَدَّرْنَا إِنَّهَا لَمِنَ

الْغَابِرِينَ ۝ فَلَمَّا جَاءَ آلَ لُوطٍ الْمُرْسَلُونَ ۝ قَالَ

إِنَّكُمْ قَوْمٌ مُّنكَرُونَ ۝ قَالُوا بَلْ جِئْنَاكَ بِمَا كَانُوا فِيهِ

يَمْتَرُونَ ۝ وَأَتَيْنَاكَ بِالْحَقِّ وَإِنَّا لَصَادِقُونَ ۝ فَأَسْرِ

بِأَهْلِكَ بِقِطْعٍ مِّنَ الَّيْلِ وَاتَّبِعْ أَدْبَارَهُمْ وَلَا يَلْتَفِتْ مِنكُمْ أَحَدٌ

وَامْضُوا حَيْثُ تُؤْمَرُونَ ۝ وَقَضَيْنَا إِلَيْهِ ذَٰلِكَ الْأَمْرَ أَنَّ

دَابِرَ هَٰؤُلَاءِ مَقْطُوعٌ مُّصْبِحِينَ ۝ وَجَاءَ أَهْلُ الْمَدِينَةِ

يَسْتَبْشِرُونَ ۝ قَالَ إِنَّ هَٰؤُلَاءِ ضَيْفِي فَلَا تَفْضَحُونِ ۝ وَاتَّقُوا

اللَّهَ وَلَا تُخْزُونِ ۝ قَالُوا أَوَلَمْ نَنْهَكَ عَنِ الْعَالَمِينَ ۝

52. Quand ils entrèrent chez lui et dirent: «Salām»[1] - Il dit: «Nous avons peur de vous».

53. Ils dirent: «N'aie pas peur! Nous t'annonçons une bonne nouvelle, [la naissance] d'un garçon plein de savoir».

54. Il dit: «M'annoncez-vous [cette nouvelle] alors que la vieillesse m'a touché? Que m'annoncez-vous donc?»

55. - Ils dirent: «Nous t'annonçons la vérité. Ne sois donc pas de ceux qui désespèrent».

56. - Il dit: «Et qui désespère de la miséricorde de son Seigneur, sinon les égarés?»

57. Et il [leur] dit: «Que voulez-vous, ô envoyés d'Allāh?

58. - ils dirent: «En vérité, nous sommes envoyés à des gens criminels,

59. à l'exception de la famille de Loṭ que nous sauverons tous

60. sauf sa femme.«Nous (Allāh) avions déterminé qu'elle sera du nombre des exterminés».

61. Puis lorsque les envoyés vinrent auprès de la famille de Loṭ[2].

62. celui-ci dit: «Vous êtes [pour moi] des gens inconnus».

63. - Ils dirent: «Nous sommes plutôt venus à toi en apportant (le châtiment) à propos duquel ils doutaient.

64. Et nous venons à toi avec la vérité. Et nous sommes véridiques.

65. Pars donc avec ta famille en fin de nuit et suis leurs arrières ; et que nul d'entre vous ne se retourne. Et allez là où on vous le commande».

66. Et Nous lui annonçâmes cet ordre: que ces gens-là, au matin, seront anéantis jusqu'au dernier.

67. Et les habitants de la ville (Sodome) vinrent [à lui] dans la joie.

68. - Il dit: «Ceux-ci sont mes hôtes, ne me déshonorez donc pas.

69. Et craignez Allāh. Et ne me couvrez pas d'ignominie.

70. Ils dirent: «Ne t'avions-nous pas interdit de [recevoir] du monde?»

---

1. *«Salām»*: (salutation usuelle entre les croyants).
2. *Les envoyés*: les Anges, toujours sous formes d'hommes, que Loṭ ne reconnaît pas.

قَالَ هَٰؤُلَاءِ بَنَاتِي إِن كُنتُمْ فَاعِلِينَ ۞ لَعَمْرُكَ إِنَّهُمْ لَفِي سَكْرَتِهِمْ

يَعْمَهُونَ ۞ فَأَخَذَتْهُمُ الصَّيْحَةُ مُشْرِقِينَ ۞ فَجَعَلْنَا عَٰلِيَهَا

سَافِلَهَا وَأَمْطَرْنَا عَلَيْهِمْ حِجَارَةً مِّن سِجِّيلٍ ۞ إِنَّ فِي ذَٰلِكَ

لَآيَٰتٍ لِّلْمُتَوَسِّمِينَ ۞ وَإِنَّهَا لَبِسَبِيلٍ مُّقِيمٍ ۞ إِنَّ فِي ذَٰلِكَ

لَآيَةً لِّلْمُؤْمِنِينَ ۞ وَإِن كَانَ أَصْحَٰبُ الْأَيْكَةِ لَظَٰلِمِينَ ۞

فَانتَقَمْنَا مِنْهُمْ وَإِنَّهُمَا لَبِإِمَامٍ مُّبِينٍ ۞ وَلَقَدْ كَذَّبَ أَصْحَٰبُ

الْحِجْرِ الْمُرْسَلِينَ ۞ وَءَاتَيْنَٰهُمْ ءَايَٰتِنَا فَكَانُوا عَنْهَا مُعْرِضِينَ

۞ وَكَانُوا يَنْحِتُونَ مِنَ الْجِبَالِ بُيُوتًا ءَامِنِينَ ۞ فَأَخَذَتْهُمُ

الصَّيْحَةُ مُصْبِحِينَ ۞ فَمَا أَغْنَىٰ عَنْهُم مَّا كَانُوا يَكْسِبُونَ ۞

وَمَا خَلَقْنَا السَّمَٰوَٰتِ وَالْأَرْضَ وَمَا بَيْنَهُمَا إِلَّا بِالْحَقِّ وَإِنَّ

السَّاعَةَ لَآتِيَةٌ فَاصْفَحِ الصَّفْحَ الْجَمِيلَ ۞ إِنَّ رَبَّكَ هُوَ

الْخَلَّٰقُ الْعَلِيمُ ۞ وَلَقَدْ ءَاتَيْنَٰكَ سَبْعًا مِّنَ الْمَثَانِي وَالْقُرْءَانَ

الْعَظِيمَ ۞ لَا تَمُدَّنَّ عَيْنَيْكَ إِلَىٰ مَا مَتَّعْنَا بِهِ أَزْوَٰجًا مِّنْهُمْ

وَلَا تَحْزَنْ عَلَيْهِمْ وَاخْفِضْ جَنَاحَكَ لِلْمُؤْمِنِينَ ۞ وَقُلْ إِنِّي

أَنَا النَّذِيرُ الْمُبِينُ ۞ كَمَا أَنزَلْنَا عَلَى الْمُقْتَسِمِينَ ۞

71. Il dit: «Voici mes filles₁, si vous voulez faire [quelque chose]!»

72. Par ta vie! Ils se confondaient dans leur délire.

73. Alors, au lever du soleil le Cri (la catastrophe) les saisit.

74. Et Nous renversâmes [la ville] de fond en comble et fîmes pleuvoir sur eux des pierres d'argile dure.

75. Voilà vraiment des preuves, pour ceux qui savent observer!

76. Elle [cette ville] se trouvait sur un chemin connu de tous₂.

77. Voilà vraiment une exhortation pour les croyants!

78. Et les habitants d'al-Aïka₃ étaient [aussi] des injustes.

79. Nous Nous sommes donc vengés d'eux. Et ces deux [cités]₄, vraiment, sont sur une route bien évidente [que vous connaissez].

80. Certes, les gens d'al-Ḥijr₅ ont traité de menteurs les messagers.

81. Nous leur avons montré Nos miracles, mais ils s'en étaient détournés.

82. Et ils taillaient des maisons dans les montagnes, vivant en sécurité.

83. Puis, au matin, le Cri les saisit.

84. Ce qu'ils avaient acquis ne leur a donc point profité.

85. Et Nous n'avons créé les cieux et la terre, et ce qui est entre eux, que pour une juste raison. Et l'Heure [sans aucun doute] arrivera Pardonne-[leur] donc d'un beau pardon.

86. Ton Seigneur, c'est Lui vraiment le grand Créateur, l'Omniscient.

87. Nous t'avons certes donné «les sept versets que l'on répète»₆, ainsi que le Qur'ān sublime.

88. Ne regarde surtout pas avec envie les choses dont Nous avons donné jouissance temporaire à certains couples d'entre eux, ne t'afflige pas à leur sujet et abaisse ton aile pour les croyants₇.

89. Et dis: «Je suis l'avertisseur évident» (d'un châtiment).

90. De même que Nous avons fait descendre [le châtiment] sur ceux qui ont juré (entre eux)₈,

---

1. *Mes filles*: voir note concernant verset 78, sourate 11.
2. *Sur un chemin*: sur un chemin bien connu des Mecquois, qui se rendaient chaque année en Syrie, dans les caravanes de commerce.
3. *al-Aïka*: un endroit boisé près de Madyan, le pays de Šuʿayb.
4. *Ces deux cités*: Sodome et al-Aïka.
5. *al-Ḥijr*: titre de la sourate. Pays du prophète Ṣāliḥ (aujourd'hui Madāʾin Ṣāliḥ) au Nord de l'Arabie Saoudite.
6. Allusion aux 7 versets de la sourate 1, dont c'est l'un des titres - sourate que l'on récite à chaque cycle d'actes de la Ṣalāt.
7. *Abaisse ton aile pour les croyants*: sois modeste et bienveillant avec eux.
8. *Juré*: à ne pas suivre les prophètes.

الَّذِينَ جَعَلُوا الْقُرْءَانَ عِضِينَ ۝ فَوَرَبِّكَ لَنَسْـَٔلَنَّهُمْ

أَجْمَعِينَ ۝ عَمَّا كَانُوا يَعْمَلُونَ ۝ فَاصْدَعْ بِمَا تُؤْمَرُ وَأَعْرِضْ

عَنِ الْمُشْرِكِينَ ۝ إِنَّا كَفَيْنَاكَ الْمُسْتَهْزِءِينَ ۝ الَّذِينَ

يَجْعَلُونَ مَعَ اللَّهِ إِلَٰهًا ءَاخَرَ فَسَوْفَ يَعْلَمُونَ ۝ وَلَقَدْ نَعْلَمُ

أَنَّكَ يَضِيقُ صَدْرُكَ بِمَا يَقُولُونَ ۝ فَسَبِّحْ بِحَمْدِ رَبِّكَ وَكُن

مِّنَ السَّاجِدِينَ ۝ وَاعْبُدْ رَبَّكَ حَتَّىٰ يَأْتِيَكَ الْيَقِينُ ۝

سُورَةُ النَّحْل

بِسْمِ اللَّهِ الرَّحْمَٰنِ الرَّحِيمِ

أَتَىٰ أَمْرُ اللَّهِ فَلَا تَسْتَعْجِلُوهُ سُبْحَانَهُ وَتَعَالَىٰ عَمَّا يُشْرِكُونَ

۝ يُنَزِّلُ الْمَلَٰئِكَةَ بِالرُّوحِ مِنْ أَمْرِهِ عَلَىٰ مَن يَشَاءُ مِنْ عِبَادِهِ

أَنْ أَنذِرُوا أَنَّهُ لَا إِلَٰهَ إِلَّا أَنَا فَاتَّقُونِ ۝ خَلَقَ السَّمَٰوَٰتِ

وَالْأَرْضَ بِالْحَقِّ تَعَالَىٰ عَمَّا يُشْرِكُونَ ۝ خَلَقَ

الْإِنسَٰنَ مِن نُّطْفَةٍ فَإِذَا هُوَ خَصِيمٌ مُّبِينٌ ۝ وَالْأَنْعَٰمَ

خَلَقَهَا لَكُمْ فِيهَا دِفْءٌ وَمَنَٰفِعُ وَمِنْهَا تَأْكُلُونَ ۝

وَلَكُمْ فِيهَا جَمَالٌ حِينَ تُرِيحُونَ وَحِينَ تَسْرَحُونَ ۝

91. ceux qui ont fait du Qur'ān des fractions diverses, (pour créer des doutes),

92. Par ton Seigneur! Nous les interrogerons tous

93. sur ce qu'ils œuvraient.

94. Expose donc clairement ce qu'on t'a commandé et détourne-toi des associateurs.

95. Nous t'avons effectivement défendu vis-à-vis des railleurs.

96. Ceux qui associent à Allāh une autre divinité. Mais ils sauront bientôt.

97. Et Nous savons certes que ta poitrine se serre, à cause de ce qu'ils disent.

98. Glorifie donc Ton Seigneur par Sa louange et sois de ceux qui se prosternent ;

99. et adore ton Seigneur jusqu'à ce que te vienne la certitude (la mort).

AN-NAḤL (LES ABEILLES)[1]
sourate 16   128 versets   Pré-hégirien n°70

Au nom d'Allāh, le Tout Miséricordieux, le Très Miséricordieux.

1. L'ordre d'Allāh arrive[2]. Ne le hâtez donc pas. Gloire à Lui! Il est au-dessus de ce qu'on Lui associe.

2. Il fait descendre, par Son ordre, les Anges, avec la révélation, sur qui Il veut parmi Ses serviteurs: «Avertissez qu'il n'est d'autre divinité que Moi. Craignez-Moi donc».

3. Il a créé les cieux et la terre avec juste raison. Il transcende ce qu'on [Lui] associe.

4. Il a créé l'homme d'une goutte de sperme ; et voilà que l'homme devient un disputeur déclaré.

5. Et les bestiaux, Il les a créés pour vous ; vous en retirez des [vêtements] chauds ainsi que d'autres profits. Et vous en mangez aussi.

6. Ils vous paraissent beaux quand vous les ramenez, le soir, et aussi le matin quand vous les lâchez pour le pâturage.

---

1. Titre tiré du v. 68.
2. *L'ordre d'Allāh, arrive*: Allāh nous informe de l'imminence proche du Jour du Jugement.

وَتَحْمِلُ أَثْقَالَكُمْ إِلَىٰ بَلَدٍ لَّمْ تَكُونُواْ بَٰلِغِيهِ إِلَّا بِشِقِّ
ٱلْأَنفُسِ إِنَّ رَبَّكُمْ لَرَءُوفٌ رَّحِيمٌ ۞ وَٱلْخَيْلَ وَٱلْبِغَالَ
وَٱلْحَمِيرَ لِتَرْكَبُوهَا وَزِينَةً وَيَخْلُقُ مَا لَا تَعْلَمُونَ
۞ وَعَلَى ٱللَّهِ قَصْدُ ٱلسَّبِيلِ وَمِنْهَا جَآئِرٌ وَلَوْ شَآءَ لَهَدَىٰكُمْ
أَجْمَعِينَ ۞ هُوَ ٱلَّذِىٓ أَنزَلَ مِنَ ٱلسَّمَآءِ مَآءً لَّكُم مِّنْهُ
شَرَابٌ وَمِنْهُ شَجَرٌ فِيهِ تُسِيمُونَ ۞ يُنۢبِتُ لَكُم
بِهِ ٱلزَّرْعَ وَٱلزَّيْتُونَ وَٱلنَّخِيلَ وَٱلْأَعْنَٰبَ وَمِن كُلِّ
ٱلثَّمَرَٰتِ إِنَّ فِى ذَٰلِكَ لَءَايَةً لِّقَوْمٍ يَتَفَكَّرُونَ
۞ وَسَخَّرَ لَكُمُ ٱلَّيْلَ وَٱلنَّهَارَ وَٱلشَّمْسَ وَٱلْقَمَرَ وَٱلنُّجُومُ
مُسَخَّرَٰتٌ بِأَمْرِهِۦٓ إِنَّ فِى ذَٰلِكَ لَءَايَٰتٍ لِّقَوْمٍ يَعْقِلُونَ
۞ وَمَا ذَرَأَ لَكُمْ فِى ٱلْأَرْضِ مُخْتَلِفًا أَلْوَٰنُهُۥٓ إِنَّ
فِى ذَٰلِكَ لَءَايَةً لِّقَوْمٍ يَذَّكَّرُونَ ۞ وَهُوَ ٱلَّذِى
سَخَّرَ ٱلْبَحْرَ لِتَأْكُلُواْ مِنْهُ لَحْمًا طَرِيًّا وَتَسْتَخْرِجُواْ
مِنْهُ حِلْيَةً تَلْبَسُونَهَا وَتَرَى ٱلْفُلْكَ مَوَاخِرَ فِيهِ
وَلِتَبْتَغُواْ مِن فَضْلِهِۦ وَلَعَلَّكُمْ تَشْكُرُونَ ۞

7. Et ils portent vos fardeaux vers un pays que vous n'atteindriez qu'avec peine. Vraiment, votre Seigneur est Compatissant et Miséricordieux.

8. Et les chevaux, les mulets et les ânes, pour que vous les montiez, et pour l'apparat. Et Il crée ce que vous ne savez pas.

9. Il appartient à Allāh [par Sa grâce, de montrer] le droit chemin car il en est qui s'en détachent. Or, s'Il voulait, Il vous guiderait tous

10. C'est Lui qui, du ciel, a fait descendre de l'eau qui vous sert de boisson et grâce à laquelle poussent des plantes dont vous nourrissez vos troupeaux.

11. D'elle, Il fait pousser pour vous, les cultures, les oliviers, les palmiers, les vignes et aussi toutes sortes de fruits. Voilà bien là une preuve pour des gens qui réfléchissent.

12. Pour vous, Il a assujetti la nuit et le jour ; le soleil et la lune. Et à Son ordre sont assujetties les étoiles. Voilà bien là des preuves pour des gens qui raisonnent.

13. Ce qu'Il a créé pour vous sur la terre a des couleurs diverses. Voilà bien là une preuve pour des gens qui se rappellent.

14. Et c'est Lui qui a assujetti la mer afin que vous en mangiez une chair fraîche, et que vous en retiriez des parures que vous portez. Et tu vois les bateaux fendre la mer avec bruit, pour que vous partiez en quête de Sa grâce et afin que vous soyez reconnaissants.

وَأَلْقَىٰ فِى ٱلْأَرْضِ رَوَٰسِىَ أَن تَمِيدَ بِكُمْ وَأَنْهَٰرًا وَسُبُلًا لَّعَلَّكُمْ تَهْتَدُونَ ۝ وَعَلَٰمَٰتٍ وَبِٱلنَّجْمِ هُمْ يَهْتَدُونَ ۝ أَفَمَن يَخْلُقُ كَمَن لَّا يَخْلُقُ أَفَلَا تَذَكَّرُونَ ۝ وَإِن تَعُدُّوا۟ نِعْمَةَ ٱللَّهِ لَا تُحْصُوهَآ إِنَّ ٱللَّهَ لَغَفُورٌ رَّحِيمٌ ۝ وَٱللَّهُ يَعْلَمُ مَا تُسِرُّونَ وَمَا تُعْلِنُونَ ۝ وَٱلَّذِينَ يَدْعُونَ مِن دُونِ ٱللَّهِ لَا يَخْلُقُونَ شَيْـًٔا وَهُمْ يُخْلَقُونَ ۝ أَمْوَٰتٌ غَيْرُ أَحْيَآءٍ وَمَا يَشْعُرُونَ أَيَّانَ يُبْعَثُونَ ۝ إِلَٰهُكُمْ إِلَٰهٌ وَٰحِدٌ فَٱلَّذِينَ لَا يُؤْمِنُونَ بِٱلْأَخِرَةِ قُلُوبُهُم مُّنكِرَةٌ وَهُم مُّسْتَكْبِرُونَ ۝ لَا جَرَمَ أَنَّ ٱللَّهَ يَعْلَمُ مَا يُسِرُّونَ وَمَا يُعْلِنُونَ إِنَّهُۥ لَا يُحِبُّ ٱلْمُسْتَكْبِرِينَ ۝ وَإِذَا قِيلَ لَهُم مَّاذَآ أَنزَلَ رَبُّكُمْ قَالُوٓا۟ أَسَٰطِيرُ ٱلْأَوَّلِينَ ۝ لِيَحْمِلُوٓا۟ أَوْزَارَهُمْ كَامِلَةً يَوْمَ ٱلْقِيَٰمَةِ وَمِنْ أَوْزَارِ ٱلَّذِينَ يُضِلُّونَهُم بِغَيْرِ عِلْمٍ أَلَا سَآءَ مَا يَزِرُونَ ۝ قَدْ مَكَرَ ٱلَّذِينَ مِن قَبْلِهِمْ فَأَتَى ٱللَّهُ بُنْيَٰنَهُم مِّنَ ٱلْقَوَاعِدِ فَخَرَّ عَلَيْهِمُ ٱلسَّقْفُ مِن فَوْقِهِمْ وَأَتَىٰهُمُ ٱلْعَذَابُ مِنْ حَيْثُ لَا يَشْعُرُونَ ۝

15. Et Il a implanté des montagnes immobiles dans la terre afin qu'elle ne branle pas en vous emportant avec elle de même que des rivières et des sentiers, pour que vous vous guidiez,

16. ainsi que des points de repère. Et au moyen des étoiles [les gens] se guident[1].

17. Celui qui crée est-il semblable à celui qu ne crée rien? Ne vous souvenez-vous pas?

18. Et si vous comptez les bienfaits d'Allāh, vous ne saurez pas les dénombrer. Car Allāh est Pardonneur, et Miséricordieux.

19. Et Allāh sait ce que vous cachez et ce que vous divulguez.

20. Et ceux qu'ils invoquent en dehors d'Allāh ne créent rien, et ils sont eux-mêmes créés.

21. Ils sont morts, et non pas vivants, et ils ne savent[2] pas quand ils seront ressuscités.

22. Votre Dieu est un Dieu unique. Ceux qui ne croient pas en l'au-delà leurs cœurs nient (l'unicité d'Allāh) et ils sont remplis d'orgueil.

23. Nul doute qu'Allāh sait ce qu'ils cachent et ce qu'ils divulguent. Et assurément Il n'aime pas les orgueilleux.

24. Et lorsqu'on leur dit: «Qu'est-ce que votre Seigneur a fait descendre?» Ils disent: «Des légendes anciennes!»

25. Qu'ils portent donc, au Jour de la Résurrection, tous les fardeaux de leurs propres œuvres ainsi qu'une partie des fardeaux de ceux qu'ils égarent, sans le savoir ; combien est mauvais [le fardeau] qu'ils portent!

26. Ceux qui ont vécu avant eux, certes, ont comploté, mais Allāh attaqua les bases mêmes de leur bâtisse. Le toit s'écroula au-dessus d'eux et le châtiment les surprit d'où ils ne l'avaient pas pressenti.

---

1. Les voyageurs se guident, le jour, grâce aux montagnes et aux rivières et la nuit, grâce aux étoiles.
2. *Ils ne savent pas*: les idoles ne savent pas l'heure où ils (les gens) seront ressuscités.

ثُمَّ يَوْمَ الْقِيَٰمَةِ يُخْزِيهِمْ وَيَقُولُ أَيْنَ شُرَكَآءِىَ الَّذِينَ كُنتُمْ تُشَٰٓقُّونَ فِيهِمْ قَالَ الَّذِينَ أُوتُوا الْعِلْمَ إِنَّ الْخِزْىَ الْيَوْمَ وَالسُّوٓءَ عَلَى الْكَٰفِرِينَ ۝ الَّذِينَ تَتَوَفَّىٰهُمُ الْمَلَٰٓئِكَةُ ظَالِمِىٓ أَنفُسِهِمْ فَأَلْقَوُا السَّلَمَ مَا كُنَّا نَعْمَلُ مِن سُوٓءٍ بَلَىٰٓ إِنَّ اللَّهَ عَلِيمٌۢ بِمَا كُنتُمْ تَعْمَلُونَ ۝ فَادْخُلُوٓا أَبْوَٰبَ جَهَنَّمَ خَٰلِدِينَ فِيهَا فَلَبِئْسَ مَثْوَى الْمُتَكَبِّرِينَ ۝ وَقِيلَ لِلَّذِينَ اتَّقَوْا مَاذَآ أَنزَلَ رَبُّكُمْ قَالُوا خَيْرًا لِّلَّذِينَ أَحْسَنُوا فِى هَٰذِهِ الدُّنْيَا حَسَنَةٌ وَلَدَارُ الْءَاخِرَةِ خَيْرٌ وَلَنِعْمَ دَارُ الْمُتَّقِينَ ۝ جَنَّٰتُ عَدْنٍ يَدْخُلُونَهَا تَجْرِى مِن تَحْتِهَا الْأَنْهَٰرُ لَهُمْ فِيهَا مَا يَشَآءُونَ كَذَٰلِكَ يَجْزِى اللَّهُ الْمُتَّقِينَ ۝ الَّذِينَ تَتَوَفَّىٰهُمُ الْمَلَٰٓئِكَةُ طَيِّبِينَ يَقُولُونَ سَلَٰمٌ عَلَيْكُمُ ادْخُلُوا الْجَنَّةَ بِمَا كُنتُمْ تَعْمَلُونَ ۝ هَلْ يَنظُرُونَ إِلَّآ أَن تَأْتِيَهُمُ الْمَلَٰٓئِكَةُ أَوْ يَأْتِىَ أَمْرُ رَبِّكَ كَذَٰلِكَ فَعَلَ الَّذِينَ مِن قَبْلِهِمْ وَمَا ظَلَمَهُمُ اللَّهُ وَلَٰكِن كَانُوٓا أَنفُسَهُمْ يَظْلِمُونَ ۝ فَأَصَابَهُمْ سَيِّئَاتُ مَا عَمِلُوا وَحَاقَ بِهِم مَّا كَانُوا بِهِۦ يَسْتَهْزِءُونَ ۝

27. Puis, le Jour de la Résurrection, Il les couvrira d'ignominie, et [leur] dira: «Où sont Mes associés pour lesquels vous combattiez?»- Ceux qui ont le savoir diront: «L'ignominie et le malheur tombent aujourd'hui sur les mécréants».

28. Ceux à qui les Anges ôtent la vie, alors qu'ils sont injustes[1] envers eux-mêmes, se soumettront humiliés, (et diront): «Nous ne faisions pas de mal!» - «Mais, en fait, Allāh sait bien ce que vous faisiez».

29. Entrez donc par les portes de l'Enfer pour y demeurer éternellement. Combien est mauvaise la demeure des orgueilleux!

30. Et on dira à ceux qui étaient pieux: «Qu'a fait descendre votre Seigneur?» Ils diront: «Un bien». Ceux qui font les bonnes œuvres auront un bien ici-bas ; mais la demeure de l'au-delà est certes meilleure. Combien agréable sera la demeure des pieux!

31. Les jardins du séjour (éternel), où ils entreront et sous lesquels coulent les ruisseaux. Ils auront là ce qu'ils voudront ; c'est ainsi qu'Allāh récompense les pieux.

32. Ceux dont les Anges reprennent l'âme - alors qu'ils sont bons - [les Anges leur] disent: «Paix sur vous! Entrez au Paradis, pour ce que vous faisiez».

33. [Les infidèles] attendent-ils que les Anges leur viennent, ou que survienne l'ordre de ton Seigneur[2]? Ainsi agissaient les gens avant eux. Allāh ne les a pas lésés ; mais ils faisaient du tort à eux-mêmes.

34. Les méfaits qu'ils accomplissaient les atteindront, et ce dont ils se moquaient les cernera de toutes parts.

---

1. *Sont injustes*: parce qu'ils sont des impies.
2. *L'ordre de ton Seigneur*: le châtiment ou la résurrection.

وَقَالَ ٱلَّذِينَ أَشْرَكُوا لَوْ شَآءَ ٱللَّهُ مَا عَبَدْنَا مِن دُونِهِۦ مِن شَيْءٍ نَّحْنُ وَلَآ ءَابَآؤُنَا وَلَا حَرَّمْنَا مِن دُونِهِۦ مِن شَيْءٍ كَذَٰلِكَ فَعَلَ ٱلَّذِينَ مِن قَبْلِهِمْ فَهَلْ عَلَى ٱلرُّسُلِ إِلَّا ٱلْبَلَٰغُ ٱلْمُبِينُ ﴿٣٥﴾ وَلَقَدْ بَعَثْنَا فِى كُلِّ أُمَّةٍ رَّسُولًا أَنِ ٱعْبُدُوا ٱللَّهَ وَٱجْتَنِبُوا ٱلطَّٰغُوتَ فَمِنْهُم مَّنْ هَدَى ٱللَّهُ وَمِنْهُم مَّنْ حَقَّتْ عَلَيْهِ ٱلضَّلَٰلَةُ فَسِيرُوا فِى ٱلْأَرْضِ فَٱنظُرُوا كَيْفَ كَانَ عَٰقِبَةُ ٱلْمُكَذِّبِينَ ﴿٣٦﴾ إِن تَحْرِصْ عَلَىٰ هُدَىٰهُمْ فَإِنَّ ٱللَّهَ لَا يَهْدِى مَن يُضِلُّ وَمَا لَهُم مِّن نَّٰصِرِينَ ﴿٣٧﴾ وَأَقْسَمُوا بِٱللَّهِ جَهْدَ أَيْمَٰنِهِمْ لَا يَبْعَثُ ٱللَّهُ مَن يَمُوتُ بَلَىٰ وَعْدًا عَلَيْهِ حَقًّا وَلَٰكِنَّ أَكْثَرَ ٱلنَّاسِ لَا يَعْلَمُونَ ﴿٣٨﴾ لِيُبَيِّنَ لَهُمُ ٱلَّذِى يَخْتَلِفُونَ فِيهِ وَلِيَعْلَمَ ٱلَّذِينَ كَفَرُوا أَنَّهُمْ كَانُوا كَٰذِبِينَ ﴿٣٩﴾ إِنَّمَا قَوْلُنَا لِشَىْءٍ إِذَآ أَرَدْنَٰهُ أَن نَّقُولَ لَهُۥ كُن فَيَكُونُ ﴿٤٠﴾ وَٱلَّذِينَ هَاجَرُوا فِى ٱللَّهِ مِنۢ بَعْدِ مَا ظُلِمُوا لَنُبَوِّئَنَّهُمْ فِى ٱلدُّنْيَا حَسَنَةً وَلَأَجْرُ ٱلْأَخِرَةِ أَكْبَرُ لَوْ كَانُوا يَعْلَمُونَ ﴿٤١﴾ ٱلَّذِينَ صَبَرُوا وَعَلَىٰ رَبِّهِمْ يَتَوَكَّلُونَ ﴿٤٢﴾

35. Et les associateurs dirent: «Si Allāh avait voulu, nous n'aurions pas adoré quoi que ce soit en dehors de Lui, ni nous ni nos ancêtres ; et nous n'aurions rien interdit qu'Il n'ait interdit Lui-même. Ainsi agissaient les gens avant eux. N'incombe-t-il aux messagers sinon de transmettre le message en toute clarté?

36. Nous avons envoyé dans chaque communauté un Messager, [pour leur dire]: «Adorez Allāh et écartez-vous du Ṭāğūt»[1]. Alors Allāh en guida certains, mais il y en eut qui ont été destinés à l'égarement. Parcourez donc la terre, et regardez quelle fut la fin de ceux qui traitaient [Nos messagers] de menteurs.

37. Même si tu désirais ardemment qu'ils soient guidés... [Sache] qu'Allāh ne guide pas ceux qui s'égarent. Et ils n'auront pas de secoureurs.

38. Et ils jurent par Allāh en prononçant leurs serments les plus solennels: «Allāh ne ressuscitera pas celui qui meurt». Bien au contraire! C'est une promesse véritable [de Sa part], mais la plupart des gens ne le savent pas.

39. (Il les ressuscitera) afin qu'Il leur expose clairement ce en quoi ils divergeaient, et pour que ceux qui ont mécru sachent qu'ils ont été des menteurs.

40. Quand Nous voulons une chose, Notre seule parole est: «Sois». Et, elle est.

41. Et ceux qui, pour (la cause d') Allāh, ont émigré après avoir subi des injustices, Nous les installerons dans une situation agréable dans la vie d'ici-bas. Et le salaire de la vie dernière sera plus grand encore s'ils savaient!

42. Eux qui ont enduré et placé leur confiance en leur Seigneur.

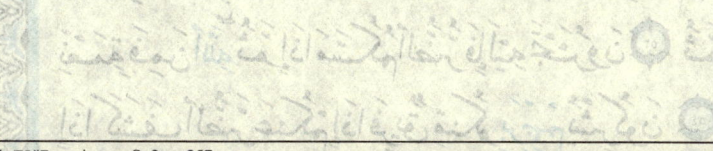

---

1. Ṭāğūt: voir note S. 2, v. 257.

وَمَا أَرْسَلْنَا مِن قَبْلِكَ إِلَّا رِجَالًا نُّوحِىٓ إِلَيْهِمْ فَسْـَٔلُوٓا۟ أَهْلَ ٱلذِّكْرِ إِن كُنتُمْ لَا تَعْلَمُونَ ۞ بِٱلْبَيِّنَٰتِ وَٱلزُّبُرِ وَأَنزَلْنَآ إِلَيْكَ ٱلذِّكْرَ لِتُبَيِّنَ لِلنَّاسِ مَا نُزِّلَ إِلَيْهِمْ وَلَعَلَّهُمْ يَتَفَكَّرُونَ ۞ أَفَأَمِنَ ٱلَّذِينَ مَكَرُوا۟ ٱلسَّيِّـَٔاتِ أَن يَخْسِفَ ٱللَّهُ بِهِمُ ٱلْأَرْضَ أَوْ يَأْتِيَهُمُ ٱلْعَذَابُ مِنْ حَيْثُ لَا يَشْعُرُونَ ۞ أَوْ يَأْخُذَهُمْ فِى تَقَلُّبِهِمْ فَمَا هُم بِمُعْجِزِينَ ۞ أَوْ يَأْخُذَهُمْ عَلَىٰ تَخَوُّفٍ فَإِنَّ رَبَّكُمْ لَرَءُوفٌ رَّحِيمٌ ۞ أَوَلَمْ يَرَوْا۟ إِلَىٰ مَا خَلَقَ ٱللَّهُ مِن شَىْءٍ يَتَفَيَّؤُا۟ ظِلَٰلُهُۥ عَنِ ٱلْيَمِينِ وَٱلشَّمَآئِلِ سُجَّدًا لِّلَّهِ وَهُمْ دَٰخِرُونَ ۞ وَلِلَّهِ يَسْجُدُ مَا فِى ٱلسَّمَٰوَٰتِ وَمَا فِى ٱلْأَرْضِ مِن دَآبَّةٍ وَٱلْمَلَٰٓئِكَةُ وَهُمْ لَا يَسْتَكْبِرُونَ ۞ يَخَافُونَ رَبَّهُم مِّن فَوْقِهِمْ وَيَفْعَلُونَ مَا يُؤْمَرُونَ ۩ ۞ ۞ وَقَالَ ٱللَّهُ لَا تَتَّخِذُوٓا۟ إِلَٰهَيْنِ ٱثْنَيْنِ إِنَّمَا هُوَ إِلَٰهٌ وَٰحِدٌ فَإِيَّٰىَ فَٱرْهَبُونِ ۞ وَلَهُۥ مَا فِى ٱلسَّمَٰوَٰتِ وَٱلْأَرْضِ وَلَهُ ٱلدِّينُ وَاصِبًا أَفَغَيْرَ ٱللَّهِ تَتَّقُونَ ۞ وَمَا بِكُم مِّن نِّعْمَةٍ فَمِنَ ٱللَّهِ ثُمَّ إِذَا مَسَّكُمُ ٱلضُّرُّ فَإِلَيْهِ تَجْـَٔرُونَ ۞ ثُمَّ إِذَا كَشَفَ ٱلضُّرَّ عَنكُمْ إِذَا فَرِيقٌ مِّنكُم بِرَبِّهِمْ يُشْرِكُونَ ۞

43. Nous n'avons envoyé, avant toi, que des hommes auxquels Nous avons fait des révélations. Demandez donc aux gens du rappel[1] si vous ne savez pas.

44. (Nous les avons envoyés) avec des preuves évidentes et des livres saints. Et vers toi, Nous avons fait descendre le Qur'ān, pour que tu exposes clairement aux gens ce qu'on a fait descendre pour eux et afin qu'ils réfléchissent.

45. Ceux qui complotaient des méfaits sont-ils à l'abri de ce qu'Allāh les engloutisse en terre ou que leur vienne le châtiment d'où ils ne s'attendaient point?

46. Ou bien qu'Il les saisisse en pleine activité sans qu'ils puissent échapper (au châtiment d'Allāh).

47. Ou bien qu'Il les saisisse en plein effroi? Mais vraiment, votre Seigneur est Compatissant et Miséricordieux.

48. N'ont-ils point vu que les ombres de toute chose qu'Allāh a créée s'allongent à droite et à gauche, en se prosternant devant Allāh, en toute humilité?

49. Et c'est devant Allāh que se prosterne tout être vivant dans les cieux, et sur la terre; ainsi que les Anges qui ne s'enflent pas d'orgueil[2].

50. Ils craignent leur Seigneur, au-dessus d'eux, et font ce qui leur est commandé.

51. Allāh dit: «Ne prenez pas deux divinités. Il n'est qu'un Dieu unique. Donc, ne craignez que Moi».

52. C'est à Lui qu'appartient ce qui est dans les cieux et sur la terre ; c'est à Lui que l'obéissance perpétuelle est due. Craindriez-vous donc, d'autres qu'Allāh?

53. Et tout ce que vous avez comme bienfait provient d'Allāh. Puis quand le malheur vous touche, c'est Lui que vous implorez à haute voix.

54. Et une fois qu'Il a dissipé votre malheur, voilà qu'une partie d'entre vous se mettent à donner des associés à leur Seigneur,

---

1. *Les gens du rappel*: les savants parmi les gens du Livre.
2. À la fin de la récitation de ce verset il est recommandé de se prosterner.
Dans les cieux: voir S. 42, v. 29.

لِيَكْفُرُوا بِمَا آتَيْنَاهُمْ فَتَمَتَّعُوا فَسَوْفَ تَعْلَمُونَ ۝ وَيَجْعَلُونَ

لِمَا لَا يَعْلَمُونَ نَصِيبًا مِّمَّا رَزَقْنَاهُمْ تَاللَّهِ لَتُسْأَلُنَّ عَمَّا كُنتُمْ

تَفْتَرُونَ ۝ وَيَجْعَلُونَ لِلَّهِ الْبَنَاتِ سُبْحَانَهُ وَلَهُم مَّا يَشْتَهُونَ

۝ وَإِذَا بُشِّرَ أَحَدُهُم بِالْأُنثَىٰ ظَلَّ وَجْهُهُ مُسْوَدًّا وَهُوَ كَظِيمٌ

۝ يَتَوَارَىٰ مِنَ الْقَوْمِ مِن سُوءِ مَا بُشِّرَ بِهِ أَيُمْسِكُهُ عَلَىٰ هُونٍ

أَمْ يَدُسُّهُ فِي التُّرَابِ أَلَا سَاءَ مَا يَحْكُمُونَ ۝ لِلَّذِينَ لَا يُؤْمِنُونَ

بِالْآخِرَةِ مَثَلُ السَّوْءِ وَلِلَّهِ الْمَثَلُ الْأَعْلَىٰ وَهُوَ الْعَزِيزُ الْحَكِيمُ

۝ وَلَوْ يُؤَاخِذُ اللَّهُ النَّاسَ بِظُلْمِهِم مَّا تَرَكَ عَلَيْهَا مِن دَابَّةٍ وَلَٰكِن

يُؤَخِّرُهُمْ إِلَىٰ أَجَلٍ مُّسَمًّى فَإِذَا جَاءَ أَجَلُهُمْ لَا يَسْتَأْخِرُونَ

سَاعَةً وَلَا يَسْتَقْدِمُونَ ۝ وَيَجْعَلُونَ لِلَّهِ مَا يَكْرَهُونَ

وَتَصِفُ أَلْسِنَتُهُمُ الْكَذِبَ أَنَّ لَهُمُ الْحُسْنَىٰ لَا جَرَمَ أَنَّ

لَهُمُ النَّارَ وَأَنَّهُم مُّفْرَطُونَ ۝ تَاللَّهِ لَقَدْ أَرْسَلْنَا إِلَىٰ أُمَمٍ مِّن

قَبْلِكَ فَزَيَّنَ لَهُمُ الشَّيْطَانُ أَعْمَالَهُمْ فَهُوَ وَلِيُّهُمُ الْيَوْمَ وَلَهُمْ

عَذَابٌ أَلِيمٌ ۝ وَمَا أَنزَلْنَا عَلَيْكَ الْكِتَابَ إِلَّا لِتُبَيِّنَ لَهُمُ

الَّذِي اخْتَلَفُوا فِيهِ وَهُدًى وَرَحْمَةً لِّقَوْمٍ يُؤْمِنُونَ ۝

55. méconnaissant ainsi ce que Nous leur avons donné. Jouissez donc [pour un temps!] Bientôt vous saurez!

56. Et ils assignent une partie [des biens] que Nous leur avons attribués à (des idoles) qu'ils ne connaissent pas. Par Allāh! Vous serez certes interrogés sur ce que vous inventiez.

57. Et ils assignent à Allāh des filles. Gloire et pureté à Lui! Et à eux-mêmes, cependant, (ils assignent) ce qu'ils désirent (des fils).

58. Et lorsqu'on annonce à l'un d'eux une fille, son visage s'assombrit et une rage profonde [l'envahit].

59. Il se cache des gens, à cause du malheur qu'on lui a annoncé. Doit-il la garder malgré la honte ou l'enfouira-t-il dans la terre? Combien est mauvais leur jugement!

60. C'est à ceux qui ne croient pas en l'au-delà que revient le mauvais qualificatif (qu'ils ont attribué à Allāh)[1]. Tandis qu'à Allāh [Seul] est le qualificatif suprême. Et c'est Lui le Tout Puissant, le Sage.

61. Si Allāh s'en prenait aux gens pour leurs méfaits, Il ne laisserait sur cette terre aucun être vivant. Mais Il les renvoie jusqu'à un terme fixé. Puis, quand leur terme vient, ils ne peuvent ni le retarder d'une heure ni l'avancer.

62. Et ils assignent à Allāh ce qu'ils détestent[2] [pour eux-mêmes]. Et leurs langues profèrent un mensonge quand ils disent que la plus belle récompense leur sera réservée. C'est le Feu, sans nul doute, qui leur sera réservé et ils y seront envoyés, les premiers.

63. Par Allāh! Nous avons effectivement envoyé (des messagers) à des communautés avant toi. Mais le Diable leur enjoliva ce qu'ils faisaient. C'est lui qui est, leur allié, aujourd'hui [dans ce monde]. Et ils auront un châtiment douloureux [dans l'au-delà].

64. Et Nous n'avons fait descendre sur toi le Livre qu'afin que tu leur montres clairement le motif de leur dissension, de même qu'un guide et une miséricorde pour des gens croyants

---

1. *Mauvais qualificatif*: ils qualifient les Anges comme étant les filles d'Allāh, alors qu'eux-mêmes détestent les filles. Voir aussi v. 62.
2. *Ce qu'ils détestent*: les filles (voir v. 58 et la note).

وَٱللَّهُ أَنزَلَ مِنَ ٱلسَّمَآءِ مَآءً فَأَحْيَا بِهِ ٱلْأَرْضَ بَعْدَ مَوْتِهَآ إِنَّ فِى ذَٰلِكَ لَأَيَةً لِّقَوْمٍ يَسْمَعُونَ ٦٥ وَإِنَّ لَكُمْ فِى ٱلْأَنْعَٰمِ لَعِبْرَةً نُّسْقِيكُم مِّمَّا فِى بُطُونِهِۦ مِنۢ بَيْنِ فَرْثٍ وَدَمٍ لَّبَنًا خَالِصًا سَآئِغًا لِّلشَّٰرِبِينَ ٦٦ وَمِن ثَمَرَٰتِ ٱلنَّخِيلِ وَٱلْأَعْنَٰبِ تَتَّخِذُونَ مِنْهُ سَكَرًا وَرِزْقًا حَسَنًا إِنَّ فِى ذَٰلِكَ لَأَيَةً لِّقَوْمٍ يَعْقِلُونَ ٦٧ وَأَوْحَىٰ رَبُّكَ إِلَى ٱلنَّحْلِ أَنِ ٱتَّخِذِى مِنَ ٱلْجِبَالِ بُيُوتًا وَمِنَ ٱلشَّجَرِ وَمِمَّا يَعْرِشُونَ ٦٨ ثُمَّ كُلِى مِن كُلِّ ٱلثَّمَرَٰتِ فَٱسْلُكِى سُبُلَ رَبِّكِ ذُلُلًا يَخْرُجُ مِنۢ بُطُونِهَا شَرَابٌ مُّخْتَلِفٌ أَلْوَٰنُهُۥ فِيهِ شِفَآءٌ لِّلنَّاسِ إِنَّ فِى ذَٰلِكَ لَأَيَةً لِّقَوْمٍ يَتَفَكَّرُونَ ٦٩ وَٱللَّهُ خَلَقَكُمْ ثُمَّ يَتَوَفَّىٰكُمْ وَمِنكُم مَّن يُرَدُّ إِلَىٰ أَرْذَلِ ٱلْعُمُرِ لِكَىْ لَا يَعْلَمَ بَعْدَ عِلْمٍ شَيْـًٔا إِنَّ ٱللَّهَ عَلِيمٌ قَدِيرٌ ٧٠ وَٱللَّهُ فَضَّلَ بَعْضَكُمْ عَلَىٰ بَعْضٍ فِى ٱلرِّزْقِ فَمَا ٱلَّذِينَ فُضِّلُوا۟ بِرَآدِّى رِزْقِهِمْ عَلَىٰ مَا مَلَكَتْ أَيْمَٰنُهُمْ فَهُمْ فِيهِ سَوَآءٌ أَفَبِنِعْمَةِ ٱللَّهِ يَجْحَدُونَ ٧١ وَٱللَّهُ جَعَلَ لَكُم مِّنْ أَنفُسِكُمْ أَزْوَٰجًا وَجَعَلَ لَكُم مِّنْ أَزْوَٰجِكُم بَنِينَ وَحَفَدَةً وَرَزَقَكُم مِّنَ ٱلطَّيِّبَٰتِ أَفَبِٱلْبَٰطِلِ يُؤْمِنُونَ وَبِنِعْمَتِ ٱللَّهِ هُمْ يَكْفُرُونَ ٧٢

65. Allāh a fait descendre du ciel une eau avec laquelle Il revivifie la terre après sa mort. Il y a vraiment là une preuve pour des gens qui entendent.

66. Il y a certes un enseignement pour vous dans les bestiaux: Nous vous abreuvons de ce qui est dans leurs ventres, - [un produit] extrait du [mélange] des excréments [intestinaux] et du sang - un lait pur, délicieux pour les buveurs.

67. Des fruits des palmiers et des vignes, vous retirez une boisson enivrante et un aliment excellent. Il y a vraiment là un signe pour des gens qui raisonnent[1].

68. [Et voilà] ce que ton Seigneur révéla aux abeilles: «Prenez des demeures dans les montagnes, les arbres, et les treillages que [les hommes] font.

69. Puis mangez de toute espèce de fruits, et suivez les sentiers de votre Seigneur, rendus faciles pour vous. De leur ventre, sort une liqueur, aux couleurs variées, dans laquelle il y a une guérison pour les gens. Il y a vraiment là une preuve pour des gens qui réfléchissent.

70. Allāh vous a créés! Puis Il vous fera mourir. Tel parmi vous sera reconduit jusqu'à l'âge le plus vil, de sorte qu'après avoir su, il arrive à ne plus rien savoir. Allāh est, certes, Omniscient et Omnipotent.

71. Allāh a favorisé les uns d'entre vous par rapport aux autres dans [la répartition] de Ses dons. Ceux qui ont été favorisés ne sont nullement disposés à donner leur portion à ceux qu'ils possèdent de plein droit [esclaves] au point qu'ils y deviennent associés à part égale. Nieront-ils les bienfaits d'Allāh?

72. Allāh vous a fait à partir de vous-mêmes des épouses, et de vos épouses Il vous a donné des enfants et des petits-enfants. Et Il vous a attribué de bonnes choses. Croient-ils donc au faux et nient-ils le bienfait d'Allāh?

---

1. Ce verset est le premier révélé au sujet des boissons enivrantes.
D'autres versets seront révélés par la suite et aboutiront à l'interdiction absolue des boissons enivrantes. Voir à ce propos le v. 90 de la S. 5.

وَيَعْبُدُونَ مِن دُونِ ٱللَّهِ مَا لَا يَمْلِكُ لَهُمْ رِزْقًا مِّنَ ٱلسَّمَوَٰتِ
وَٱلْأَرْضِ شَيْئًا وَلَا يَسْتَطِيعُونَ ۝ فَلَا تَضْرِبُوا۟ لِلَّهِ ٱلْأَمْثَالَ
إِنَّ ٱللَّهَ يَعْلَمُ وَأَنتُمْ لَا تَعْلَمُونَ ۝ ضَرَبَ ٱللَّهُ مَثَلًا عَبْدًا
مَّمْلُوكًا لَّا يَقْدِرُ عَلَىٰ شَىْءٍ وَمَن رَّزَقْنَهُ مِنَّا رِزْقًا حَسَنًا
فَهُوَ يُنفِقُ مِنْهُ سِرًّا وَجَهْرًا هَلْ يَسْتَوُۥنَ ٱلْحَمْدُ لِلَّهِ
بَلْ أَكْثَرُهُمْ لَا يَعْلَمُونَ ۝ وَضَرَبَ ٱللَّهُ مَثَلًا رَّجُلَيْنِ
أَحَدُهُمَآ أَبْكَمُ لَا يَقْدِرُ عَلَىٰ شَىْءٍ وَهُوَ كَلٌّ عَلَىٰ
مَوْلَىٰهُ أَيْنَمَا يُوَجِّههُّ لَا يَأْتِ بِخَيْرٍ هَلْ يَسْتَوِى هُوَ وَمَن
يَأْمُرُ بِٱلْعَدْلِ وَهُوَ عَلَىٰ صِرَٰطٍ مُّسْتَقِيمٍ ۝ وَلِلَّهِ غَيْبُ
ٱلسَّمَوَٰتِ وَٱلْأَرْضِ وَمَآ أَمْرُ ٱلسَّاعَةِ إِلَّا كَلَمْحِ ٱلْبَصَرِ
أَوْ هُوَ أَقْرَبُ إِنَّ ٱللَّهَ عَلَىٰ كُلِّ شَىْءٍ قَدِيرٌ ۝ وَٱللَّهُ
أَخْرَجَكُم مِّنۢ بُطُونِ أُمَّهَٰتِكُمْ لَا تَعْلَمُونَ شَيْئًا وَجَعَلَ
لَكُمُ ٱلسَّمْعَ وَٱلْأَبْصَٰرَ وَٱلْأَفْـِٔدَةَ لَعَلَّكُمْ تَشْكُرُونَ
۝ أَلَمْ يَرَوْا۟ إِلَى ٱلطَّيْرِ مُسَخَّرَٰتٍ فِى جَوِّ ٱلسَّمَآءِ
مَا يُمْسِكُهُنَّ إِلَّا ٱللَّهُ إِنَّ فِى ذَٰلِكَ لَءَايَٰتٍ لِّقَوْمٍ يُؤْمِنُونَ ۝

73. Et ils adorent, en dehors d'Allāh, ce qui ne peut leur procurer aucune nourriture des cieux et de la terre et qui n'est capable de rien.

74. N'attribuez donc pas à Allāh des semblables. Car Allāh sait, tandis que vous ne savez pas.

75. Allāh propose en parabole un esclave appartenant [à son maître], dépourvu de tout pouvoir, et un homme à qui Nous avons accordé de Notre part une bonne attribution dont il dépense en secret et en public. [Ces deux hommes] sont-ils égaux? Louange à Allāh! Mais la plupart d'entre eux ne savent pas.

76. Et Allāh propose en parabole deux hommes: l'un d'eux est muet, dépourvu de tout pouvoir et totalement à la charge de son maître ; Quelque lieu où celui-ci l'envoie, il ne rapporte rien de bon ; serait-il l'égal de celui qui ordonne la justice et qui est sur le droit chemin?

77. C'est à Allāh qu'appartient l'inconnaissable des cieux et de la terre. Et l'ordre [concernant] l'Heure ne sera que comme un clin d'œil ou plus bref encore! Car Allāh est, certes, Omnipotent.

78. Et Allāh vous a fait sortir des ventres de vos mères, dénués de tout savoir, et vous a donné l'ouïe, les yeux et les cœurs (l'intelligence), afin que vous soyez reconnaissants.

79. N'ont-ils pas vu les oiseaux assujettis [au vol] dans l'atmosphère du ciel sans que rien ne les retienne en dehors d'Allāh? Il y a vraiment là des preuves pour des gens qui croient.

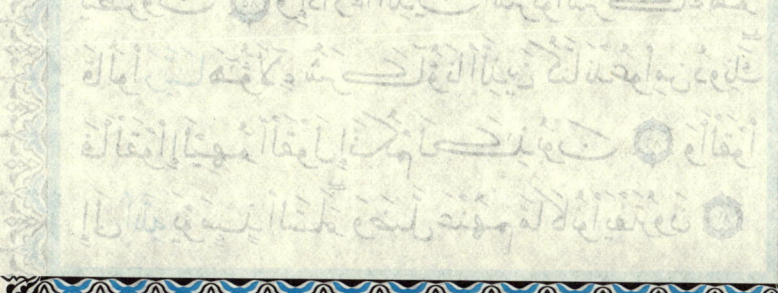

وَاللَّهُ جَعَلَ لَكُم مِّنۢ بُيُوتِكُمْ سَكَنًا وَجَعَلَ لَكُم مِّن جُلُودِ ٱلْأَنْعَٰمِ بُيُوتًا تَسْتَخِفُّونَهَا يَوْمَ ظَعْنِكُمْ وَيَوْمَ إِقَامَتِكُمْ ۙ وَمِنْ أَصْوَافِهَا وَأَوْبَارِهَا وَأَشْعَارِهَا أَثَٰثًا وَمَتَٰعًا إِلَىٰ حِينٍ ۝ وَٱللَّهُ جَعَلَ لَكُم مِّمَّا خَلَقَ ظِلَٰلًا وَجَعَلَ لَكُم مِّنَ ٱلْجِبَالِ أَكْنَٰنًا وَجَعَلَ لَكُمْ سَرَٰبِيلَ تَقِيكُمُ ٱلْحَرَّ وَسَرَٰبِيلَ تَقِيكُم بَأْسَكُمْ ۚ كَذَٰلِكَ يُتِمُّ نِعْمَتَهُۥ عَلَيْكُمْ لَعَلَّكُمْ تُسْلِمُونَ ۝ فَإِن تَوَلَّوْاْ فَإِنَّمَا عَلَيْكَ ٱلْبَلَٰغُ ٱلْمُبِينُ ۝ يَعْرِفُونَ نِعْمَتَ ٱللَّهِ ثُمَّ يُنكِرُونَهَا وَأَكْثَرُهُمُ ٱلْكَٰفِرُونَ ۝ وَيَوْمَ نَبْعَثُ مِن كُلِّ أُمَّةٍ شَهِيدًا ثُمَّ لَا يُؤْذَنُ لِلَّذِينَ كَفَرُواْ وَلَا هُمْ يُسْتَعْتَبُونَ ۝ وَإِذَا رَءَا ٱلَّذِينَ ظَلَمُواْ ٱلْعَذَابَ فَلَا يُخَفَّفُ عَنْهُمْ وَلَا هُمْ يُنظَرُونَ ۝ وَإِذَا رَءَا ٱلَّذِينَ أَشْرَكُواْ شُرَكَآءَهُمْ قَالُواْ رَبَّنَا هَٰٓؤُلَآءِ شُرَكَآؤُنَا ٱلَّذِينَ كُنَّا نَدْعُواْ مِن دُونِكَ ۖ فَأَلْقَوْاْ إِلَيْهِمُ ٱلْقَوْلَ إِنَّكُمْ لَكَٰذِبُونَ ۝ وَأَلْقَوْاْ إِلَى ٱللَّهِ يَوْمَئِذٍ ٱلسَّلَمَ ۖ وَضَلَّ عَنْهُم مَّا كَانُواْ يَفْتَرُونَ ۝

80. Et Allāh vous a fait de vos maisons une habitation, tout comme Il vous a procuré des maisons faites de peaux de bêtes que vous trouvez légères, le jour où vous vous déplacez et le jour où vous vous campez. De leur laine, de leur poil et de leur crin (Il vous a procuré) des effets et des objets dont vous jouissez pour un certain délai.

81. Et de ce qu'Il a créé, Allāh vous a procuré des ombres. Et Il vous a procuré des abris dans les montagnes. Et Il vous a procuré des vêtements qui vous protègent de la chaleur, ainsi que des vêtements [cuirasses, armures] qui vous protègent de votre propre violence. C'est ainsi qu'Allāh parachève sur vous Son bienfait, peut-être que vous vous soumettez.

82. S'ils se détournent... il ne t'incombe que la communication claire.

83. Ils reconnaissent le bienfait d'Allāh ; puis, ils le renient. Et la plupart d'entre eux sont des ingrats.

84. (Et rappelle-toi) le jour où de chaque communauté Nous susciterons un témoin[1], on ne permettra pas aux infidèles (de s'excuser), et on ne leur demandera pas de revenir [sur ce qui a provoqué la colère d'Allāh].

85. Et quand les injustes verront le châtiment, on ne leur accordera ni allégement ni répit.

86. Quand les associateurs verront ceux qu'ils associaient à Allāh, ils diront: «Ô notre Seigneur, voilà nos divinités que nous invoquions en dehors de Toi». Mais [leurs associés] leur adresseront la parole: «Vous êtes assurément des menteurs».

87. Ils offriront ce jour-là à Allāh la soumission, et ce qu'ils avaient inventé sera perdu pour eux.

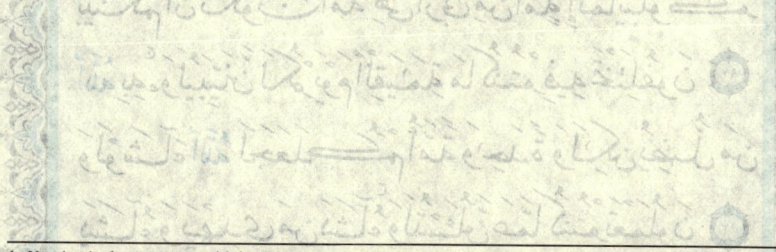

---

1. *Un témoin*: le messager qui lui a été envoyé.

الَّذِينَ كَفَرُوا وَصَدُّوا عَن سَبِيلِ اللَّهِ زِدْنَٰهُمْ عَذَابًا فَوْقَ الْعَذَابِ بِمَا كَانُوا يُفْسِدُونَ ۝ وَيَوْمَ نَبْعَثُ فِي كُلِّ أُمَّةٍ شَهِيدًا عَلَيْهِم مِّنْ أَنفُسِهِمْ وَجِئْنَا بِكَ شَهِيدًا عَلَىٰ هَٰؤُلَاءِ وَنَزَّلْنَا عَلَيْكَ الْكِتَٰبَ تِبْيَٰنًا لِّكُلِّ شَيْءٍ وَهُدًى وَرَحْمَةً وَبُشْرَىٰ لِلْمُسْلِمِينَ ۝ إِنَّ اللَّهَ يَأْمُرُ بِالْعَدْلِ وَالْإِحْسَٰنِ وَإِيتَآئِ ذِي الْقُرْبَىٰ وَيَنْهَىٰ عَنِ الْفَحْشَآءِ وَالْمُنكَرِ وَالْبَغْيِ يَعِظُكُمْ لَعَلَّكُمْ تَذَكَّرُونَ ۝ وَأَوْفُوا بِعَهْدِ اللَّهِ إِذَا عَٰهَدتُّمْ وَلَا تَنقُضُوا الْأَيْمَٰنَ بَعْدَ تَوْكِيدِهَا وَقَدْ جَعَلْتُمُ اللَّهَ عَلَيْكُمْ كَفِيلًا إِنَّ اللَّهَ يَعْلَمُ مَا تَفْعَلُونَ ۝ وَلَا تَكُونُوا كَالَّتِي نَقَضَتْ غَزْلَهَا مِنۢ بَعْدِ قُوَّةٍ أَنكَٰثًا تَتَّخِذُونَ أَيْمَٰنَكُمْ دَخَلًا بَيْنَكُمْ أَن تَكُونَ أُمَّةٌ هِيَ أَرْبَىٰ مِنْ أُمَّةٍ إِنَّمَا يَبْلُوكُمُ اللَّهُ بِهِ وَلَيُبَيِّنَنَّ لَكُمْ يَوْمَ الْقِيَٰمَةِ مَا كُنتُمْ فِيهِ تَخْتَلِفُونَ ۝ وَلَوْ شَآءَ اللَّهُ لَجَعَلَكُمْ أُمَّةً وَٰحِدَةً وَلَٰكِن يُضِلُّ مَن يَشَآءُ وَيَهْدِي مَن يَشَآءُ وَلَتُسْأَلُنَّ عَمَّا كُنتُمْ تَعْمَلُونَ ۝

نصف الحزب ٢٨

88. Ceux qui ne croyaient pas et obstruaient le sentier d'Allāh, Nous leur ajouterons châtiment sur châtiment, pour la corruption qu'ils semaient (sur terre).

89. Et le jour où dans chaque communauté, Nous susciterons parmi eux-mêmes un témoin contre eux, Et Nous t'emmènerons [Muḥammad] comme témoin contre ceux-ci[1]. Et Nous avons fait descendre sur toi le Livre, comme un exposé explicite de toute chose, ainsi qu'un guide, une grâce et une bonne annonce aux Musulmans.

90. Certes, Allāh commande l'équité, la bienfaisance et l'assistance aux proches. Et Il interdit la turpitude, l'acte répréhensible et la rebellion. Il vous exhorte afin que vous vous souveniez.

91. Soyez fidèles au pacte d'Allāh après l'avoir contracté et ne violez pas vos serments après les avoir solennellement prêtés et avoir pris Allāh comme garant [de votre bonne foi]. Vraiment Allāh sait ce que vous faites!

92. Et ne faites pas comme celle qui défaisait brin par brin sa quenouille après l'avoir solidement filée, en prenant vos serments comme un moyen pour vous tromper les uns les autres, du fait que (vous avez trouvé) une communauté plus forte et plus nombreuse que l'autre[2]. Allāh ne fait, par là, que vous éprouver. Et, certes, Il vous montrera clairement, au Jour de la Résurrection ce sur quoi vous vous opposiez.

93. Si Allāh avait voulu, Il aurait certes fait de vous une seule communauté. Mais Il laisse s'égarer qui Il veut et guide qui Il veut. Et vous serez certes, interrogés sur ce que vous faisiez.

---

1. *Ceux-ci*: les mécréants de ta communauté.
2. L'hypocrisie et les changements constants de loyauté sont assimilés à la sottise de défaire vainement ce qui est déjà bien filé.

وَلَا تَتَّخِذُوٓا أَيْمَٰنَكُمْ دَخَلًۢا بَيْنَكُمْ فَتَزِلَّ قَدَمٌۢ بَعْدَ ثُبُوتِهَا وَتَذُوقُوا۟ ٱلسُّوٓءَ بِمَا صَدَدتُّمْ عَن سَبِيلِ ٱللَّهِ وَلَكُمْ عَذَابٌ عَظِيمٌ ۝ وَلَا تَشْتَرُوا۟ بِعَهْدِ ٱللَّهِ ثَمَنًا قَلِيلًا إِنَّمَا عِندَ ٱللَّهِ هُوَ خَيْرٌ لَّكُمْ إِن كُنتُمْ تَعْلَمُونَ ۝ مَا عِندَكُمْ يَنفَدُ وَمَا عِندَ ٱللَّهِ بَاقٍ وَلَنَجْزِيَنَّ ٱلَّذِينَ صَبَرُوٓا۟ أَجْرَهُم بِأَحْسَنِ مَا كَانُوا۟ يَعْمَلُونَ ۝ مَنْ عَمِلَ صَٰلِحًا مِّن ذَكَرٍ أَوْ أُنثَىٰ وَهُوَ مُؤْمِنٌ فَلَنُحْيِيَنَّهُۥ حَيَوٰةً طَيِّبَةً وَلَنَجْزِيَنَّهُمْ أَجْرَهُم بِأَحْسَنِ مَا كَانُوا۟ يَعْمَلُونَ ۝ فَإِذَا قَرَأْتَ ٱلْقُرْءَانَ فَٱسْتَعِذْ بِٱللَّهِ مِنَ ٱلشَّيْطَٰنِ ٱلرَّجِيمِ ۝ إِنَّهُۥ لَيْسَ لَهُۥ سُلْطَٰنٌ عَلَى ٱلَّذِينَ ءَامَنُوا۟ وَعَلَىٰ رَبِّهِمْ يَتَوَكَّلُونَ ۝ إِنَّمَا سُلْطَٰنُهُۥ عَلَى ٱلَّذِينَ يَتَوَلَّوْنَهُۥ وَٱلَّذِينَ هُم بِهِۦ مُشْرِكُونَ ۝ وَإِذَا بَدَّلْنَآ ءَايَةً مَّكَانَ ءَايَةٍ وَٱللَّهُ أَعْلَمُ بِمَا يُنَزِّلُ قَالُوٓا۟ إِنَّمَآ أَنتَ مُفْتَرٍۭ بَلْ أَكْثَرُهُمْ لَا يَعْلَمُونَ ۝ قُلْ نَزَّلَهُۥ رُوحُ ٱلْقُدُسِ مِن رَّبِّكَ بِٱلْحَقِّ لِيُثَبِّتَ ٱلَّذِينَ ءَامَنُوا۟ وَهُدًى وَبُشْرَىٰ لِلْمُسْلِمِينَ ۝

94. Et ne prenez pas vos serments comme un moyen pour vous tromper les uns les autres, sinon [vos] pas glisseront après avoir été fermes, et vous goûterez le malheur pour avoir barré le sentier d'Allāh. Et vous subirez un châtiment terrible.

95. Et ne vendez pas à vil prix le pacte d'Allāh. Ce qui se trouve auprès d'Allāh est meilleur pour vous, si vous saviez!

96. Tout ce que vous possédez s'épuisera, tandis que ce qui est auprès d'Allāh durera. Et Nous récompenserons ceux qui ont été constants en fonction du meilleur de ce qu'ils faisaient.

97. Quiconque, mâle ou femelle, fait une bonne œuvre tout en étant croyant, Nous lui ferons vivre une bonne vie. Et Nous les récompenserons, certes, en fonction des meilleures de leurs actions.

98. Lorsque tu lis le Qur'ān, demande la protection d'Allāh contre le Diable banni.

99. Il n'a aucun pouvoir sur ceux qui croient et qui placent leur confiance en leur Seigneur.

100. Il n'a de pouvoir que sur ceux qui le prennent pour allié et qui deviennent associateurs à cause de lui[1].

101. Quand Nous remplaçons un verset par un autre - et Allāh sait mieux ce qu'Il fait descendre - ils disent: «Tu n'es qu'un menteur». Mais la plupart d'entre eux ne savent pas.

102. Dis: «C'est le Saint Esprit [Gabriel] qui l'a fait descendre de la part de ton Seigneur en toute vérité, afin de raffermir [la foi] de ceux qui croient, ainsi qu'un guide et une bonne annonce pour les Musulmans.

---

1. *Qui deviennent associés à cause de lui*: autre interprétation: ceux qui donnent des associés à Allāh.

وَلَقَدْ نَعْلَمُ أَنَّهُمْ يَقُولُونَ إِنَّمَا يُعَلِّمُهُ بَشَرٌ لِّسَانُ الَّذِى يُلْحِدُونَ إِلَيْهِ أَعْجَمِىٌّ وَهَٰذَا لِسَانٌ عَرَبِىٌّ مُّبِينٌ ۝ إِنَّ الَّذِينَ لَا يُؤْمِنُونَ بِـَٔايَٰتِ اللَّهِ لَا يَهْدِيهِمُ اللَّهُ وَلَهُمْ عَذَابٌ أَلِيمٌ ۝ إِنَّمَا يَفْتَرِى الْكَذِبَ الَّذِينَ لَا يُؤْمِنُونَ بِـَٔايَٰتِ اللَّهِ وَأُو۟لَٰٓئِكَ هُمُ الْكَٰذِبُونَ ۝ مَن كَفَرَ بِاللَّهِ مِنۢ بَعْدِ إِيمَٰنِهِۦٓ إِلَّا مَنْ أُكْرِهَ وَقَلْبُهُۥ مُطْمَئِنٌّۢ بِالْإِيمَٰنِ وَلَٰكِن مَّن شَرَحَ بِالْكُفْرِ صَدْرًا فَعَلَيْهِمْ غَضَبٌ مِّنَ اللَّهِ وَلَهُمْ عَذَابٌ عَظِيمٌ ۝ ذَٰلِكَ بِأَنَّهُمُ اسْتَحَبُّوا۟ الْحَيَوٰةَ الدُّنْيَا عَلَى الْـَٔاخِرَةِ وَأَنَّ اللَّهَ لَا يَهْدِى الْقَوْمَ الْكَٰفِرِينَ ۝ أُو۟لَٰٓئِكَ الَّذِينَ طَبَعَ اللَّهُ عَلَىٰ قُلُوبِهِمْ وَسَمْعِهِمْ وَأَبْصَٰرِهِمْ وَأُو۟لَٰٓئِكَ هُمُ الْغَٰفِلُونَ ۝ لَا جَرَمَ أَنَّهُمْ فِى الْـَٔاخِرَةِ هُمُ الْخَٰسِرُونَ ۝ ثُمَّ إِنَّ رَبَّكَ لِلَّذِينَ هَاجَرُوا۟ مِنۢ بَعْدِ مَا فُتِنُوا۟ ثُمَّ جَٰهَدُوا۟ وَصَبَرُوٓا۟ إِنَّ رَبَّكَ مِنۢ بَعْدِهَا لَغَفُورٌ رَّحِيمٌ ۝

103. Et Nous savons parfaitement qu'ils disent: «Ce n'est qu'un être humain qui lui enseigne[1] (le Qur'ān).» Or, la langue de celui auquel ils font allusion est étrangère [non arabe], et celle-ci est une langue arabe bien claire.

104. Ceux qui ne croient pas aux versets d'Allāh. Allāh ne les guide pas. Et ils ont un châtiment douloureux.

105. Seuls forgent le mensonge ceux qui ne croient pas aux versets d'Allāh ; et tels sont les menteurs.

106. Quiconque a renié Allāh après avoir cru... - sauf celui qui y a été contraint alors que son cœur demeure plein de la sérénité de la foi - mais ceux qui ouvrent délibérément leur cœur à la mécréance, ceux-là ont sur eux une colère d'Allāh et ils ont un châtiment terrible.

107. Il en est ainsi, parce qu'ils ont aimé la vie présente plus que l'au-delà. Et Allāh, vraiment, ne guide pas les gens mécréants.

108. Voilà ceux dont Allāh a scellé les cœurs, l'ouïe, et les yeux. Ce sont eux les insouciants.

109. Et nul doute que dans l'au-delà, ils seront les perdants.

110. Quant à ceux qui ont émigré après avoir subi des épreuves, puis ont lutté et ont enduré, ton Seigneur après cela, est certes Pardonneur et Miséricordieux.

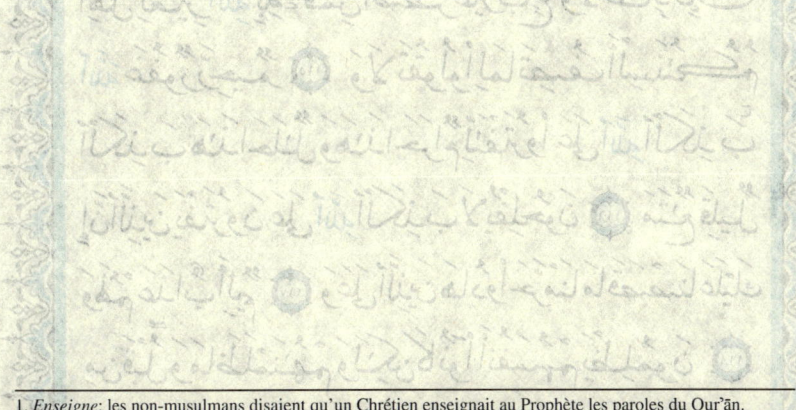

---

1. *Enseigne*: les non-musulmans disaient qu'un Chrétien enseignait au Prophète les paroles du Qur'ān.

۞ يَوْمَ تَأْتِي كُلُّ نَفْسٍ تُجَٰدِلُ عَن نَّفْسِهَا وَتُوَفَّىٰ كُلُّ نَفْسٍ مَّا عَمِلَتْ وَهُمْ لَا يُظْلَمُونَ ۝ وَضَرَبَ ٱللَّهُ مَثَلًا قَرْيَةً كَانَتْ ءَامِنَةً مُّطْمَئِنَّةً يَأْتِيهَا رِزْقُهَا رَغَدًا مِّن كُلِّ مَكَانٍ فَكَفَرَتْ بِأَنْعُمِ ٱللَّهِ فَأَذَٰقَهَا ٱللَّهُ لِبَاسَ ٱلْجُوعِ وَٱلْخَوْفِ بِمَا كَانُوا۟ يَصْنَعُونَ ۝ وَلَقَدْ جَآءَهُمْ رَسُولٌ مِّنْهُمْ فَكَذَّبُوهُ فَأَخَذَهُمُ ٱلْعَذَابُ وَهُمْ ظَٰلِمُونَ ۝ فَكُلُوا۟ مِمَّا رَزَقَكُمُ ٱللَّهُ حَلَٰلًا طَيِّبًا وَٱشْكُرُوا۟ نِعْمَتَ ٱللَّهِ إِن كُنتُمْ إِيَّاهُ تَعْبُدُونَ ۝ إِنَّمَا حَرَّمَ عَلَيْكُمُ ٱلْمَيْتَةَ وَٱلدَّمَ وَلَحْمَ ٱلْخِنزِيرِ وَمَآ أُهِلَّ لِغَيْرِ ٱللَّهِ بِهِۦ فَمَنِ ٱضْطُرَّ غَيْرَ بَاغٍ وَلَا عَادٍ فَإِنَّ ٱللَّهَ غَفُورٌ رَّحِيمٌ ۝ وَلَا تَقُولُوا۟ لِمَا تَصِفُ أَلْسِنَتُكُمُ ٱلْكَذِبَ هَٰذَا حَلَٰلٌ وَهَٰذَا حَرَامٌ لِّتَفْتَرُوا۟ عَلَى ٱللَّهِ ٱلْكَذِبَ إِنَّ ٱلَّذِينَ يَفْتَرُونَ عَلَى ٱللَّهِ ٱلْكَذِبَ لَا يُفْلِحُونَ ۝ مَتَٰعٌ قَلِيلٌ وَلَهُمْ عَذَابٌ أَلِيمٌ ۝ وَعَلَى ٱلَّذِينَ هَادُوا۟ حَرَّمْنَا مَا قَصَصْنَا عَلَيْكَ مِن قَبْلُ وَمَا ظَلَمْنَٰهُمْ وَلَٰكِن كَانُوٓا۟ أَنفُسَهُمْ يَظْلِمُونَ ۝

111. (Rappelle-toi) le jour où chaque âme viendra, plaidant pour elle-même, et chaque âme sera pleinement rétribuée pour ce qu'elle aura œuvré sans qu'ils subissent la moindre injustice.

112. Et Allāh propose en parabole une ville: elle était en sécurité, tranquille ; sa part de nourriture lui venait de partout en abondance. Puis elle se montra ingrate aux bienfaits d'Allāh. Allāh lui fit alors goûter la violence de la faim et de la peur [en punition] de ce qu'ils faisaient.

113. En effet, un Messager des leurs est venu à eux, mais ils l'ont traité de menteur. Le châtiment, donc, les saisit parce qu'ils étaient injustes.

114. Mangez donc de ce qu'Allāh vous a attribué de licite et de bon. Et soyez reconnaissants pour les bienfaits d'Allāh, si c'est Lui que vous adorez.

115. Il vous a, en effet, interdit (la chair) de la bête morte, le sang, la chair de porc, et la bête sur laquelle un autre nom que celui d'Allāh a été invoqué. Mais quiconque en mange sous contrainte, et n'est ni rebelle ni transgresseur, alors Allāh est Pardonneur et Miséricordieux[1].

116. Et ne dites pas, conformément aux mensonges proférés par vos langues: «Ceci est licite, et cela est illicite», pour forger le mensonge contre Allāh. Certes, ceux qui forgent le mensonge contre Allāh ne réussiront pas.

117. Ce sera pour eux une piètre jouissance, mais un douloureux châtiment les attend.

118. Aux Juifs, Nous avions interdit ce que Nous t'avons déjà relaté. Nous ne leur avons fait aucun tort ; mais ils se faisaient du tort à eux-mêmes.

---

1. *La bête morte*: soit par mort naturelle, soit non égorgée selon la chari'a
Ni rebelle: sans y être poussé par quelque désir.
Ni transgresseur: sans en consommer au delà de ses vrais besoins.

ثُمَّ إِنَّ رَبَّكَ لِلَّذِينَ عَمِلُوا السُّوٓءَ بِجَهَٰلَةٍ ثُمَّ تَابُوا مِنۢ
بَعْدِ ذَٰلِكَ وَأَصْلَحُوٓا إِنَّ رَبَّكَ مِنۢ بَعْدِهَا لَغَفُورٌ رَّحِيمٌ ﴿١١٩﴾
إِنَّ إِبْرَٰهِيمَ كَانَ أُمَّةً قَانِتًا لِّلَّهِ حَنِيفًا وَلَمْ يَكُ مِنَ الْمُشْرِكِينَ ﴿١٢٠﴾
شَاكِرًا لِّأَنْعُمِهِ اجْتَبَٰهُ وَهَدَٰهُ إِلَىٰ صِرَٰطٍ مُّسْتَقِيمٍ ﴿١٢١﴾
وَءَاتَيْنَٰهُ فِي الدُّنْيَا حَسَنَةً وَإِنَّهُ فِي الْآخِرَةِ لَمِنَ الصَّٰلِحِينَ ﴿١٢٢﴾
ثُمَّ أَوْحَيْنَآ إِلَيْكَ أَنِ اتَّبِعْ مِلَّةَ إِبْرَٰهِيمَ حَنِيفًا وَمَا كَانَ
مِنَ الْمُشْرِكِينَ ﴿١٢٣﴾ إِنَّمَا جُعِلَ السَّبْتُ عَلَى الَّذِينَ
اخْتَلَفُوا فِيهِ وَإِنَّ رَبَّكَ لَيَحْكُمُ بَيْنَهُمْ يَوْمَ الْقِيَٰمَةِ فِيمَا
كَانُوا فِيهِ يَخْتَلِفُونَ ﴿١٢٤﴾ ادْعُ إِلَىٰ سَبِيلِ رَبِّكَ بِالْحِكْمَةِ
وَالْمَوْعِظَةِ الْحَسَنَةِ وَجَٰدِلْهُم بِالَّتِي هِيَ أَحْسَنُ إِنَّ رَبَّكَ
هُوَ أَعْلَمُ بِمَن ضَلَّ عَن سَبِيلِهِ وَهُوَ أَعْلَمُ بِالْمُهْتَدِينَ ﴿١٢٥﴾
وَإِنْ عَاقَبْتُمْ فَعَاقِبُوا بِمِثْلِ مَا عُوقِبْتُم بِهِ وَلَئِن صَبَرْتُمْ
لَهُوَ خَيْرٌ لِّلصَّٰبِرِينَ ﴿١٢٦﴾ وَاصْبِرْ وَمَا صَبْرُكَ إِلَّا بِاللَّهِ
وَلَا تَحْزَنْ عَلَيْهِمْ وَلَا تَكُ فِي ضَيْقٍ مِّمَّا يَمْكُرُونَ ﴿١٢٧﴾
إِنَّ اللَّهَ مَعَ الَّذِينَ اتَّقَوا وَّالَّذِينَ هُم مُّحْسِنُونَ ﴿١٢٨﴾

119. Puis ton Seigneur envers ceux qui ont commis le mal par ignorance, et se sont par la suite repentis et ont amélioré leur conduite, ton Seigneur, après cela est certes Pardonneur et Miséricordieux.

120. Abraham était un guide (Umma) parfait[1]. Il était soumis à Allāh, voué exclusivement à Lui et il n'était point du nombre des associateurs.

121. Il était reconnaissant pour Ses bienfaits et Allāh l'avait élu et guidé vers un droit chemin.

122. Nous lui avons donné une belle part ici-bas. Et il sera certes dans l'au-delà du nombre des gens de bien.

123. Puis Nous t'avons révélé: «Suis la religion d'Abraham qui était voué exclusivement à Allāh et n'était point du nombre des associateurs».

124. Le Sabbat n'a été imposé qu'à ceux qui divergeaient à son sujet. Au Jour de la Résurrection, ton Seigneur jugera certainement au sujet de ce dont ils divergeaient.

125. Par la sagesse et la bonne exhortation appelle (les gens) au sentier de ton Seigneur. Et discute avec eux de la meilleure façon. Car c'est ton Seigneur qui connaît le mieux celui qui s'égare de Son sentier et c'est Lui qui connaît le mieux ceux qui sont bien guidés.

126. Et si vous punissez, infligez [à l'agresseur] une punition égale au tort qu'il vous a fait. Et si vous endurez... cela est certes meilleur pour les endurants[2].

127. Endure! Ton endurance [ne viendra] qu'avec (l'aide) d'Allāh. Ne t'afflige pas pour eux. Et ne sois pas angoissé à cause de leurs complots.

128. Certes, Allāh est avec ceux qui [L'] ont craint avec piété et ceux qui sont bienfaisants.

---

1. Umma: signifie ici Imām, guide ou chef. Et Abraham possédait toutes les qualités d'un guide et chef parfait. Mais le mot Umma signifie en général: nation ou communauté.
2. Le talion est autorisé, mais le pardon est recommandé.

سُورَةُ الإِسْرَاء

بِسْمِ ٱللَّهِ ٱلرَّحْمَٰنِ ٱلرَّحِيمِ

سُبْحَٰنَ ٱلَّذِىٓ أَسْرَىٰ بِعَبْدِهِۦ لَيْلًا مِّنَ ٱلْمَسْجِدِ ٱلْحَرَامِ إِلَى ٱلْمَسْجِدِ ٱلْأَقْصَا ٱلَّذِى بَٰرَكْنَا حَوْلَهُۥ لِنُرِيَهُۥ مِنْ ءَايَٰتِنَآ ۚ إِنَّهُۥ هُوَ ٱلسَّمِيعُ ٱلْبَصِيرُ ١ وَءَاتَيْنَا مُوسَى ٱلْكِتَٰبَ وَجَعَلْنَٰهُ هُدًى لِّبَنِىٓ إِسْرَٰٓءِيلَ أَلَّا تَتَّخِذُوا۟ مِن دُونِى وَكِيلًا ٢ ذُرِّيَّةَ مَنْ حَمَلْنَا مَعَ نُوحٍ ۚ إِنَّهُۥ كَانَ عَبْدًا شَكُورًا ٣ وَقَضَيْنَآ إِلَىٰ بَنِىٓ إِسْرَٰٓءِيلَ فِى ٱلْكِتَٰبِ لَتُفْسِدُنَّ فِى ٱلْأَرْضِ مَرَّتَيْنِ وَلَتَعْلُنَّ عُلُوًّا كَبِيرًا ٤ فَإِذَا جَآءَ وَعْدُ أُولَىٰهُمَا بَعَثْنَا عَلَيْكُمْ عِبَادًا لَّنَآ أُو۟لِى بَأْسٍ شَدِيدٍ فَجَاسُوا۟ خِلَٰلَ ٱلدِّيَارِ ۚ وَكَانَ وَعْدًا مَّفْعُولًا ٥ ثُمَّ رَدَدْنَا لَكُمُ ٱلْكَرَّةَ عَلَيْهِمْ وَأَمْدَدْنَٰكُم بِأَمْوَٰلٍ وَبَنِينَ وَجَعَلْنَٰكُمْ أَكْثَرَ نَفِيرًا ٦ إِنْ أَحْسَنتُمْ أَحْسَنتُمْ لِأَنفُسِكُمْ ۖ وَإِنْ أَسَأْتُمْ فَلَهَا ۚ فَإِذَا جَآءَ وَعْدُ ٱلْءَاخِرَةِ لِيَسُۥٓـُٔوا۟ وُجُوهَكُمْ وَلِيَدْخُلُوا۟ ٱلْمَسْجِدَ كَمَا دَخَلُوهُ أَوَّلَ مَرَّةٍ وَلِيُتَبِّرُوا۟ مَا عَلَوْا۟ تَتْبِيرًا ٧

AL-ISRĀ' (LE VOYAGE NOCTURNE)[1]
sourate 17   111 versets   Pré-hégirien n°50

Au nom d'Allāh, le Tout Miséricordieux, le Très Miséricordieux.

1. Gloire et Pureté à Celui qui de nuit, fit voyager Son serviteur [Muḥammad], de la Mosquée al-Ḥarām à la Mosquée al-Aqṣā dont Nous avons béni l'alentour, afin de lui faire voir certaines de Nos merveilles. C'est Lui vraiment, qui est l'Audient, le Clairvoyant[2].

2. Et Nous avions donné à Moïse le Livre dont Nous avions fait un guide pour les Enfants d'Israël: «Ne prenez pas de protecteur en dehors de Moi».

3. [Ô vous], les descendants de ceux que Nous avons transportés dans l'arche avec Noé. Celui-ci était vraiment un serviteur fort reconnaissant.

4. Nous avions décrété pour les Enfants d'Israël, (et annoncé) dans le Livre: «Par deux fois vous sèmerez la corruption sur terre et vous allez transgresser d'une façon excessive».

5. Lorsque vint l'accomplissement de la première de ces deux [prédictions,] Nous envoyâmes contre vous certains de Nos serviteurs doués d'une force terrible, qui pénétrèrent à l'intérieur des demeures. Et la prédiction fut accomplie.

6. Ensuite, Nous vous donnâmes la revanche sur eux ; et Nous vous renforçâmes en biens et en enfants. Et Nous vous fîmes [un peuple] plus nombreux:

7. «Si vous faites le bien, vous le faites à vous-mêmes ; et si vous faites le mal, vous le faites à vous [aussi]». Puis, quand vint la dernière [prédiction], ce fut pour qu'ils[3] affligent vos visages et entrent dans la Mosquée comme ils y étaient entrés la première fois, et pour qu'ils détruisent complètement ce dont ils se sont emparés.

---

1. Titre tiré du v. 1.
2. *Mosquée al-Ḥarām*: la mosquée au sein de laquelle se trouve la Ka'ba. *Mosquée al-Aqṣā*: la mosquée de Jérusalem.
3. *Qu'ils*: vos ennemis.

عَسَىٰ رَبُّكُمْ أَن يَرْحَمَكُمْ ۚ وَإِنْ عُدتُّمْ عُدْنَا ۘ وَجَعَلْنَا جَهَنَّمَ لِلْكَٰفِرِينَ حَصِيرًا ۝ إِنَّ هَٰذَا ٱلْقُرْءَانَ يَهْدِى لِلَّتِى هِىَ أَقْوَمُ وَيُبَشِّرُ ٱلْمُؤْمِنِينَ ٱلَّذِينَ يَعْمَلُونَ ٱلصَّٰلِحَٰتِ أَنَّ لَهُمْ أَجْرًا كَبِيرًا ۝ وَأَنَّ ٱلَّذِينَ لَا يُؤْمِنُونَ بِٱلْءَاخِرَةِ أَعْتَدْنَا لَهُمْ عَذَابًا أَلِيمًا ۝ وَيَدْعُ ٱلْإِنسَٰنُ بِٱلشَّرِّ دُعَآءَهُۥ بِٱلْخَيْرِ ۖ وَكَانَ ٱلْإِنسَٰنُ عَجُولًا ۝ وَجَعَلْنَا ٱلَّيْلَ وَٱلنَّهَارَ ءَايَتَيْنِ ۖ فَمَحَوْنَآ ءَايَةَ ٱلَّيْلِ وَجَعَلْنَآ ءَايَةَ ٱلنَّهَارِ مُبْصِرَةً لِّتَبْتَغُوا۟ فَضْلًا مِّن رَّبِّكُمْ وَلِتَعْلَمُوا۟ عَدَدَ ٱلسِّنِينَ وَٱلْحِسَابَ ۚ وَكُلَّ شَىْءٍ فَصَّلْنَٰهُ تَفْصِيلًا ۝ وَكُلَّ إِنسَٰنٍ أَلْزَمْنَٰهُ طَٰٓئِرَهُۥ فِى عُنُقِهِۦ ۖ وَنُخْرِجُ لَهُۥ يَوْمَ ٱلْقِيَٰمَةِ كِتَٰبًا يَلْقَىٰهُ مَنشُورًا ۝ ٱقْرَأْ كِتَٰبَكَ كَفَىٰ بِنَفْسِكَ ٱلْيَوْمَ عَلَيْكَ حَسِيبًا ۝ مَّنِ ٱهْتَدَىٰ فَإِنَّمَا يَهْتَدِى لِنَفْسِهِۦ ۖ وَمَن ضَلَّ فَإِنَّمَا يَضِلُّ عَلَيْهَا ۚ وَلَا تَزِرُ وَازِرَةٌ وِزْرَ أُخْرَىٰ ۗ وَمَا كُنَّا مُعَذِّبِينَ حَتَّىٰ نَبْعَثَ رَسُولًا ۝ وَإِذَآ أَرَدْنَآ أَن نُّهْلِكَ قَرْيَةً أَمَرْنَا مُتْرَفِيهَا فَفَسَقُوا۟ فِيهَا فَحَقَّ عَلَيْهَا ٱلْقَوْلُ فَدَمَّرْنَٰهَا تَدْمِيرًا ۝ وَكَمْ أَهْلَكْنَا مِنَ ٱلْقُرُونِ مِنۢ بَعْدِ نُوحٍ ۗ وَكَفَىٰ بِرَبِّكَ بِذُنُوبِ عِبَادِهِۦ خَبِيرًۢا بَصِيرًا ۝

8. Il se peut que votre Seigneur vous fasse miséricorde. Mais si vous récidivez, Nous récidiverons. Et Nous avons assigné l'Enfer comme camp de détention aux infidèles.

9. Certes, ce Qur'ān guide vers ce qu'il y a de plus droit, et il annonce aux croyants qui font de bonnes œuvres qu'ils auront une grande récompense,

10. et à ceux qui ne croient pas en l'au-delà, que Nous leur avons préparé un châtiment douloureux.

11. L'homme appelle[1] le mal comme il appelle le bien, car l'homme est très hâtif.

12. Nous avons fait de la nuit et du jour deux signes, et Nous avons effacé le signe de la nuit, tandis que Nous avons rendu visible le signe du jour, pour que vous recherchiez des grâces de votre Seigneur, et que vous sachiez le nombre des années et le calcul du temps. Et Nous avons expliqué toute chose d'une manière détaillée.

13. Et au cou de chaque homme, Nous avons attaché son œuvre. Et au Jour de la Résurrection, Nous lui sortirons un écrit qu'il trouvera déroulé:

14. «Lis ton écrit. Aujourd'hui, tu te suffis d'être ton propre comptable».

15. Quiconque prend le droit chemin ne le prend que pour lui-même ; et quiconque s'égare, ne s'égare qu'à son propre détriment. Et nul ne portera le fardeau d'autrui. Et Nous n'avons jamais puni [un peuple] avant de [lui] avoir envoyé un Messager.

16. Et quand Nous voulons détruire une cité, Nous ordonnons à ses gens opulents[2] [d'obéir à Nos prescriptions], mais (au contraire) ils se livrent à la perversité. Alors la Parole prononcée contre elle se réalise, et Nous la détruisons entièrement.

17. Que de générations avons-nous exterminées, après Noé! Et ton Seigneur suffit qu'Il soit Parfaitement Connaisseur et Clairvoyant sur les péchés de Ses serviteurs.

---

1. *Il appelle le mal*: sur lui-même et sur les siens.
2. *Opulents*: très riches qui ne se servent pas de leur richesse dans la bonne voie. Et la population est punie collectivement, pour ne pas avoir empêché ces riches de tomber dans la perversité.

مَّن كَانَ يُرِيدُ ٱلْعَاجِلَةَ عَجَّلْنَا لَهُۥ فِيهَا مَا نَشَآءُ لِمَن نُّرِيدُ ثُمَّ جَعَلْنَا لَهُۥ جَهَنَّمَ يَصْلَىٰهَا مَذْمُومًا مَّدْحُورًا ۝ وَمَنْ أَرَادَ ٱلْءَاخِرَةَ وَسَعَىٰ لَهَا سَعْيَهَا وَهُوَ مُؤْمِنٌ فَأُوْلَٰٓئِكَ كَانَ سَعْيُهُم مَّشْكُورًا ۝ كُلًّا نُّمِدُّ هَٰٓؤُلَآءِ وَهَٰٓؤُلَآءِ مِنْ عَطَآءِ رَبِّكَ وَمَا كَانَ عَطَآءُ رَبِّكَ مَحْظُورًا ۝ ٱنظُرْ كَيْفَ فَضَّلْنَا بَعْضَهُمْ عَلَىٰ بَعْضٍ وَلَلْءَاخِرَةُ أَكْبَرُ دَرَجَٰتٍ وَأَكْبَرُ تَفْضِيلًا ۝ لَّا تَجْعَلْ مَعَ ٱللَّهِ إِلَٰهًا ءَاخَرَ فَتَقْعُدَ مَذْمُومًا مَّخْذُولًا ۝ وَقَضَىٰ رَبُّكَ أَلَّا تَعْبُدُوٓا۟ إِلَّآ إِيَّاهُ وَبِٱلْوَٰلِدَيْنِ إِحْسَٰنًا إِمَّا يَبْلُغَنَّ عِندَكَ ٱلْكِبَرَ أَحَدُهُمَآ أَوْ كِلَاهُمَا فَلَا تَقُل لَّهُمَآ أُفٍّ وَلَا تَنْهَرْهُمَا وَقُل لَّهُمَا قَوْلًا كَرِيمًا ۝ وَٱخْفِضْ لَهُمَا جَنَاحَ ٱلذُّلِّ مِنَ ٱلرَّحْمَةِ وَقُل رَّبِّ ٱرْحَمْهُمَا كَمَا رَبَّيَانِي صَغِيرًا ۝ رَّبُّكُمْ أَعْلَمُ بِمَا فِي نُفُوسِكُمْ إِن تَكُونُوا۟ صَٰلِحِينَ فَإِنَّهُۥ كَانَ لِلْأَوَّٰبِينَ غَفُورًا ۝ وَءَاتِ ذَا ٱلْقُرْبَىٰ حَقَّهُۥ وَٱلْمِسْكِينَ وَٱبْنَ ٱلسَّبِيلِ وَلَا تُبَذِّرْ تَبْذِيرًا ۝ إِنَّ ٱلْمُبَذِّرِينَ كَانُوٓا۟ إِخْوَٰنَ ٱلشَّيَٰطِينِ وَكَانَ ٱلشَّيْطَٰنُ لِرَبِّهِۦ كَفُورًا ۝

18. Quiconque désire [la vie] immédiate[1], Nous nous hâtons de donner ce que Nous voulons, à qui Nous voulons. Puis, Nous lui assignons l'Enfer où il brûlera méprisé et repoussé.

19. Et ceux qui recherchent l'au-delà et fournissent les efforts qui y mènent, tout en étant croyants... alors l'effort de ceux-là sera reconnu.

20. Nous accordons abondamment à tous, ceux-ci comme ceux-là, des dons de ton Seigneur. Et les dons de ton Seigneur ne sont refusés [à personne].

21. Regarde comment Nous favorisons certains sur d'autres. Et dans l'au-delà, il y a des rangs plus élevés et plus privilégiés.

22. N'assigne point à Allāh d'autre divinité ; sinon tu te trouveras méprisé et abandonné.

23. Et ton Seigneur a décrété: «N'adorez que Lui ; et (marquez) de la bonté envers les père et mère: si l'un d'eux ou tous deux doivent atteindre la vieillesse auprès de toi, alors ne leur dis point: «Fi!» et ne les brusque pas, mais adresse-leur des paroles respectueuses.

24. Et par miséricorde, abaisse pour eux l'aile de l'humilité, et dis: «Ô mon Seigneur, fais-leur, à tous deux, miséricorde comme ils m'ont élevé tout petit».

25. Votre Seigneur connaît mieux ce qu'il y a dans vos âmes. Si vous êtes bons, Il est certes Pardonneur pour ceux qui Lui reviennent se repentant.

26. «Et donne au proche parent ce qui lui est dû ainsi qu'au pauvre et au voyageur (en détresse). Et ne gaspille pas indûment,

27. car les gaspilleurs sont les frères des diables[2] ; et le Diable est très ingrat envers son Seigneur.

---

1. *La vie immédiate*: allusion à celui qui œuvre uniquement pour les jouissances de la vie d'ici-bas.
2. *Les frères des diables*: car ils se laissent tenter par le diable en gaspillant leurs richesses inutilement, et en étant ingrats vis-à-vis des bienfaits d'Allāh.

وَإِمَّا تُعْرِضَنَّ عَنْهُمُ ابْتِغَاءَ رَحْمَةٍ مِّن رَّبِّكَ تَرْجُوهَا فَقُل لَّهُمْ قَوْلًا

مَّيْسُورًا ۝ وَلَا تَجْعَلْ يَدَكَ مَغْلُولَةً إِلَىٰ عُنُقِكَ وَلَا تَبْسُطْهَا

كُلَّ الْبَسْطِ فَتَقْعُدَ مَلُومًا مَّحْسُورًا ۝ إِنَّ رَبَّكَ يَبْسُطُ الرِّزْقَ

لِمَن يَشَاءُ وَيَقْدِرُ إِنَّهُ كَانَ بِعِبَادِهِ خَبِيرًا بَصِيرًا ۝ وَلَا تَقْتُلُوا

أَوْلَادَكُمْ خَشْيَةَ إِمْلَاقٍ نَّحْنُ نَرْزُقُهُمْ وَإِيَّاكُمْ إِنَّ قَتْلَهُمْ كَانَ

خِطْئًا كَبِيرًا ۝ وَلَا تَقْرَبُوا الزِّنَىٰ إِنَّهُ كَانَ فَاحِشَةً وَسَاءَ

سَبِيلًا ۝ وَلَا تَقْتُلُوا النَّفْسَ الَّتِي حَرَّمَ اللَّهُ إِلَّا بِالْحَقِّ وَمَن

قُتِلَ مَظْلُومًا فَقَدْ جَعَلْنَا لِوَلِيِّهِ سُلْطَانًا فَلَا يُسْرِف فِي

الْقَتْلِ إِنَّهُ كَانَ مَنصُورًا ۝ وَلَا تَقْرَبُوا مَالَ الْيَتِيمِ إِلَّا بِالَّتِي

هِيَ أَحْسَنُ حَتَّىٰ يَبْلُغَ أَشُدَّهُ وَأَوْفُوا بِالْعَهْدِ إِنَّ الْعَهْدَ كَانَ

مَسْئُولًا ۝ وَأَوْفُوا الْكَيْلَ إِذَا كِلْتُمْ وَزِنُوا بِالْقِسْطَاسِ الْمُسْتَقِيمِ

ذَٰلِكَ خَيْرٌ وَأَحْسَنُ تَأْوِيلًا ۝ وَلَا تَقْفُ مَا لَيْسَ لَكَ بِهِ عِلْمٌ

إِنَّ السَّمْعَ وَالْبَصَرَ وَالْفُؤَادَ كُلُّ أُولَٰئِكَ كَانَ عَنْهُ مَسْئُولًا ۝

وَلَا تَمْشِ فِي الْأَرْضِ مَرَحًا إِنَّكَ لَن تَخْرِقَ الْأَرْضَ وَلَن تَبْلُغَ

الْجِبَالَ طُولًا ۝ كُلُّ ذَٰلِكَ كَانَ سَيِّئُهُ عِندَ رَبِّكَ مَكْرُوهًا ۝

28. Si tu t'écartes d'eux à la recherche d'une miséricorde de Ton Seigneur, que tu espères, adresse-leur une parole bienveillante.

29. Ne porte pas ta main enchaînée à ton cou [par avarice], et ne l'étend pas non plus trop largement, sinon tu te trouveras blâmé et chagriné.

30. En vérité ton Seigneur étend Ses dons largement à qu'Il veut ou les accorde avec parcimonie. Il est, sur Ses serviteurs, Parfaitement Connaisseur et Clairvoyant.

31. Et ne tuez pas vos enfants par crainte de pauvreté ; c'est Nous qui attribuons leur subsistance, tout comme à vous[1]. Les tuer, c'est vraiment, un énorme péché.

32. Et n'approchez point la fornication. En vérité, c'est une turpitude et quel mauvais chemin!

33. Et, sauf en droit, ne tuez point la vie qu'Allāh a rendu sacrée. Quiconque est tué injustement, alors Nous avons donné pouvoir à son proche [parent][2]. Que celui-ci ne commette pas d'excès dans le meurtre, car il est déjà assisté (par la loi).

34. Et n'approchez les biens de l'orphelin que de la façon la meilleure, jusqu'à ce qu'il atteigne sa majorité. Et remplissez l'engagement, car on sera interrogé au sujet des engagements.

35. Et donnez la pleine mesure quand vous mesurez, et pesez avec une balance exacte. C'est mieux [pour vous] et le résultat en sera meilleur.

36. Et ne poursuis pas ce dont tu n'as aucune connaissance. L'ouïe, la vue et le cœur: sur tout cela, en vérité, on sera interrogé.

37. Et ne foule pas la terre avec orgueil: tu ne sauras jamais fendre la terre et tu ne pourras jamais atteindre la hauteur des montagnes!

38. Ce qui est mauvais en tout cela est détesté de ton Seigneur.

---

1. *Ne tuez pas vos enfants...*: allusion à d'anciennes coutumes païennes d'Arabie. Voir S. 6, v. 151.
2. *Proche [parent]*: le plus proche héritier a le droit de réclamer au juge l'application de la loi du talion. *Excès dans le meurtre ... assiste*: il ne peut réclamer l'application de la loi qu'à l'égard du meurtrier.

ذَٰلِكَ مِمَّا أَوْحَىٰ إِلَيْكَ رَبُّكَ مِنَ الْحِكْمَةِ وَلَا تَجْعَلْ مَعَ اللَّهِ إِلَٰهًا ءَاخَرَ فَتُلْقَىٰ فِي جَهَنَّمَ مَلُومًا مَّدْحُورًا ﴿٣٩﴾ أَفَأَصْفَىٰكُمْ رَبُّكُم بِالْبَنِينَ وَاتَّخَذَ مِنَ الْمَلَٰئِكَةِ إِنَٰثًا إِنَّكُمْ لَتَقُولُونَ قَوْلًا عَظِيمًا ﴿٤٠﴾ وَلَقَدْ صَرَّفْنَا فِي هَٰذَا الْقُرْءَانِ لِيَذَّكَّرُوا۟ وَمَا يَزِيدُهُمْ إِلَّا نُفُورًا ﴿٤١﴾ قُل لَّوْ كَانَ مَعَهُۥٓ ءَالِهَةٌ كَمَا يَقُولُونَ إِذًا لَّابْتَغَوْا۟ إِلَىٰ ذِي الْعَرْشِ سَبِيلًا ﴿٤٢﴾ سُبْحَٰنَهُۥ وَتَعَٰلَىٰ عَمَّا يَقُولُونَ عُلُوًّا كَبِيرًا ﴿٤٣﴾ تُسَبِّحُ لَهُ السَّمَٰوَٰتُ السَّبْعُ وَالْأَرْضُ وَمَن فِيهِنَّ وَإِن مِّن شَيْءٍ إِلَّا يُسَبِّحُ بِحَمْدِهِۦ وَلَٰكِن لَّا تَفْقَهُونَ تَسْبِيحَهُمْ إِنَّهُۥ كَانَ حَلِيمًا غَفُورًا ﴿٤٤﴾ وَإِذَا قَرَأْتَ الْقُرْءَانَ جَعَلْنَا بَيْنَكَ وَبَيْنَ الَّذِينَ لَا يُؤْمِنُونَ بِالْأَخِرَةِ حِجَابًا مَّسْتُورًا ﴿٤٥﴾ وَجَعَلْنَا عَلَىٰ قُلُوبِهِمْ أَكِنَّةً أَن يَفْقَهُوهُ وَفِي ءَاذَانِهِمْ وَقْرًا وَإِذَا ذَكَرْتَ رَبَّكَ فِي الْقُرْءَانِ وَحْدَهُۥ وَلَّوْا۟ عَلَىٰٓ أَدْبَٰرِهِمْ نُفُورًا ﴿٤٦﴾ نَّحْنُ أَعْلَمُ بِمَا يَسْتَمِعُونَ بِهِۦٓ إِذْ يَسْتَمِعُونَ إِلَيْكَ وَإِذْ هُمْ نَجْوَىٰٓ إِذْ يَقُولُ الظَّٰلِمُونَ إِن تَتَّبِعُونَ إِلَّا رَجُلًا مَّسْحُورًا ﴿٤٧﴾ انظُرْ كَيْفَ ضَرَبُوا۟ لَكَ الْأَمْثَٰلَ فَضَلُّوا۟ فَلَا يَسْتَطِيعُونَ سَبِيلًا ﴿٤٨﴾ وَقَالُوٓا۟ أَءِذَا كُنَّا عِظَٰمًا وَرُفَٰتًا أَءِنَّا لَمَبْعُوثُونَ خَلْقًا جَدِيدًا ﴿٤٩﴾

39. Tout cela fait partie de ce que ton Seigneur t'a révélé de la Sagesse. N'assigne donc pas à Allāh d'autre divinité, sinon tu seras jeté dans l'Enfer, blâmé et repoussé.

40. Votre Seigneur, aurait-Il réservé exclusivement pour vous des fils, et Lui, aurait-Il pris pour Lui des filles parmi les Anges? Vous prononcez là une parole monstrueuse.

41. Très certainement Nous avons exposé [tout ceci] dans ce Qur'ān afin que [les gens] réfléchissent. Mais cela ne fait qu'augmenter leur répulsion.

42. Dis: «S'il y avait des divinités avec Lui, comme ils le disent, elles auraient alors cherché un chemin [pour atteindre] le Détenteur du Trône».

43. Pureté à Lui! Il est plus haut et infiniment au-dessus de ce qu'ils disent!

44. Les sept cieux et la terre et ceux qui s'y trouvent, célèbrent Sa gloire. Et il n'existe rien qui ne célèbre Sa gloire et Ses louanges. Mais vous ne comprenez pas leur façon de Le glorifier. Certes c'est Lui qui est Indulgent et Pardonneur.

45. Et quand tu lis le Qur'ān, Nous plaçons, entre toi et ceux qui ne croient pas en l'au-delà, un voile invisible,

46. Nous avons mis des voiles sur leurs cœurs, de sorte qu'ils ne le comprennent pas: et dans leurs oreilles, une lourdeur. Et quand, dans le Qur'ān, tu évoques Ton Seigneur l'Unique, ils tournent le dos par répulsion.

47. Nous savons très bien ce qu'ils écoutent. Quand ils t'écoutent et qu'ils chuchotent entre eux, les injustes disent: «Vous ne suivez qu'un homme ensorcelé».

48. Vois ce à quoi ils te comparent! Ils s'égarent donc et sont incapables de trouver un chemin (vers la vérité).

49. Et ils disent: «Quand nous serons ossements et poussière, serons-nous ressuscités en une nouvelle création?»

قُلْ كُونُوا حِجَارَةً أَوْ حَدِيدًا ۝ أَوْ خَلْقًا مِّمَّا يَكْبُرُ فِى صُدُورِكُمْ فَسَيَقُولُونَ مَن يُعِيدُنَا قُلِ الَّذِى فَطَرَكُمْ أَوَّلَ مَرَّةٍ فَسَيُنْغِضُونَ إِلَيْكَ رُءُوسَهُمْ وَيَقُولُونَ مَتَىٰ هُوَ قُلْ عَسَىٰٓ أَن يَكُونَ قَرِيبًا ۝ يَوْمَ يَدْعُوكُمْ فَتَسْتَجِيبُونَ بِحَمْدِهِ وَتَظُنُّونَ إِن لَّبِثْتُمْ إِلَّا قَلِيلًا ۝ وَقُل لِّعِبَادِى يَقُولُوا الَّتِى هِىَ أَحْسَنُ إِنَّ الشَّيْطَـٰنَ يَنزَغُ بَيْنَهُمْ إِنَّ الشَّيْطَـٰنَ كَانَ لِلْإِنسَـٰنِ عَدُوًّا مُّبِينًا ۝ رَّبُّكُمْ أَعْلَمُ بِكُمْ إِن يَشَأْ يَرْحَمْكُمْ أَوْ إِن يَشَأْ يُعَذِّبْكُمْ وَمَآ أَرْسَلْنَـٰكَ عَلَيْهِمْ وَكِيلًا ۝ وَرَبُّكَ أَعْلَمُ بِمَن فِى السَّمَـٰوَٰتِ وَالْأَرْضِ وَلَقَدْ فَضَّلْنَا بَعْضَ النَّبِيِّـۧنَ عَلَىٰ بَعْضٍ وَءَاتَيْنَا دَاوُۥدَ زَبُورًا ۝ قُلِ ادْعُوا الَّذِينَ زَعَمْتُم مِّن دُونِهِ فَلَا يَمْلِكُونَ كَشْفَ الضُّرِّ عَنكُمْ وَلَا تَحْوِيلًا ۝ أُوْلَـٰٓئِكَ الَّذِينَ يَدْعُونَ يَبْتَغُونَ إِلَىٰ رَبِّهِمُ الْوَسِيلَةَ أَيُّهُمْ أَقْرَبُ وَيَرْجُونَ رَحْمَتَهُ وَيَخَافُونَ عَذَابَهُ إِنَّ عَذَابَ رَبِّكَ كَانَ مَحْذُورًا ۝ وَإِن مِّن قَرْيَةٍ إِلَّا نَحْنُ مُهْلِكُوهَا قَبْلَ يَوْمِ الْقِيَـٰمَةِ أَوْ مُعَذِّبُوهَا عَذَابًا شَدِيدًا كَانَ ذَٰلِكَ فِى الْكِتَـٰبِ مَسْطُورًا ۝

50. Dis: «Soyez pierre ou fer

51. ou toute autre créature que vous puissiez concevoir». Ils diront alors: «Qui donc nous fera revenir?» - Dis: «Celui qui vous a créés la première fois». Ils secoueront vers toi leurs têtes et diront: «Quand cela?» Dis: «Il se peut que ce soit proche.

52. Le jour où Il vous appellera, vous Lui répondrez en Le glorifiant. Vous penserez cependant que vous n'êtes restés [sur terre] que peu de temps!»

53. Et dis à Mes serviteurs d'exprimer les meilleures paroles, car le Diable sème la discorde parmi eux. Le Diable est certes, pour l'homme, un ennemi déclaré.

54. Votre Seigneur vous connaît mieux. S'il veut, Il vous fera miséricorde, et s'Il veut, Il vous châtiera. Et Nous ne t'avons pas envoyé pour que tu sois leur protecteur.

55. Et ton Seigneur est le plus Connaisseur de ceux qui sont dans les cieux et sur la terre. Et parmi les prophètes, Nous avons donné à certains plus de faveurs qu'à d'autres. Et à David Nous avons donné le «Zabūr»[1] .

56. Dis «Invoquez ceux que vous prétendez, (être des divinités) en dehors de Lui. Ils ne possèdent ni le moyen de dissiper votre malheur ni de le détourner.

57. Ceux qu'ils invoquent, cherchent [eux-mêmes][2], à qui mieux, le moyen[3] de se rapprocher le plus de leur Seigneur. Ils espèrent Sa miséricorde et craignent Son châtiment. Le châtiment de ton Seigneur est vraiment redouté.

58. Il n'est point de cité [injuste] que Nous ne fassions périr avant le Jour de la Résurrection, ou que Nous ne punissions d'un dur châtiment. Cela est bien tracé dans le Livre [des décrets immuables].

---

1. *Le Zabūr*: livre sacré révélé à David.
2. *Eux-mêmes*: les êtres que l'homme prend pour des divinités.
3. *Le moyen*: les bonnes actions.

وَمَا مَنَعَنَا أَن نُّرْسِلَ بِٱلْأَيَـٰتِ إِلَّا أَن كَذَّبَ بِهَا ٱلْأَوَّلُونَ وَءَاتَيْنَا ثَمُودَ ٱلنَّاقَةَ مُبْصِرَةً فَظَلَمُوا بِهَا وَمَا نُرْسِلُ بِٱلْأَيَـٰتِ إِلَّا تَخْوِيفًا ۞ وَإِذْ قُلْنَا لَكَ إِنَّ رَبَّكَ أَحَاطَ بِٱلنَّاسِ وَمَا جَعَلْنَا ٱلرُّءْيَا ٱلَّتِىٓ أَرَيْنَـٰكَ إِلَّا فِتْنَةً لِّلنَّاسِ وَٱلشَّجَرَةَ ٱلْمَلْعُونَةَ فِى ٱلْقُرْءَانِ وَنُخَوِّفُهُمْ فَمَا يَزِيدُهُمْ إِلَّا طُغْيَـٰنًا كَبِيرًا ۞ وَإِذْ قُلْنَا لِلْمَلَـٰٓئِكَةِ ٱسْجُدُوا لِأَدَمَ فَسَجَدُوٓا إِلَّآ إِبْلِيسَ قَالَ ءَأَسْجُدُ لِمَنْ خَلَقْتَ طِينًا ۞ قَالَ أَرَءَيْتَكَ هَـٰذَا ٱلَّذِى كَرَّمْتَ عَلَىَّ لَئِنْ أَخَّرْتَنِ إِلَىٰ يَوْمِ ٱلْقِيَـٰمَةِ لَأَحْتَنِكَنَّ ذُرِّيَّتَهُۥٓ إِلَّا قَلِيلًا ۞ قَالَ ٱذْهَبْ فَمَن تَبِعَكَ مِنْهُمْ فَإِنَّ جَهَنَّمَ جَزَآؤُكُمْ جَزَآءً مَّوْفُورًا ۞ وَٱسْتَفْزِزْ مَنِ ٱسْتَطَعْتَ مِنْهُم بِصَوْتِكَ وَأَجْلِبْ عَلَيْهِم بِخَيْلِكَ وَرَجِلِكَ وَشَارِكْهُمْ فِى ٱلْأَمْوَٰلِ وَٱلْأَوْلَـٰدِ وَعِدْهُمْ وَمَا يَعِدُهُمُ ٱلشَّيْطَـٰنُ إِلَّا غُرُورًا ۞ إِنَّ عِبَادِى لَيْسَ لَكَ عَلَيْهِمْ سُلْطَـٰنٌ وَكَفَىٰ بِرَبِّكَ وَكِيلًا ۞ رَّبُّكُمُ ٱلَّذِى يُزْجِى لَكُمُ ٱلْفُلْكَ فِى ٱلْبَحْرِ لِتَبْتَغُوا مِن فَضْلِهِۦٓ إِنَّهُۥ كَانَ بِكُمْ رَحِيمًا ۞

59. Rien ne Nous empêche d'envoyer les miracles, si ce n'est que les Anciens les avaient traités de mensonges. Nous avions apporté aux Ṯamūd la chamelle qui était un [miracle] visible: mais ils lui firent du tort. En outre, Nous n'envoyons de miracles qu'à titre de menace.

60. Et lorsque Nous te disions que ton Seigneur cerne tous les gens (par Sa puissance et Son savoir). Quant à la vision que Nous t'avons montrée, Nous ne l'avons faite que pour éprouver les gens, tout comme l'arbre maudit mentionné dans le Qur'ān. Nous les menaçons, mais cela ne fait qu'augmenter leur grande transgression[1].

61. Et lorsque Nous avons dit aux Anges: «Prosternez-vous devant Adam», ils se prosternèrent, à l'exception d'Iblis, qui dit: «Me prosternerai-je devant quelqu'un que Tu as créé d'argile?»

62. Il dit encore: «Vois-Tu? Celui que Tu as honoré au-dessus de moi, si Tu me donnais du répit jusqu'au Jour de la Résurrection, j'éprouverai, certes, sa descendance, excepté un petit nombre [parmi eux].»

63. Et [Allāh] dit: «Va-t-en! Quiconque d'entre eux te suivra ... votre sanction sera l'Enfer, une ample rétribution.

64. Excite, par ta voix, ceux d'entre eux que tu pourras, rassemble contre eux ta cavalerie et ton infanterie, associe-toi à eux dans leurs biens et leurs enfants et fais-leur des promesses». Or, le Diable ne leur fait des promesses qu'en tromperie.

65. Quant à Mes serviteurs, tu n'as aucun pouvoir sur eux». Et ton Seigneur suffit pour les protéger!

66. Votre Seigneur est Celui qui fait voguer le vaisseau pour vous en mer, afin que vous alliez à la recherche de quelque grâce de Sa part ; Certes Il est Miséricordieux envers vous,

---

1. *Ton Seigneur cerne les gens*:... Continue donc à transmettre ton message car Allāh te prémunira contre les gens.
La vision: le voyage nocturne et l'ascension.
L'arbre maudit, «Zaqqūm»: arbre infernal, servant de nourriture aux impies.

وَإِذَا مَسَّكُمُ الضُّرُّ فِي الْبَحْرِ ضَلَّ مَن تَدْعُونَ إِلَّا إِيَّاهُ فَلَمَّا نَجَّىٰكُمْ إِلَى الْبَرِّ أَعْرَضْتُمْ وَكَانَ الْإِنسَـٰنُ كَفُورًا ۝ أَفَأَمِنتُمْ أَن يَخْسِفَ بِكُمْ جَانِبَ الْبَرِّ أَوْ يُرْسِلَ عَلَيْكُمْ حَاصِبًا ثُمَّ لَا تَجِدُوا۟ لَكُمْ وَكِيلًا ۝ أَمْ أَمِنتُمْ أَن يُعِيدَكُمْ فِيهِ تَارَةً أُخْرَىٰ فَيُرْسِلَ عَلَيْكُمْ قَاصِفًا مِّنَ الرِّيحِ فَيُغْرِقَكُم بِمَا كَفَرْتُمْ ثُمَّ لَا تَجِدُوا۟ لَكُمْ عَلَيْنَا بِهِۦ تَبِيعًا ۝ ۞ وَلَقَدْ كَرَّمْنَا بَنِىٓ ءَادَمَ وَحَمَلْنَـٰهُمْ فِي الْبَرِّ وَالْبَحْرِ وَرَزَقْنَـٰهُم مِّنَ الطَّيِّبَـٰتِ وَفَضَّلْنَـٰهُمْ عَلَىٰ كَثِيرٍ مِّمَّنْ خَلَقْنَا تَفْضِيلًا ۝ يَوْمَ نَدْعُوا۟ كُلَّ أُنَاسٍ بِإِمَـٰمِهِمْ فَمَنْ أُوتِيَ كِتَـٰبَهُۥ بِيَمِينِهِۦ فَأُو۟لَـٰٓئِكَ يَقْرَءُونَ كِتَـٰبَهُمْ وَلَا يُظْلَمُونَ فَتِيلًا ۝ وَمَن كَانَ فِي هَـٰذِهِۦٓ أَعْمَىٰ فَهُوَ فِي الْءَاخِرَةِ أَعْمَىٰ وَأَضَلُّ سَبِيلًا ۝ وَإِن كَادُوا۟ لَيَفْتِنُونَكَ عَنِ الَّذِىٓ أَوْحَيْنَآ إِلَيْكَ لِتَفْتَرِىَ عَلَيْنَا غَيْرَهُۥ وَإِذًا لَّاتَّخَذُوكَ خَلِيلًا ۝ وَلَوْلَآ أَن ثَبَّتْنَـٰكَ لَقَدْ كِدتَّ تَرْكَنُ إِلَيْهِمْ شَيْـًٔا قَلِيلًا ۝ إِذًا لَّأَذَقْنَـٰكَ ضِعْفَ الْحَيَوٰةِ وَضِعْفَ الْمَمَاتِ ثُمَّ لَا تَجِدُ لَكَ عَلَيْنَا نَصِيرًا ۝

67. Et quand le mal vous touche en mer, ceux que vous invoquiez en dehors de Lui se perdent. Puis, quand Il vous sauve et vous ramène à terre, vous vous détournez. L'homme reste très ingrat!

68. Etes-vous à l'abri de ce qu'Il vous fasse engloutir par un pan de terre, ou qu'Il envoie contre vous un ouragan (avec pluie en pierres) et que vous ne trouverez alors aucun protecteur.

69. Ou êtes-vous à l'abri de ce qu'il vous y ramène (en mer) une autre fois, qu'Il déchaîne contre vous un de ces vents à tout casser, puis qu'Il vous fasse noyer à cause de votre mécréance? Et alors vous ne trouverez personne pour vous défendre contre Nous!

70. Certes, Nous avons honoré les fils d'Adam. Nous les avons transportés sur terre et sur mer, leur avons attribué de bonnes choses comme nourriture, et Nous les avons nettement préférés à plusieurs de Nos créatures.

71. Le jour où Nous appellerons chaque groupement d'hommes par leur chef[1], ceux à qui on remettra leur livre dans la main droite liront leur livre (avec plaisir) et ne subiront pas la moindre injustice.

72. Et quiconque aura été aveugle ici-bas, sera aveugle dans l'au-delà, et sera plus égaré [encore] par rapport à la bonne voie.

73. Ils ont failli te détourner de ce que Nous t'avions révélé, [dans l'espoir] qu'à la place de ceci, tu inventes quelque chose d'autre et (l'imputes) à Nous. Et alors, ils t'auraient pris pour ami intime.

74. Et si Nous ne t'avions pas raffermi, tu aurais bien failli t'incliner quelque peu vers eux.

75. Alors, Nous t'aurions certes fait goûter le double [supplice] de la vie et le double [supplice] de la mort ; et ensuite tu n'aurais pas trouvé de secoureur contre Nous[2].

---

1. *Leur chef*: leur prophète, leur livre ou leur dirigeant.
2. *Double*...: Allāh, aurait infligé au Prophète le double de la punition usuelle ici-bas comme dans l'au-delà. Mais la question ne se pose pas puisque le Prophète résista contre toute proposition venant des mécréants.

وَإِن كَادُوا لَيَسْتَفِزُّونَكَ مِنَ ٱلْأَرْضِ لِيُخْرِجُوكَ مِنْهَا ۖ

وَإِذًا لَّا يَلْبَثُونَ خِلَٰفَكَ إِلَّا قَلِيلًا ۝ سُنَّةَ مَن قَدْ

أَرْسَلْنَا قَبْلَكَ مِن رُّسُلِنَا ۖ وَلَا تَجِدُ لِسُنَّتِنَا تَحْوِيلًا ۝ أَقِمِ

ٱلصَّلَوٰةَ لِدُلُوكِ ٱلشَّمْسِ إِلَىٰ غَسَقِ ٱلَّيْلِ وَقُرْءَانَ ٱلْفَجْرِ ۖ إِنَّ

قُرْءَانَ ٱلْفَجْرِ كَانَ مَشْهُودًا ۝ وَمِنَ ٱلَّيْلِ فَتَهَجَّدْ بِهِۦ

نَافِلَةً لَّكَ عَسَىٰ أَن يَبْعَثَكَ رَبُّكَ مَقَامًا مَّحْمُودًا ۝ وَقُل رَّبِّ

أَدْخِلْنِى مُدْخَلَ صِدْقٍ وَأَخْرِجْنِى مُخْرَجَ صِدْقٍ وَٱجْعَل لِّى مِن

لَّدُنكَ سُلْطَٰنًا نَّصِيرًا ۝ وَقُلْ جَآءَ ٱلْحَقُّ وَزَهَقَ ٱلْبَٰطِلُ ۚ

إِنَّ ٱلْبَٰطِلَ كَانَ زَهُوقًا ۝ وَنُنَزِّلُ مِنَ ٱلْقُرْءَانِ مَا هُوَ شِفَآءٌ

وَرَحْمَةٌ لِّلْمُؤْمِنِينَ ۙ وَلَا يَزِيدُ ٱلظَّٰلِمِينَ إِلَّا خَسَارًا ۝ وَإِذَآ

أَنْعَمْنَا عَلَى ٱلْإِنسَٰنِ أَعْرَضَ وَنَـَٔا بِجَانِبِهِۦ ۖ وَإِذَا مَسَّهُ ٱلشَّرُّ كَانَ يَـُٔوسًا

۝ قُلْ كُلٌّ يَعْمَلُ عَلَىٰ شَاكِلَتِهِۦ فَرَبُّكُمْ أَعْلَمُ بِمَنْ هُوَ أَهْدَىٰ

سَبِيلًا ۝ وَيَسْـَٔلُونَكَ عَنِ ٱلرُّوحِ ۖ قُلِ ٱلرُّوحُ مِنْ أَمْرِ رَبِّى

وَمَآ أُوتِيتُم مِّنَ ٱلْعِلْمِ إِلَّا قَلِيلًا ۝ وَلَئِن شِئْنَا لَنَذْهَبَنَّ

بِٱلَّذِىٓ أَوْحَيْنَآ إِلَيْكَ ثُمَّ لَا تَجِدُ لَكَ بِهِۦ عَلَيْنَا وَكِيلًا ۝

76. En vérité, ils ont failli t'inciter à fuir du pays pour t'en bannir Mais dans ce cas, ils n'y seraient pas restés longtemps après toi.

77. Telle fut la règle appliquée par Nous à Nos messagers que Nous avons envoyés avant toi. Et tu ne trouveras pas de changement en Notre règle.

78. Accomplis la Şalāt au déclin du soleil jusqu'à l'obscurité de la nuit, et [fais] aussi la Lecture à l'aube, car la Lecture à l'aube a des témoins[1].

79. Et de la nuit consacre une partie [avant l'aube] pour des Şalāts surérogatoires[2]: afin que ton Seigneur te ressuscite en une position de gloire.

80. Et dis: «Ô mon Seigneur, fais que j'entre par une entrée de vérité[3] et que je sorte par une sortie de vérité ; et accorde-moi de Ta part, un pouvoir bénéficiant de Ton secours».

81. Et dis: «La Vérité (l'Islām) est venue et l'Erreur a disparu. Car l'Erreur est destinée à disparaître».

82. Nous faisons descendre du Qur'ān, ce qui est une guérison et une miséricorde pour les croyants. Cependant, cela ne fait qu'accroître la perdition des injustes.

83. Et quand Nous comblons l'homme de bienfaits, il se détourne et se replie sur lui-même ; et quand un mal le touche, le voilà profondément désespéré.

84. Dis: «Chacun agit selon sa méthode, alors que votre Seigneur connaît mieux qui suit la meilleure voie».

85. Et ils t'interrogent au sujet de l'âme, - Dis: «L'âme relève de l'Ordre de mon Seigneur». Et on ne vous a donné que peu de connaissance.

86. Si Nous voulons, Nous pouvons certes faire disparaître ce que Nous t'avons révélé; et tu n'y trouverais par la suite aucun défenseur contre Nous.

---

1. *Lecture*: littéralement: le Qur'ān. Il s'agit ici de la prière de l'aube.
Ce verset fait état des cinq prières que tout musulman doit rituellement accomplir quotidiennement. Il faut noter ici que la prière de l'aube a pour témoins les anges du jour et de la nuit.
2. *Şalāt surérogatoire*: pas obligatoire, excepté pour le Prophète. Tout musulman pieux essaie de la célébrer.
Une position de gloire: la grande intercession au Jour du Jugement Dernier.
3. *De vérité*: favorable, heureuse.

إِلَّا رَحْمَةً مِّن رَّبِّكَ إِنَّ فَضْلَهُ كَانَ عَلَيْكَ كَبِيرًا ۝ قُل

لَّئِنِ ٱجْتَمَعَتِ ٱلْإِنسُ وَٱلْجِنُّ عَلَىٰ أَن يَأْتُوا بِمِثْلِ هَٰذَا ٱلْقُرْءَانِ

لَا يَأْتُونَ بِمِثْلِهِ وَلَوْ كَانَ بَعْضُهُمْ لِبَعْضٍ ظَهِيرًا ۝ وَلَقَدْ

صَرَّفْنَا لِلنَّاسِ فِي هَٰذَا ٱلْقُرْءَانِ مِن كُلِّ مَثَلٍ فَأَبَىٰ أَكْثَرُ ٱلنَّاسِ

إِلَّا كُفُورًا ۝ وَقَالُوا لَن نُّؤْمِنَ لَكَ حَتَّىٰ تَفْجُرَ لَنَا مِنَ

ٱلْأَرْضِ يَنبُوعًا ۝ أَوْ تَكُونَ لَكَ جَنَّةٌ مِّن نَّخِيلٍ وَعِنَبٍ

فَتُفَجِّرَ ٱلْأَنْهَٰرَ خِلَٰلَهَا تَفْجِيرًا ۝ أَوْ تُسْقِطَ ٱلسَّمَآءَ كَمَا

زَعَمْتَ عَلَيْنَا كِسَفًا أَوْ تَأْتِيَ بِٱللَّهِ وَٱلْمَلَٰٓئِكَةِ قَبِيلًا ۝

أَوْ يَكُونَ لَكَ بَيْتٌ مِّن زُخْرُفٍ أَوْ تَرْقَىٰ فِي ٱلسَّمَآءِ وَلَن نُّؤْمِنَ

لِرُقِيِّكَ حَتَّىٰ تُنَزِّلَ عَلَيْنَا كِتَٰبًا نَّقْرَؤُهُ قُلْ سُبْحَانَ رَبِّي هَلْ

كُنتُ إِلَّا بَشَرًا رَّسُولًا ۝ وَمَا مَنَعَ ٱلنَّاسَ أَن يُؤْمِنُوا إِذْ جَآءَهُمُ

ٱلْهُدَىٰٓ إِلَّآ أَن قَالُوٓا أَبَعَثَ ٱللَّهُ بَشَرًا رَّسُولًا ۝ قُل لَّوْ كَانَ

فِي ٱلْأَرْضِ مَلَٰٓئِكَةٌ يَمْشُونَ مُطْمَئِنِّينَ لَنَزَّلْنَا عَلَيْهِم

مِّنَ ٱلسَّمَآءِ مَلَكًا رَّسُولًا ۝ قُلْ كَفَىٰ بِٱللَّهِ

شَهِيدًا بَيْنِي وَبَيْنَكُمْ إِنَّهُ كَانَ بِعِبَادِهِ خَبِيرًۢا بَصِيرًا ۝

87. Si ce n'est par une miséricorde de ton Seigneur, Car en vérité Sa grâce sur toi est grande.

88. Dis: «Même si les hommes et les djinns s'unissaient pour produire quelque chose de semblable à ce Qur'ān, ils ne sauraient produire rien de semblable, même s'ils se soutenaient les uns les autres».

89. Et certes, Nous avons déployé pour les gens, dans ce Qur'ān, toutes sortes d'exemples. Mais la plupart des gens s'obstinent à être mécréants.

90. Et ils dirent: «Nous ne croirons pas en toi, jusqu'à ce que tu aies fait jaillir de terre, pour nous, une source ;

91. ou que tu aies un jardin de palmiers et de vignes, entre lesquels tu feras jaillir des ruisseaux en abondance ;

92. ou que tu fasses tomber sur nous, comme tu le prétends, le ciel en morceaux ; ou que tu fasses venir Allāh et les Anges en face de nous[1] ;

93. ou que tu aies une maison [garnie] d'ornements ; ou que tu sois monté au ciel. Encore ne croirons-nous pas à ta montée au ciel, jusqu'à ce que tu fasses descendre sur nous un Livre que nous puissions lire». Dis-[leur]: «Gloire à mon Seigneur! Ne suis-je qu'un être humain-Messager?»

94. Et rien n'empêcha les gens de croire, quand le guide leur est parvenu, si ce n'est qu'ils disaient: «Allāh envoie-t-Il un être humain-Messager?»

95. Dis: «S'il y avait sur terre des Anges marchant tranquillement, Nous aurions certes fait descendre sur eux du ciel un Ange-Messager».

96. Dis: «Allāh suffit comme témoin entre vous et moi». Il est, sur Ses serviteurs, Parfaitement Connaisseur et Clairvoyant.

---

1. *En face de nous*: (autre sens) tous ensemble.

وَمَن يَهْدِ ٱللَّهُ فَهُوَ ٱلْمُهْتَدِ وَمَن يُضْلِلْ فَلَن تَجِدَ لَهُمْ أَوْلِيَآءَ

مِن دُونِهِۦ وَنَحْشُرُهُمْ يَوْمَ ٱلْقِيَٰمَةِ عَلَىٰ وُجُوهِهِمْ عُمْيًا وَبُكْمًا

وَصُمًّا مَّأْوَىٰهُمْ جَهَنَّمُ كُلَّمَا خَبَتْ زِدْنَٰهُمْ سَعِيرًا ۝

ذَٰلِكَ جَزَآؤُهُم بِأَنَّهُمْ كَفَرُوا بِـَٔايَٰتِنَا وَقَالُوٓا أَءِذَا كُنَّا عِظَٰمًا

وَرُفَٰتًا أَءِنَّا لَمَبْعُوثُونَ خَلْقًا جَدِيدًا ۝ ۞ أَوَلَمْ يَرَوْا أَنَّ ٱللَّهَ

ٱلَّذِى خَلَقَ ٱلسَّمَٰوَٰتِ وَٱلْأَرْضَ قَادِرٌ عَلَىٰٓ أَن يَخْلُقَ مِثْلَهُمْ

وَجَعَلَ لَهُمْ أَجَلًا لَّا رَيْبَ فِيهِ فَأَبَى ٱلظَّٰلِمُونَ إِلَّا كُفُورًا ۝

قُل لَّوْ أَنتُمْ تَمْلِكُونَ خَزَآئِنَ رَحْمَةِ رَبِّىٓ إِذًا لَّأَمْسَكْتُمْ خَشْيَةَ

ٱلْإِنفَاقِ وَكَانَ ٱلْإِنسَٰنُ قَتُورًا ۝ وَلَقَدْ ءَاتَيْنَا مُوسَىٰ تِسْعَ

ءَايَٰتٍ بَيِّنَٰتٍ فَسْـَٔلْ بَنِىٓ إِسْرَٰٓءِيلَ إِذْ جَآءَهُمْ فَقَالَ لَهُۥ

إِنِّى لَأَظُنُّكَ يَٰمُوسَىٰ مَسْحُورًا ۝ قَالَ لَقَدْ عَلِمْتَ مَآ أَنزَلَ

هَٰٓؤُلَآءِ إِلَّا رَبُّ ٱلسَّمَٰوَٰتِ وَٱلْأَرْضِ بَصَآئِرَ وَإِنِّى لَأَظُنُّكَ

يَٰفِرْعَوْنُ مَثْبُورًا ۝ فَأَرَادَ أَن يَسْتَفِزَّهُم مِّنَ ٱلْأَرْضِ

فَأَغْرَقْنَٰهُ وَمَن مَّعَهُۥ جَمِيعًا ۝ وَقُلْنَا مِنۢ بَعْدِهِۦ لِبَنِىٓ إِسْرَٰٓءِيلَ

ٱسْكُنُوا ٱلْأَرْضَ فَإِذَا جَآءَ وَعْدُ ٱلْأَخِرَةِ جِئْنَا بِكُمْ لَفِيفًا ۝

97. Celui qu’Allāh guide, c’est lui le bien-guidé et ceux qu’Il égare... Tu ne leur trouveras jamais d’alliés en dehors de Lui et au Jour de la Résurrection, Nous les rassemblerons traînés sur leurs visages, aveugles, muets et sourds. L’Enfer sera leur demeure: chaque fois que son feu s’affaiblit, Nous leur accroîtrons la flamme ardente.

98. Telle sera leur sanction parce qu’ils ne croient pas en Nos preuves et disent: «Quand nous serons ossements et poussière, serons-nous ressuscités en une nouvelle création?»

99. N’ont-ils pas vu qu’Allāh qui a créé les cieux et la terre est capable de créer leurs pareils[1]? Il leur a fixé un terme, sur lequel il n’y a aucun doute, mais les injustes s’obstinent dans leur mécréance.

100. Dis: «Si c’était vous qui possédiez les trésors de la miséricorde de mon Seigneur, vous lésineriez, certes, de peur de les dépenser. Et l’homme est très avare!

101. Et certes, Nous donnâmes à Moïse neuf miracles évidents[2]. Demande donc aux Enfants d’Israël, lorsqu’il leur vint et que Pharaon lui dit: «Ô Moïse, je pense que tu es ensorcelé».

102. Il dit: «Tu sais fort bien que ces choses [les miracles], seul le Seigneur des cieux et de la terre les a fait descendre comme autant de preuves illuminantes ; et certes, Ô Pharaon, je te crois perdu».

103. [Pharaon] voulut donc les expulser du pays. Alors Nous les noyâmes tous, lui et ceux qui étaient avec lui.

104. Et après lui, Nous dîmes aux Enfants d’Israël: «Habitez la terre». Puis, lorsque viendra la promesse de la (vie) dernière, Nous vous ferons venir en foule.

---

1. *Leurs pareils*: des créatures semblables parmi les humains et les djinns.
2. *Neuf miracles*: le bâton, la main, la disette, l’inondation, les sauterelles, les poux, les grenouilles, le sang, la traversée de la mer.

وَبِالْحَقِّ أَنزَلْنَٰهُ وَبِالْحَقِّ نَزَلَ ۗ وَمَآ أَرْسَلْنَٰكَ إِلَّا مُبَشِّرًا وَنَذِيرًا ۝

وَقُرْءَانًا فَرَقْنَٰهُ لِتَقْرَأَهُۥ عَلَى ٱلنَّاسِ عَلَىٰ مُكْثٍ وَنَزَّلْنَٰهُ تَنزِيلًا ۝

قُلْ ءَامِنُوا۟ بِهِۦٓ أَوْ لَا تُؤْمِنُوٓا۟ ۚ إِنَّ ٱلَّذِينَ أُوتُوا۟ ٱلْعِلْمَ مِن قَبْلِهِۦٓ إِذَا يُتْلَىٰ

عَلَيْهِمْ يَخِرُّونَ لِلْأَذْقَانِ سُجَّدًا ۝ وَيَقُولُونَ سُبْحَٰنَ رَبِّنَآ إِن كَانَ

وَعْدُ رَبِّنَا لَمَفْعُولًا ۝ وَيَخِرُّونَ لِلْأَذْقَانِ يَبْكُونَ وَيَزِيدُهُمْ

خُشُوعًا ۩ ۝ قُلِ ٱدْعُوا۟ ٱللَّهَ أَوِ ٱدْعُوا۟ ٱلرَّحْمَٰنَ ۖ أَيًّا مَّا تَدْعُوا۟ فَلَهُ

ٱلْأَسْمَآءُ ٱلْحُسْنَىٰ ۚ وَلَا تَجْهَرْ بِصَلَاتِكَ وَلَا تُخَافِتْ بِهَا وَٱبْتَغِ

بَيْنَ ذَٰلِكَ سَبِيلًا ۝ وَقُلِ ٱلْحَمْدُ لِلَّهِ ٱلَّذِى لَمْ يَتَّخِذْ وَلَدًا وَلَمْ يَكُن

لَّهُۥ شَرِيكٌ فِى ٱلْمُلْكِ وَلَمْ يَكُن لَّهُۥ وَلِىٌّ مِّنَ ٱلذُّلِّ ۖ وَكَبِّرْهُ تَكْبِيرًۢا ۝

سجدة

سُورَةُ الكَهْف

بِسْمِ ٱللَّهِ ٱلرَّحْمَٰنِ ٱلرَّحِيمِ

ٱلْحَمْدُ لِلَّهِ ٱلَّذِىٓ أَنزَلَ عَلَىٰ عَبْدِهِ ٱلْكِتَٰبَ وَلَمْ يَجْعَل لَّهُۥ عِوَجًا ۝

قَيِّمًا لِّيُنذِرَ بَأْسًا شَدِيدًا مِّن لَّدُنْهُ وَيُبَشِّرَ ٱلْمُؤْمِنِينَ ٱلَّذِينَ

يَعْمَلُونَ ٱلصَّٰلِحَٰتِ أَنَّ لَهُمْ أَجْرًا حَسَنًا ۝ مَّٰكِثِينَ

فِيهِ أَبَدًا ۝ وَيُنذِرَ ٱلَّذِينَ قَالُوا۟ ٱتَّخَذَ ٱللَّهُ وَلَدًا ۝

سكتة لطيفة
على
ألف عوجا

105. Et c'est en toute vérité que Nous l'avons fait descendre (le Qur'ān), et avec la vérité il est descendu, et Nous ne t'avons envoyé qu'en annonciateur et avertisseur.

106. (Nous avons fait descendre) un Qur'ān que Nous avons fragmenté, pour que tu le lises lentement aux gens. Et Nous l'avons fait descendre graduellement.

107. Dis: «Croyez-y ou n'y croyez pas. Ceux à qui la connaissance a été donnée avant cela, lorsqu'on le leur récite, tombent, prosternés, le menton contre terre

108. et disent: «Gloire à notre Seigneur! La promesse de notre Seigneur est assurément accomplie».

109. Et ils tombent sur leur menton, pleurant, et cela augmente leur humilité[1].

110. Dis: «Invoquez Allāh, ou invoquez le Tout Miséricordieux. Quel que soit le nom par lequel vous l'appelez, Il a les plus beaux noms. Et dans ta Ṣalāt, ne récite pas à voix haute ; et ne l'y abaisse pas trop, mais cherche le juste milieu entre les deux».

111. Et dis: «Louange à Allāh qui ne S'est jamais attribué d'enfant, qui n'a point d'associé en la royauté et qui n'a jamais eu de protecteur de l'humiliation». Et proclame hautement Sa grandeur.

AL-KAHF (LA CAVERNE)[2]
sourate 18   110 versets   Pré-hégirien n°69

Au nom d'Allāh, le Tout Miséricordieux, le Très Miséricordieux.

1. Louange à Allāh qui a fait descendre sur Son serviteur (Muḥammad), le Livre, et n'y a point introduit de tortuosité (ambiguïté)!

2. [Un Livre] d'une parfaite droiture pour avertir d'une sévère punition venant de Sa part et pour annoncer aux croyants qui font de bonnes œuvres qu'il y aura pour eux une belle récompense.

3. où ils demeureront éternellement,

4. et pour avertir ceux qui disent: «Allāh S'est attribué un enfant.»

---

1. À ce verset, on se prosterne.
2. Titre tiré des versets 9, 10 etc.

مَالَهُم بِهِ مِنْ عِلْمٍ وَلَا لِآبَآئِهِمْ كَبُرَتْ كَلِمَةً تَخْرُجُ مِنْ أَفْوَٰهِهِمْ إِن يَقُولُونَ إِلَّا كَذِبًا ٥ فَلَعَلَّكَ بَٰخِعٌ نَّفْسَكَ عَلَىٰٓ ءَاثَٰرِهِمْ إِن لَّمْ يُؤْمِنُوا۟ بِهَٰذَا ٱلْحَدِيثِ أَسَفًا ٦ إِنَّا جَعَلْنَا مَا عَلَى ٱلْأَرْضِ زِينَةً لَّهَا لِنَبْلُوَهُمْ أَيُّهُمْ أَحْسَنُ عَمَلًا ٧ وَإِنَّا لَجَٰعِلُونَ مَا عَلَيْهَا صَعِيدًا جُرُزًا ٨ أَمْ حَسِبْتَ أَنَّ أَصْحَٰبَ ٱلْكَهْفِ وَٱلرَّقِيمِ كَانُوا۟ مِنْ ءَايَٰتِنَا عَجَبًا ٩ إِذْ أَوَى ٱلْفِتْيَةُ إِلَى ٱلْكَهْفِ فَقَالُوا۟ رَبَّنَآ ءَاتِنَا مِن لَّدُنكَ رَحْمَةً وَهَيِّئْ لَنَا مِنْ أَمْرِنَا رَشَدًا ١٠ فَضَرَبْنَا عَلَىٰٓ ءَاذَانِهِمْ فِى ٱلْكَهْفِ سِنِينَ عَدَدًا ١١ ثُمَّ بَعَثْنَٰهُمْ لِنَعْلَمَ أَىُّ ٱلْحِزْبَيْنِ أَحْصَىٰ لِمَا لَبِثُوٓا۟ أَمَدًا ١٢ نَّحْنُ نَقُصُّ عَلَيْكَ نَبَأَهُم بِٱلْحَقِّ إِنَّهُمْ فِتْيَةٌ ءَامَنُوا۟ بِرَبِّهِمْ وَزِدْنَٰهُمْ هُدًى ١٣ وَرَبَطْنَا عَلَىٰ قُلُوبِهِمْ إِذْ قَامُوا۟ فَقَالُوا۟ رَبُّنَا رَبُّ ٱلسَّمَٰوَٰتِ وَٱلْأَرْضِ لَن نَّدْعُوَا۟ مِن دُونِهِۦٓ إِلَٰهًا لَّقَدْ قُلْنَآ إِذًا شَطَطًا ١٤ هَٰٓؤُلَآءِ قَوْمُنَا ٱتَّخَذُوا۟ مِن دُونِهِۦٓ ءَالِهَةً لَّوْلَا يَأْتُونَ عَلَيْهِم بِسُلْطَٰنٍۭ بَيِّنٍ فَمَنْ أَظْلَمُ مِمَّنِ ٱفْتَرَىٰ عَلَى ٱللَّهِ كَذِبًا ١٥

5. Ni eux ni leurs ancêtres n'en savent rien. Quelle monstrueuse parole que celle qui sort de leurs bouches! Ce qu'ils disent n'est que mensonge.

6. Tu vas peut-être te consumer de chagrin parce qu'ils se détournent de toi et ne croient pas en ce discours!

7. Nous avons placé ce qu'il y a sur la terre pour l'embellir, afin d'éprouver (les hommes et afin de savoir) qui d'entre eux sont les meilleurs dans leurs actions.

8. Puis, Nous allons sûrement transformer sa surface en un sol aride.

9. Penses-tu que les gens de la Caverne et d'ar-Raqīm[1] ont constitué une chose extraordinaire d'entre Nos prodiges?

10. Quand les jeunes gens se furent réfugiés dans la caverne, ils dirent: «Ô notre Seigneur, donne-nous de Ta part une miséricorde ; et assure nous la droiture dans tout ce qui nous concerne».

11. Alors, Nous avons assourdi[2] leurs oreilles, dans la caverne pendant de nombreuses années.

12. Ensuite, Nous les avons ressuscités, afin de savoir lequel des deux groupes[3] saurait le mieux calculer la durée exacte de leur séjour.

13. Nous allons te raconter leur récit en toute vérité. Ce sont des jeunes gens qui croyaient en leur Seigneur ; et Nous leur avons accordé les plus grands moyens de se diriger [dans la bonne voie].

14. Nous avons fortifié leurs cœurs lorsqu'ils s'étaient levés pour dire: «Notre Seigneur est le Seigneur des cieux et de la terre: jamais nous n'invoquerons de divinité en dehors de Lui, sans quoi, nous transgresserions dans nos paroles.

15. Voilà que nos concitoyens ont adopté en dehors de Lui des divinités. Que n'apportent-ils sur elles une preuve évidente? Quel pire injuste, donc que celui qui invente un mensonge contre Allāh?

---

1. *Ar-Raqīm*: c'est probablement l'inscription qu'on avait installée à cet endroit concernant ces gens.
2. *Nous avons assourdi*: Nous les avons endormis.
3. *Lequel des deux groupes*: les deux groupes qui s'opposaient à propos du nombre des années de leur sommeil.

وَإِذِ ٱعْتَزَلْتُمُوهُمْ وَمَا يَعْبُدُونَ إِلَّا ٱللَّهَ فَأْوُۥٓا۟ إِلَى ٱلْكَهْفِ يَنشُرْ لَكُمْ رَبُّكُم مِّن رَّحْمَتِهِۦ وَيُهَيِّئْ لَكُم مِّنْ أَمْرِكُم مِّرْفَقًا ۝ وَتَرَى ٱلشَّمْسَ إِذَا طَلَعَت تَّزَٰوَرُ عَن كَهْفِهِمْ ذَاتَ ٱلْيَمِينِ وَإِذَا غَرَبَت تَّقْرِضُهُمْ ذَاتَ ٱلشِّمَالِ وَهُمْ فِى فَجْوَةٍ مِّنْهُ ذَٰلِكَ مِنْ ءَايَٰتِ ٱللَّهِ مَن يَهْدِ ٱللَّهُ فَهُوَ ٱلْمُهْتَدِ وَمَن يُضْلِلْ فَلَن تَجِدَ لَهُۥ وَلِيًّا مُّرْشِدًا ۝ وَتَحْسَبُهُمْ أَيْقَاظًا وَهُمْ رُقُودٌ وَنُقَلِّبُهُمْ ذَاتَ ٱلْيَمِينِ وَذَاتَ ٱلشِّمَالِ وَكَلْبُهُم بَٰسِطٌ ذِرَاعَيْهِ بِٱلْوَصِيدِ لَوِ ٱطَّلَعْتَ عَلَيْهِمْ لَوَلَّيْتَ مِنْهُمْ فِرَارًا وَلَمُلِئْتَ مِنْهُمْ رُعْبًا ۝ وَكَذَٰلِكَ بَعَثْنَٰهُمْ لِيَتَسَآءَلُوا۟ بَيْنَهُمْ قَالَ قَآئِلٌ مِّنْهُمْ كَمْ لَبِثْتُمْ قَالُوا۟ لَبِثْنَا يَوْمًا أَوْ بَعْضَ يَوْمٍ قَالُوا۟ رَبُّكُمْ أَعْلَمُ بِمَا لَبِثْتُمْ فَٱبْعَثُوٓا۟ أَحَدَكُم بِوَرِقِكُمْ هَٰذِهِۦٓ إِلَى ٱلْمَدِينَةِ فَلْيَنظُرْ أَيُّهَآ أَزْكَىٰ طَعَامًا فَلْيَأْتِكُم بِرِزْقٍ مِّنْهُ وَلْيَتَلَطَّفْ وَلَا يُشْعِرَنَّ بِكُمْ أَحَدًا ۝ إِنَّهُمْ إِن يَظْهَرُوا۟ عَلَيْكُمْ يَرْجُمُوكُمْ أَوْ يُعِيدُوكُمْ فِى مِلَّتِهِمْ وَلَن تُفْلِحُوٓا۟ إِذًا أَبَدًا ۝

16. Et quand vous vous serez séparés d'eux et de ce qu'ils adorent en dehors d'Allāh, réfugiez-vous donc dans la caverne: votre Seigneur répandra de Sa miséricorde sur vous et disposera pour vous un adoucissement à votre sort».

17. Tu aurais vu le soleil, quand il se lève, s'écarter de leur caverne vers la droite, et quand il se couche, passer à leur gauche, tandis qu'eux-mêmes sont là dans une partie spacieuse (de la caverne)... Cela est une des merveilles d'Allāh. Celui qu'Allāh guide, c'est lui le bien guidé. Et quiconque Il égare, tu ne trouveras alors pour lui aucun allié pour le mettre sur la bonne voie.

18. Et tu les aurais cru éveillés, alors qu'ils dorment. Et Nous les tournons sur le côté droit et sur le côté gauche, tandis que leur chien est à l'entrée, pattes étendues. Si tu les avais aperçus, certes tu leur aurais tourné le dos en fuyant ; et tu aurais été assurément rempli d'effroi devant eux.

19. Et c'est ainsi que Nous les ressuscitâmes, afin qu'ils s'interrogent entre eux. L'un parmi eux dit: «Combien de temps avez-vous demeuré là?» Ils dirent: «Nous avons demeuré un jour ou une partie d'un jour». D'autres dirent: «Votre Seigneur sait mieux combien [de temps] vous y avez demeuré. Envoyez donc l'un de vous à la ville avec votre argent que voici, pour qu'il voie quel aliment est le plus pur et qu'il vous en apporte de quoi vous nourrir. Qu'il agisse avec tact ; et qu'il ne donne l'éveil à personne sur vous.

20. Si jamais ils vous attrapent, ils vous lapideront ou vous feront retourner à leur religion, et vous ne réussirez alors plus jamais».

وَكَذَٰلِكَ أَعْثَرْنَا عَلَيْهِمْ لِيَعْلَمُوٓا۟ أَنَّ وَعْدَ ٱللَّهِ حَقٌّ وَأَنَّ ٱلسَّاعَةَ لَا رَيْبَ فِيهَآ إِذْ يَتَنَٰزَعُونَ بَيْنَهُمْ أَمْرَهُمْ فَقَالُوا۟ ٱبْنُوا۟ عَلَيْهِم بُنْيَٰنًا رَّبُّهُمْ أَعْلَمُ بِهِمْ قَالَ ٱلَّذِينَ غَلَبُوا۟ عَلَىٰٓ أَمْرِهِمْ لَنَتَّخِذَنَّ عَلَيْهِم مَّسْجِدًا ۝ سَيَقُولُونَ ثَلَٰثَةٌ رَّابِعُهُمْ كَلْبُهُمْ وَيَقُولُونَ خَمْسَةٌ سَادِسُهُمْ كَلْبُهُمْ رَجْمًۢا بِٱلْغَيْبِ وَيَقُولُونَ سَبْعَةٌ وَثَامِنُهُمْ كَلْبُهُمْ قُل رَّبِّىٓ أَعْلَمُ بِعِدَّتِهِم مَّا يَعْلَمُهُمْ إِلَّا قَلِيلٌ فَلَا تُمَارِ فِيهِمْ إِلَّا مِرَآءً ظَٰهِرًا وَلَا تَسْتَفْتِ فِيهِم مِّنْهُمْ أَحَدًا ۝ وَلَا تَقُولَنَّ لِشَا۟ىْءٍ إِنِّى فَاعِلٌ ذَٰلِكَ غَدًا ۝ إِلَّآ أَن يَشَآءَ ٱللَّهُ وَٱذْكُر رَّبَّكَ إِذَا نَسِيتَ وَقُلْ عَسَىٰٓ أَن يَهْدِيَنِ رَبِّى لِأَقْرَبَ مِنْ هَٰذَا رَشَدًا ۝ وَلَبِثُوا۟ فِى كَهْفِهِمْ ثَلَٰثَ مِا۟ئَةٍ سِنِينَ وَٱزْدَادُوا۟ تِسْعًا ۝ قُلِ ٱللَّهُ أَعْلَمُ بِمَا لَبِثُوا۟ لَهُۥ غَيْبُ ٱلسَّمَٰوَٰتِ وَٱلْأَرْضِ أَبْصِرْ بِهِۦ وَأَسْمِعْ مَا لَهُم مِّن دُونِهِۦ مِن وَلِىٍّ وَلَا يُشْرِكُ فِى حُكْمِهِۦٓ أَحَدًا ۝ وَٱتْلُ مَآ أُوحِىَ إِلَيْكَ مِن كِتَابِ رَبِّكَ لَا مُبَدِّلَ لِكَلِمَٰتِهِۦ وَلَن تَجِدَ مِن دُونِهِۦ مُلْتَحَدًا ۝

21. Et c'est ainsi que Nous fîmes qu'ils furent découverts, afin qu'ils [les gens de la cité] sachent que la promesse d'Allāh est vérité et qu'il n'y ait point de doute au sujet de l'Heure. Aussi se disputèrent-ils à leur sujet et déclarèrent-ils: «Construisez sur eux un édifice. Leur Seigneur les connaît mieux». Mais ceux qui l'emportèrent [dans la discussion] dirent: «Elevons sur eux un sanctuaire»[1].

22. Ils diront: «ils étaient trois et le quatrième était leur chien». Et ils diront en conjecturant sur leur mystère qu'ils étaient cinq, le sixième étant leur chien et ils diront: «sept, le huitième étant leur chien». Dis: «Mon Seigneur connaît mieux leur nombre. Il n'en est que peu qui le savent». Ne discute à leur sujet que d'une façon apparente et ne consulte personne en ce qui les concerne.

23. Et ne dis jamais, à propos d'une chose: «Je la ferai sûrement demain»,

24. sans ajouter: «Si Allāh le veut», et invoque ton Seigneur quand tu oublies et dis: «Je souhaite que mon Seigneur me guide et me mène plus près de ce qui est correct».

25. Or, ils demeurèrent dans leur caverne trois cents ans et en ajoutèrent neuf (années).

26. Dis: «Allāh sait mieux combien de temps ils demeurèrent là. À Lui appartient l'inconnaissable des cieux et de la terre. Comme Il est Voyant et Audient! Ils n'ont aucun allié en dehors de Lui et Il n'associe personne à Son commandement.

27. Et récite ce qui t'a été révélé du Livre de ton Seigneur. Nul ne peut changer Ses paroles. Et tu ne trouveras, en dehors de Lui, aucun refuge.

---

1. *Un sanctuaire*: lieu de prosternation.

وَٱصْبِرْ نَفْسَكَ مَعَ ٱلَّذِينَ يَدْعُونَ رَبَّهُم بِٱلْغَدَوٰةِ وَٱلْعَشِىِّ يُرِيدُونَ وَجْهَهُۥ وَلَا تَعْدُ عَيْنَاكَ عَنْهُمْ تُرِيدُ زِينَةَ ٱلْحَيَوٰةِ ٱلدُّنْيَا وَلَا تُطِعْ مَنْ أَغْفَلْنَا قَلْبَهُۥ عَن ذِكْرِنَا وَٱتَّبَعَ هَوَىٰهُ وَكَانَ أَمْرُهُۥ فُرُطًا ﴿٢٨﴾ وَقُلِ ٱلْحَقُّ مِن رَّبِّكُمْ فَمَن شَآءَ فَلْيُؤْمِن وَمَن شَآءَ فَلْيَكْفُرْ إِنَّآ أَعْتَدْنَا لِلظَّٰلِمِينَ نَارًا أَحَاطَ بِهِمْ سُرَادِقُهَا وَإِن يَسْتَغِيثُوا۟ يُغَاثُوا۟ بِمَآءٍ كَٱلْمُهْلِ يَشْوِى ٱلْوُجُوهَ بِئْسَ ٱلشَّرَابُ وَسَآءَتْ مُرْتَفَقًا ﴿٢٩﴾ إِنَّ ٱلَّذِينَ ءَامَنُوا۟ وَعَمِلُوا۟ ٱلصَّٰلِحَٰتِ إِنَّا لَا نُضِيعُ أَجْرَ مَنْ أَحْسَنَ عَمَلًا ﴿٣٠﴾ أُو۟لَٰٓئِكَ لَهُمْ جَنَّٰتُ عَدْنٍ تَجْرِى مِن تَحْتِهِمُ ٱلْأَنْهَٰرُ يُحَلَّوْنَ فِيهَا مِنْ أَسَاوِرَ مِن ذَهَبٍ وَيَلْبَسُونَ ثِيَابًا خُضْرًا مِّن سُندُسٍ وَإِسْتَبْرَقٍ مُّتَّكِـِٔينَ فِيهَا عَلَى ٱلْأَرَآئِكِ نِعْمَ ٱلثَّوَابُ وَحَسُنَتْ مُرْتَفَقًا ﴿٣١﴾ وَٱضْرِبْ لَهُم مَّثَلًا رَّجُلَيْنِ جَعَلْنَا لِأَحَدِهِمَا جَنَّتَيْنِ مِنْ أَعْنَٰبٍ وَحَفَفْنَٰهُمَا بِنَخْلٍ وَجَعَلْنَا بَيْنَهُمَا زَرْعًا ﴿٣٢﴾ كِلْتَا ٱلْجَنَّتَيْنِ ءَاتَتْ أُكُلَهَا وَلَمْ تَظْلِم مِّنْهُ شَيْـًٔا وَفَجَّرْنَا خِلَٰلَهُمَا نَهَرًا ﴿٣٣﴾ وَكَانَ لَهُۥ ثَمَرٌ فَقَالَ لِصَٰحِبِهِۦ وَهُوَ يُحَاوِرُهُۥٓ أَنَا۠ أَكْثَرُ مِنكَ مَالًا وَأَعَزُّ نَفَرًا ﴿٣٤﴾

28. Fais preuve de patience [en restant] avec ceux qui invoquent leur Seigneur matin et soir, désirant Sa Face. Et que tes yeux ne se détachent point d'eux, en cherchant (le faux) brillant de la vie sur terre. Et n'obéis pas à celui dont Nous avons rendu le cœur inattentif à Notre Rappel, qui poursuit sa passion et dont le comportement est outrancier.

29. Et dis: «La vérité émane de votre Seigneur». Quiconque le veut, qu'il croie, et quiconque le veut qu'il mécroie». Nous avons préparé pour les injustes un Feu dont les flammes les cernent. Et s'ils implorent à boire on les abreuvera d'une eau comme du métal fondu brûlant les visages. Quelle mauvaise boisson et quelle détestable demeure!

30. Ceux qui croient et font de bonnes œuvres ... Vraiment Nous ne laissons pas perdre la récompense de celui qui fait le bien.

31. Voilà ceux qui auront les jardins du séjour (éternel) sous lesquels coulent les ruisseaux. Ils y seront parés de bracelets d'or et se vêtiront d'habits verts de soie fine et de brocart, accoudés sur des divans (bien ornés). Quelle bonne récompense et quelle belle demeure!

32. Donne-leur l'exemple de deux hommes: à l'un d'eux Nous avons assigné deux jardins de vignes que Nous avons entourés de palmiers et Nous avons mis entre les deux jardins des champs cultivés.

33. Les deux jardins produisaient leur récolte sans jamais manquer. Et Nous avons fait jaillir entre eux un ruisseau.

34. Et il avait des fruits et dit alors à son compagnon avec qui il conversait: «Je possède plus de biens que toi, et je suis plus puissant que toi grâce à mon clan».

وَدَخَلَ جَنَّتَهُۥ وَهُوَ ظَالِمٌ لِّنَفْسِهِۦ قَالَ مَآ أَظُنُّ أَن تَبِيدَ هَٰذِهِۦٓ أَبَدًا ۝ وَمَآ أَظُنُّ ٱلسَّاعَةَ قَآئِمَةً وَلَئِن رُّدِدتُّ إِلَىٰ رَبِّى لَأَجِدَنَّ خَيْرًا مِّنْهَا مُنقَلَبًا ۝ قَالَ لَهُۥ صَاحِبُهُۥ وَهُوَ يُحَاوِرُهُۥٓ أَكَفَرْتَ بِٱلَّذِى خَلَقَكَ مِن تُرَابٍ ثُمَّ مِن نُّطْفَةٍ ثُمَّ سَوَّىٰكَ رَجُلًا ۝ لَّٰكِنَّا۠ هُوَ ٱللَّهُ رَبِّى وَلَآ أُشْرِكُ بِرَبِّىٓ أَحَدًا ۝ وَلَوْلَآ إِذْ دَخَلْتَ جَنَّتَكَ قُلْتَ مَا شَآءَ ٱللَّهُ لَا قُوَّةَ إِلَّا بِٱللَّهِ إِن تَرَنِ أَنَا۠ أَقَلَّ مِنكَ مَالًا وَوَلَدًا ۝ فَعَسَىٰ رَبِّىٓ أَن يُؤْتِيَنِ خَيْرًا مِّن جَنَّتِكَ وَيُرْسِلَ عَلَيْهَا حُسْبَانًا مِّنَ ٱلسَّمَآءِ فَتُصْبِحَ صَعِيدًا زَلَقًا ۝ أَوْ يُصْبِحَ مَآؤُهَا غَوْرًا فَلَن تَسْتَطِيعَ لَهُۥ طَلَبًا ۝ وَأُحِيطَ بِثَمَرِهِۦ فَأَصْبَحَ يُقَلِّبُ كَفَّيْهِ عَلَىٰ مَآ أَنفَقَ فِيهَا وَهِىَ خَاوِيَةٌ عَلَىٰ عُرُوشِهَا وَيَقُولُ يَٰلَيْتَنِى لَمْ أُشْرِكْ بِرَبِّىٓ أَحَدًا ۝ وَلَمْ تَكُن لَّهُۥ فِئَةٌ يَنصُرُونَهُۥ مِن دُونِ ٱللَّهِ وَمَا كَانَ مُنتَصِرًا ۝ هُنَالِكَ ٱلْوَلَٰيَةُ لِلَّهِ ٱلْحَقِّ هُوَ خَيْرٌ ثَوَابًا وَخَيْرٌ عُقْبًا ۝ وَٱضْرِبْ لَهُم مَّثَلَ ٱلْحَيَوٰةِ ٱلدُّنْيَا كَمَآءٍ أَنزَلْنَٰهُ مِنَ ٱلسَّمَآءِ فَٱخْتَلَطَ بِهِۦ نَبَاتُ ٱلْأَرْضِ فَأَصْبَحَ هَشِيمًا تَذْرُوهُ ٱلرِّيَٰحُ وَكَانَ ٱللَّهُ عَلَىٰ كُلِّ شَىْءٍ مُّقْتَدِرًا ۝

35. Il entra dans son Jardin coupable envers lui-même [par sa mécréance] ; il dit: «Je ne pense pas que ceci puisse jamais périr,

36. et je ne pense pas que l'Heure viendra. Et si on me ramène vers mon Seigneur, je trouverai certes meilleur lieu de retour que ce jardin.

37. Son compagnon lui dit, tout en conversant avec lui: «Serais-tu mécréant envers Celui qui t'a créé de terre, puis de sperme et enfin t'a façonné en homme?

38. Quant à moi, c'est Allāh qui est mon Seigneur ; et je n'associe personne à mon Seigneur.

39. En entrant dans ton jardin, que ne dis-tu: «Telle est la volonté (et la grâce) d'Allāh! Il n'y a de puissance que par Allāh». Si tu me vois moins pourvu que toi en biens et en enfants,

40. il se peut que mon Seigneur, bientôt, me donne quelque chose de meilleur que ton jardin, qu'Il envoie sur [ce dernier], du ciel, quelque calamité, et que son sol devienne glissant,

41. ou que son eau tarisse de sorte que tu ne puisses plus la retrouver».

42. Et sa récolte fut détruite et il se mit alors à se tordre les deux mains à cause de ce qu'il y avait dépensé, cependant que ses treilles étaient complètement ravagées. Et il disait: «Que je souhaite n'avoir associé personne à mon Seigneur!»

43. Il n'eut aucun groupe de gens pour le secourir contre (la punition) d'Allāh. Et il ne put se secourir lui-même.

44. En l'occurrence, la souveraine protection appartient à Allāh, le Vrai. Il accorde la meilleure récompense et le meilleur résultat.

45. Et propose-leur l'exemple de la vie ici-bas. Elle est semblable à une eau que Nous faisons descendre du ciel ; la végétation de la terre se mélange à elle. Puis elle devient de l'herbe desséchée que les vents dispersent. Allāh est certes Puissant en toutes choses!

ٱلْمَالُ وَٱلْبَنُونَ زِينَةُ ٱلْحَيَوٰةِ ٱلدُّنْيَا وَٱلْبَـٰقِيَـٰتُ ٱلصَّـٰلِحَـٰتُ خَيْرٌ عِندَ رَبِّكَ ثَوَابًا وَخَيْرٌ أَمَلًا ۝ وَيَوْمَ نُسَيِّرُ ٱلْجِبَالَ وَتَرَى ٱلْأَرْضَ بَارِزَةً وَحَشَرْنَـٰهُمْ فَلَمْ نُغَادِرْ مِنْهُمْ أَحَدًا ۝ وَعُرِضُواْ عَلَىٰ رَبِّكَ صَفًّا لَّقَدْ جِئْتُمُونَا كَمَا خَلَقْنَـٰكُمْ أَوَّلَ مَرَّةٍ بَلْ زَعَمْتُمْ أَلَّن نَّجْعَلَ لَكُم مَّوْعِدًا ۝ وَوُضِعَ ٱلْكِتَـٰبُ فَتَرَى ٱلْمُجْرِمِينَ مُشْفِقِينَ مِمَّا فِيهِ وَيَقُولُونَ يَـٰوَيْلَتَنَا مَالِ هَـٰذَا ٱلْكِتَـٰبِ لَا يُغَادِرُ صَغِيرَةً وَلَا كَبِيرَةً إِلَّا أَحْصَىٰهَا وَوَجَدُواْ مَا عَمِلُواْ حَاضِرًا وَلَا يَظْلِمُ رَبُّكَ أَحَدًا ۝ وَإِذْ قُلْنَا لِلْمَلَـٰٓئِكَةِ ٱسْجُدُواْ لِـَٔادَمَ فَسَجَدُوٓاْ إِلَّآ إِبْلِيسَ كَانَ مِنَ ٱلْجِنِّ فَفَسَقَ عَنْ أَمْرِ رَبِّهِۦٓ أَفَتَتَّخِذُونَهُۥ وَذُرِّيَّتَهُۥٓ أَوْلِيَآءَ مِن دُونِى وَهُمْ لَكُمْ عَدُوٌّۢ بِئْسَ لِلظَّـٰلِمِينَ بَدَلًا ۝ مَّآ أَشْهَدتُّهُمْ خَلْقَ ٱلسَّمَـٰوَٰتِ وَٱلْأَرْضِ وَلَا خَلْقَ أَنفُسِهِمْ وَمَا كُنتُ مُتَّخِذَ ٱلْمُضِلِّينَ عَضُدًا ۝ وَيَوْمَ يَقُولُ نَادُواْ شُرَكَآءِىَ ٱلَّذِينَ زَعَمْتُمْ فَدَعَوْهُمْ فَلَمْ يَسْتَجِيبُواْ لَهُمْ وَجَعَلْنَا بَيْنَهُم مَّوْبِقًا ۝ وَرَءَا ٱلْمُجْرِمُونَ ٱلنَّارَ فَظَنُّوٓاْ أَنَّهُم مُّوَاقِعُوهَا وَلَمْ يَجِدُواْ عَنْهَا مَصْرِفًا ۝

46. Les biens et les enfants sont l'ornement de la vie de ce monde. Cependant les bonnes œuvres qui persistent ont auprès de ton Seigneur une meilleure récompense et [suscitent] une belle espérance.

47. Le jour où Nous ferons marcher les montagnes et où tu verras la terre nivelée (comme une plaine) et Nous les rassemblerons sans en omettre un seul.

48. Et ils seront présentés en rangs devant ton Seigneur.«Vous voilà venus à Nous comme Nous vous avons créés la première fois. Pourtant vous prétendiez que Nous ne remplirions pas Nos promesses».

49. Et on déposera le livre (de chacun). Alors tu verras les criminels, effrayés à cause de ce qu'il y a dedans, dire: «Malheur à nous, qu'a donc ce livre à n'omettre de mentionner ni péché véniel ni péché capital?» Et ils trouveront devant eux tout ce qu'ils ont œuvré. Et ton Seigneur ne fait du tort à personne.

50. Et lorsque Nous dîmes aux Anges: «Prosternez-vous devant Adam», ils se prosternèrent, excepté Iblis [Satan] qui était du nombre des djinns et qui se révolta contre le commandement de son Seigneur. Allez-vous cependant le prendre, ainsi que sa descendance, pour alliés en dehors de Moi, alors qu'ils vous sont ennemis? Quel mauvais échange pour les injustes!

51. Je ne les ai pas pris comme témoins de la création des cieux et de la terre, ni de la création de leurs propres personnes. Et Je n'ai pas pris comme aides ceux qui égarent.

52. Et le jour où Il dira: «Appelez ceux que vous prétendiez être Mes associés». Ils les invoqueront ; mais eux ne leur répondront pas, Nous aurons placé entre eux une vallée de perdition.

53. Et les criminels verront le Feu. Ils seront alors convaincus qu'ils y tomberont et n'en trouveront pas d'échappatoire.

وَلَقَدْ صَرَّفْنَا فِي هَٰذَا ٱلْقُرْءَانِ لِلنَّاسِ مِن كُلِّ مَثَلٍ وَكَانَ ٱلْإِنسَٰنُ أَكْثَرَ شَىْءٍ جَدَلًا ۝ وَمَا مَنَعَ ٱلنَّاسَ أَن يُؤْمِنُوٓا۟ إِذْ جَآءَهُمُ ٱلْهُدَىٰ وَيَسْتَغْفِرُوا۟ رَبَّهُمْ إِلَّآ أَن تَأْتِيَهُمْ سُنَّةُ ٱلْأَوَّلِينَ أَوْ يَأْتِيَهُمُ ٱلْعَذَابُ قُبُلًا ۝ وَمَا نُرْسِلُ ٱلْمُرْسَلِينَ إِلَّا مُبَشِّرِينَ وَمُنذِرِينَ وَيُجَٰدِلُ ٱلَّذِينَ كَفَرُوا۟ بِٱلْبَٰطِلِ لِيُدْحِضُوا۟ بِهِ ٱلْحَقَّ وَٱتَّخَذُوٓا۟ ءَايَٰتِي وَمَآ أُنذِرُوا۟ هُزُوًا ۝ وَمَنْ أَظْلَمُ مِمَّن ذُكِّرَ بِـَٔايَٰتِ رَبِّهِۦ فَأَعْرَضَ عَنْهَا وَنَسِيَ مَا قَدَّمَتْ يَدَاهُ إِنَّا جَعَلْنَا عَلَىٰ قُلُوبِهِمْ أَكِنَّةً أَن يَفْقَهُوهُ وَفِىٓ ءَاذَانِهِمْ وَقْرًا وَإِن تَدْعُهُمْ إِلَى ٱلْهُدَىٰ فَلَن يَهْتَدُوٓا۟ إِذًا أَبَدًا ۝ وَرَبُّكَ ٱلْغَفُورُ ذُو ٱلرَّحْمَةِ لَوْ يُؤَاخِذُهُم بِمَا كَسَبُوا۟ لَعَجَّلَ لَهُمُ ٱلْعَذَابَ بَل لَّهُم مَّوْعِدٌ لَّن يَجِدُوا۟ مِن دُونِهِۦ مَوْئِلًا ۝ وَتِلْكَ ٱلْقُرَىٰٓ أَهْلَكْنَٰهُمْ لَمَّا ظَلَمُوا۟ وَجَعَلْنَا لِمَهْلِكِهِم مَّوْعِدًا ۝ وَإِذْ قَالَ مُوسَىٰ لِفَتَىٰهُ لَآ أَبْرَحُ حَتَّىٰٓ أَبْلُغَ مَجْمَعَ ٱلْبَحْرَيْنِ أَوْ أَمْضِىَ حُقُبًا ۝ فَلَمَّا بَلَغَا مَجْمَعَ بَيْنِهِمَا نَسِيَا حُوتَهُمَا فَٱتَّخَذَ سَبِيلَهُۥ فِى ٱلْبَحْرِ سَرَبًا ۝

54. Et assurément, Nous avons déployé pour les gens, dans ce Qur'ān, toutes sortes d'exemples. L'homme cependant, est de tous les êtres le plus grand disputeur.

55. Qu'est-ce qui a donc empêché les gens de croire, lorsque le guide[1] leur est venu, ainsi que de demander pardon à leur Seigneur, si ce n'est qu'ils veulent subir le sort des Anciens, ou se trouver face à face avec le châtiment.

56. Et Nous n'envoyons des messagers que pour annoncer la bonne nouvelle et avertir. Et ceux qui ont mécru disputent avec de faux arguments, afin d'infirmer la vérité et prennent en raillerie Mes versets (le Qur'ān) ainsi que ce (châtiment) dont on les a avertis.

57. Quel pire injuste que celui à qui on a rappelé les versets de son Seigneur et qui en détourna le dos en oubliant ce que ses deux mains ont commis? Nous avons placé des voiles sur leurs cœurs, de sorte qu'ils ne comprennent pas (le Qur'ān), et mis une lourdeur dans leurs oreilles. Même si tu les appelles vers la bonne voie, jamais ils ne pourront donc se guider.

58. Et ton Seigneur est le Pardonneur, le Détenteur de la miséricorde. S'Il s'en prenait à eux pour ce qu'ils ont acquis, Il leur hâterait certes le châtiment. Mais il y a pour eux un terme fixé (pour l'accomplissement des menaces) contre lequel ils ne trouveront aucun refuge.

59. Et voilà les villes que Nous avons fait périr quand leurs peuples commirent des injustices et Nous avons fixé un rendez-vous pour leur destruction.

60. (Rappelle-toi) quand Moïse dit à son valet: «Je n'arrêterai pas avant d'avoir atteint le confluent des deux mers, dusse-je marcher de longues années».

61. Puis, lorsque tous deux eurent atteint le confluent, ils oublièrent leur poisson qui prit alors librement son chemin dans la mer.

---

1. *Le guide*: le Qur'ān ou le Prophète.

فَلَمَّا جَاوَزَا قَالَ لِفَتَىٰهُ ءَاتِنَا غَدَآءَنَا لَقَدْ لَقِينَا مِن سَفَرِنَا هَٰذَا نَصَبًا ۝ قَالَ أَرَءَيْتَ إِذْ أَوَيْنَآ إِلَى ٱلصَّخْرَةِ فَإِنِّى نَسِيتُ ٱلْحُوتَ وَمَآ أَنسَىٰنِيهُ إِلَّا ٱلشَّيْطَٰنُ أَنْ أَذْكُرَهُۥ وَٱتَّخَذَ سَبِيلَهُۥ فِى ٱلْبَحْرِ عَجَبًا ۝ قَالَ ذَٰلِكَ مَا كُنَّا نَبْغِ فَٱرْتَدَّا عَلَىٰٓ ءَاثَارِهِمَا قَصَصًا ۝ فَوَجَدَا عَبْدًا مِّنْ عِبَادِنَآ ءَاتَيْنَٰهُ رَحْمَةً مِّنْ عِندِنَا وَعَلَّمْنَٰهُ مِن لَّدُنَّا عِلْمًا ۝ قَالَ لَهُۥ مُوسَىٰ هَلْ أَتَّبِعُكَ عَلَىٰٓ أَن تُعَلِّمَنِ مِمَّا عُلِّمْتَ رُشْدًا ۝ قَالَ إِنَّكَ لَن تَسْتَطِيعَ مَعِىَ صَبْرًا ۝ وَكَيْفَ تَصْبِرُ عَلَىٰ مَا لَمْ تُحِطْ بِهِۦ خُبْرًا ۝ قَالَ سَتَجِدُنِىٓ إِن شَآءَ ٱللَّهُ صَابِرًا وَلَآ أَعْصِى لَكَ أَمْرًا ۝ قَالَ فَإِنِ ٱتَّبَعْتَنِى فَلَا تَسْـَٔلْنِى عَن شَىْءٍ حَتَّىٰٓ أُحْدِثَ لَكَ مِنْهُ ذِكْرًا ۝ فَٱنطَلَقَا حَتَّىٰٓ إِذَا رَكِبَا فِى ٱلسَّفِينَةِ خَرَقَهَا قَالَ أَخَرَقْتَهَا لِتُغْرِقَ أَهْلَهَا لَقَدْ جِئْتَ شَيْـًٔا إِمْرًا ۝ قَالَ أَلَمْ أَقُلْ إِنَّكَ لَن تَسْتَطِيعَ مَعِىَ صَبْرًا ۝ قَالَ لَا تُؤَاخِذْنِى بِمَا نَسِيتُ وَلَا تُرْهِقْنِى مِنْ أَمْرِى عُسْرًا ۝ فَٱنطَلَقَا حَتَّىٰٓ إِذَا لَقِيَا غُلَٰمًا فَقَتَلَهُۥ قَالَ أَقَتَلْتَ نَفْسًا زَكِيَّةًۢ بِغَيْرِ نَفْسٍ لَّقَدْ جِئْتَ شَيْـًٔا نُّكْرًا ۝

62. Puis, lorsque tous deux eurent dépassé [cet endroit,] il dit à son valet: «Apporte-nous notre déjeuner: nous avons rencontré de la fatigue dans notre présent voyage».

63. [Le valet lui] dit: «Quand nous avons pris refuge près du rocher, vois-tu, j'ai oublié le poisson - le Diable seul m'a fait oublier de (te) le rappeler - et il a curieusement pris son chemin dans la mer».

64. [Moïse] dit: «Voilà ce que nous cherchions». Puis, ils retournèrent sur leurs pas, suivant leurs traces.

65. Ils trouvèrent l'un de Nos serviteurs à qui Nous avions donné une grâce, de Notre part, et à qui Nous avions enseigné une science émanant de Nous.

66. Moïse lui dit: «Puis-je te suivre, à la condition que tu m'apprennes de ce qu'on t'a appris concernant une bonne direction?»

67. [L'autre] dit: «Vraiment, tu ne pourras jamais être patient avec moi.

68. Comment endurerais-tu sur des choses que tu n'embrasses pas par ta connaissance?»

69. [Moïse] lui dit: «Si Allāh veut, tu me trouveras patient ; et je ne désobéirai à aucun de tes ordres».

70. «Si tu me suis, dit [l'autre,] ne m'interroge sur rien tant que je ne t'en aurai pas fait mention».

71. Alors les deux partirent. Et après qu'ils furent montés sur un bateau, l'homme y fit une brèche. [Moïse] lui dit: «Est-ce pour noyer ses occupants que tu l'as ébréché? Tu as commis, certes, une chose monstrueuse!».

72. [L'autre] répondit: «N'ai-je pas dit que tu ne pourrais pas garder patience en ma compagnie?»

73. « Ne t'en prends pas à moi, dit [Moïse,] pour un oubli de ma part ; et ne m'impose pas de grande difficulté dans mon affaire»[1].

74. Puis ils partirent tous deux ; et quand ils eurent rencontré un enfant, [l'homme] le tua. Alors [Moïse] lui dit: «As-tu tué un être innocent, qui n'a tué personne? Tu as commis certes, une chose affreuse!»

---

1. *Mon affaire*: mon voyage en votre compagnie.

قَالَ أَلَمْ أَقُل لَّكَ إِنَّكَ لَن تَسْتَطِيعَ مَعِيَ صَبْرًا ۝ قَالَ إِن

سَأَلْتُكَ عَن شَيْءٍ بَعْدَهَا فَلَا تُصَٰحِبْنِي ۖ قَدْ بَلَغْتَ مِن لَّدُنِّي عُذْرًا

۝ فَٱنطَلَقَا حَتَّىٰٓ إِذَآ أَتَيَآ أَهْلَ قَرْيَةٍ ٱسْتَطْعَمَآ أَهْلَهَا فَأَبَوْا

أَن يُضَيِّفُوهُمَا فَوَجَدَا فِيهَا جِدَارًا يُرِيدُ أَن يَنقَضَّ فَأَقَامَهُ ۖ

قَالَ لَوْ شِئْتَ لَتَّخَذْتَ عَلَيْهِ أَجْرًا ۝ قَالَ هَٰذَا فِرَاقُ بَيْنِي

وَبَيْنِكَ ۚ سَأُنَبِّئُكَ بِتَأْوِيلِ مَا لَمْ تَسْتَطِع عَّلَيْهِ صَبْرًا ۝ أَمَّا

ٱلسَّفِينَةُ فَكَانَتْ لِمَسَٰكِينَ يَعْمَلُونَ فِي ٱلْبَحْرِ فَأَرَدتُّ أَنْ أَعِيبَهَا

وَكَانَ وَرَآءَهُم مَّلِكٌ يَأْخُذُ كُلَّ سَفِينَةٍ غَصْبًا ۝ وَأَمَّا ٱلْغُلَٰمُ

فَكَانَ أَبَوَاهُ مُؤْمِنَيْنِ فَخَشِينَآ أَن يُرْهِقَهُمَا طُغْيَٰنًا وَكُفْرًا

۝ فَأَرَدْنَآ أَن يُبْدِلَهُمَا رَبُّهُمَا خَيْرًا مِّنْهُ زَكَوٰةً وَأَقْرَبَ رُحْمًا

۝ وَأَمَّا ٱلْجِدَارُ فَكَانَ لِغُلَٰمَيْنِ يَتِيمَيْنِ فِي ٱلْمَدِينَةِ وَكَانَ

تَحْتَهُۥ كَنزٌ لَّهُمَا وَكَانَ أَبُوهُمَا صَٰلِحًا فَأَرَادَ رَبُّكَ أَن يَبْلُغَآ

أَشُدَّهُمَا وَيَسْتَخْرِجَا كَنزَهُمَا رَحْمَةً مِّن رَّبِّكَ ۚ وَمَا فَعَلْتُهُۥ

عَنْ أَمْرِي ۚ ذَٰلِكَ تَأْوِيلُ مَا لَمْ تَسْطِع عَّلَيْهِ صَبْرًا ۝ وَيَسْـَٔلُونَكَ

عَن ذِي ٱلْقَرْنَيْنِ ۖ قُلْ سَأَتْلُواْ عَلَيْكُم مِّنْهُ ذِكْرًا ۝

75. [L'autre] lui dit: «Ne t'ai-je pas dit que tu ne pourrais pas garder patience en ma compagnie?»

76. «Si, après cela, je t'interroge sur quoi que ce soit, dit [Moïse], alors ne m'accompagne plus. Tu seras alors excusé de te séparer de moi».

77. Ils partirent donc tous deux ; et quand ils furent arrivés à un village habité, ils demandèrent à manger à ses habitants ; mais ceux-ci refusèrent de leur donner l'hospitalité. Ensuite, ils y trouvèrent un mur sur le point de s'écrouler. L'homme le redressa. Alors [Moïse] lui dit: «Si tu voulais, tu aurais bien pu réclamer pour cela un salaire».

78. «Ceci [marque] la séparation entre toi et moi, dit [l'homme,] Je vais t'apprendre l'interprétation de ce que tu n'as pu supporter avec patience.

79. Pour ce qui est du bateau, il appartenait à des pauvres gens qui travaillaient en mer. Je voulais donc le rendre défectueux, car il y avait derrière eux un roi qui saisissait de force tout bateau.

80. Quant au garçon, ses père et mère étaient des croyants ; nous avons craint qu'il ne leur imposât la rébellion et la mécréance.

81. Nous avons donc voulu que leur Seigneur leur accordât en échange un autre plus pur et plus affectueux.

82. Et quant au mur, il appartenait à deux garçons orphelins de la ville, et il y avait dessous un trésor à eux ; et leur père était un homme vertueux. Ton Seigneur a donc voulu que tous deux atteignent leur maturité et qu'ils extraient, [eux-mêmes] leur trésor, par une miséricorde de ton Seigneur. Je ne l'ai d'ailleurs pas fait de mon propre chef. Voilà l'interprétation de ce que tu n'as pas pu endurer avec patience».

83. Et ils t'interrogent sur Ḏū al-Qarnayn. Dis: «Je vais vous en citer quelque fait mémorable».

إِنَّا مَكَّنَّا لَهُۥ فِى ٱلْأَرْضِ وَءَاتَيْنَـٰهُ مِن كُلِّ شَىْءٍ سَبَبًا ﴿٨٤﴾ فَأَتْبَعَ سَبَبًا

﴿٨٥﴾ حَتَّىٰٓ إِذَا بَلَغَ مَغْرِبَ ٱلشَّمْسِ وَجَدَهَا تَغْرُبُ فِى عَيْنٍ حَمِئَةٍ

وَوَجَدَ عِندَهَا قَوْمًا ۗ قُلْنَا يَـٰذَا ٱلْقَرْنَيْنِ إِمَّآ أَن تُعَذِّبَ وَإِمَّآ أَن تَتَّخِذَ

فِيهِمْ حُسْنًا ﴿٨٦﴾ قَالَ أَمَّا مَن ظَلَمَ فَسَوْفَ نُعَذِّبُهُۥ ثُمَّ يُرَدُّ إِلَىٰ رَبِّهِۦ

فَيُعَذِّبُهُۥ عَذَابًا نُّكْرًا ﴿٨٧﴾ وَأَمَّا مَنْ ءَامَنَ وَعَمِلَ صَـٰلِحًا فَلَهُۥ جَزَآءً

ٱلْحُسْنَىٰ ۖ وَسَنَقُولُ لَهُۥ مِنْ أَمْرِنَا يُسْرًا ﴿٨٨﴾ ثُمَّ أَتْبَعَ سَبَبًا ﴿٨٩﴾ حَتَّىٰٓ

إِذَا بَلَغَ مَطْلِعَ ٱلشَّمْسِ وَجَدَهَا تَطْلُعُ عَلَىٰ قَوْمٍ لَّمْ نَجْعَل لَّهُم مِّن

دُونِهَا سِتْرًا ﴿٩٠﴾ كَذَٰلِكَ وَقَدْ أَحَطْنَا بِمَا لَدَيْهِ خُبْرًا ﴿٩١﴾ ثُمَّ أَتْبَعَ

سَبَبًا ﴿٩٢﴾ حَتَّىٰٓ إِذَا بَلَغَ بَيْنَ ٱلسَّدَّيْنِ وَجَدَ مِن دُونِهِمَا قَوْمًا

لَّا يَكَادُونَ يَفْقَهُونَ قَوْلًا ﴿٩٣﴾ قَالُوا۟ يَـٰذَا ٱلْقَرْنَيْنِ إِنَّ يَأْجُوجَ وَمَأْجُوجَ

مُفْسِدُونَ فِى ٱلْأَرْضِ فَهَلْ نَجْعَلُ لَكَ خَرْجًا عَلَىٰٓ أَن تَجْعَلَ بَيْنَنَا وَبَيْنَهُمْ

سَدًّا ﴿٩٤﴾ قَالَ مَا مَكَّنِّى فِيهِ رَبِّى خَيْرٌ فَأَعِينُونِى بِقُوَّةٍ أَجْعَلْ بَيْنَكُمْ

وَبَيْنَهُمْ رَدْمًا ﴿٩٥﴾ ءَاتُونِى زُبَرَ ٱلْحَدِيدِ ۖ حَتَّىٰٓ إِذَا سَاوَىٰ بَيْنَ ٱلصَّدَفَيْنِ

قَالَ ٱنفُخُوا۟ ۖ حَتَّىٰٓ إِذَا جَعَلَهُۥ نَارًا قَالَ ءَاتُونِىٓ أُفْرِغْ عَلَيْهِ قِطْرًا

﴿٩٦﴾ فَمَا ٱسْطَـٰعُوٓا۟ أَن يَظْهَرُوهُ وَمَا ٱسْتَطَـٰعُوا۟ لَهُۥ نَقْبًا ﴿٩٧﴾

84. Vraiment, Nous avons affermi sa puissance sur terre, et Nous lui avons donné libre voie à toute chose.

85. Il suivit donc une voie.

86. Et quand il eut atteint le Couchant, il trouva que le soleil se couchait dans une source boueuse[1], et, auprès d'elle il trouva une peuplade [impie]. Nous dîmes: «Ô Ḏū al-Qarnayn! Ou tu les châties, ou tu uses de bienveillance à leur égard».

87. Il dit: «Quant à celui qui est injuste, nous le châtierons ; ensuite il sera ramené vers son Seigneur qui le punira d'un châtiment terrible.

88. Et quant à celui qui croit et fait bonne œuvre, il aura, en retour, la plus belle récompense. Et nous lui donnerons des ordres faciles à exécuter».

89. Puis, il suivit (une autre) voie.

90. Et quand il eut atteint le Levant, il trouva que le soleil se levait sur une peuplade à laquelle Nous n'avions pas donné de voile pour s'en protéger.

91. Il en fut ainsi et Nous embrassons de Notre Science ce qu'il détenait.

92. Puis, il suivit (une autre) voie.

93. Et quand il eut atteint un endroit situé entre les Deux Barrières (montagnes), il trouva derrière elles une peuplade qui ne comprenait presque aucun langage.

94. Ils dirent: «Ô Ḏū al-Qarnayn, les Yā'jūj et les Mā'jūj[2] commettent du désordre sur terre. Est-ce que nous pourrons t'accorder un tribut pour construire une barrière entre eux et nous?»

95. Il dit: «Ce que Mon Seigneur m'a conféré vaut mieux (que vos dons). Aidez-moi donc avec votre force et je construirai un remblai entre vous et eux.

96. Apportez-moi des blocs de fer». Puis, lorsqu'il en eut comblé l'espace entre les deux montagnes, il dit: «Soufflez!». Puis, lorsqu'il l'eut rendu une fournaise, il dit: «Apportez-moi du cuivre fondu, que je le déverse dessus».

97. Ainsi, ils[3] ne purent guère l'escalader ni l'ébrécher non plus.

---

1. *Une source boueuse*: autre interprétation: une source bouillante.
2. Ce sont les noms de deux peuples ennemis.
3. *Ils*: Yā'jūj et Mā'jūj (Gog et Magog).

قَالَ هَٰذَا رَحْمَةٌ مِّن رَّبِّي فَإِذَا جَآءَ وَعْدُ رَبِّي جَعَلَهُۥ دَكَّآءَ وَكَانَ وَعْدُ رَبِّي حَقًّا ۝

وَتَرَكْنَا بَعْضَهُمْ يَوْمَئِذٍ يَمُوجُ فِي بَعْضٍ وَنُفِخَ فِي ٱلصُّورِ فَجَمَعْنَٰهُمْ جَمْعًا ۝

وَعَرَضْنَا جَهَنَّمَ يَوْمَئِذٍ لِّلْكَٰفِرِينَ عَرْضًا ۝

ٱلَّذِينَ كَانَتْ أَعْيُنُهُمْ فِي غِطَآءٍ عَن ذِكْرِي وَكَانُوا۟ لَا يَسْتَطِيعُونَ سَمْعًا ۝

أَفَحَسِبَ ٱلَّذِينَ كَفَرُوٓا۟ أَن يَتَّخِذُوا۟ عِبَادِي مِن دُونِيٓ أَوْلِيَآءَ إِنَّآ أَعْتَدْنَا جَهَنَّمَ لِلْكَٰفِرِينَ نُزُلًا ۝

قُلْ هَلْ نُنَبِّئُكُم بِٱلْأَخْسَرِينَ أَعْمَٰلًا ۝

ٱلَّذِينَ ضَلَّ سَعْيُهُمْ فِي ٱلْحَيَوٰةِ ٱلدُّنْيَا وَهُمْ يَحْسَبُونَ أَنَّهُمْ يُحْسِنُونَ صُنْعًا ۝

أُو۟لَٰٓئِكَ ٱلَّذِينَ كَفَرُوا۟ بِـَٔايَٰتِ رَبِّهِمْ وَلِقَآئِهِۦ فَحَبِطَتْ أَعْمَٰلُهُمْ فَلَا نُقِيمُ لَهُمْ يَوْمَ ٱلْقِيَٰمَةِ وَزْنًا ۝

ذَٰلِكَ جَزَآؤُهُمْ جَهَنَّمُ بِمَا كَفَرُوا۟ وَٱتَّخَذُوٓا۟ ءَايَٰتِي وَرُسُلِي هُزُوًا ۝

إِنَّ ٱلَّذِينَ ءَامَنُوا۟ وَعَمِلُوا۟ ٱلصَّٰلِحَٰتِ كَانَتْ لَهُمْ جَنَّٰتُ ٱلْفِرْدَوْسِ نُزُلًا ۝

خَٰلِدِينَ فِيهَا لَا يَبْغُونَ عَنْهَا حِوَلًا ۝

قُل لَّوْ كَانَ ٱلْبَحْرُ مِدَادًا لِّكَلِمَٰتِ رَبِّي لَنَفِدَ ٱلْبَحْرُ قَبْلَ أَن تَنفَدَ كَلِمَٰتُ رَبِّي وَلَوْ جِئْنَا بِمِثْلِهِۦ مَدَدًا ۝

قُلْ إِنَّمَآ أَنَا۠ بَشَرٌ مِّثْلُكُمْ يُوحَىٰٓ إِلَيَّ أَنَّمَآ إِلَٰهُكُمْ إِلَٰهٌ وَٰحِدٌ فَمَن كَانَ يَرْجُوا۟ لِقَآءَ رَبِّهِۦ فَلْيَعْمَلْ عَمَلًا صَٰلِحًا وَلَا يُشْرِكْ بِعِبَادَةِ رَبِّهِۦٓ أَحَدًۢا ۝

98. Il dit: «C'est une miséricorde de la part de mon Seigneur. Mais, lorsque la promesse de mon Seigneur viendra, Il le nivellera[1]. Et la promesse de mon Seigneur est vérité».

99. Nous les laisserons, ce jour-là, déferler comme les flots les uns sur les autres, et on soufflera dans la Trompe et Nous les rassemblerons tous.

100. Et ce jour-là Nous présenterons de près l'Enfer aux mécréants,

101. dont les yeux étaient couverts d'un voile qui les empêchait de penser à Moi, et ils ne pouvaient rien entendre non plus.

102. Ceux qui ont mécru, comptent-ils donc pouvoir prendre, pour alliés, Mes serviteurs en dehors de Moi? Nous avons préparé l'Enfer comme résidence pour les mécréants.

103. Dis: «Voulez-vous que Nous vous apprenions lesquels sont les plus grands perdants, en œuvres?

104. Ceux dont l'effort, dans la vie présente, s'est égaré, alors qu'ils s'imaginent faire le bien.

105. Ceux-là qui ont nié les signes de leur Seigneur, ainsi que Sa rencontre. Leurs actions sont donc vaines». Nous ne leur assignerons pas de poids au Jour de la Résurrection.

106. C'est que leur rétribution sera l'Enfer, pour avoir mécru et pris en raillerie Mes signes (enseignements) et Mes messagers.

107. Ceux qui croient et font de bonnes œuvres auront pour résidence les Jardins du «Firdaws», (Paradis),

108. où ils demeureront éternellement, sans désirer aucun changement.

109. Dis: «Si la mer était une encre [pour écrire] les paroles de mon Seigneur, certes la mer s'épuiserait avant que ne soient épuisées les paroles de mon Seigneur, quand même Nous lui apporterions son équivalent comme renfort».

110. Dis: «Je suis en fait un être humain comme vous. Il m'a été révélé que votre Dieu est un Dieu unique! Quiconque, donc, espère rencontrer son Seigneur, qu'il fasse de bonnes actions et qu'il n'associe dans son adoration aucun autre à son Seigneur»

---

1. *Le nivellera*: Ḏū al-Qarnayn, réalise après avoir aidé ces gens que son travail sera le jour de la fin du monde réduit en poussière.

سُورَةُ مَرْيَمَ

بِسْمِ ٱللَّهِ ٱلرَّحْمَٰنِ ٱلرَّحِيمِ

كٓهيعٓصٓ ۝ ذِكْرُ رَحْمَتِ رَبِّكَ عَبْدَهُ زَكَرِيَّآ ۝

إِذْ نَادَىٰ رَبَّهُ نِدَآءً خَفِيًّا ۝ قَالَ رَبِّ إِنِّي وَهَنَ ٱلْعَظْمُ

مِنِّي وَٱشْتَعَلَ ٱلرَّأْسُ شَيْبًا وَلَمْ أَكُنۢ بِدُعَآئِكَ رَبِّ

شَقِيًّا ۝ وَإِنِّي خِفْتُ ٱلْمَوَٰلِيَ مِن وَرَآءِي وَكَانَتِ

ٱمْرَأَتِي عَاقِرًا فَهَبْ لِي مِن لَّدُنكَ وَلِيًّا ۝ يَرِثُنِي وَيَرِثُ

مِنْ ءَالِ يَعْقُوبَ وَٱجْعَلْهُ رَبِّ رَضِيًّا ۝ يَٰزَكَرِيَّآ

إِنَّا نُبَشِّرُكَ بِغُلَٰمٍ ٱسْمُهُ يَحْيَىٰ لَمْ نَجْعَل لَّهُۥ مِن قَبْلُ سَمِيًّا

۝ قَالَ رَبِّ أَنَّىٰ يَكُونُ لِي غُلَٰمٌ وَكَانَتِ ٱمْرَأَتِي

عَاقِرًا وَقَدْ بَلَغْتُ مِنَ ٱلْكِبَرِ عِتِيًّا ۝ قَالَ كَذَٰلِكَ

قَالَ رَبُّكَ هُوَ عَلَيَّ هَيِّنٌ وَقَدْ خَلَقْتُكَ مِن قَبْلُ وَلَمْ تَكُ

شَيْـًٔا ۝ قَالَ رَبِّ ٱجْعَل لِّيٓ ءَايَةً قَالَ ءَايَتُكَ أَلَّا

تُكَلِّمَ ٱلنَّاسَ ثَلَٰثَ لَيَالٍ سَوِيًّا ۝ فَخَرَجَ عَلَىٰ قَوْمِهِۦ

مِنَ ٱلْمِحْرَابِ فَأَوْحَىٰٓ إِلَيْهِمْ أَن سَبِّحُواْ بُكْرَةً وَعَشِيًّا ۝

MARYAM (MARIE)[1]
sourate 19   98 versets   Pré-Hégirien n°44

Au nom d'Allāh, le Tout Miséricordieux, le Très Miséricordieux.

1. Kāf, Hā', Yā', 'Aïn, Ṣād[2].

2. C'est un récit de la miséricorde de ton Seigneur envers Son serviteur Zacharie.

3. Lorsqu'il invoqua son Seigneur d'une invocation secrète,

4. et dit: «Ô mon Seigneur, mes os sont affaiblis et ma tête s'est enflammée de cheveux blancs. [Cependant], je n'ai jamais été malheureux [déçu] en te priant, ô mon Seigneur.

5. Je crains [le comportement] de mes héritiers, après moi. Et ma propre femme est stérile. Accorde-moi, de Ta part, un descendant[3]

6. qui hérite de moi et hérite de la famille de Jacob. Et fais qu'il te soit agréable, ô mon Seigneur».

7. «Ô Zacharie, Nous t'annonçons la bonne nouvelle d'un fils. Son nom sera Yaḥya [Jean]. Nous ne lui avons pas donné auparavant d'homonyme».

8. Et [Zacharie dit]:«Ô mon Seigneur, comment aurai-je un fils, quand ma femme est stérile et que je suis très avancé en vieillesse?»

9. [Allāh] lui dit: «Ainsi sera-t-il! Ton Seigneur a dit: «Ceci m'est facile. Et avant cela, Je t'ai créé alors que tu n'étais rien».

10. «Ô mon Seigneur, dit [Zacharie], accorde-moi un signe.» «Ton signe, dit [Allāh,] sera que tu ne pourras pas parler aux gens pendant trois nuits[4] tout en étant bien portant.

11. Il sortit donc du sanctuaire vers son peuple ; puis il leur fit signe de prier matin et soir.

---

1. Titre tiré du v. 16. Le nom arabe est Maryam.
2. *Kāf...*: cf. note à S. 2, v. 1.
3. *Un descendant*: qui hérite du savoir et de la sagesse des prophètes.
4. *Trois nuits*: y compris les jours.

يَـٰيَحْيَىٰ خُذِ ٱلْكِتَـٰبَ بِقُوَّةٍ ۖ وَءَاتَيْنَـٰهُ ٱلْحُكْمَ صَبِيًّا ۝

وَحَنَانًا مِّن لَّدُنَّا وَزَكَوٰةً ۖ وَكَانَ تَقِيًّا ۝ وَبَرًّۢا بِوَٰلِدَيْهِ وَلَمْ

يَكُن جَبَّارًا عَصِيًّا ۝ وَسَلَـٰمٌ عَلَيْهِ يَوْمَ وُلِدَ وَيَوْمَ يَمُوتُ

وَيَوْمَ يُبْعَثُ حَيًّا ۝ وَٱذْكُرْ فِى ٱلْكِتَـٰبِ مَرْيَمَ إِذِ ٱنتَبَذَتْ

مِنْ أَهْلِهَا مَكَانًا شَرْقِيًّا ۝ فَٱتَّخَذَتْ مِن دُونِهِمْ حِجَابًا

فَأَرْسَلْنَآ إِلَيْهَا رُوحَنَا فَتَمَثَّلَ لَهَا بَشَرًا سَوِيًّا ۝ قَالَتْ إِنِّىٓ

أَعُوذُ بِٱلرَّحْمَـٰنِ مِنكَ إِن كُنتَ تَقِيًّا ۝ قَالَ إِنَّمَآ أَنَا۠ رَسُولُ

رَبِّكِ لِأَهَبَ لَكِ غُلَـٰمًا زَكِيًّا ۝ قَالَتْ أَنَّىٰ يَكُونُ لِى

غُلَـٰمٌ وَلَمْ يَمْسَسْنِى بَشَرٌ وَلَمْ أَكُ بَغِيًّا ۝ قَالَ كَذَٰلِكِ

قَالَ رَبُّكِ هُوَ عَلَىَّ هَيِّنٌ ۖ وَلِنَجْعَلَهُۥٓ ءَايَةً لِّلنَّاسِ وَرَحْمَةً

مِّنَّا ۚ وَكَانَ أَمْرًا مَّقْضِيًّا ۝ ❋ فَحَمَلَتْهُ فَٱنتَبَذَتْ

بِهِۦ مَكَانًا قَصِيًّا ۝ فَأَجَآءَهَا ٱلْمَخَاضُ إِلَىٰ جِذْعِ ٱلنَّخْلَةِ

قَالَتْ يَـٰلَيْتَنِى مِتُّ قَبْلَ هَـٰذَا وَكُنتُ نَسْيًا مَّنسِيًّا ۝

فَنَادَىٰهَا مِن تَحْتِهَآ أَلَّا تَحْزَنِى قَدْ جَعَلَ رَبُّكِ تَحْتَكِ سَرِيًّا ۝

وَهُزِّىٓ إِلَيْكِ بِجِذْعِ ٱلنَّخْلَةِ تُسَـٰقِطْ عَلَيْكِ رُطَبًا جَنِيًّا ۝

12. ...«Ô Yahya, tiens fermement au Livre (la Thora)!» Nous lui donnâmes la sagesse alors qu'il était enfant,

13. ainsi que la tendresse de Notre part et la pureté. Il était pieux,

14. et dévoué envers ses père et mère ; et ne fut ni violent ni désobéissant.

15. Que la paix soit sur lui le jour où il naquit, le jour où il mourra, et le jour où il sera ressuscité vivant!

16. Mentionne, dans le Livre (le Qur'ān), Marie, quand elle se retira de sa famille en un lieu vers l'Orient.

17. Elle mit entre elle et eux un voile. Nous lui envoyâmes Notre Esprit (Gabrieľ), qui se présenta à elle sous la forme d'un homme parfait.

18. Elle dit: «Je me réfugie contre toi auprès du Tout Miséricordieux. Si tu es pieux, [ne m'approche point].

19. Il dit: «Je suis en fait un Messager de ton Seigneur pour te faire don d'un fils pur».

20. Elle dit: «Comment aurais-je un fils, quand aucun homme ne m'a touchée, et que je ne suis pas prostituée?»

21. Il dit: «Ainsi sera-t-il! Cela M'est facile, a dit ton Seigneur! Et Nous ferons de lui un signe pour les gens, et une miséricorde de Notre part. C'est une affaire déjà décidée».

22. Elle devint donc enceinte [de l'enfant], et elle se retira avec lui en un lieu éloigné.

23. Puis les douleurs de l'enfantement l'amenèrent au tronc du palmier, et elle dit: «Malheur à moi! Que je fusse morte avant cet instant! Et que je fusse totalement oubliée!».

24. Alors, il l'appela d'au-dessous d'elle1, [lui disant]: «Ne t'afflige pas. Ton Seigneur a placé à tes pieds une source.

25. Secoue vers toi le tronc du palmier: il fera tomber sur toi des dattes fraîches et mûres,

---

1. *Il l'appela d'au-dessous d'elle*: soit l'Ange Gabriel qui était situé à côté d'elle, sur un plan de terrain plus bas, soit son fils Jésus qui venait de naître.

فَكُلِى وَٱشْرَبِى وَقَرِّى عَيْنًا فَإِمَّا تَرَيِنَّ مِنَ ٱلْبَشَرِ أَحَدًا فَقُولِى إِنِّى نَذَرْتُ لِلرَّحْمَٰنِ صَوْمًا فَلَنْ أُكَلِّمَ ٱلْيَوْمَ إِنسِيًّا ۝

فَأَتَتْ بِهِۦ قَوْمَهَا تَحْمِلُهُۥ ۖ قَالُوا۟ يَٰمَرْيَمُ لَقَدْ جِئْتِ شَيْـًٔا فَرِيًّا ۝

يَٰٓأُخْتَ هَٰرُونَ مَا كَانَ أَبُوكِ ٱمْرَأَ سَوْءٍ وَمَا كَانَتْ أُمُّكِ بَغِيًّا ۝

فَأَشَارَتْ إِلَيْهِ ۖ قَالُوا۟ كَيْفَ نُكَلِّمُ مَن كَانَ فِى ٱلْمَهْدِ صَبِيًّا ۝

قَالَ إِنِّى عَبْدُ ٱللَّهِ ءَاتَىٰنِىَ ٱلْكِتَٰبَ وَجَعَلَنِى نَبِيًّا ۝

وَجَعَلَنِى مُبَارَكًا أَيْنَ مَا كُنتُ وَأَوْصَٰنِى بِٱلصَّلَوٰةِ وَٱلزَّكَوٰةِ مَا دُمْتُ حَيًّا ۝

وَبَرًّۢا بِوَٰلِدَتِى وَلَمْ يَجْعَلْنِى جَبَّارًا شَقِيًّا ۝

وَٱلسَّلَٰمُ عَلَىَّ يَوْمَ وُلِدتُّ وَيَوْمَ أَمُوتُ وَيَوْمَ أُبْعَثُ حَيًّا ۝

ذَٰلِكَ عِيسَى ٱبْنُ مَرْيَمَ ۚ قَوْلَ ٱلْحَقِّ ٱلَّذِى فِيهِ يَمْتَرُونَ ۝

مَا كَانَ لِلَّهِ أَن يَتَّخِذَ مِن وَلَدٍ ۖ سُبْحَٰنَهُۥٓ ۚ إِذَا قَضَىٰٓ أَمْرًا فَإِنَّمَا يَقُولُ لَهُۥ كُن فَيَكُونُ ۝

وَإِنَّ ٱللَّهَ رَبِّى وَرَبُّكُمْ فَٱعْبُدُوهُ ۚ هَٰذَا صِرَٰطٌ مُّسْتَقِيمٌ ۝

فَٱخْتَلَفَ ٱلْأَحْزَابُ مِنۢ بَيْنِهِمْ ۖ فَوَيْلٌ لِّلَّذِينَ كَفَرُوا۟ مِن مَّشْهَدِ يَوْمٍ عَظِيمٍ ۝

أَسْمِعْ بِهِمْ وَأَبْصِرْ يَوْمَ يَأْتُونَنَا ۖ لَٰكِنِ ٱلظَّٰلِمُونَ ٱلْيَوْمَ فِى ضَلَٰلٍ مُّبِينٍ ۝

26. Mange donc et bois et que ton œil se réjouisse! Si tu vois quelqu'un d'entre les humains, dis [lui:]«Assurément, j'ai voué un jeûne au Tout Miséricordieux: je ne parlerai donc aujourd'hui à aucun être humain».

27. Puis elle vint auprès des siens en le portant [le bébé]. Ils dirent: «Ô Marie, tu as fait une chose monstrueuse!

28. «Sœur de Hārūn[1], ton père n'était pas un homme de mal et ta mère n'était pas une prostituée».

29. Elle fit alors un signe vers lui [le bébé]. Ils dirent: «Comment parlerions-nous à un bébé au berceau?»

30. Mais (le bébé) dit: «Je suis vraiment le serviteur d'Allāh. Il m'a donné le Livre et m'a désigné Prophète.

31. Où que je sois, Il m'a rendu béni ; et Il m'a recommandé, tant que je vivrai, la prière et la zakāt[2];

32. et la bonté envers ma mère. Il ne m'a fait ni violent ni malheureux.

33. Et que la paix soit sur moi le jour où je naquis, le jour où je mourrai, et le jour où je serai ressuscité vivant.»

34. Tel est Issa (Jésus), fils de Marie: parole de vérité, dont ils doutent.

35. Il ne convient pas à Allāh de S'attribuer un fils. Gloire et Pureté à Lui! Quand Il décide d'une chose, Il dit seulement: «Sois!» et elle est.

36. Certes, Allāh est mon Seigneur tout comme votre Seigneur. Adorez-le donc. Voilà un droit chemin».

37. [Par la suite,] les sectes divergèrent entre elles. Alors, malheur aux mécréants lors de la vue d'un jour terrible[3]!

38. Comme ils entendront et verront bien le jour où ils viendront à Nous! Mais aujourd'hui, les injustes sont dans un égarement évident.

---

1. *Sœur de Hārūn*: Hārūn était un homme bien connu pour sa piété. Il était de la tribu de Maryam.
2. On notera que la Zakāt est toujours associée à la prière, et fut enjointe aux autres prophètes avant l'Islām.
3. *Jour terrible*: le Jour du Jugement dernier.

وَأَنذِرْهُمْ يَوْمَ ٱلْحَسْرَةِ إِذْ قُضِيَ ٱلْأَمْرُ وَهُمْ فِي غَفْلَةٍ وَهُمْ لَا يُؤْمِنُونَ ٣٩ إِنَّا نَحْنُ نَرِثُ ٱلْأَرْضَ وَمَنْ عَلَيْهَا وَإِلَيْنَا يُرْجَعُونَ ٤٠ وَٱذْكُرْ فِي ٱلْكِتَٰبِ إِبْرَٰهِيمَ إِنَّهُ كَانَ صِدِّيقًا نَّبِيًّا ٤١ إِذْ قَالَ لِأَبِيهِ يَٰٓأَبَتِ لِمَ تَعْبُدُ مَا لَا يَسْمَعُ وَلَا يُبْصِرُ وَلَا يُغْنِي عَنكَ شَيْـًٔا ٤٢ يَٰٓأَبَتِ إِنِّي قَدْ جَآءَنِي مِنَ ٱلْعِلْمِ مَا لَمْ يَأْتِكَ فَٱتَّبِعْنِيٓ أَهْدِكَ صِرَٰطًا سَوِيًّا ٤٣ يَٰٓأَبَتِ لَا تَعْبُدِ ٱلشَّيْطَٰنَ إِنَّ ٱلشَّيْطَٰنَ كَانَ لِلرَّحْمَٰنِ عَصِيًّا ٤٤ يَٰٓأَبَتِ إِنِّيٓ أَخَافُ أَن يَمَسَّكَ عَذَابٌ مِّنَ ٱلرَّحْمَٰنِ فَتَكُونَ لِلشَّيْطَٰنِ وَلِيًّا ٤٥ قَالَ أَرَاغِبٌ أَنتَ عَنْ ءَالِهَتِي يَٰٓإِبْرَٰهِيمُ لَئِن لَّمْ تَنتَهِ لَأَرْجُمَنَّكَ وَٱهْجُرْنِي مَلِيًّا ٤٦ قَالَ سَلَٰمٌ عَلَيْكَ سَأَسْتَغْفِرُ لَكَ رَبِّيٓ إِنَّهُ كَانَ بِي حَفِيًّا ٤٧ وَأَعْتَزِلُكُمْ وَمَا تَدْعُونَ مِن دُونِ ٱللَّهِ وَأَدْعُواْ رَبِّي عَسَىٰٓ أَلَّآ أَكُونَ بِدُعَآءِ رَبِّي شَقِيًّا ٤٨ فَلَمَّا ٱعْتَزَلَهُمْ وَمَا يَعْبُدُونَ مِن دُونِ ٱللَّهِ وَهَبْنَا لَهُۥٓ إِسْحَٰقَ وَيَعْقُوبَ وَكُلًّا جَعَلْنَا نَبِيًّا ٤٩ وَوَهَبْنَا لَهُم مِّن رَّحْمَتِنَا وَجَعَلْنَا لَهُمْ لِسَانَ صِدْقٍ عَلِيًّا ٥٠ وَٱذْكُرْ فِي ٱلْكِتَٰبِ مُوسَىٰٓ إِنَّهُ كَانَ مُخْلَصًا وَكَانَ رَسُولًا نَّبِيًّا ٥١

39. Et avertis-le. du jour du Regret[1], quand tout sera réglé ; alors qu'ils sont [dans ce monde] inattentifs et qu'ils ne croient pas.

40. C'est Nous, en vérité, qui hériterons la terre et tout ce qui s'y trouve, et c'est à Nous qu'ils seront ramenés.

41. Et mentionne dans le Livre, Abraham C'était un très véridique et un Prophète.

42. Lorsqu'il dit à son père: «Ô mon père, pourquoi adores-tu ce qui n'entend ni ne voit, et ne te profite en rien?

43. Ô mon père, il m'est venu de la science ce que tu n'as pas reçu ; suis-moi, donc, je te guiderai sur une voie droite.

44. Ô mon père, n'adore pas le Diable, car le Diable désobéit au Tout Miséricordieux.

45. Ô mon père, je crains qu'un châtiment venant du Tout Miséricordieux ne te touche et que tu ne deviennes un allié du Diable».

46. Il dit: «Ô Abraham, aurais-tu du dédain pour mes divinités? Si tu ne cesses pas, certes je te lapiderai, éloigne-toi de moi pour bien longtemps».

47.« Paix sur toi», dit Abraham. «J'implorerai mon Seigneur de te pardonner car Il m'a toujours comblé de Ses bienfaits.

48. Je me sépare de vous, ainsi que de ce que vous invoquez, en dehors d'Allāh, et j'invoquerai mon Seigneur. J'espère ne pas être malheureux dans mon appel à mon Seigneur».

49. Puis, lorsqu'il se fut séparé d'eux et de ce qu'ils adoraient en dehors d'Allāh, Nous lui fîmes don d'Isaac et de Jacob ; et de chacun Nous fîmes un prophète.

50. Et Nous leur donnâmes de par Notre miséricorde, et Nous leur accordâmes un langage sublime de vérité.

51. Et mentionne dans le Livre Moïse. C'était vraiment un élu, et c'était un Messager et un prophète.

---

1. *Jour du Regret*: Jour de la Résurrection.

وَنَـٰدَيْنَـٰهُ مِن جَانِبِ ٱلطُّورِ ٱلْأَيْمَنِ وَقَرَّبْنَـٰهُ نَجِيًّا ۝ وَوَهَبْنَا لَهُۥ مِن رَّحْمَتِنَآ أَخَاهُ هَـٰرُونَ نَبِيًّا ۝ وَٱذْكُرْ فِى ٱلْكِتَـٰبِ إِسْمَـٰعِيلَ إِنَّهُۥ كَانَ صَادِقَ ٱلْوَعْدِ وَكَانَ رَسُولًا نَّبِيًّا ۝ وَكَانَ يَأْمُرُ أَهْلَهُۥ بِٱلصَّلَوٰةِ وَٱلزَّكَوٰةِ وَكَانَ عِندَ رَبِّهِۦ مَرْضِيًّا ۝ وَٱذْكُرْ فِى ٱلْكِتَـٰبِ إِدْرِيسَ إِنَّهُۥ كَانَ صِدِّيقًا نَّبِيًّا ۝ وَرَفَعْنَـٰهُ مَكَانًا عَلِيًّا ۝ أُوْلَـٰٓئِكَ ٱلَّذِينَ أَنْعَمَ ٱللَّهُ عَلَيْهِم مِّنَ ٱلنَّبِيِّـۧنَ مِن ذُرِّيَّةِ ءَادَمَ وَمِمَّنْ حَمَلْنَا مَعَ نُوحٍ وَمِن ذُرِّيَّةِ إِبْرَٰهِيمَ وَإِسْرَٰٓءِيلَ وَمِمَّنْ هَدَيْنَا وَٱجْتَبَيْنَآ إِذَا تُتْلَىٰ عَلَيْهِمْ ءَايَـٰتُ ٱلرَّحْمَـٰنِ خَرُّوا۟ سُجَّدًا وَبُكِيًّا ۩ ۝ ۞ فَخَلَفَ مِنۢ بَعْدِهِمْ خَلْفٌ أَضَاعُوا۟ ٱلصَّلَوٰةَ وَٱتَّبَعُوا۟ ٱلشَّهَوَٰتِ ۖ فَسَوْفَ يَلْقَوْنَ غَيًّا ۝ إِلَّا مَن تَابَ وَءَامَنَ وَعَمِلَ صَـٰلِحًا فَأُو۟لَـٰٓئِكَ يَدْخُلُونَ ٱلْجَنَّةَ وَلَا يُظْلَمُونَ شَيْـًٔا ۝ جَنَّـٰتِ عَدْنٍ ٱلَّتِى وَعَدَ ٱلرَّحْمَـٰنُ عِبَادَهُۥ بِٱلْغَيْبِ ۚ إِنَّهُۥ كَانَ وَعْدُهُۥ مَأْتِيًّا ۝ لَّا يَسْمَعُونَ فِيهَا لَغْوًا إِلَّا سَلَـٰمًا ۖ وَلَهُمْ رِزْقُهُمْ فِيهَا بُكْرَةً وَعَشِيًّا ۝ تِلْكَ ٱلْجَنَّةُ ٱلَّتِى نُورِثُ مِنْ عِبَادِنَا مَن كَانَ تَقِيًّا ۝ وَمَا نَتَنَزَّلُ إِلَّا بِأَمْرِ رَبِّكَ ۖ لَهُۥ مَا بَيْنَ أَيْدِينَا وَمَا خَلْفَنَا وَمَا بَيْنَ ذَٰلِكَ ۚ وَمَا كَانَ رَبُّكَ نَسِيًّا ۝

52. Du côté droit du Mont (Sinaï) Nous l'appelâmes et Nous le fîmes approcher tel un confident.

53. Et par Notre miséricorde, Nous lui donnâmes Aaron son frère comme prophète.

54. Et mentionne Ismaël, dans le Livre. Il était fidèle à ses promesses ; et c'était un Messager et un prophète.

55. Et il commandait à sa famille la prière et la Zakāt ; et il était agréé auprès de son Seigneur.

56. Et mentionne Idris, dans le Livre. C'était un véridique et un prophète.
57. Et Nous l'élevâmes à un haut rang.

58. Voilà ceux qu'Allāh a comblés de faveurs, parmi les prophètes, parmi les descendants d'Adam, et aussi parmi ceux que Nous avons transportés en compagnie de Noé, et parmi la descendance d'Abraham et d'Israël, et parmi ceux que Nous avons guidés et choisis. Quand les versets du Tout Miséricordieux leur étaient récités, ils tombaient prosternés en pleurant[1].

59. Puis leur succédèrent des générations qui délaissèrent la prière et suivirent leurs passions. Ils se trouveront en perdition,

60. sauf celui qui se repent, croit et fait le bien: ceux-là entreront dans le Paradis et ne seront point lésés,

61. aux jardins du séjour (éternel) que le Tout Miséricordieux a promis à Ses serviteurs, [qui ont cru] au mystère. Car Sa promesse arrivera sans nul doute.

62. On n'y entend nulle parole insignifiante ; seulement: «Salām»[2] ; et ils auront là leur nourriture, matin et soir.

63. Voilà le Paradis dont Nous ferons hériter ceux de Nos serviteurs qui auront été pieux.

64. «Nous ne descendons que sur ordre de ton Seigneur[3] À Lui tout ce qui est devant nous, tout ce qui est derrière nous et tout ce qui est entre les deux. Ton Seigneur n'oublie rien.

---

1. *Ils tombaient prosternés en pleurant*: à ce verset, on se prosterne.
2. *Salām*: «paix», la salutation de l'Islām.
3. *Nous ne descendons*...: ce sont les Anges qui parlent à Muḥammad (ﷺ).

رَبُّ ٱلسَّمَٰوَٰتِ وَٱلۡأَرۡضِ وَمَا بَيۡنَهُمَا فَٱعۡبُدۡهُ وَٱصۡطَبِرۡ لِعِبَٰدَتِهِۦ هَلۡ تَعۡلَمُ لَهُۥ سَمِيًّا ۝ وَيَقُولُ ٱلۡإِنسَٰنُ أَءِذَا مَا مِتُّ لَسَوۡفَ أُخۡرَجُ حَيًّا ۝ أَوَلَا يَذۡكُرُ ٱلۡإِنسَٰنُ أَنَّا خَلَقۡنَٰهُ مِن قَبۡلُ وَلَمۡ يَكُ شَيۡـًٔا ۝ فَوَرَبِّكَ لَنَحۡشُرَنَّهُمۡ وَٱلشَّيَٰطِينَ ثُمَّ لَنُحۡضِرَنَّهُمۡ حَوۡلَ جَهَنَّمَ جِثِيًّا ۝ ثُمَّ لَنَنزِعَنَّ مِن كُلِّ شِيعَةٍ أَيُّهُمۡ أَشَدُّ عَلَى ٱلرَّحۡمَٰنِ عِتِيًّا ۝ ثُمَّ لَنَحۡنُ أَعۡلَمُ بِٱلَّذِينَ هُمۡ أَوۡلَىٰ بِهَا صِلِيًّا ۝ وَإِن مِّنكُمۡ إِلَّا وَارِدُهَا كَانَ عَلَىٰ رَبِّكَ حَتۡمًا مَّقۡضِيًّا ۝ ثُمَّ نُنَجِّي ٱلَّذِينَ ٱتَّقَواْ وَّنَذَرُ ٱلظَّٰلِمِينَ فِيهَا جِثِيًّا ۝ وَإِذَا تُتۡلَىٰ عَلَيۡهِمۡ ءَايَٰتُنَا بَيِّنَٰتٍ قَالَ ٱلَّذِينَ كَفَرُواْ لِلَّذِينَ ءَامَنُوٓاْ أَيُّ ٱلۡفَرِيقَيۡنِ خَيۡرٌ مَّقَامًا وَأَحۡسَنُ نَدِيًّا ۝ وَكَمۡ أَهۡلَكۡنَا قَبۡلَهُم مِّن قَرۡنٍ هُمۡ أَحۡسَنُ أَثَٰثًا وَرِءۡيًا ۝ قُلۡ مَن كَانَ فِي ٱلضَّلَٰلَةِ فَلۡيَمۡدُدۡ لَهُ ٱلرَّحۡمَٰنُ مَدًّا حَتَّىٰ إِذَا رَأَوۡاْ مَا يُوعَدُونَ إِمَّا ٱلۡعَذَابَ وَإِمَّا ٱلسَّاعَةَ فَسَيَعۡلَمُونَ مَنۡ هُوَ شَرٌّ مَّكَانًا وَأَضۡعَفُ جُندًا ۝ وَيَزِيدُ ٱللَّهُ ٱلَّذِينَ ٱهۡتَدَوۡاْ هُدًى وَٱلۡبَٰقِيَٰتُ ٱلصَّٰلِحَٰتُ خَيۡرٌ عِندَ رَبِّكَ ثَوَابًا وَخَيۡرٌ مَّرَدًّا ۝

65. Il est le Seigneur des cieux et de la terre et de tout ce qui est entre eux. Adore-Le donc, et sois constant dans Son adoration. Lui connais-tu un homonyme?»

66. Et l'homme dit: «Une fois mort, me sortira-t-on vivant?»

67. L'homme ne se rappelle-t-il pas qu'avant cela, c'est Nous qui l'avons créé alors qu'il n'était rien?

68. Par ton Seigneur! Assurément, Nous les rassemblerons, eux et les diables. Puis, Nous les placerons autour de l'Enfer, agenouillés.

69. Ensuite, Nous arracherons de chaque groupe ceux d'entre eux qui étaient les plus obstinés contre le Tout Miséricordieux.

70. Puis nous sommes Le meilleur à savoir ceux qui méritent le plus d'y être brûlés.

71. Il n'y a personne parmi vous qui ne passera pas par [L'Enfer][1]: Car [il s'agit là] pour ton Seigneur d'une sentence irrévocable.

72. Ensuite, Nous délivrerons ceux qui étaient pieux et Nous y laisserons les injustes agenouillés.

73. Et lorsque Nos versets évidents leur sont récités les mécréants disent à ceux qui croient: «Lequel des deux groupes a la situation la plus confortable et la meilleure compagnie?»

74. Combien de générations, avant eux, avons-Nous fait périr, qui les surpassaient en biens et en apparence?

75. Dis: «Celui qui est dans l'égarement, que le Tout Miséricordieux prolonge sa vie pour un certain temps, jusqu'à ce qu'ils voient soit le châtiment, soit l'Heure dont ils sont menacés. Alors, ils sauront qui a la pire situation et la troupe la plus faible».

76. Allāh accroît la rectitude de ceux qui suivent le bon chemin, et les bonnes œuvres durables méritent auprès de ton Seigneur une meilleure récompense et une meilleure destination.

---

1. *Ne passera pas par l'Enfer*: sur le pont de l'Enfer que les croyants franchiront selon leurs œuvres ici-bas et les mécréants y tomberont.

أَفَرَءَيْتَ الَّذِى كَفَرَ بِـَٔايَٰتِنَا وَقَالَ لَأُوتَيَنَّ مَالًا وَوَلَدًا ۞ أَطَّلَعَ الْغَيْبَ أَمِ اتَّخَذَ عِندَ الرَّحْمَٰنِ عَهْدًا ۞ كَلَّا سَنَكْتُبُ مَا يَقُولُ وَنَمُدُّ لَهُۥ مِنَ الْعَذَابِ مَدًّا ۞ وَنَرِثُهُۥ مَا يَقُولُ وَيَأْتِينَا فَرْدًا ۞ وَاتَّخَذُوا مِن دُونِ اللَّهِ ءَالِهَةً لِّيَكُونُوا لَهُمْ عِزًّا ۞ كَلَّا سَيَكْفُرُونَ بِعِبَادَتِهِمْ وَيَكُونُونَ عَلَيْهِمْ ضِدًّا ۞ أَلَمْ تَرَ أَنَّا أَرْسَلْنَا الشَّيَٰطِينَ عَلَى الْكَٰفِرِينَ تَؤُزُّهُمْ أَزًّا ۞ فَلَا تَعْجَلْ عَلَيْهِمْ إِنَّمَا نَعُدُّ لَهُمْ عَدًّا ۞ يَوْمَ نَحْشُرُ الْمُتَّقِينَ إِلَى الرَّحْمَٰنِ وَفْدًا ۞ وَنَسُوقُ الْمُجْرِمِينَ إِلَىٰ جَهَنَّمَ وِرْدًا ۞ لَّا يَمْلِكُونَ الشَّفَٰعَةَ إِلَّا مَنِ اتَّخَذَ عِندَ الرَّحْمَٰنِ عَهْدًا ۞ وَقَالُوا اتَّخَذَ الرَّحْمَٰنُ وَلَدًا ۞ لَّقَدْ جِئْتُمْ شَيْـًٔا إِدًّا ۞ تَكَادُ السَّمَٰوَٰتُ يَتَفَطَّرْنَ مِنْهُ وَتَنشَقُّ الْأَرْضُ وَتَخِرُّ الْجِبَالُ هَدًّا ۞ أَن دَعَوْا لِلرَّحْمَٰنِ وَلَدًا ۞ وَمَا يَنۢبَغِى لِلرَّحْمَٰنِ أَن يَتَّخِذَ وَلَدًا ۞ إِن كُلُّ مَن فِى السَّمَٰوَٰتِ وَالْأَرْضِ إِلَّا ءَاتِى الرَّحْمَٰنِ عَبْدًا ۞ لَّقَدْ أَحْصَىٰهُمْ وَعَدَّهُمْ عَدًّا ۞ وَكُلُّهُمْ ءَاتِيهِ يَوْمَ الْقِيَٰمَةِ فَرْدًا ۞

77. As-tu vu celui qui ne croit pas à Nos versets et dit: «On me donnera certes des biens et des enfants»?

78. Est-il au courant de l'Inconnaissable ou a-t-il pris un engagement avec le Tout Miséricordieux?

79. Bien au contraire! Nous enregistrerons ce qu'il dit et accroîtrons son châtiment.

80. C'est Nous qui hériterons[1] ce dont il parle, tandis qu'il viendra à Nous, tout seul.

81. Ils ont adopté des divinités en dehors d'Allāh pour qu'ils leur soient des protecteurs (contre le châtiment).

82. Bien au contraire! [ces divinités] renieront leur adoration et seront pour eux des adversaires.

83. N'as-tu pas vu que Nous avons envoyé contre les mécréants des diables qui les excitent furieusement [à désobéir]?

84. Ne te hâte donc pas contre eux: Nous tenons un compte[2] précis de [tous leurs actes].

85. (Rappelle-toi) le jour où Nous rassemblerons les pieux sur des montures et en grande pompe, auprès du Tout Miséricordieux,

86. et pousserons les criminels à l'Enfer comme (un troupeau) à l'abreuvoir,

87. ils ne disposeront d'aucune intercession, sauf celui qui aura pris un engagement avec le Tout Miséricordieux.

88. Et ils ont dit: «Le Tout Miséricordieux S'est attribué un enfant!»

89. Vous avancez certes là une chose abominable!

90. Peu s'en faut que les cieux ne s'entrouvrent à ces mots, que la terre ne se fende et que les montagnes ne s'écroulent,

91. du fait qu'ils ont attribué un enfant au Tout Miséricordieux,

92. alors qu'il ne convient nullement au Tout Miséricordieux d'avoir un enfant!

93. Tous ceux qui sont dans les cieux et sur la terre se rendront auprès du Tout Miséricordieux, [sans exception], en serviteurs.

94. Il les a certes dénombrés et bien comptés.

95. Et au Jour de la Résurrection, chacun d'eux se rendra seul auprès de Lui.

---

1. *C'est Nous qui hériterons*: les biens et les enfants dont parle le v. 77 supra.
2. *Nous tenons un compte*: (autre sens) Nous retardons leur châtiment jusqu'à un terme fixé.

إِنَّ ٱلَّذِينَ ءَامَنُواْ وَعَمِلُواْ ٱلصَّٰلِحَٰتِ سَيَجْعَلُ لَهُمُ ٱلرَّحْمَٰنُ وُدًّا ۝ فَإِنَّمَا يَسَّرْنَٰهُ بِلِسَانِكَ لِتُبَشِّرَ بِهِ ٱلْمُتَّقِينَ وَتُنذِرَ بِهِ قَوْمًا لُّدًّا ۝ وَكَمْ أَهْلَكْنَا قَبْلَهُم مِّن قَرْنٍ هَلْ تُحِسُّ مِنْهُم مِّنْ أَحَدٍ أَوْ تَسْمَعُ لَهُمْ رِكْزًا ۝

سُورَةُ طه

بِسْمِ ٱللَّهِ ٱلرَّحْمَٰنِ ٱلرَّحِيمِ

طه ۝ مَا أَنزَلْنَا عَلَيْكَ ٱلْقُرْءَانَ لِتَشْقَىٰ ۝ إِلَّا تَذْكِرَةً لِّمَن يَخْشَىٰ ۝ تَنزِيلًا مِّمَّنْ خَلَقَ ٱلْأَرْضَ وَٱلسَّمَٰوَٰتِ ٱلْعُلَى ۝ ٱلرَّحْمَٰنُ عَلَى ٱلْعَرْشِ ٱسْتَوَىٰ ۝ لَهُۥ مَا فِى ٱلسَّمَٰوَٰتِ وَمَا فِى ٱلْأَرْضِ وَمَا بَيْنَهُمَا وَمَا تَحْتَ ٱلثَّرَىٰ ۝ وَإِن تَجْهَرْ بِٱلْقَوْلِ فَإِنَّهُۥ يَعْلَمُ ٱلسِّرَّ وَأَخْفَى ۝ ٱللَّهُ لَا إِلَٰهَ إِلَّا هُوَ لَهُ ٱلْأَسْمَآءُ ٱلْحُسْنَىٰ ۝ وَهَلْ أَتَىٰكَ حَدِيثُ مُوسَىٰ ۝ إِذْ رَءَا نَارًا فَقَالَ لِأَهْلِهِ ٱمْكُثُوٓاْ إِنِّىٓ ءَانَسْتُ نَارًا لَّعَلِّىٓ ءَاتِيكُم مِّنْهَا بِقَبَسٍ أَوْ أَجِدُ عَلَى ٱلنَّارِ هُدًى ۝ فَلَمَّآ أَتَىٰهَا نُودِىَ يَٰمُوسَىٰٓ ۝ إِنِّىٓ أَنَا۠ رَبُّكَ فَٱخْلَعْ نَعْلَيْكَ إِنَّكَ بِٱلْوَادِ ٱلْمُقَدَّسِ طُوًى ۝

96. À ceux qui croient et font de bonnes œuvres, le Tout Miséricordieux accordera Son amour[1].

97. Nous l'avons rendu (le Qur'ān) facile [à comprendre] en ta langue, afin que tu annonces par lui la bonne nouvelle aux gens pieux, et que, tu avertisses un peuple irréductible.

98. Que de générations avant eux avons-Nous fait périr! En retrouves-tu un seul individu? Ou en entends-tu le moindre murmure?

ṬĀ-HĀ[2]

sourate 20   135 versets   Pré-hégirien n°45

Au nom d'Allāh, le Tout Miséricordieux, le Très Miséricordieux.

1. Ṭā-Hā.

2. Nous n'avons point fait descendre sur toi le Qur'ān pour que tu sois malheureux,

3. si ce n'est qu'un Rappel pour celui qui redoute (Allāh),

4. (et comme) une révélation émanant de Celui qui a créé la terre et les cieux sublimes.

5. Le Tout Miséricordieux S'est établi «Istawā» sur le Trône[3].

6. À Lui appartient ce qui est dans les cieux, sur la terre, ce qui est entre eux et ce qui est sous le sol humide.

7. Et si tu élèves la voix, Il connaît certes les secrets, mêmes les plus cachés.

8. Allāh! Point de divinité que Lui! Il possède les noms les plus beaux.

9. Le récit de Moïse t'est-il parvenu?

10. Lorsqu'il vit du feu, il dit à sa famille: «Restez ici! Je vois du feu de loin ; peut-être vous en apporterai-je un tison, ou trouverai-je auprès du feu de quoi me guider»[4].

11. Puis, lorsqu'il y arriva, il fut interpellé: «Moïse!

12. Je suis ton Seigneur. Enlève tes sandales: car tu es dans la vallée sacrée, Ṭuwā.

---

1. *Accordera Son amour*: et ils s'aimeront réciproquement.
2. *Ṭā-Hā*: titre tiré des deux initiales du v. 1. Sur ces initiales, voir la note à S. 2, v. 1.
3. *Istawā*: voir la note à S. 7, v. 54.
4. *Où trouverai-je ... de quoi me guider*: Moïse, égaré dans le désert, espère trouver auprès du feu les gens qui lui indiqueront le chemin. Il y trouvera le Guide d'Allāh, la loi divine.

وَأَنَا اخْتَرْتُكَ فَاسْتَمِعْ لِمَا يُوحَىٰ ۞ إِنَّنِي أَنَا اللَّهُ لَآ إِلَٰهَ إِلَّا أَنَا۠

فَاعْبُدْنِي وَأَقِمِ الصَّلَوٰةَ لِذِكْرِيٓ ۞ إِنَّ السَّاعَةَ ءَاتِيَةٌ

أَكَادُ أُخْفِيهَا لِتُجْزَىٰ كُلُّ نَفْسٍ بِمَا تَسْعَىٰ ۞ فَلَا يَصُدَّنَّكَ

عَنْهَا مَن لَّا يُؤْمِنُ بِهَا وَاتَّبَعَ هَوَىٰهُ فَتَرْدَىٰ ۞ وَمَا تِلْكَ

بِيَمِينِكَ يَٰمُوسَىٰ ۞ قَالَ هِيَ عَصَايَ أَتَوَكَّؤُا۟ عَلَيْهَا

وَأَهُشُّ بِهَا عَلَىٰ غَنَمِي وَلِيَ فِيهَا مَـَٔارِبُ أُخْرَىٰ ۞ قَالَ أَلْقِهَا

يَٰمُوسَىٰ ۞ فَأَلْقَىٰهَا فَإِذَا هِيَ حَيَّةٌ تَسْعَىٰ ۞ قَالَ خُذْهَا

وَلَا تَخَفْ سَنُعِيدُهَا سِيرَتَهَا الْأُولَىٰ ۞ وَاضْمُمْ يَدَكَ

إِلَىٰ جَنَاحِكَ تَخْرُجْ بَيْضَآءَ مِنْ غَيْرِ سُوٓءٍ ءَايَةً أُخْرَىٰ ۞ لِنُرِيَكَ

مِنْ ءَايَٰتِنَا الْكُبْرَىٰ ۞ اذْهَبْ إِلَىٰ فِرْعَوْنَ إِنَّهُ طَغَىٰ ۞ قَالَ

رَبِّ اشْرَحْ لِي صَدْرِي ۞ وَيَسِّرْ لِيٓ أَمْرِي ۞ وَاحْلُلْ عُقْدَةً مِّن

لِّسَانِي ۞ يَفْقَهُوا۟ قَوْلِي ۞ وَاجْعَل لِّي وَزِيرًا مِّنْ أَهْلِي ۞ هَٰرُونَ

أَخِي ۞ اشْدُدْ بِهِۦٓ أَزْرِي ۞ وَأَشْرِكْهُ فِيٓ أَمْرِي ۞ كَيْ نُسَبِّحَكَ

كَثِيرًا ۞ وَنَذْكُرَكَ كَثِيرًا ۞ إِنَّكَ كُنتَ بِنَا بَصِيرًا ۞ قَالَ قَدْ

أُوتِيتَ سُؤْلَكَ يَٰمُوسَىٰ ۞ وَلَقَدْ مَنَنَّا عَلَيْكَ مَرَّةً أُخْرَىٰٓ ۞

13. Moi, Je t'ai choisi. Ecoute donc ce qui va être révélé.

14. Certes, c'est Moi Allāh: point de divinité que Moi. Adore-Moi donc et accomplis la Ṣalāt pour te souvenir de Moi.

15. L'Heure va certes arriver. Je la cache à peine, pour que chaque âme soit rétribuée selon ses efforts.

16. Que celui qui n'y croit pas et qui suit sa propre passion ne t'en détourne pas. Sinon tu périras.

17. Et qu'est-ce qu'il y a dans ta main droite, ô Moïse?»

18. Il dit: «C'est mon bâton sur lequel je m'appuie, qui me sert à effeuiller (les arbres) pour mes moutons et j'en fais d'autres usages».

19. [Allāh lui] dit: «Jette-le, Ô Moïse».

20. Il le jeta: et le voici un serpent qui rampait.

21. [Allāh] dit: «Saisis-le et ne crains rien: Nous le ramènerons à son premier état.

22. Et serre ta main sous ton aisselle: elle en sortira blanche[1] sans aucun mal, et ce sera là un autre prodige,

23. afin que Nous te fassions voir de Nos prodiges les plus importants.

24. Rends-toi auprès de Pharaon car il a outrepassé toute limite.

25. [Moïse] dit: «Seigneur, ouvre-moi ma poitrine[2],

26. et facilite ma mission,

27. et dénoue un nœud en ma langue,

28. afin qu'ils comprennent mes paroles,

29. et assigne-moi un assistant de ma famille:

30. Aaron, mon frère,

31. accrois par lui ma force!

32. et associe-le à ma mission.

33. afin que nous Te glorifions beaucoup,

34. et que nous T'invoquions beaucoup.

35. Et Toi, certes, Tu es Très Clairvoyant sur nous».

36. [Allāh] dit: «Ta demande est exaucée, ô Moïse.

37. Et Nous t'avons déjà favorisé une première fois,

---

1. *Blanche*: étincelante de lumière.
2. *Ma poitrine*: rends mon cœur apte à recevoir Ta révélation.

إِذْ أَوْحَيْنَا إِلَىٰ أُمِّكَ مَا يُوحَىٰ ﴿٣٨﴾ أَنِ اقْذِفِيهِ فِي التَّابُوتِ فَاقْذِفِيهِ فِي الْيَمِّ فَلْيُلْقِهِ الْيَمُّ بِالسَّاحِلِ يَأْخُذْهُ عَدُوٌّ لِّي وَعَدُوٌّ لَّهُ ۚ وَأَلْقَيْتُ عَلَيْكَ مَحَبَّةً مِّنِّي وَلِتُصْنَعَ عَلَىٰ عَيْنِي ﴿٣٩﴾ إِذْ تَمْشِي أُخْتُكَ فَتَقُولُ هَلْ أَدُلُّكُمْ عَلَىٰ مَن يَكْفُلُهُ ۖ فَرَجَعْنَاكَ إِلَىٰ أُمِّكَ كَيْ تَقَرَّ عَيْنُهَا وَلَا تَحْزَنَ ۚ وَقَتَلْتَ نَفْسًا فَنَجَّيْنَاكَ مِنَ الْغَمِّ وَفَتَنَّاكَ فُتُونًا ۚ فَلَبِثْتَ سِنِينَ فِي أَهْلِ مَدْيَنَ ثُمَّ جِئْتَ عَلَىٰ قَدَرٍ يَا مُوسَىٰ ﴿٤٠﴾ وَاصْطَنَعْتُكَ لِنَفْسِي ﴿٤١﴾ اذْهَبْ أَنتَ وَأَخُوكَ بِآيَاتِي وَلَا تَنِيَا فِي ذِكْرِي ﴿٤٢﴾ اذْهَبَا إِلَىٰ فِرْعَوْنَ إِنَّهُ طَغَىٰ ﴿٤٣﴾ فَقُولَا لَهُ قَوْلًا لَّيِّنًا لَّعَلَّهُ يَتَذَكَّرُ أَوْ يَخْشَىٰ ﴿٤٤﴾ قَالَا رَبَّنَا إِنَّنَا نَخَافُ أَن يَفْرُطَ عَلَيْنَا أَوْ أَن يَطْغَىٰ ﴿٤٥﴾ قَالَ لَا تَخَافَا ۖ إِنَّنِي مَعَكُمَا أَسْمَعُ وَأَرَىٰ ﴿٤٦﴾ فَأْتِيَاهُ فَقُولَا إِنَّا رَسُولَا رَبِّكَ فَأَرْسِلْ مَعَنَا بَنِي إِسْرَائِيلَ وَلَا تُعَذِّبْهُمْ ۖ قَدْ جِئْنَاكَ بِآيَةٍ مِّن رَّبِّكَ ۖ وَالسَّلَامُ عَلَىٰ مَنِ اتَّبَعَ الْهُدَىٰ ﴿٤٧﴾ إِنَّا قَدْ أُوحِيَ إِلَيْنَا أَنَّ الْعَذَابَ عَلَىٰ مَن كَذَّبَ وَتَوَلَّىٰ ﴿٤٨﴾ قَالَ فَمَن رَّبُّكُمَا يَا مُوسَىٰ ﴿٤٩﴾ قَالَ رَبُّنَا الَّذِي أَعْطَىٰ كُلَّ شَيْءٍ خَلْقَهُ ثُمَّ هَدَىٰ ﴿٥٠﴾ قَالَ فَمَا بَالُ الْقُرُونِ الْأُولَىٰ ﴿٥١﴾

38. lorsque Nous révélâmes à ta mère ce qui fut révélé:

39. «Mets-le dans le coffret, puis jette celui-ci dans les flots pour qu'ensuite le fleuve le lance sur la rive ; un ennemi à Moi et à lui le prendra». Et J'ai répandu sur toi une affection de Ma part[1], afin que tu sois élevé sous Mon œil.

40. Et voilà que ta sœur (te suivait en) marchant et disait: «Puis-je vous indiquer quelqu'un qui se chargera de lui?» Ainsi, Nous te rapportâmes à ta mère[2] afin que son œil se réjouisse et qu'elle ne s'afflige plus. Tu tuas ensuite un individu ; Nous te sauvâmes des craintes qui t'oppressaient ; et Nous t'imposâmes plusieurs épreuves. Puis tu demeuras des années durant chez les habitants de Madyan. Ensuite tu es venu, ô Moïse, conformément à un décret.

41. Et je t'ai assigné à Moi-Même.

42. Pars, toi et ton frère, avec Mes prodiges ; et ne négligez pas de M'invoquer.

43. Allez vers Pharaon: il s'est vraiment rebellé.

44. Puis, parlez-lui gentiment. Peut-être se rappellera-t-il ou [Me] craindra-t-il?

45. Ils dirent: «Ô notre Seigneur, nous craignons qu'il ne nous maltraite indûment, ou qu'il dépasse les limites».

46. Il dit: «Ne craignez rien. Je suis avec vous: J'entends et Je vois.

47. Allez donc chez lui ; puis, dites-lui: «Nous sommes tous deux, les messagers de ton Seigneur. Envoie donc les Enfants d'Israël en notre compagnie et ne les châtie plus. Nous sommes venus à toi avec une preuve de la part de ton Seigneur. Et que la paix soit sur quiconque suit le droit chemin!

48. Il nous a été révélé que le châtiment est pour celui qui refuse d'avoir foi et qui tourne le dos».

49. Alors [Pharaon] dit: «Qui donc est votre Seigneur, ô Moïse?»

50. «Notre Seigneur, dit Moïse, est Celui qui a donné à chaque chose sa propre nature puis l'a dirigée».

51. «Qu'en est-il donc des générations anciennes?» dit Pharaon.

---

1. *Une affection de Ma part*: J'ai mis dans les cœurs de l'amitié pour Toi.
2. La sœur de Moïse fait en sorte que l'on choisisse comme nourrice, pour l'enfant, Sa propre mère. Elle s'adresse aux gens qui ont recueilli l'enfant.

قَالَ عِلْمُهَا عِندَ رَبِّى فِى كِتَٰبٍ لَّا يَضِلُّ رَبِّى وَلَا يَنسَى ۝

ٱلَّذِى جَعَلَ لَكُمُ ٱلْأَرْضَ مَهْدًا وَسَلَكَ لَكُمْ فِيهَا سُبُلًا وَأَنزَلَ مِنَ ٱلسَّمَآءِ مَآءً فَأَخْرَجْنَا بِهِۦٓ أَزْوَٰجًا مِّن نَّبَاتٍ شَتَّىٰ ۝ كُلُوا۟ وَٱرْعَوْا۟ أَنْعَٰمَكُمْ إِنَّ فِى ذَٰلِكَ لَءَايَٰتٍ لِّأُو۟لِى ٱلنُّهَىٰ ۝ مِنْهَا خَلَقْنَٰكُمْ وَفِيهَا نُعِيدُكُمْ وَمِنْهَا نُخْرِجُكُمْ تَارَةً أُخْرَىٰ ۝ وَلَقَدْ أَرَيْنَٰهُ ءَايَٰتِنَا كُلَّهَا فَكَذَّبَ وَأَبَىٰ ۝ قَالَ أَجِئْتَنَا لِتُخْرِجَنَا مِنْ أَرْضِنَا بِسِحْرِكَ يَٰمُوسَىٰ ۝ فَلَنَأْتِيَنَّكَ بِسِحْرٍ مِّثْلِهِۦ فَٱجْعَلْ بَيْنَنَا وَبَيْنَكَ مَوْعِدًا لَّا نُخْلِفُهُۥ نَحْنُ وَلَآ أَنتَ مَكَانًا سُوًى ۝ قَالَ مَوْعِدُكُمْ يَوْمُ ٱلزِّينَةِ وَأَن يُحْشَرَ ٱلنَّاسُ ضُحًى ۝ فَتَوَلَّىٰ فِرْعَوْنُ فَجَمَعَ كَيْدَهُۥ ثُمَّ أَتَىٰ ۝ قَالَ لَهُم مُّوسَىٰ وَيْلَكُمْ لَا تَفْتَرُوا۟ عَلَى ٱللَّهِ كَذِبًا فَيُسْحِتَكُم بِعَذَابٍ وَقَدْ خَابَ مَنِ ٱفْتَرَىٰ ۝ فَتَنَٰزَعُوٓا۟ أَمْرَهُم بَيْنَهُمْ وَأَسَرُّوا۟ ٱلنَّجْوَىٰ ۝ قَالُوٓا۟ إِنْ هَٰذَٰنِ لَسَٰحِرَٰنِ يُرِيدَانِ أَن يُخْرِجَاكُم مِّنْ أَرْضِكُم بِسِحْرِهِمَا وَيَذْهَبَا بِطَرِيقَتِكُمُ ٱلْمُثْلَىٰ ۝ فَأَجْمِعُوا۟ كَيْدَكُمْ ثُمَّ ٱئْتُوا۟ صَفًّا وَقَدْ أَفْلَحَ ٱلْيَوْمَ مَنِ ٱسْتَعْلَىٰ ۝

52. Moïse dit: «La connaissance de leur sort est auprès de mon Seigneur, dans un livre. Mon Seigneur [ne commet] ni erreur ni oubli.

53. C'est Lui qui vous a assigné la terre comme berceau et vous y a tracé des chemins; et qui du ciel a fait descendre de l'eau avec laquelle Nous faisons germer des couples de plantes de toutes sortes».

54. «Mangez et faites paître votre bétail». Voilà bien là des signes pour les doués d'intelligence.

55. C'est d'elle (la terre) que Nous vous avons créés, et en elle Nous vous retournerons, et d'elle Nous vous ferons sortir une fois encore.

56. Certes Nous lui avons montré tous Nos prodiges ; mais il les a démentis et a refusé (de croire).

57. Il dit: «Es-tu venu à nous, ô Moïse, pour nous faire sortir de notre terre par ta magie?

58. Nous t'apporterons assurément une magie semblable. Fixe entre nous et toi un rendez-vous auquel ni nous ni toi ne manquerons, dans un lieu convenable».

59. Alors Moïse dit: «Votre rendez-vous, c'est le jour de la fête. Et que les gens se rassemblent dans la matinée»¹.

60. Pharaon, donc, se retira. Ensuite il rassembla sa ruse puis vint (au rendez-vous)².

61. Moïse leur dit: «Malheur à vous! Ne forgez pas de mensonge contre Allāh: sinon par un châtiment Il vous anéantira. Celui qui forge (un mensonge) est perdu».

62. Là-dessus, ils se mirent à disputer entre eux de leur affaire et tinrent secrètes leurs discussions.

63. Ils dirent: «Voici deux magiciens qui, par leur magie, veulent vous faire abandonner votre terre et emporter votre doctrine idéale³.

64. Rassemblez donc votre ruse puis venez en rangs serrés. Et celui qui aura le dessus aujourd'hui aura réussi».

---

1. Dans la matinée: après le lever du soleil et avant midi.
2. Sa ruse: ses gens rusés, les magiciens.
3. Votre doctrine idéale: «votre religion» (la meilleure du monde).

قَالُوا يَا مُوسَىٰ إِمَّا أَن تُلْقِيَ وَإِمَّا أَن نَّكُونَ أَوَّلَ مَنْ أَلْقَىٰ ﴿٦٥﴾ قَالَ

بَلْ أَلْقُوا ۖ فَإِذَا حِبَالُهُمْ وَعِصِيُّهُمْ يُخَيَّلُ إِلَيْهِ مِن سِحْرِهِمْ أَنَّهَا تَسْعَىٰ

﴿٦٦﴾ فَأَوْجَسَ فِي نَفْسِهِ خِيفَةً مُّوسَىٰ ﴿٦٧﴾ قُلْنَا لَا تَخَفْ إِنَّكَ

أَنتَ الْأَعْلَىٰ ﴿٦٨﴾ وَأَلْقِ مَا فِي يَمِينِكَ تَلْقَفْ مَا صَنَعُوا ۖ إِنَّمَا صَنَعُوا

كَيْدُ سَاحِرٍ ۖ وَلَا يُفْلِحُ السَّاحِرُ حَيْثُ أَتَىٰ ﴿٦٩﴾ فَأُلْقِيَ السَّحَرَةُ سُجَّدًا

قَالُوا آمَنَّا بِرَبِّ هَارُونَ وَمُوسَىٰ ﴿٧٠﴾ قَالَ آمَنتُمْ لَهُ قَبْلَ أَنْ آذَنَ

لَكُمْ ۖ إِنَّهُ لَكَبِيرُكُمُ الَّذِي عَلَّمَكُمُ السِّحْرَ ۖ فَلَأُقَطِّعَنَّ أَيْدِيَكُمْ

وَأَرْجُلَكُم مِّنْ خِلَافٍ وَلَأُصَلِّبَنَّكُمْ فِي جُذُوعِ النَّخْلِ وَلَتَعْلَمُنَّ

أَيُّنَا أَشَدُّ عَذَابًا وَأَبْقَىٰ ﴿٧١﴾ قَالُوا لَن نُّؤْثِرَكَ عَلَىٰ مَا جَاءَنَا مِنَ

الْبَيِّنَاتِ وَالَّذِي فَطَرَنَا ۖ فَاقْضِ مَا أَنتَ قَاضٍ ۖ إِنَّمَا تَقْضِي هَٰذِهِ

الْحَيَاةَ الدُّنْيَا ﴿٧٢﴾ إِنَّا آمَنَّا بِرَبِّنَا لِيَغْفِرَ لَنَا خَطَايَانَا وَمَا أَكْرَهْتَنَا

عَلَيْهِ مِنَ السِّحْرِ ۗ وَاللَّهُ خَيْرٌ وَأَبْقَىٰ ﴿٧٣﴾ إِنَّهُ مَن يَأْتِ رَبَّهُ مُجْرِمًا

فَإِنَّ لَهُ جَهَنَّمَ لَا يَمُوتُ فِيهَا وَلَا يَحْيَىٰ ﴿٧٤﴾ وَمَن يَأْتِهِ مُؤْمِنًا قَدْ

عَمِلَ الصَّالِحَاتِ فَأُولَٰئِكَ لَهُمُ الدَّرَجَاتُ الْعُلَىٰ ﴿٧٥﴾ جَنَّاتُ عَدْنٍ

تَجْرِي مِن تَحْتِهَا الْأَنْهَارُ خَالِدِينَ فِيهَا ۚ وَذَٰلِكَ جَزَاءُ مَن تَزَكَّىٰ ﴿٧٦﴾

65. Ils dirent: «Ô Moïse, ou tu jettes, [le premier ton bâton] ou que nous soyons les premiers à jeter?»

66. Il dit: «Jetez plutôt». Et voilà que leurs cordes et leurs bâtons lui parurent ramper par l'effet de leur magie.

67. Moïse ressentit quelque peur en lui-même.

68. Nous lui dîmes: «N'aie pas peur, c'est toi qui auras le dessus.

69. Jette ce qu'il y a dans ta main droite ; cela dévorera ce qu'ils ont fabriqué. Ce qu'ils ont fabriqué n'est qu'une ruse de magicien ; et le magicien ne réussit pas, où qu'il soit».

70. Les magiciens se jetèrent prosternés, disant: «Nous avons foi en le Seigneur d'Aaron et de Moïse».

71. Alors Pharaon dit: «Avez-vous cru en lui avant que je ne vous y autorise? C'est lui votre chef qui vous a enseigné la magie. Je vous ferai sûrement, couper mains et jambes opposées, et vous ferai crucifier aux troncs des palmiers, et vous saurez, avec certitude, qui de nous est plus fort en châtiment et qui est le plus durable».

72. «Par celui qui nous a créés, dirent-ils, nous ne te préférerons jamais à ce qui nous est parvenu comme preuves évidentes. Décrète donc ce que tu as à décréter. Tes décrets ne touchent que cette présente vie.

73. Nous croyons en notre Seigneur, afin qu'il nous pardonne nos fautes ainsi que la magie à laquelle tu nous as contraints». Et Allāh est meilleur et éternel.

74. Quiconque vient en criminel à son Seigneur, aura certes l'Enfer où il ne meurt ni ne vit.

75. Et quiconque vient auprès de Lui en croyant, après avoir fait de bonnes œuvres, voilà donc ceux qui auront les plus hauts rangs,

76. les jardins du séjour (éternel), sous lesquels coulent les ruisseaux, où ils demeureront éternellement. Et voilà la récompense de ceux qui se purifient [de la mécréance et des pêchés].

وَلَقَدْ أَوْحَيْنَا إِلَىٰ مُوسَىٰ أَنْ أَسْرِ بِعِبَادِي فَاضْرِبْ لَهُمْ طَرِيقًا فِي الْبَحْرِ يَبَسًا لَّا تَخَافُ دَرَكًا وَلَا تَخْشَىٰ ۝ فَأَتْبَعَهُمْ فِرْعَوْنُ بِجُنُودِهِ فَغَشِيَهُم مِّنَ الْيَمِّ مَا غَشِيَهُمْ ۝ وَأَضَلَّ فِرْعَوْنُ قَوْمَهُ وَمَا هَدَىٰ ۝ يَٰبَنِي إِسْرَائِيلَ قَدْ أَنجَيْنَاكُم مِّنْ عَدُوِّكُمْ وَوَاعَدْنَاكُمْ جَانِبَ الطُّورِ الْأَيْمَنَ وَنَزَّلْنَا عَلَيْكُمُ الْمَنَّ وَالسَّلْوَىٰ ۝ كُلُوا مِن طَيِّبَاتِ مَا رَزَقْنَاكُمْ وَلَا تَطْغَوْا فِيهِ فَيَحِلَّ عَلَيْكُمْ غَضَبِي وَمَن يَحْلِلْ عَلَيْهِ غَضَبِي فَقَدْ هَوَىٰ ۝ وَإِنِّي لَغَفَّارٌ لِّمَن تَابَ وَءَامَنَ وَعَمِلَ صَالِحًا ثُمَّ اهْتَدَىٰ ۞ وَمَا أَعْجَلَكَ عَن قَوْمِكَ يَٰمُوسَىٰ ۝ قَالَ هُمْ أُولَاءِ عَلَىٰ أَثَرِي وَعَجِلْتُ إِلَيْكَ رَبِّ لِتَرْضَىٰ ۝ قَالَ فَإِنَّا قَدْ فَتَنَّا قَوْمَكَ مِن بَعْدِكَ وَأَضَلَّهُمُ السَّامِرِيُّ ۝ فَرَجَعَ مُوسَىٰ إِلَىٰ قَوْمِهِ غَضْبَٰنَ أَسِفًا قَالَ يَٰقَوْمِ أَلَمْ يَعِدْكُمْ رَبُّكُمْ وَعْدًا حَسَنًا أَفَطَالَ عَلَيْكُمُ الْعَهْدُ أَمْ أَرَدتُّمْ أَن يَحِلَّ عَلَيْكُمْ غَضَبٌ مِّن رَّبِّكُمْ فَأَخْلَفْتُم مَّوْعِدِي ۝ قَالُوا مَا أَخْلَفْنَا مَوْعِدَكَ بِمَلْكِنَا وَلَٰكِنَّا حُمِّلْنَا أَوْزَارًا مِّن زِينَةِ الْقَوْمِ فَقَذَفْنَاهَا فَكَذَٰلِكَ أَلْقَى السَّامِرِيُّ ۝

77. Nous révélâmes à Moïse: «Pars la nuit, à la tête de Mes serviteurs, puis, trace-leur un passage à sec dans la mer: sans craindre une poursuite et sans éprouver aucune peur».

78. Pharaon les poursuivit avec ses armées. La mer les submergea bel et bien.

79. Pharaon égara ainsi son peuple et ne le mît pas sur le droit chemin.

80. Ô Enfants d'Israël, Nous vous avons déjà délivrés de votre ennemi, et Nous vous avons donné rendez-vous sur le flanc droit du Mont. Et Nous avons fait descendre sur vous la manne et les cailles.

81. «Mangez des bonnes choses que Nous vous avons attribuées et ne vous montrez pas ingrats, sinon Ma colère s'abattra sur vous: et celui sur qui Ma colère s'abat, va sûrement vers l'abîme.

82. Et Je suis Grand Pardonneur à celui qui se repent, croit, fait bonne œuvre, puis se met sur le bon chemin».

83. «Pourquoi Moïse t'es-tu hâté de quitter ton peuple?»

84. Ils sont là sur mes traces, dit Moïse. Et je me suis hâté vers Toi, Seigneur, afin que Tu sois satisfait.

85. Allāh dit: «Nous avons mis ton peuple à l'épreuve après ton départ. Et le Sāmirī les a égarés»[1].

86. Moïse retourna donc vers son peuple, courroucé et chagriné ; il dit: «Ô mon peuple, votre Seigneur ne vous a-t-Il pas déjà fait une belle promesse? L'alliance a-t-elle donc été trop longue pour vous? Ou avez-vous désiré que la colère de votre Seigneur s'abatte sur vous, pour avoir trahi votre engagement envers moi?»

87. Ils dirent: «Ce n'est pas de notre propre gré que nous avons manqué à notre engagement envers toi. Mais nous fûmes chargés de fardeaux d'ornements du peuple (de Pharaon) : nous les avons donc jetés (sur le feu) tout comme le Sāmirī les a lancés.

---

1. *Le Sāmirī les a égarés*: en les amenant à adorer le veau d'or.

فَأَخْرَجَ لَهُمْ عِجْلًا جَسَدًا لَّهُ خُوَارٌ فَقَالُوا۟ هَٰذَآ إِلَٰهُكُمْ وَإِلَٰهُ مُوسَىٰ فَنَسِىَ ۞ أَفَلَا يَرَوْنَ أَلَّا يَرْجِعُ إِلَيْهِمْ قَوْلًا وَلَا يَمْلِكُ لَهُمْ ضَرًّا وَلَا نَفْعًا ۞ وَلَقَدْ قَالَ لَهُمْ هَٰرُونُ مِن قَبْلُ يَٰقَوْمِ إِنَّمَا فُتِنتُم بِهِۦ ۖ وَإِنَّ رَبَّكُمُ ٱلرَّحْمَٰنُ فَٱتَّبِعُونِى وَأَطِيعُوٓا۟ أَمْرِى ۞ قَالُوا۟ لَن نَّبْرَحَ عَلَيْهِ عَٰكِفِينَ حَتَّىٰ يَرْجِعَ إِلَيْنَا مُوسَىٰ ۞ قَالَ يَٰهَٰرُونُ مَا مَنَعَكَ إِذْ رَأَيْتَهُمْ ضَلُّوٓا۟ ۞ أَلَّا تَتَّبِعَنِ ۖ أَفَعَصَيْتَ أَمْرِى ۞ قَالَ يَبْنَؤُمَّ لَا تَأْخُذْ بِلِحْيَتِى وَلَا بِرَأْسِىٓ إِنِّى خَشِيتُ أَن تَقُولَ فَرَّقْتَ بَيْنَ بَنِىٓ إِسْرَٰٓءِيلَ وَلَمْ تَرْقُبْ قَوْلِى ۞ قَالَ فَمَا خَطْبُكَ يَٰسَٰمِرِىُّ ۞ قَالَ بَصُرْتُ بِمَا لَمْ يَبْصُرُوا۟ بِهِۦ فَقَبَضْتُ قَبْضَةً مِّنْ أَثَرِ ٱلرَّسُولِ فَنَبَذْتُهَا وَكَذَٰلِكَ سَوَّلَتْ لِى نَفْسِى ۞ قَالَ فَٱذْهَبْ فَإِنَّ لَكَ فِى ٱلْحَيَوٰةِ أَن تَقُولَ لَا مِسَاسَ ۖ وَإِنَّ لَكَ مَوْعِدًا لَّن تُخْلَفَهُۥ ۖ وَٱنظُرْ إِلَىٰٓ إِلَٰهِكَ ٱلَّذِى ظَلْتَ عَلَيْهِ عَاكِفًا ۖ لَّنُحَرِّقَنَّهُۥ ثُمَّ لَنَنسِفَنَّهُۥ فِى ٱلْيَمِّ نَسْفًا ۞ إِنَّمَآ إِلَٰهُكُمُ ٱللَّهُ ٱلَّذِى لَآ إِلَٰهَ إِلَّا هُوَ ۚ وَسِعَ كُلَّ شَىْءٍ عِلْمًا ۞

88. Puis il en a fait sortir pour eux un veau, un corps à mugissement. Et Ils ont dit: «C'est votre divinité et la divinité de Moïse ; il a donc oublié»[1]!

89. Quoi! Ne voyaient-ils pas qu'il [le veau] ne leur rendait aucune parole et qu'il ne possédait aucun moyen de leur nuire ou de leur faire du bien?

90. Certes, Aaron leur avait bien dit auparavant: «Ô mon peuple, vous êtes tombés dans la tentation (à cause du veau). Or, c'est le Tout Miséricordieux qui est vraiment votre Seigneur. Suivez-moi donc et obéissez à mon commandement».

91. Ils dirent: «Nous continuerons à y être attachés, jusqu'à ce que Moïse retourne vers nous».

92. Alors [Moïse] dit: «Qu'est-ce qui t'a empêché, Aaron, quand tu les as vus s'égarer,

93. de me suivre?[2] As-tu donc désobéi à mon commandement?»

94. [Aaron] dit: «Ô fils de ma mère, ne me prends ni par la barbe ni par la tête. Je craignais que tu ne dises: «Tu as divisé tes enfants d'Israël et tu n'as pas observé mes ordres».

95. Alors [Moïse] dit: «Quel a été ton dessein? Ô Sāmirī?»

96. Il dit: «J'ai vu ce qu'ils n'ont pas vu: j'ai donc pris une poignée de la trace de l'Envoyé[3] ; puis, je l'ai lancée. Voilà ce que mon âme m'a suggéré».

97. «Va-t-en, dit [Moïse]. Dans la vie, tu auras à dire (à tout le monde): «Ne me touchez pas!» Et il y aura pour toi un rendez-vous que tu ne pourras manquer. Regarde ta divinité que tu as adorée avec assiduité. Nous la brûlerons certes, et ensuite, nous disperserons [Sa cendre] dans les flots.

98. En vérité, votre seul Dieu est Allāh en dehors de qui il n'y a point de divinité. De Sa science Il embrasse tout.

---

1. *Il a donc oublié*: parmi les différentes interprétations nous retenons celle-ci. Les adorateurs du veau ont prétendu que Moïse avait oublié son vrai Dieu (le veau) auprès d'eux et qu'il est allé le chercher ailleurs.
2. *De me suivre*: pour m'informer de cette affaire.
3. *J'ai donc pris une poignée*: Sāmirī s'excuse en disant qu'il a vu, lui seul, la trace du pas de l'Envoyé (Gabriel) et qu'il en a fait une prise, qu'il a jetée (au feu où fondait le veau d'or).

كَذَٰلِكَ نَقُصُّ عَلَيْكَ مِنْ أَنۢبَآءِ مَا قَدْ سَبَقَ ۚ وَقَدْ ءَاتَيْنَٰكَ مِن لَّدُنَّا

ذِكْرًا ۝ مَّنْ أَعْرَضَ عَنْهُ فَإِنَّهُۥ يَحْمِلُ يَوْمَ ٱلْقِيَٰمَةِ وِزْرًا

۝ خَٰلِدِينَ فِيهِ ۖ وَسَآءَ لَهُمْ يَوْمَ ٱلْقِيَٰمَةِ حِمْلًا ۝ يَوْمَ يُنفَخُ

فِى ٱلصُّورِ ۚ وَنَحْشُرُ ٱلْمُجْرِمِينَ يَوْمَئِذٍ زُرْقًا ۝ يَتَخَٰفَتُونَ

بَيْنَهُمْ إِن لَّبِثْتُمْ إِلَّا عَشْرًا ۝ نَّحْنُ أَعْلَمُ بِمَا يَقُولُونَ إِذْ يَقُولُ

أَمْثَلُهُمْ طَرِيقَةً إِن لَّبِثْتُمْ إِلَّا يَوْمًا ۝ وَيَسْـَٔلُونَكَ عَنِ ٱلْجِبَالِ

فَقُلْ يَنسِفُهَا رَبِّى نَسْفًا ۝ فَيَذَرُهَا قَاعًا صَفْصَفًا ۝

لَّا تَرَىٰ فِيهَا عِوَجًا وَلَآ أَمْتًا ۝ يَوْمَئِذٍ يَتَّبِعُونَ ٱلدَّاعِىَ

لَا عِوَجَ لَهُۥ ۖ وَخَشَعَتِ ٱلْأَصْوَاتُ لِلرَّحْمَٰنِ فَلَا تَسْمَعُ إِلَّا هَمْسًا

۝ يَوْمَئِذٍ لَّا تَنفَعُ ٱلشَّفَٰعَةُ إِلَّا مَنْ أَذِنَ لَهُ ٱلرَّحْمَٰنُ وَرَضِىَ لَهُۥ

قَوْلًا ۝ يَعْلَمُ مَا بَيْنَ أَيْدِيهِمْ وَمَا خَلْفَهُمْ وَلَا يُحِيطُونَ بِهِۦ

عِلْمًا ۝ ۞ وَعَنَتِ ٱلْوُجُوهُ لِلْحَىِّ ٱلْقَيُّومِ ۖ وَقَدْ خَابَ مَنْ

حَمَلَ ظُلْمًا ۝ وَمَن يَعْمَلْ مِنَ ٱلصَّٰلِحَٰتِ وَهُوَ مُؤْمِنٌ فَلَا

يَخَافُ ظُلْمًا وَلَا هَضْمًا ۝ وَكَذَٰلِكَ أَنزَلْنَٰهُ قُرْءَانًا عَرَبِيًّا

وَصَرَّفْنَا فِيهِ مِنَ ٱلْوَعِيدِ لَعَلَّهُمْ يَتَّقُونَ أَوْ يُحْدِثُ لَهُمْ ذِكْرًا ۝

99. C'est ainsi que Nous te racontons les récits de ce qui s'est passé. C'est bien un rappel de Notre part que Nous t'avons apporté.

100. Quiconque s'en détourne (de ce Qur'ān), portera au jour de la résurrection un fardeau ;

101. ils resteront éternellement dans cet état, et quel mauvais fardeau pour eux au Jour de la Résurrection,

102. le jour où l'on soufflera dans la Trompe, ce jour-là Nous rassemblerons les criminels tout bleus (de peur)!

103. Ils chuchoteront entre eux: «Vous n'êtes restés là que dix [jours]»¹!

104. Nous connaissons parfaitement ce qu'ils diront lorsque l'un d'entre eux dont la conduite est exemplaire dira: «Vous n'êtes restés qu'un jour».

105. Et ils t'interrogent au sujet des montagnes. Dis: «Mon Seigneur les dispersera comme la poussière,

106. et les laissera comme une plaine dénudée

107. dans laquelle tu ne verras ni tortuosité, ni dépression.

108. Ce jour-là, ils suivront le Convocateur sans tortuosité² ; et les voix baisseront devant le Tout Miséricordieux. Tu n'entendras alors qu'un chuchotement.

109. Ce jour-là, l'intercession ne profitera qu'à celui auquel le Tout Miséricordieux aura donné Sa permission et dont Il agréera la parole.

110. Il connaît ce qui est devant eux et ce qui est derrière eux, alors qu'eux-mêmes ne Le cernent pas de leur science.

111. Et les visages s'humilieront devant Le Vivant, Celui qui subsiste par Lui-même «al-Qayyūm»³, et malheureux sera celui qui [se présentera devant Lui] chargé d'une iniquité.

112. Et quiconque aura fait de bonnes œuvres tout en étant croyant, ne craindra ni injustice ni oppression.

113. C'est ainsi que nous l'avons fait descendre un Qur'ān en [langue] arabe, et Nous y avons multiplié les menaces, afin qu'ils deviennent pieux ou qu'il les incite à s'exhorter?

---

1. Les criminels, tous étonnés de se voir déjà au Jour de la Résurrection, se disent les uns aux autres: «Nous ne sommes restés que dix jours sur terre».
2. *Sans tortuosité*: avec l'obéissance totale.
3. *Al-Qayyūm*: voir la note de S. 3, v. 2.

فَتَعَلَى ٱللَّهُ ٱلْمَلِكُ ٱلْحَقُّ وَلَا تَعْجَلْ بِٱلْقُرْءَانِ مِن قَبْلِ أَن يُقْضَىٰ إِلَيْكَ وَحْيُهُۥ وَقُل رَّبِّ زِدْنِي عِلْمًا ۝١١٤ وَلَقَدْ عَهِدْنَآ إِلَىٰٓ ءَادَمَ مِن قَبْلُ فَنَسِيَ وَلَمْ نَجِدْ لَهُۥ عَزْمًا ۝١١٥ وَإِذْ قُلْنَا لِلْمَلَٰٓئِكَةِ ٱسْجُدُواْ لِءَادَمَ فَسَجَدُوٓاْ إِلَّآ إِبْلِيسَ أَبَىٰ ۝١١٦ فَقُلْنَا يَٰٓـَٔادَمُ إِنَّ هَٰذَا عَدُوٌّ لَّكَ وَلِزَوْجِكَ فَلَا يُخْرِجَنَّكُمَا مِنَ ٱلْجَنَّةِ فَتَشْقَىٰٓ ۝١١٧ إِنَّ لَكَ أَلَّا تَجُوعَ فِيهَا وَلَا تَعْرَىٰ ۝١١٨ وَأَنَّكَ لَا تَظْمَؤُاْ فِيهَا وَلَا تَضْحَىٰ ۝١١٩ فَوَسْوَسَ إِلَيْهِ ٱلشَّيْطَٰنُ قَالَ يَٰٓـَٔادَمُ هَلْ أَدُلُّكَ عَلَىٰ شَجَرَةِ ٱلْخُلْدِ وَمُلْكٍ لَّا يَبْلَىٰ ۝١٢٠ فَأَكَلَا مِنْهَا فَبَدَتْ لَهُمَا سَوْءَٰتُهُمَا وَطَفِقَا يَخْصِفَانِ عَلَيْهِمَا مِن وَرَقِ ٱلْجَنَّةِ وَعَصَىٰٓ ءَادَمُ رَبَّهُۥ فَغَوَىٰ ۝١٢١ ثُمَّ ٱجْتَبَٰهُ رَبُّهُۥ فَتَابَ عَلَيْهِ وَهَدَىٰ ۝١٢٢ قَالَ ٱهْبِطَا مِنْهَا جَمِيعًۢا بَعْضُكُمْ لِبَعْضٍ عَدُوٌّ فَإِمَّا يَأْتِيَنَّكُم مِّنِّي هُدًى فَمَنِ ٱتَّبَعَ هُدَايَ فَلَا يَضِلُّ وَلَا يَشْقَىٰ ۝١٢٣ وَمَنْ أَعْرَضَ عَن ذِكْرِي فَإِنَّ لَهُۥ مَعِيشَةً ضَنكًا وَنَحْشُرُهُۥ يَوْمَ ٱلْقِيَٰمَةِ أَعْمَىٰ ۝١٢٤ قَالَ رَبِّ لِمَ حَشَرْتَنِيٓ أَعْمَىٰ وَقَدْ كُنتُ بَصِيرًا ۝١٢٥

114. Que soit exalté Allāh, le Vrai Souverain! Ne te hâte pas [de réciter] le Qur'ān avant que ne te soit achevée sa révélation[1]. Et dis: «Ô mon Seigneur, accroît mes connaissances!»

115. En effet, Nous avons auparavant fait une recommandation à Adam ; mais il oublia; et Nous n'avons pas trouvé chez lui de résolution ferme.

116. Et quand Nous dîmes aux Anges: «Prosternez-vous devant Adam», ils se prosternèrent, excepté Iblis qui refusa.

117. Alors Nous dîmes: «Ô Adam, celui-là est vraiment un ennemi pour toi et ton épouse. Prenez garde qu'il vous fasse sortir du Paradis, car alors tu seras malheureux.

118. Car tu n'y auras pas faim ni ne seras nu,

119. tu n'y auras pas soif ni ne seras frappé par l'ardeur du soleil».

120. Puis le Diable le tenta en disant: «Ô Adam, t'indiquerai-je l'arbre de l'éternité et un royaume impérissable?»

121. Tous deux (Adam et Eve) en mangèrent. Alors leur apparut leur nudité. Ils se mirent à se couvrir avec des feuilles du paradis. Adam désobéit ainsi à son Seigneur et il s'égara.

122. Son Seigneur l'a ensuite élu, agréé son repentir et l'a guidé.

123. Il dit: «Descendez d'ici, (Adam et Eve), [Vous serez] tous (avec vos descendants) ennemis les uns des autres[2]. Puis, si jamais un guide vous vient de Ma part, quiconque suit Mon guide ne s'égarera ni ne sera malheureux.

124. Et quiconque se détourne de Mon Rappel, mènera certes, une vie pleine de gêne, et le Jour de la Résurrection Nous l'amènerons aveugle au rassemblement»[3].

125. Il dira: «Ô mon Seigneur, pourquoi m'as-Tu amené aveugle alors qu'auparavant je voyais?»

---

1. Conseil au Prophète de ne pas se presser quand l'Ange Gabriel lui apporte des révélations, mais de l'écouter attentivement jusqu'à la fin.
2. *Ennemis les uns des autres*: (autre sens) les humains et les diables.
3. Cf. p. 289, v. 72.

قَالَ كَذَٰلِكَ أَتَتْكَ ءَايَٰتُنَا فَنَسِيتَهَا ۖ وَكَذَٰلِكَ ٱلْيَوْمَ تُنسَىٰ ۝ وَكَذَٰلِكَ نَجْزِى مَنْ أَسْرَفَ وَلَمْ يُؤْمِن بِـَٔايَٰتِ رَبِّهِۦ ۚ وَلَعَذَابُ ٱلْءَاخِرَةِ أَشَدُّ وَأَبْقَىٰٓ ۝ أَفَلَمْ يَهْدِ لَهُمْ كَمْ أَهْلَكْنَا قَبْلَهُم مِّنَ ٱلْقُرُونِ يَمْشُونَ فِى مَسَٰكِنِهِمْ ۗ إِنَّ فِى ذَٰلِكَ لَءَايَٰتٍ لِّأُو۟لِى ٱلنُّهَىٰ ۝ وَلَوْلَا كَلِمَةٌ سَبَقَتْ مِن رَّبِّكَ لَكَانَ لِزَامًا وَأَجَلٌ مُّسَمًّى ۝ فَٱصْبِرْ عَلَىٰ مَا يَقُولُونَ وَسَبِّحْ بِحَمْدِ رَبِّكَ قَبْلَ طُلُوعِ ٱلشَّمْسِ وَقَبْلَ غُرُوبِهَا ۖ وَمِنْ ءَانَآئِ ٱلَّيْلِ فَسَبِّحْ وَأَطْرَافَ ٱلنَّهَارِ لَعَلَّكَ تَرْضَىٰ ۝ وَلَا تَمُدَّنَّ عَيْنَيْكَ إِلَىٰ مَا مَتَّعْنَا بِهِۦٓ أَزْوَٰجًا مِّنْهُمْ زَهْرَةَ ٱلْحَيَوٰةِ ٱلدُّنْيَا لِنَفْتِنَهُمْ فِيهِ ۚ وَرِزْقُ رَبِّكَ خَيْرٌ وَأَبْقَىٰ ۝ وَأْمُرْ أَهْلَكَ بِٱلصَّلَوٰةِ وَٱصْطَبِرْ عَلَيْهَا ۖ لَا نَسْـَٔلُكَ رِزْقًا ۖ نَّحْنُ نَرْزُقُكَ ۗ وَٱلْعَٰقِبَةُ لِلتَّقْوَىٰ ۝ وَقَالُوا۟ لَوْلَا يَأْتِينَا بِـَٔايَةٍ مِّن رَّبِّهِۦٓ ۚ أَوَلَمْ تَأْتِهِم بَيِّنَةُ مَا فِى ٱلصُّحُفِ ٱلْأُولَىٰ ۝ وَلَوْ أَنَّا أَهْلَكْنَٰهُم بِعَذَابٍ مِّن قَبْلِهِۦ لَقَالُوا۟ رَبَّنَا لَوْلَآ أَرْسَلْتَ إِلَيْنَا رَسُولًا فَنَتَّبِعَ ءَايَٰتِكَ مِن قَبْلِ أَن نَّذِلَّ وَنَخْزَىٰ ۝ قُلْ كُلٌّ مُّتَرَبِّصٌ فَتَرَبَّصُوا۟ ۖ فَسَتَعْلَمُونَ مَنْ أَصْحَٰبُ ٱلصِّرَٰطِ ٱلسَّوِىِّ وَمَنِ ٱهْتَدَىٰ ۝

126. [Allāh lui] dira: «De même que Nos Signes (enseignements) t'étaient venus et que tu les as oubliés, ainsi aujourd'hui tu es oublié».

127. Ainsi sanctionnons-nous l'outrancier qui ne croit pas aux révélations de son Seigneur. Et certes, le châtiment de l'au-delà est plus sévère et plus durable.

128. Cela ne leur a-t-il pas servi de direction, que Nous ayons fait périr avant eux tant de générations dans les demeures desquelles ils marchent maintenant? Voilà bien là des leçons pour les doués d'intelligence!

129. N'eussent-été un décret préalable de ton Seigneur et aussi un terme déjà fixé, (leur châtiment) aurait été inévitable (et immédiat).

130. Supporte patiemment ce qu'ils disent et célèbre Sa louange, avant le lever du soleil, avant son coucher et pendant la nuit ; et exalte Sa Gloire aux extrémités du jour. Peut-être auras-tu satisfaction:

131. Et ne tends point tes yeux vers ce dont Nous avons donné jouissance temporaire à certains groupes d'entre eux, comme décor de la vie présente, afin de les éprouver par cela. Ce qu'Allāh fournit (au Paradis) est meilleur et plus durable.

132. Et commande à ta famille la Ṣalāt, et fais-la avec persévérance. Nous ne te demandons point de nourriture: c'est à Nous de te nourrir. La bonne fin est réservée à la piété.

133. Et ils disent: «Pourquoi ne nous apporte-t-il pas un miracle de son Seigneur? La Preuve (le Qur'ān) de ce que contiennent les Ecritures anciennes ne leur est-elle pas venue?

134. Et si Nous les avions fait périr par un châtiment avant lui [Muḥammad], ils auraient certainement dit: «Ô notre Seigneur, pourquoi ne nous as-Tu pas envoyé de Messager? Nous aurions alors suivi Tes enseignements avant d'avoir été humiliés et jetés dans l'ignominie».

135. Dis: «Chacun attend. Attendez donc! Vous saurez bientôt qui sont les gens du droit chemin et qui sont les bien guidés».

سُورَةُ الأنبِيَاء

بِسْمِ اللَّهِ الرَّحْمَٰنِ الرَّحِيمِ

ٱقْتَرَبَ لِلنَّاسِ حِسَابُهُمْ وَهُمْ فِي غَفْلَةٍ مُّعْرِضُونَ ۝

مَا يَأْتِيهِم مِّن ذِكْرٍ مِّن رَّبِّهِم مُّحْدَثٍ إِلَّا ٱسْتَمَعُوهُ وَهُمْ يَلْعَبُونَ ۝

لَاهِيَةً قُلُوبُهُمْ ۗ وَأَسَرُّوا۟ ٱلنَّجْوَى ٱلَّذِينَ ظَلَمُوا۟ هَلْ هَٰذَا إِلَّا بَشَرٌ مِّثْلُكُمْ ۖ أَفَتَأْتُونَ ٱلسِّحْرَ وَأَنتُمْ تُبْصِرُونَ ۝

قَالَ رَبِّي يَعْلَمُ ٱلْقَوْلَ فِي ٱلسَّمَاءِ وَٱلْأَرْضِ ۖ وَهُوَ ٱلسَّمِيعُ ٱلْعَلِيمُ ۝

بَلْ قَالُوٓا۟ أَضْغَٰثُ أَحْلَٰمٍ بَلِ ٱفْتَرَىٰهُ بَلْ هُوَ شَاعِرٌ فَلْيَأْتِنَا بِـَٔايَةٍ كَمَآ أُرْسِلَ ٱلْأَوَّلُونَ ۝

مَآ ءَامَنَتْ قَبْلَهُم مِّن قَرْيَةٍ أَهْلَكْنَٰهَآ ۖ أَفَهُمْ يُؤْمِنُونَ ۝

وَمَآ أَرْسَلْنَا قَبْلَكَ إِلَّا رِجَالًا نُّوحِيٓ إِلَيْهِمْ ۖ فَسْـَٔلُوٓا۟ أَهْلَ ٱلذِّكْرِ إِن كُنتُمْ لَا تَعْلَمُونَ ۝

وَمَا جَعَلْنَٰهُمْ جَسَدًا لَّا يَأْكُلُونَ ٱلطَّعَامَ وَمَا كَانُوا۟ خَٰلِدِينَ ۝

ثُمَّ صَدَقْنَٰهُمُ ٱلْوَعْدَ فَأَنجَيْنَٰهُمْ وَمَن نَّشَآءُ وَأَهْلَكْنَا ٱلْمُسْرِفِينَ ۝

لَقَدْ أَنزَلْنَآ إِلَيْكُمْ كِتَٰبًا فِيهِ ذِكْرُكُمْ ۖ أَفَلَا تَعْقِلُونَ ۝

AL-ANBIYĀ' (LES PROPHÈTES)¹

sourate 21   112 versets   Pré-hégirien n°73

Au nom d'Allāh, le Tout Miséricordieux, le Très Miséricordieux.

1. [L'échéance] du règlement de leur compte approche pour les hommes, alors que dans leur insouciance ils s'en détournent.

2. Aucun rappel [de révélation] récente ne leur vient de leur Seigneur, sans qu ils ne l'entendent en s'amusant,

3. leurs cœurs distraits ; et les injustes tiennent des conversations secrètes et disent: «Ce n'est là qu'un être humain semblable à vous? Allez-vous donc vous adonner à la magie alors que vous voyez clair?»

4. Il a répondu: «Mon Seigneur sait tout ce qui se dit au ciel et sur la terre ; et Il est l'Audient, l'Omniscient».

5. Mais ils dirent: «Voilà plutôt un amas de rêves! Ou bien Il l'a inventé. Ou, c'est plutôt un poète. Qu'il nous apporte donc un signe [identique] à celui dont furent chargés les premiers envoyés».

6. Pas une seule cité parmi celles que Nous avons fait périr avant eux n'avait cru [à la vue des miracles]. Ceux-ci croiront-ils donc?

7. Nous n'avons envoyé avant toi que des hommes² à qui Nous faisions des révélations. Demandez-donc aux érudits du Livre³, si vous ne savez pas.

8. Et Nous n'en n'avons pas fait des corps qui ne consommaient pas de nourriture. Et ils n'étaient pas éternels.

9. Puis Nous réalisâmes la promesse (qui leur avait été faite). Nous les sauvâmes avec ceux que Nous voulûmes [sauver]. Et Nous fîmes périr les outranciers.

10. Nous avons assurément fait descendre vers vous un livre où se trouve votre rappel [ou votre renom]. Ne comprenez-vous donc pas?

---

1. Titre tiré du contenu de la sourate.
2. *Que des hommes*: jamais des Anges.
3. *Les érudits du Livre*: les savants parmi les gens du Livre.

وَكَمْ قَصَمْنَا مِن قَرْيَةٍ كَانَتْ ظَالِمَةً وَأَنشَأْنَا بَعْدَهَا قَوْمًا

ءَاخَرِينَ ﴿١١﴾ فَلَمَّا أَحَسُّوا بَأْسَنَا إِذَا هُم مِّنْهَا يَرْكُضُونَ

لَا تَرْكُضُوا وَارْجِعُوا إِلَىٰ مَا أُتْرِفْتُمْ فِيهِ وَمَسَاكِنِكُمْ لَعَلَّكُمْ

تُسْئَلُونَ ﴿١٣﴾ قَالُوا يَا وَيْلَنَا إِنَّا كُنَّا ظَالِمِينَ ﴿١٤﴾ فَمَا زَالَت تِّلْكَ

دَعْوَاهُمْ حَتَّىٰ جَعَلْنَاهُمْ حَصِيدًا خَامِدِينَ ﴿١٥﴾ وَمَا خَلَقْنَا

السَّمَاءَ وَالْأَرْضَ وَمَا بَيْنَهُمَا لَاعِبِينَ ﴿١٦﴾ لَوْ أَرَدْنَا أَن نَّتَّخِذَ لَهْوًا

لَّاتَّخَذْنَاهُ مِن لَّدُنَّا إِن كُنَّا فَاعِلِينَ ﴿١٧﴾ بَلْ نَقْذِفُ بِالْحَقِّ

عَلَى الْبَاطِلِ فَيَدْمَغُهُ فَإِذَا هُوَ زَاهِقٌ وَلَكُمُ الْوَيْلُ مِمَّا تَصِفُونَ

﴿١٨﴾ وَلَهُ مَن فِي السَّمَاوَاتِ وَالْأَرْضِ وَمَنْ عِندَهُ لَا يَسْتَكْبِرُونَ

عَنْ عِبَادَتِهِ وَلَا يَسْتَحْسِرُونَ ﴿١٩﴾ يُسَبِّحُونَ الَّيْلَ وَالنَّهَارَ

لَا يَفْتُرُونَ ﴿٢٠﴾ أَمِ اتَّخَذُوا ءَالِهَةً مِّنَ الْأَرْضِ هُمْ يُنشِرُونَ

﴿٢١﴾ لَوْ كَانَ فِيهِمَا ءَالِهَةٌ إِلَّا اللَّهُ لَفَسَدَتَا فَسُبْحَانَ اللَّهِ رَبِّ الْعَرْشِ

عَمَّا يَصِفُونَ ﴿٢٢﴾ لَا يُسْئَلُ عَمَّا يَفْعَلُ وَهُمْ يُسْئَلُونَ ﴿٢٣﴾ أَمِ

اتَّخَذُوا مِن دُونِهِ ءَالِهَةً قُلْ هَاتُوا بُرْهَانَكُمْ هَٰذَا ذِكْرُ مَن مَّعِيَ

وَذِكْرُ مَن قَبْلِي بَلْ أَكْثَرُهُمْ لَا يَعْلَمُونَ الْحَقَّ فَهُم مُّعْرِضُونَ ﴿٢٤﴾

11. Et que de cités qui ont commis des injustices, Nous avons brisées ; et Nous avons créé d'autres peuples après eux.

12. Quand [ces gens] sentirent Notre rigueur ils s'en enfuirent hâtivement.

13. Ne galopez point. Retournez plutôt au grand luxe où vous étiez et dans vos demeures, afin que vous soyez interrogés.

14. Ils dirent: «Malheur à nous! Nous étions vraiment injustes».

15. Telle ne cessa d'être leur lamentation jusqu'à ce que Nous les eûmes moissonnés et éteints.

16. Ce n'est pas par jeu que Nous avons créé le ciel et la terre et ce qui est entre eux.

17. Si Nous avions voulu prendre une distraction, Nous l'aurions prise de Nous-mêmes, si vraiment Nous avions voulu le faire.

18. Bien au contraire, Nous lançons contre le faux la vérité qui le subjugue, et le voilà qui disparaît. Et malheur à vous pour ce que vous attribuez [injustement à Allāh].

19. À Lui seul appartiennent tous ceux qui sont dans les cieux et sur la terre. Ceux qui sont auprès de Lui [les Anges] ne se considèrent point trop grands pour L'adorer et ne s'en lassent pas.

20. Ils exaltent Sa Gloire nuit et jour et ne s'interrompent point.

21. Ont-ils pris des divinités qui peuvent ressusciter (les morts) de la terre[1]?

22. S'il y avait dans le ciel et la terre des divinités autres qu'Allāh, tous deux seraient certes dans le désordre. Gloire, donc à Allāh, Seigneur du Trône ; Il est au-dessus de ce qu'ils Lui attribuent!

23. Il n'est pas interrogé sur ce qu'Il fait, mais ce sont eux qui devront rendre compte [de leurs actes].

24. Ont-ils pris des divinités en dehors de Lui? Dis: «Apportez votre preuve». Ceci est la révélation[2] de ceux qui sont avec moi et de ceux qui étaient avant moi. Mais la plupart d'entre eux ne connaissent pas la vérité et s'en écartent.

---

1. *Autre interp.*: ont-ils pris de la terre des divinités qui peuvent ressusciter les morts?
2. *La révélation*: dans laquelle vous ne trouverez aucune preuve pour vous.

وَمَا أَرْسَلْنَا مِن قَبْلِكَ مِن رَّسُولٍ إِلَّا نُوحِى إِلَيْهِ أَنَّهُ لَا إِلَٰهَ إِلَّا أَنَا۠ فَاعْبُدُونِ ﴿٢٥﴾ وَقَالُوا اتَّخَذَ الرَّحْمَٰنُ وَلَدًا ۗ سُبْحَٰنَهُ ۚ بَلْ عِبَادٌ مُّكْرَمُونَ ﴿٢٦﴾ لَا يَسْبِقُونَهُ بِالْقَوْلِ وَهُم بِأَمْرِهِ يَعْمَلُونَ ﴿٢٧﴾ يَعْلَمُ مَا بَيْنَ أَيْدِيهِمْ وَمَا خَلْفَهُمْ وَلَا يَشْفَعُونَ إِلَّا لِمَنِ ارْتَضَىٰ وَهُم مِّنْ خَشْيَتِهِ مُشْفِقُونَ ﴿٢٨﴾ ۞ وَمَن يَقُلْ مِنْهُمْ إِنِّى إِلَٰهٌ مِّن دُونِهِ فَذَٰلِكَ نَجْزِيهِ جَهَنَّمَ ۚ كَذَٰلِكَ نَجْزِى الظَّٰلِمِينَ ﴿٢٩﴾ أَوَلَمْ يَرَ الَّذِينَ كَفَرُوا أَنَّ السَّمَٰوَٰتِ وَالْأَرْضَ كَانَتَا رَتْقًا فَفَتَقْنَٰهُمَا ۖ وَجَعَلْنَا مِنَ الْمَاءِ كُلَّ شَيْءٍ حَيٍّ ۖ أَفَلَا يُؤْمِنُونَ ﴿٣٠﴾ وَجَعَلْنَا فِى الْأَرْضِ رَوَٰسِىَ أَن تَمِيدَ بِهِمْ وَجَعَلْنَا فِيهَا فِجَاجًا سُبُلًا لَّعَلَّهُمْ يَهْتَدُونَ ﴿٣١﴾ وَجَعَلْنَا السَّمَاءَ سَقْفًا مَّحْفُوظًا ۖ وَهُمْ عَنْ ءَايَٰتِهَا مُعْرِضُونَ ﴿٣٢﴾ وَهُوَ الَّذِى خَلَقَ الَّيْلَ وَالنَّهَارَ وَالشَّمْسَ وَالْقَمَرَ ۖ كُلٌّ فِى فَلَكٍ يَسْبَحُونَ ﴿٣٣﴾ وَمَا جَعَلْنَا لِبَشَرٍ مِّن قَبْلِكَ الْخُلْدَ ۖ أَفَإِن مِّتَّ فَهُمُ الْخَٰلِدُونَ ﴿٣٤﴾ كُلُّ نَفْسٍ ذَائِقَةُ الْمَوْتِ ۗ وَنَبْلُوكُم بِالشَّرِّ وَالْخَيْرِ فِتْنَةً ۖ وَإِلَيْنَا تُرْجَعُونَ ﴿٣٥﴾

25. Et Nous n'avons envoyé avant toi aucun Messager à qui Nous n'ayons révélé: «Point de divinité en dehors de Moi. Adorez-Moi donc».

26. Et ils dirent: «Le Tout Miséricordieux s'est donné un enfant». Pureté à Lui! Mais ce sont plutôt des serviteurs honorés[1].

27. Ils ne devancent pas Son Commandement et agissent selon Ses ordres.

28. Il sait ce qui est devant eux et ce qui derrière eux. Et ils n'intercèdent qu'en faveur de ceux qu'Il a agréés [tout en étant] pénétrés de Sa crainte.

29. Et quiconque d'entre eux dirait: «Je suis une divinité en dehors de Lui». Nous le rétribuerons de l'Enfer. C'est ainsi que Nous rétribuons les injustes.

30. Ceux qui ont mécru, n'ont-ils pas vu que les cieux et la terre formaient une masse compacte? Ensuite Nous les avons séparés et fait de l'eau toute chose vivante. Ne croiront-ils donc pas[2]?

31. Et Nous avons placé des montagnes fermes dans la terre, afin qu'elle ne s'ébranle pas en les [entraînant]. Et Nous y avons placé des défilés servant de chemins afin qu'ils se guident.

32. Et Nous avons fait du ciel un toit protégé. Et cependant ils se détournent de ses merveilles.

33. Et c'est Lui qui a créé la nuit et le jour, le soleil et la lune, chacun voguant dans une orbite.

34. Et Nous n'avons attribué l'immortalité à nul homme avant toi. Est-ce que si tu meurs, toi, ils seront, eux, éternels?

35. Toute âme doit goûter la mort. Nous vous éprouverons par le mal et par le bien [à titre] de tentation. Et c'est à Nous que vous serez ramenés.

---

1. *Ce sont*: il s'agit ici des Anges. Il en est de même dans les versets 27, 28 et 29.
2. Ce verset renferme des vérités concernant la formation des planètes et de la terre, et qui ont été confirmées par les dernières découvertes scientifiques.

وَإِذَا رَءَاكَ ٱلَّذِينَ كَفَرُوٓاْ إِن يَتَّخِذُونَكَ إِلَّا هُزُوًا أَهَٰذَا ٱلَّذِى يَذْكُرُ ءَالِهَتَكُمْ وَهُم بِذِكْرِ ٱلرَّحْمَٰنِ هُمْ كَٰفِرُونَ ۞ خُلِقَ ٱلْإِنسَٰنُ مِنْ عَجَلٍ سَأُوْرِيكُمْ ءَايَٰتِى فَلَا تَسْتَعْجِلُونِ ۞ وَيَقُولُونَ مَتَىٰ هَٰذَا ٱلْوَعْدُ إِن كُنتُمْ صَٰدِقِينَ ۞ لَوْ يَعْلَمُ ٱلَّذِينَ كَفَرُواْ حِينَ لَا يَكُفُّونَ عَن وُجُوهِهِمُ ٱلنَّارَ وَلَا عَن ظُهُورِهِمْ وَلَا هُمْ يُنصَرُونَ ۞ بَلْ تَأْتِيهِم بَغْتَةً فَتَبْهَتُهُمْ فَلَا يَسْتَطِيعُونَ رَدَّهَا وَلَا هُمْ يُنظَرُونَ ۞ وَلَقَدِ ٱسْتُهْزِئَ بِرُسُلٍ مِّن قَبْلِكَ فَحَاقَ بِٱلَّذِينَ سَخِرُواْ مِنْهُم مَّا كَانُواْ بِهِۦ يَسْتَهْزِءُونَ ۞ قُلْ مَن يَكْلَؤُكُم بِٱلَّيْلِ وَٱلنَّهَارِ مِنَ ٱلرَّحْمَٰنِ بَلْ هُمْ عَن ذِكْرِ رَبِّهِم مُّعْرِضُونَ ۞ أَمْ لَهُمْ ءَالِهَةٌ تَمْنَعُهُم مِّن دُونِنَا لَا يَسْتَطِيعُونَ نَصْرَ أَنفُسِهِمْ وَلَا هُم مِّنَّا يُصْحَبُونَ ۞ بَلْ مَتَّعْنَا هَٰٓؤُلَآءِ وَءَابَآءَهُمْ حَتَّىٰ طَالَ عَلَيْهِمُ ٱلْعُمُرُ أَفَلَا يَرَوْنَ أَنَّا نَأْتِى ٱلْأَرْضَ نَنقُصُهَا مِنْ أَطْرَافِهَآ أَفَهُمُ ٱلْغَٰلِبُونَ ۞

36. Quand les mécréants te voient, ils ne te prennent qu'en dérision (disant): «Quoi! Est-ce-là celui qui médit de vos divinités?» Et ils nient [tout] rappel du Tout Miséricordieux.

37. L'homme a été créé prompt dans sa nature. Je vous montrerai Mes signes [la réalisation de Mes menaces]. Ne me hâtez donc pas.

38. Et ils disent: «À quand cette promesse si vous êtes véridiques?»

39. Si [seulement] les mécréants connaissaient le moment où ils ne pourront empêcher le feu de leurs visages ni de leurs dos, et où ils ne seront point secourus...

40. Mais non, cela[1] leur viendra subitement et ils seront alors stupéfaits ; ils ne pourront pas le repousser et on ne leur donnera pas de répit.

41. On s'est moqué de messagers venus avant toi. Et ceux qui se sont moqués d'eux, se virent frapper de toutes parts par l'objet même de leurs moqueries.

42. Dis: «Qui vous protège la nuit et le jour, contre le [châtiment] du Tout Miséricordieux?» Pourtant ils se détournent du rappel de leur Seigneur.

43. Ont-ils donc des divinités en dehors de Nous, qui peuvent les protéger? Mais celles-ci ne peuvent ni se secourir elles-mêmes, ni se faire assister contre Nous.

44. Au contraire Nous avons accordé une jouissance [temporaire] à ceux-là comme à leurs ancêtres jusqu'à un âge avancé. Ne voient-ils pas que Nous venons à la terre que Nous réduisons de tous côtés? Seront-ils alors les vainqueurs?

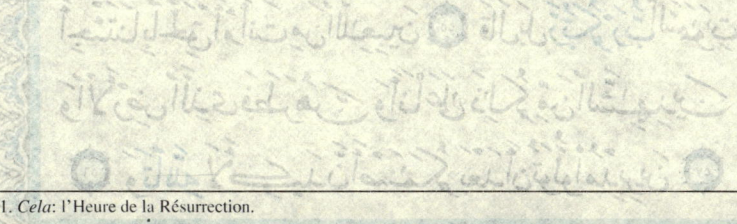

---

1. *Cela*: l'Heure de la Résurrection.

قُل إِنَّمَا أُنذِرُكُم بِالْوَحْيِ وَلَا يَسْمَعُ الصُّمُّ الدُّعَاءَ إِذَا

مَا يُنذَرُونَ ﴿٤٥﴾ وَلَئِن مَّسَّتْهُمْ نَفْحَةٌ مِّنْ عَذَابِ رَبِّكَ

لَيَقُولُنَّ يَـٰوَيْلَنَا إِنَّا كُنَّا ظَـٰلِمِينَ ﴿٤٦﴾ وَنَضَعُ الْمَوَٰزِينَ

الْقِسْطَ لِيَوْمِ الْقِيَـٰمَةِ فَلَا تُظْلَمُ نَفْسٌ شَيْئًا وَإِن كَانَ

مِثْقَالَ حَبَّةٍ مِّنْ خَرْدَلٍ أَتَيْنَا بِهَا وَكَفَىٰ بِنَا حَـٰسِبِينَ

﴿٤٧﴾ وَلَقَدْ ءَاتَيْنَا مُوسَىٰ وَهَـٰرُونَ الْفُرْقَانَ وَضِيَاءً وَذِكْرًا

لِّلْمُتَّقِينَ ﴿٤٨﴾ الَّذِينَ يَخْشَوْنَ رَبَّهُم بِالْغَيْبِ وَهُم مِّنَ

السَّاعَةِ مُشْفِقُونَ ﴿٤٩﴾ وَهَـٰذَا ذِكْرٌ مُّبَارَكٌ أَنزَلْنَـٰهُ أَفَأَنتُمْ لَهُۥ

مُنكِرُونَ ﴿٥٠﴾ ۞ وَلَقَدْ ءَاتَيْنَا إِبْرَٰهِيمَ رُشْدَهُۥ مِن قَبْلُ وَكُنَّا

بِهِۦ عَـٰلِمِينَ ﴿٥١﴾ إِذْ قَالَ لِأَبِيهِ وَقَوْمِهِۦ مَا هَـٰذِهِ التَّمَاثِيلُ الَّتِيٓ

أَنتُمْ لَهَا عَـٰكِفُونَ ﴿٥٢﴾ قَالُوا وَجَدْنَا ءَابَاءَنَا لَهَا عَـٰبِدِينَ ﴿٥٣﴾

قَالَ لَقَدْ كُنتُمْ أَنتُمْ وَءَابَاؤُكُمْ فِي ضَلَـٰلٍ مُّبِينٍ ﴿٥٤﴾ قَالُوٓا

أَجِئْتَنَا بِالْحَقِّ أَمْ أَنتَ مِنَ اللَّـٰعِبِينَ ﴿٥٥﴾ قَالَ بَل رَّبُّكُمْ رَبُّ السَّمَـٰوَٰتِ

وَالْأَرْضِ الَّذِي فَطَرَهُنَّ وَأَنَا عَلَىٰ ذَٰلِكُم مِّنَ الشَّـٰهِدِينَ

﴿٥٦﴾ وَتَاللَّهِ لَأَكِيدَنَّ أَصْنَـٰمَكُم بَعْدَ أَن تُوَلُّوا مُدْبِرِينَ ﴿٥٧﴾

45. Dis: «Je vous avertis par ce qui m'est révélé». Les sourds, cependant n'entendent pas l'appel quand on les avertit.

46. Si un souffle du châtiment de ton Seigneur les effleurait, ils diraient alors: «Malheur à nous! Nous étions vraiment injustes».

47. Au Jour de la Résurrection, Nous placerons les balances exactes. Nulle âme ne sera lésée en rien, fût-ce du poids d'un grain de moutarde que Nous ferons venir. Nous suffisons largement pour dresser les comptes.

48. Nous avons déjà apporté à Moïse et Aaron le Livre du discernement (la Thora) ainsi qu'une lumière et un rappel pour les gens pieux,

49. qui craignent leur Seigneur malgré qu'ils ne Le voient pas[1], et redoutent l'Heure (la fin du monde).

50. Et ceci [le Qur'ān] est un rappel béni que Nous avons fait descendre. Allez-vous donc le renier?

51. En effet, Nous avons mis auparavant Abraham sur le droit chemin. Et Nous en avions bonne connaissance.

52. Quand il dit à son père et à son peuple: «Que sont ces statues auxquelles vous vous attachez?»,

53. ils dirent: «Nous avons trouvé nos ancêtres les adorant».

54. Il dit: «Certainement, vous avez été, vous et vos ancêtres, dans un égarement évident».

55. Ils dirent: «Viens-tu à nous avec la vérité ou plaisantes-tu?»

56. Il dit: «Mais votre Seigneur est plutôt le Seigneur des cieux et de la terre, et c'est Lui qui les a créés. Et je suis un de ceux qui en témoignent.

57. Et par Allāh! Je ruserai certes contre vos idoles une fois que vous serez partis».

---

1. *Ils ne Le voient pas*: autre interp.: alors qu'ils ne sont vus par personne.

فَجَعَلَهُمْ جُذَاذًا إِلَّا كَبِيرًا لَّهُمْ لَعَلَّهُمْ إِلَيْهِ يَرْجِعُونَ

قَالُوا مَن فَعَلَ هَٰذَا بِآلِهَتِنَا إِنَّهُ لَمِنَ الظَّالِمِينَ ۝

قَالُوا سَمِعْنَا فَتًى يَذْكُرُهُمْ يُقَالُ لَهُ إِبْرَاهِيمُ ۝ قَالُوا فَأْتُوا بِهِ

عَلَىٰ أَعْيُنِ النَّاسِ لَعَلَّهُمْ يَشْهَدُونَ ۝ قَالُوا أَأَنتَ فَعَلْتَ

هَٰذَا بِآلِهَتِنَا يَا إِبْرَاهِيمُ ۝ قَالَ بَلْ فَعَلَهُ كَبِيرُهُمْ

هَٰذَا فَاسْأَلُوهُمْ إِن كَانُوا يَنطِقُونَ ۝ فَرَجَعُوا إِلَىٰ

أَنفُسِهِمْ فَقَالُوا إِنَّكُمْ أَنتُمُ الظَّالِمُونَ ۝ ثُمَّ نُكِسُوا عَلَىٰ

رُءُوسِهِمْ لَقَدْ عَلِمْتَ مَا هَٰؤُلَاءِ يَنطِقُونَ ۝ قَالَ

أَفَتَعْبُدُونَ مِن دُونِ اللَّهِ مَا لَا يَنفَعُكُمْ شَيْئًا وَلَا

يَضُرُّكُمْ ۝ أُفٍّ لَّكُمْ وَلِمَا تَعْبُدُونَ مِن دُونِ اللَّهِ أَفَلَا

تَعْقِلُونَ ۝ قَالُوا حَرِّقُوهُ وَانصُرُوا آلِهَتَكُمْ إِن كُنتُمْ

فَاعِلِينَ ۝ قُلْنَا يَا نَارُ كُونِي بَرْدًا وَسَلَامًا عَلَىٰ إِبْرَاهِيمَ

وَأَرَادُوا بِهِ كَيْدًا فَجَعَلْنَاهُمُ الْأَخْسَرِينَ ۝ وَنَجَّيْنَاهُ

وَلُوطًا إِلَى الْأَرْضِ الَّتِي بَارَكْنَا فِيهَا لِلْعَالَمِينَ ۝ وَوَهَبْنَا

لَهُ إِسْحَاقَ وَيَعْقُوبَ نَافِلَةً وَكُلًّا جَعَلْنَا صَالِحِينَ ۝

58. Il les mit en pièces, hormis [la statue] la plus grande. Peut-être qu'ils reviendraient vers elle.

59. Ils dirent: «Qui a fait cela à nos divinités? Il est certes parmi les injustes».

60. (Certains) dirent: «Nous avons entendu un jeune homme médire d'elles ; il s'appelle Abraham».

61. Ils dirent: «Amenez-le sous les yeux des gens afin qu'ils puissent témoigner.

62. (Alors) ils dirent: «Est-ce toi qui as fait cela à nos divinités, Abraham?»

63. Il dit: «C'est la plus grande d'entre elles que voici, qui l'a fait. Demandez-leur donc, si elles peuvent parler».

64. Se ravisant alors, ils se dirent entre eux: «C'est vous qui êtes les vrais injustes».

65. Puis ils firent volte-face et dirent: «Tu sais bien que celles-ci ne parlent pas».

66. Il dit: «Adorez-vous donc, en dehors d'Allāh, ce qui ne saurait en rien vous être utile ni vous nuire non plus.

67. Fi de vous et de ce que vous adorez en dehors d'Allāh! Ne raisonnez-vous pas?»

68. Il dirent: «Brûlez-le. Secourez vos divinités si vous voulez faire quelque chose (pour elles).»

69. Nous dîmes: «Ô feu, sois pour Abraham une fraîcheur salutaire».

70. Ils voulaient ruser contre lui, mais ce sont eux que Nous rendîmes les plus grands perdants.

71. Et Nous le sauvâmes, ainsi que Lot, vers une terre que Nous avions bénie pour tout l'univers.

72. Et Nous lui donnâmes Isaac et, de surcroît Jacob, desquels Nous fîmes des gens de bien.

وَجَعَلْنَاهُمْ أَئِمَّةً يَهْدُونَ بِأَمْرِنَا وَأَوْحَيْنَا إِلَيْهِمْ فِعْلَ الْخَيْرَاتِ وَإِقَامَ الصَّلَاةِ وَإِيتَاءَ الزَّكَاةِ ۖ وَكَانُوا لَنَا عَابِدِينَ ۝ وَلُوطًا آتَيْنَاهُ حُكْمًا وَعِلْمًا وَنَجَّيْنَاهُ مِنَ الْقَرْيَةِ الَّتِي كَانَت تَّعْمَلُ الْخَبَائِثَ ۗ إِنَّهُمْ كَانُوا قَوْمَ سَوْءٍ فَاسِقِينَ ۝ وَأَدْخَلْنَاهُ فِي رَحْمَتِنَا ۖ إِنَّهُ مِنَ الصَّالِحِينَ ۝ وَنُوحًا إِذْ نَادَىٰ مِن قَبْلُ فَاسْتَجَبْنَا لَهُ فَنَجَّيْنَاهُ وَأَهْلَهُ مِنَ الْكَرْبِ الْعَظِيمِ ۝ وَنَصَرْنَاهُ مِنَ الْقَوْمِ الَّذِينَ كَذَّبُوا بِآيَاتِنَا ۚ إِنَّهُمْ كَانُوا قَوْمَ سَوْءٍ فَأَغْرَقْنَاهُمْ أَجْمَعِينَ ۝ وَدَاوُودَ وَسُلَيْمَانَ إِذْ يَحْكُمَانِ فِي الْحَرْثِ إِذْ نَفَشَتْ فِيهِ غَنَمُ الْقَوْمِ وَكُنَّا لِحُكْمِهِمْ شَاهِدِينَ ۝ فَفَهَّمْنَاهَا سُلَيْمَانَ ۚ وَكُلًّا آتَيْنَا حُكْمًا وَعِلْمًا ۚ وَسَخَّرْنَا مَعَ دَاوُودَ الْجِبَالَ يُسَبِّحْنَ وَالطَّيْرَ ۚ وَكُنَّا فَاعِلِينَ ۝ وَعَلَّمْنَاهُ صَنْعَةَ لَبُوسٍ لَّكُمْ لِتُحْصِنَكُم مِّن بَأْسِكُمْ ۖ فَهَلْ أَنتُمْ شَاكِرُونَ ۝ وَلِسُلَيْمَانَ الرِّيحَ عَاصِفَةً تَجْرِي بِأَمْرِهِ إِلَى الْأَرْضِ الَّتِي بَارَكْنَا فِيهَا ۚ وَكُنَّا بِكُلِّ شَيْءٍ عَالِمِينَ ۝

73. Nous. les fîmes des dirigeants qui guidaient par Notre ordre. Et Nous leur révélâmes de faire le bien, d'accomplir la prière et d'acquitter la Zakāt. Et ils étaient Nos adorateurs.

74. Et Lot! Nous lui avons apporté la capacité de juger et le savoir, et Nous l'avons sauvé de la cité où se commettaient les vices ; ces gens étaient vraiment des gens du mal, des pervers.

75. Et Nous l'avons fait entrer en Notre miséricorde. Il était vraiment du nombre des gens de bien.

76. Et Noé, quand auparavant il fit son appel. Nous l'exauçâmes et Nous le sauvâmes, ainsi que sa famille, de la grande angoisse,

77. et Nous le secourûmes contre le peuple qui traitait Nos prodiges de mensonges. Ils furent vraiment des gens du Mal. Nous les noyâmes donc tous.

78. Et David, et Salomon, quand ils eurent à juger au sujet d'un champ cultivé où des moutons appartenant à une peuplade étaient allés paître, la nuit. Et Nous étions témoin de leur jugement.

79. Nous la fîmes comprendre à Salomon[1]. Et à chacun Nous donnâmes la faculté de juger et le savoir. Et Nous asservîmes les montagnes à exalter Notre Gloire en compagnie de David, ainsi que les oiseaux. Et c'est Nous qui sommes le Faiseur.

80. Nous lui (David) apprîmes la fabrication des cottes de mailles afin qu'elles vous protègent contre vos violences mutuelles (la guerre). En êtes-vous donc reconnaissants?

81. Et (Nous avons soumis) à Salomon le vent impétueux qui, par son ordre, se dirigea vers la terre que Nous avions bénie. Et Nous sommes à même de tout savoir,

---

1. On dit que David avait décrété que le troupeau deviendrait propriété de celui dont il avait ravagé le champ ; mais Salomon conseilla que le troupeau soit provisoirement confié au propriétaire du champ, à titre d'usufruit, et que le coupable irrigue le champ jusqu'à ce qu'il redevienne comme il l'était auparavant; ce n'est qu'alors qu'il pourra reprendre son troupeau.

وَمِنَ ٱلشَّيَٰطِينِ مَن يَغُوصُونَ لَهُۥ وَيَعْمَلُونَ عَمَلًا دُونَ ذَٰلِكَ وَكُنَّا لَهُمْ حَٰفِظِينَ ۞ ٨٢ وَأَيُّوبَ إِذْ نَادَىٰ رَبَّهُۥٓ أَنِّي مَسَّنِيَ ٱلضُّرُّ وَأَنتَ أَرْحَمُ ٱلرَّٰحِمِينَ ٨٣ فَٱسْتَجَبْنَا لَهُۥ فَكَشَفْنَا مَا بِهِۦ مِن ضُرٍّ وَءَاتَيْنَٰهُ أَهْلَهُۥ وَمِثْلَهُم مَّعَهُمْ رَحْمَةً مِّنْ عِندِنَا وَذِكْرَىٰ لِلْعَٰبِدِينَ ٨٤ وَإِسْمَٰعِيلَ وَإِدْرِيسَ وَذَا ٱلْكِفْلِ كُلٌّ مِّنَ ٱلصَّٰبِرِينَ ٨٥ وَأَدْخَلْنَٰهُمْ فِي رَحْمَتِنَآ إِنَّهُم مِّنَ ٱلصَّٰلِحِينَ ٨٦ وَذَا ٱلنُّونِ إِذ ذَّهَبَ مُغَٰضِبًا فَظَنَّ أَن لَّن نَّقْدِرَ عَلَيْهِ فَنَادَىٰ فِي ٱلظُّلُمَٰتِ أَن لَّآ إِلَٰهَ إِلَّآ أَنتَ سُبْحَٰنَكَ إِنِّي كُنتُ مِنَ ٱلظَّٰلِمِينَ ٨٧ فَٱسْتَجَبْنَا لَهُۥ وَنَجَّيْنَٰهُ مِنَ ٱلْغَمِّ وَكَذَٰلِكَ نُـۨجِي ٱلْمُؤْمِنِينَ ٨٨ وَزَكَرِيَّآ إِذْ نَادَىٰ رَبَّهُۥ رَبِّ لَا تَذَرْنِي فَرْدًا وَأَنتَ خَيْرُ ٱلْوَٰرِثِينَ ٨٩ فَٱسْتَجَبْنَا لَهُۥ وَوَهَبْنَا لَهُۥ يَحْيَىٰ وَأَصْلَحْنَا لَهُۥ زَوْجَهُۥٓ إِنَّهُمْ كَانُوا۟ يُسَٰرِعُونَ فِي ٱلْخَيْرَٰتِ وَيَدْعُونَنَا رَغَبًا وَرَهَبًا وَكَانُوا۟ لَنَا خَٰشِعِينَ ٩٠

82. et parmi les diables il en était qui plongeaient pour lui et faisaient d'autres travaux encore, et Nous les surveillions Nous-mêmes.

83. Et Job, quand il implora son Seigneur: «Le mal m'a touché. Mais Toi, tu es le plus miséricordieux des miséricordieux»[1]!

84. Nous l'exauçâmes, enlevâmes le mal qu'il avait, lui rendîmes les siens et autant qu'eux avec eux, par miséricorde de Notre part et en tant que rappel aux adorateurs.

85. Et Ismaël, Idris, et Ḏū al-Kifl! qui étaient tous endurants ;

86. que Nous fîmes entrer en Notre miséricorde car ils étaient vraiment du nombre des gens de bien.

87. Et Ḏū'n-Nūn[2] (Jonas) quand il partit, irrité. Il pensa que Nous N'allions pas l'éprouver. Puis il fit, dans les ténèbres, l'appel que voici: «Pas de divinité à part Toi! Pureté à Toi! J'ai été vraiment du nombre des injustes».

88. Nous l'exauçâmes et le sauvâmes de son angoisse. Et c'est ainsi que Nous sauvons les croyants.

89. Et Zacharie, quand il implora son Seigneur: «Ne me laisse pas seul, Seigneur, alors que Tu es le meilleur des héritiers».

90. Nous l'exauçâmes, lui donnâmes Yaḥya et guérîmes son épouse[3]. Ils concouraient au bien et Nous invoquaient par amour et par crainte. Et ils étaient humbles devant Nous.

---

1. Job fut éprouvé par Allāh par les maladies les plus pénibles. Il perdit ses biens et ses enfants, et cependant il ne se plaignit qu'à Allāh.
2. Ḏū'n-nūn: l'homme au poisson, «Jonas». Jonas quitta son peuple en colère, parce que ceux-ci ne croyaient pas en Allāh. Il prit le bateau, mais le bateau s'arrêta ; et d'après la coutume des marins, ils tirèrent au sort pour connaître le responsable. Le sort tomba sur Jonas, et les marins le jetèrent à l'eau où une baleine le recueillit pour le vomir plus tard sur le rivage. De là, Jonas alla accomplir Sa mission à Ninive. La ville se convertit avant que ne vint un cataclysme annoncé. Elle fut alors épargnée.
3. *Guérîmes*: Nous la rendîmes féconde.

وَٱلَّتِىٓ أَحۡصَنَتۡ فَرۡجَهَا فَنَفَخۡنَا فِيهَا مِن رُّوحِنَا
وَجَعَلۡنَٰهَا وَٱبۡنَهَآ ءَايَةً لِّلۡعَٰلَمِينَ ۝ إِنَّ هَٰذِهِۦٓ

أُمَّتُكُمۡ أُمَّةً وَٰحِدَةً وَأَنَا۠ رَبُّكُمۡ فَٱعۡبُدُونِ ۝

وَتَقَطَّعُوٓاْ أَمۡرَهُم بَيۡنَهُمۡ كُلٌّ إِلَيۡنَا رَٰجِعُونَ ۝

فَمَن يَعۡمَلۡ مِنَ ٱلصَّٰلِحَٰتِ وَهُوَ مُؤۡمِنٌ فَلَا كُفۡرَانَ
لِسَعۡيِهِۦ وَإِنَّا لَهُۥ كَٰتِبُونَ ۝ وَحَرَٰمٌ عَلَىٰ قَرۡيَةٍ

أَهۡلَكۡنَٰهَآ أَنَّهُمۡ لَا يَرۡجِعُونَ ۝ حَتَّىٰٓ إِذَا فُتِحَتۡ

يَأۡجُوجُ وَمَأۡجُوجُ وَهُم مِّن كُلِّ حَدَبٍ يَنسِلُونَ ۝

وَٱقۡتَرَبَ ٱلۡوَعۡدُ ٱلۡحَقُّ فَإِذَا هِىَ شَٰخِصَةٌ أَبۡصَٰرُ ٱلَّذِينَ
كَفَرُواْ يَٰوَيۡلَنَا قَدۡ كُنَّا فِى غَفۡلَةٍ مِّنۡ هَٰذَا بَلۡ كُنَّا

ظَٰلِمِينَ ۝ إِنَّكُمۡ وَمَا تَعۡبُدُونَ مِن دُونِ

ٱللَّهِ حَصَبُ جَهَنَّمَ أَنتُمۡ لَهَا وَٰرِدُونَ ۝ لَوۡ كَانَ

هَٰٓؤُلَآءِ ءَالِهَةً مَّا وَرَدُوهَا وَكُلٌّ فِيهَا خَٰلِدُونَ ۝

لَهُمۡ فِيهَا زَفِيرٌ وَهُمۡ فِيهَا لَا يَسۡمَعُونَ ۝ إِنَّ ٱلَّذِينَ
سَبَقَتۡ لَهُم مِّنَّا ٱلۡحُسۡنَىٰٓ أُوْلَٰٓئِكَ عَنۡهَا مُبۡعَدُونَ ۝

91. Et celle [la vierge Marie] qui avait préservé sa chasteté! Nous insufflâmes en elle un souffle (de vie) venant de Nous et fîmes d'elle ainsi que de son fils, un signe [miracle] pour l'univers.

92. Certes, cette communauté[1] qui est la vôtre est une communauté unique, et Je suis votre Seigneur. Adorez-Moi donc.

93. Ils se sont divisés en sectes. Mais tous, retourneront à Nous.

94. Quiconque fait de bonnes œuvres tout en étant croyant, on ne méconnaîtra pas son effort, et Nous le lui inscrivons [à son actif].

95. Il est défendu [aux habitants] d'une cité que Nous avons fait périr de revenir [à la vie d'ici-bas]!

96. Jusqu'à ce que soient relâchés les Yājūj et les Mājūj et qu'ils se précipiteront de chaque hauteur ;

97. c'est alors que la vraie promesse s'approchera, tandis que les regards de ceux qui ont mécru se figent: «Malheur à nous! Nous y avons été inattentifs. Bien plus, nous étions des injustes».

98. «Vous serez, vous et ce que vous adoriez en dehors d'Allāh, le combustible de l'Enfer, vous vous y rendrez tous.

99. Si ceux-là étaient vraiment des divinités, ils n'y entreraient pas ; et tous y demeureront éternellement.

100. Ils y pousseront des gémissements, et n'y entendront rien.

101. En seront écartés, ceux à qui étaient précédemment promises de belles récompenses de Notre part.

---

1. *Cette communauté*: c.à.d., cette religion (l'Islām). Car tous les prophètes depuis Adam jusqu'à Muḥammad ont prêché la même religion: la soumission à Allāh.

لَا يَسْمَعُونَ حَسِيسَهَا ۖ وَهُمْ فِي مَا اشْتَهَتْ أَنفُسُهُمْ

خَالِدُونَ ﴿١٠٢﴾ لَا يَحْزُنُهُمُ الْفَزَعُ الْأَكْبَرُ وَتَتَلَقَّاهُمُ

الْمَلَائِكَةُ هَٰذَا يَوْمُكُمُ الَّذِي كُنتُمْ تُوعَدُونَ

﴿١٠٣﴾ يَوْمَ نَطْوِي السَّمَاءَ كَطَيِّ السِّجِلِّ لِلْكُتُبِ ۚ كَمَا

بَدَأْنَا أَوَّلَ خَلْقٍ نُّعِيدُهُ ۚ وَعْدًا عَلَيْنَا ۚ إِنَّا كُنَّا فَاعِلِينَ

﴿١٠٤﴾ وَلَقَدْ كَتَبْنَا فِي الزَّبُورِ مِن بَعْدِ الذِّكْرِ أَنَّ الْأَرْضَ

يَرِثُهَا عِبَادِيَ الصَّالِحُونَ ﴿١٠٥﴾ إِنَّ فِي هَٰذَا لَبَلَاغًا

لِّقَوْمٍ عَابِدِينَ ﴿١٠٦﴾ وَمَا أَرْسَلْنَاكَ إِلَّا رَحْمَةً لِّلْعَالَمِينَ

﴿١٠٧﴾ قُلْ إِنَّمَا يُوحَىٰ إِلَيَّ أَنَّمَا إِلَٰهُكُمْ إِلَٰهٌ وَاحِدٌ ۖ

فَهَلْ أَنتُم مُّسْلِمُونَ ﴿١٠٨﴾ فَإِن تَوَلَّوْا فَقُلْ آذَنتُكُمْ

عَلَىٰ سَوَاءٍ ۖ وَإِنْ أَدْرِي أَقَرِيبٌ أَم بَعِيدٌ مَّا تُوعَدُونَ ﴿١٠٩﴾

إِنَّهُ يَعْلَمُ الْجَهْرَ مِنَ الْقَوْلِ وَيَعْلَمُ مَا تَكْتُمُونَ

﴿١١٠﴾ وَإِنْ أَدْرِي لَعَلَّهُ فِتْنَةٌ لَّكُمْ وَمَتَاعٌ إِلَىٰ حِينٍ ﴿١١١﴾ قَالَ

رَبِّ احْكُم بِالْحَقِّ ۗ وَرَبُّنَا الرَّحْمَٰنُ الْمُسْتَعَانُ عَلَىٰ مَا تَصِفُونَ ﴿١١٢﴾

سُورَةُ الْحَجِّ

102. Ils n'entendront pas son sifflement et jouiront éternellement de ce que leurs âmes désirent.

103. La grande terreur ne les affligera pas, et les Anges les accueilleront: «voici le jour qui vous a été promis».

104. Le jour où Nous plierons le ciel comme on plie le rouleau des livres Tout comme Nous avons commencé la première création, ainsi Nous la répéterons ; c'est une promesse qui Nous incombe et Nous l'accomplirons!

105. Et Nous avons certes écrit dans le Zabūr, après l'avoir mentionné (dans le Livre céleste), que la terre sera héritée par Mes bons serviteurs»[1].

106. Il y a en cela [ces enseignements] une communication à un peuple d'adorateurs!

107. Et Nous ne t'avons envoyé qu'en miséricorde pour l'univers[2].

108. Dis: «Voilà ce qui m'es t révélé: Votre Dieu est un Dieu unique ; Etes-vous Soumis?» [décidés à embrasser l'Islām]

109. Si ensuite ils se détournent dis alors: «Je vous ai avertis en toute équité ; je ne sais si ce qui vous est promis est proche ou lointain.

110. Il connaît ce que vous dites à haute voix et ce que vous cachez.

111. Et je ne sais pas ; ceci[3] est peut-être une tentation pour vous et une jouissance pour un certain temps»!

112. Il dit: «Seigneur, juge en toute justice[4]! Et Notre Seigneur le Tout Miséricordieux, c'est Lui dont le secours est imploré contre vos assertions».

---

1. *Le Zabūr*: mot commun pour tous les livres révélés. Livre céleste: le Livre-Mère qui se trouve auprès d'Allāh.
2. Tout ce qu'Allāh nous attribue relève de Sa miséricorde pour nous. Et Il nous a envoyé le Prophète Muḥammad (ﷺ) comme représentant de cette miséricorde.
3. *Ceci*: (ce délai qui vous est accordé).
4. *Contre vos assertions*: (mensongères à l'égard d'Allāh).

بِسۡمِ ٱللَّهِ ٱلرَّحۡمَٰنِ ٱلرَّحِيمِ

يَـٰٓأَيُّهَا ٱلنَّاسُ ٱتَّقُوا۟ رَبَّكُمۡ إِنَّ زَلۡزَلَةَ ٱلسَّاعَةِ شَىۡءٌ عَظِيمٌ ۝ يَوۡمَ تَرَوۡنَهَا تَذۡهَلُ كُلُّ مُرۡضِعَةٍ عَمَّآ أَرۡضَعَتۡ وَتَضَعُ كُلُّ ذَاتِ حَمۡلٍ حَمۡلَهَا وَتَرَى ٱلنَّاسَ سُكَٰرَىٰ وَمَا هُم بِسُكَٰرَىٰ وَلَٰكِنَّ عَذَابَ ٱللَّهِ شَدِيدٌ ۝ وَمِنَ ٱلنَّاسِ مَن يُجَٰدِلُ فِى ٱللَّهِ بِغَيۡرِ عِلۡمٍ وَيَتَّبِعُ كُلَّ شَيۡطَٰنٍ مَّرِيدٍ ۝ كُتِبَ عَلَيۡهِ أَنَّهُۥ مَن تَوَلَّاهُ فَأَنَّهُۥ يُضِلُّهُۥ وَيَهۡدِيهِ إِلَىٰ عَذَابِ ٱلسَّعِيرِ ۝ يَـٰٓأَيُّهَا ٱلنَّاسُ إِن كُنتُمۡ فِى رَيۡبٍ مِّنَ ٱلۡبَعۡثِ فَإِنَّا خَلَقۡنَٰكُم مِّن تُرَابٍ ثُمَّ مِن نُّطۡفَةٍ ثُمَّ مِنۡ عَلَقَةٍ ثُمَّ مِن مُّضۡغَةٍ مُّخَلَّقَةٍ وَغَيۡرِ مُخَلَّقَةٍ لِّنُبَيِّنَ لَكُمۡ وَنُقِرُّ فِى ٱلۡأَرۡحَامِ مَا نَشَآءُ إِلَىٰٓ أَجَلٍ مُّسَمًّى ثُمَّ نُخۡرِجُكُمۡ طِفۡلًا ثُمَّ لِتَبۡلُغُوٓا۟ أَشُدَّكُمۡ وَمِنكُم مَّن يُتَوَفَّىٰ وَمِنكُم مَّن يُرَدُّ إِلَىٰٓ أَرۡذَلِ ٱلۡعُمُرِ لِكَيۡلَا يَعۡلَمَ مِنۢ بَعۡدِ عِلۡمٍ شَيۡـًٔا وَتَرَى ٱلۡأَرۡضَ هَامِدَةً فَإِذَآ أَنزَلۡنَا عَلَيۡهَا ٱلۡمَآءَ ٱهۡتَزَّتۡ وَرَبَتۡ وَأَنۢبَتَتۡ مِن كُلِّ زَوۡجٍۭ بَهِيجٍ ۝

AL-ḤAJJ (LE PÈLERINAGE)[1]

sourate 22   78 versets   Post-hégirien n°103

Au nom d'Allāh, le Tout Miséricordieux, le Très Miséricordieux.

1. Ô hommes! Craignez votre Seigneur. Le séisme [qui précédera] l'Heure est une chose terrible[2].

2. Le jour où vous le verrez, toute nourrice oubliera ce qu'elle allaitait, et toute femelle enceinte avortera de ce qu'elle portait. Et tu verras les gens ivres, alors qu'ils ne le sont pas. Mais le châtiment d'Allāh est dur.

3. Et il y a des gens qui discutent au sujet d'Allāh sans aucune science, et qui suivent tout diable rebelle.

4. Il a été prescrit à l'égard de ce dernier qu'il égarera quiconque le prendra pour maître, et qu'il le guidera vers le châtiment de la fournaise.

5. Ô hommes! Si vous doutez au sujet de la Résurrection, c'est Nous qui vous avons créés de terre, puis d'une goutte de sperme, puis d'une adhérence puis d'un embryon [normalement] formé aussi bien qu'informe pour vous montrer [Notre Omnipotence] et Nous déposerons dans les matrices ce que Nous voulons jusqu'à un terme fixé. Puis Nous vous en sortirons [à l'état] de bébé, pour qu'ensuite vous atteigniez votre maturité. Il en est parmi vous qui meurent [jeunes] tandis que d'autres parviennent au plus vil de l'âge si bien qu'ils ne savent plus rien de ce qu'ils connaissaient auparavant. De même tu vois la terre desséchée: dès que Nous y faisons descendre de l'eau elle remue, se gonfle, et fait pousser toutes sortes de splendides couples de végétaux.

---

1. Titre tiré du v. 27.
2. Le séisme de l'Heure: le tremblement qui précédera l'Heure de la fin du monde.

ذَٰلِكَ بِأَنَّ ٱللَّهَ هُوَ ٱلْحَقُّ وَأَنَّهُۥ يُحْىِ ٱلْمَوْتَىٰ وَأَنَّهُۥ عَلَىٰ كُلِّ شَىْءٍ قَدِيرٌ ٦ وَأَنَّ ٱلسَّاعَةَ ءَاتِيَةٌ لَّا رَيْبَ فِيهَا وَأَنَّ ٱللَّهَ يَبْعَثُ مَن فِى ٱلْقُبُورِ ٧ وَمِنَ ٱلنَّاسِ مَن يُجَٰدِلُ فِى ٱللَّهِ بِغَيْرِ عِلْمٍ وَلَا هُدًى وَلَا كِتَٰبٍ مُّنِيرٍ ٨ ثَانِىَ عِطْفِهِۦ لِيُضِلَّ عَن سَبِيلِ ٱللَّهِ لَهُۥ فِى ٱلدُّنْيَا خِزْىٌ وَنُذِيقُهُۥ يَوْمَ ٱلْقِيَٰمَةِ عَذَابَ ٱلْحَرِيقِ ٩ ذَٰلِكَ بِمَا قَدَّمَتْ يَدَاكَ وَأَنَّ ٱللَّهَ لَيْسَ بِظَلَّٰمٍ لِّلْعَبِيدِ ١٠ وَمِنَ ٱلنَّاسِ مَن يَعْبُدُ ٱللَّهَ عَلَىٰ حَرْفٍ فَإِنْ أَصَابَهُۥ خَيْرٌ ٱطْمَأَنَّ بِهِۦ وَإِنْ أَصَابَتْهُ فِتْنَةٌ ٱنقَلَبَ عَلَىٰ وَجْهِهِۦ خَسِرَ ٱلدُّنْيَا وَٱلْءَاخِرَةَ ذَٰلِكَ هُوَ ٱلْخُسْرَانُ ٱلْمُبِينُ ١١ يَدْعُوا۟ مِن دُونِ ٱللَّهِ مَا لَا يَضُرُّهُۥ وَمَا لَا يَنفَعُهُۥ ذَٰلِكَ هُوَ ٱلضَّلَٰلُ ٱلْبَعِيدُ ١٢ يَدْعُوا۟ لَمَن ضَرُّهُۥٓ أَقْرَبُ مِن نَّفْعِهِۦ لَبِئْسَ ٱلْمَوْلَىٰ وَلَبِئْسَ ٱلْعَشِيرُ ١٣ إِنَّ ٱللَّهَ يُدْخِلُ ٱلَّذِينَ ءَامَنُوا۟ وَعَمِلُوا۟ ٱلصَّٰلِحَٰتِ جَنَّٰتٍ تَجْرِى مِن تَحْتِهَا ٱلْأَنْهَٰرُ إِنَّ ٱللَّهَ يَفْعَلُ مَا يُرِيدُ ١٤ مَن كَانَ يَظُنُّ أَن لَّن يَنصُرَهُ ٱللَّهُ فِى ٱلدُّنْيَا وَٱلْءَاخِرَةِ فَلْيَمْدُدْ بِسَبَبٍ إِلَى ٱلسَّمَاءِ ثُمَّ لْيَقْطَعْ فَلْيَنظُرْ هَلْ يُذْهِبَنَّ كَيْدُهُۥ مَا يَغِيظُ ١٥

6. Il en est ainsi parce qu'Allāh est la vérité ; et c'est Lui qui rend la vie aux morts ; et c'est Lui qui est Omnipotent.

7. Et que l'Heure arrivera ; pas de doute à son sujet, et qu'Allāh ressuscitera ceux qui sont dans les tombeaux.

8. Or, il y a des gens qui discutent au sujet d'Allāh sans aucune science, ni guide, ni Livre pour les éclairer,

9. affichant une attitude orgueilleuse pour égarer les gens du sentier d'Allāh. À lui l'ignominie ici-bas ; et Nous Lui ferons goûter le Jour de la Résurrection, le châtiment de la fournaise.

10. Voilà, pour ce que tes deux mains ont préparé (ici-bas)! Cependant, Allāh n'est point injuste envers Ses serviteurs.

11. Il en est parmi les gens qui adorent Allāh marginalement[1]. S'il leur arrive un bien, ils s'en tranquillisent, et s'il leur arrive une épreuve, ils détournent leur visage, perdant ainsi (le bien) de l'ici-bas et de l'au-delà. Telle est la perte évidente!

12. Ils invoquent en dehors d'Allāh, ce qui ne peut ni leur nuire ni leur profiter. Tel est l'égarement profond!

13. Ils invoquent ce dont le mal est certainement plus proche que l'utilité. Quel mauvais allié, et quel mauvais compagnon!

14. Ceux qui croient et font de bonnes œuvres, Allāh les fait entrer aux Jardins sous lesquels coulent les ruisseaux, car Allāh fait certes ce qu'Il veut.

15. Celui qui pense qu'Allāh ne le secourra pas dans l'ici-bas et dans l'au-delà, qu'il tende une corde jusqu'au ciel, puis qu'il la coupe, et qu'il voie si sa ruse va faire disparaître ce qui l'enrage[2].

---

1. *Marginalement*: autre interp.: d'une façon indécise.
2. *Le secourra*: secourra Muḥammad (ﷺ).
Au ciel: au plafond de sa maison, c'est-à-dire qu'il se donne la mort.

وَكَذَٰلِكَ أَنزَلْنَٰهُ ءَايَٰتٍۭ بَيِّنَٰتٍ وَأَنَّ ٱللَّهَ يَهْدِى مَن يُرِيدُ

﴿١٦﴾ إِنَّ ٱلَّذِينَ ءَامَنُوا۟ وَٱلَّذِينَ هَادُوا۟ وَٱلصَّٰبِـِٔينَ وَٱلنَّصَٰرَىٰ

وَٱلْمَجُوسَ وَٱلَّذِينَ أَشْرَكُوٓا۟ إِنَّ ٱللَّهَ يَفْصِلُ بَيْنَهُمْ

يَوْمَ ٱلْقِيَٰمَةِ إِنَّ ٱللَّهَ عَلَىٰ كُلِّ شَىْءٍ شَهِيدٌ ﴿١٧﴾ أَلَمْ تَرَ أَنَّ ٱللَّهَ

يَسْجُدُ لَهُۥ مَن فِى ٱلسَّمَٰوَٰتِ وَمَن فِى ٱلْأَرْضِ وَٱلشَّمْسُ وَٱلْقَمَرُ

وَٱلنُّجُومُ وَٱلْجِبَالُ وَٱلشَّجَرُ وَٱلدَّوَآبُّ وَكَثِيرٌ مِّنَ ٱلنَّاسِ

وَكَثِيرٌ حَقَّ عَلَيْهِ ٱلْعَذَابُ وَمَن يُهِنِ ٱللَّهُ فَمَا لَهُۥ مِن مُّكْرِمٍ

إِنَّ ٱللَّهَ يَفْعَلُ مَا يَشَآءُ ۩ ﴿١٨﴾ ۞ هَٰذَانِ خَصْمَانِ ٱخْتَصَمُوا۟

فِى رَبِّهِمْ فَٱلَّذِينَ كَفَرُوا۟ قُطِّعَتْ لَهُمْ ثِيَابٌ مِّن نَّارٍ يُصَبُّ

مِن فَوْقِ رُءُوسِهِمُ ٱلْحَمِيمُ ﴿١٩﴾ يُصْهَرُ بِهِۦ مَا فِى بُطُونِهِمْ

وَٱلْجُلُودُ ﴿٢٠﴾ وَلَهُم مَّقَٰمِعُ مِنْ حَدِيدٍ ﴿٢١﴾ كُلَّمَآ أَرَادُوٓا۟

أَن يَخْرُجُوا۟ مِنْهَا مِنْ غَمٍّ أُعِيدُوا۟ فِيهَا وَذُوقُوا۟ عَذَابَ ٱلْحَرِيقِ

﴿٢٢﴾ إِنَّ ٱللَّهَ يُدْخِلُ ٱلَّذِينَ ءَامَنُوا۟ وَعَمِلُوا۟ ٱلصَّٰلِحَٰتِ

جَنَّٰتٍ تَجْرِى مِن تَحْتِهَا ٱلْأَنْهَٰرُ يُحَلَّوْنَ فِيهَا مِنْ

أَسَاوِرَ مِن ذَهَبٍ وَلُؤْلُؤًا وَلِبَاسُهُمْ فِيهَا حَرِيرٌ ﴿٢٣﴾

16. C'est ainsi que Nous le fîmes descendre (Le Qur'ān) en versets clairs et qu'Allāh guide qui Il veut.

17. Certes, ceux qui ont cru, les Juifs, les Sabéens [les adorateurs des étoiles], les Nazaréens, les Mages et ceux qui donnent à Allāh des associés, Allāh tranchera entre eux le jour du Jugement, car Allāh est certes témoin de toute chose.

18. N'as-tu pas vu que c'est devant Allāh que se prosternent tous ceux qui sont dans les cieux et tous ceux qui sont sur la terre, le soleil, la lune, les étoiles, les montagnes, les arbres, les animaux, ainsi que beaucoup de gens? Il y en a aussi beaucoup qui méritent le châtiment. Et quiconque Allāh avilit n'a personne pour l'honorer, car Allāh fait ce qu'il veut[1].

19. Voici deux clans adverses qui disputaient au sujet de leur Seigneur. À ceux qui ne croient pas, on taillera des vêtements de feu, tandis que sur leurs têtes on versera de l'eau bouillante,

20. qui fera fondre ce qui est dans leurs ventres de même que leurs peaux.

21. Et il y aura pour eux des maillets de fer.

22. Toutes les fois qu'ils voudront en sortir (pour échapper) à la détresse, on les y remettra et (on leur dira): «Goûtez au châtiment de la Fournaise».

23. Certes Allāh introduit ceux qui croient et font de bonnes œuvres aux Jardins sous lesquels coulent les ruisseaux. Là, ils seront parés de bracelets d'or, et aussi de perles; et leurs vêtements y seront de soie.

---

1. Après ce verset on se prosterne.

وَهُدُوٓاْ إِلَى ٱلطَّيِّبِ مِنَ ٱلْقَوْلِ وَهُدُوٓاْ إِلَىٰ صِرَٰطِ ٱلْحَمِيدِ ۝ إِنَّ ٱلَّذِينَ كَفَرُواْ وَيَصُدُّونَ عَن سَبِيلِ ٱللَّهِ وَٱلْمَسْجِدِ ٱلْحَرَامِ ٱلَّذِى جَعَلْنَٰهُ لِلنَّاسِ سَوَآءً ٱلْعَٰكِفُ فِيهِ وَٱلْبَادِ وَمَن يُرِدْ فِيهِ بِإِلْحَادٍ بِظُلْمٍ نُّذِقْهُ مِنْ عَذَابٍ أَلِيمٍ ۝ وَإِذْ بَوَّأْنَا لِإِبْرَٰهِيمَ مَكَانَ ٱلْبَيْتِ أَن لَّا تُشْرِكْ بِى شَيْـًٔا وَطَهِّرْ بَيْتِىَ لِلطَّآئِفِينَ وَٱلْقَآئِمِينَ وَٱلرُّكَّعِ ٱلسُّجُودِ ۝ وَأَذِّن فِى ٱلنَّاسِ بِٱلْحَجِّ يَأْتُوكَ رِجَالًا وَعَلَىٰ كُلِّ ضَامِرٍ يَأْتِينَ مِن كُلِّ فَجٍّ عَمِيقٍ ۝ لِّيَشْهَدُواْ مَنَٰفِعَ لَهُمْ وَيَذْكُرُواْ ٱسْمَ ٱللَّهِ فِىٓ أَيَّامٍ مَّعْلُومَٰتٍ عَلَىٰ مَا رَزَقَهُم مِّنۢ بَهِيمَةِ ٱلْأَنْعَٰمِ فَكُلُواْ مِنْهَا وَأَطْعِمُواْ ٱلْبَآئِسَ ٱلْفَقِيرَ ۝ ثُمَّ لْيَقْضُواْ تَفَثَهُمْ وَلْيُوفُواْ نُذُورَهُمْ وَلْيَطَّوَّفُواْ بِٱلْبَيْتِ ٱلْعَتِيقِ ۝ ذَٰلِكَ وَمَن يُعَظِّمْ حُرُمَٰتِ ٱللَّهِ فَهُوَ خَيْرٌ لَّهُۥ عِندَ رَبِّهِۦۗ وَأُحِلَّتْ لَكُمُ ٱلْأَنْعَٰمُ إِلَّا مَا يُتْلَىٰ عَلَيْكُمْ فَٱجْتَنِبُواْ ٱلرِّجْسَ مِنَ ٱلْأَوْثَٰنِ وَٱجْتَنِبُواْ قَوْلَ ٱلزُّورِ ۝

24. Ils ont été guidés vers la bonne parole et ils ont été guidés vers le chemin Du Digne des louanges.

25. Mais ceux qui mécroient et qui obstruent le sentier d'Allāh et celui de la Mosquée sacrée, que Nous avons établie pour les gens: aussi bien les résidents que ceux de passage... Quiconque cherche à y commettre un sacrilège[1] injustement, Nous lui ferons goûter un châtiment douloureux.

26. Et quand Nous indiquâmes pour Abraham le lieu de la Maison (La Kaʿba) [en lui disant]: «Ne M'associe rien ; et purifie Ma Maison pour ceux qui tournent autour, pour ceux qui s'y tiennent debout et pour ceux qui s'y inclinent et se prosternent»[2].

27. Et fais aux gens une annonce pour le Ḥajj[3]. Ils viendront vers toi, à pied, et aussi sur toute monture, venant de tout chemin éloigné,

28. pour participer aux avantages qui leur ont été accordés et pour invoquer le nom d'Allāh aux jours fixés, sur la bête de cheptel qu'Il leur a attribuée[4] ,«Mangez-en vous-mêmes et faites-en manger le besogneux misérable.

29. Puis qu'ils mettent fin à leurs interdits (qu'ils nettoient leurs corps), qu'ils remplissent leurs vœux, et qu'ils fassent les circuits autour de l'Antique Maison»[5].

30. Voilà [ce qui doit être observé] et quiconque prend en haute considération les limites sacrées d'Allāh cela lui sera meilleur auprès de Son Seigneur. Le bétail, sauf ce qu'on vous a cité, vous a été rendu licite. Abstenez-vous de la souillure des idoles et abstenez-vous des paroles mensongères.

---

1. *Un sacrilège*: autre interp.: le polythéisme.
2. *Ceux qui tournent autour*: pendant le rite du pèlerinage et de la Umra, ainsi qu'à titre de salutation à la Mosquée Sacrée.
Qui s'y tiennent debout, etc: les diverses postures de la Ṣalāt, avec le visage tourné vers la Kaʿba.
3. *Le Ḥajj!*: le pèlerinage à la Mecque.
4. *Et pour invoquer le nom d'Allāh*: il s'agit ici de l'invocation du nom d'Allāh que l'on fait sur les bêtes sacrifiées au cours du pèlerinage.
5. *L'Antique Maison*: La Kaʿba.

حُنَفَاءَ لِلَّهِ غَيْرَ مُشْرِكِينَ بِهِۦ وَمَن يُشْرِكْ بِاللَّهِ فَكَأَنَّمَا خَرَّ مِنَ

ٱلسَّمَآءِ فَتَخْطَفُهُ ٱلطَّيْرُ أَوْ تَهْوِى بِهِ ٱلرِّيحُ فِى مَكَانٍ سَحِيقٍ

﴿٣١﴾ ذَٰلِكَ وَمَن يُعَظِّمْ شَعَٰٓئِرَ ٱللَّهِ فَإِنَّهَا مِن تَقْوَى ٱلْقُلُوبِ

﴿٣٢﴾ لَكُمْ فِيهَا مَنَٰفِعُ إِلَىٰٓ أَجَلٍ مُّسَمًّى ثُمَّ مَحِلُّهَآ إِلَى ٱلْبَيْتِ

ٱلْعَتِيقِ ﴿٣٣﴾ وَلِكُلِّ أُمَّةٍ جَعَلْنَا مَنسَكًا لِّيَذْكُرُوا۟ ٱسْمَ

ٱللَّهِ عَلَىٰ مَا رَزَقَهُم مِّنۢ بَهِيمَةِ ٱلْأَنْعَٰمِ فَإِلَٰهُكُمْ إِلَٰهٌ وَٰحِدٌ

فَلَهُۥٓ أَسْلِمُوا۟ وَبَشِّرِ ٱلْمُخْبِتِينَ ﴿٣٤﴾ ٱلَّذِينَ إِذَا ذُكِرَ ٱللَّهُ وَجِلَتْ

قُلُوبُهُمْ وَٱلصَّٰبِرِينَ عَلَىٰ مَآ أَصَابَهُمْ وَٱلْمُقِيمِى ٱلصَّلَوٰةِ وَمِمَّا

رَزَقْنَٰهُمْ يُنفِقُونَ ﴿٣٥﴾ وَٱلْبُدْنَ جَعَلْنَٰهَا لَكُم مِّن شَعَٰٓئِرِ

ٱللَّهِ لَكُمْ فِيهَا خَيْرٌ فَٱذْكُرُوا۟ ٱسْمَ ٱللَّهِ عَلَيْهَا صَوَآفَّ فَإِذَا وَجَبَتْ

جُنُوبُهَا فَكُلُوا۟ مِنْهَا وَأَطْعِمُوا۟ ٱلْقَانِعَ وَٱلْمُعْتَرَّ كَذَٰلِكَ سَخَّرْنَٰهَا

لَكُمْ لَعَلَّكُمْ تَشْكُرُونَ ﴿٣٦﴾ لَن يَنَالَ ٱللَّهَ لُحُومُهَا وَلَا دِمَآؤُهَا

وَلَٰكِن يَنَالُهُ ٱلتَّقْوَىٰ مِنكُمْ كَذَٰلِكَ سَخَّرَهَا لَكُمْ لِتُكَبِّرُوا۟

ٱللَّهَ عَلَىٰ مَا هَدَىٰكُمْ وَبَشِّرِ ٱلْمُحْسِنِينَ ﴿٣٧﴾ ۞ إِنَّ ٱللَّهَ

يُدَٰفِعُ عَنِ ٱلَّذِينَ ءَامَنُوٓا۟ إِنَّ ٱللَّهَ لَا يُحِبُّ كُلَّ خَوَّانٍ كَفُورٍ ﴿٣٨﴾

31. (Soyez) exclusivement [acquis à la religion] d'Allāh[1] ne Lui associez rien ; car quiconque associe à Allāh, c'est comme s'il tombait du haut du ciel et que les oiseaux le happaient, ou que le vent le précipitait dans un abîme très profond.

32. Voilà [ce qui est prescrit]. Et quiconque exalte les injonctions sacrées d'Allāh, s'inspire en effet de la piété des cœurs.

33. [De ces bêtes-là] vous tirez des avantages jusqu'à un terme fixé ; puis son lieu d'immolation est auprès de l'Antique Maison.

34. À chaque communauté, Nous avons assigné un rite sacrificiel, afin qu'ils prononcent le nom d'Allāh sur la bête de cheptel qu'Il leur a attribuée. Votre Dieu est certes un Dieu unique. Soumettez-vous donc à Lui. Et fais bonne annonce à ceux qui s'humilient,

35. ceux dont les cœurs frémissent quand le nom d'Allāh est mentionné, ceux qui endurent ce qui les atteint et ceux qui accomplissent la Ṣalāt et dépensent de ce que Nous leur avons attribué.

36. Nous vous avons désigné les chameaux (et les vaches) bien portants pour certains rites établis par Allāh. Il y a en eux pour vous un bien. Prononcez donc sur eux le nom d'Allāh, quand ils ont eu la patte attachée, [prêts à être immolés]. Puis, lorsqu'ils gisent sur le flanc, mangez-en, et nourrissez-en le besogneux discret et le mendiant. Ainsi Nous vous les avons assujettis afin que vous soyez reconnaissants.

37. Ni leurs chairs ni leurs sangs n'atteindront Allāh, mais ce qui L'atteint de votre part c'est la piété.
Ainsi vous les a-t-Il assujettis afin que vous proclamiez la grandeur d'Allāh, pour vous avoir mis sur le droit chemin. Et annonce la bonne nouvelle aux bienfaisants.

38. Allāh prend la défense de ceux qui croient. Allāh n'aime aucun traître ingrat.

---

1. *La religion d'Allāh* : l'Islām

أُذِنَ لِلَّذِينَ يُقَٰتَلُونَ بِأَنَّهُمْ ظُلِمُوا۟ ۚ وَإِنَّ ٱللَّهَ عَلَىٰ نَصْرِهِمْ لَقَدِيرٌ ﴿٣٩﴾ ٱلَّذِينَ أُخْرِجُوا۟ مِن دِيَٰرِهِم بِغَيْرِ حَقٍّ إِلَّآ أَن يَقُولُوا۟ رَبُّنَا ٱللَّهُ ۗ وَلَوْلَا دَفْعُ ٱللَّهِ ٱلنَّاسَ بَعْضَهُم بِبَعْضٍ لَّهُدِّمَتْ صَوَٰمِعُ وَبِيَعٌ وَصَلَوَٰتٌ وَمَسَٰجِدُ يُذْكَرُ فِيهَا ٱسْمُ ٱللَّهِ كَثِيرًا ۗ وَلَيَنصُرَنَّ ٱللَّهُ مَن يَنصُرُهُۥٓ ۗ إِنَّ ٱللَّهَ لَقَوِىٌّ عَزِيزٌ ﴿٤٠﴾ ٱلَّذِينَ إِن مَّكَّنَّٰهُمْ فِى ٱلْأَرْضِ أَقَامُوا۟ ٱلصَّلَوٰةَ وَءَاتَوُا۟ ٱلزَّكَوٰةَ وَأَمَرُوا۟ بِٱلْمَعْرُوفِ وَنَهَوْا۟ عَنِ ٱلْمُنكَرِ ۗ وَلِلَّهِ عَٰقِبَةُ ٱلْأُمُورِ ﴿٤١﴾ وَإِن يُكَذِّبُوكَ فَقَدْ كَذَّبَتْ قَبْلَهُمْ قَوْمُ نُوحٍ وَعَادٌ وَثَمُودُ ﴿٤٢﴾ وَقَوْمُ إِبْرَٰهِيمَ وَقَوْمُ لُوطٍ ﴿٤٣﴾ وَأَصْحَٰبُ مَدْيَنَ ۖ وَكُذِّبَ مُوسَىٰ فَأَمْلَيْتُ لِلْكَٰفِرِينَ ثُمَّ أَخَذْتُهُمْ ۖ فَكَيْفَ كَانَ نَكِيرِ ﴿٤٤﴾ فَكَأَيِّن مِّن قَرْيَةٍ أَهْلَكْنَٰهَا وَهِىَ ظَالِمَةٌ فَهِىَ خَاوِيَةٌ عَلَىٰ عُرُوشِهَا وَبِئْرٍ مُّعَطَّلَةٍ وَقَصْرٍ مَّشِيدٍ ﴿٤٥﴾ أَفَلَمْ يَسِيرُوا۟ فِى ٱلْأَرْضِ فَتَكُونَ لَهُمْ قُلُوبٌ يَعْقِلُونَ بِهَآ أَوْ ءَاذَانٌ يَسْمَعُونَ بِهَا ۖ فَإِنَّهَا لَا تَعْمَى ٱلْأَبْصَٰرُ وَلَٰكِن تَعْمَى ٱلْقُلُوبُ ٱلَّتِى فِى ٱلصُّدُورِ ﴿٤٦﴾

39. Autorisation est donnée à ceux qui sont attaqués (de se défendre) - parce que vraiment ils sont lésés ; et Allāh est certes Capable de les secourir[1] -

40. ceux qui ont été expulsés de leurs demeures, - contre toute justice, simplement parce qu'ils disaient: «Allāh est notre Seigneur». - Si Allāh ne repoussait pas les gens les uns par les autres, les ermitages seraient démolis, ainsi que les églises, les synagogues et les mosquées où le nom d'Allāh est beaucoup invoqué, Allāh soutient, certes, ceux qui soutiennent (Sa Religion). Allāh est assurément Fort et Puissant,

41. ceux qui, si Nous leur donnons la puissance sur terre, accomplissent la Ṣalāt, acquittent la Zakāt, ordonnent le convenable et interdisent le blâmable. Cependant, l'issue finale de toute chose appartient à Allāh.

42. Et s'ils te traitent de menteur, [sache que] le peuple de Noé, les ʿĀd, les Ṯamūd avant eux, ont aussi crié au mensonge (à l'égard de leurs messagers),

43. de même que le peuple d'Abraham, le peuple de Lot.

44. et les gens de Madyan. Et Moïse fut traité de menteur. Puis, J'ai donné un répit aux mécréants ; ensuite Je les ai saisis. Et quelle fut Ma réprobation!

45. Que de cités, donc, avons-Nous fait périr, parce qu'elles commettaient des tyrannies. Elles sont réduites à des toits écroulés: Que de puits désertés! Que de palais édifiés (et désertés aussi)!

46. Que ne voyagent-ils sur la terre afin d'avoir des cœurs pour comprendre, et des oreilles pour entendre? Car ce ne sont pas les yeux qui s'aveuglent, mais, ce sont les cœurs dans les poitrines qui s'aveuglent.

---

1. On date ce passage de peu après l'Hégire. Il marque le commencement de la guerre défensive. Suit, jusqu'au v. 41, la liste de ceux qui ont cette autorisation.

وَيَسْتَعْجِلُونَكَ بِالْعَذَابِ وَلَن يُخْلِفَ اللَّهُ وَعْدَهُ وَإِنَّ يَوْمًا عِندَ رَبِّكَ كَأَلْفِ سَنَةٍ مِّمَّا تَعُدُّونَ ۝ وَكَأَيِّن مِّن قَرْيَةٍ أَمْلَيْتُ لَهَا وَهِيَ ظَالِمَةٌ ثُمَّ أَخَذْتُهَا وَإِلَيَّ الْمَصِيرُ ۝ قُلْ يَا أَيُّهَا النَّاسُ إِنَّمَا أَنَا لَكُمْ نَذِيرٌ مُّبِينٌ ۝ فَالَّذِينَ ءَامَنُوا وَعَمِلُوا الصَّالِحَاتِ لَهُم مَّغْفِرَةٌ وَرِزْقٌ كَرِيمٌ ۝ وَالَّذِينَ سَعَوْا فِي ءَايَاتِنَا مُعَاجِزِينَ أُوْلَئِكَ أَصْحَابُ الْجَحِيمِ ۝ وَمَا أَرْسَلْنَا مِن قَبْلِكَ مِن رَّسُولٍ وَلَا نَبِيٍّ إِلَّا إِذَا تَمَنَّى أَلْقَى الشَّيْطَانُ فِي أُمْنِيَّتِهِ فَيَنسَخُ اللَّهُ مَا يُلْقِي الشَّيْطَانُ ثُمَّ يُحْكِمُ اللَّهُ ءَايَاتِهِ وَاللَّهُ عَلِيمٌ حَكِيمٌ ۝ لِّيَجْعَلَ مَا يُلْقِي الشَّيْطَانُ فِتْنَةً لِّلَّذِينَ فِي قُلُوبِهِم مَّرَضٌ وَالْقَاسِيَةِ قُلُوبُهُمْ وَإِنَّ الظَّالِمِينَ لَفِي شِقَاقٍ بَعِيدٍ ۝ وَلِيَعْلَمَ الَّذِينَ أُوتُوا الْعِلْمَ أَنَّهُ الْحَقُّ مِن رَّبِّكَ فَيُؤْمِنُوا بِهِ فَتُخْبِتَ لَهُ قُلُوبُهُمْ وَإِنَّ اللَّهَ لَهَادِ الَّذِينَ ءَامَنُوا إِلَى صِرَاطٍ مُّسْتَقِيمٍ ۝ وَلَا يَزَالُ الَّذِينَ كَفَرُوا فِي مِرْيَةٍ مِّنْهُ حَتَّى تَأْتِيَهُمُ السَّاعَةُ بَغْتَةً أَوْ يَأْتِيَهُمْ عَذَابُ يَوْمٍ عَقِيمٍ ۝

47. Et ils te demandent de hâter [l'arrivée] du châtiment. Jamais Allāh ne manquera à Sa promesse. Cependant, un jour auprès de ton Seigneur, équivaut à mille ans de ce que vous comptez.

48. À combien de cités n'ai-Je pas donné répit alors qu'elles commettaient des tyrannies? Ensuite, Je les ais saisies. Vers Moi est le devenir.

49. Dis: «Ô hommes! Je ne suis pour vous, en vérité, qu'un avertisseur explicite».

50. Ceux donc qui croient et font de bonnes œuvres auront pardon et faveurs généreuses,

51. tandis que ceux qui s'efforcent à échapper (au châtiment mentionné dans) Nos versets, ceux-là sont les gens de l'Enfer.

52. Nous n'avons envoyé, avant toi, ni Messager ni prophète qui n'ait récité[1] (ce qui lui a été révélé) sans que le Diable n'ait essayé d'intervenir [pour semer le doute dans le cœur des gens au sujet] de sa récitation. Allāh abroge ce que le Diable suggère, et Allāh renforce Ses versets. Allāh est Omniscient et Sage.

53. Afin de faire, de ce que jette le Diable, une tentation pour ceux qui ont une maladie au cœur et ceux qui ont le cœur dur... Les injustes sont certes dans un schisme profond.

54. Et afin que ceux à qui le savoir a été donné sachent que (le Qur'ān) est en effet, la Vérité venant de ton Seigneur, qu'ils y croient alors, et que leurs cœurs s'y soumettent en toute humilité. Allāh guide certes vers le droit chemin ceux qui croient.

55. Et ceux qui mécroient ne cesseront d'être en doute à son sujet, jusqu'à ce que l'Heure les surprenne à l'improviste ou que les atteigne le châtiment d'un jour terrifiant.

---

1. *Récité*: littéralement: «Tamannā» = souhaiter. Mais le contexte du verset lui donne le sens de réciter. Voir note concernant S. 53, v. 19.

ٱلْمُلْكُ يَوْمَئِذٍ لِّلَّهِ يَحْكُمُ بَيْنَهُمْ فَٱلَّذِينَ ءَامَنُوا۟

وَعَمِلُوا۟ ٱلصَّٰلِحَٰتِ فِى جَنَّٰتِ ٱلنَّعِيمِ ۞ ٥٦ ۞ وَٱلَّذِينَ كَفَرُوا۟

وَكَذَّبُوا۟ بِـَٔايَٰتِنَا فَأُو۟لَٰٓئِكَ لَهُمْ عَذَابٌ مُّهِينٌ ۞ ٥٧ ۞

وَٱلَّذِينَ هَاجَرُوا۟ فِى سَبِيلِ ٱللَّهِ ثُمَّ قُتِلُوٓا۟ أَوْ مَاتُوا۟

لَيَرْزُقَنَّهُمُ ٱللَّهُ رِزْقًا حَسَنًا ۚ وَإِنَّ ٱللَّهَ لَهُوَ خَيْرُ

ٱلرَّٰزِقِينَ ۞ ٥٨ ۞ ۞ لَيُدْخِلَنَّهُم مُّدْخَلًا يَرْضَوْنَهُۥ ۗ وَإِنَّ

ٱللَّهَ لَعَلِيمٌ حَلِيمٌ ۞ ٥٩ ۞ ۞ ذَٰلِكَ وَمَنْ عَاقَبَ بِمِثْلِ

مَا عُوقِبَ بِهِۦ ثُمَّ بُغِىَ عَلَيْهِ لَيَنصُرَنَّهُ ٱللَّهُ ۗ إِنَّ ٱللَّهَ

لَعَفُوٌّ غَفُورٌ ۞ ٦٠ ۞ ذَٰلِكَ بِأَنَّ ٱللَّهَ يُولِجُ ٱلَّيْلَ فِى

ٱلنَّهَارِ وَيُولِجُ ٱلنَّهَارَ فِى ٱلَّيْلِ وَأَنَّ ٱللَّهَ سَمِيعٌۢ بَصِيرٌ

۞ ٦١ ۞ ذَٰلِكَ بِأَنَّ ٱللَّهَ هُوَ ٱلْحَقُّ وَأَنَّ مَا يَدْعُونَ مِن

دُونِهِۦ هُوَ ٱلْبَٰطِلُ وَأَنَّ ٱللَّهَ هُوَ ٱلْعَلِىُّ ٱلْكَبِيرُ ۞ ٦٢ ۞

أَلَمْ تَرَ أَنَّ ٱللَّهَ أَنزَلَ مِنَ ٱلسَّمَآءِ مَآءً فَتُصْبِحُ ٱلْأَرْضُ

مُخْضَرَّةً ۗ إِنَّ ٱللَّهَ لَطِيفٌ خَبِيرٌ ۞ ٦٣ ۞ لَّهُۥ مَا فِى ٱلسَّمَٰوَٰتِ

وَمَا فِى ٱلْأَرْضِ ۗ وَإِنَّ ٱللَّهَ لَهُوَ ٱلْغَنِىُّ ٱلْحَمِيدُ ۞ ٦٤ ۞

56. La souveraineté ce jour-là appartiendra à Allāh qui jugera parmi eux Ceux qui auront cru et fait de bonnes œuvres seront dans les Jardins du délice,

57. et quant aux infidèles qui auront traité Nos révélations de mensonges, ils auront un châtiment avilissant!

58. Ceux qui émigrent dans le sentier d'Allāh et qui sont tués ou meurent, Allāh leur accordera certes une belle récompense, Car Allāh est le meilleur des donateurs.

59. Il les fera, certes, entrer en un lieu qu'ils agréeront, et Allāh est certes Omniscient et Indulgent.

60. Ainsi en est-il. Quiconque châtie de la même façon dont il a été châtié et qu'ensuite il est victime d'un nouvel outrage, Allāh l'aidera, car Allāh est certainement Absoluteur et Pardonneur.

61. C'est ainsi qu'Allāh fait pénétrer la nuit dans le jour, et fait pénétrer le jour dans la nuit. Allāh est, certes, Audient et Clairvoyant.

62. C'est ainsi qu'Allāh est Lui le Vrai, alors que ce qu'ils invoquent en dehors de Lui est le faux ; c'est Allāh qui est le Sublime, le Grand.

63. N'as-tu pas vu qu'Allāh fait descendre l'eau du ciel, et la terre devient alors verte? Allāh est Plein de bonté et Parfaitement Connaisseur.

64. À Lui appartient ce qui est dans les cieux et sur la terre. Allāh est le seul qui se suffit à Lui-Même et qui est Le Digne de louange!

أَلَمْ تَرَ أَنَّ ٱللَّهَ سَخَّرَ لَكُم مَّا فِى ٱلْأَرْضِ وَٱلْفُلْكَ تَجْرِى فِى ٱلْبَحْرِ بِأَمْرِهِۦ وَيُمْسِكُ ٱلسَّمَاءَ أَن تَقَعَ عَلَى ٱلْأَرْضِ إِلَّا بِإِذْنِهِۦٓ إِنَّ ٱللَّهَ بِٱلنَّاسِ لَرَءُوفٌ رَّحِيمٌ ۝ وَهُوَ ٱلَّذِىٓ أَحْيَاكُمْ ثُمَّ يُمِيتُكُمْ ثُمَّ يُحْيِيكُمْ إِنَّ ٱلْإِنسَٰنَ لَكَفُورٌ ۝

لِّكُلِّ أُمَّةٍ جَعَلْنَا مَنسَكًا هُمْ نَاسِكُوهُ فَلَا يُنَٰزِعُنَّكَ فِى ٱلْأَمْرِ وَٱدْعُ إِلَىٰ رَبِّكَ إِنَّكَ لَعَلَىٰ هُدًى مُّسْتَقِيمٍ ۝ وَإِن جَٰدَلُوكَ فَقُلِ ٱللَّهُ أَعْلَمُ بِمَا تَعْمَلُونَ ۝ ٱللَّهُ يَحْكُمُ بَيْنَكُمْ يَوْمَ ٱلْقِيَٰمَةِ فِيمَا كُنتُمْ فِيهِ تَخْتَلِفُونَ ۝ أَلَمْ تَعْلَمْ أَنَّ ٱللَّهَ يَعْلَمُ مَا فِى ٱلسَّمَاءِ وَٱلْأَرْضِ إِنَّ ذَٰلِكَ فِى كِتَٰبٍ إِنَّ ذَٰلِكَ عَلَى ٱللَّهِ يَسِيرٌ ۝ وَيَعْبُدُونَ مِن دُونِ ٱللَّهِ مَا لَمْ يُنَزِّلْ بِهِۦ سُلْطَٰنًا وَمَا لَيْسَ لَهُم بِهِۦ عِلْمٌ وَمَا لِلظَّٰلِمِينَ مِن نَّصِيرٍ ۝ وَإِذَا تُتْلَىٰ عَلَيْهِمْ ءَايَٰتُنَا بَيِّنَٰتٍ تَعْرِفُ فِى وُجُوهِ ٱلَّذِينَ كَفَرُوا ٱلْمُنكَرَ يَكَادُونَ يَسْطُونَ بِٱلَّذِينَ يَتْلُونَ عَلَيْهِمْ ءَايَٰتِنَا قُلْ أَفَأُنَبِّئُكُم بِشَرٍّ مِّن ذَٰلِكُمُ ٱلنَّارُ وَعَدَهَا ٱللَّهُ ٱلَّذِينَ كَفَرُوا وَبِئْسَ ٱلْمَصِيرُ ۝

65. N'as-tu pas vu qu'Allāh vous a soumis tout ce qui est sur la terre ainsi que le vaisseau qui vogue sur la mer par Son ordre? Il retient le ciel de tomber sur la terre, sauf quand Il le permettra. Car Allāh est Plein de bonté et de miséricorde envers les hommes.

66. C'est Lui qui vous donne la vie puis vous donne la mort, puis vous fait revivre. Vraiment l'homme est très ingrat!

67. À chaque communauté, Nous avons assigné un culte à suivre. Qu'ils ne disputent donc point avec toi l'ordre reçu! Et appelle à ton Seigneur. Tu es certes sur une voie droite.

68. Et s'ils discutent avec toi, alors dis: «C'est Allāh qui connaît mieux ce que vous faites.

69. Allāh jugera entre vous, au Jour de la Résurrection, ce en quoi vous divergez».

70. Ne sais-tu pas qu'Allāh sait ce qu'il y a dans le ciel et sur la terre? Tout cela est dans un Livre, et cela est pour Allāh bien facile.

71. Et ils adorent en dehors d'Allāh, ce en quoi Il n'a fait descendre aucune preuve et ce dont ils n'ont aucune connaissance. Et il n'y aura pas de protecteur pour les injustes.

72. Et quand on leur récite Nos versets bien clairs, tu discerneras la réprobation sur les visages de ceux qui ont mécru. Peu s'en faut qu'ils ne se jettent sur ceux qui leur récitent Nos versets. Dis: «Vous informerai-je de quelque Chose de plus terrible? - Le Feu: Allāh l'a promis à ceux qui ont mécru. Et quel triste devenir!»

يَـٰٓأَيُّهَا ٱلنَّاسُ ضُرِبَ مَثَلٌ فَٱسْتَمِعُوا۟ لَهُۥٓ إِنَّ ٱلَّذِينَ تَدْعُونَ مِن دُونِ ٱللَّهِ لَن يَخْلُقُوا۟ ذُبَابًا وَلَوِ ٱجْتَمَعُوا۟ لَهُۥ وَإِن يَسْلُبْهُمُ ٱلذُّبَابُ شَيْـًٔا لَّا يَسْتَنقِذُوهُ مِنْهُ ضَعُفَ ٱلطَّالِبُ وَٱلْمَطْلُوبُ ٧٣ مَا قَدَرُوا۟ ٱللَّهَ حَقَّ قَدْرِهِۦٓ إِنَّ ٱللَّهَ لَقَوِىٌّ عَزِيزٌ ٧٤ ٱللَّهُ يَصْطَفِى مِنَ ٱلْمَلَـٰٓئِكَةِ رُسُلًا وَمِنَ ٱلنَّاسِ إِنَّ ٱللَّهَ سَمِيعٌۢ بَصِيرٌ ٧٥ يَعْلَمُ مَا بَيْنَ أَيْدِيهِمْ وَمَا خَلْفَهُمْ وَإِلَى ٱللَّهِ تُرْجَعُ ٱلْأُمُورُ ٧٦ يَـٰٓأَيُّهَا ٱلَّذِينَ ءَامَنُوا۟ ٱرْكَعُوا۟ وَٱسْجُدُوا۟ وَٱعْبُدُوا۟ رَبَّكُمْ وَٱفْعَلُوا۟ ٱلْخَيْرَ لَعَلَّكُمْ تُفْلِحُونَ ۩ ٧٧ وَجَـٰهِدُوا۟ فِى ٱللَّهِ حَقَّ جِهَادِهِۦ هُوَ ٱجْتَبَـٰكُمْ وَمَا جَعَلَ عَلَيْكُمْ فِى ٱلدِّينِ مِنْ حَرَجٍ مِّلَّةَ أَبِيكُمْ إِبْرَٰهِيمَ هُوَ سَمَّىٰكُمُ ٱلْمُسْلِمِينَ مِن قَبْلُ وَفِى هَـٰذَا لِيَكُونَ ٱلرَّسُولُ شَهِيدًا عَلَيْكُمْ وَتَكُونُوا۟ شُهَدَآءَ عَلَى ٱلنَّاسِ فَأَقِيمُوا۟ ٱلصَّلَوٰةَ وَءَاتُوا۟ ٱلزَّكَوٰةَ وَٱعْتَصِمُوا۟ بِٱللَّهِ هُوَ مَوْلَىٰكُمْ فَنِعْمَ ٱلْمَوْلَىٰ وَنِعْمَ ٱلنَّصِيرُ ٧٨

سُورَةُ الْمُؤْمِنُونَ

73. Ô hommes! Une parabole vous est proposée, écoutez-la: «Ceux que vous invoquez en dehors d'Allāh ne sauraient même pas créer une mouche, quand même ils s'uniraient pour cela. Et si la mouche les dépouillait de quelque chose, ils ne sauraient le lui reprendre. Le solliciteur et le sollicité sont [également] faibles!»

74. Ils n'ont pas estimé Allāh à sa juste valeur ; Allāh est certes Fort et Puissant.

75. Allāh choisit des messagers parmi les Anges et parmi les hommes. Allāh est Audient et Clairvoyant.

76. Il sait ce qui est devant eux et derrière eux. Et c'est vers Allāh que tout retournera.

77. Ô vous qui croyez! Inclinez-vous, prosternez-vous, adorez votre Seigneur, et faites le bien. Peut-être réussirez vous[1]!

78. Et luttez pour Allāh avec tout l'effort qu'il mérite. C'est **Lui** qui vous a élus ; et Il ne vous a imposé aucune gêne dans la religion, celle de votre père Abraham, lequel vous a déjà nommés «Musulmans» avant (ce Livre) et dans ce (Livre). afin que le Messager soit témoin contre vous, et que vous soyez vous-mêmes témoins contre les gens. Accomplissez donc la Ṣalāt, acquittez la Zakāt et attachez-vous fortement à Allāh. C'est Lui votre Maître. Quel Excellent Maître! Et quel Excellent Soutien!

---

1. À ce verset on se prosterne.

بِسۡمِ ٱللَّهِ ٱلرَّحۡمَٰنِ ٱلرَّحِيمِ

قَدۡ أَفۡلَحَ ٱلۡمُؤۡمِنُونَ ۝ ٱلَّذِينَ هُمۡ فِي صَلَاتِهِمۡ خَٰشِعُونَ ۝

وَٱلَّذِينَ هُمۡ عَنِ ٱللَّغۡوِ مُعۡرِضُونَ ۝ وَٱلَّذِينَ هُمۡ لِلزَّكَوٰةِ

فَٰعِلُونَ ۝ وَٱلَّذِينَ هُمۡ لِفُرُوجِهِمۡ حَٰفِظُونَ ۝ إِلَّا عَلَىٰٓ

أَزۡوَٰجِهِمۡ أَوۡ مَا مَلَكَتۡ أَيۡمَٰنُهُمۡ فَإِنَّهُمۡ غَيۡرُ مَلُومِينَ ۝

فَمَنِ ٱبۡتَغَىٰ وَرَآءَ ذَٰلِكَ فَأُو۟لَٰٓئِكَ هُمُ ٱلۡعَادُونَ ۝ وَٱلَّذِينَ هُمۡ

لِأَمَٰنَٰتِهِمۡ وَعَهۡدِهِمۡ رَٰعُونَ ۝ وَٱلَّذِينَ هُمۡ عَلَىٰ صَلَوَٰتِهِمۡ

يُحَافِظُونَ ۝ أُو۟لَٰٓئِكَ هُمُ ٱلۡوَٰرِثُونَ ۝ ٱلَّذِينَ يَرِثُونَ

ٱلۡفِرۡدَوۡسَ هُمۡ فِيهَا خَٰلِدُونَ ۝ وَلَقَدۡ خَلَقۡنَا ٱلۡإِنسَٰنَ مِن

سُلَٰلَةٖ مِّن طِينٖ ۝ ثُمَّ جَعَلۡنَٰهُ نُطۡفَةٗ فِي قَرَارٖ مَّكِينٖ ۝ ثُمَّ

خَلَقۡنَا ٱلنُّطۡفَةَ عَلَقَةٗ فَخَلَقۡنَا ٱلۡعَلَقَةَ مُضۡغَةٗ فَخَلَقۡنَا

ٱلۡمُضۡغَةَ عِظَٰمٗا فَكَسَوۡنَا ٱلۡعِظَٰمَ لَحۡمٗا ثُمَّ أَنشَأۡنَٰهُ خَلۡقًا

ءَاخَرَ فَتَبَارَكَ ٱللَّهُ أَحۡسَنُ ٱلۡخَٰلِقِينَ ۝ ثُمَّ إِنَّكُم بَعۡدَ ذَٰلِكَ

لَمَيِّتُونَ ۝ ثُمَّ إِنَّكُمۡ يَوۡمَ ٱلۡقِيَٰمَةِ تُبۡعَثُونَ ۝ وَلَقَدۡ

خَلَقۡنَا فَوۡقَكُمۡ سَبۡعَ طَرَآئِقَ وَمَا كُنَّا عَنِ ٱلۡخَلۡقِ غَٰفِلِينَ ۝

AL-MU'MINŪN (LES CROYANTS)[1]
sourate 23   118 versets   Pré-hégirien n° 74

Au nom d'Allāh, le Tout Miséricordieux, le Très Miséricordieux.

1. Bienheureux sont certes les croyants[2],

2. ceux qui sont humbles dans leur Ṣalāt,

3. qui se détournent des futilités,

4. qui s'acquittent de la Zakāt,

5. et qui préservent leurs sexes [de tout rapport],

6. si ce n'est qu'avec leurs épouses ou les esclaves qu'ils possèdent[3], car là vraiment, on ne peut les blâmer ;

7. alors que ceux qui cherchent au-delà de ces limites sont des transgresseurs ;

8. et qui veillent à la sauvegarde des dépôts confiés à eux et honorent leurs engagements,

9. et qui observent strictement leur Ṣalāt.

10. Ce sont eux les héritiers,

11. qui hériteront le Paradis pour y demeurer éternellement.

12. Nous avons certes créé l'homme d'un extrait d'argile,

13. puis Nous en fîmes une goutte de sperme dans un reposoir solide.

14. Ensuite, Nous avons fait du sperme une adhérence ; et de l'adhérence Nous avons créé un embryon ; puis, de cet embryon Nous avons créé des os et Nous avons revêtu les os de chair. Ensuite, Nous l'avons transformé en une tout autre création. Gloire à Allāh le Meilleur des créateurs!

15. Et puis, après cela vous mourrez.

16. Et puis au Jour de la Résurrection vous serez ressuscités.

17. Nous avons créé, au-dessus de vous, sept cieux. Et Nous ne sommes pas inattentifs à la création.

---

1. Titre tiré du v. 1.
2. *Heureux*: dans toutes les phases de la vie ici-bas et dans l'au-delà.
3. *Les esclaves qu'ils possèdent*: les femmes esclaves (du temps où régnait encore l'esclavage). Rappelons que l'Islām est la seule religion qui incita à l'affranchissement des esclaves en en faisant un acte d'adoration et un moyen de se racheter dans certains cas.

وَأَنزَلْنَا مِنَ ٱلسَّمَاءِ مَاءً بِقَدَرٍ فَأَسْكَنَّـٰهُ فِي ٱلْأَرْضِ وَإِنَّا عَلَىٰ ذَهَابٍ بِهِۦ لَقَـٰدِرُونَ ۝ فَأَنشَأْنَا لَكُم بِهِۦ جَنَّـٰتٍ مِّن نَّخِيلٍ وَأَعْنَـٰبٍ لَّكُمْ فِيهَا فَوَٰكِهُ كَثِيرَةٌ وَمِنْهَا تَأْكُلُونَ ۝ وَشَجَرَةً تَخْرُجُ مِن طُورِ سَيْنَاءَ تَنۢبُتُ بِٱلدُّهْنِ وَصِبْغٍ لِّلْءَاكِلِينَ ۝ وَإِنَّ لَكُمْ فِي ٱلْأَنْعَـٰمِ لَعِبْرَةً نُّسْقِيكُم مِّمَّا فِي بُطُونِهَا وَلَكُمْ فِيهَا مَنَـٰفِعُ كَثِيرَةٌ وَمِنْهَا تَأْكُلُونَ ۝ وَعَلَيْهَا وَعَلَى ٱلْفُلْكِ تُحْمَلُونَ ۝ وَلَقَدْ أَرْسَلْنَا نُوحًا إِلَىٰ قَوْمِهِۦ فَقَالَ يَـٰقَوْمِ ٱعْبُدُوا۟ ٱللَّهَ مَا لَكُم مِّنْ إِلَـٰهٍ غَيْرُهُۥ أَفَلَا تَتَّقُونَ ۝ فَقَالَ ٱلْمَلَؤُا۟ ٱلَّذِينَ كَفَرُوا۟ مِن قَوْمِهِۦ مَا هَـٰذَا إِلَّا بَشَرٌ مِّثْلُكُمْ يُرِيدُ أَن يَتَفَضَّلَ عَلَيْكُمْ وَلَوْ شَاءَ ٱللَّهُ لَأَنزَلَ مَلَـٰئِكَةً مَّا سَمِعْنَا بِهَـٰذَا فِي ءَابَائِنَا ٱلْأَوَّلِينَ ۝ إِنْ هُوَ إِلَّا رَجُلٌۢ بِهِۦ جِنَّةٌ فَتَرَبَّصُوا۟ بِهِۦ حَتَّىٰ حِينٍ ۝ قَالَ رَبِّ ٱنصُرْنِي بِمَا كَذَّبُونِ ۝ فَأَوْحَيْنَا إِلَيْهِ أَنِ ٱصْنَعِ ٱلْفُلْكَ بِأَعْيُنِنَا وَوَحْيِنَا فَإِذَا جَاءَ أَمْرُنَا وَفَارَ ٱلتَّنُّورُ فَٱسْلُكْ فِيهَا مِن كُلٍّ زَوْجَيْنِ ٱثْنَيْنِ وَأَهْلَكَ إِلَّا مَن سَبَقَ عَلَيْهِ ٱلْقَوْلُ مِنْهُمْ وَلَا تُخَـٰطِبْنِي فِي ٱلَّذِينَ ظَلَمُوا۟ إِنَّهُم مُّغْرَقُونَ ۝

18. Et Nous avons fait descendre l'eau du ciel avec mesure. Puis Nous l'avons maintenue dans la terre, cependant que Nous sommes bien Capable de la faire disparaître.

19. Avec elle, Nous avons produit pour vous des jardins de palmiers et de vignes, dans lesquels vous avez des fruits abondants et desquels vous mangez,

20. ainsi qu'un arbre (l'olivier) qui pousse au Mont Sinaï, en produisant l'huile servant à oindre et où les mangeurs trempent leur pain.

21. Vous avez certes dans les bestiaux, un sujet de méditation: Nous vous donnons à boire de ce qu'ils ont dans le ventre, et vous y trouvez également maintes utilités ; et vous vous en nourrissez.

22. Sur eux ainsi que sur des vaisseaux vous êtes transportés.

23. Nous envoyâmes Noé vers son peuple. Il dit: «Ô mon peuple, adorez Allāh. Vous n'avez pas d'autre divinité en dehors de Lui. Ne [Le] craignez-vous pas?»

24. Alors les notables de son peuple qui avaient mécru dirent: «Celui-ci n'est qu'un être humain comme vous voulant se distinguer à votre détriment. Si Allāh avait voulu, ce sont des Anges qu'Il aurait fait descendre. Jamais nous n'avons entendu cela chez nos ancêtres les plus reculés.

25. Ce n'est en vérité qu'un homme atteint de folie, observez-le donc durant quelque temps.

26. Il dit: «Seigneur! Apporte-moi secours parce qu'ils me traitent de menteur».

27. Nous lui révélâmes: «Construis l'arche sous Nos yeux et selon Notre révélation. Et quand Notre commandement viendra et que le four bouillonnera, achemine là-dedans un couple de chaque espèce, ainsi que ta famille, sauf ceux d'entre eux contre qui la parole a déjà été prononcée ; et ne t'adresse pas à Moi au sujet des injustes, car ils seront fatalement noyés.

فَإِذَا ٱسْتَوَيْتَ أَنتَ وَمَن مَّعَكَ عَلَى ٱلْفُلْكِ فَقُلِ ٱلْحَمْدُ لِلَّهِ ٱلَّذِى نَجَّىٰنَا مِنَ ٱلْقَوْمِ ٱلظَّٰلِمِينَ ۝ وَقُل رَّبِّ أَنزِلْنِى مُنزَلًا مُّبَارَكًا وَأَنتَ خَيْرُ ٱلْمُنزِلِينَ ۝ إِنَّ فِى ذَٰلِكَ لَءَايَٰتٍ وَإِن كُنَّا لَمُبْتَلِينَ ۝ ثُمَّ أَنشَأْنَا مِنۢ بَعْدِهِمْ قَرْنًا ءَاخَرِينَ ۝ فَأَرْسَلْنَا فِيهِمْ رَسُولًا مِّنْهُمْ أَنِ ٱعْبُدُوا۟ ٱللَّهَ مَا لَكُم مِّنْ إِلَٰهٍ غَيْرُهُۥٓ أَفَلَا تَتَّقُونَ ۝ وَقَالَ ٱلْمَلَأُ مِن قَوْمِهِ ٱلَّذِينَ كَفَرُوا۟ وَكَذَّبُوا۟ بِلِقَآءِ ٱلْءَاخِرَةِ وَأَتْرَفْنَٰهُمْ فِى ٱلْحَيَوٰةِ ٱلدُّنْيَا مَا هَٰذَآ إِلَّا بَشَرٌ مِّثْلُكُمْ يَأْكُلُ مِمَّا تَأْكُلُونَ مِنْهُ وَيَشْرَبُ مِمَّا تَشْرَبُونَ ۝ وَلَئِنْ أَطَعْتُم بَشَرًا مِّثْلَكُمْ إِنَّكُمْ إِذًا لَّخَٰسِرُونَ ۝ أَيَعِدُكُمْ أَنَّكُمْ إِذَا مِتُّمْ وَكُنتُمْ تُرَابًا وَعِظَٰمًا أَنَّكُم مُّخْرَجُونَ ۝ ۞ هَيْهَاتَ هَيْهَاتَ لِمَا تُوعَدُونَ ۝ إِنْ هِىَ إِلَّا حَيَاتُنَا ٱلدُّنْيَا نَمُوتُ وَنَحْيَا وَمَا نَحْنُ بِمَبْعُوثِينَ ۝ إِنْ هُوَ إِلَّا رَجُلٌ ٱفْتَرَىٰ عَلَى ٱللَّهِ كَذِبًا وَمَا نَحْنُ لَهُۥ بِمُؤْمِنِينَ ۝ قَالَ رَبِّ ٱنصُرْنِى بِمَا كَذَّبُونِ ۝ قَالَ عَمَّا قَلِيلٍ لَّيُصْبِحُنَّ نَٰدِمِينَ ۝ فَأَخَذَتْهُمُ ٱلصَّيْحَةُ بِٱلْحَقِّ فَجَعَلْنَٰهُمْ غُثَآءً فَبُعْدًا لِّلْقَوْمِ ٱلظَّٰلِمِينَ ۝ ثُمَّ أَنشَأْنَا مِنۢ بَعْدِهِمْ قُرُونًا ءَاخَرِينَ ۝

28. Et lorsque tu seras installé, toi et ceux qui sont avec toi, dans l'arche, dis: «Louange à Allāh qui nous a sauvés du peuple des injustes».

29. Et dis: «Seigneur, fais-moi débarquer d'un débarquement béni. Tu es Celui qui procure le meilleur débarquement».

30. Voilà bien là des signes. Nous sommes certes Celui qui éprouve.

31. Puis, après eux, Nous avons créé d'autres générations,

32. Nous envoyâmes parmi elles un Messager [issu] d'elles pour leur dire: «Adorez Allāh. Vous n'avez pas d'autre divinité en dehors de Lui. Ne le craignez-vous pas?»

33. Les notables de son peuple qui avaient mécru et traité de mensonge la rencontre de l'au-delà, et auxquels Nous avions accordé le luxe dans la vie présente, dirent: «Celui-ci n'est qu'un être humain comme vous, mangeant de ce que vous mangez, et buvant de ce que vous buvez.

34. Si vous obéissez à un homme comme vous, vous serez alors perdants.

35. Vous promet-il, quand vous serez morts, et devenus poussière et ossements, que vous serez sortis [de vos sépulcres]?

36. Loin, loin, ce qu'on vous promet.

37. Ce n'est là que notre vie présente: nous mourons et nous vivons ; et nous ne serons jamais ressuscités.

38. Ce n'est qu'un homme qui forge un mensonge contre Allāh ; et nous ne croirons pas en lui».

39. Il dit: «Seigneur! Apporte-moi secours parce qu'ils me traitent de menteur».

40. [Allāh] dit: «Oui, bientôt ils en viendront aux regrets».

41. Le cri, donc, les saisit en toute justice ; puis Nous les rendîmes semblables à des débris emportés par le torrent. Que disparaissent à jamais les injustes!

42. Puis après eux Nous avons créé d'autres générations.

مَا تَسْبِقُ مِنْ أُمَّةٍ أَجَلَهَا وَمَا يَسْتَأْخِرُونَ ۞ ثُمَّ أَرْسَلْنَا رُسُلَنَا تَتْرَا

كُلَّ مَا جَآءَ أُمَّةً رَّسُولُهَا كَذَّبُوهُ فَأَتْبَعْنَا بَعْضَهُم بَعْضًا وَجَعَلْنَـٰهُمْ

أَحَادِيثَ فَبُعْدًا لِّقَوْمٍ لَّا يُؤْمِنُونَ ۞ ثُمَّ أَرْسَلْنَا مُوسَىٰ وَأَخَاهُ

هَـٰرُونَ بِـَٔايَـٰتِنَا وَسُلْطَـٰنٍ مُّبِينٍ ۞ إِلَىٰ فِرْعَوْنَ وَمَلَإِيْهِۦ

فَاسْتَكْبَرُوا۟ وَكَانُوا۟ قَوْمًا عَالِينَ ۞ فَقَالُوٓا۟ أَنُؤْمِنُ لِبَشَرَيْنِ مِثْلِنَا

وَقَوْمُهُمَا لَنَا عَـٰبِدُونَ ۞ فَكَذَّبُوهُمَا فَكَانُوا۟ مِنَ ٱلْمُهْلَكِينَ

۞ وَلَقَدْ ءَاتَيْنَا مُوسَى ٱلْكِتَـٰبَ لَعَلَّهُمْ يَهْتَدُونَ ۞ وَجَعَلْنَا

ٱبْنَ مَرْيَمَ وَأُمَّهُۥٓ ءَايَةً وَءَاوَيْنَـٰهُمَآ إِلَىٰ رَبْوَةٍ ذَاتِ قَرَارٍ وَمَعِينٍ

۞ يَـٰٓأَيُّهَا ٱلرُّسُلُ كُلُوا۟ مِنَ ٱلطَّيِّبَـٰتِ وَٱعْمَلُوا۟ صَـٰلِحًا إِنِّى بِمَا

تَعْمَلُونَ عَلِيمٌ ۞ وَإِنَّ هَـٰذِهِۦٓ أُمَّتُكُمْ أُمَّةً وَٰحِدَةً وَأَنَا۟ رَبُّكُمْ

فَٱتَّقُونِ ۞ فَتَقَطَّعُوٓا۟ أَمْرَهُم بَيْنَهُمْ زُبُرًا كُلُّ حِزْبٍ بِمَا لَدَيْهِمْ

فَرِحُونَ ۞ فَذَرْهُمْ فِى غَمْرَتِهِمْ حَتَّىٰ حِينٍ ۞ أَيَحْسَبُونَ أَنَّمَا

نُمِدُّهُم بِهِۦ مِن مَّالٍ وَبَنِينَ ۞ نُسَارِعُ لَهُمْ فِى ٱلْخَيْرَٰتِ بَل لَّا يَشْعُرُونَ

۞ إِنَّ ٱلَّذِينَ هُم مِّنْ خَشْيَةِ رَبِّهِم مُّشْفِقُونَ ۞ وَٱلَّذِينَ هُم

بِـَٔايَـٰتِ رَبِّهِمْ يُؤْمِنُونَ ۞ وَٱلَّذِينَ هُم بِرَبِّهِمْ لَا يُشْرِكُونَ ۞

43. Nulle communauté ne peut avancer ni reculer son terme.

44. Ensuite, Nous envoyâmes successivement Nos messagers. Chaque fois qu'un messager se présentait à sa communauté, ils le traitaient de menteur. Et Nous les fîmes succéder les unes aux autres [dans la destruction], et Nous en fîmes des thèmes de récits légendaires. Que disparaissent à jamais les gens qui ne croient pas!

45. Ensuite, Nous envoyâmes Moïse et son frère Aaron avec Nos prodiges et une preuve évidente,

46. vers Pharaon et ses notables mais ceux-ci s'enflèrent d'orgueil: ils étaient des gens hautains.

47. Ils dirent: «Croirons-nous en deux hommes comme nous dont les congénères sont nos esclaves.

48. Ils les traitèrent [tous deux] de menteurs et ils furent donc parmi les anéantis.

49. Et Nous avions apporté le Livre à Moïse afin qu'ils se guident.

50. Et Nous fîmes du fils de Marie, ainsi que de sa mère, un prodige ; et Nous donnâmes à tous deux asile sur une colline bien stable et dotée d'une source.

51. Ô Messagers! Mangez de ce qui est permis et agréable et faites du bien. Car Je sais parfaitement ce que vous faites.

52. Cette communauté, la vôtre, est une seule communauté, tandis que Je suis votre Seigneur. Craignez-Moi donc»[1].

53. Mais ils se sont divisés en sectes, chaque secte exultant de ce qu'elle détenait.

54. Laisse-les dans leur égarement pour un certain temps.

55. Pensent-ils que ce que Nous leur accordons, en biens et en enfants,

56. [soit une avance] que Nous Nous empressons de leur faire sur les biens [de la vie future]? Au contraire, ils n'en sont pas conscients.

57. Ceux qui, de la crainte de leur Seigneur, sont pénétrés,

58. qui croient aux versets de leur Seigneur,

59. qui n'associent rien à leur Seigneur,

---

1. *Communauté*: dans le sens de l'humanité tout entière. Le Qur'ān parle ici des messagers qui ont précédé Muḥammad (ﷺ). Et puisque tous les prophètes ont prêché la même religion, c'est-à-dire l'Islām, toute l'humanité devrait former une seule communauté.

وَالَّذِينَ يُؤْتُونَ مَآ ءَاتَوا وَّقُلُوبُهُمْ وَجِلَةٌ أَنَّهُمْ إِلَىٰ رَبِّهِمْ رَٰجِعُونَ ٦٠

أُوْلَٰٓئِكَ يُسَٰرِعُونَ فِي ٱلْخَيْرَٰتِ وَهُمْ لَهَا سَٰبِقُونَ ٦١ وَلَا نُكَلِّفُ

نَفْسًا إِلَّا وُسْعَهَا وَلَدَيْنَا كِتَٰبٌ يَنطِقُ بِٱلْحَقِّ وَهُمْ لَا يُظْلَمُونَ ٦٢

بَلْ قُلُوبُهُمْ فِي غَمْرَةٍ مِّنْ هَٰذَا وَلَهُمْ أَعْمَٰلٌ مِّن دُونِ ذَٰلِكَ هُمْ لَهَا

عَٰمِلُونَ ٦٣ حَتَّىٰٓ إِذَآ أَخَذْنَا مُتْرَفِيهِم بِٱلْعَذَابِ إِذَا هُمْ يَجْـَٔرُونَ

٦٤ لَا تَجْـَٔرُوا ٱلْيَوْمَ إِنَّكُم مِّنَّا لَا تُنصَرُونَ ٦٥ قَدْ كَانَتْ ءَايَٰتِي

تُتْلَىٰ عَلَيْكُمْ فَكُنتُمْ عَلَىٰٓ أَعْقَٰبِكُمْ تَنكِصُونَ ٦٦ مُسْتَكْبِرِينَ

بِهِۦ سَٰمِرًا تَهْجُرُونَ ٦٧ أَفَلَمْ يَدَّبَّرُوا ٱلْقَوْلَ أَمْ جَآءَهُم مَّا لَمْ يَأْتِ

ءَابَآءَهُمُ ٱلْأَوَّلِينَ ٦٨ أَمْ لَمْ يَعْرِفُوا رَسُولَهُمْ فَهُمْ لَهُۥ مُنكِرُونَ

٦٩ أَمْ يَقُولُونَ بِهِۦ جِنَّةٌۢ بَلْ جَآءَهُم بِٱلْحَقِّ وَأَكْثَرُهُمْ لِلْحَقِّ

كَٰرِهُونَ ٧٠ وَلَوِ ٱتَّبَعَ ٱلْحَقُّ أَهْوَآءَهُمْ لَفَسَدَتِ ٱلسَّمَٰوَٰتُ

وَٱلْأَرْضُ وَمَن فِيهِنَّ بَلْ أَتَيْنَٰهُم بِذِكْرِهِمْ فَهُمْ عَن

ذِكْرِهِم مُّعْرِضُونَ ٧١ أَمْ تَسْـَٔلُهُمْ خَرْجًا فَخَرَاجُ رَبِّكَ خَيْرٌ

وَهُوَ خَيْرُ ٱلرَّٰزِقِينَ ٧٢ وَإِنَّكَ لَتَدْعُوهُمْ إِلَىٰ صِرَٰطٍ مُّسْتَقِيمٍ

وَإِنَّ ٱلَّذِينَ لَا يُؤْمِنُونَ بِٱلْأَخِرَةِ عَنِ ٱلصِّرَٰطِ لَنَٰكِبُونَ ٧٤

60. qui donnent ce qu'ils donnent, tandis que leurs cœurs sont pleins de crainte [à la pensée] qu'ils doivent retourner à leur Seigneur.

61. Ceux-là se précipitent vers les bonnes actions et sont les premiers à les accomplir.

62. Nous n'imposons à personne que selon sa capacité. Et auprès de Nous existe un Livre qui dit la vérité, et ils ne seront pas lésés.

63. Mais leurs cœurs restent dans l'ignorance à l'égard de cela [le Qur'ān]. [En outre] ils ont d'autres actes (vils) qu'ils accomplissent,

64. jusqu'à ce que par le châtiment Nous saisissions les plus aisés parmi eux et voilà qu'ils crient au secours.

65. «Ne criez pas aujourd'hui. Nul ne vous protègera contre Nous.

66. Mes versets vous étaient récités auparavant ; mais vous vous [en] détourniez,

67. enflant d'orgueil, et vous les dénigriez au cours de vos veillées».

68. Ne méditent-ils donc pas sur la parole (le Qur'ān)? Ou est-ce que leur est venu ce qui n'est jamais venu à leurs premiers ancêtres?

69. Ou n'ont-ils pas connu leur Messager, au point de le renier?

70. Ou diront-ils: «Il est fou?» Au contraire, c'est la vérité qu'il leur a apportée. Et la plupart d'entre eux dédaignent la vérité.

71. Si la vérité était conforme à leurs passions, les cieux et la terre et ceux qui s'y trouvent seraient, certes, corrompus. Au contraire, Nous leur avons donné leur rappel[1]. Mais ils s'en détournent.

72. Ou leur demandes-tu une rétribution? Mais la rétribution de ton Seigneur est meilleure. Et c'est Lui, le Meilleur des pourvoyeurs.

73. Et tu les appelles, certes, vers le droit chemin.

74. Or, ceux qui ne croient pas à l'au-delà sont bien écartés de ce chemin.

---

1. *Leur rappel*: Le Qur'ān qui les édifierait s'ils observaient ses préceptes.

وَلَوْ رَحِمْنَٰهُمْ وَكَشَفْنَا مَا بِهِم مِّن ضُرٍّ لَّلَجُّوا۟ فِى طُغْيَٰنِهِمْ يَعْمَهُونَ ۝ وَلَقَدْ أَخَذْنَٰهُم بِٱلْعَذَابِ فَمَا ٱسْتَكَانُوا۟ لِرَبِّهِمْ وَمَا يَتَضَرَّعُونَ ۝ حَتَّىٰٓ إِذَا فَتَحْنَا عَلَيْهِم بَابًا ذَا عَذَابٍ شَدِيدٍ إِذَا هُمْ فِيهِ مُبْلِسُونَ ۝ وَهُوَ ٱلَّذِىٓ أَنشَأَ لَكُمُ ٱلسَّمْعَ وَٱلْأَبْصَٰرَ وَٱلْأَفْـِٔدَةَ ۚ قَلِيلًا مَّا تَشْكُرُونَ ۝ وَهُوَ ٱلَّذِى ذَرَأَكُمْ فِى ٱلْأَرْضِ وَإِلَيْهِ تُحْشَرُونَ ۝ وَهُوَ ٱلَّذِى يُحْىِۦ وَيُمِيتُ وَلَهُ ٱخْتِلَٰفُ ٱلَّيْلِ وَٱلنَّهَارِ ۚ أَفَلَا تَعْقِلُونَ ۝ بَلْ قَالُوا۟ مِثْلَ مَا قَالَ ٱلْأَوَّلُونَ ۝ قَالُوٓا۟ أَءِذَا مِتْنَا وَكُنَّا تُرَابًا وَعِظَٰمًا أَءِنَّا لَمَبْعُوثُونَ ۝ لَقَدْ وُعِدْنَا نَحْنُ وَءَابَآؤُنَا هَٰذَا مِن قَبْلُ إِنْ هَٰذَآ إِلَّآ أَسَٰطِيرُ ٱلْأَوَّلِينَ ۝ قُل لِّمَنِ ٱلْأَرْضُ وَمَن فِيهَآ إِن كُنتُمْ تَعْلَمُونَ ۝ سَيَقُولُونَ لِلَّهِ ۚ قُلْ أَفَلَا تَذَكَّرُونَ ۝ قُلْ مَن رَّبُّ ٱلسَّمَٰوَٰتِ ٱلسَّبْعِ وَرَبُّ ٱلْعَرْشِ ٱلْعَظِيمِ ۝ سَيَقُولُونَ لِلَّهِ ۚ قُلْ أَفَلَا تَتَّقُونَ ۝ قُلْ مَنۢ بِيَدِهِۦ مَلَكُوتُ كُلِّ شَىْءٍ وَهُوَ يُجِيرُ وَلَا يُجَارُ عَلَيْهِ إِن كُنتُمْ تَعْلَمُونَ ۝ سَيَقُولُونَ لِلَّهِ ۚ قُلْ فَأَنَّىٰ تُسْحَرُونَ ۝

75. Si Nous leur faisions miséricorde et écartions d'eux le mal. ils persisteraient certainement dans leur transgression, confus et hésitants.

76. Nous les avons certes saisis du châtiment, mais ils ne se sont pas soumis à leur Seigneur ; de même qu'ils ne [Le] supplient point,

77. jusqu'au jour où Nous ouvrirons sur eux une porte au dur châtiment, et voilà qu'ils en seront désespérés.

78. Et c'est Lui qui a créé pour vous l'ouïe, les yeux et les cœurs. Mais vous êtes rarement reconnaissants.

79. C'est Lui qui vous a répandus sur la terre, et c'est vers Lui que vous serez rassemblés.

80. Et c'est Lui qui donne la vie et qui donne la mort ; et l'alternance de la nuit et du jour dépend de Lui. Ne raisonnerez-vous donc pas?

81. Ils ont plutôt tenu les mêmes propos que les anciens.

82. Ils ont dit: «lorsque nous serons morts et que nous serons poussière et ossements, serons-nous vraiment ressuscités?

83. On nous a promis cela, ainsi qu'à nos ancêtres auparavant ; ce ne sont que de vieilles sornettes».

84. Dis: «À qui appartient la terre et ceux qui y sont? si vous savez».

85. Ils diront: «À Allāh». Dis: «Ne vous souvenez-vous donc pas?»

86. Dis: «Qui est le Seigneur des sept cieux et le Seigneur du Trône sublime?»

87. Ils diront: [ils appartiennent] «À Allāh». Dis: «Ne craignez-vous donc pas?»

88. Dis: «Qui détient dans sa main la royauté absolue de toute chose, et qui protège et n'a pas besoin d'être protégé? [Dites], si vous le savez!»

89. Ils diront: «Allāh». Dis: «Comment donc se fait-il que vous soyez ensorcelés?» [au point de ne pas croire en Lui].

بَلْ أَتَيْنَٰهُم بِٱلْحَقِّ وَإِنَّهُمْ لَكَٰذِبُونَ ۝ مَا ٱتَّخَذَ ٱللَّهُ مِن وَلَدٍ وَمَا كَانَ مَعَهُۥ مِنْ إِلَٰهٍ إِذًا لَّذَهَبَ كُلُّ إِلَٰهٍۭ بِمَا خَلَقَ وَلَعَلَا بَعْضُهُمْ عَلَىٰ بَعْضٍ سُبْحَٰنَ ٱللَّهِ عَمَّا يَصِفُونَ ۝ عَٰلِمِ ٱلْغَيْبِ وَٱلشَّهَٰدَةِ فَتَعَٰلَىٰ عَمَّا يُشْرِكُونَ ۝ قُل رَّبِّ إِمَّا تُرِيَنِّي مَا يُوعَدُونَ ۝ رَبِّ فَلَا تَجْعَلْنِي فِي ٱلْقَوْمِ ٱلظَّٰلِمِينَ ۝ وَإِنَّا عَلَىٰٓ أَن نُّرِيَكَ مَا نَعِدُهُمْ لَقَٰدِرُونَ ۝ ٱدْفَعْ بِٱلَّتِي هِيَ أَحْسَنُ ٱلسَّيِّئَةَ نَحْنُ أَعْلَمُ بِمَا يَصِفُونَ ۝ وَقُل رَّبِّ أَعُوذُ بِكَ مِنْ هَمَزَٰتِ ٱلشَّيَٰطِينِ ۝ وَأَعُوذُ بِكَ رَبِّ أَن يَحْضُرُونِ ۝ حَتَّىٰٓ إِذَا جَآءَ أَحَدَهُمُ ٱلْمَوْتُ قَالَ رَبِّ ٱرْجِعُونِ ۝ لَعَلِّيٓ أَعْمَلُ صَٰلِحًا فِيمَا تَرَكْتُ كَلَّآ إِنَّهَا كَلِمَةٌ هُوَ قَآئِلُهَا وَمِن وَرَآئِهِم بَرْزَخٌ إِلَىٰ يَوْمِ يُبْعَثُونَ ۝ فَإِذَا نُفِخَ فِي ٱلصُّورِ فَلَآ أَنسَابَ بَيْنَهُمْ يَوْمَئِذٍ وَلَا يَتَسَآءَلُونَ ۝ فَمَن ثَقُلَتْ مَوَٰزِينُهُۥ فَأُو۟لَٰٓئِكَ هُمُ ٱلْمُفْلِحُونَ ۝ وَمَنْ خَفَّتْ مَوَٰزِينُهُۥ فَأُو۟لَٰٓئِكَ ٱلَّذِينَ خَسِرُوٓا۟ أَنفُسَهُمْ فِي جَهَنَّمَ خَٰلِدُونَ ۝ تَلْفَحُ وُجُوهَهُمُ ٱلنَّارُ وَهُمْ فِيهَا كَٰلِحُونَ ۝

90. Nous leur avons plutôt apporté la vérité et ils sont assurément des menteurs.

91. Allāh ne S'est point attribué d'enfant et il n'existe point de divinité avec Lui ; sinon, chaque divinité s'en irait avec ce qu'elle a créé, et certaines seraient supérieures aux autres. (Gloire et pureté) à Allāh! Il est Supérieur à tout ce qu'ils décrivent.

92. [Il est] Connaisseur de toute chose visible et invisible! Il est bien au-dessus de ce qu'ils [Lui] associent!

93. Dis: «Seigneur, si jamais Tu me montres ce qui leur est promis ;

94. alors, Seigneur, ne me place pas parmi les gens injustes.

95. Nous sommes Capable, certes, de te montrer ce que Nous leur promettons.

96. Repousse le mal par ce qui est meilleur. Nous savons très bien ce qu'ils décrivent.

97. Et dis: «Seigneur, je cherche Ta protection, contre les incitations des diables.

98. et je cherche Ta protection, Seigneur, contre leur présence auprès de moi».

99. ... Puis, lorsque la mort vient à l'un deux, il dit: «Mon Seigneur! Fais-moi revenir (sur terre),

100. afin que je fasse du bien dans ce que je délaissais». Non, c'est simplement une parole qu'il dit. Derrière eux, cependant, il y a une barrière, jusqu'au jour où ils seront ressuscités»[1].

101. Puis quand on soufflera dans la Trompe, il n'y aura plus de parenté entre eux ce jour là, et ils ne se poseront pas de questions.

102. Ceux dont la balance est lourde[2] seront les bienheureux ;

103. et ceux dont la balance est légère seront ceux qui ont ruiné leurs propres âmes et ils demeureront éternellement dans l'Enfer.

104. Le feu brûlera leurs visages et ils auront les lèvres crispées.

---

1. *Derrière eux*: après leur mort.
Une barrière: Barzaḫ, c'est le monde qui sépare l'heure de la mort de celle de la résurrection.
2. *Balance lourde*: ceux dont le poids des bonnes actions l'emporte sur celui des mauvaises.

أَلَمْ تَكُنْ ءَايَتِي تُتْلَىٰ عَلَيْكُمْ فَكُنتُم بِهَا تُكَذِّبُونَ ۝ قَالُواْ

رَبَّنَا غَلَبَتْ عَلَيْنَا شِقْوَتُنَا وَكُنَّا قَوْمًا ضَآلِّينَ ۝ رَبَّنَآ

أَخْرِجْنَا مِنْهَا فَإِنْ عُدْنَا فَإِنَّا ظَٰلِمُونَ ۝ قَالَ ٱخْسَـُٔواْ فِيهَا

وَلَا تُكَلِّمُونِ ۝ إِنَّهُۥ كَانَ فَرِيقٌ مِّنْ عِبَادِى يَقُولُونَ رَبَّنَآ

ءَامَنَّا فَٱغْفِرْ لَنَا وَٱرْحَمْنَا وَأَنتَ خَيْرُ ٱلرَّٰحِمِينَ ۝ فَٱتَّخَذْتُمُوهُمْ

سِخْرِيًّا حَتَّىٰٓ أَنسَوْكُمْ ذِكْرِى وَكُنتُم مِّنْهُمْ تَضْحَكُونَ ۝

إِنِّى جَزَيْتُهُمُ ٱلْيَوْمَ بِمَا صَبَرُوٓاْ أَنَّهُمْ هُمُ ٱلْفَآئِزُونَ ۝ قَٰلَ

كَمْ لَبِثْتُمْ فِى ٱلْأَرْضِ عَدَدَ سِنِينَ ۝ قَالُواْ لَبِثْنَا يَوْمًا أَوْ بَعْضَ

يَوْمٍ فَسْـَٔلِ ٱلْعَآدِّينَ ۝ قَٰلَ إِن لَّبِثْتُمْ إِلَّا قَلِيلًا لَّوْ أَنَّكُمْ

كُنتُمْ تَعْلَمُونَ ۝ أَفَحَسِبْتُمْ أَنَّمَا خَلَقْنَٰكُمْ عَبَثًا وَأَنَّكُمْ

إِلَيْنَا لَا تُرْجَعُونَ ۝ فَتَعَٰلَى ٱللَّهُ ٱلْمَلِكُ ٱلْحَقُّ لَآ إِلَٰهَ إِلَّا

هُوَ رَبُّ ٱلْعَرْشِ ٱلْكَرِيمِ ۝ وَمَن يَدْعُ مَعَ ٱللَّهِ إِلَٰهًا

ءَاخَرَ لَا بُرْهَٰنَ لَهُۥ بِهِۦ فَإِنَّمَا حِسَابُهُۥ عِندَ رَبِّهِۦٓ إِنَّهُۥ لَا يُفْلِحُ

ٱلْكَٰفِرُونَ ۝ وَقُل رَّبِّ ٱغْفِرْ وَٱرْحَمْ وَأَنتَ خَيْرُ ٱلرَّٰحِمِينَ ۝

سُورَةُ النُّورِ

105. «Mes versets ne vous étaient-ils pas récités et vous les traitiez alors de mensonges?»

106. Ils dirent: «Seigneur! Notre malheur nous a vaincus, et nous étions des gens égarés.

107. Seigneur, fais nous-en sortir! Et si nous récidivons, nous serons alors des injustes».

108. Il dit: «Soyez-y refoulés (humiliés) et ne Me parlez plus».

109. Il y eut un groupe de Mes serviteurs qui dirent: «Seigneur, nous croyons ; pardonne-nous donc et fais-nous miséricorde, car Tu es le meilleur des Miséricordieux»

110. mais vous les avez pris en raillerie jusqu'à oublier de M'invoquer, et vous vous riiez d'eux.

111. Vraiment, Je les ai récompensés aujourd'hui pour ce qu'ils ont enduré ; et ce sont eux les triomphants.

112. Il dira: «Combien d'années êtes-vous restés sur terre?»

113. Ils diront: «Nous y avons demeuré un jour, ou une partie d'un jour. Interroge donc ceux qui comptent.»

114. Il dira: «Vous n'y avez demeuré que peu [de temps], si seulement vous saviez.

115. Pensiez-vous que Nous vous avions créés sans but, et que vous ne seriez pas ramenés vers Nous?»

116. Que soit exalté Allāh, le vrai Souverain! Pas de divinité en dehors de Lui, le Seigneur du Trône sublime!

117. Et quiconque invoque avec Allāh une autre divinité, sans avoir la preuve évidente [de son existence], aura à en rendre compte à son Seigneur. En vérité, les mécréants, ne réussiront pas.

118. Et dis: «Seigneur, pardonne et fais miséricorde. C'est Toi le Meilleur des miséricordieux».

ثلاثة أرباع
الحزب
٣٥

بِسۡمِ ٱللَّهِ ٱلرَّحۡمَٰنِ ٱلرَّحِيمِ

سُورَةٌ أَنزَلۡنَٰهَا وَفَرَضۡنَٰهَا وَأَنزَلۡنَا فِيهَآ ءَايَٰتِۭ بَيِّنَٰتٍ لَّعَلَّكُمۡ تَذَكَّرُونَ ۝ ٱلزَّانِيَةُ وَٱلزَّانِي فَٱجۡلِدُوا۟ كُلَّ وَٰحِدٍ مِّنۡهُمَا مِا۟ئَةَ جَلۡدَةٍ وَلَا تَأۡخُذۡكُم بِهِمَا رَأۡفَةٌ فِي دِينِ ٱللَّهِ إِن كُنتُمۡ تُؤۡمِنُونَ بِٱللَّهِ وَٱلۡيَوۡمِ ٱلۡأٓخِرِ وَلۡيَشۡهَدۡ عَذَابَهُمَا طَآئِفَةٌ مِّنَ ٱلۡمُؤۡمِنِينَ ۝ ٱلزَّانِي لَا يَنكِحُ إِلَّا زَانِيَةً أَوۡ مُشۡرِكَةً وَٱلزَّانِيَةُ لَا يَنكِحُهَآ إِلَّا زَانٍ أَوۡ مُشۡرِكٌ وَحُرِّمَ ذَٰلِكَ عَلَى ٱلۡمُؤۡمِنِينَ ۝ وَٱلَّذِينَ يَرۡمُونَ ٱلۡمُحۡصَنَٰتِ ثُمَّ لَمۡ يَأۡتُوا۟ بِأَرۡبَعَةِ شُهَدَآءَ فَٱجۡلِدُوهُمۡ ثَمَٰنِينَ جَلۡدَةً وَلَا تَقۡبَلُوا۟ لَهُمۡ شَهَٰدَةً أَبَدًا وَأُو۟لَٰٓئِكَ هُمُ ٱلۡفَٰسِقُونَ ۝ إِلَّا ٱلَّذِينَ تَابُوا۟ مِنۢ بَعۡدِ ذَٰلِكَ وَأَصۡلَحُوا۟ فَإِنَّ ٱللَّهَ غَفُورٌ رَّحِيمٌ ۝ وَٱلَّذِينَ يَرۡمُونَ أَزۡوَٰجَهُمۡ وَلَمۡ يَكُن لَّهُمۡ شُهَدَآءُ إِلَّآ أَنفُسُهُمۡ فَشَهَٰدَةُ أَحَدِهِمۡ أَرۡبَعُ شَهَٰدَٰتِۭ بِٱللَّهِ إِنَّهُۥ لَمِنَ ٱلصَّٰدِقِينَ ۝ وَٱلۡخَٰمِسَةُ أَنَّ لَعۡنَتَ ٱللَّهِ عَلَيۡهِ إِن كَانَ مِنَ ٱلۡكَٰذِبِينَ ۝ وَيَدۡرَؤُا۟ عَنۡهَا ٱلۡعَذَابَ أَن تَشۡهَدَ أَرۡبَعَ شَهَٰدَٰتِۭ بِٱللَّهِ إِنَّهُۥ لَمِنَ ٱلۡكَٰذِبِينَ ۝ وَٱلۡخَٰمِسَةَ أَنَّ غَضَبَ ٱللَّهِ عَلَيۡهَآ إِن كَانَ مِنَ ٱلصَّٰدِقِينَ ۝ وَلَوۡلَا فَضۡلُ ٱللَّهِ عَلَيۡكُمۡ وَرَحۡمَتُهُۥ وَأَنَّ ٱللَّهَ تَوَّابٌ حَكِيمٌ ۝

AN-NŪR (LA LUMIÈRE)[1]
sourate 24   64 versets   Post-hégirien n°102

Au nom d'Allāh, le Tout Miséricordieux. le Très Miséricordieux.

1. Voici une sourate que Nous avons fait descendre et que Nous avons imposée, et Nous y avons fait descendre des versets explicites afin que vous vous souveniez».

2. La fornicatrice et le fornicateur, fouettez-les chacun de cent coups de fouet. Et ne soyez point pris de pitié pour eux dans l'exécution de la loi d'Allāh - si vous croyez en Allāh et au Jour dernier. Et qu'un groupe de croyants assiste à leur punition.

3. Le fornicateur n'épousera qu'une fornicatrice ou une associatrice. Et la fornicatrice ne sera épousée que par un fornicateur ou un associateur ; et cela a été interdit aux croyants[2].

4. Et ceux qui lancent des accusations contre des femmes chastes sans produire par la suite quatre témoins, fouettez-les de quatre-vingts coups de fouet, et n'acceptez plus jamais leur témoignage. Et ceux-là sont les pervers,

5. à l'exception de ceux qui, après cela, se repentent et se réforment, car Allāh est Pardonneur et Miséricordieux.

6. Et quant à ceux qui lancent des accusations contre leurs propres épouses, sans avoir d'autres témoins qu'eux mêmes, le témoignage de l'un d'eux doit être une quadruple attestation par Allāh qu'il est du nombre des véridiques,

7. et la cinquième [attestation] est «que la malédiction d'Allāh tombe sur lui s'il est du nombre des menteurs».

8. Et on ne lui infligera pas le châtiment [de la lapidation] si elle atteste quatre fois par Allāh qu'il [son mari] est certainement du nombre des menteurs,

9. et la cinquième [attestation] est que la colère d'Allāh soit sur elle, s'il était du nombre des véridiques[3].

10. Et, n'étaient la grâce d'Allāh sur vous et Sa miséricorde...! Allāh est Grand Accueillant au repentir et Sage!

---

1. Titre tiré du v. 35.
2. Il est strictement interdit aux croyants de s'adonner à la fornication et à l'adultère. Le «Mauvais» qui a l'habitude de forniquer ne mériterait que d'épouser une fornicatrice et vice-versa. Un tel mariage ne saurait convenir aux croyants de par les suspicions et les accusations qu'il engendre.
Il est cependant possible au fornicateur et à la fornicatrice de se marier, après s'être repentis.
3. En cas d'affirmations contradictoires de l'époux et de l'épouse, la séparation judiciaire est prononcée ; celle-ci a pour effet d'interdire toute éventuelle union dans l'avenir.

إِنَّ ٱلَّذِينَ جَآءُو بِٱلْإِفْكِ عُصْبَةٌ مِّنكُمْ لَا تَحْسَبُوهُ شَرًّا لَّكُم بَلْ هُوَ خَيْرٌ لَّكُمْ لِكُلِّ ٱمْرِئٍ مِّنْهُم مَّا ٱكْتَسَبَ مِنَ ٱلْإِثْمِ وَٱلَّذِى تَوَلَّىٰ كِبْرَهُ مِنْهُمْ لَهُۥ عَذَابٌ عَظِيمٌ ۝ لَّوْلَآ إِذْ سَمِعْتُمُوهُ ظَنَّ ٱلْمُؤْمِنُونَ وَٱلْمُؤْمِنَٰتُ بِأَنفُسِهِمْ خَيْرًا وَقَالُوا هَٰذَآ إِفْكٌ مُّبِينٌ ۝ لَّوْلَا جَآءُو عَلَيْهِ بِأَرْبَعَةِ شُهَدَآءَ فَإِذْ لَمْ يَأْتُوا بِٱلشُّهَدَآءِ فَأُولَٰٓئِكَ عِندَ ٱللَّهِ هُمُ ٱلْكَٰذِبُونَ ۝ وَلَوْلَا فَضْلُ ٱللَّهِ عَلَيْكُمْ وَرَحْمَتُهُۥ فِى ٱلدُّنْيَا وَٱلْءَاخِرَةِ لَمَسَّكُمْ فِى مَآ أَفَضْتُمْ فِيهِ عَذَابٌ عَظِيمٌ ۝ إِذْ تَلَقَّوْنَهُۥ بِأَلْسِنَتِكُمْ وَتَقُولُونَ بِأَفْوَاهِكُم مَّا لَيْسَ لَكُم بِهِۦ عِلْمٌ وَتَحْسَبُونَهُۥ هَيِّنًا وَهُوَ عِندَ ٱللَّهِ عَظِيمٌ ۝ وَلَوْلَآ إِذْ سَمِعْتُمُوهُ قُلْتُم مَّا يَكُونُ لَنَآ أَن نَّتَكَلَّمَ بِهَٰذَا سُبْحَٰنَكَ هَٰذَا بُهْتَٰنٌ عَظِيمٌ ۝ يَعِظُكُمُ ٱللَّهُ أَن تَعُودُوا لِمِثْلِهِۦٓ أَبَدًا إِن كُنتُم مُّؤْمِنِينَ ۝ وَيُبَيِّنُ ٱللَّهُ لَكُمُ ٱلْءَايَٰتِ وَٱللَّهُ عَلِيمٌ حَكِيمٌ ۝ إِنَّ ٱلَّذِينَ يُحِبُّونَ أَن تَشِيعَ ٱلْفَٰحِشَةُ فِى ٱلَّذِينَ ءَامَنُوا لَهُمْ عَذَابٌ أَلِيمٌ فِى ٱلدُّنْيَا وَٱلْءَاخِرَةِ وَٱللَّهُ يَعْلَمُ وَأَنتُمْ لَا تَعْلَمُونَ ۝ وَلَوْلَا فَضْلُ ٱللَّهِ عَلَيْكُمْ وَرَحْمَتُهُۥ وَأَنَّ ٱللَّهَ رَءُوفٌ رَّحِيمٌ ۝

11. Ceux qui sont venus avec la calomnie[1] sont un groupe d'entre vous. Ne pensez pas que c'est un mal pour vous, mais plutôt, c'est un bien pour vous. À chacun d'eux ce qu'il s'est acquis comme péché. Celui d'entre eux qui s'est chargé de la plus grande part aura un énorme châtiment.

12. Pourquoi, lorsque vous l'avez entendue [cette calomnie], les croyants et les croyantes n'ont-ils pas, en eux-mêmes, conjecturé favorablement, et n'ont-ils pas dit: «C'est une calomnie évidente?»

13. Pourquoi n'ont-ils pas produit [à l'appui de leurs accusations] quatre témoins? S'ils ne produisent pas de témoins, alors ce sont eux, auprès d'Allāh, les menteurs.

14. N'eussent-été la grâce d'Allāh sur vous et Sa miséricorde ici-bas comme dans l'au-delà, un énorme châtiment vous aurait touchés pour cette (calomnie) dans laquelle vous vous êtes lancés,

15. quand vous colportiez la nouvelle avec vos langues et disiez de vos bouches ce dont vous n'aviez aucun savoir ; et vous le comptiez comme insignifiant alors qu'auprès d'Allāh cela est énorme.

16. Et pourquoi, lorsque vous l'entendiez, ne disiez-vous pas: «Nous ne devons pas en parler. Gloire à Toi (ô Allāh)! C'est une énorme calomnie?»

17. Allāh vous exhorte à ne plus jamais revenir à une chose pareille si vous êtes croyants.

18. Allāh vous expose clairement les versets et Allāh est Omniscient et Sage.

19. Ceux qui aiment que la turpitude se propage parmi les croyants auront un châtiment douloureux, ici-bas comme dans l'au-delà. Allāh sait, et vous, vous ne savez pas.

20. Et n'eussent été la grâce d'Allāh sur vous et Sa miséricorde et (n'eût été) qu'Allāh est Compatissant et Miséricordieux...[2]

---

1. *La calomnie*: il s'agit d'une calomnie abjecte répandue dans la ville par une association d'hypocrites qui n'avaient accepté l'Islam qu'en apparence et dont le chef était Abdullah ibn Oubey ibn Saloul, surnommé «la tête des hypocrites».
À son retour d'une campagne où elle accompagnait le Prophète, son noble époux, la mère des Croyants ʿĀʾiša, alors toute jeune et toute frêle, s'éloigna de la caravane pour quelque besoin naturel au cours d'une halte. Quand on leva le camp, les porteurs de son palanquin ne s'aperçurent pas qu'il était vide tellement son poids était alors léger... À son retour elle ne trouva plus la caravane et s'assit en pleurant à la place du bivouac. Un cavalier de l'arrière garde l'aperçut et l'amena sur son cheval au gros de la troupe. Cela fit jaser les mauvaises langues et ce fut une occasion rêvée pour les hypocrites d'injecter leurs venins perfides et de semer le trouble et le chagrin dans la maison du Prophète. Après un mois d'attente amère, Allāh fit descendre ce chapitre afin de blanchir la sainte ʿĀʾiša de toutes ces calomnies mensongères.
2. ... vous auriez été sévèrement punis. (Voir verset n°14).

۞ يَـٰٓأَيُّهَا ٱلَّذِينَ ءَامَنُوا لَا تَتَّبِعُوا خُطُوَٰتِ ٱلشَّيْطَٰنِ وَمَن يَتَّبِعْ

خُطُوَٰتِ ٱلشَّيْطَٰنِ فَإِنَّهُۥ يَأْمُرُ بِٱلْفَحْشَآءِ وَٱلْمُنكَرِ وَلَوْلَا فَضْلُ

ٱللَّهِ عَلَيْكُمْ وَرَحْمَتُهُۥ مَا زَكَىٰ مِنكُم مِّنْ أَحَدٍ أَبَدًا وَلَٰكِنَّ ٱللَّهَ يُزَكِّي

مَن يَشَآءُ وَٱللَّهُ سَمِيعٌ عَلِيمٌ ۝ وَلَا يَأْتَلِ أُوْلُوا ٱلْفَضْلِ مِنكُمْ

وَٱلسَّعَةِ أَن يُؤْتُوٓا أُوْلِي ٱلْقُرْبَىٰ وَٱلْمَسَٰكِينَ وَٱلْمُهَٰجِرِينَ فِي

سَبِيلِ ٱللَّهِ وَلْيَعْفُوا وَلْيَصْفَحُوٓا أَلَا تُحِبُّونَ أَن يَغْفِرَ ٱللَّهُ لَكُمْ

وَٱللَّهُ غَفُورٌ رَّحِيمٌ ۝ إِنَّ ٱلَّذِينَ يَرْمُونَ ٱلْمُحْصَنَٰتِ ٱلْغَٰفِلَٰتِ

ٱلْمُؤْمِنَٰتِ لُعِنُوا فِي ٱلدُّنْيَا وَٱلْـَٔاخِرَةِ وَلَهُمْ عَذَابٌ عَظِيمٌ ۝

يَوْمَ تَشْهَدُ عَلَيْهِمْ أَلْسِنَتُهُمْ وَأَيْدِيهِمْ وَأَرْجُلُهُم بِمَا كَانُوا يَعْمَلُونَ

۝ يَوْمَئِذٍ يُوَفِّيهِمُ ٱللَّهُ دِينَهُمُ ٱلْحَقَّ وَيَعْلَمُونَ أَنَّ ٱللَّهَ هُوَ ٱلْحَقُّ

ٱلْمُبِينُ ۝ ٱلْخَبِيثَٰتُ لِلْخَبِيثِينَ وَٱلْخَبِيثُونَ لِلْخَبِيثَٰتِ

وَٱلطَّيِّبَٰتُ لِلطَّيِّبِينَ وَٱلطَّيِّبُونَ لِلطَّيِّبَٰتِ أُوْلَٰٓئِكَ مُبَرَّءُونَ

مِمَّا يَقُولُونَ لَهُم مَّغْفِرَةٌ وَرِزْقٌ كَرِيمٌ ۝ يَـٰٓأَيُّهَا ٱلَّذِينَ

ءَامَنُوا لَا تَدْخُلُوا بُيُوتًا غَيْرَ بُيُوتِكُمْ حَتَّىٰ تَسْتَأْنِسُوا

وَتُسَلِّمُوا عَلَىٰٓ أَهْلِهَا ذَٰلِكُمْ خَيْرٌ لَّكُمْ لَعَلَّكُمْ تَذَكَّرُونَ ۝

21. Ô vous qui avez cru! Ne suivez pas les pas du Diable. Quiconque suit les pas du Diable, [sachez que] celui-ci ordonne la turpitude et le blâmable. Et n'eussent été la grâce d'Allāh envers vous et Sa miséricorde, nul d'entre vous n'aurait jamais été pur. Mais Allāh purifie qui Il veut. Et Allāh est Audient et Omniscient.

22. Et que les détenteurs de richesse et d'aisance parmi vous, ne jurent pas de ne plus faire des dons aux proches, aux pauvres, et à ceux qui émigrent dans le sentier d'Allāh. Qu'ils pardonnent et absolvent. N'aimez-vous pas qu'Allāh vous pardonne? Et Allāh est Pardonneur et Miséricordieux!

23. Ceux qui lancent des accusations contre des femmes vertueuses, chastes [qui ne pensent même pas à commettre la turpitude] et croyantes sont maudits ici-bas comme dans l'au-delà ; et ils auront un énorme châtiment,

24. Le jour où leurs langues, leurs mains et leurs pieds témoigneront contre eux de ce qu'ils faisaient.

25. Ce Jour-là, Allāh leur donnera leur pleine et vraie rétribution ; et ils sauront que c'est Allāh qui est le Vrai de toute évidence.

26. Les mauvaises [femmes] aux mauvais [hommes], et les mauvais [hommes] aux mauvaises [femmes]. De même, les bonnes [femmes] aux bons [hommes], et les bons [hommes] aux bonnes [femmes]. Ceux-là sont innocents de ce que les autres disent. Ils ont un pardon et une récompense généreuse.

27. Ô vous qui croyez! N'entrez pas dans des maisons autres que les vôtres avant de demander la permission [d'une façon délicate] et de saluer leurs habitants. Cela est meilleur pour vous. Peut-être vous souvenez-vous.

فَإِن لَّمۡ تَجِدُواْ فِيهَآ أَحَدٗا فَلَا تَدۡخُلُوهَا حَتَّىٰ يُؤۡذَنَ لَكُمۡۖ وَإِن قِيلَ لَكُمُ ٱرۡجِعُواْ فَٱرۡجِعُواْۖ هُوَ أَزۡكَىٰ لَكُمۡۚ وَٱللَّهُ بِمَا تَعۡمَلُونَ عَلِيمٞ ۝ لَّيۡسَ عَلَيۡكُمۡ جُنَاحٌ أَن تَدۡخُلُواْ بُيُوتًا غَيۡرَ مَسۡكُونَةٖ فِيهَا مَتَٰعٞ لَّكُمۡۚ وَٱللَّهُ يَعۡلَمُ مَا تُبۡدُونَ وَمَا تَكۡتُمُونَ ۝ قُل لِّلۡمُؤۡمِنِينَ يَغُضُّواْ مِنۡ أَبۡصَٰرِهِمۡ وَيَحۡفَظُواْ فُرُوجَهُمۡۚ ذَٰلِكَ أَزۡكَىٰ لَهُمۡۚ إِنَّ ٱللَّهَ خَبِيرُۢ بِمَا يَصۡنَعُونَ ۝ وَقُل لِّلۡمُؤۡمِنَٰتِ يَغۡضُضۡنَ مِنۡ أَبۡصَٰرِهِنَّ وَيَحۡفَظۡنَ فُرُوجَهُنَّ وَلَا يُبۡدِينَ زِينَتَهُنَّ إِلَّا مَا ظَهَرَ مِنۡهَاۖ وَلۡيَضۡرِبۡنَ بِخُمُرِهِنَّ عَلَىٰ جُيُوبِهِنَّۖ وَلَا يُبۡدِينَ زِينَتَهُنَّ إِلَّا لِبُعُولَتِهِنَّ أَوۡ ءَابَآئِهِنَّ أَوۡ ءَابَآءِ بُعُولَتِهِنَّ أَوۡ أَبۡنَآئِهِنَّ أَوۡ أَبۡنَآءِ بُعُولَتِهِنَّ أَوۡ إِخۡوَٰنِهِنَّ أَوۡ بَنِيٓ إِخۡوَٰنِهِنَّ أَوۡ بَنِيٓ أَخَوَٰتِهِنَّ أَوۡ نِسَآئِهِنَّ أَوۡ مَا مَلَكَتۡ أَيۡمَٰنُهُنَّ أَوِ ٱلتَّٰبِعِينَ غَيۡرِ أُوْلِي ٱلۡإِرۡبَةِ مِنَ ٱلرِّجَالِ أَوِ ٱلطِّفۡلِ ٱلَّذِينَ لَمۡ يَظۡهَرُواْ عَلَىٰ عَوۡرَٰتِ ٱلنِّسَآءِۖ وَلَا يَضۡرِبۡنَ بِأَرۡجُلِهِنَّ لِيُعۡلَمَ مَا يُخۡفِينَ مِن زِينَتِهِنَّۚ وَتُوبُوٓاْ إِلَى ٱللَّهِ جَمِيعًا أَيُّهَ ٱلۡمُؤۡمِنُونَ لَعَلَّكُمۡ تُفۡلِحُونَ ۝

28. Si vous n'y trouvez personne, alors n'y entrez pas avant que permission vous soit donnée. Et si on vous dit: «Retournez», eh bien, retournez. Cela est plus pur pour vous. Et Allāh, de ce que vous faites est Omniscient.

29. Nul grief contre vous à entrer dans des maisons inhabitées où se trouve un bien pour vous. Allāh sait ce que vous divulguez et ce que vous cachez.

30. Dis aux croyants de baisser leurs regards et de garder leur chasteté. C'est plus pur pour eux. Allāh est, certes, Parfaitement Connaisseur de ce qu'ils font.

31. Et dis aux croyantes de baisser leurs regards, de garder leur chasteté, et de ne montrer de leurs atours que ce qui en paraît et qu'elles rabattent leur voile sur leurs poitrines ; et qu'elles ne montrent leurs atours qu'à leurs maris, ou à leurs pères, ou aux pères de leurs maris, ou à leurs fils, ou aux fils de leurs maris, ou à leurs frères, ou aux fils de leurs frères, ou aux fils de leurs sœurs, ou aux femmes musulmanes, ou aux esclaves qu'elles possèdent, ou aux domestiques mâles impuissants, ou aux garçons impubères qui ignorent tout des parties cachées des femmes. Et qu'elles ne frappent pas avec leurs pieds de façon que l'on sache ce qu'elles cachent de leurs parures. Et repentez-vous tous devant Allāh, ô croyants, afin que vous récoltiez le succès[1].

---

1. *Qui en paraît*: conformément à la loi musulmane.
Sur leurs poitrines: de même que leurs têtes et leurs cous.

وَأَنكِحُوا الْأَيَـٰمَىٰ مِنكُمْ وَالصَّـٰلِحِينَ مِنْ عِبَادِكُمْ وَإِمَآئِكُمْ ۚ إِن يَكُونُوا فُقَرَآءَ يُغْنِهِمُ اللَّهُ مِن فَضْلِهِۦ ۗ وَاللَّهُ وَٰسِعٌ عَلِيمٌ ۝

وَلْيَسْتَعْفِفِ الَّذِينَ لَا يَجِدُونَ نِكَاحًا حَتَّىٰ يُغْنِيَهُمُ اللَّهُ مِن فَضْلِهِۦ ۗ وَالَّذِينَ يَبْتَغُونَ الْكِتَـٰبَ مِمَّا مَلَكَتْ أَيْمَـٰنُكُمْ فَكَاتِبُوهُمْ إِنْ عَلِمْتُمْ فِيهِمْ خَيْرًا ۖ وَءَاتُوهُم مِّن مَّالِ اللَّهِ الَّذِىٓ ءَاتَىٰكُمْ ۚ وَلَا تُكْرِهُوا فَتَيَـٰتِكُمْ عَلَى الْبِغَآءِ إِنْ أَرَدْنَ تَحَصُّنًا لِّتَبْتَغُوا عَرَضَ الْحَيَوٰةِ الدُّنْيَا ۚ وَمَن يُكْرِههُّنَّ فَإِنَّ اللَّهَ مِنۢ بَعْدِ إِكْرَٰهِهِنَّ غَفُورٌ رَّحِيمٌ ۝

وَلَقَدْ أَنزَلْنَآ إِلَيْكُمْ ءَايَـٰتٍ مُّبَيِّنَـٰتٍ وَمَثَلًا مِّنَ الَّذِينَ خَلَوْا مِن قَبْلِكُمْ وَمَوْعِظَةً لِّلْمُتَّقِينَ ۝

۞ اللَّهُ نُورُ السَّمَـٰوَٰتِ وَالْأَرْضِ ۚ مَثَلُ نُورِهِۦ كَمِشْكَوٰةٍ فِيهَا مِصْبَاحٌ ۖ الْمِصْبَاحُ فِى زُجَاجَةٍ ۖ الزُّجَاجَةُ كَأَنَّهَا كَوْكَبٌ دُرِّىٌّ يُوقَدُ مِن شَجَرَةٍ مُّبَـٰرَكَةٍ زَيْتُونَةٍ لَّا شَرْقِيَّةٍ وَلَا غَرْبِيَّةٍ يَكَادُ زَيْتُهَا يُضِىٓءُ وَلَوْ لَمْ تَمْسَسْهُ نَارٌ ۚ نُّورٌ عَلَىٰ نُورٍ ۗ يَهْدِى اللَّهُ لِنُورِهِۦ مَن يَشَآءُ ۚ وَيَضْرِبُ اللَّهُ الْأَمْثَـٰلَ لِلنَّاسِ ۗ وَاللَّهُ بِكُلِّ شَىْءٍ عَلِيمٌ ۝ فِى بُيُوتٍ أَذِنَ اللَّهُ أَن تُرْفَعَ وَيُذْكَرَ فِيهَا اسْمُهُ يُسَبِّحُ لَهُۥ فِيهَا بِالْغُدُوِّ وَالْءَاصَالِ ۝

32. Mariez les célibataires d'entre vous et les gens de bien parmi vos esclaves, hommes et femmes[1]. S'ils sont besogneux, Allāh les rendra riches par Sa grâce. Car (la grâced') Allāh est immense et Il est Omniscient.

33. Et que ceux qui n'ont pas de quoi se marier, cherchent à rester chastes jusqu'à ce qu'Allāh les enrichisse par Sa grâce. Ceux de vos esclaves qui cherchent un contrat d'affranchissement, concluez ce contrat avec eux si vous reconnaissez du bien en eux; et donnez-leur des biens d'Allāh qu'Il vous a accordés.
Et dans votre recherche des profits passagers de la vie présente, ne contraignez pas vos femmes esclaves à la prostitution, si elles veulent rester chastes[2]. Si on les y contraint, Allāh leur accorde après qu'elles aient été contraintes, Son pardon et Sa miséricorde.

34. Nous avons effectivement fait descendre vers vous des versets clairs, donnant une parabole de ceux qui ont vécu avant vous, et une exhortation pour les pieux!

35. Allāh est la Lumière des cieux et de la terre. Sa lumière est semblable à une niche où se trouve une lampe. La lampe est dans un (récipient de) cristal et celui-ci ressemble à un astre de grand éclat ; son combustible vient d'un arbre béni: un olivier ni oriental ni occidental dont l'huile semble éclairer sans même que le feu la touche. Lumière sur lumière. Allāh guide vers Sa lumière qui Il veut. Allāh propose aux hommes des paraboles et Allāh est Omniscient.

36. Dans des maisons [des mosquées] qu'Allāh a permis que l'on élève, et où Son Nom est invoqué ; Le glorifient en elles matin et après-midi,

---

1. *Autre interp...*: Ceux qui sont aptes parmi vos esclaves.
2. L'esclave a le droit de racheter sa liberté moyennant un certain montant ; et pour ce faire, il peut exiger que son maître lui permette de travailler pour son propre compte. Voir aussi S. 9, v. 60, où une partie du budget de l'Etat est consacrée à la libération des esclaves.

رِجَالٌ لَّا تُلْهِيهِمْ تِجَـٰرَةٌ وَلَا بَيْعٌ عَن ذِكْرِ ٱللَّهِ وَإِقَامِ ٱلصَّلَوٰةِ وَإِيتَآءِ ٱلزَّكَوٰةِ يَخَافُونَ يَوْمًا تَتَقَلَّبُ فِيهِ ٱلْقُلُوبُ وَٱلْأَبْصَـٰرُ ۝٣٧ لِيَجْزِيَهُمُ ٱللَّهُ أَحْسَنَ مَا عَمِلُوا۟ وَيَزِيدَهُم مِّن فَضْلِهِۦ ۗ وَٱللَّهُ يَرْزُقُ مَن يَشَآءُ بِغَيْرِ حِسَابٍ ۝٣٨ وَٱلَّذِينَ كَفَرُوٓا۟ أَعْمَـٰلُهُمْ كَسَرَابٍۭ بِقِيعَةٍ يَحْسَبُهُ ٱلظَّمْـَٔانُ مَآءً حَتَّىٰٓ إِذَا جَآءَهُۥ لَمْ يَجِدْهُ شَيْـًٔا وَوَجَدَ ٱللَّهَ عِندَهُۥ فَوَفَّىٰهُ حِسَابَهُۥ ۗ وَٱللَّهُ سَرِيعُ ٱلْحِسَابِ ۝٣٩ أَوْ كَظُلُمَـٰتٍ فِى بَحْرٍ لُّجِّىٍّ يَغْشَىٰهُ مَوْجٌ مِّن فَوْقِهِۦ مَوْجٌ مِّن فَوْقِهِۦ سَحَابٌ ۚ ظُلُمَـٰتٌۢ بَعْضُهَا فَوْقَ بَعْضٍ إِذَآ أَخْرَجَ يَدَهُۥ لَمْ يَكَدْ يَرَىٰهَا ۗ وَمَن لَّمْ يَجْعَلِ ٱللَّهُ لَهُۥ نُورًا فَمَا لَهُۥ مِن نُّورٍ ۝٤٠ أَلَمْ تَرَ أَنَّ ٱللَّهَ يُسَبِّحُ لَهُۥ مَن فِى ٱلسَّمَـٰوَٰتِ وَٱلْأَرْضِ وَٱلطَّيْرُ صَآفَّـٰتٍ ۖ كُلٌّ قَدْ عَلِمَ صَلَاتَهُۥ وَتَسْبِيحَهُۥ ۗ وَٱللَّهُ عَلِيمٌۢ بِمَا يَفْعَلُونَ ۝٤١ وَلِلَّهِ مُلْكُ ٱلسَّمَـٰوَٰتِ وَٱلْأَرْضِ ۖ وَإِلَى ٱللَّهِ ٱلْمَصِيرُ ۝٤٢ أَلَمْ تَرَ أَنَّ ٱللَّهَ يُزْجِى سَحَابًا ثُمَّ يُؤَلِّفُ بَيْنَهُۥ ثُمَّ يَجْعَلُهُۥ رُكَامًا فَتَرَى ٱلْوَدْقَ يَخْرُجُ مِنْ خِلَـٰلِهِۦ وَيُنَزِّلُ مِنَ ٱلسَّمَآءِ مِن جِبَالٍ فِيهَا مِنۢ بَرَدٍ فَيُصِيبُ بِهِۦ مَن يَشَآءُ وَيَصْرِفُهُۥ عَن مَّن يَشَآءُ ۖ يَكَادُ سَنَا بَرْقِهِۦ يَذْهَبُ بِٱلْأَبْصَـٰرِ ۝٤٣

37. des hommes que ni le négoce, ni le troc ne distraient de l'invocation d'Allāh, de l'accomplissement de la Ṣalāt et de l'acquittement de la Zakāt, et qui redoutent un Jour où les cœurs seront bouleversés ainsi que les regards.

38. Afin qu'Allāh les récompense de la meilleure façon pour ce qu'ils ont fait [de bien]. Et Il leur ajoutera de Sa grâce. Allāh attribue à qui Il veut sans compter.

39. Quant à ceux qui ont mécru, leurs actions sont comme un mirage dans une plaine désertique que l'assoiffé prend pour de l'eau. Puis quand il y arrive, il s'aperçoit que ce n'était rien ; mais y trouve Allāh qui lui règle son compte en entier, car Allāh est prompt à compter.

40. [Les actions des mécréants] sont encore semblables à des ténèbres sur une mer profonde: des vagues la recouvrent, [vagues] au dessus desquelles s'élèvent [d'autres] vagues, sur lesquelles il y a [d'épais] nuages. Ténèbres [entassées] les unes au-dessus des autres. Quand quelqu'un étend la main, il ne la distingue presque pas. Celui qu'Allāh prive de lumière n'a aucune lumière.

41. N'as-tu pas vu qu'Allāh est glorifié par tous ceux qui sont dans les cieux et la terre; ainsi que par les oiseaux déployant leurs ailes? Chacun, certes, a appris sa façon de L'adorer et de Le glorifier. Allāh sait parfaitement ce qu'ils font.

42. C'est à Allāh qu'appartient la royauté des cieux et de la terre. Et vers Allāh sera le retour final.

43. N'as-tu pas vu qu'Allāh pousse les nuages? Ensuite Il les réunit et Il en fait un amas, et tu vois la pluie sortir de son sein. Et Il fait descendre du ciel, de la grêle [provenant] des nuages [comparables] à des montagnes. Il en frappe qui Il veut et l'écarte de qui Il veut. Peu s'en faut que l'éclat de son éclair ne ravisse la vue.

يُقَلِّبُ ٱللَّهُ ٱلَّيْلَ وَٱلنَّهَارَ إِنَّ فِي ذَلِكَ لَعِبْرَةً لِّأُوْلِي ٱلْأَبْصَـٰرِ ۝

وَٱللَّهُ خَلَقَ كُلَّ دَآبَّةٍ مِّن مَّآءٍ فَمِنْهُم مَّن يَمْشِى عَلَىٰ بَطْنِهِۦ وَمِنْهُم مَّن يَمْشِى عَلَىٰ رِجْلَيْنِ وَمِنْهُم مَّن يَمْشِى عَلَىٰٓ أَرْبَعٍ يَخْلُقُ ٱللَّهُ مَا يَشَآءُ إِنَّ ٱللَّهَ عَلَىٰ كُلِّ شَىْءٍ قَدِيرٌ ۝ لَّقَدْ أَنزَلْنَآ ءَايَـٰتٍ مُّبَيِّنَـٰتٍ وَٱللَّهُ يَهْدِى مَن يَشَآءُ إِلَىٰ صِرَٰطٍ مُّسْتَقِيمٍ ۝ وَيَقُولُونَ ءَامَنَّا بِٱللَّهِ وَبِٱلرَّسُولِ وَأَطَعْنَا ثُمَّ يَتَوَلَّىٰ فَرِيقٌ مِّنْهُم مِّنۢ بَعْدِ ذَٰلِكَ وَمَآ أُوْلَـٰٓئِكَ بِٱلْمُؤْمِنِينَ ۝ وَإِذَا دُعُوٓاْ إِلَى ٱللَّهِ وَرَسُولِهِۦ لِيَحْكُمَ بَيْنَهُمْ إِذَا فَرِيقٌ مِّنْهُم مُّعْرِضُونَ ۝ وَإِن يَكُن لَّهُمُ ٱلْحَقُّ يَأْتُوٓاْ إِلَيْهِ مُذْعِنِينَ ۝ أَفِى قُلُوبِهِم مَّرَضٌ أَمِ ٱرْتَابُوٓاْ أَمْ يَخَافُونَ أَن يَحِيفَ ٱللَّهُ عَلَيْهِمْ وَرَسُولُهُۥ بَلْ أُوْلَـٰٓئِكَ هُمُ ٱلظَّـٰلِمُونَ ۝

إِنَّمَا كَانَ قَوْلَ ٱلْمُؤْمِنِينَ إِذَا دُعُوٓاْ إِلَى ٱللَّهِ وَرَسُولِهِۦ لِيَحْكُمَ بَيْنَهُمْ أَن يَقُولُواْ سَمِعْنَا وَأَطَعْنَا وَأُوْلَـٰٓئِكَ هُمُ ٱلْمُفْلِحُونَ ۝ وَمَن يُطِعِ ٱللَّهَ وَرَسُولَهُۥ وَيَخْشَ ٱللَّهَ وَيَتَّقْهِ فَأُوْلَـٰٓئِكَ هُمُ ٱلْفَآئِزُونَ ۝

۞ وَأَقْسَمُواْ بِٱللَّهِ جَهْدَ أَيْمَـٰنِهِمْ لَئِنْ أَمَرْتَهُمْ لَيَخْرُجُنَّ قُل لَّا تُقْسِمُواْ طَاعَةٌ مَّعْرُوفَةٌ إِنَّ ٱللَّهَ خَبِيرٌۢ بِمَا تَعْمَلُونَ ۝

44. Allāh fait alterner la nuit et le jour. Il y a là un sujet de réflexion pour ceux qui ont des yeux.

45. Et Allāh a créé d'eau tout animal[1]. Il y en a qui marche sur le ventre, d'autres marchent sur deux pattes, et d'autres encore marchent sur quatre. Allāh créé ce qu'Il veut et Allāh est Omnipotent.

46. Nous avons certes fait descendre des versets explicites. Et Allāh guide qui Il veut vers un droit chemin.

47. Et ils disent: «Nous croyons en Allāh et au messager et nous obéissons». Puis après cela, une partie d'entre eux fait volte-face. Ce ne sont point ceux-là les croyants.

48. Et quand on les appelle vers Allāh et Son messager pour que celui-ci juge parmi eux, voilà que quelques-uns d'entre eux s'éloignent.

49. Mais s'ils ont le droit en leur faveur, ils viennent à lui, soumis.

50. Y a-t-il une maladie dans leurs cœurs? ou doutent-ils? ou craignent-ils qu'Allāh les opprime, ainsi que Son messager? Non!... Mais ce sont eux les injustes.

51. La seule parole des croyants, quand on les appelle vers Allāh et Son messager, pour que celui-ci juge parmi eux, est: «Nous avons entendu et nous avons obéi». Et voilà ceux qui réussissent.

52. Et quiconque obéit à Allāh et à Son messager, et craint Allāh et Le redoute... Alors, voilà ceux qui récoltent le succès.

53. Et ils jurent par Allāh en serments solennels que si tu le leur ordonnais, ils sortiraient à coup sûr (au combat). Dis: «Ne jurez donc pas. [Votre] obéissance [verbale] est bien connue. Allāh est Parfaitement Connaisseur de ce que vous faites».

---

1. *A créé d'eau*: d'un liquide spermatique.

قُلْ أَطِيعُوا۟ ٱللَّهَ وَأَطِيعُوا۟ ٱلرَّسُولَ فَإِن تَوَلَّوْا۟ فَإِنَّمَا عَلَيْهِ مَا حُمِّلَ وَعَلَيْكُم مَّا حُمِّلْتُمْ وَإِن تُطِيعُوهُ تَهْتَدُوا۟ وَمَا عَلَى ٱلرَّسُولِ إِلَّا ٱلْبَلَٰغُ ٱلْمُبِينُ ۝ وَعَدَ ٱللَّهُ ٱلَّذِينَ ءَامَنُوا۟ مِنكُمْ وَعَمِلُوا۟ ٱلصَّٰلِحَٰتِ لَيَسْتَخْلِفَنَّهُمْ فِى ٱلْأَرْضِ كَمَا ٱسْتَخْلَفَ ٱلَّذِينَ مِن قَبْلِهِمْ وَلَيُمَكِّنَنَّ لَهُمْ دِينَهُمُ ٱلَّذِى ٱرْتَضَىٰ لَهُمْ وَلَيُبَدِّلَنَّهُم مِّنۢ بَعْدِ خَوْفِهِمْ أَمْنًا يَعْبُدُونَنِى لَا يُشْرِكُونَ بِى شَيْـًٔا وَمَن كَفَرَ بَعْدَ ذَٰلِكَ فَأُو۟لَٰٓئِكَ هُمُ ٱلْفَٰسِقُونَ ۝ وَأَقِيمُوا۟ ٱلصَّلَوٰةَ وَءَاتُوا۟ ٱلزَّكَوٰةَ وَأَطِيعُوا۟ ٱلرَّسُولَ لَعَلَّكُمْ تُرْحَمُونَ ۝ لَا تَحْسَبَنَّ ٱلَّذِينَ كَفَرُوا۟ مُعْجِزِينَ فِى ٱلْأَرْضِ وَمَأْوَىٰهُمُ ٱلنَّارُ وَلَبِئْسَ ٱلْمَصِيرُ ۝ يَٰٓأَيُّهَا ٱلَّذِينَ ءَامَنُوا۟ لِيَسْتَـْٔذِنكُمُ ٱلَّذِينَ مَلَكَتْ أَيْمَٰنُكُمْ وَٱلَّذِينَ لَمْ يَبْلُغُوا۟ ٱلْحُلُمَ مِنكُمْ ثَلَٰثَ مَرَّٰتٍ مِّن قَبْلِ صَلَوٰةِ ٱلْفَجْرِ وَحِينَ تَضَعُونَ ثِيَابَكُم مِّنَ ٱلظَّهِيرَةِ وَمِنۢ بَعْدِ صَلَوٰةِ ٱلْعِشَآءِ ثَلَٰثُ عَوْرَٰتٍ لَّكُمْ لَيْسَ عَلَيْكُمْ وَلَا عَلَيْهِمْ جُنَاحٌۢ بَعْدَهُنَّ طَوَّٰفُونَ عَلَيْكُم بَعْضُكُمْ عَلَىٰ بَعْضٍ كَذَٰلِكَ يُبَيِّنُ ٱللَّهُ لَكُمُ ٱلْءَايَٰتِ وَٱللَّهُ عَلِيمٌ حَكِيمٌ ۝

54. Dis: «Obéissez à Allāh et obéissez au messager. S'ils se détournent,... il [le messager] n'est alors responsable que de ce dont il est chargé ; et vous assumez ce dont vous êtes chargés. Et si vous lui obéissez, vous serez bien guidés». Et il n'incombe au messager que de transmettre explicitement (son message)[1].

55. Allāh a promis à ceux d'entre vous qui ont cru et fait les bonnes œuvres qu'Il leur donnerait la succession sur terre comme Il l'a donnée à ceux qui les ont précédés. Il donnerait force et suprématie à leur religion qu'Il a agréée pour eux. Il leur changerait leur ancienne peur en sécurité. Ils M'adorent et ne M'associent rien et celui qui mécroit par la suite, ce sont ceux-là les pervers.

56. Accomplissez la Ṣalāt, acquittez la Zakāt et obéissez au messager, afin que vous ayez la miséricorde.

57. Ne pense point que ceux qui ne croient pas puissent s'opposer à l'autorité d'Allāh sur terre. Le Feu sera leur refuge. Quelle mauvaise destination.

58. Ô vous qui avez cru! Que les esclaves que vous possédez vous demandent permission avant d'entrer, ainsi que ceux des vôtres qui n'ont pas encore atteint la puberté, à trois moments: avant la Ṣalāt de l'aube, à midi quand vous enlevez vos vêtements, ainsi qu'après la Ṣalāt de la nuit ; trois occasions de vous dévêtir. En dehors de ces moments, nul reproche ni à vous ni à eux d'aller et venir, les uns chez les autres.
C'est ainsi qu'Allāh vous expose clairement Ses versets, et Allāh est Omniscient et Sage.

---

1. *Il est chargé*: de la mission.
Vous êtes chargés: des obligations religieuses.

وَإِذَا بَلَغَ الْأَطْفَالُ مِنكُمُ الْحُلُمَ فَلْيَسْتَـْذِنُوا كَمَا اسْتَـْذَنَ الَّذِينَ مِن قَبْلِهِمْ كَذَٰلِكَ يُبَيِّنُ اللَّهُ لَكُمْ ءَايَٰتِهِۦ وَاللَّهُ عَلِيمٌ حَكِيمٌ ۝ وَالْقَوَٰعِدُ مِنَ النِّسَاءِ الَّتِي لَا يَرْجُونَ نِكَاحًا فَلَيْسَ عَلَيْهِنَّ جُنَاحٌ أَن يَضَعْنَ ثِيَابَهُنَّ غَيْرَ مُتَبَرِّجَٰتٍ بِزِينَةٍ وَأَن يَسْتَعْفِفْنَ خَيْرٌ لَّهُنَّ وَاللَّهُ سَمِيعٌ عَلِيمٌ ۝ لَّيْسَ عَلَى الْأَعْمَىٰ حَرَجٌ وَلَا عَلَى الْأَعْرَجِ حَرَجٌ وَلَا عَلَى الْمَرِيضِ حَرَجٌ وَلَا عَلَىٰ أَنفُسِكُمْ أَن تَأْكُلُوا مِنۢ بُيُوتِكُمْ أَوْ بُيُوتِ ءَابَائِكُمْ أَوْ بُيُوتِ أُمَّهَٰتِكُمْ أَوْ بُيُوتِ إِخْوَٰنِكُمْ أَوْ بُيُوتِ أَخَوَٰتِكُمْ أَوْ بُيُوتِ أَعْمَٰمِكُمْ أَوْ بُيُوتِ عَمَّٰتِكُمْ أَوْ بُيُوتِ أَخْوَٰلِكُمْ أَوْ بُيُوتِ خَٰلَٰتِكُمْ أَوْ مَا مَلَكْتُم مَّفَاتِحَهُۥٓ أَوْ صَدِيقِكُمْ لَيْسَ عَلَيْكُمْ جُنَاحٌ أَن تَأْكُلُوا جَمِيعًا أَوْ أَشْتَاتًا فَإِذَا دَخَلْتُم بُيُوتًا فَسَلِّمُوا عَلَىٰٓ أَنفُسِكُمْ تَحِيَّةً مِّنْ عِندِ اللَّهِ مُبَٰرَكَةً طَيِّبَةً كَذَٰلِكَ يُبَيِّنُ اللَّهُ لَكُمُ الْءَايَٰتِ لَعَلَّكُمْ تَعْقِلُونَ ۝

59. Et quand les enfants parmi vous atteignent la puberté, qu'ils demandent permission avant d'entrer, comme font leurs aînés. C'est ainsi qu'Allāh vous expose clairement Ses versets, et Allāh est Omniscient et Sage.

60. Et quant aux femmes atteintes par la ménopause qui n'espèrent plus le mariage, nul reproche à elles d'enlever leurs vêtements de [sortie], sans cependant exhiber leurs atours et si elle cherchent la chasteté c'est mieux pour elles. Allāh est Audient et Omniscient.

61. Il n'y a pas d'empêchement à l'aveugle, au boiteux, au malade, ainsi qu'à vous-mêmes de manger dans vos maisons, ou dans les maisons de vos pères, ou dans celles de vos mères, ou de vos frères, ou de vos sœurs, ou de vos oncles paternels, ou de vos tantes paternelles ou de vos oncles maternels, ou de vos tantes maternelles, ou dans celles dont vous possédez les clefs, ou chez vos amis. Nul empêchement à vous, non plus, de manger ensemble, ou séparément.
Quand donc vous entrez dans des maisons, adressez-vous mutuellement des salutations venant d'Allāh, bénies et agréables. C'est ainsi qu'Allāh vous expose Ses versets, afin que vous compreniez[1].

---

1. Pour des motifs d'hygiène et aussi en raison de certaines superstitions, les musulmans s'abstenaient de manger avec les aveugles, les boiteux et les malades. Dans certaines tribus, on tirait mauvais augure de prendre son repas seul. Par ailleurs, la révélation du verset 29 de la sourate 4 avait jeté une confusion dans les esprits: les musulmans scrupuleux n'osaient plus manger les uns chez les autres même quand il s'agissait de proches parents ou d'amis.
Celles dont vous Posséder les clefs: les maisons dont on vous a mandaté.

إِنَّمَا ٱلۡمُؤۡمِنُونَ ٱلَّذِينَ ءَامَنُوا۟ بِٱللَّهِ وَرَسُولِهِۦ وَإِذَا كَانُوا۟ مَعَهُۥ

عَلَىٰٓ أَمۡرٍ جَامِعٍ لَّمۡ يَذۡهَبُوا۟ حَتَّىٰ يَسۡتَـٔۡذِنُوهُ إِنَّ ٱلَّذِينَ يَسۡتَـٔۡذِنُونَكَ

أُو۟لَـٰٓئِكَ ٱلَّذِينَ يُؤۡمِنُونَ بِٱللَّهِ وَرَسُولِهِۦ فَإِذَا ٱسۡتَـٔۡذَنُوكَ

لِبَعۡضِ شَأۡنِهِمۡ فَأۡذَن لِّمَن شِئۡتَ مِنۡهُمۡ وَٱسۡتَغۡفِرۡ لَهُمُ

ٱللَّهَ إِنَّ ٱللَّهَ غَفُورٌ رَّحِيمٌ ۝ لَّا تَجۡعَلُوا۟ دُعَآءَ ٱلرَّسُولِ

بَيۡنَكُمۡ كَدُعَآءِ بَعۡضِكُم بَعۡضًا قَدۡ يَعۡلَمُ ٱللَّهُ ٱلَّذِينَ

يَتَسَلَّلُونَ مِنكُمۡ لِوَاذًا فَلۡيَحۡذَرِ ٱلَّذِينَ يُخَالِفُونَ عَنۡ أَمۡرِهِۦٓ

أَن تُصِيبَهُمۡ فِتۡنَةٌ أَوۡ يُصِيبَهُمۡ عَذَابٌ أَلِيمٌ ۝ أَلَآ إِنَّ لِلَّهِ

مَا فِي ٱلسَّمَـٰوَٰتِ وَٱلۡأَرۡضِ قَدۡ يَعۡلَمُ مَآ أَنتُمۡ عَلَيۡهِ وَيَوۡمَ

يُرۡجَعُونَ إِلَيۡهِ فَيُنَبِّئُهُم بِمَا عَمِلُوا۟ وَٱللَّهُ بِكُلِّ شَيۡءٍ عَلِيمٌ ۝

سورة الفرقان

بِسۡمِ ٱللَّهِ ٱلرَّحۡمَـٰنِ ٱلرَّحِيمِ

تَبَارَكَ ٱلَّذِي نَزَّلَ ٱلۡفُرۡقَانَ عَلَىٰ عَبۡدِهِۦ لِيَكُونَ لِلۡعَـٰلَمِينَ نَذِيرًا ۝

ٱلَّذِي لَهُۥ مُلۡكُ ٱلسَّمَـٰوَٰتِ وَٱلۡأَرۡضِ وَلَمۡ يَتَّخِذۡ وَلَدًا وَلَمۡ

يَكُن لَّهُۥ شَرِيكٌ فِي ٱلۡمُلۡكِ وَخَلَقَ كُلَّ شَيۡءٍ فَقَدَّرَهُۥ تَقۡدِيرًا ۝

ثلاثة أرباع الحزب ٣٦

62. Les vrais croyants sont ceux qui croient en Allāh et en Son messager, et qui, lorsqu'ils sont en sa compagnie pour une affaire d'intérêt général, ne s'en vont pas avant de lui avoir demandé la permission. Ceux qui te demandent cette permission sont ceux qui croient en Allāh et en Son messager. Si donc ils te demandent la permission pour une affaire personnelle, donne-la à qui tu veux d'entre eux ; et implore le pardon d'Allāh pour eux, car Allāh est Pardonneur et Miséricordieux.

63. Ne considérez pas l'appel du messager comme un appel que vous vous adresseriez les uns aux autres. Allāh connaît certes ceux des vôtres qui s'en vont secrètement en s'entrecachant. Que ceux, donc, qui s'opposent à son commandement prennent garde qu'une épreuve ne les atteigne, ou que ne les atteigne un châtiment douloureux.

64. C'est à Allāh, vraiment, qu'appartient tout ce qui est dans les cieux et sur la terre. Il sait parfaitement l'état dans lequel vous êtes, et le Jour où les hommes seront ramenés vers Lui, Il les informera alors de ce qu'ils œuvraient. Allāh est Omniscient.

AL-FURQĀN (LE DISCERNEMENT)[1]
sourate 25   77 versets   Pré-hégirien n°42

Au nom d'Allāh, le Tout Miséricordieux, le Très Miséricordieux.

1. Qu'on exalte la Bénédiction de Celui qui a fait descendre le Livre de Discernement sur Son serviteur, afin qu'il soit un avertisseur à l'univers[2].

2. Celui à qui appartient la royauté des cieux et de la terre, qui ne S'est point attribué d'enfant, qui n'a point d'associé en Sa royauté et qui a créé toute chose en lui donnant ses justes proportions.

---

1. Titre tiré du v. 1.
2. *Le Discernement*: ce mot est employé ici pour désigner le Qur'ān, dont le contenu doit servir aux hommes à *discerner* le vrai du faux, le bien du mal, la réalité de l'apparence.

وَاتَّخَذُوا مِن دُونِهِۦٓ ءَالِهَةً لَّا يَخْلُقُونَ شَيْـًٔا وَهُمْ يُخْلَقُونَ وَلَا يَمْلِكُونَ لِأَنفُسِهِمْ ضَرًّا وَلَا نَفْعًا وَلَا يَمْلِكُونَ مَوْتًا وَلَا حَيَوٰةً وَلَا نُشُورًا ۝ وَقَالَ ٱلَّذِينَ كَفَرُوٓا إِنْ هَٰذَآ إِلَّآ إِفْكٌ ٱفْتَرَىٰهُ وَأَعَانَهُۥ عَلَيْهِ قَوْمٌ ءَاخَرُونَ فَقَدْ جَآءُو ظُلْمًا وَزُورًا ۝ وَقَالُوٓا أَسَٰطِيرُ ٱلْأَوَّلِينَ ٱكْتَتَبَهَا فَهِىَ تُمْلَىٰ عَلَيْهِ بُكْرَةً وَأَصِيلًا ۝ قُلْ أَنزَلَهُ ٱلَّذِى يَعْلَمُ ٱلسِّرَّ فِى ٱلسَّمَٰوَٰتِ وَٱلْأَرْضِ إِنَّهُۥ كَانَ غَفُورًا رَّحِيمًا ۝ وَقَالُوا۟ مَالِ هَٰذَا ٱلرَّسُولِ يَأْكُلُ ٱلطَّعَامَ وَيَمْشِى فِى ٱلْأَسْوَاقِ لَوْلَآ أُنزِلَ إِلَيْهِ مَلَكٌ فَيَكُونَ مَعَهُۥ نَذِيرًا ۝ أَوْ يُلْقَىٰٓ إِلَيْهِ كَنزٌ أَوْ تَكُونُ لَهُۥ جَنَّةٌ يَأْكُلُ مِنْهَا وَقَالَ ٱلظَّٰلِمُونَ إِن تَتَّبِعُونَ إِلَّا رَجُلًا مَّسْحُورًا ۝ ٱنظُرْ كَيْفَ ضَرَبُوا لَكَ ٱلْأَمْثَٰلَ فَضَلُّوا فَلَا يَسْتَطِيعُونَ سَبِيلًا ۝ تَبَارَكَ ٱلَّذِىٓ إِن شَآءَ جَعَلَ لَكَ خَيْرًا مِّن ذَٰلِكَ جَنَّٰتٍ تَجْرِى مِن تَحْتِهَا ٱلْأَنْهَٰرُ وَيَجْعَل لَّكَ قُصُورًا ۝ بَلْ كَذَّبُوا بِٱلسَّاعَةِ وَأَعْتَدْنَا لِمَن كَذَّبَ بِٱلسَّاعَةِ سَعِيرًا ۝

3. Mais ils ont adopté en dehors de Lui des divinités qui, étant elles-mêmes créées, ne créent rien, et qui ne possèdent la faculté de faire ni le mal ni le bien pour elles-mêmes, et qui ne sont maîtresses ni de la mort, ni de la vie, ni de la résurrection.

4. Les mécréants disent: «Tout ceci n'est qu'un mensonge qu'il (Muḥammad) a inventé, et où d'autres gens l'ont aidé». Or, ils commettent là une injustice et un mensonge.

5. Et ils disent: «Ce sont des contes d'anciens qu'il se fait écrire! On les lui dicte matin et soir!»

6. Dis: «L'a fait descendre Celui qui connaît les secrets dans les cieux et la terre. Et Il est Pardonneur et Miséricordieux.

7. Et ils disent: «Qu'est-ce donc que ce Messager qui mange de la nourriture et circule dans les marchés? Que n'a-t-on fait descendre vers lui un Ange qui eût été avertisseur en sa compagnie?

8. Ou que ne lui a-t-on lancé un trésor? Ou que n'a-t-il un jardin à lui, dont il pourrait manger (les fruits)?» Les injustes disent: «Vous ne suivez qu'un homme ensorcelé».

9. Vois à quoi ils te comparent! Ils se sont égarés. Ils ne pourront trouver aucun chemin.

10. Béni soit Celui qui, s'Il le veut, t'accordera bien mieux que cela: des Jardins sous lesquels coulent les ruisseaux ; et Il t'assignera des châteaux.

11. Mais ils ont plutôt qualifié l'Heure de mensonge. Nous avons cependant préparé, pour quiconque qualifie l'Heure de mensonge, une Flamme brûlante.

إِذَا رَأَتْهُم مِّن مَّكَانٍ بَعِيدٍ سَمِعُوا لَهَا تَغَيُّظًا وَزَفِيرًا ۞ وَإِذَآ أُلْقُوا مِنْهَا مَكَانًا ضَيِّقًا مُّقَرَّنِينَ دَعَوْا هُنَالِكَ ثُبُورًا ۞ لَّا تَدْعُوا الْيَوْمَ ثُبُورًا وَاحِدًا وَادْعُوا ثُبُورًا كَثِيرًا ۞ قُلْ أَذَٰلِكَ خَيْرٌ أَمْ جَنَّةُ الْخُلْدِ الَّتِي وُعِدَ الْمُتَّقُونَ كَانَتْ لَهُمْ جَزَاءً وَمَصِيرًا ۞ لَّهُمْ فِيهَا مَا يَشَاءُونَ خَالِدِينَ كَانَ عَلَىٰ رَبِّكَ وَعْدًا مَّسْئُولًا ۞ وَيَوْمَ يَحْشُرُهُمْ وَمَا يَعْبُدُونَ مِن دُونِ اللَّهِ فَيَقُولُ ءَأَنتُمْ أَضْلَلْتُمْ عِبَادِي هَٰؤُلَاءِ أَمْ هُمْ ضَلُّوا السَّبِيلَ ۞ قَالُوا سُبْحَانَكَ مَا كَانَ يَنۢبَغِي لَنَآ أَن نَّتَّخِذَ مِن دُونِكَ مِنْ أَوْلِيَاءَ وَلَٰكِن مَّتَّعْتَهُمْ وَءَابَاءَهُمْ حَتَّىٰ نَسُوا الذِّكْرَ وَكَانُوا قَوْمًا بُورًا ۞ فَقَدْ كَذَّبُوكُم بِمَا تَقُولُونَ فَمَا تَسْتَطِيعُونَ صَرْفًا وَلَا نَصْرًا وَمَن يَظْلِم مِّنكُمْ نُذِقْهُ عَذَابًا كَبِيرًا ۞ وَمَآ أَرْسَلْنَا قَبْلَكَ مِنَ الْمُرْسَلِينَ إِلَّا إِنَّهُمْ لَيَأْكُلُونَ الطَّعَامَ وَيَمْشُونَ فِي الْأَسْوَاقِ وَجَعَلْنَا بَعْضَكُمْ لِبَعْضٍ فِتْنَةً أَتَصْبِرُونَ وَكَانَ رَبُّكَ بَصِيرًا ۞

12. Lorsque de loin elle les voit, ils entendront sa fureur et ses pétillements.

13. Et quand on les y aura jetés, dans un étroit réduit, les mains liées derrière le cou, ils souhaiteront alors leur destruction complète[1].

14. «Aujourd'hui, ne souhaitez pas la destruction une seule fois, mais souhaitez-en plusieurs.

15. Dis: «Est-ce mieux ceci? ou bien le Paradis éternel qui a été promis aux pieux, comme récompense et destination dernière?

16. Ils auront là tout ce qu'ils désireront et une demeure éternelle. C'est une promesse incombant à ton Seigneur.

17. Et le jour où Il les rassemblera, eux et ceux qu'ils adoraient en dehors d'Allāh, Il dira: «Est-ce vous qui avez égaré Mes serviteurs que voici, ou ont-ils eux-mêmes perdu le sentier?»

18. Ils diront: «Gloire à Toi[2]! Il ne nous convenait nullement de prendre en dehors de Toi des patrons protecteurs mais Tu les as comblés de jouissance ainsi que leurs ancêtres au point qu'ils en ont oublié le livre du rappel [le Qur'ān]. Et ils ont été des gens perdus».

19. «Ils vous ont démentis en ce que vous dites. Il n'y aura pour vous ni échappatoire ni secours (possible). Et quiconque des vôtres est injuste, Nous lui ferons goûter un grand châtiment»[3].

20. Et Nous n'avons envoyé avant toi que des messagers qui mangeaient de la nourriture et circulaient dans les marchés. Et Nous avons fait de certains d'entre vous une épreuve pour les autres - endurerez-vous avec constance? - Et ton Seigneur demeure Clairvoyant.

---

1. *Les mains liées..*: autre interp. liés les uns aux autres.
2. *Ils diront*: ce sont les fausses divinités qui prennent la parole.
3. C'est Allāh qui s'adresse aux idolâtres.

۞ وَقَالَ ٱلَّذِينَ لَا يَرْجُونَ لِقَآءَنَا لَوْلَآ أُنزِلَ عَلَيْنَا ٱلْمَلَـٰٓئِكَةُ أَوْ نَرَىٰ رَبَّنَا لَقَدِ ٱسْتَكْبَرُواْ فِىٓ أَنفُسِهِمْ وَعَتَوْ عُتُوًّا كَبِيرًا ۞

يَوْمَ يَرَوْنَ ٱلْمَلَـٰٓئِكَةَ لَا بُشْرَىٰ يَوْمَئِذٍ لِّلْمُجْرِمِينَ وَيَقُولُونَ حِجْرًا مَّحْجُورًا ۞ وَقَدِمْنَآ إِلَىٰ مَا عَمِلُواْ مِنْ عَمَلٍ فَجَعَلْنَـٰهُ هَبَآءً مَّنثُورًا ۞ أَصْحَـٰبُ ٱلْجَنَّةِ يَوْمَئِذٍ خَيْرٌ مُّسْتَقَرًّا وَأَحْسَنُ مَقِيلًا ۞ وَيَوْمَ تَشَقَّقُ ٱلسَّمَآءُ بِٱلْغَمَـٰمِ وَنُزِّلَ ٱلْمَلَـٰٓئِكَةُ تَنزِيلًا ۞ ٱلْمُلْكُ يَوْمَئِذٍ ٱلْحَقُّ لِلرَّحْمَـٰنِ وَكَانَ يَوْمًا عَلَى ٱلْكَـٰفِرِينَ عَسِيرًا ۞ وَيَوْمَ يَعَضُّ ٱلظَّالِمُ عَلَىٰ يَدَيْهِ يَقُولُ يَـٰلَيْتَنِى ٱتَّخَذْتُ مَعَ ٱلرَّسُولِ سَبِيلًا ۞ يَـٰوَيْلَتَىٰ لَيْتَنِى لَمْ أَتَّخِذْ فُلَانًا خَلِيلًا ۞ لَّقَدْ أَضَلَّنِى عَنِ ٱلذِّكْرِ بَعْدَ إِذْ جَآءَنِى وَكَانَ ٱلشَّيْطَـٰنُ لِلْإِنسَـٰنِ خَذُولًا ۞ وَقَالَ ٱلرَّسُولُ يَـٰرَبِّ إِنَّ قَوْمِى ٱتَّخَذُواْ هَـٰذَا ٱلْقُرْءَانَ مَهْجُورًا ۞ وَكَذَٰلِكَ جَعَلْنَا لِكُلِّ نَبِىٍّ عَدُوًّا مِّنَ ٱلْمُجْرِمِينَ وَكَفَىٰ بِرَبِّكَ هَادِيًا وَنَصِيرًا ۞ وَقَالَ ٱلَّذِينَ كَفَرُواْ لَوْلَا نُزِّلَ عَلَيْهِ ٱلْقُرْءَانُ جُمْلَةً وَٰحِدَةً كَذَٰلِكَ لِنُثَبِّتَ بِهِۦ فُؤَادَكَ وَرَتَّلْنَـٰهُ تَرْتِيلًا ۞

21. Et ceux qui n'espèrent pas Nous rencontrer disent: «Si seulement on avait fait descendre sur nous des Anges ou si nous pouvions voir notre Seigneur!» En effet, ils se sont enflés d'orgueil en eux-mêmes, et ont dépassé les limites de l'arrogance.

22. Le jour où ils verront les Anges, ce ne sera pas une bonne nouvelle, ce jour-là, pour les injustes, ils (les Anges) diront: «Barrage totalement défendu»[1]!

23. Nous avons considéré l'œuvre qu'ils ont accomplie et Nous l'avons réduite en poussière éparpillée.

24. Les gens du Paradis seront, ce jour-là, en meilleure demeure et au plus beau lieu de repos.

25. Et le jour où le ciel sera fendu par les nuages et qu'on fera descendre des Anges,

26. ce jour-là, la vraie royauté appartient au Tout Miséricordieux, et ce sera un jour difficile aux infidèles.

27. Le jour où l'injuste se mordra les deux mains et dira: «[Hélas pour moi!] Si seulement j'avais suivi chemin avec le Messager!...

28. Malheur à moi! Hélas! Si seulement je n'avais pas pris «un tel» pour ami! ...

29. Il m'a, en effet, égaré loin du rappel [le Qur'ãn], après qu'il me soit parvenu». Et le Diable déserte l'homme (après l'avoir tenté).

30. Et le Messager dit: «Seigneur, mon peuple a vraiment pris ce Qur'ãn pour une chose délaissée!»

31. C'est ainsi que Nous fîmes à chaque prophète un ennemi parmi les criminels. Mais ton Seigneur suffit comme guide et comme soutien.

32. Et ceux qui ne croient pas disent: «Pourquoi n'a-t-on pas fait descendre sur lui le Qur'ãn en une seule fois?» Nous l'avons révélé ainsi pour raffermir ton cœur. Et Nous l'avons récité soigneusement[2].

---

1. *Défendu*: d'aller vers le Paradis.
2. *Nous l'avons récité soigneusement*: pour être lu et étudié facilement.

وَلَا يَأْتُونَكَ بِمَثَلٍ إِلَّا جِئْنَاكَ بِالْحَقِّ وَأَحْسَنَ تَفْسِيرًا ۝ الَّذِينَ يُحْشَرُونَ عَلَىٰ وُجُوهِهِمْ إِلَىٰ جَهَنَّمَ أُوْلَٰئِكَ شَرٌّ مَّكَانًا وَأَضَلُّ سَبِيلًا ۝ وَلَقَدْ ءَاتَيْنَا مُوسَى الْكِتَٰبَ وَجَعَلْنَا مَعَهُ أَخَاهُ هَٰرُونَ وَزِيرًا ۝ فَقُلْنَا اذْهَبَا إِلَى الْقَوْمِ الَّذِينَ كَذَّبُوا بِآيَاتِنَا فَدَمَّرْنَاهُمْ تَدْمِيرًا ۝ وَقَوْمَ نُوحٍ لَّمَّا كَذَّبُوا الرُّسُلَ أَغْرَقْنَاهُمْ وَجَعَلْنَاهُمْ لِلنَّاسِ ءَايَةً وَأَعْتَدْنَا لِلظَّٰلِمِينَ عَذَابًا أَلِيمًا ۝ وَعَادًا وَثَمُودَا۟ وَأَصْحَٰبَ الرَّسِّ وَقُرُونًا بَيْنَ ذَٰلِكَ كَثِيرًا ۝ وَكُلًّا ضَرَبْنَا لَهُ الْأَمْثَٰلَ وَكُلًّا تَبَّرْنَا تَتْبِيرًا ۝ وَلَقَدْ أَتَوْا عَلَى الْقَرْيَةِ الَّتِي أُمْطِرَتْ مَطَرَ السَّوْءِ أَفَلَمْ يَكُونُوا يَرَوْنَهَا بَلْ كَانُوا لَا يَرْجُونَ نُشُورًا ۝ وَإِذَا رَأَوْكَ إِن يَتَّخِذُونَكَ إِلَّا هُزُوًا أَهَٰذَا الَّذِي بَعَثَ اللَّهُ رَسُولًا ۝ إِن كَادَ لَيُضِلُّنَا عَنْ ءَالِهَتِنَا لَوْلَا أَن صَبَرْنَا عَلَيْهَا وَسَوْفَ يَعْلَمُونَ حِينَ يَرَوْنَ الْعَذَابَ مَنْ أَضَلُّ سَبِيلًا ۝ أَرَءَيْتَ مَنِ اتَّخَذَ إِلَٰهَهُ هَوَاهُ أَفَأَنتَ تَكُونُ عَلَيْهِ وَكِيلًا ۝

33. Ils ne t'apporteront aucune parabole, sans que Nous ne t'apportions la vérité avec la meilleure interprétation,

34. Ceux qui seront traînés [ensemble] sur leurs visages vers l'Enfer, ceux-là seront dans la pire des situations et les plus égarés hors du chemin droit.

35. En effet, Nous avons apporté à Moïse le Livre et lui avons assigné son frère Aaron comme assistant.

36. Puis Nous avons dit: «Allez tous deux vers les gens qui ont traité de mensonge Nos preuves». Nous les avons ensuite détruits complètement.

37. Et le peuple de Noé, quand ils eurent démenti les messagers, Nous les noyâmes et en fîmes pour les gens un signe d'avertissement. Et Nous avons préparé pour les injustes un châtiment douloureux.

38. Et les ʿĀd, les Ṯamūd, les gens d'Ar-Rass et de nombreuses générations intermédiaires!

39. À tous, cependant, Nous avions fait des paraboles et Nous les avions tous anéantis d'une façon brutale.

40. Ils sont passés par la cité sur laquelle est tombée une pluie de malheurs. Ne la voient-ils donc pas? Mais ils[1] n'espèrent pas de résurrection!

41. Et quand ils te voient, ils ne te prennent qu'en raillerie: «Est-ce là celui qu'Allāh a envoyé comme Messager?

42. Peu s'en est fallu qu'il ne nous égare de nos divinités, si ce n'était notre attachement patient à elles!». Cependant, ils sauront quand ils verront le châtiment, qui est le plus égaré en son chemin.

43. Ne vois-tu pas celui qui a fait de sa passion sa divinité? Est-ce à toi d'être un garant pour lui[2]?

---

1. *Ils*: les interlocuteurs de Muḥammad (ﷺ).
2. Allusion à des païens de la Mecque qui adoptaient pour idoles de jolies pierres. Mais d'une façon générale, le verset fait allusion à tous ceux qui se laissent dominer par leurs passions au point qu'ils en deviennent les esclaves.

أَمْ تَحْسَبُ أَنَّ أَكْثَرَهُمْ يَسْمَعُونَ أَوْ يَعْقِلُونَ إِنْ هُمْ إِلَّا كَالْأَنْعَامِ بَلْ هُمْ أَضَلُّ سَبِيلًا ﴿٤٤﴾ أَلَمْ تَرَ إِلَى رَبِّكَ كَيْفَ مَدَّ الظِّلَّ وَلَوْ شَاءَ لَجَعَلَهُ سَاكِنًا ثُمَّ جَعَلْنَا الشَّمْسَ عَلَيْهِ دَلِيلًا ﴿٤٥﴾ ثُمَّ قَبَضْنَاهُ إِلَيْنَا قَبْضًا يَسِيرًا ﴿٤٦﴾ وَهُوَ الَّذِي جَعَلَ لَكُمُ اللَّيْلَ لِبَاسًا وَالنَّوْمَ سُبَاتًا وَجَعَلَ النَّهَارَ نُشُورًا ﴿٤٧﴾ وَهُوَ الَّذِي أَرْسَلَ الرِّيَاحَ بُشْرًا بَيْنَ يَدَيْ رَحْمَتِهِ وَأَنْزَلْنَا مِنَ السَّمَاءِ مَاءً طَهُورًا ﴿٤٨﴾ لِنُحْيِيَ بِهِ بَلْدَةً مَيْتًا وَنُسْقِيَهُ مِمَّا خَلَقْنَا أَنْعَامًا وَأَنَاسِيَّ كَثِيرًا ﴿٤٩﴾ وَلَقَدْ صَرَّفْنَاهُ بَيْنَهُمْ لِيَذَّكَّرُوا فَأَبَى أَكْثَرُ النَّاسِ إِلَّا كُفُورًا ﴿٥٠﴾ وَلَوْ شِئْنَا لَبَعَثْنَا فِي كُلِّ قَرْيَةٍ نَذِيرًا ﴿٥١﴾ فَلَا تُطِعِ الْكَافِرِينَ وَجَاهِدْهُمْ بِهِ جِهَادًا كَبِيرًا ﴿٥٢﴾ وَهُوَ الَّذِي مَرَجَ الْبَحْرَيْنِ هَذَا عَذْبٌ فُرَاتٌ وَهَذَا مِلْحٌ أُجَاجٌ وَجَعَلَ بَيْنَهُمَا بَرْزَخًا وَحِجْرًا مَحْجُورًا ﴿٥٣﴾ وَهُوَ الَّذِي خَلَقَ مِنَ الْمَاءِ بَشَرًا فَجَعَلَهُ نَسَبًا وَصِهْرًا وَكَانَ رَبُّكَ قَدِيرًا ﴿٥٤﴾ وَيَعْبُدُونَ مِنْ دُونِ اللَّهِ مَا لَا يَنْفَعُهُمْ وَلَا يَضُرُّهُمْ وَكَانَ الْكَافِرُ عَلَى رَبِّهِ ظَهِيرًا ﴿٥٥﴾

44. Ou bien penses-tu que la plupart d'entre eux entendent ou comprennent? Ils ne sont en vérité comparables qu'à des bestiaux. Ou plutôt, ils sont plus égarés encore du sentier.

45. N'as-tu pas vu comment ton Seigneur étend l'ombre? S'il avait voulu, certes, Il l'aurait faite immobile. Puis Nous lui fîmes du soleil son indice,

46. puis Nous la saisissons [pour la ramener] vers Nous avec facilité.

47. Et c'est Lui qui vous fit de la nuit un vêtement, du sommeil un repos et qui fit du jour un retour à la vie active.

48. Et c'est Lui qui envoya les vents comme une annonce précédant Sa miséricorde[1]. Nous fîmes descendre du ciel une eau pure et purifiante,

49. pour faire revivre par elle une contrée morte, et donner à boire aux multiples bestiaux et hommes que Nous avons créés.

50. Nous l'avions répartie entre eux afin qu'ils se rappellent (de Nous). Mais la plupart des gens se refusent à tout sauf à être ingrats.

51. Or, si Nous avions voulu, Nous aurions certes envoyé dans chaque cité un avertisseur.

52. N'obéis donc pas aux infidèles ; et avec ceci (le Qur'ān), lutte contre eux vigoureusement.

53. Et c'est Lui qui donne libre cours aux deux mers[2]: l'une douce, rafraîchissante, l'autre salée, amère, Et Il assigne entre les deux une zone intermédiaire et un barrage infranchissable.

54. Et c'est Lui qui de l'eau a créé une espèce humaine qu'Il unit par les liens de la parenté et de l'alliance. Et ton Seigneur demeure Omnipotent.

55. Mais ils adorent en dehors d'Allāh, ce qui ne leur profite point, ni ne leur nuit! Et l'infidèle sera toujours l'allié des ennemis de son Seigneur!

---

1. Le vent annonce la pluie, laquelle est l'une des plus évidentes manifestations de la miséricorde d'Allāh.
2. *Deux mers*: deux masses d'eau, l'une douce, l'autre salée.

وَمَآ أَرْسَلْنَاكَ إِلَّا مُبَشِّرًا وَنَذِيرًا ۝ قُل مَّآ أَسْأَلُكُمْ عَلَيْهِ

مِنْ أَجْرٍ إِلَّا مَن شَآءَ أَن يَتَّخِذَ إِلَىٰ رَبِّهِۦ سَبِيلًا ۝ وَتَوَكَّلْ

عَلَى ٱلْحَيِّ ٱلَّذِي لَا يَمُوتُ وَسَبِّحْ بِحَمْدِهِۦ ۚ وَكَفَىٰ بِهِۦ بِذُنُوبِ

عِبَادِهِۦ خَبِيرًا ۝ ٱلَّذِي خَلَقَ ٱلسَّمَٰوَٰتِ وَٱلْأَرْضَ وَمَا بَيْنَهُمَا

فِي سِتَّةِ أَيَّامٍ ثُمَّ ٱسْتَوَىٰ عَلَى ٱلْعَرْشِ ٱلرَّحْمَٰنُ فَسْـَٔلْ بِهِۦ

خَبِيرًا ۝ وَإِذَا قِيلَ لَهُمُ ٱسْجُدُوا۟ لِلرَّحْمَٰنِ قَالُوا۟ وَمَا ٱلرَّحْمَٰنُ

أَنَسْجُدُ لِمَا تَأْمُرُنَا وَزَادَهُمْ نُفُورًا ۩ ۝ تَبَارَكَ ٱلَّذِي جَعَلَ

فِي ٱلسَّمَآءِ بُرُوجًا وَجَعَلَ فِيهَا سِرَٰجًا وَقَمَرًا مُّنِيرًا ۝ وَهُوَ

ٱلَّذِي جَعَلَ ٱلَّيْلَ وَٱلنَّهَارَ خِلْفَةً لِّمَنْ أَرَادَ أَن يَذَّكَّرَ أَوْ أَرَادَ

شُكُورًا ۝ وَعِبَادُ ٱلرَّحْمَٰنِ ٱلَّذِينَ يَمْشُونَ عَلَى ٱلْأَرْضِ

هَوْنًا وَإِذَا خَاطَبَهُمُ ٱلْجَٰهِلُونَ قَالُوا۟ سَلَٰمًا ۝ وَٱلَّذِينَ

يَبِيتُونَ لِرَبِّهِمْ سُجَّدًا وَقِيَٰمًا ۝ وَٱلَّذِينَ يَقُولُونَ

رَبَّنَا ٱصْرِفْ عَنَّا عَذَابَ جَهَنَّمَ ۖ إِنَّ عَذَابَهَا كَانَ غَرَامًا

۝ إِنَّهَا سَآءَتْ مُسْتَقَرًّا وَمُقَامًا ۝ وَٱلَّذِينَ إِذَآ أَنفَقُوا۟

لَمْ يُسْرِفُوا۟ وَلَمْ يَقْتُرُوا۟ وَكَانَ بَيْنَ ذَٰلِكَ قَوَامًا ۝

56. Or, Nous ne t'avons envoyé que comme annonciateur et avertisseur.

57. Dis: «Je ne vous en demande aucun salaire (pour moi même).Toutefois, celui qui veut suivre un chemin conduisant vers son Seigneur [est libre de dépenser dans la voie d'Allāh]».

58. Et place ta confiance en Le Vivant qui ne meurt jamais. Et par Sa louange, glorifie-Le. Il suffit comme Parfait Connaisseur des péchés de Ses serviteurs.

59. C'est Lui qui, en six jours, a créé les cieux, la terre et tout ce qui existe entre eux, et le Tout Miséricordieux S'est établi «Istawā»[1] ensuite sur le Trône. Interroge donc qui est bien informé de Lui.

60. Et quand on leur dit: «Prosternez-vous devant le Tout Miséricordieux», ils disent: «Qu'est-ce donc que le Tout Miséricordieux? Allons-nous nous prosterner devant ce que tu nous commandes?» - Et cela accroît leur répulsion[2].

61. Que soit béni Celui qui a placé au ciel des constellations et y a placé un luminaire (le soleil) et aussi une lune éclairante!

62. Et c'est Lui qui a assigné une alternance à la nuit et au jour pour quiconque veut y réfléchir ou montrer sa reconnaissance.

63. Les serviteurs du Tout Miséricordieux sont ceux qui marchent humblement sur terre, qui, lorsque les ignorants s'adressent à eux, disent: «Paix»,

64. qui passent les nuits prosternés et debout devant leur Seigneur ;

65. qui disent: «Seigneur, écarte de nous le châtiment de l'Enfer». - car son châtiment est permanent.

66. Quels mauvais gîte et lieu de séjour!

67. Qui, lorsqu'ils dépensent, ne sont ni prodigues ni avares mais se tiennent au juste milieu.

---

1. *Istawā*: mot arabe qui signifie «s'est établi» mais il est prouvé qu'Allāh ne ressemble point aux créatures.
2. Après ce verset, on se prosterne.

وَٱلَّذِينَ لَا يَدْعُونَ مَعَ ٱللَّهِ إِلَٰهًا ءَاخَرَ وَلَا يَقْتُلُونَ ٱلنَّفْسَ ٱلَّتِي حَرَّمَ ٱللَّهُ إِلَّا بِٱلْحَقِّ وَلَا يَزْنُونَ وَمَن يَفْعَلْ ذَٰلِكَ يَلْقَ أَثَامًا ۝ يُضَٰعَفْ لَهُ ٱلْعَذَابُ يَوْمَ ٱلْقِيَٰمَةِ وَيَخْلُدْ فِيهِۦ مُهَانًا ۝ إِلَّا مَن تَابَ وَءَامَنَ وَعَمِلَ عَمَلًا صَٰلِحًا فَأُوْلَٰٓئِكَ يُبَدِّلُ ٱللَّهُ سَيِّـَٔاتِهِمْ حَسَنَٰتٍ وَكَانَ ٱللَّهُ غَفُورًا رَّحِيمًا ۝ وَمَن تَابَ وَعَمِلَ صَٰلِحًا فَإِنَّهُۥ يَتُوبُ إِلَى ٱللَّهِ مَتَابًا ۝ وَٱلَّذِينَ لَا يَشْهَدُونَ ٱلزُّورَ وَإِذَا مَرُّوا بِٱللَّغْوِ مَرُّوا كِرَامًا ۝ وَٱلَّذِينَ إِذَا ذُكِّرُوا بِـَٔايَٰتِ رَبِّهِمْ لَمْ يَخِرُّوا عَلَيْهَا صُمًّا وَعُمْيَانًا ۝ وَٱلَّذِينَ يَقُولُونَ رَبَّنَا هَبْ لَنَا مِنْ أَزْوَٰجِنَا وَذُرِّيَّٰتِنَا قُرَّةَ أَعْيُنٍ وَٱجْعَلْنَا لِلْمُتَّقِينَ إِمَامًا ۝ أُوْلَٰٓئِكَ يُجْزَوْنَ ٱلْغُرْفَةَ بِمَا صَبَرُوا وَيُلَقَّوْنَ فِيهَا تَحِيَّةً وَسَلَٰمًا ۝ خَٰلِدِينَ فِيهَا حَسُنَتْ مُسْتَقَرًّا وَمُقَامًا ۝ قُلْ مَا يَعْبَؤُا بِكُمْ رَبِّي لَوْلَا دُعَآؤُكُمْ فَقَدْ كَذَّبْتُمْ فَسَوْفَ يَكُونُ لِزَامًۢا ۝

سُورَةُ الشُّعَرَاءِ

68. Qui n'invoquent pas d'autre dieu avec Allāh et ne tuent pas la vie qu'Allāh a rendue sacrée, sauf à bon droit ; qui ne commettent pas de fornication - car quiconque fait cela encourra une punition

69. et le châtiment lui sera doublé, au Jour de la Résurrection, et il y demeurera éternellement couvert d'ignominie ;

70. sauf celui qui se repent, croit et accomplit une bonne œuvre ; ceux-là Allāh changera leurs mauvaises actions en bonnes, et Allāh est Pardonneur et Miséricordieux ;

71. et quiconque se repent et accomplit une bonne œuvre c'est vers Allāh qu'aboutira son retour.

72. Ceux qui ne donnent pas de faux témoignages ; et qui, lorsqu'ils passent auprès d'une frivolité, s'en écartent noblement ;

73. qui lorsque les versets de leur Seigneur leur sont rappelés, ne deviennent ni sourds ni aveugles ;

74. et qui disent: «Seigneur, donne-nous, en nos épouses et nos descendants, la joie des yeux, et fais de nous un guide pour les pieux»[1].

75. Ceux-là auront pour récompense un lieu élevé [du Paradis] à cause de leur endurance, et ils y seront accueillis avec le salut et la paix,

76. pour y demeurer éternellement. Quel beau gîte et lieu de séjour!

77. Dis: «Mon Seigneur ne se souciera pas de vous sans votre prière ; mais vous avez démenti (le Prophète). Votre [châtiment] sera inévitable et permanent.

---

1. *Un guide*: littéralement «imām» qui signifie un bon exemple à suivre.

بِسْمِ اللَّهِ الرَّحْمَٰنِ الرَّحِيمِ

طسٓمٓ ۱ تِلْكَ ءَايَٰتُ الْكِتَٰبِ الْمُبِينِ ۲ لَعَلَّكَ بَٰخِعٌ نَّفْسَكَ أَلَّا يَكُونُوا۟ مُؤْمِنِينَ ۳ إِن نَّشَأْ نُنَزِّلْ عَلَيْهِم مِّنَ السَّمَآءِ ءَايَةً فَظَلَّتْ أَعْنَٰقُهُمْ لَهَا خَٰضِعِينَ ۴ وَمَا يَأْتِيهِم مِّن ذِكْرٍ مِّنَ الرَّحْمَٰنِ مُحْدَثٍ إِلَّا كَانُوا۟ عَنْهُ مُعْرِضِينَ ۵ فَقَدْ كَذَّبُوا۟ فَسَيَأْتِيهِمْ أَنۢبَٰٓؤُا۟ مَا كَانُوا۟ بِهِۦ يَسْتَهْزِءُونَ ۶ أَوَلَمْ يَرَوْا۟ إِلَى الْأَرْضِ كَمْ أَنۢبَتْنَا فِيهَا مِن كُلِّ زَوْجٍ كَرِيمٍ ۷ إِنَّ فِى ذَٰلِكَ لَءَايَةً وَمَا كَانَ أَكْثَرُهُم مُّؤْمِنِينَ ۸ وَإِنَّ رَبَّكَ لَهُوَ الْعَزِيزُ الرَّحِيمُ ۹ وَإِذْ نَادَىٰ رَبُّكَ مُوسَىٰٓ أَنِ ائْتِ الْقَوْمَ الظَّٰلِمِينَ ۱۰ قَوْمَ فِرْعَوْنَ أَلَا يَتَّقُونَ ۱۱ قَالَ رَبِّ إِنِّىٓ أَخَافُ أَن يُكَذِّبُونِ ۱۲ وَيَضِيقُ صَدْرِى وَلَا يَنطَلِقُ لِسَانِى فَأَرْسِلْ إِلَىٰ هَٰرُونَ ۱۳ وَلَهُمْ عَلَىَّ ذَنۢبٌ فَأَخَافُ أَن يَقْتُلُونِ ۱۴ قَالَ كَلَّا فَاذْهَبَا بِـَٔايَٰتِنَآ إِنَّا مَعَكُم مُّسْتَمِعُونَ ۱۵ فَأْتِيَا فِرْعَوْنَ فَقُولَآ إِنَّا رَسُولُ رَبِّ الْعَٰلَمِينَ ۱۶ أَنْ أَرْسِلْ مَعَنَا بَنِىٓ إِسْرَٰٓءِيلَ ۱۷ قَالَ أَلَمْ نُرَبِّكَ فِينَا وَلِيدًا وَلَبِثْتَ فِينَا مِنْ عُمُرِكَ سِنِينَ ۱۸ وَفَعَلْتَ فَعْلَتَكَ الَّتِى فَعَلْتَ وَأَنتَ مِنَ الْكَٰفِرِينَ ۱۹

AŠ-ŠUʿARĀʾ (LES POÈTES)[1]

sourate 26   227 versets   Pré-hégirien n°47

Au.nom d'Allāh, le Tout Miséricordieux, le Très Miséricordieux.

1. Ṭā, Sīn, Mīm.

2. Voici les versets du Livre explicite.

3. Il se peut que tu te consumes de chagrin parce qu'ils ne sont pas croyants!

4. Si Nous voulions, Nous ferions descendre du ciel sur eux un prodige devant lequel leurs nuques resteront courbées.

5. Aucun nouveau rappel ne leur vient du Tout Miséricordieux sans qu'ils ne l'esquivent.

6. Et ils ont traité de mensonge [tout ce qui leur vient du Seigneur]. Il leur viendra bientôt des nouvelles de ce dont ils se raillent.

7. N'ont-ils pas observé la terre, combien Nous y avons fait pousser de couples généreux de toutes sortes?

8. Voilà bien là une preuve! Et la plupart d'entre eux ne croient pas.

9. Et ton Seigneur est en vérité Lui le Tout Puissant, le Très Miséricordieux.

10. Et lorsque ton Seigneur appela Moïse: «Rends-toi auprès du peuple injuste,

11. [auprès du] peuple de Pharaon» ; ne craindront-ils pas (Allāh)?

12. Il dit: «Seigneur, je crains qu'ils ne me traitent de menteur ;

13. que ma poitrine ne se serre, et que ma langue ne soit embarrassée: Mande donc Aaron.

14. Ils ont un crime à me reprocher ; je crains donc qu'ils ne me tuent»[2].

15. Mais [Allāh] lui dit: «Jamais! Allez tous deux avec Nos prodiges. Nous resterons avec vous et Nous écouterons.

16. Rendez-vous donc tous deux auprès de Pharaon, puis dites: «Nous sommes les messagers du Seigneur de l'univers,

17. pour que tu renvoies les Enfants d'Israël avec nous».

18. «Ne t'avons-nous pas, dit Pharaon, élevé chez nous tout enfant? Et n'as-tu pas demeuré parmi nous des années de ta vie?

19. Puis tu as commis le méfait que tu as fait, en dépit de toute reconnaissance».

---

1. Titre tiré du v. 224.
2. Moïse était intervenu dans une querelle entre un Juif et un Egyptien, et avait tué l'Egyptien: il avait dû alors fuir.

قَالَ فَعَلْتُهَا إِذًا وَأَنَا۠ مِنَ ٱلضَّآلِّينَ ۞ فَفَرَرْتُ مِنكُمْ لَمَّا خِفْتُكُمْ

فَوَهَبَ لِى رَبِّى حُكْمًا وَجَعَلَنِى مِنَ ٱلْمُرْسَلِينَ ۞ وَتِلْكَ نِعْمَةٌ تَمُنُّهَا

عَلَىَّ أَنْ عَبَّدتَّ بَنِىٓ إِسْرَٰٓءِيلَ ۞ قَالَ فِرْعَوْنُ وَمَا رَبُّ ٱلْعَٰلَمِينَ

۞ قَالَ رَبُّ ٱلسَّمَٰوَٰتِ وَٱلْأَرْضِ وَمَا بَيْنَهُمَآ إِن كُنتُم مُّوقِنِينَ

۞ قَالَ لِمَنْ حَوْلَهُۥٓ أَلَا تَسْتَمِعُونَ ۞ قَالَ رَبُّكُمْ وَرَبُّ ءَابَآئِكُمُ

ٱلْأَوَّلِينَ ۞ قَالَ إِنَّ رَسُولَكُمُ ٱلَّذِىٓ أُرْسِلَ إِلَيْكُمْ لَمَجْنُونٌ ۞

قَالَ رَبُّ ٱلْمَشْرِقِ وَٱلْمَغْرِبِ وَمَا بَيْنَهُمَآ إِن كُنتُمْ تَعْقِلُونَ ۞ قَالَ

لَئِنِ ٱتَّخَذتَ إِلَٰهًا غَيْرِى لَأَجْعَلَنَّكَ مِنَ ٱلْمَسْجُونِينَ ۞ قَالَ

أَوَلَوْ جِئْتُكَ بِشَىْءٍ مُّبِينٍ ۞ قَالَ فَأْتِ بِهِۦٓ إِن كُنتَ مِنَ

ٱلصَّٰدِقِينَ ۞ فَأَلْقَىٰ عَصَاهُ فَإِذَا هِىَ ثُعْبَانٌ مُّبِينٌ ۞ وَنَزَعَ يَدَهُۥ

فَإِذَا هِىَ بَيْضَآءُ لِلنَّٰظِرِينَ ۞ قَالَ لِلْمَلَإِ حَوْلَهُۥٓ إِنَّ هَٰذَا لَسَٰحِرٌ

عَلِيمٌ ۞ يُرِيدُ أَن يُخْرِجَكُم مِّنْ أَرْضِكُم بِسِحْرِهِۦ فَمَاذَا

تَأْمُرُونَ ۞ قَالُوٓا۟ أَرْجِهْ وَأَخَاهُ وَٱبْعَثْ فِى ٱلْمَدَآئِنِ حَٰشِرِينَ

۞ يَأْتُوكَ بِكُلِّ سَحَّارٍ عَلِيمٍ ۞ فَجُمِعَ ٱلسَّحَرَةُ

لِمِيقَٰتِ يَوْمٍ مَّعْلُومٍ ۞ وَقِيلَ لِلنَّاسِ هَلْ أَنتُم مُّجْتَمِعُونَ ۞

20. «Je l'ai fait, dit Moïse, alors que j'étais encore du nombre des égarés.

21. Je me suis donc enfui de vous quand j'ai eu peur de vous: puis, mon Seigneur m'a donné la sagesse et m'a désigné parmi Ses messagers.

22. Est-ce là un bienfait de ta part [que tu me rappelles] avec reproche, alors que tu as asservi les Enfants d'Israël?»

23. «Et qu'est-ce que le Seigneur de l'univers?» dit Pharaon.

24. «Le Seigneur des cieux et de la terre et de ce qui existe entre eux, dit [Moïse], si seulement vous pouviez en être convaincus!»

25. [Pharaon] dit à ceux qui l'entouraient: «N'entendez-vous pas?

26. [Moïse] continue: «...Votre Seigneur, et le Seigneur de vos plus anciens ancêtres».

27. «Vraiment, dit [Pharaon], votre messager qui vous a été envoyé, est un fou».

28. [Moïse] ajouta: «... Le Seigneur du Levant et du Couchant et de ce qui est entre les deux ; si seulement vous compreniez!»

29. «Si tu adoptes, dit [Pharaon], une autre divinité que moi, je te mettrai parmi les prisonniers».

30. «Et même si je t'apportais, dit [Moïse], une chose (une preuve) évidente?

31. «Apporte-la, dit [Pharaon], si tu es du nombre des véridiques».

32. [Moïse] jeta donc son bâton et le voilà devenu un serpent manifeste.

33. Et il tira sa main et voilà qu'elle était blanche (étincelante) à ceux qui regardaient.

34. [Pharaon] dit aux notables autour de lui: «Voilà en vérité un magicien savant.

35. Il veut par sa magie vous expulser de votre terre. que commandez-vous?»

36. Ils dirent: «Remets-les à plus tard, [lui] et son frère, et envoie des gens dans les villes, pour rassembler,

37. et t'amener tout grand magicien savant».

38. Les magiciens furent donc réunis en rendez-vous au jour convenu.

39. Et il fut dit aux gens: «Est-ce que vous allez vous réunir,

لَعَلَّنَا نَتَّبِعُ ٱلسَّحَرَةَ إِن كَانُواْ هُمُ ٱلْغَٰلِبِينَ ٤٠ فَلَمَّا جَآءَ ٱلسَّحَرَةُ

قَالُواْ لِفِرْعَوْنَ أَئِنَّ لَنَا لَأَجْرًا إِن كُنَّا نَحْنُ ٱلْغَٰلِبِينَ ٤١ قَالَ نَعَمْ

وَإِنَّكُمْ إِذًا لَّمِنَ ٱلْمُقَرَّبِينَ ٤٢ قَالَ لَهُم مُّوسَىٰٓ أَلْقُواْ مَآ أَنتُم مُّلْقُونَ

فَأَلْقَوْاْ حِبَالَهُمْ وَعِصِيَّهُمْ وَقَالُواْ بِعِزَّةِ فِرْعَوْنَ إِنَّا لَنَحْنُ

ٱلْغَٰلِبُونَ ٤٤ فَأَلْقَىٰ مُوسَىٰ عَصَاهُ فَإِذَا هِيَ تَلْقَفُ مَا يَأْفِكُونَ

فَأُلْقِيَ ٱلسَّحَرَةُ سَٰجِدِينَ ٤٦ قَالُوٓاْ ءَامَنَّا بِرَبِّ ٱلْعَٰلَمِينَ ٤٧

رَبِّ مُوسَىٰ وَهَٰرُونَ ٤٨ قَالَ ءَامَنتُمْ لَهُۥ قَبْلَ أَنْ ءَاذَنَ لَكُمْ إِنَّهُۥ

لَكَبِيرُكُمُ ٱلَّذِى عَلَّمَكُمُ ٱلسِّحْرَ فَلَسَوْفَ تَعْلَمُونَ لَأُقَطِّعَنَّ أَيْدِيَكُمْ

وَأَرْجُلَكُم مِّنْ خِلَٰفٍ وَلَأُصَلِّبَنَّكُمْ أَجْمَعِينَ ٤٩ قَالُواْ لَا ضَيْرَ إِنَّآ

إِلَىٰ رَبِّنَا مُنقَلِبُونَ ٥٠ إِنَّا نَطْمَعُ أَن يَغْفِرَ لَنَا رَبُّنَا خَطَٰيَٰنَآ أَن كُنَّآ

أَوَّلَ ٱلْمُؤْمِنِينَ ٥١ ۞ وَأَوْحَيْنَآ إِلَىٰ مُوسَىٰٓ أَنْ أَسْرِ بِعِبَادِىٓ إِنَّكُم

مُّتَّبَعُونَ ٥٢ فَأَرْسَلَ فِرْعَوْنُ فِى ٱلْمَدَآئِنِ حَٰشِرِينَ ٥٣ إِنَّ هَٰٓؤُلَآءِ

لَشِرْذِمَةٌ قَلِيلُونَ ٥٤ وَإِنَّهُمْ لَنَا لَغَآئِظُونَ ٥٥ وَإِنَّا لَجَمِيعٌ حَٰذِرُونَ

فَأَخْرَجْنَٰهُم مِّن جَنَّٰتٍ وَعُيُونٍ ٥٧ وَكُنُوزٍ وَمَقَامٍ كَرِيمٍ ٥٨

كَذَٰلِكَ وَأَوْرَثْنَٰهَا بَنِىٓ إِسْرَٰٓءِيلَ ٥٩ فَأَتْبَعُوهُم مُّشْرِقِينَ ٦٠

ثلاثة أرباع الحزب ٣٧

40. afin que nous suivions les magiciens, si ce sont eux les vainqueurs?»

41. Puis, lorsque les magiciens arrivèrent, ils dirent à Pharaon: «Y aura-t-il vraiment une récompense pour nous, si nous sommes les vainqueurs?»

42. Il dit: «Oui, bien sûr, vous serez alors parmi mes proches!

43. Moïse leur dit: «Jetez ce que vous avez à jeter».

44. Ils jetèrent donc leurs cordes et leurs bâtons et dirent: «Par la puissance de Pharaon!... C'est nous qui serons les vainqueurs».

45. Puis Moïse jeta son bâton, et voilà qu'il happait ce qu'ils avaient fabriqué.

46. Alors les magiciens tombèrent prosternés,

47. disant: «Nous croyons au Seigneur de l'univers,

48. Le Seigneur de Moïse et d'Aaron».

49. [Pharaon] dit: «Avez-vous cru en lui avant que je ne vous le permette? En vérité, c'est lui votre chef, qui vous a enseigné la magie! Eh bien, vous saurez bientôt! Je vous couperai, sûrement, mains et jambes opposées, et vous crucifierai tous».

50. Ils disent: «Il n'y a pas de mal! Car c'est vers notre Seigneur que nous retournerons.

51. Nous convoitons que notre Seigneur nous pardonne nos fautes pour avoir été les premiers à croire».

52. Et Nous révélâmes à Moïse [ceci]: «Pars de nuit avec Mes serviteurs, car vous serez poursuivis».

53. Puis, Pharaon envoya des rassembleurs [dire] dans les villes:

54. «Ce sont, en fait, une bande peu nombreuse,

55. mais ils nous irritent,

56. tandis que nous sommes tous vigilants».

57. Ainsi, Nous les fîmes donc sortir[1] des jardins, des sources,

58. des trésors et d'un lieu de séjour agréable.

59. Il en fut ainsi! Et Nous les donnâmes en héritage aux enfants d'Israël.

60. Au lever du soleil, ils les poursuivirent.

---

1. *Nous les fîmes sortir*: Pharaon et les siens afin qu'ils rejoignent Moïse et son peuple.

فَلَمَّا تَرَاءَا الْجَمْعَانِ قَالَ أَصْحَبُ مُوسَىٰٓ إِنَّا لَمُدْرَكُونَ ۝ قَالَ

كَلَّآ إِنَّ مَعِىَ رَبِّى سَيَهْدِينِ ۝ فَأَوْحَيْنَآ إِلَىٰ مُوسَىٰٓ أَنِ اضْرِب

بِّعَصَاكَ الْبَحْرَ فَانفَلَقَ فَكَانَ كُلُّ فِرْقٍ كَالطَّوْدِ الْعَظِيمِ ۝

وَأَزْلَفْنَا ثَمَّ الْأَخَرِينَ ۝ وَأَنجَيْنَا مُوسَىٰ وَمَن مَّعَهُۥٓ أَجْمَعِينَ ۝

ثُمَّ أَغْرَقْنَا الْأَخَرِينَ ۝ إِنَّ فِى ذَٰلِكَ لَأَيَةً وَمَا كَانَ أَكْثَرُهُم

مُّؤْمِنِينَ ۝ وَإِنَّ رَبَّكَ لَهُوَ الْعَزِيزُ الرَّحِيمُ ۝ وَاتْلُ عَلَيْهِمْ

نَبَأَ إِبْرَٰهِيمَ ۝ إِذْ قَالَ لِأَبِيهِ وَقَوْمِهِۦ مَا تَعْبُدُونَ ۝ قَالُوا

نَعْبُدُ أَصْنَامًا فَنَظَلُّ لَهَا عَٰكِفِينَ ۝ قَالَ هَلْ يَسْمَعُونَكُمْ إِذْ

تَدْعُونَ ۝ أَوْ يَنفَعُونَكُمْ أَوْ يَضُرُّونَ ۝ قَالُوا بَلْ وَجَدْنَآ ءَابَآءَنَا

كَذَٰلِكَ يَفْعَلُونَ ۝ قَالَ أَفَرَءَيْتُم مَّا كُنتُمْ تَعْبُدُونَ ۝ أَنتُمْ

وَءَابَآؤُكُمُ الْأَقْدَمُونَ ۝ فَإِنَّهُمْ عَدُوٌّ لِّىٓ إِلَّا رَبَّ الْعَٰلَمِينَ ۝

الَّذِى خَلَقَنِى فَهُوَ يَهْدِينِ ۝ وَالَّذِى هُوَ يُطْعِمُنِى وَيَسْقِينِ ۝

وَإِذَا مَرِضْتُ فَهُوَ يَشْفِينِ ۝ وَالَّذِى يُمِيتُنِى ثُمَّ

يُحْيِينِ ۝ وَالَّذِىٓ أَطْمَعُ أَن يَغْفِرَ لِى خَطِيٓـَٔتِى يَوْمَ الدِّينِ ۝

رَبِّ هَبْ لِى حُكْمًا وَأَلْحِقْنِى بِالصَّٰلِحِينَ ۝

61. Puis, quand les deux partis se virent, les compagnons de Moïse dirent: «Nous allons être rejoints».

62. Il dit: «Jamais, car j'ai avec moi mon Seigneur qui va me guider».

63. Alors Nous révélâmes à Moïse: «Frappe la mer de ton bâton». Elle se fendit alors, et chaque versant fut comme une énorme montagne.

64. Nous fîmes approcher les autres [Pharaon et son peuple].

65. Et Nous sauvâmes Moïse et tous ceux qui étaient avec lui ;

66. ensuite Nous noyâmes les autres.

67. Voilà bien là un prodige, mais la plupart d'entre eux ne croient pas.

68. Et ton Seigneur, c'est en vérité Lui le Tout Puissant, le Très Miséricordieux.

69. Et récite-leur la nouvelle d'Abraham:

70. Quand il dit à son père et à son peuple: «Qu'adorez-vous?»

71. Ils dirent: «Nous adorons des idoles et nous leurs restons attachés».

72. Il dit: «Vous entendent-elles lorsque vous [les] appelez?

73. Ou vous profitent-elles? Ou vous nuisent-elles?»

74. Ils dirent: «Non! Mais nous avons trouvé nos ancêtres agissant ainsi».

75. Il dit: «Que dites-vous de ce que vous adoriez...?

76. Vous et vos vieux ancêtres?

77. Ils sont tous pour moi des ennemis sauf le Seigneur de l'univers,

78. qui m'a créé, et c'est Lui qui me guide ;

79. et c'est Lui qui me nourrit et me donne à boire ;

80. et quand je suis malade, c'est Lui qui me guérit,

81. et qui me fera mourir, puis me redonnera la vie,

82. et c'est de Lui que je convoite le pardon de mes fautes le Jour de la Rétribution.

83. Seigneur, accorde-moi sagesse (et savoir) et fais-moi rejoindre les gens de bien ;

وَاجْعَل لِّي لِسَانَ صِدْقٍ فِي ٱلْءَاخِرِينَ ۝ وَٱجْعَلْنِي مِن وَرَثَةِ جَنَّةِ ٱلنَّعِيمِ ۝ وَٱغْفِرْ لِأَبِي إِنَّهُۥ كَانَ مِنَ ٱلضَّآلِّينَ ۝ وَلَا تُخْزِنِي يَوْمَ يُبْعَثُونَ ۝ يَوْمَ لَا يَنفَعُ مَالٌ وَلَا بَنُونَ ۝ إِلَّا مَنْ أَتَى ٱللَّهَ بِقَلْبٍ سَلِيمٍ ۝ وَأُزْلِفَتِ ٱلْجَنَّةُ لِلْمُتَّقِينَ ۝ وَبُرِّزَتِ ٱلْجَحِيمُ لِلْغَاوِينَ ۝ وَقِيلَ لَهُمْ أَيْنَ مَا كُنتُمْ تَعْبُدُونَ ۝ مِن دُونِ ٱللَّهِ هَلْ يَنصُرُونَكُمْ أَوْ يَنتَصِرُونَ ۝ فَكُبْكِبُوا۟ فِيهَا هُمْ وَٱلْغَاوُۥنَ ۝ وَجُنُودُ إِبْلِيسَ أَجْمَعُونَ ۝ قَالُوا۟ وَهُمْ فِيهَا يَخْتَصِمُونَ ۝ تَٱللَّهِ إِن كُنَّا لَفِي ضَلَٰلٍ مُّبِينٍ ۝ إِذْ نُسَوِّيكُم بِرَبِّ ٱلْعَٰلَمِينَ ۝ وَمَآ أَضَلَّنَآ إِلَّا ٱلْمُجْرِمُونَ ۝ فَمَا لَنَا مِن شَٰفِعِينَ ۝ وَلَا صَدِيقٍ حَمِيمٍ ۝ فَلَوْ أَنَّ لَنَا كَرَّةً فَنَكُونَ مِنَ ٱلْمُؤْمِنِينَ ۝ إِنَّ فِي ذَٰلِكَ لَءَايَةً وَمَا كَانَ أَكْثَرُهُم مُّؤْمِنِينَ ۝ وَإِنَّ رَبَّكَ لَهُوَ ٱلْعَزِيزُ ٱلرَّحِيمُ ۝ كَذَّبَتْ قَوْمُ نُوحٍ ٱلْمُرْسَلِينَ ۝ إِذْ قَالَ لَهُمْ أَخُوهُمْ نُوحٌ أَلَا تَتَّقُونَ ۝ إِنِّي لَكُمْ رَسُولٌ أَمِينٌ ۝ فَٱتَّقُوا۟ ٱللَّهَ وَأَطِيعُونِ ۝ وَمَآ أَسْـَٔلُكُمْ عَلَيْهِ مِنْ أَجْرٍ إِنْ أَجْرِيَ إِلَّا عَلَىٰ رَبِّ ٱلْعَٰلَمِينَ ۝ فَٱتَّقُوا۟ ٱللَّهَ وَأَطِيعُونِ ۝ قَالُوٓا۟ أَنُؤْمِنُ لَكَ وَٱتَّبَعَكَ ٱلْأَرْذَلُونَ ۝

84. fais que j'aie une mention honorable sur les langues de la postérité,

85. et fais de moi l'un des héritiers du Jardin des délices.

86. et pardonne à mon père: car il a été du nombre des égarés ;

87. et ne me couvre pas d'ignominie, le jour où l'on sera ressuscité,

88. le jour où ni les biens, ni les enfants ne seront d'aucune utilité,

89. sauf celui qui vient à Allāh avec un cœur sain».

90. On rapprochera alors le Paradis pour le pieux.

91. et l'on exposera aux errants la Fournaise,

92. et on leur dira: «Où sont ceux que vous adoriez,

93. en dehors d'Allāh? Vous secourent-ils? Ou se secourent-ils eux-mêmes?»

94. Ils y seront donc jetés pêle-mêle, et les errants aussi,

95. ainsi que toutes les légions d'Iblis.

96. Ils diront, tout en s'y querellant:

97. «Par Allāh! Nous étions certes dans un égarement évident,

98. quand nous faisions de vous les égaux du Seigneur de l'univers.

99. Ce ne sont que les criminels qui nous ont égarés.

100. Et nous n'avons pas d'intercesseurs,

101. ni d'ami chaleureux.

102. Si un retour nous était possible, alors nous serions parmi les croyants!»

103. Voilà bien là un signe ; cependant, la plupart d'entre eux ne croient pas.

104. Et ton Seigneur, c'est Lui vraiment le Puissant, le Très Miséricordieux.

105. Le peuple de Noé traita de menteurs les Messagers,

106. lorsque Noé, leur frère, (contribue) leur dit: «Ne craindrez-vous pas [Allāh]?

107. Je suis pour vous un messager digne de confiance.

108. Craignez Allāh donc et obéissez-moi.

109. Et je ne vous demande pas de salaire pour cela ; mon salaire n'incombe qu'au Seigneur de l'univers.

110. Craignez Allāh donc, et obéissez-moi».

111. Ils dirent: «Croirons-nous en toi, alors que ce sont les plus vils qui te suivent?»

قَالَ وَمَا عِلْمِى بِمَا كَانُوا يَعْمَلُونَ ۞ إِنْ حِسَابُهُمْ إِلَّا عَلَىٰ رَبِّى لَوْ تَشْعُرُونَ ۞ وَمَا أَنَا بِطَارِدِ الْمُؤْمِنِينَ ۞ إِنْ أَنَا إِلَّا نَذِيرٌ مُّبِينٌ ۞ قَالُوا لَئِن لَّمْ تَنتَهِ يَٰنُوحُ لَتَكُونَنَّ مِنَ الْمَرْجُومِينَ ۞ قَالَ رَبِّ إِنَّ قَوْمِى كَذَّبُونِ ۞ فَافْتَحْ بَيْنِى وَبَيْنَهُمْ فَتْحًا وَنَجِّنِى وَمَن مَّعِىَ مِنَ الْمُؤْمِنِينَ ۞ فَأَنجَيْنَٰهُ وَمَن مَّعَهُ فِى الْفُلْكِ الْمَشْحُونِ ۞ ثُمَّ أَغْرَقْنَا بَعْدُ الْبَاقِينَ ۞ إِنَّ فِى ذَٰلِكَ لَآيَةً وَمَا كَانَ أَكْثَرُهُم مُّؤْمِنِينَ ۞ وَإِنَّ رَبَّكَ لَهُوَ الْعَزِيزُ الرَّحِيمُ ۞ كَذَّبَتْ عَادٌ الْمُرْسَلِينَ ۞ إِذْ قَالَ لَهُمْ أَخُوهُمْ هُودٌ أَلَا تَتَّقُونَ ۞ إِنِّى لَكُمْ رَسُولٌ أَمِينٌ ۞ فَاتَّقُوا اللَّهَ وَأَطِيعُونِ ۞ وَمَا أَسْـَٔلُكُمْ عَلَيْهِ مِنْ أَجْرٍ إِنْ أَجْرِىَ إِلَّا عَلَىٰ رَبِّ الْعَٰلَمِينَ ۞ أَتَبْنُونَ بِكُلِّ رِيعٍ ءَايَةً تَعْبَثُونَ ۞ وَتَتَّخِذُونَ مَصَانِعَ لَعَلَّكُمْ تَخْلُدُونَ ۞ وَإِذَا بَطَشْتُم بَطَشْتُمْ جَبَّارِينَ ۞ فَاتَّقُوا اللَّهَ وَأَطِيعُونِ ۞ وَاتَّقُوا الَّذِى أَمَدَّكُم بِمَا تَعْلَمُونَ ۞ أَمَدَّكُم بِأَنْعَٰمٍ وَبَنِينَ ۞ وَجَنَّٰتٍ وَعُيُونٍ ۞ إِنِّى أَخَافُ عَلَيْكُمْ عَذَابَ يَوْمٍ عَظِيمٍ ۞ قَالُوا سَوَآءٌ عَلَيْنَآ أَوَعَظْتَ أَمْ لَمْ تَكُن مِّنَ الْوَٰعِظِينَ ۞

112. Il dit: «Je ne sais pas ce que ceux-là faisaient.

113. Leur compte n'incombe qu'à mon Seigneur. Si seulement vous êtes conscients.

114. Je ne suis pas celui qui repousse les croyants.

115. Je ne suis qu'un avertisseur explicite».

116. Ils dirent: «Si tu ne cesses pas, Noé, tu seras certainement du nombre des lapidés!»

117. Il dit: «Ô mon Seigneur, mon peuple me traite de menteur.

118. Tranche donc clairement entre eux et moi ; et sauve-moi ainsi que ceux des croyants qui sont avec moi».

119. Nous le sauvâmes donc, de même que ceux qui étaient avec lui dans l'arche, pleinement chargée.

120. Et ensuite nous noyâmes le reste (les infidèles).

121. Voilà bien là un signe. Cependant, la plupart d'entre eux ne croient pas.

122. Et Ton Seigneur, c'est lui vraiment le Puissant, le Très Miséricordieux.

123. Les ʿĀd traitèrent de menteurs les Envoyés.

124. Et quand Hūd, leur frère (contribule), leur dit: «Ne craindrez-vous pas [Allāh]?»

125. Je suis pour vous un messager digne de confiance,

126. Craignez Allāh donc et obéissez-moi.

127. Et je ne vous demande pas de salaire pour cela ; mon salaire n'incombe qu'au Seigneur de l'univers.

128. Bâtissez-vous par frivolité sur chaque colline un monument?

129. Et édifiez-vous des châteaux comme si vous deviez demeurer éternellement?

130. Et quand vous sévissez contre quelqu'un, vous le faites impitoyablement.

131. Craignez Allāh donc et obéissez-moi.

132. Craignez Celui qui vous a pourvus de [toutes les bonnes choses] que vous connaissez,

133. qui vous a pourvus de bestiaux et d'enfants,

134. de jardins et de sources.

135. Je crains pour vous le châtiment d'un Jour terrible».

136. Ils dirent: «Que tu nous exhortes ou pas, cela nous est parfaitement égal!

إِنْ هَـٰذَآ إِلَّا خُلُقُ ٱلْأَوَّلِينَ ۝ وَمَا نَحْنُ بِمُعَذَّبِينَ ۝ فَكَذَّبُوهُ فَأَهْلَكْنَـٰهُمْ ۗ إِنَّ فِى ذَٰلِكَ لَآيَةً ۖ وَمَا كَانَ أَكْثَرُهُم مُّؤْمِنِينَ ۝ وَإِنَّ رَبَّكَ لَهُوَ ٱلْعَزِيزُ ٱلرَّحِيمُ ۝ كَذَّبَتْ ثَمُودُ ٱلْمُرْسَلِينَ ۝ إِذْ قَالَ لَهُمْ أَخُوهُمْ صَـٰلِحٌ أَلَا تَتَّقُونَ ۝ إِنِّى لَكُمْ رَسُولٌ أَمِينٌ ۝ فَٱتَّقُوا۟ ٱللَّهَ وَأَطِيعُونِ ۝ وَمَآ أَسْـَٔلُكُمْ عَلَيْهِ مِنْ أَجْرٍ ۖ إِنْ أَجْرِىَ إِلَّا عَلَىٰ رَبِّ ٱلْعَـٰلَمِينَ ۝ أَتُتْرَكُونَ فِى مَا هَـٰهُنَآ ءَامِنِينَ ۝ فِى جَنَّـٰتٍ وَعُيُونٍ ۝ وَزُرُوعٍ وَنَخْلٍ طَلْعُهَا هَضِيمٌ ۝ وَتَنْحِتُونَ مِنَ ٱلْجِبَالِ بُيُوتًا فَـٰرِهِينَ ۝ فَٱتَّقُوا۟ ٱللَّهَ وَأَطِيعُونِ ۝ وَلَا تُطِيعُوٓا۟ أَمْرَ ٱلْمُسْرِفِينَ ۝ ٱلَّذِينَ يُفْسِدُونَ فِى ٱلْأَرْضِ وَلَا يُصْلِحُونَ ۝ قَالُوٓا۟ إِنَّمَآ أَنتَ مِنَ ٱلْمُسَحَّرِينَ ۝ مَآ أَنتَ إِلَّا بَشَرٌ مِّثْلُنَا فَأْتِ بِـَٔايَةٍ إِن كُنتَ مِنَ ٱلصَّـٰدِقِينَ ۝ قَالَ هَـٰذِهِۦ نَاقَةٌ لَّهَا شِرْبٌ وَلَكُمْ شِرْبُ يَوْمٍ مَّعْلُومٍ ۝ وَلَا تَمَسُّوهَا بِسُوٓءٍ فَيَأْخُذَكُمْ عَذَابُ يَوْمٍ عَظِيمٍ ۝ فَعَقَرُوهَا فَأَصْبَحُوا۟ نَـٰدِمِينَ ۝ فَأَخَذَهُمُ ٱلْعَذَابُ ۗ إِنَّ فِى ذَٰلِكَ لَآيَةً ۖ وَمَا كَانَ أَكْثَرُهُم مُّؤْمِنِينَ ۝ وَإِنَّ رَبَّكَ لَهُوَ ٱلْعَزِيزُ ٱلرَّحِيمُ ۝

137. Ce ne sont là que des mœurs des anciens:

138. Nous ne serons nullement châtiés».

139. Ils le traitèrent donc de menteur. Et nous les fîmes périr. Voilà bien là un signe! Cependant, la plupart d'entre eux ne croient pas.

140. Et Ton Seigneur, c'est Lui vraiment le Puissant, le Très Miséricordieux.

141. Les Ṯamūd traitèrent de menteurs les Messagers.

142. Quand Ṣāliḥ, leur frère (contribule) leur dit: «Ne craindrez-vous pas [Allāh]?»

143. Je suis pour vous un messager digne de confiance.

144. Craignez Allāh donc et obéissez-moi.

145. Je ne vous demande pas de salaire pour cela, mon salaire n'incombe qu'au Seigneur de l'univers.

146. Vous laissera-t-on en sécurité dans votre présente condition?

147. Au milieu de jardins, de sources,

148. de cultures et de palmiers aux fruits digestes?

149. Creusez-vous habilement des maisons dans les montagnes?

150. Craignez Allāh donc et obéissez-moi.

151. N'obéissez pas à l'ordre des outranciers,

152. qui sèment le désordre sur la terre et n'améliorent rien».

153. Ils dirent: «Tu n'es qu'un ensorcelé.

154. Tu n'es qu'un homme comme nous. Apporte donc un prodige, si tu es du nombre des véridiques».

155. Il dit: «Voici une chamelle: à elle de boire un jour convenu, et à vous de boire un jour[1].

156. Et ne lui infligez aucun mal, sinon le châtiment d'un jour terrible vous saisira».

157. Mais ils la tuèrent. Eh bien, ils eurent à regretter!

158. Le châtiment, en effet, les saisit. Voilà bien là un prodige. Cependant, la plupart d'entre eux ne croient pas.

159. Et ton Seigneur, c'est en vérité Lui le Tout-Puissant, le Très Miséricordieux.

---

1. *Un jour convenu*: un jour est réservé au breuvage de la chamelle, et un autre aux gens de la cité.

كَذَّبَتْ قَوْمُ لُوطٍ ٱلْمُرْسَلِينَ ۝ إِذْ قَالَ لَهُمْ أَخُوهُمْ لُوطٌ أَلَا تَتَّقُونَ ۝ إِنِّي لَكُمْ رَسُولٌ أَمِينٌ ۝ فَٱتَّقُوا۟ ٱللَّهَ وَأَطِيعُونِ ۝ وَمَآ أَسْـَٔلُكُمْ عَلَيْهِ مِنْ أَجْرٍ إِنْ أَجْرِيَ إِلَّا عَلَىٰ رَبِّ ٱلْعَٰلَمِينَ ۝ أَتَأْتُونَ ٱلذُّكْرَانَ مِنَ ٱلْعَٰلَمِينَ ۝ وَتَذَرُونَ مَا خَلَقَ لَكُمْ رَبُّكُم مِّنْ أَزْوَٰجِكُم بَلْ أَنتُمْ قَوْمٌ عَادُونَ ۝ قَالُوا۟ لَئِن لَّمْ تَنتَهِ يَٰلُوطُ لَتَكُونَنَّ مِنَ ٱلْمُخْرَجِينَ ۝ قَالَ إِنِّي لِعَمَلِكُم مِّنَ ٱلْقَالِينَ ۝ رَبِّ نَجِّنِى وَأَهْلِى مِمَّا يَعْمَلُونَ ۝ فَنَجَّيْنَٰهُ وَأَهْلَهُۥٓ أَجْمَعِينَ ۝ إِلَّا عَجُوزًا فِى ٱلْغَٰبِرِينَ ۝ ثُمَّ دَمَّرْنَا ٱلْءَاخَرِينَ ۝ وَأَمْطَرْنَا عَلَيْهِم مَّطَرًا فَسَآءَ مَطَرُ ٱلْمُنذَرِينَ ۝ إِنَّ فِى ذَٰلِكَ لَءَايَةً وَمَا كَانَ أَكْثَرُهُم مُّؤْمِنِينَ ۝ وَإِنَّ رَبَّكَ لَهُوَ ٱلْعَزِيزُ ٱلرَّحِيمُ ۝ كَذَّبَ أَصْحَٰبُ لْـَٔيْكَةِ ٱلْمُرْسَلِينَ ۝ إِذْ قَالَ لَهُمْ شُعَيْبٌ أَلَا تَتَّقُونَ ۝ إِنِّي لَكُمْ رَسُولٌ أَمِينٌ ۝ فَٱتَّقُوا۟ ٱللَّهَ وَأَطِيعُونِ ۝ وَمَآ أَسْـَٔلُكُمْ عَلَيْهِ مِنْ أَجْرٍ إِنْ أَجْرِيَ إِلَّا عَلَىٰ رَبِّ ٱلْعَٰلَمِينَ ۝ أَوْفُوا۟ ٱلْكَيْلَ وَلَا تَكُونُوا۟ مِنَ ٱلْمُخْسِرِينَ ۝ وَزِنُوا۟ بِٱلْقِسْطَاسِ ٱلْمُسْتَقِيمِ ۝ وَلَا تَبْخَسُوا۟ ٱلنَّاسَ أَشْيَآءَهُمْ وَلَا تَعْثَوْا۟ فِى ٱلْأَرْضِ مُفْسِدِينَ ۝

ربع
الحزب
٣٨

160. Le peuple de Lot traita de menteurs les Messagers,

161. quand leur frère Lot leur dit: «Ne craindrez-vous pas [Allāh]?

162. Je suis pour vous un messager digne de confiance.

163. Craignez Allāh donc et obéissez-moi.

164. Je ne vous demande pas de salaire pour cela ; mon salaire n'incombe qu'au Seigneur de l'univers.

165. Accomplissez-vous l'acte charnel avec les mâles de ce monde?

166. Et délaissez-vous les épouses que votre Seigneur a créées pour vous? Mais vous n'êtes que des gens transgresseurs».

167. Ils dirent: «Si tu ne cesses pas, Lot, tu seras certainement du nombre des expulsés».

168. Il dit: «Je déteste vraiment ce que vous faites.

169. Seigneur, sauve-moi ainsi que ma famille de ce qu'ils font».

170. Nous le sauvâmes alors, lui et toute sa famille,

171. sauf une vieille qui fut parmi les exterminés.

172. Puis Nous détruisîmes les autres ;

173. et Nous fîmes pleuvoir sur eux une pluie (de pierres). Et quelle pluie fatale pour ceux qui sont avertis!

174. Voilà bien là un prodige. Cependant, la plupart d'entre eux ne croient pas.

175. Et ton Seigneur, c'est en vérité Lui le Tout Puissant, le Très Miséricordieux.

176. Les gens d'Al-Aïka traitèrent de menteurs les Messagers[1].

177. Lorsque Šuʿayb leur dit: «Ne craindrez-vous pas [Allāh]».

178. Je suis pour vous un messager digne de confiance.

179. Craignez Allāh donc et obéissez-moi,

180. et je ne vous demande pas de salaire pour cela ; mon salaire n'incombe qu'au Seigneur de l'univers.

181. Donnez la pleine mesure et n'en faites rien perdre [aux gens].

182. Et pesez avec une balance exacte.

183. Ne donnez pas aux gens moins que leur dû ; et ne commettez pas de désordre et de corruption sur terre.

---

1. *Al-Aïka*: le buisson. Il s'agit ici de Madyan.

وَاتَّقُواْ الَّذِى خَلَقَكُمْ وَالْجِبِلَّةَ الْأَوَّلِينَ ۝ قَالُوٓاْ إِنَّمَآ أَنتَ مِنَ الْمُسَحَّرِينَ ۝ وَمَآ أَنتَ إِلَّا بَشَرٌ مِّثْلُنَا وَإِن نَّظُنُّكَ لَمِنَ الْكَـٰذِبِينَ ۝ فَأَسْقِطْ عَلَيْنَا كِسَفًا مِّنَ السَّمَآءِ إِن كُنتَ مِنَ الصَّـٰدِقِينَ ۝ قَالَ رَبِّىٓ أَعْلَمُ بِمَا تَعْمَلُونَ ۝ فَكَذَّبُوهُ فَأَخَذَهُمْ عَذَابُ يَوْمِ الظُّلَّةِ إِنَّهُۥ كَانَ عَذَابَ يَوْمٍ عَظِيمٍ ۝ إِنَّ فِى ذَٰلِكَ لَءَايَةً وَمَا كَانَ أَكْثَرُهُم مُّؤْمِنِينَ ۝ وَإِنَّ رَبَّكَ لَهُوَ الْعَزِيزُ الرَّحِيمُ ۝ وَإِنَّهُۥ لَتَنزِيلُ رَبِّ الْعَـٰلَمِينَ ۝ نَزَلَ بِهِ الرُّوحُ الْأَمِينُ ۝ عَلَىٰ قَلْبِكَ لِتَكُونَ مِنَ الْمُنذِرِينَ ۝ بِلِسَانٍ عَرَبِىٍّ مُّبِينٍ ۝ وَإِنَّهُۥ لَفِى زُبُرِ الْأَوَّلِينَ ۝ أَوَلَمْ يَكُن لَّهُمْ ءَايَةً أَن يَعْلَمَهُۥ عُلَمَـٰٓؤُاْ بَنِىٓ إِسْرَٰٓءِيلَ ۝ وَلَوْ نَزَّلْنَـٰهُ عَلَىٰ بَعْضِ الْأَعْجَمِينَ ۝ فَقَرَأَهُۥ عَلَيْهِم مَّا كَانُواْ بِهِۦ مُؤْمِنِينَ ۝ كَذَٰلِكَ سَلَكْنَـٰهُ فِى قُلُوبِ الْمُجْرِمِينَ ۝ لَا يُؤْمِنُونَ بِهِۦ حَتَّىٰ يَرَوُاْ الْعَذَابَ الْأَلِيمَ ۝ فَيَأْتِيَهُم بَغْتَةً وَهُمْ لَا يَشْعُرُونَ ۝ فَيَقُولُواْ هَلْ نَحْنُ مُنظَرُونَ ۝ أَفَبِعَذَابِنَا يَسْتَعْجِلُونَ ۝ أَفَرَءَيْتَ إِن مَّتَّعْنَـٰهُمْ سِنِينَ ۝ ثُمَّ جَآءَهُم مَّا كَانُواْ يُوعَدُونَ ۝

184. Et craignez Celui qui vous a créé, vous et les. anciennes générations».

185. Ils dirent: «Tu es certes du nombre des ensorcelés ;

186. Tu n'es qu'un homme comme nous ; et vraiment nous pensons que tu es du nombre des menteurs.

187. Fais donc tomber sur nous des morceaux du ciel si tu es du nombre des véridiques!»

188. Il dit: «Mon Seigneur sait mieux ce que vous faites».

189. Mais ils le traitèrent de menteur. Alors, le châtiment du jour de l'Ombre[1] les saisit. Ce fut le châtiment d'un jour terrible.

190. Voilà bien là un prodige. Cependant, la plupart d'entre eux ne croient pas.

191. Et ton Seigneur, c'est en vérité Lui le Tout Puissant, le Très Miséricordieux.

192. Ce (Qurʾān) ci, c'est le Seigneur de l'univers qui l'a fait descendre,

193. et l'Esprit fidèle[2] est descendu avec cela

194. sur ton cœur, pour que tu sois du nombre des avertisseurs,

195. en une langue arabe très claire.

196. Et ceci était déjà mentionné dans les Ecrits des anciens (envoyés).

197. N'est-ce pas pour eux un signe, que les savants des Enfants d'Israël le sachent?

198. Si Nous l'avions fait descendre sur quelqu'un des non-Arabes,

199. et que celui-ci le leur eut récité, ils n'y auraient pas cru.

200. Ainsi l'avons Nous fait pénétrer [le doute] dans les cœurs des criminels ;

201. mais ils n'y [le Qurʾān] croiront pas avant de voir le châtiment douloureux,

202. qui viendra sur eux soudain, sans qu'ils s'en rendent compte ;

203. alors ils diront: «Est-ce qu'on va nous donner du répit?»

204. Est-ce qu'ils cherchent à hâter Notre châtiment?

205. Vois-tu si Nous leur permettions de jouir, des années durant,

206. et qu'ensuite leur arrive ce dont on les menaçait,

---

1. *L'ombre*: un nuage épais et noir les couvrit. En le voyant, ils se sont abrités en dessous pour se rafraîchir, mais ce fut un nuage de feu qui les brûla.
2. *L'Esprit fidèle*: littér: l'Esprit sûr, ou digne de confiance (Gabriel, l'Ange porteur de la Révélation).

مَآ أَغْنَىٰ عَنْهُم مَّا كَانُوا۟ يُمَتَّعُونَ ۝ وَمَآ أَهْلَكْنَا مِن قَرْيَةٍ إِلَّا
لَهَا مُنذِرُونَ ۝ ذِكْرَىٰ وَمَا كُنَّا ظَٰلِمِينَ ۝ وَمَا تَنَزَّلَتْ بِهِ
ٱلشَّيَٰطِينُ ۝ وَمَا يَنۢبَغِى لَهُمْ وَمَا يَسْتَطِيعُونَ ۝ إِنَّهُمْ
عَنِ ٱلسَّمْعِ لَمَعْزُولُونَ ۝ فَلَا تَدْعُ مَعَ ٱللَّهِ إِلَٰهًا ءَاخَرَ فَتَكُونَ
مِنَ ٱلْمُعَذَّبِينَ ۝ وَأَنذِرْ عَشِيرَتَكَ ٱلْأَقْرَبِينَ ۝ وَٱخْفِضْ
جَنَاحَكَ لِمَنِ ٱتَّبَعَكَ مِنَ ٱلْمُؤْمِنِينَ ۝ فَإِنْ عَصَوْكَ فَقُلْ إِنِّى
بَرِىٓءٌ مِّمَّا تَعْمَلُونَ ۝ وَتَوَكَّلْ عَلَى ٱلْعَزِيزِ ٱلرَّحِيمِ ۝ ٱلَّذِى
يَرَىٰكَ حِينَ تَقُومُ ۝ وَتَقَلُّبَكَ فِى ٱلسَّٰجِدِينَ ۝ إِنَّهُۥ هُوَ ٱلسَّمِيعُ
ٱلْعَلِيمُ ۝ هَلْ أُنَبِّئُكُمْ عَلَىٰ مَن تَنَزَّلُ ٱلشَّيَٰطِينُ ۝ تَنَزَّلُ عَلَىٰ
كُلِّ أَفَّاكٍ أَثِيمٍ ۝ يُلْقُونَ ٱلسَّمْعَ وَأَكْثَرُهُمْ كَٰذِبُونَ ۝
وَٱلشُّعَرَآءُ يَتَّبِعُهُمُ ٱلْغَاوُۥنَ ۝ أَلَمْ تَرَ أَنَّهُمْ فِى كُلِّ وَادٍ
يَهِيمُونَ ۝ وَأَنَّهُمْ يَقُولُونَ مَا لَا يَفْعَلُونَ ۝ إِلَّا ٱلَّذِينَ
ءَامَنُوا۟ وَعَمِلُوا۟ ٱلصَّٰلِحَٰتِ وَذَكَرُوا۟ ٱللَّهَ كَثِيرًا وَٱنتَصَرُوا۟ مِنۢ
بَعْدِ مَا ظُلِمُوا۟ وَسَيَعْلَمُ ٱلَّذِينَ ظَلَمُوٓا۟ أَىَّ مُنقَلَبٍ يَنقَلِبُونَ ۝

سورة النمل

207. les jouissances qu'on leur a permises ne leur serviraient à rien.

208. Et Nous ne faisons pas périr de cité avant qu'elle n'ait eu des avertisseurs,

209. [à titre de] rappel, et Nous ne sommes pas injuste.

210. Et ce ne sont point les diables qui sont descendus avec ceci (le Qurʾān):

211. cela ne leur convient pas ; et ils n'auraient pu le faire.

212. Car ils sont écartés de toute écoute (du message divin).

213. N'invoque donc pas une autre divinité avec Allāh, sinon tu seras du nombre des châtiés.

214. Et avertis les gens qui te sont les plus proches.

215. Et abaisse ton aile [sois bienveillant] pour les croyants qui te suivent.

216. Mais s'ils te désobéissent, dis-leur: «Moi, je désavoue ce que vous faites».

217. Et place ta confiance dans le Tout Puissant, le Très Miséricordieux,

218. qui te voit quand tu te lèves[1],

219. et (voit) tes gestes parmi ceux qui se prosternent.

220. C'est Lui vraiment, l'Audient, l'Omniscient.

221. Vous apprendrai-Je sur qui les diables descendent?

222. Ils descendent sur tout calomniateur, pécheur.

223. Ils tendent l'oreille... Cependant, la plupart d'entre eux sont menteurs.

224. Et quant aux poètes, ce sont les égarés qui les suivent.

225. Ne vois-tu pas qu'ils divaguent dans chaque vallée,

226. et qu'ils disent ce qu'ils ne font pas?

227. à part ceux qui croient et font de bonnes œuvres, qui invoquent souvent le nom d'Allāh et se défendent contre les torts qu'on leur fait. Les injustes verront bientôt le revirement qu'ils [éprouveront]![2]

---

1. Qui te voit quand tu te lèves: seul pour prier.
2. «Les bons poètes se défendent par la poésie contre les injures et les attaques injustes. Il s'agit plutôt des poèmes composés en réponse aux satires anti-islāmiques par les poètes païens. Muḥammad (ﷺ) disait de son poète Ḥassān: «Quand il compose des poèmes pour la cause de l'Islām, Allāh l'aide par l'Esprit de sainteté, et ses poèmes sont plus durs aux païens que les flèches».

بِسْمِ ٱللَّهِ ٱلرَّحْمَٰنِ ٱلرَّحِيمِ

طسٓ ۚ تِلْكَ ءَايَٰتُ ٱلْقُرْءَانِ وَكِتَابٍ مُّبِينٍ ۝ هُدًى وَبُشْرَىٰ

لِلْمُؤْمِنِينَ ۝ ٱلَّذِينَ يُقِيمُونَ ٱلصَّلَوٰةَ وَيُؤْتُونَ ٱلزَّكَوٰةَ وَهُم

بِٱلْءَاخِرَةِ هُمْ يُوقِنُونَ ۝ إِنَّ ٱلَّذِينَ لَا يُؤْمِنُونَ بِٱلْءَاخِرَةِ زَيَّنَّا لَهُمْ

أَعْمَٰلَهُمْ فَهُمْ يَعْمَهُونَ ۝ أُوْلَٰٓئِكَ ٱلَّذِينَ لَهُمْ سُوٓءُ ٱلْعَذَابِ

وَهُمْ فِى ٱلْءَاخِرَةِ هُمُ ٱلْأَخْسَرُونَ ۝ وَإِنَّكَ لَتُلَقَّى ٱلْقُرْءَانَ مِن

لَّدُنْ حَكِيمٍ عَلِيمٍ ۝ إِذْ قَالَ مُوسَىٰ لِأَهْلِهِۦٓ إِنِّىٓ ءَانَسْتُ نَارًا سَـَٔاتِيكُم

مِّنْهَا بِخَبَرٍ أَوْ ءَاتِيكُم بِشِهَابٍ قَبَسٍ لَّعَلَّكُمْ تَصْطَلُونَ ۝ فَلَمَّا

جَآءَهَا نُودِىَ أَنۢ بُورِكَ مَن فِى ٱلنَّارِ وَمَنْ حَوْلَهَا وَسُبْحَٰنَ ٱللَّهِ رَبِّ

ٱلْعَٰلَمِينَ ۝ يَٰمُوسَىٰٓ إِنَّهُۥٓ أَنَا ٱللَّهُ ٱلْعَزِيزُ ٱلْحَكِيمُ ۝ وَأَلْقِ عَصَاكَ ۚ

فَلَمَّا رَءَاهَا تَهْتَزُّ كَأَنَّهَا جَآنٌّ وَلَّىٰ مُدْبِرًا وَلَمْ يُعَقِّبْ ۚ يَٰمُوسَىٰ لَا تَخَفْ

إِنِّى لَا يَخَافُ لَدَىَّ ٱلْمُرْسَلُونَ ۝ إِلَّا مَن ظَلَمَ ثُمَّ بَدَّلَ حُسْنًۢا بَعْدَ

سُوٓءٍ فَإِنِّى غَفُورٌ رَّحِيمٌ ۝ وَأَدْخِلْ يَدَكَ فِى جَيْبِكَ تَخْرُجْ بَيْضَآءَ

مِنْ غَيْرِ سُوٓءٍ ۖ فِى تِسْعِ ءَايَٰتٍ إِلَىٰ فِرْعَوْنَ وَقَوْمِهِۦٓ ۚ إِنَّهُمْ كَانُوا۟ قَوْمًا فَٰسِقِينَ

۝ فَلَمَّا جَآءَتْهُمْ ءَايَٰتُنَا مُبْصِرَةً قَالُوا۟ هَٰذَا سِحْرٌ مُّبِينٌ ۝

AN-NAML (LES FOURMIS)[1]
sourate 27 93 versets Pré-hégirien n°48

Au nom d'Allāh, le Tout Miséricordieux, le Très Miséricordieux.

1. Ṭā, Sīn[2]. Voici les versets du Qur'ān et d'un Livre explicite,

2. un guide et une bonne annonce aux croyants,

3. qui accomplissent la Ṣalāt, acquittent la Zakāt et croient avec certitude en l'au-delà.

4. Quant à ceux qui ne croient pas en l'au-delà, Nous embellissons [à leurs yeux] leurs actions, et alors ils deviennent confus et hésitants.

5. Ce sont eux qui subiront le pire châtiment, tandis qu'ils seront dans l'au-delà les plus grands perdants.

6. Certes c'est toi qui reçois le Qur'ān, de la part d'un Sage, d'un Savant.

7. (Rappelle) quand Moïse dit à sa famille: «J'ai aperçu un feu ; je vais vous en apporter des nouvelles, ou bien je vous apporterai un tison allumé afin que vous vous réchauffiez».

8. Lorsqu'il y arriva, on l'appela, - béni soit Celui qui est dans le feu[3] et Celui qui est tout autour, et gloire à Allāh, Seigneur de l'univers.

9. «Ô Moïse, c'est Moi, Allāh le Tout Puissant, le Sage».

10. Et: «Jette ton bâton». Quand il le vit remuer comme un serpent, il tourna le dos [pour fuir] sans revenir sur ses pas. «N'aie pas peur, Moïse. Les Messagers n'ont point peur auprès de Moi.

11. Sauf celui qui a commis une injustice puis a remplacé le mal par le bien... alors Je suis Pardonneur et Miséricordieux».

12. Et introduit ta main dans l'ouverture de ta tunique. Elle sortira blanche et sans aucun mal - un des neuf prodiges à Pharaon et à son peuple, car ils sont vraiment des gens pervers» - .

13. Et lorsque Nos prodiges leur parvinrent, clairs et explicites, ils dirent: «C'est là une magie évidente!»

---

1. Titre tiré du v. 18.
2. Cf. note à S. 2,v. 1.
3. *Celui qui est dans le feu*: le feu fut la Lumière d'Allāh. Autre interp. celui qui est dans le feu, c'est Moïse ou les Anges ; car le mot arabe «man» est utilisé parfois pour un seul individu et parfois pour plusieurs.

وَجَحَدُوا۟ بِهَا وَٱسْتَيْقَنَتْهَآ أَنفُسُهُمْ ظُلْمًا وَعُلُوًّا ۚ فَٱنظُرْ كَيْفَ كَانَ عَٰقِبَةُ ٱلْمُفْسِدِينَ ﴿١٤﴾ وَلَقَدْ ءَاتَيْنَا دَاوُۥدَ وَسُلَيْمَٰنَ عِلْمًا وَقَالَا ٱلْحَمْدُ لِلَّهِ ٱلَّذِى فَضَّلَنَا عَلَىٰ كَثِيرٍ مِّنْ عِبَادِهِ ٱلْمُؤْمِنِينَ ﴿١٥﴾ وَوَرِثَ سُلَيْمَٰنُ دَاوُۥدَ ۖ وَقَالَ يَٰٓأَيُّهَا ٱلنَّاسُ عُلِّمْنَا مَنطِقَ ٱلطَّيْرِ وَأُوتِينَا مِن كُلِّ شَىْءٍ ۖ إِنَّ هَٰذَا لَهُوَ ٱلْفَضْلُ ٱلْمُبِينُ ﴿١٦﴾ وَحُشِرَ لِسُلَيْمَٰنَ جُنُودُهُۥ مِنَ ٱلْجِنِّ وَٱلْإِنسِ وَٱلطَّيْرِ فَهُمْ يُوزَعُونَ ﴿١٧﴾ حَتَّىٰٓ إِذَآ أَتَوْا۟ عَلَىٰ وَادِ ٱلنَّمْلِ قَالَتْ نَمْلَةٌ يَٰٓأَيُّهَا ٱلنَّمْلُ ٱدْخُلُوا۟ مَسَٰكِنَكُمْ لَا يَحْطِمَنَّكُمْ سُلَيْمَٰنُ وَجُنُودُهُۥ وَهُمْ لَا يَشْعُرُونَ ﴿١٨﴾ فَتَبَسَّمَ ضَاحِكًا مِّن قَوْلِهَا وَقَالَ رَبِّ أَوْزِعْنِىٓ أَنْ أَشْكُرَ نِعْمَتَكَ ٱلَّتِىٓ أَنْعَمْتَ عَلَىَّ وَعَلَىٰ وَٰلِدَىَّ وَأَنْ أَعْمَلَ صَٰلِحًا تَرْضَىٰهُ وَأَدْخِلْنِى بِرَحْمَتِكَ فِى عِبَادِكَ ٱلصَّٰلِحِينَ ﴿١٩﴾ وَتَفَقَّدَ ٱلطَّيْرَ فَقَالَ مَا لِىَ لَآ أَرَى ٱلْهُدْهُدَ أَمْ كَانَ مِنَ ٱلْغَآئِبِينَ ﴿٢٠﴾ لَأُعَذِّبَنَّهُۥ عَذَابًا شَدِيدًا أَوْ لَأَا۟ذْبَحَنَّهُۥٓ أَوْ لَيَأْتِيَنِّى بِسُلْطَٰنٍ مُّبِينٍ ﴿٢١﴾ فَمَكَثَ غَيْرَ بَعِيدٍ فَقَالَ أَحَطتُ بِمَا لَمْ تُحِطْ بِهِۦ وَجِئْتُكَ مِن سَبَإٍۭ بِنَبَإٍ يَقِينٍ ﴿٢٢﴾

14. Ils les nièrent injustement et orgueilleusement, tandis qu'en eux-mêmes ils y croyaient avec certitude. Regarde donc ce qu'il est advenu des corrupteurs.

15. Nous avons effectivement donné à David et à Salomon une science ; et ils dirent: «Louange à Allāh qui nous a favorisés à beaucoup de Ses serviteurs croyants».

16. Et Salomon hérita de David et dit: «Ô hommes! On nous a appris le langage des oiseaux ; et on nous a donné part de toutes choses. C'est là vraiment la grâce évidente.

17. Et furent rassemblées pour Salomon, ses armées de djinns, d'hommes et d'oiseaux, et furent placées en rangs.

18. Quand ils arrivèrent à la Vallée des Fourmis, une fourmi dit: «Ô fourmis, entrez dans vos demeures, [de peur] que Salomon et ses armées ne vous écrasent [sous leurs pieds] sans s'en rendre compte».

19. Il sourit, amusé par ses propos et dit: «Permets-moi Seigneur, de rendre grâce pour le bienfait dont Tu m'as comblé ainsi que mes père et mère, et que je fasse une bonne œuvre que tu agrées et fais-moi entrer, par Ta miséricorde, parmi Tes serviteurs vertueux».

20. Puis il passa en revue les oiseaux et dit: «Pourquoi ne vois-je pas la huppe? Est-elle parmi les absents?

21. Je la châtierai sévèrement! Ou je l'égorgerai! Ou bien elle m'apportera un argument explicite».

22. Mais elle n'était restée (absente) que peu de temps et dit: «J'ai appris ce que tu n'as point appris ; et je te rapporte de Saba'[1] une nouvelle sûre:

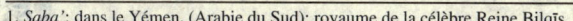

1. *Saba'*: dans le Yémen, (Arabie du Sud): royaume de la célèbre Reine Bilqīs.

إِنِّى وَجَدتُّ ٱمْرَأَةً تَمْلِكُهُمْ وَأُوتِيَتْ مِن كُلِّ شَىْءٍ وَلَهَا عَرْشٌ عَظِيمٌ ۝ وَجَدتُّهَا وَقَوْمَهَا يَسْجُدُونَ لِلشَّمْسِ مِن دُونِ ٱللَّهِ وَزَيَّنَ لَهُمُ ٱلشَّيْطَٰنُ أَعْمَٰلَهُمْ فَصَدَّهُمْ عَنِ ٱلسَّبِيلِ فَهُمْ لَا يَهْتَدُونَ ۝ أَلَّا يَسْجُدُوا۟ لِلَّهِ ٱلَّذِى يُخْرِجُ ٱلْخَبْءَ فِى ٱلسَّمَٰوَٰتِ وَٱلْأَرْضِ وَيَعْلَمُ مَا تُخْفُونَ وَمَا تُعْلِنُونَ ۝ ٱللَّهُ لَا إِلَٰهَ إِلَّا هُوَ رَبُّ ٱلْعَرْشِ ٱلْعَظِيمِ ۩ ۝ ۝ قَالَ سَنَنظُرُ أَصَدَقْتَ أَمْ كُنتَ مِنَ ٱلْكَٰذِبِينَ ۝ ٱذْهَب بِّكِتَٰبِى هَٰذَا فَأَلْقِهْ إِلَيْهِمْ ثُمَّ تَوَلَّ عَنْهُمْ فَٱنظُرْ مَاذَا يَرْجِعُونَ ۝ قَالَتْ يَٰٓأَيُّهَا ٱلْمَلَؤُا۟ إِنِّىٓ أُلْقِىَ إِلَىَّ كِتَٰبٌ كَرِيمٌ ۝ إِنَّهُۥ مِن سُلَيْمَٰنَ وَإِنَّهُۥ بِسْمِ ٱللَّهِ ٱلرَّحْمَٰنِ ٱلرَّحِيمِ ۝ أَلَّا تَعْلُوا۟ عَلَىَّ وَأْتُونِى مُسْلِمِينَ ۝ قَالَتْ يَٰٓأَيُّهَا ٱلْمَلَؤُا۟ أَفْتُونِى فِىٓ أَمْرِى مَا كُنتُ قَاطِعَةً أَمْرًا حَتَّىٰ تَشْهَدُونِ ۝ قَالُوا۟ نَحْنُ أُو۟لُوا۟ قُوَّةٍ وَأُو۟لُوا۟ بَأْسٍ شَدِيدٍ وَٱلْأَمْرُ إِلَيْكِ فَٱنظُرِى مَاذَا تَأْمُرِينَ ۝ قَالَتْ إِنَّ ٱلْمُلُوكَ إِذَا دَخَلُوا۟ قَرْيَةً أَفْسَدُوهَا وَجَعَلُوٓا۟ أَعِزَّةَ أَهْلِهَآ أَذِلَّةً وَكَذَٰلِكَ يَفْعَلُونَ ۝ وَإِنِّى مُرْسِلَةٌ إِلَيْهِم بِهَدِيَّةٍ فَنَاظِرَةٌۢ بِمَ يَرْجِعُ ٱلْمُرْسَلُونَ ۝

23. J'ai trouvé qu'une femme est leur reine, que de toute chose elle a été comblée et qu'elle a un trône magnifique.

24. Je l'ai trouvée, elle et son peuple, se prosternant devant le soleil au lieu d'Allāh. Le Diable leur a embelli leurs actions, et les a détournés du droit chemin, et ils ne sont pas bien guidés.

25. Que ne se prosternent-ils devant Allāh qui fait sortir ce qui est caché dans les cieux et la terre, et qui sait ce que vous cachez et aussi ce que vous divulguez?

26. Allāh! Point de divinité à part Lui, le Seigneur du Trône Immense[1].

27. Alors, Salomon dit: «Nous allons voir si tu as dis la vérité ou si tu as menti.

28. Pars avec ma lettre que voici ; puis lance-la à eux ; ensuite tiens-toi à l'écart d'eux pour voir ce que sera leur réponse.

29. La reine dit: «Ô notables! Une noble lettre m'a été lancée.

30. Elle vient de Salomon ; et c'est: «Au nom d'Allāh, le Tout Miséricordieux, le Très Miséricordieux,

31. Ne soyez pas hautains avec moi et venez à moi en toute soumission».

32. Elle dit: «Ô notables! Conseillez-moi sur cette affaire: je ne déciderai rien sans que vous ne soyez présents (pour me conseiller).»

33. Ils dirent: «Nous sommes détenteurs d'une force et d'une puissance redoutable. Le commandement cependant t'appartient. Regarde donc ce que tu veux ordonner».

34. Elle dit: «En vérité, quand les rois entrent dans une cité ils la corrompent, et font de ses honorables citoyens des humiliés. Et c'est ainsi qu'ils agissent.

35. Moi, je vais leur envoyer un présent, puis je verrai ce que les envoyés ramèneront».

---

1. Après ce verset, on se prosterne.

فَلَمَّا جَاءَ سُلَيْمَنَ قَالَ أَتُمِدُّونَنِ بِمَالٍ فَمَا ءَاتَنِۦَ ٱللَّهُ خَيْرٌ مِّمَّآ

ءَاتَىٰكُم بَلْ أَنتُم بِهَدِيَّتِكُمْ تَفْرَحُونَ ۝ ٱرْجِعْ إِلَيْهِمْ فَلَنَأْتِيَنَّهُم

بِجُنُودٍ لَّا قِبَلَ لَهُم بِهَا وَلَنُخْرِجَنَّهُم مِّنْهَآ أَذِلَّةً وَهُمْ صَٰغِرُونَ ۝ قَالَ

يَٰٓأَيُّهَا ٱلْمَلَؤُا۟ أَيُّكُمْ يَأْتِينِى بِعَرْشِهَا قَبْلَ أَن يَأْتُونِى مُسْلِمِينَ ۝

قَالَ عِفْرِيتٌ مِّنَ ٱلْجِنِّ أَنَا۠ ءَاتِيكَ بِهِۦ قَبْلَ أَن تَقُومَ مِن مَّقَامِكَ وَإِنِّى

عَلَيْهِ لَقَوِىٌّ أَمِينٌ ۝ قَالَ ٱلَّذِى عِندَهُۥ عِلْمٌ مِّنَ ٱلْكِتَٰبِ أَنَا۠ ءَاتِيكَ

بِهِۦ قَبْلَ أَن يَرْتَدَّ إِلَيْكَ طَرْفُكَ فَلَمَّا رَءَاهُ مُسْتَقِرًّا عِندَهُۥ قَالَ هَٰذَا

مِن فَضْلِ رَبِّى لِيَبْلُوَنِىٓ ءَأَشْكُرُ أَمْ أَكْفُرُ فَمَن شَكَرَ فَإِنَّمَا يَشْكُرُ

لِنَفْسِهِۦ وَمَن كَفَرَ فَإِنَّ رَبِّى غَنِىٌّ كَرِيمٌ ۝ قَالَ نَكِّرُوا۟ لَهَا عَرْشَهَا

نَنظُرْ أَتَهْتَدِىٓ أَمْ تَكُونُ مِنَ ٱلَّذِينَ لَا يَهْتَدُونَ ۝ فَلَمَّا جَآءَتْ قِيلَ

أَهَٰكَذَا عَرْشُكِ قَالَتْ كَأَنَّهُۥ هُوَ وَأُوتِينَا ٱلْعِلْمَ مِن قَبْلِهَا وَكُنَّا مُسْلِمِينَ

۝ وَصَدَّهَا مَا كَانَت تَّعْبُدُ مِن دُونِ ٱللَّهِ إِنَّهَا كَانَتْ مِن قَوْمٍ كَٰفِرِينَ

۝ قِيلَ لَهَا ٱدْخُلِى ٱلصَّرْحَ فَلَمَّا رَأَتْهُ حَسِبَتْهُ لُجَّةً وَكَشَفَتْ عَن

سَاقَيْهَا قَالَ إِنَّهُۥ صَرْحٌ مُّمَرَّدٌ مِّن قَوَارِيرَ قَالَتْ رَبِّ إِنِّى

ظَلَمْتُ نَفْسِى وَأَسْلَمْتُ مَعَ سُلَيْمَٰنَ لِلَّهِ رَبِّ ٱلْعَٰلَمِينَ ۝

36. Puis, lorsque [la délégation] arriva auprès de Salomon, celui-ci dit «Est-ce avec des biens que vous voulez m'aider? Alors que ce qu'Allāh m'a procuré est meilleur que ce qu'Il vous a procuré. Mais c'est vous plutôt qui vous réjouissez de votre cadeau.

37. Retourne vers eux. Nous viendrons avec des armées contre lesquelles ils n'auront aucune résistance, et nous les en expulserons tout humiliés et méprisés.

38. Il dit: «Ô notables! Qui de vous m'apportera son trône avant qu'ils ne viennent à moi soumis?»

39. Un djinn redoutable dit: «Je te l'apporterai avant que tu ne te lèves de ta place: pour cela, je suis fort et digne de confiance».

40. Quelqu'un qui avait une connaissance du Livre dit: «Je te l'apporterai avant que tu n'aies cligné de l'œil». Quand ensuite, Salomon a vu le trône installé auprès de lui, il dit: «Cela est de la grâce de mon Seigneur, pour m'éprouver si je suis reconnaissant ou si je suis ingrat. Quiconque est reconnaissant, c'est dans son propre intérêt qu'il le fait, et quiconque est ingrat... alors mon Seigneur Se suffit à Lui-même et Il est Généreux».

41. Et il dit [encore]: «Rendez-lui son trône méconnaissable, nous verrons alors si elle sera guidée ou si elle est du nombre de ceux qui ne sont pas guidés».

42. Quand elle fut venue on lui dit: «Est-ce que ton trône est ainsi?» Elle dit: «C'est comme s'il l'était». - [Salomon dit]: «Le savoir nous a été donné avant elle ; et nous étions déjà soumis».

43. Or, ce qu'elle adorait en dehors d'Allāh l'empêchait (d'être croyante) car elle faisait partie d'un peuple mécréant.

44. On lui dit: «Entre dans le palais». Puis, quand elle le vit, elle le prit pour de l'eau profonde et elle se découvrit les jambes. Alors, [Salomon] lui dit: «Ceci est un palais pavé de cristal». - Elle dit: «Seigneur, je me suis fait du tort à moi-même: Je me soumets avec Salomon à Allāh, Seigneur de l'univers».

وَلَقَدْ أَرْسَلْنَا إِلَىٰ ثَمُودَ أَخَاهُمْ صَٰلِحًا أَنِ ٱعْبُدُوا۟ ٱللَّهَ فَإِذَا هُمْ فَرِيقَانِ يَخْتَصِمُونَ ۝ قَالَ يَٰقَوْمِ لِمَ تَسْتَعْجِلُونَ بِٱلسَّيِّئَةِ قَبْلَ ٱلْحَسَنَةِ لَوْلَا تَسْتَغْفِرُونَ ٱللَّهَ لَعَلَّكُمْ تُرْحَمُونَ ۝ قَالُوا۟ ٱطَّيَّرْنَا بِكَ وَبِمَن مَّعَكَ قَالَ طَٰٓئِرُكُمْ عِندَ ٱللَّهِ بَلْ أَنتُمْ قَوْمٌ تُفْتَنُونَ ۝ وَكَانَ فِى ٱلْمَدِينَةِ تِسْعَةُ رَهْطٍ يُفْسِدُونَ فِى ٱلْأَرْضِ وَلَا يُصْلِحُونَ ۝ قَالُوا۟ تَقَاسَمُوا۟ بِٱللَّهِ لَنُبَيِّتَنَّهُۥ وَأَهْلَهُۥ ثُمَّ لَنَقُولَنَّ لِوَلِيِّهِۦ مَا شَهِدْنَا مَهْلِكَ أَهْلِهِۦ وَإِنَّا لَصَٰدِقُونَ ۝ وَمَكَرُوا۟ مَكْرًا وَمَكَرْنَا مَكْرًا وَهُمْ لَا يَشْعُرُونَ ۝ فَٱنظُرْ كَيْفَ كَانَ عَٰقِبَةُ مَكْرِهِمْ أَنَّا دَمَّرْنَٰهُمْ وَقَوْمَهُمْ أَجْمَعِينَ ۝ فَتِلْكَ بُيُوتُهُمْ خَاوِيَةًۢ بِمَا ظَلَمُوٓا۟ إِنَّ فِى ذَٰلِكَ لَءَايَةً لِّقَوْمٍ يَعْلَمُونَ ۝ وَأَنجَيْنَا ٱلَّذِينَ ءَامَنُوا۟ وَكَانُوا۟ يَتَّقُونَ ۝ وَلُوطًا إِذْ قَالَ لِقَوْمِهِۦٓ أَتَأْتُونَ ٱلْفَٰحِشَةَ وَأَنتُمْ تُبْصِرُونَ ۝ أَئِنَّكُمْ لَتَأْتُونَ ٱلرِّجَالَ شَهْوَةً مِّن دُونِ ٱلنِّسَآءِ بَلْ أَنتُمْ قَوْمٌ تَجْهَلُونَ ۝

45. Nous envoyâmes effectivement vers les Ṯamūd leur frère. Ṣāliḥ. [qui leur dit]: «Adorez Allāh». Et voilà qu'ils se divisèrent en deux groupes qui se disputèrent.

46. Il dit: «Ô mon peuple, pourquoi cherchez-vous à hâter le mal plutôt que le bien? Si seulement vous demandiez pardon à Allāh? Peut-être vous serait-il fait miséricorde.

47. Ils dirent: «Nous voyons en toi et en ceux qui sont avec toi, des porteurs de malheur». Il dit: «Votre sort dépend d'Allāh. Mais vous êtes plutôt des gens qu'on soumet à la tentation.

48. Et il y avait dans la ville un groupe de neuf individus qui semaient le désordre sur terre et ne faisaient rien de bon.

49. Ils dirent: «Jurons par Allāh que nous l'attaquerons de nuit, lui et sa famille. Ensuite nous dirons à celui qui est chargé de le venger: «Nous n'avons pas assisté à l'assassinat de sa famille, et nous sommes sincères».

50. Ils ourdirent une ruse et Nous ourdîmes une ruse[1] sans qu'ils s'en rendent compte.

51. Regarde donc ce qu'a été la conséquence de leur stratagème: Nous les fîmes périr, eux et tout leur peuple.

52. Voilà donc leurs maisons désertes à cause de leurs méfaits. C'est bien là un avertissement pour des gens qui savent.

53. Et Nous sauvâmes ceux qui avaient cru et étaient pieux.

54. [Et rappelle-leur] Lot, quand il dit à son peuple: «Vous livrez-vous à la turpitude [l'homosexualité] alors que vous voyez clair?»

55. Vous allez aux hommes au lieu de femmes pour assouvir vos désirs? Vous êtes plutôt un peuple ignorant.

---

1. *Nous ourdîmes une ruse*: en sauvant le prophète et Sa famille et en les anéantissant.

فَمَا كَانَ جَوَابَ قَوْمِهِ إِلَّا أَن قَالُوٓاْ أَخْرِجُوٓاْ ءَالَ لُوطٍ مِّن قَرْيَتِكُمْ إِنَّهُمْ أُنَاسٌ يَتَطَهَّرُونَ ۝ فَأَنجَيْنَٰهُ وَأَهْلَهُۥٓ إِلَّا ٱمْرَأَتَهُۥ قَدَّرْنَٰهَا مِنَ ٱلْغَٰبِرِينَ ۝ وَأَمْطَرْنَا عَلَيْهِم مَّطَرًاۖ فَسَآءَ مَطَرُ ٱلْمُنذَرِينَ ۝ قُلِ ٱلْحَمْدُ لِلَّهِ وَسَلَٰمٌ عَلَىٰ عِبَادِهِ ٱلَّذِينَ ٱصْطَفَىٰٓۗ ءَآللَّهُ خَيْرٌ أَمَّا يُشْرِكُونَ ۝ أَمَّنْ خَلَقَ ٱلسَّمَٰوَٰتِ وَٱلْأَرْضَ وَأَنزَلَ لَكُم مِّنَ ٱلسَّمَآءِ مَآءً فَأَنۢبَتْنَا بِهِۦ حَدَآئِقَ ذَاتَ بَهْجَةٍ مَّا كَانَ لَكُمْ أَن تُنۢبِتُواْ شَجَرَهَآۗ أَءِلَٰهٌ مَّعَ ٱللَّهِۚ بَلْ هُمْ قَوْمٌ يَعْدِلُونَ ۝ أَمَّن جَعَلَ ٱلْأَرْضَ قَرَارًا وَجَعَلَ خِلَٰلَهَآ أَنْهَٰرًا وَجَعَلَ لَهَا رَوَٰسِىَ وَجَعَلَ بَيْنَ ٱلْبَحْرَيْنِ حَاجِزًاۗ أَءِلَٰهٌ مَّعَ ٱللَّهِۚ بَلْ أَكْثَرُهُمْ لَا يَعْلَمُونَ ۝ أَمَّن يُجِيبُ ٱلْمُضْطَرَّ إِذَا دَعَاهُ وَيَكْشِفُ ٱلسُّوٓءَ وَيَجْعَلُكُمْ خُلَفَآءَ ٱلْأَرْضِۗ أَءِلَٰهٌ مَّعَ ٱللَّهِۚ قَلِيلًا مَّا تَذَكَّرُونَ ۝ أَمَّن يَهْدِيكُمْ فِى ظُلُمَٰتِ ٱلْبَرِّ وَٱلْبَحْرِ وَمَن يُرْسِلُ ٱلرِّيَٰحَ بُشْرًۢا بَيْنَ يَدَىْ رَحْمَتِهِۦٓۗ أَءِلَٰهٌ مَّعَ ٱللَّهِۚ تَعَٰلَى ٱللَّهُ عَمَّا يُشْرِكُونَ ۝

56. Puis son peuple n'eut que cette réponse: «Expulsez de votre cité la famille de Lot! Car ce sont des gens qui affectent la pureté.

57. Nous le sauvâmes ainsi que sa famille, sauf sa femme pour qui Nous avions déterminé qu'elle serait du nombre des exterminés.

58. Et Nous fîmes pleuvoir sur eux une pluie (de pierres). Et quelle mauvaise pluie que celle des gens prévenus!

59. Dis: «Louange à Allāh et paix sur Ses serviteurs qu'Il a élus!» Lequel est meilleur: Allāh ou bien ce qu'ils Lui associent?

60. N'est-ce pas Lui qui a créé les cieux et la terre et qui vous a fait descendre du ciel une eau avec laquelle Nous avons fait pousser des jardins pleins de beauté. Vous n'étiez nullement capables de faire pousser leurs arbres. Y a-t-il donc une divinité avec Allāh? Non, mais ce sont des gens qui Lui donnent des égaux.

61. N'est-ce pas Lui qui a établi la terre comme lieu de séjour, placé des rivières à travers elle, lui a assigné des montagnes fermes et établi une séparation entre les deux mers[1], - Y a-t-il donc une divinité avec Allāh? Non, mais la plupart d'entre eux ne savent pas.

62. N'est-ce pas Lui qui répond à l'angoissé quand il L'invoque, et qui enlève le mal, et qui vous fait succéder sur la terre, génération après génération, - Y a-t-il donc une divinité avec Allāh? C'est rare que vous vous rappeliez!

63. N'est-ce pas Lui qui vous guide dans les ténèbres de la terre et de la mer, et qui envoie les vents, comme une bonne annonce[2] précédant Sa grâce. - Y a-t-il donc une divinité avec Allāh? Allāh est Très Elevé au-dessus de ce qu'ils [Lui] associent.

---

1. *Les deux mers*: les masses d'eau qui sont l'une douce et l'autre salée.
2. *Les vents comme une bonne annonce*: précèdent la pluie.

أَمَّن يَبْدَؤُا۟ الْخَلْقَ ثُمَّ يُعِيدُهُۥ وَمَن يَرْزُقُكُم مِّنَ السَّمَآءِ وَالْأَرْضِ ۗ أَءِلَٰهٌ مَّعَ اللَّهِ ۚ قُلْ هَاتُوا۟ بُرْهَٰنَكُمْ إِن كُنتُمْ صَٰدِقِينَ ۝

قُل لَّا يَعْلَمُ مَن فِى السَّمَٰوَٰتِ وَالْأَرْضِ الْغَيْبَ إِلَّا اللَّهُ ۚ وَمَا يَشْعُرُونَ أَيَّانَ يُبْعَثُونَ ۝

بَلِ ادَّٰرَكَ عِلْمُهُمْ فِى الْءَاخِرَةِ ۚ بَلْ هُمْ فِى شَكٍّ مِّنْهَا ۖ بَلْ هُم مِّنْهَا عَمُونَ ۝ وَقَالَ الَّذِينَ كَفَرُوٓا۟ أَءِذَا كُنَّا تُرَٰبًا وَءَابَآؤُنَآ أَئِنَّا لَمُخْرَجُونَ ۝ لَقَدْ وُعِدْنَا هَٰذَا نَحْنُ وَءَابَآؤُنَا مِن قَبْلُ إِنْ هَٰذَآ إِلَّآ أَسَٰطِيرُ الْأَوَّلِينَ ۝

قُلْ سِيرُوا۟ فِى الْأَرْضِ فَانظُرُوا۟ كَيْفَ كَانَ عَٰقِبَةُ الْمُجْرِمِينَ ۝ وَلَا تَحْزَنْ عَلَيْهِمْ وَلَا تَكُن فِى ضَيْقٍ مِّمَّا يَمْكُرُونَ ۝

وَيَقُولُونَ مَتَىٰ هَٰذَا الْوَعْدُ إِن كُنتُمْ صَٰدِقِينَ ۝ قُلْ عَسَىٰٓ أَن يَكُونَ رَدِفَ لَكُم بَعْضُ الَّذِى تَسْتَعْجِلُونَ ۝ وَإِنَّ رَبَّكَ لَذُو فَضْلٍ عَلَى النَّاسِ وَلَٰكِنَّ أَكْثَرَهُمْ لَا يَشْكُرُونَ ۝ وَإِنَّ رَبَّكَ لَيَعْلَمُ مَا تُكِنُّ صُدُورُهُمْ وَمَا يُعْلِنُونَ ۝ وَمَا مِنْ غَآئِبَةٍ فِى السَّمَآءِ وَالْأَرْضِ إِلَّا فِى كِتَٰبٍ مُّبِينٍ ۝ إِنَّ هَٰذَا الْقُرْءَانَ يَقُصُّ عَلَىٰ بَنِىٓ إِسْرَٰٓءِيلَ أَكْثَرَ الَّذِى هُمْ فِيهِ يَخْتَلِفُونَ ۝

64. N'est-ce pas Lui qui commence la création, puis la refait, et qui vous nourrit du ciel et de la terre. Y a-t-il donc une divinité avec Allāh? Dis: «Apportez votre preuve, si vous êtes véridiques!»

65. Dis: «Nul de ceux qui sont dans les cieux et sur la terre ne connaît l'inconnaissable, à part Allāh». Et ils ne savent pas quand ils seront ressuscités!

66. Mais leurs sciences se sont rejointes au sujet de l'autre monde. Ils doutent plutôt là-dessus. Ou plutôt ils sont aveugles à son sujet.

67. Et ceux qui ne croient pas disent: «Est-ce que, quand nous serons poussière, nous et nos pères, est-ce que vraiment on nous fera sortir (de nos tombes)?

68. Certes, on nous l'a promis à nous et à nos pères, auparavant. Ce ne sont que des contes d'anciens!»

69. Dis: «Parcourez la terre et voyez ce qu'il est advenu des criminels».

70. Et ne t'afflige pas sur eux et ne sois pas angoissé à cause de leur complot.

71. Et ils disent: «Pour quand cette promesse si vous êtes véridiques?»

72. Dis: «Il se peut qu'une partie de ce que vous cherchez à hâter soit déjà sur vos talons».

73. Certes, ton Seigneur est pourvoyeur de grâce aux hommes, mais la plupart d'entre eux ne sont pas reconnaissants.

74. Certes, ton Seigneur sait ce que cachent leurs poitrines et ce qu'ils divulguent.

75. Et il n'y a rien de caché, dans le ciel et la terre, qui ne soit dans un Livre explicite.

76. Ce Qur'ān raconte aux Enfants d'Israël la plupart des sujets sur lesquels ils divergent,

وَإِنَّهُۥ لَهُدًى وَرَحْمَةٌ لِّلْمُؤْمِنِينَ ۝ إِنَّ رَبَّكَ يَقْضِى بَيْنَهُم بِحُكْمِهِۦ وَهُوَ ٱلْعَزِيزُ ٱلْعَلِيمُ ۝ فَتَوَكَّلْ عَلَى ٱللَّهِ إِنَّكَ عَلَى ٱلْحَقِّ ٱلْمُبِينِ ۝ إِنَّكَ لَا تُسْمِعُ ٱلْمَوْتَىٰ وَلَا تُسْمِعُ ٱلصُّمَّ ٱلدُّعَآءَ إِذَا وَلَّوْا۟ مُدْبِرِينَ ۝ وَمَآ أَنتَ بِهَـٰدِى ٱلْعُمْىِ عَن ضَلَـٰلَتِهِمْ إِن تُسْمِعُ إِلَّا مَن يُؤْمِنُ بِـَٔايَـٰتِنَا فَهُم مُّسْلِمُونَ ۝ وَإِذَا وَقَعَ ٱلْقَوْلُ عَلَيْهِمْ أَخْرَجْنَا لَهُمْ دَآبَّةً مِّنَ ٱلْأَرْضِ تُكَلِّمُهُمْ أَنَّ ٱلنَّاسَ كَانُوا۟ بِـَٔايَـٰتِنَا لَا يُوقِنُونَ ۝ وَيَوْمَ نَحْشُرُ مِن كُلِّ أُمَّةٍ فَوْجًا مِّمَّن يُكَذِّبُ بِـَٔايَـٰتِنَا فَهُمْ يُوزَعُونَ ۝ حَتَّىٰٓ إِذَا جَآءُو قَالَ أَكَذَّبْتُم بِـَٔايَـٰتِى وَلَمْ تُحِيطُوا۟ بِهَا عِلْمًا أَمَّاذَا كُنتُمْ تَعْمَلُونَ ۝ وَوَقَعَ ٱلْقَوْلُ عَلَيْهِم بِمَا ظَلَمُوا۟ فَهُمْ لَا يَنطِقُونَ ۝ أَلَمْ يَرَوْا۟ أَنَّا جَعَلْنَا ٱلَّيْلَ لِيَسْكُنُوا۟ فِيهِ وَٱلنَّهَارَ مُبْصِرًا إِنَّ فِى ذَٰلِكَ لَـَٔايَـٰتٍ لِّقَوْمٍ يُؤْمِنُونَ ۝ وَيَوْمَ يُنفَخُ فِى ٱلصُّورِ فَفَزِعَ مَن فِى ٱلسَّمَـٰوَٰتِ وَمَن فِى ٱلْأَرْضِ إِلَّا مَن شَآءَ ٱللَّهُ وَكُلٌّ أَتَوْهُ دَٰخِرِينَ ۝ وَتَرَى ٱلْجِبَالَ تَحْسَبُهَا جَامِدَةً وَهِىَ تَمُرُّ مَرَّ ٱلسَّحَابِ صُنْعَ ٱللَّهِ ٱلَّذِىٓ أَتْقَنَ كُلَّ شَىْءٍ إِنَّهُۥ خَبِيرٌۢ بِمَا تَفْعَلُونَ ۝

77. cependant qu'il est pour les croyants un guide et une miséricorde

78. Ton Seigneur décidera certes entre eux par Son jugement ; et il est le Tout Puissant, le Sage.

79. Place donc ta confiance en Allāh, car tu es de toute évidence dans la vérité et le bon droit.

80. Tu ne peux faire entendre les morts ni faire entendre l'appel aux sourds quand ils s'enfuient en tournant le dos.

81. Et tu ne peux non plus guider les aveugles hors de leur égarement. Tu ne feras entendre que ceux qui croient en Nos versets et se soumettent.

82. Et quand la Parole tombera sur eux, Nous leur ferons sortir de terre une bête qui leur parlera ; les gens n'étaient nullement convaincus de la vérité de Nos signes [ou versets].

83. Et le jour où Nous rassemblerons, de chaque communauté, une foule de ceux qui démentaient Nos révélations, et qu'ils seront placés en rangs.

84. Puis, quand ils seront arrivés, [Allāh] dira: «Avez-vous traité de mensonges Mes signes sans les avoir embrassés de votre savoir? Ou que faisiez-vous donc?»

85. Et la Parole leur tombera dessus à cause de leurs méfaits. Et ils ne pourront rien dire.

86. N'ont-ils pas vu qu'en vérité, Nous avons désigné la nuit pour qu'ils y aient du repos, et le jour pour voir? Voilà bien des preuves pour des gens qui croient.

87. Et le jour où l'on soufflera dans la Trompe, tous ceux qui sont dans les cieux et ceux qui sont dans la terre seront effrayés. - sauf ceux qu'Allāh a voulu [préserver]! - Et tous viendront à Lui en s'humiliant.

88. Et tu verras les montagnes - tu les crois figées - alors qu'elles passent comme des nuages. Telle est l'œuvre d'Allāh qui a tout façonné à la perfection. Il est Parfaitement Connaisseur de ce que vous faites!

مَن جَآءَ بِٱلْحَسَنَةِ فَلَهُۥ خَيْرٌ مِّنْهَا وَهُم مِّن فَزَعٍ يَوْمَئِذٍ ءَامِنُونَ ۝ وَمَن جَآءَ بِٱلسَّيِّئَةِ فَكُبَّتْ وُجُوهُهُمْ فِى ٱلنَّارِ هَلْ تُجْزَوْنَ إِلَّا مَا كُنتُمْ تَعْمَلُونَ ۝ إِنَّمَآ أُمِرْتُ أَنْ أَعْبُدَ رَبَّ هَٰذِهِ ٱلْبَلْدَةِ ٱلَّذِى حَرَّمَهَا وَلَهُۥ كُلُّ شَىْءٍ وَأُمِرْتُ أَنْ أَكُونَ مِنَ ٱلْمُسْلِمِينَ ۝ وَأَنْ أَتْلُوَا۟ ٱلْقُرْءَانَ فَمَنِ ٱهْتَدَىٰ فَإِنَّمَا يَهْتَدِى لِنَفْسِهِۦ وَمَن ضَلَّ فَقُلْ إِنَّمَآ أَنَا۠ مِنَ ٱلْمُنذِرِينَ ۝ وَقُلِ ٱلْحَمْدُ لِلَّهِ سَيُرِيكُمْ ءَايَٰتِهِۦ فَتَعْرِفُونَهَا وَمَا رَبُّكَ بِغَٰفِلٍ عَمَّا تَعْمَلُونَ ۝

سُورَةُ ٱلْقَصَصِ

بِسْمِ ٱللَّهِ ٱلرَّحْمَٰنِ ٱلرَّحِيمِ

طسٓمٓ ۝ تِلْكَ ءَايَٰتُ ٱلْكِتَٰبِ ٱلْمُبِينِ ۝ نَتْلُوا۟ عَلَيْكَ مِن نَّبَإِ مُوسَىٰ وَفِرْعَوْنَ بِٱلْحَقِّ لِقَوْمٍ يُؤْمِنُونَ ۝ إِنَّ فِرْعَوْنَ عَلَا فِى ٱلْأَرْضِ وَجَعَلَ أَهْلَهَا شِيَعًا يَسْتَضْعِفُ طَآئِفَةً مِّنْهُمْ يُذَبِّحُ أَبْنَآءَهُمْ وَيَسْتَحْىِۦ نِسَآءَهُمْ إِنَّهُۥ كَانَ مِنَ ٱلْمُفْسِدِينَ ۝ وَنُرِيدُ أَن نَّمُنَّ عَلَى ٱلَّذِينَ ٱسْتُضْعِفُوا۟ فِى ٱلْأَرْضِ وَنَجْعَلَهُمْ أَئِمَّةً وَنَجْعَلَهُمُ ٱلْوَٰرِثِينَ ۝

89. Quiconque viendra avec le bien aura bien mieux, et ce jour-là, ils seront à l'abri de tout effroi.

90. Et quiconque viendra avec le mal... alors ils seront culbutés le visage dans le Feu. N'êtes-vous pas uniquement rétribués selon ce que vous œuvriez?»

91. «Il m'a été seulement commandé d'adorer le Seigneur de cette Ville (la Mecque) qu'il a sanctifiée, - et à Lui toute chose - et il m'a été commandé d'être du nombre des Musulmans,

92. et de réciter le Qur'ān». Quiconque se guide, c'est pour lui-même en effet qu'il se guide. Et quiconque s'égare... , alors dis: «Je ne suis que l'un des avertisseurs».

93. Dis: «Louange à Allāh! Il vous fera voir Ses preuves, et vous les reconnaîtrez». Ton Seigneur n'est pas inattentif à ce que vous faites.

AL-QAṢAṢ (LE RÉCIT)[1]
sourate 28   88 versets   Pré-hégirien n°49

Au nom d'Allāh, le Tout Miséricordieux, le Très Miséricordieux.

1. Ṭā, Sīn, Mīm[2].

2. Voici les versets du Livre explicite.

3. Nous te racontons en toute vérité, de l'histoire de Moïse et de Pharaon, à l'intention des gens qui croient.

4. Pharaon était hautain sur terre ; il répartit en clans ses habitants, afin d'abuser de la faiblesse de l'un d'eux: il égorgeait leurs fils et laissait vivantes leurs femmes. Il était vraiment parmi les fauteurs de désordre.

5. Mais Nous voulions favoriser ceux qui avaient été faibles sur terre et en faire des dirigeants et en faire les héritiers,

---

1. Titre tiré du v. 25.
2. Cf. note à S. 2, v. 1.

وَنُمَكِّنَ لَهُمْ فِى ٱلْأَرْضِ وَنُرِىَ فِرْعَوْنَ وَهَٰمَٰنَ وَجُنُودَهُمَا مِنْهُم مَّا كَانُوا۟ يَحْذَرُونَ ۝ وَأَوْحَيْنَآ إِلَىٰٓ أُمِّ مُوسَىٰٓ أَنْ أَرْضِعِيهِ ۖ فَإِذَا خِفْتِ عَلَيْهِ فَأَلْقِيهِ فِى ٱلْيَمِّ وَلَا تَخَافِى وَلَا تَحْزَنِىٓ ۖ إِنَّا رَآدُّوهُ إِلَيْكِ وَجَاعِلُوهُ مِنَ ٱلْمُرْسَلِينَ ۝ فَٱلْتَقَطَهُۥٓ ءَالُ فِرْعَوْنَ لِيَكُونَ لَهُمْ عَدُوًّا وَحَزَنًا ۗ إِنَّ فِرْعَوْنَ وَهَٰمَٰنَ وَجُنُودَهُمَا كَانُوا۟ خَٰطِـِٔينَ ۝ وَقَالَتِ ٱمْرَأَتُ فِرْعَوْنَ قُرَّتُ عَيْنٍ لِّى وَلَكَ ۖ لَا تَقْتُلُوهُ عَسَىٰٓ أَن يَنفَعَنَآ أَوْ نَتَّخِذَهُۥ وَلَدًا وَهُمْ لَا يَشْعُرُونَ ۝ وَأَصْبَحَ فُؤَادُ أُمِّ مُوسَىٰ فَٰرِغًا ۖ إِن كَادَتْ لَتُبْدِى بِهِۦ لَوْلَآ أَن رَّبَطْنَا عَلَىٰ قَلْبِهَا لِتَكُونَ مِنَ ٱلْمُؤْمِنِينَ ۝ وَقَالَتْ لِأُخْتِهِۦ قُصِّيهِ ۖ فَبَصُرَتْ بِهِۦ عَن جُنُبٍ وَهُمْ لَا يَشْعُرُونَ ۝ ۞ وَحَرَّمْنَا عَلَيْهِ ٱلْمَرَاضِعَ مِن قَبْلُ فَقَالَتْ هَلْ أَدُلُّكُمْ عَلَىٰٓ أَهْلِ بَيْتٍ يَكْفُلُونَهُۥ لَكُمْ وَهُمْ لَهُۥ نَٰصِحُونَ ۝ فَرَدَدْنَٰهُ إِلَىٰٓ أُمِّهِۦ كَىْ تَقَرَّ عَيْنُهَا وَلَا تَحْزَنَ وَلِتَعْلَمَ أَنَّ وَعْدَ ٱللَّهِ حَقٌّ وَلَٰكِنَّ أَكْثَرَهُمْ لَا يَعْلَمُونَ ۝

نِصْفُ الْحِزْبِ ٣٩

6. et les établir puissamment sur terre, et faire voir à Pharaon, à Hāmān, et à leurs soldats, ce dont ils redoutaient.

7. Et Nous révélâmes à la mère de Moïse [ceci]: «Allaite-le. Et quand tu craindras pour lui, jette-le dans le flot. Et n'aie pas peur et ne t'attriste pas: Nous te le rendrons et ferons de lui un Messager».

8. Les gens de Pharaon le recueillirent, pour qu'il leur soit un ennemi et une source d'affliction! Pharaon, Hāmān et leurs soldats étaient fautifs.

9. Et la femme de Pharaon dit: «(Cet enfant) réjouira mon œil et le tien! Ne le tuez pas. Il pourrait nous être utile ou le prendrons-nous pour enfant». Et ils ne pressentaient rien.

10. Et le cœur de la mère de Moïse devint vide. Peu s'en fallut qu'elle ne divulguât tout, si Nous n'avions pas renforcé son cœur pour qu'elle restât du nombre des croyants.

11. Elle dit à sa sœur[1]: «Suis-le» ; elle l'aperçut alors de loin sans qu'ils ne s'en rendent compte.

12. Nous lui avions interdit auparavant (le sein) des nourrices. Elle (la sœur de Moïse) dit donc: «Voulez-vous que je vous indique les gens d'une maison qui s'en chargeront pour vous tout en étant bienveillants à son égard?»...

13. Ainsi Nous le rendîmes à sa mère, afin que son œil se réjouisse, qu'elle ne s'affligeât pas et qu'elle sût que la promesse d'Allāh est vraie. Mais la plupart d'entre eux ne savent pas.

---

1. *A sa Sœur*: la sœur de Moïse.

وَلَمَّا بَلَغَ أَشُدَّهُ وَاسْتَوَىٰٓ ءَاتَيْنَٰهُ حُكْمًا وَعِلْمًا ۚ وَكَذَٰلِكَ نَجْزِى ٱلْمُحْسِنِينَ ۝ وَدَخَلَ ٱلْمَدِينَةَ عَلَىٰ حِينِ غَفْلَةٍ مِّنْ أَهْلِهَا فَوَجَدَ فِيهَا رَجُلَيْنِ يَقْتَتِلَانِ هَٰذَا مِن شِيعَتِهِۦ وَهَٰذَا مِنْ عَدُوِّهِۦ ۖ فَٱسْتَغَٰثَهُ ٱلَّذِى مِن شِيعَتِهِۦ عَلَى ٱلَّذِى مِنْ عَدُوِّهِۦ فَوَكَزَهُۥ مُوسَىٰ فَقَضَىٰ عَلَيْهِ ۖ قَالَ هَٰذَا مِنْ عَمَلِ ٱلشَّيْطَٰنِ ۖ إِنَّهُۥ عَدُوٌّ مُّضِلٌّ مُّبِينٌ ۝ قَالَ رَبِّ إِنِّى ظَلَمْتُ نَفْسِى فَٱغْفِرْ لِى فَغَفَرَ لَهُۥٓ ۚ إِنَّهُۥ هُوَ ٱلْغَفُورُ ٱلرَّحِيمُ ۝ قَالَ رَبِّ بِمَآ أَنْعَمْتَ عَلَىَّ فَلَنْ أَكُونَ ظَهِيرًا لِّلْمُجْرِمِينَ ۝ فَأَصْبَحَ فِى ٱلْمَدِينَةِ خَآئِفًا يَتَرَقَّبُ فَإِذَا ٱلَّذِى ٱسْتَنصَرَهُۥ بِٱلْأَمْسِ يَسْتَصْرِخُهُۥ ۚ قَالَ لَهُۥ مُوسَىٰٓ إِنَّكَ لَغَوِىٌّ مُّبِينٌ ۝ فَلَمَّآ أَنْ أَرَادَ أَن يَبْطِشَ بِٱلَّذِى هُوَ عَدُوٌّ لَّهُمَا قَالَ يَٰمُوسَىٰٓ أَتُرِيدُ أَن تَقْتُلَنِى كَمَا قَتَلْتَ نَفْسًۢا بِٱلْأَمْسِ ۖ إِن تُرِيدُ إِلَّآ أَن تَكُونَ جَبَّارًا فِى ٱلْأَرْضِ وَمَا تُرِيدُ أَن تَكُونَ مِنَ ٱلْمُصْلِحِينَ ۝ وَجَآءَ رَجُلٌ مِّنْ أَقْصَا ٱلْمَدِينَةِ يَسْعَىٰ قَالَ يَٰمُوسَىٰٓ إِنَّ ٱلْمَلَأَ يَأْتَمِرُونَ بِكَ لِيَقْتُلُوكَ فَٱخْرُجْ إِنِّى لَكَ مِنَ ٱلنَّٰصِحِينَ ۝ فَخَرَجَ مِنْهَا خَآئِفًا يَتَرَقَّبُ ۖ قَالَ رَبِّ نَجِّنِى مِنَ ٱلْقَوْمِ ٱلظَّٰلِمِينَ ۝

14. Et quand il eut atteint sa maturité et sa pleine formation, Nous lui donnâmes la faculté de juger et une science. C'est ainsi que Nous récompensons les bienfaisants.

15. Il entra dans la ville à un moment d'inattention de ses habitants ; il y trouva deux hommes qui se battaient, l'un était de ses partisans et l'autre de ses adversaires. L'homme de son parti l'appela au secours contre son ennemi. Moïse lui donna un coup de poing qui l'acheva. - [Moïse] dit: «Cela est l'œuvre du Diable. C'est vraiment un ennemi, un égareur évident».

16. Il dit: «Seigneur, je me suis fait du tort à moi-même ; pardonne-moi». Et Il lui pardonna. C'est Lui vraiment le Pardonneur, le Miséricordieux!

17. Il dit: «Seigneur, grâce aux bienfaits dont tu m'as comblé, jamais je ne soutiendrai les criminels».

18. Le lendemain matin, il se trouva en ville, craintif et regardant autour de lui, quand voilà que celui qui lui avait demandé secours la veille, l'appelait à grands cris. Moïse lui dit: «Tu es certes un provocateur déclaré».

19. Quand il voulut porter un coup à leur ennemi commun, il (l'israélite) dit: «Ô Moïse[1], veux-tu me tuer comme tu as tué un homme hier? Tu ne veux être qu'un tyran sur terre; et tu ne veux pas être parmi les bienfaiteurs».

20. Et c'est alors qu'un homme vint du bout de la ville en courant et dit: «Ô Moïse, les notables sont en train de se concerter à ton sujet pour te tuer. Quitte (la ville). C'est le conseil que je te donne».

21. Il sortit de là, craintif, regardant autour de lui. Il dit: «Seigneur, sauve-moi de [ce] peuple injuste!»

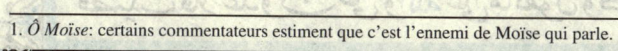

---

1. *Ô Moïse*: certains commentateurs estiment que c'est l'ennemi de Moïse qui parle.

وَلَمَّا تَوَجَّهَ تِلْقَآءَ مَدْيَنَ قَالَ عَسَىٰ رَبِّى أَن يَهْدِيَنِى سَوَآءَ السَّبِيلِ ۝ وَلَمَّا وَرَدَ مَآءَ مَدْيَنَ وَجَدَ عَلَيْهِ أُمَّةً مِّنَ ٱلنَّاسِ يَسْقُونَ وَوَجَدَ مِن دُونِهِمُ ٱمْرَأَتَيْنِ تَذُودَانِ قَالَ مَا خَطْبُكُمَا قَالَتَا لَا نَسْقِى حَتَّىٰ يُصْدِرَ ٱلرِّعَآءُ وَأَبُونَا شَيْخٌ كَبِيرٌ ۝ فَسَقَىٰ لَهُمَا ثُمَّ تَوَلَّىٰٓ إِلَى ٱلظِّلِّ فَقَالَ رَبِّ إِنِّى لِمَآ أَنزَلْتَ إِلَىَّ مِنْ خَيْرٍ فَقِيرٌ ۝ فَجَآءَتْهُ إِحْدَىٰهُمَا تَمْشِى عَلَى ٱسْتِحْيَآءٍ قَالَتْ إِنَّ أَبِى يَدْعُوكَ لِيَجْزِيَكَ أَجْرَ مَا سَقَيْتَ لَنَا فَلَمَّا جَآءَهُ وَقَصَّ عَلَيْهِ ٱلْقَصَصَ قَالَ لَا تَخَفْ نَجَوْتَ مِنَ ٱلْقَوْمِ ٱلظَّٰلِمِينَ ۝ قَالَتْ إِحْدَىٰهُمَا يَٰٓأَبَتِ ٱسْتَـْٔجِرْهُ إِنَّ خَيْرَ مَنِ ٱسْتَـْٔجَرْتَ ٱلْقَوِىُّ ٱلْأَمِينُ ۝ قَالَ إِنِّىٓ أُرِيدُ أَنْ أُنكِحَكَ إِحْدَى ٱبْنَتَىَّ هَٰتَيْنِ عَلَىٰٓ أَن تَأْجُرَنِى ثَمَٰنِىَ حِجَجٍ فَإِنْ أَتْمَمْتَ عَشْرًا فَمِنْ عِندِكَ وَمَآ أُرِيدُ أَنْ أَشُقَّ عَلَيْكَ سَتَجِدُنِىٓ إِن شَآءَ ٱللَّهُ مِنَ ٱلصَّٰلِحِينَ ۝ قَالَ ذَٰلِكَ بَيْنِى وَبَيْنَكَ أَيَّمَا ٱلْأَجَلَيْنِ قَضَيْتُ فَلَا عُدْوَٰنَ عَلَىَّ وَٱللَّهُ عَلَىٰ مَا نَقُولُ وَكِيلٌ ۝

22. Et lorsqu'il se dirigea vers Madyan, il dit: «Je souhaite que mon Seigneur me guide sur la voie droite».

23. Et quand il fut arrivé au point d'eau de Madyan, il y trouva un attroupement de gens abreuvant [leurs bêtes] et il trouva aussi deux femmes se tenant à l'écart et retenant [leurs bêtes]. Il dit: «Que voulez-vous?» Elles dirent: «Nous n'abreuverons que quand les bergers seront partis ; et notre père est fort âgé».

24. Il abreuva [les bêtes] pour elles puis retourna à l'ombre et dit: «Seigneur, j'ai grand besoin du bien que tu feras descendre vers moi».

25. Puis l'une des deux femmes vint à lui, d'une démarche timide, et lui dit: «Mon père t'appelle pour te récompenser pour avoir abreuvé pour nous». Et quand il fut venu auprès de lui et qu'il lui eut raconté son histoire, il (le vieillard) dit: «N'aie aucune crainte: tu as échappé aux gens injustes».

26. L'une d'elles dit: «Ô mon père, engage-le [à ton service] moyennant salaire, car le meilleur à engager c'est celui qui est fort et digne de confiance».

27. Il dit: «Je voudrais te marier à l'une de mes deux filles que voici, à condition que tu travailles à mon service durant huit ans. Si tu achèves dix [années], ce sera de ton bon gré ; je ne veux cependant rien t'imposer d'excessif. Tu me trouveras, si Allāh le veut, du nombre des gens de bien».

28. «C'est (conclu) entre toi et moi, dit [Moïse]. Quel que soit celui des deux termes que je m'assigne, il n'y aura nulle pression sur moi. Et Allāh est Garant de ce que nous disons».

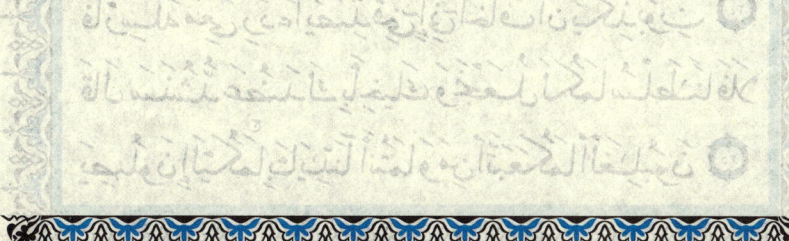

۞ فَلَمَّا قَضَىٰ مُوسَى ٱلْأَجَلَ وَسَارَ بِأَهْلِهِ ءَانَسَ مِن جَانِبِ ٱلطُّورِ نَارًا قَالَ لِأَهْلِهِ ٱمْكُثُوٓاْ إِنِّىٓ ءَانَسْتُ نَارًا لَّعَلِّىٓ ءَاتِيكُم مِّنْهَا بِخَبَرٍ أَوْ جَذْوَةٍ مِّنَ ٱلنَّارِ لَعَلَّكُمْ تَصْطَلُونَ ۞ فَلَمَّآ أَتَىٰهَا نُودِىَ مِن شَٰطِئِ ٱلْوَادِ ٱلْأَيْمَنِ فِى ٱلْبُقْعَةِ ٱلْمُبَٰرَكَةِ مِنَ ٱلشَّجَرَةِ أَن يَٰمُوسَىٰٓ إِنِّىٓ أَنَا ٱللَّهُ رَبُّ ٱلْعَٰلَمِينَ ۞ وَأَنْ أَلْقِ عَصَاكَ فَلَمَّا رَءَاهَا تَهْتَزُّ كَأَنَّهَا جَآنٌّ وَلَّىٰ مُدْبِرًا وَلَمْ يُعَقِّبْ يَٰمُوسَىٰٓ أَقْبِلْ وَلَا تَخَفْ إِنَّكَ مِنَ ٱلْءَامِنِينَ ۞ ٱسْلُكْ يَدَكَ فِى جَيْبِكَ تَخْرُجْ بَيْضَآءَ مِنْ غَيْرِ سُوٓءٍ وَٱضْمُمْ إِلَيْكَ جَنَاحَكَ مِنَ ٱلرَّهْبِ فَذَٰنِكَ بُرْهَٰنَانِ مِن رَّبِّكَ إِلَىٰ فِرْعَوْنَ وَمَلَإِيْهِۦ إِنَّهُمْ كَانُواْ قَوْمًا فَٰسِقِينَ ۞ قَالَ رَبِّ إِنِّى قَتَلْتُ مِنْهُمْ نَفْسًا فَأَخَافُ أَن يَقْتُلُونِ ۞ وَأَخِى هَٰرُونُ هُوَ أَفْصَحُ مِنِّى لِسَانًا فَأَرْسِلْهُ مَعِىَ رِدْءًا يُصَدِّقُنِىٓ إِنِّىٓ أَخَافُ أَن يُكَذِّبُونِ ۞ قَالَ سَنَشُدُّ عَضُدَكَ بِأَخِيكَ وَنَجْعَلُ لَكُمَا سُلْطَٰنًا فَلَا يَصِلُونَ إِلَيْكُمَا بِـَٔايَٰتِنَآ أَنتُمَا وَمَنِ ٱتَّبَعَكُمَا ٱلْغَٰلِبُونَ ۞

29. Puis, lorsque Moïse eut accompli la période convenue et qu'il se mit en route avec sa famille, il vit un feu du côté du Mont. Il dit à sa famille: «Demeurez ici. J'ai vu du feu. Peut-être vous en apporterai-je une nouvelle ou un tison de feu afin que vous vous réchauffiez».

30. Puis quand il y arriva, on l'appela, du flanc droit de la vallée, dans la place bénie, à partir de l'arbre: «Ô Moïse! C'est Moi Allāh, le Seigneur de l'univers».

31. Et: «Jette ton bâton» ; puis quand il le vit remuer comme si c'était un serpent, il tourna le dos sans même se retourner. «Ô Moïse! Approche et n'aie pas peur: tu es du nombre de ceux qui sont en sécurité.

32. Introduis ta main dans l'ouverture de ta tunique: elle sortira blanche sans aucun mal. Et serre ton bras contre toi pour ne pas avoir peur. Voilà donc deux preuves de ton Seigneur pour Pharaon et ses notables. Ce sont vraiment des gens pervers».

33. «Seigneur, dit [Moïse], j'ai tué un des leurs et je crains qu'ils ne me tuent.

34. Mais Aaron, mon frère, est plus éloquent que moi. Envoie-le donc avec moi comme auxiliaire, pour déclarer ma véracité: je crains, vraiment, qu'ils ne me traitent de menteur».

35. [Allāh] dit: «Nous allons, par ton frère, fortifier ton bras, et vous donner des arguments irréfutables ; ils ne sauront vous atteindre, grâce à Nos signes [Nos miracles]. Vous deux et ceux qui vous suivront seront les vainqueurs.

فَلَمَّا جَآءَهُم مُّوسَىٰ بِـَٔايَـٰتِنَا بَيِّنَـٰتٍ قَالُوا۟ مَا هَـٰذَآ إِلَّا سِحْرٌ
مُّفْتَرًى وَمَا سَمِعْنَا بِهَـٰذَا فِىٓ ءَابَآئِنَا ٱلْأَوَّلِينَ ﴿٣٦﴾ وَقَالَ
مُوسَىٰ رَبِّىٓ أَعْلَمُ بِمَن جَآءَ بِٱلْهُدَىٰ مِنْ عِندِهِۦ وَمَن تَكُونُ
لَهُۥ عَـٰقِبَةُ ٱلدَّارِ إِنَّهُۥ لَا يُفْلِحُ ٱلظَّـٰلِمُونَ ﴿٣٧﴾ وَقَالَ فِرْعَوْنُ
يَـٰٓأَيُّهَا ٱلْمَلَأُ مَا عَلِمْتُ لَكُم مِّنْ إِلَـٰهٍ غَيْرِى فَأَوْقِدْ
لِى يَـٰهَـٰمَـٰنُ عَلَى ٱلطِّينِ فَٱجْعَل لِّى صَرْحًا لَّعَلِّىٓ أَطَّلِعُ إِلَىٰٓ
إِلَـٰهِ مُوسَىٰ وَإِنِّى لَأَظُنُّهُۥ مِنَ ٱلْكَـٰذِبِينَ ﴿٣٨﴾ وَٱسْتَكْبَرَ
هُوَ وَجُنُودُهُۥ فِى ٱلْأَرْضِ بِغَيْرِ ٱلْحَقِّ وَظَنُّوٓا۟ أَنَّهُمْ إِلَيْنَا
لَا يُرْجَعُونَ ﴿٣٩﴾ فَأَخَذْنَـٰهُ وَجُنُودَهُۥ فَنَبَذْنَـٰهُمْ فِى
ٱلْيَمِّ فَٱنظُرْ كَيْفَ كَانَ عَـٰقِبَةُ ٱلظَّـٰلِمِينَ ﴿٤٠﴾
وَجَعَلْنَـٰهُمْ أَئِمَّةً يَدْعُونَ إِلَى ٱلنَّارِ وَيَوْمَ ٱلْقِيَـٰمَةِ
لَا يُنصَرُونَ ﴿٤١﴾ وَأَتْبَعْنَـٰهُمْ فِى هَـٰذِهِ ٱلدُّنْيَا لَعْنَةً
وَيَوْمَ ٱلْقِيَـٰمَةِ هُم مِّنَ ٱلْمَقْبُوحِينَ ﴿٤٢﴾ وَلَقَدْ ءَاتَيْنَا
مُوسَى ٱلْكِتَـٰبَ مِنۢ بَعْدِ مَآ أَهْلَكْنَا ٱلْقُرُونَ ٱلْأُولَىٰ
بَصَآئِرَ لِلنَّاسِ وَهُدًى وَرَحْمَةً لَّعَلَّهُمْ يَتَذَكَّرُونَ ﴿٤٣﴾

36. Puis, quand Moïse vint à eux avec Nos prodiges évidents, ils dirent: «Ce n'est là que magie inventée. Jamais nous n'avons entendu parler de cela chez nos premiers ancêtres».

37. Et Moïse dit: «Mon Seigneur connaît mieux qui est venu de Sa part avec la guidée, et à qui appartiendra la Demeure finale. Vraiment, les injustes ne réussiront pas».

38. Et Pharaon dit: «Ô notables, je ne connais pas de divinité pour vous, autre que moi. Hāmān, allume-moi du feu sur l'argile puis construis-moi une tour peut-être alors monterai-je jusqu'au Dieu de Moïse. Je pense plutôt qu'il est du nombre des menteurs».

39. Et il s'enfla d'orgueil sur terre ainsi que ses soldats, sans aucun droit. Et ils pensèrent qu'ils ne seraient pas ramenés vers Nous.

40. Nous le saisîmes donc, ainsi que ses soldats, et les jetâmes dans le flot. Regarde donc ce qu'il est advenu des injustes!

41. Nous fîmes d'eux des dirigeants qui appellent les gens au Feu. Et au Jour de la Résurrection ils ne seront pas secourus.

42. Nous les fîmes suivre, dans cette vie ici-bas, d'une malédiction. Et au Jour de la Résurrection, ils seront parmi les honnis.

43. Nous avons en effet, donné le Livre à Moïse, - après avoir fait périr les anciennes générations, - en tant que preuves illuminantes pour les gens, ainsi que guidée et miséricorde afin qu'ils se souviennent.

وَمَا كُنتَ بِجَانِبِ ٱلْغَرْبِيِّ إِذْ قَضَيْنَآ إِلَىٰ مُوسَى ٱلْأَمْرَ وَمَا كُنتَ مِنَ ٱلشَّٰهِدِينَ ۝ وَلَٰكِنَّآ أَنشَأْنَا قُرُونًا فَتَطَاوَلَ عَلَيْهِمُ ٱلْعُمُرُ وَمَا كُنتَ ثَاوِيًا فِىٓ أَهْلِ مَدْيَنَ تَتْلُواْ عَلَيْهِمْ ءَايَٰتِنَا وَلَٰكِنَّا كُنَّا مُرْسِلِينَ ۝ وَمَا كُنتَ بِجَانِبِ ٱلطُّورِ إِذْ نَادَيْنَا وَلَٰكِن رَّحْمَةً مِّن رَّبِّكَ لِتُنذِرَ قَوْمًا مَّآ أَتَىٰهُم مِّن نَّذِيرٍ مِّن قَبْلِكَ لَعَلَّهُمْ يَتَذَكَّرُونَ ۝ وَلَوْلَآ أَن تُصِيبَهُم مُّصِيبَةٌۢ بِمَا قَدَّمَتْ أَيْدِيهِمْ فَيَقُولُواْ رَبَّنَا لَوْلَآ أَرْسَلْتَ إِلَيْنَا رَسُولًا فَنَتَّبِعَ ءَايَٰتِكَ وَنَكُونَ مِنَ ٱلْمُؤْمِنِينَ ۝ فَلَمَّا جَآءَهُمُ ٱلْحَقُّ مِنْ عِندِنَا قَالُواْ لَوْلَآ أُوتِىَ مِثْلَ مَآ أُوتِىَ مُوسَىٰٓ أَوَلَمْ يَكْفُرُواْ بِمَآ أُوتِىَ مُوسَىٰ مِن قَبْلُ قَالُواْ سِحْرَانِ تَظَٰهَرَا وَقَالُوٓاْ إِنَّا بِكُلٍّ كَٰفِرُونَ ۝ قُلْ فَأْتُواْ بِكِتَٰبٍ مِّنْ عِندِ ٱللَّهِ هُوَ أَهْدَىٰ مِنْهُمَآ أَتَّبِعْهُ إِن كُنتُمْ صَٰدِقِينَ ۝ فَإِن لَّمْ يَسْتَجِيبُواْ لَكَ فَٱعْلَمْ أَنَّمَا يَتَّبِعُونَ أَهْوَآءَهُمْ وَمَنْ أَضَلُّ مِمَّنِ ٱتَّبَعَ هَوَىٰهُ بِغَيْرِ هُدًى مِّنَ ٱللَّهِ إِنَّ ٱللَّهَ لَا يَهْدِى ٱلْقَوْمَ ٱلظَّٰلِمِينَ ۝

44. Tu n'étais pas[1] sur le versant ouest (du Sinaï), quand Nous avons décrété les commandements à Moïse ; tu n'étais pas parmi les témoins.

45. Mais Nous avons fait naître des générations dont l'âge s'est prolongé. Et tu n'étais pas [non plus] résident parmi les gens de Madyan leur récitant Nos versets ; mais c'est Nous qui envoyons les Messagers.

46. Et tu n'étais pas au flanc du Mont Tor quand Nous avons appelé. Mais (tu es venu comme) une miséricorde de ton Seigneur, pour avertir un peuple à qui nul avertisseur avant toi n'est venu, afin qu'ils se souviennent.

47. Si un malheur les atteignait en rétribution de ce que leurs propres mains avaient préparé, ils diraient: «Seigneur, pourquoi ne nous as-Tu pas envoyé un Messager? Nous aurions alors suivi Tes versets et nous aurions été croyants».

48. Mais quand la vérité leur est venue de Notre part, ils ont dit: «Si seulement il avait reçu la même chose que Moïse!» Est-ce qu'ils n'ont pas nié ce qui auparavant fut apporté à Moïse? Ils dirent: «Deux magies se sont mutuellement soutenues!» Et ils dirent: «Nous n'avons foi en aucune»[2] .

49. Dis-leur: «Apportez donc un Livre venant d'Allāh qui soit meilleur guide que ces deux-là, et je le suivrai si vous êtes véridiques».

50. Mais s'ils ne te répondent pas, sache alors que c'est seulement leurs passions qu'ils suivent. Et qui est plus égaré que celui qui suit sa passion sans une guidée d'Allāh? Allāh vraiment, ne guide pas les gens injustes.

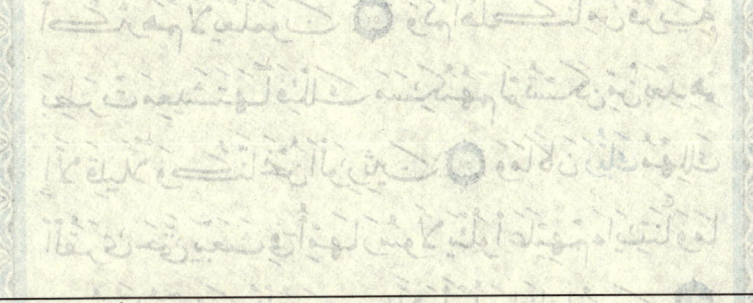

---

1. *Tu n'étais pas*: (Ô Muḥammad) (ﷺ) sur le versant ouest: du Sinaï.
2. *Ils dirent*: les Mecquois dirent deux magies. Les païens de la Mecque ne voient, dans la Thora et le Qur'ān que deux magies qui se soutiennent l'une l'autre.

۞ وَلَقَدْ وَصَّلْنَا لَهُمُ الْقَوْلَ لَعَلَّهُمْ يَتَذَكَّرُونَ ۝ الَّذِينَ ءَاتَيْنَٰهُمُ الْكِتَٰبَ مِن قَبْلِهِۦ هُم بِهِۦ يُؤْمِنُونَ ۝ وَإِذَا يُتْلَىٰ عَلَيْهِمْ قَالُوٓا۟ ءَامَنَّا بِهِۦٓ إِنَّهُ الْحَقُّ مِن رَّبِّنَآ إِنَّا كُنَّا مِن قَبْلِهِۦ مُسْلِمِينَ ۝ أُو۟لَٰٓئِكَ يُؤْتَوْنَ أَجْرَهُم مَّرَّتَيْنِ بِمَا صَبَرُوا۟ وَيَدْرَءُونَ بِالْحَسَنَةِ السَّيِّئَةَ وَمِمَّا رَزَقْنَٰهُمْ يُنفِقُونَ ۝ وَإِذَا سَمِعُوا۟ اللَّغْوَ أَعْرَضُوا۟ عَنْهُ وَقَالُوا۟ لَنَآ أَعْمَٰلُنَا وَلَكُمْ أَعْمَٰلُكُمْ سَلَٰمٌ عَلَيْكُمْ لَا نَبْتَغِي الْجَٰهِلِينَ ۝ إِنَّكَ لَا تَهْدِي مَنْ أَحْبَبْتَ وَلَٰكِنَّ اللَّهَ يَهْدِي مَن يَشَآءُ وَهُوَ أَعْلَمُ بِالْمُهْتَدِينَ ۝ وَقَالُوٓا۟ إِن نَّتَّبِعِ الْهُدَىٰ مَعَكَ نُتَخَطَّفْ مِنْ أَرْضِنَآ أَوَلَمْ نُمَكِّن لَّهُمْ حَرَمًا ءَامِنًا يُجْبَىٰٓ إِلَيْهِ ثَمَرَٰتُ كُلِّ شَىْءٍ رِّزْقًا مِّن لَّدُنَّا وَلَٰكِنَّ أَكْثَرَهُمْ لَا يَعْلَمُونَ ۝ وَكَمْ أَهْلَكْنَا مِن قَرْيَةٍ بَطِرَتْ مَعِيشَتَهَا فَتِلْكَ مَسَٰكِنُهُمْ لَمْ تُسْكَن مِّن بَعْدِهِمْ إِلَّا قَلِيلًا وَكُنَّا نَحْنُ الْوَٰرِثِينَ ۝ وَمَا كَانَ رَبُّكَ مُهْلِكَ الْقُرَىٰ حَتَّىٰ يَبْعَثَ فِىٓ أُمِّهَا رَسُولًا يَتْلُوا۟ عَلَيْهِمْ ءَايَٰتِنَا وَمَا كُنَّا مُهْلِكِي الْقُرَىٰٓ إِلَّا وَأَهْلُهَا ظَٰلِمُونَ ۝

51. Nous leur avons déjà exposé la Parole (le Qur'ān) afin qu'ils se souviennent.

52. Ceux à qui, avant lui [le Qur'ān], Nous avons apporté le Livre, y croient[1].

53. Et quand on le leur récite, ils disent: «Nous y croyons. Ceci est bien la vérité émanant de notre Seigneur. Déjà avant son arrivée, nous étions Soumis»[2].

54. Voilà ceux qui recevront deux fois leur récompense pour leur endurance, pour avoir répondu au mal par le bien, et pour avoir dépensé de ce que Nous leur avons attribué[3];

55. et quand ils entendent des futilités, ils s'en détournent et disent: «À nous nos actions, et à vous les vôtres. Paix sur vous. Nous ne recherchons pas les ignorants».

56. Tu (Muḥammad) ne diriges pas celui que tu aimes: mais c'est Allāh qui guide qui Il veut. Il connaît mieux cependant les bien guidés.

57. Et ils dirent[4]: «Si nous suivons avec toi la bonne voie, on nous arrachera de notre terre». - Ne les avons-Nous pas établis dans une enceinte sacrée, sûre, vers laquelle des produits de toute sorte sont apportés comme attribution de Notre part? Mais la plupart d'entre eux ne savent pas.

58. Et combien avons-Nous fait périr de cités qui étaient ingrates (alors que leurs habitants vivaient dans l'abondance), et voilà qu'après eux leurs demeures ne sont que très peu habitées, et c'est Nous qui en fûmes l'héritier.

59. Ton Seigneur ne fait pas périr des cités avant d'avoir envoyé dans leur métropole un Messager pour leur réciter Nos versets. Et Nous ne faisons périr les cités que lorsque leurs habitants sont injustes.

---

1. Ce verset fait allusion aux gens du Livre qui embrassèrent l'Islām.
2. *Soumis*: Musulmans. C'est à la révélation qur'ānique qu'ont cru les croyants d'avant Muḥammad (ﷺ). Quand on leur récita le Qur'ān, par la suite ils y crurent d'emblée, le reconnurent et s'aperçurent que de tout temps ils avaient été Musulmans. Déjà à la Mecque, certains Chrétiens avaient embrassé l'Islām. À Médine aussi, certains Juifs s'étaient convertis. il est à noter que tous les versets de cette sourate ont été révélés avant l'Hégire, excepté les versets de 52 à 55 qui l'ont été après l'Hégire.
3. *A qui ... deux fois leur récompense*: les Juifs et les Chrétiens, qui embrassèrent l'Islām, méritent double récompense parce qu'ils ont cru aux deux livres (leur propre livre et le Qur'ān).
4. *Et ils dirent*: les païens de la Mecque.

وَمَآ أُوتِيتُم مِّن شَىْءٍ فَمَتَٰعُ ٱلْحَيَوٰةِ ٱلدُّنْيَا وَزِينَتُهَا وَمَا عِندَ ٱللَّهِ خَيْرٌ وَأَبْقَىٰٓ أَفَلَا تَعْقِلُونَ ۝ أَفَمَن وَعَدْنَٰهُ وَعْدًا حَسَنًا فَهُوَ لَٰقِيهِ كَمَن مَّتَّعْنَٰهُ مَتَٰعَ ٱلْحَيَوٰةِ ٱلدُّنْيَا ثُمَّ هُوَ يَوْمَ ٱلْقِيَٰمَةِ مِنَ ٱلْمُحْضَرِينَ ۝ وَيَوْمَ يُنَادِيهِمْ فَيَقُولُ أَيْنَ شُرَكَآءِىَ ٱلَّذِينَ كُنتُمْ تَزْعُمُونَ ۝ قَالَ ٱلَّذِينَ حَقَّ عَلَيْهِمُ ٱلْقَوْلُ رَبَّنَا هَٰٓؤُلَآءِ ٱلَّذِينَ أَغْوَيْنَا أَغْوَيْنَٰهُمْ كَمَا غَوَيْنَا تَبَرَّأْنَآ إِلَيْكَ مَا كَانُوٓا۟ إِيَّانَا يَعْبُدُونَ ۝ وَقِيلَ ٱدْعُوا۟ شُرَكَآءَكُمْ فَدَعَوْهُمْ فَلَمْ يَسْتَجِيبُوا۟ لَهُمْ وَرَأَوُا۟ ٱلْعَذَابَ لَوْ أَنَّهُمْ كَانُوا۟ يَهْتَدُونَ ۝ وَيَوْمَ يُنَادِيهِمْ فَيَقُولُ مَاذَآ أَجَبْتُمُ ٱلْمُرْسَلِينَ ۝ فَعَمِيَتْ عَلَيْهِمُ ٱلْأَنۢبَآءُ يَوْمَئِذٍ فَهُمْ لَا يَتَسَآءَلُونَ ۝ فَأَمَّا مَن تَابَ وَءَامَنَ وَعَمِلَ صَٰلِحًا فَعَسَىٰٓ أَن يَكُونَ مِنَ ٱلْمُفْلِحِينَ ۝ وَرَبُّكَ يَخْلُقُ مَا يَشَآءُ وَيَخْتَارُ مَا كَانَ لَهُمُ ٱلْخِيَرَةُ سُبْحَٰنَ ٱللَّهِ وَتَعَٰلَىٰ عَمَّا يُشْرِكُونَ ۝ وَرَبُّكَ يَعْلَمُ مَا تُكِنُّ صُدُورُهُمْ وَمَا يُعْلِنُونَ ۝ وَهُوَ ٱللَّهُ لَآ إِلَٰهَ إِلَّا هُوَ لَهُ ٱلْحَمْدُ فِى ٱلْأُولَىٰ وَٱلْءَاخِرَةِ وَلَهُ ٱلْحُكْمُ وَإِلَيْهِ تُرْجَعُونَ ۝

60. Tout ce qui vous a été donné est la jouissance éphémère de la vie ici-bas et sa parure, alors que ce qui est auprès d'Allāh est meilleur et plus durable... Ne comprenez-vous donc pas?

61. Celui à qui Nous avons fait une belle promesse dont il verra l'accomplissement, est-il comparable à celui à qui Nous avons accordé la jouissance de la vie présente et qui sera ensuite, le Jour de la Résurrection, de ceux qui comparaîtront (devant Nous).

62. Et le jour où Il les appellera, Il dira: «Où sont ceux que vous prétendiez être Mes associés?»

63. Ceux contre qui la Parole se réalisera diront: «Voici, Seigneur, ceux que nous avons séduits, Nous les avons séduits comme nous nous sommes dévoyés nous-mêmes. Nous les désavouons devant Toi: ce n'est pas nous qu'ils adoraient».

64. Et on [leur] dira: «Appelez vos associés». Ils les appelleront, mais ceux-ci ne leur répondront pas. Quand ils verront le châtiment, ils désireront alors avoir suivi le chemin droit (dans la vie d'ici-bas).

65. Et le jour où Il les appellera et qu'Il dira: «Que répondiez-vous aux Messagers?»

66. Ce jour-là, leurs arguments deviendront obscurs et ils ne se poseront point de questions.

67. Mais celui qui se sera repenti, qui aura cru et fait le bien, il se peut qu'il soit parmi ceux qui réussissent.

68. Ton Seigneur crée ce qu'Il veut et Il choisit ; il ne leur a jamais appartenu de choisir[1]. Gloire à Allāh! Il transcende ce qu'ils associent à Lui!

69. Ton Seigneur sait ce que cachent leurs poitrines et ce qu'ils divulguent.

70. C'est lui Allāh. Pas de divinité à part Lui. À Lui la louange ici-bas comme dans l'au-delà. À Lui appartient le jugement. Et vers Lui vous serez ramenés.

---

1. *Autre compréhension de cette partie du verset*: Ton Seigneur crée ce qu'il veut et choisit [pour les hommes] ce qui leur convient le mieux.

قُلْ أَرَءَيْتُمْ إِن جَعَلَ ٱللَّهُ عَلَيْكُمُ ٱلَّيْلَ سَرْمَدًا إِلَىٰ يَوْمِ ٱلْقِيَٰمَةِ مَنْ إِلَٰهٌ غَيْرُ ٱللَّهِ يَأْتِيكُم بِضِيَآءٍ أَفَلَا تَسْمَعُونَ ۞ ٧١

قُلْ أَرَءَيْتُمْ إِن جَعَلَ ٱللَّهُ عَلَيْكُمُ ٱلنَّهَارَ سَرْمَدًا إِلَىٰ يَوْمِ ٱلْقِيَٰمَةِ مَنْ إِلَٰهٌ غَيْرُ ٱللَّهِ يَأْتِيكُم بِلَيْلٍ تَسْكُنُونَ فِيهِ أَفَلَا تُبْصِرُونَ ۞ ٧٢ وَمِن رَّحْمَتِهِ جَعَلَ لَكُمُ ٱلَّيْلَ وَٱلنَّهَارَ لِتَسْكُنُوا۟ فِيهِ وَلِتَبْتَغُوا۟ مِن فَضْلِهِۦ وَلَعَلَّكُمْ تَشْكُرُونَ ۞ ٧٣ وَيَوْمَ يُنَادِيهِمْ فَيَقُولُ أَيْنَ شُرَكَآءِىَ ٱلَّذِينَ كُنتُمْ تَزْعُمُونَ ۞ ٧٤ وَنَزَعْنَا مِن كُلِّ أُمَّةٍ شَهِيدًا فَقُلْنَا هَاتُوا۟ بُرْهَٰنَكُمْ فَعَلِمُوٓا۟ أَنَّ ٱلْحَقَّ لِلَّهِ وَضَلَّ عَنْهُم مَّا كَانُوا۟ يَفْتَرُونَ ۞ ٧٥ ۞ إِنَّ قَٰرُونَ كَانَ مِن قَوْمِ مُوسَىٰ فَبَغَىٰ عَلَيْهِمْ وَءَاتَيْنَٰهُ مِنَ ٱلْكُنُوزِ مَآ إِنَّ مَفَاتِحَهُۥ لَتَنُوٓأُ بِٱلْعُصْبَةِ أُو۟لِى ٱلْقُوَّةِ إِذْ قَالَ لَهُۥ قَوْمُهُۥ لَا تَفْرَحْ إِنَّ ٱللَّهَ لَا يُحِبُّ ٱلْفَرِحِينَ ۞ ٧٦ وَٱبْتَغِ فِيمَآ ءَاتَىٰكَ ٱللَّهُ ٱلدَّارَ ٱلْءَاخِرَةَ وَلَا تَنسَ نَصِيبَكَ مِنَ ٱلدُّنْيَا وَأَحْسِن كَمَآ أَحْسَنَ ٱللَّهُ إِلَيْكَ وَلَا تَبْغِ ٱلْفَسَادَ فِى ٱلْأَرْضِ إِنَّ ٱللَّهَ لَا يُحِبُّ ٱلْمُفْسِدِينَ ۞ ٧٧

71. Dis: «Que diriez-vous? Si Allāh vous assignait la nuit en permanence jusqu'au Jour de la Résurrection, quelle divinité autre qu'Allāh pourrait vous apporter une lumière? N'entendez-vous donc pas?»

72. Dis: «Que diriez-vous? Si Allāh vous assignait le jour en permanence jusqu'au Jour de la Résurrection, quelle divinité autre qu'Allāh pourrait vous apporter une nuit durant laquelle vous reposeriez? N'observez-vous donc pas?»

73. C'est de par Sa miséricorde qu'Il vous a assigné la nuit et le jour: pour que vous vous y reposiez et cherchiez de Sa grâce, et afin que vous soyez reconnaissants.

74. Et le jour où Il les appellera, Il dira: «Où sont ceux que vous prétendiez être Mes associés?»

75. Cependant, Nous ferons sortir de chaque communauté un témoin, puis Nous dirons: «Apportez votre preuve décisive». Ils sauront alors que la Vérité est à Allāh ; et que ce qu'ils avaient inventé les a abandonnés.

76. En vérité, Coré [Qārūn] était du peuple de Moïse mais il était empli de violence envers eux. Nous lui avions donné des trésors dont les clefs pesaient lourd à toute une bande de gens forts. Son peuple lui dit: «Ne te réjouis point. Car Allāh n'aime pas les arrogants.

77. Et recherche à travers ce qu'Allāh t'a donné, la Demeure dernière. Et n'oublie pas ta part[1] en cette vie. Et sois bienfaisant comme Allāh a été bienfaisant envers toi. Et ne recherche pas la corruption sur terre. Car Allāh n'aime point les corrupteurs».

---

1. *N'oublie pas ta part* ...: verset souvent cité en Islām pour inviter le croyant à ne pas déserter ses intérêts matériels au profit d'une piété exagérée.

قَالَ إِنَّمَآ أُوتِيتُهُ عَلَىٰ عِلْمٍ عِندِىٓ أَوَلَمْ يَعْلَمْ أَنَّ ٱللَّهَ قَدْ أَهْلَكَ مِن قَبْلِهِ مِنَ ٱلْقُرُونِ مَنْ هُوَ أَشَدُّ مِنْهُ قُوَّةً وَأَكْثَرُ جَمْعًا وَلَا يُسْـَٔلُ عَن ذُنُوبِهِمُ ٱلْمُجْرِمُونَ ۝ فَخَرَجَ عَلَىٰ قَوْمِهِۦ فِى زِينَتِهِۦ قَالَ ٱلَّذِينَ يُرِيدُونَ ٱلْحَيَوٰةَ ٱلدُّنْيَا يَٰلَيْتَ لَنَا مِثْلَ مَآ أُوتِىَ قَٰرُونُ إِنَّهُۥ لَذُو حَظٍّ عَظِيمٍ ۝ وَقَالَ ٱلَّذِينَ أُوتُوا۟ ٱلْعِلْمَ وَيْلَكُمْ ثَوَابُ ٱللَّهِ خَيْرٌ لِّمَنْ ءَامَنَ وَعَمِلَ صَٰلِحًا وَلَا يُلَقَّىٰهَآ إِلَّا ٱلصَّٰبِرُونَ ۝ فَخَسَفْنَا بِهِۦ وَبِدَارِهِ ٱلْأَرْضَ فَمَا كَانَ لَهُۥ مِن فِئَةٍ يَنصُرُونَهُۥ مِن دُونِ ٱللَّهِ وَمَا كَانَ مِنَ ٱلْمُنتَصِرِينَ ۝ وَأَصْبَحَ ٱلَّذِينَ تَمَنَّوْا۟ مَكَانَهُۥ بِٱلْأَمْسِ يَقُولُونَ وَيْكَأَنَّ ٱللَّهَ يَبْسُطُ ٱلرِّزْقَ لِمَن يَشَآءُ مِنْ عِبَادِهِۦ وَيَقْدِرُ لَوْلَآ أَن مَّنَّ ٱللَّهُ عَلَيْنَا لَخَسَفَ بِنَا وَيْكَأَنَّهُۥ لَا يُفْلِحُ ٱلْكَٰفِرُونَ ۝ تِلْكَ ٱلدَّارُ ٱلْأَخِرَةُ نَجْعَلُهَا لِلَّذِينَ لَا يُرِيدُونَ عُلُوًّا فِى ٱلْأَرْضِ وَلَا فَسَادًا وَٱلْعَٰقِبَةُ لِلْمُتَّقِينَ ۝ مَن جَآءَ بِٱلْحَسَنَةِ فَلَهُۥ خَيْرٌ مِّنْهَا وَمَن جَآءَ بِٱلسَّيِّئَةِ فَلَا يُجْزَى ٱلَّذِينَ عَمِلُوا۟ ٱلسَّيِّـَٔاتِ إِلَّا مَا كَانُوا۟ يَعْمَلُونَ ۝

78. Il dit: «C'est par une science que je possède que ceci m'est venu». Ne savait-il pas qu'avant lui Allāh avait fait périr des générations supérieures à lui en force et plus riches en biens? Et les criminels ne seront pas interrogés sur leurs péchés»[1]!

79. Il sortit à son peuple dans tout son apparat. Ceux qui aimaient la vie présente dirent: «Si seulement nous avions comme ce qui a été donné à Coré. Il a été doté, certes, d'une immense fortune».

80. Tandis que ceux auxquels le savoir a été donné dirent: «Malheur à vous! La récompense d'Allāh est meilleure pour celui qui croit et fait le bien». Mais elle ne sera reçue que par ceux qui endurent.

81. Nous fîmes donc que la terre l'engloutît, lui et Sa maison. Aucun clan en dehors d'Allāh ne fut là pour le secourir, et il ne pût se secourir lui-même.

82. Et ceux qui, la veille, souhaitaient être à sa place, se mirent à dire: «Ah! Il est vrai qu'Allāh augmente la part de qui Il veut, parmi Ses serviteurs, ou la restreint. Si Allāh ne nous avait pas favorisés, Il nous aurait certainement fait engloutir. Ah! Il est vrai que ceux qui ne croient pas ne réussissent pas».

83. Cette Demeure dernière, Nous la réservons à ceux qui ne recherchent, ni à s'élever sur terre, ni à y semer la corruption. Cependant, l'heureuse fin appartient aux pieux.

84. Quiconque viendra avec le bien, aura meilleur que cela encore ; et quiconque viendra avec le mal, (qu'il sache que) ceux qui commettront des méfaits ne seront rétribués que selon ce qu'ils ont commis.

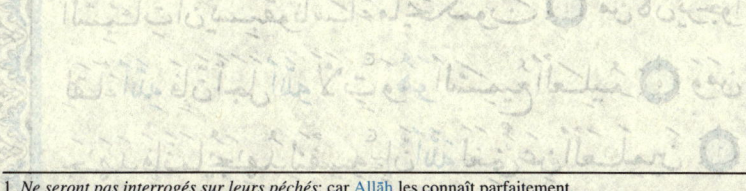

---

1. *Ne seront pas interrogés sur leurs péchés*: car Allāh les connaît parfaitement.

إِنَّ ٱلَّذِي فَرَضَ عَلَيْكَ ٱلْقُرْءَانَ لَرَآدُّكَ إِلَىٰ مَعَادٍ قُل رَّبِّي أَعْلَمُ مَن جَآءَ بِٱلْهُدَىٰ وَمَنْ هُوَ فِي ضَلَٰلٍ مُّبِينٍ ﴿٨٥﴾ وَمَا كُنتَ تَرْجُوٓاْ أَن يُلْقَىٰٓ إِلَيْكَ ٱلْكِتَٰبُ إِلَّا رَحْمَةً مِّن رَّبِّكَ فَلَا تَكُونَنَّ ظَهِيرًا لِّلْكَٰفِرِينَ ﴿٨٦﴾ وَلَا يَصُدُّنَّكَ عَنْ ءَايَٰتِ ٱللَّهِ بَعْدَ إِذْ أُنزِلَتْ إِلَيْكَ وَٱدْعُ إِلَىٰ رَبِّكَ وَلَا تَكُونَنَّ مِنَ ٱلْمُشْرِكِينَ ﴿٨٧﴾ وَلَا تَدْعُ مَعَ ٱللَّهِ إِلَٰهًا ءَاخَرَ لَآ إِلَٰهَ إِلَّا هُوَ كُلُّ شَىْءٍ هَالِكٌ إِلَّا وَجْهَهُ لَهُ ٱلْحُكْمُ وَإِلَيْهِ تُرْجَعُونَ ﴿٨٨﴾

سُورَةُ العَنكَبُوت

بِسْمِ ٱللَّهِ ٱلرَّحْمَٰنِ ٱلرَّحِيمِ

الٓمٓ ﴿١﴾ أَحَسِبَ ٱلنَّاسُ أَن يُتْرَكُوٓاْ أَن يَقُولُوٓاْ ءَامَنَّا وَهُمْ لَا يُفْتَنُونَ ﴿٢﴾ وَلَقَدْ فَتَنَّا ٱلَّذِينَ مِن قَبْلِهِمْ فَلَيَعْلَمَنَّ ٱللَّهُ ٱلَّذِينَ صَدَقُواْ وَلَيَعْلَمَنَّ ٱلْكَٰذِبِينَ ﴿٣﴾ أَمْ حَسِبَ ٱلَّذِينَ يَعْمَلُونَ ٱلسَّيِّـَٔاتِ أَن يَسْبِقُونَا سَآءَ مَا يَحْكُمُونَ ﴿٤﴾ مَن كَانَ يَرْجُواْ لِقَآءَ ٱللَّهِ فَإِنَّ أَجَلَ ٱللَّهِ لَأٓتٍ وَهُوَ ٱلسَّمِيعُ ٱلْعَلِيمُ ﴿٥﴾ وَمَن جَٰهَدَ فَإِنَّمَا يُجَٰهِدُ لِنَفْسِهِۦٓ إِنَّ ٱللَّهَ لَغَنِيٌّ عَنِ ٱلْعَٰلَمِينَ ﴿٦﴾

نِصْفُ
الحِزْب
٤٠

85. Celui qui t'a prescrit le Qur'ān te ramènera certainement là où tu (souhaites) retourner[1]. Dis: «Mon Seigneur connaît mieux celui qui a apporté la guidée et celui qui est dans un égarement évident.

86. Tu n'espérais nullement que le Livre te serait révélé. Ceci n'a été que par une miséricorde de ton Seigneur. Ne sois donc jamais un soutien pour les infidèles ;

87. et que ceux-ci ne te détournent point des versets d'Allāh une fois qu'on les a fait descendre vers toi. Appelle les gens vers ton Seigneur et ne sois point du nombre des Associateurs.

88. Et n'invoque nulle autre divinité avec Allāh. Point de divinité à part Lui. Tout doit périr, sauf Son Visage[2]. À Lui appartient le jugement ; et vers Lui vous serez ramenés.

AL-ʿANKABŪT (L'ARAIGNÉE)[3]
sourate 29   69 versets   Pré-hégirien n°85

Au nom d'Allāh, le Tout Miséricordieux, le Très Miséricordieux.

1. Alif. Lām, Mīm[4].

2. Est-ce que les gens pensent qu'on les laissera dire: «Nous croyons!» sans les éprouver?

3. Certes, Nous avons éprouvé ceux qui ont vécu avant eux ; [Ainsi] Allāh connaît ceux qui disent la vérité et ceux qui mentent.

4. Ou bien ceux qui commettent des méfaits, comptent-ils pouvoir Nous échapper? Comme leur jugement est mauvais!

5. Celui qui espère rencontrer Allāh, le terme fixé par Allāh va certainement venir. Et c'est Lui l'Audient, l'Omniscient.

6. Et quiconque lutte, ne lutte que pour lui-même, car Allāh peut Se passer de tout l'univers.

---

1. Présage du retour du Prophète à la Mecque.
Autre interp.: te ramènera au Paradis.
2. *Son Visage*: selon Ibn Kaṯīr: «Tout doit périr sauf Lui». Il est prouvé qu'Allāh ne ressemble point aux créatures.
3. Titre tiré du v. 41.
4. Cf. note à S. 2, v. 1.

وَالَّذِينَ ءَامَنُواْ وَعَمِلُواْ الصَّٰلِحَٰتِ لَنُكَفِّرَنَّ عَنْهُمْ سَيِّـَٔاتِهِمْ وَلَنَجْزِيَنَّهُمْ أَحْسَنَ الَّذِى كَانُواْ يَعْمَلُونَ ۝

وَوَصَّيْنَا الْإِنسَٰنَ بِوَٰلِدَيْهِ حُسْنًا ۖ وَإِن جَٰهَدَاكَ لِتُشْرِكَ بِى مَا لَيْسَ لَكَ بِهِۦ عِلْمٌ فَلَا تُطِعْهُمَآ ۚ إِلَىَّ مَرْجِعُكُمْ فَأُنَبِّئُكُم بِمَا كُنتُمْ تَعْمَلُونَ ۝

وَالَّذِينَ ءَامَنُواْ وَعَمِلُواْ الصَّٰلِحَٰتِ لَنُدْخِلَنَّهُمْ فِى الصَّٰلِحِينَ ۝

وَمِنَ النَّاسِ مَن يَقُولُ ءَامَنَّا بِاللَّهِ فَإِذَآ أُوذِىَ فِى اللَّهِ جَعَلَ فِتْنَةَ النَّاسِ كَعَذَابِ اللَّهِ وَلَئِن جَآءَ نَصْرٌ مِّن رَّبِّكَ لَيَقُولُنَّ إِنَّا كُنَّا مَعَكُمْ ۚ أَوَلَيْسَ اللَّهُ بِأَعْلَمَ بِمَا فِى صُدُورِ الْعَٰلَمِينَ ۝

وَلَيَعْلَمَنَّ اللَّهُ الَّذِينَ ءَامَنُواْ وَلَيَعْلَمَنَّ الْمُنَٰفِقِينَ ۝

وَقَالَ الَّذِينَ كَفَرُواْ لِلَّذِينَ ءَامَنُواْ اتَّبِعُواْ سَبِيلَنَا وَلْنَحْمِلْ خَطَٰيَٰكُمْ وَمَا هُم بِحَٰمِلِينَ مِنْ خَطَٰيَٰهُم مِّن شَىْءٍ ۖ إِنَّهُمْ لَكَٰذِبُونَ ۝

وَلَيَحْمِلُنَّ أَثْقَالَهُمْ وَأَثْقَالًا مَّعَ أَثْقَالِهِمْ ۖ وَلَيُسْـَٔلُنَّ يَوْمَ الْقِيَٰمَةِ عَمَّا كَانُواْ يَفْتَرُونَ ۝

وَلَقَدْ أَرْسَلْنَا نُوحًا إِلَىٰ قَوْمِهِۦ فَلَبِثَ فِيهِمْ أَلْفَ سَنَةٍ إِلَّا خَمْسِينَ عَامًا فَأَخَذَهُمُ الطُّوفَانُ وَهُمْ ظَٰلِمُونَ ۝

7. Et quant à ceux qui croient et font de bonnes œuvres, Nous leur effacerons leurs méfaits, et Nous les rétribuerons de la meilleure récompense pour ce qu'ils auront accompli.

8. Et Nous avons enjoint à l'homme de bien traiter ses père et mère, et «si ceux-ci te forcent à M'associer, ce dont tu n'as aucun savoir, alors ne leur obéis pas». Vers Moi est votre retour, et alors Je vous informerai de ce que vous faisiez.

9. Et quant à ceux qui croient et font de bonnes œuvres, Nous les ferons certainement entrer parmi les gens de bien.

10. Parmi les gens il en est qui disent: «Nous croyons en Allāh» ; puis, si on les fait souffrir pour la cause d'Allāh, ils considèrent l'épreuve de la part des hommes comme un châtiment d'Allāh. Or, s'il vient du secours de ton Seigneur, ils diront certes: «Nous étions avec vous!» Allāh n'est-Il pas le meilleur à savoir ce qu'il y a dans les poitrines de tout le monde?

11. Allāh connaît parfaitement les croyants et connaît parfaitement les hypocrites.

12. Et ceux qui ne croient pas disent à ceux qui croient ; «Suivez notre sentier, et que nous supportions vos fautes». Mais ils ne supporteront rien de leurs fautes. En vérité ce sont des menteurs.

13. Et très certainement, ils porteront leurs fardeaux et d'autres fardeaux en plus de leurs propres fardeaux, et ils seront interrogés, le Jour de la Résurrection, sur ce qu'ils inventaient.

14. Et en effet, Nous avons envoyé Noé vers son peuple. Il demeura parmi eux mille ans moins cinquante années. Puis le déluge les emporta alors qu'ils étaient injustes.

فَأَنجَيْنَهُ وَأَصْحَبَ ٱلسَّفِينَةِ وَجَعَلْنَهَآ ءَايَةً لِّلْعَٰلَمِينَ

وَإِبْرَٰهِيمَ إِذْ قَالَ لِقَوْمِهِ ٱعْبُدُواْ ٱللَّهَ وَٱتَّقُوهُ ذَٰلِكُمْ

خَيْرٌ لَّكُمْ إِن كُنتُمْ تَعْلَمُونَ ۝ إِنَّمَا تَعْبُدُونَ مِن

دُونِ ٱللَّهِ أَوْثَٰنًا وَتَخْلُقُونَ إِفْكًا إِنَّ ٱلَّذِينَ تَعْبُدُونَ مِن

دُونِ ٱللَّهِ لَا يَمْلِكُونَ لَكُمْ رِزْقًا فَٱبْتَغُواْ عِندَ ٱللَّهِ ٱلرِّزْقَ

وَٱعْبُدُوهُ وَٱشْكُرُواْ لَهُۥٓ إِلَيْهِ تُرْجَعُونَ ۝ وَإِن تُكَذِّبُواْ

فَقَدْ كَذَّبَ أُمَمٌ مِّن قَبْلِكُمْ وَمَا عَلَى ٱلرَّسُولِ إِلَّا ٱلْبَلَٰغُ

ٱلْمُبِينُ ۝ أَوَلَمْ يَرَوْاْ كَيْفَ يُبْدِئُ ٱللَّهُ ٱلْخَلْقَ ثُمَّ

يُعِيدُهُۥٓ إِنَّ ذَٰلِكَ عَلَى ٱللَّهِ يَسِيرٌ ۝ قُلْ سِيرُواْ فِي ٱلْأَرْضِ

فَٱنظُرُواْ كَيْفَ بَدَأَ ٱلْخَلْقَ ثُمَّ ٱللَّهُ يُنشِئُ ٱلنَّشْأَةَ ٱلْءَاخِرَةَ

إِنَّ ٱللَّهَ عَلَىٰ كُلِّ شَيْءٍ قَدِيرٌ ۝ يُعَذِّبُ مَن يَشَآءُ وَيَرْحَمُ

مَن يَشَآءُ وَإِلَيْهِ تُقْلَبُونَ ۝ وَمَآ أَنتُم بِمُعْجِزِينَ فِي

ٱلْأَرْضِ وَلَا فِي ٱلسَّمَآءِ وَمَا لَكُم مِّن دُونِ ٱللَّهِ مِن وَلِيٍّ

وَلَا نَصِيرٍ ۝ وَٱلَّذِينَ كَفَرُواْ بِـَٔايَٰتِ ٱللَّهِ وَلِقَآئِهِۦٓ

أُوْلَٰٓئِكَ يَئِسُواْ مِن رَّحْمَتِي وَأُوْلَٰٓئِكَ لَهُمْ عَذَابٌ أَلِيمٌ ۝

15. Puis Nous le sauvâmes, lui et les gens de l'arche ; et Nous en fîmes un avertissement pour l'univers.

16. Et Abraham, quand il dit à son peuple ; «Adorez Allāh et craignez-Le: cela vous est bien meilleur si vous saviez».

17. Vous n'adorez que des idoles, en dehors d'Allāh, et vous forgez un mensonge. Ceux que vous adorez en dehors d'Allāh ne possèdent aucun moyen pour vous procurer nourriture ; recherchez votre subsistance auprès d'Allāh. Adorez-Le et soyez-Lui reconnaissants. C'est à Lui que vous serez ramenés.

18. Et si vous criez au mensonge, d'autres nations avant vous, ont aussi traité (leurs prophètes) de menteurs. Au Messager, cependant, n'incombe que la transmission claire.

19. Ne voient-ils pas comment Allāh commence la création puis la refait? Cela est facile pour Allāh.

20. Dis: «Parcourez la terre et voyez comment Il a commencé la création. Puis comment Allāh crée la génération ultime. Car Allāh est Omnipotent».

21. Il châtie qui Il veut et fait miséricorde à qui Il veut ; et c'est vers Lui que vous serez ramenés.

22. Et vous ne pourrez vous opposer à Sa puissance ni sur terre, ni au ciel ; et il n'y a pas pour vous, en dehors d'Allāh, ni allié ni secoureur.

23. Et ceux qui ne croient pas aux versets d'Allāh et à Sa rencontre, désespèrent de Ma miséricorde. Et ceux-là auront un châtiment douloureux.

فَمَا كَانَ جَوَابَ قَوْمِهِ إِلَّا أَن قَالُوا اقْتُلُوهُ أَوْ حَرِّقُوهُ

فَأَنجَـٰهُ اللَّهُ مِنَ النَّارِ إِنَّ فِى ذَٰلِكَ لَآيَـٰتٍ لِّقَوْمٍ يُؤْمِنُونَ

﴿٢٤﴾ وَقَالَ إِنَّمَا اتَّخَذْتُم مِّن دُونِ اللَّهِ أَوْثَـٰنًا مَّوَدَّةَ بَيْنِكُمْ

فِى الْحَيَوٰةِ الدُّنْيَا ثُمَّ يَوْمَ الْقِيَـٰمَةِ يَكْفُرُ بَعْضُكُم

بِبَعْضٍ وَيَلْعَنُ بَعْضُكُم بَعْضًا وَمَأْوَىٰكُمُ النَّارُ

وَمَا لَكُم مِّن نَّـٰصِرِينَ ﴿٢٥﴾ ۞ فَـَٔامَنَ لَهُۥ لُوطٌ وَقَالَ

إِنِّى مُهَاجِرٌ إِلَىٰ رَبِّى إِنَّهُۥ هُوَ الْعَزِيزُ الْحَكِيمُ ﴿٢٦﴾ وَوَهَبْنَا

لَهُۥ إِسْحَـٰقَ وَيَعْقُوبَ وَجَعَلْنَا فِى ذُرِّيَّتِهِ النُّبُوَّةَ وَالْكِتَـٰبَ

وَءَاتَيْنَـٰهُ أَجْرَهُۥ فِى الدُّنْيَا وَإِنَّهُۥ فِى الْآخِرَةِ لَمِنَ الصَّـٰلِحِينَ

﴿٢٧﴾ وَلُوطًا إِذْ قَالَ لِقَوْمِهِ إِنَّكُمْ لَتَأْتُونَ الْفَـٰحِشَةَ

مَا سَبَقَكُم بِهَا مِنْ أَحَدٍ مِّنَ الْعَـٰلَمِينَ ﴿٢٨﴾

أَئِنَّكُمْ لَتَأْتُونَ الرِّجَالَ وَتَقْطَعُونَ السَّبِيلَ وَتَأْتُونَ

فِى نَادِيكُمُ الْمُنكَرَ فَمَا كَانَ جَوَابَ قَوْمِهِ إِلَّا

أَن قَالُوا ائْتِنَا بِعَذَابِ اللَّهِ إِن كُنتَ مِنَ الصَّـٰدِقِينَ

﴿٢٩﴾ قَالَ رَبِّ انصُرْنِى عَلَى الْقَوْمِ الْمُفْسِدِينَ ﴿٣٠﴾

ثلاثة أرباع
الحزب
٤٠

24. Son peuple ne fit d'autre réponse que: «tuez-le ou brûlez-le»[1] . Mais Allāh le sauva du feu. C'est bien là des signes pour des gens qui croient.

25. Et [Abraham] dit: «En effet, c'est pour cimenter des liens entre vous-mêmes dans la vie présente, que vous avez adopté des idoles, en dehors d'Allāh. Ensuite, le Jour de la Résurrection, les uns rejetteront les autres, et les uns maudiront les autres, tandis que vous aurez le Feu pour refuge, et vous n'aurez pas de protecteurs.

26. Lot crut en lui. Il dit:[2] «Moi, j'émigre vers mon Seigneur, car c'est Lui le Tout Puissant, le Sage».

27. Nous lui donnâmes Isaac et Jacob, et plaçâmes dans sa descendance la prophétie et le Livre. Nous lui accordâmes sa récompense ici-bas, tandis que dans l'au-delà, il sera parmi les gens de bien.

28. Et Lot, quand il dit à son peuple: «Vraiment, vous commettez la turpitude où nul dans l'univers ne vous a précédés.

29. Aurez-vous commerce charnel avec des mâles? Pratiquerez-vous le brigandage? Commettrez-vous le blamâble dans votre assemblée?» Mais son peuple ne fit d'autre réponse que: «Fais que le châtiment d'Allāh nous vienne, si tu es du nombre des véridiques».

30. Il dit: «Seigneur, donne-moi victoire sur ce peuple de corrupteurs!»

---

1. *Son peuple...*: on revient à l'histoire d'Abraham.
2. *Il dit*: Abraham dit.
Lot était le neveu d'Abraham.

وَلَمَّا جَاءَتْ رُسُلُنَا إِبْرَٰهِيمَ بِالْبُشْرَىٰ قَالُوٓا۟ إِنَّا مُهْلِكُوٓا۟ أَهْلِ هَٰذِهِ ٱلْقَرْيَةِ إِنَّ أَهْلَهَا كَانُوا۟ ظَٰلِمِينَ ۞

قَالَ إِنَّ فِيهَا لُوطًا قَالُوا۟ نَحْنُ أَعْلَمُ بِمَن فِيهَا لَنُنَجِّيَنَّهُۥ وَأَهْلَهُۥٓ إِلَّا ٱمْرَأَتَهُۥ كَانَتْ مِنَ ٱلْغَٰبِرِينَ ۞ وَلَمَّآ

أَن جَآءَتْ رُسُلُنَا لُوطًا سِيٓءَ بِهِمْ وَضَاقَ بِهِمْ ذَرْعًا وَقَالُوا۟ لَا تَخَفْ وَلَا تَحْزَنْ إِنَّا مُنَجُّوكَ وَأَهْلَكَ إِلَّا ٱمْرَأَتَكَ كَانَتْ مِنَ ٱلْغَٰبِرِينَ ۞ إِنَّا مُنزِلُونَ عَلَىٰٓ أَهْلِ

هَٰذِهِ ٱلْقَرْيَةِ رِجْزًا مِّنَ ٱلسَّمَآءِ بِمَا كَانُوا۟ يَفْسُقُونَ ۞ وَلَقَد تَّرَكْنَا مِنْهَآ ءَايَةًۢ بَيِّنَةً لِّقَوْمٍ يَعْقِلُونَ

۞ وَإِلَىٰ مَدْيَنَ أَخَاهُمْ شُعَيْبًا فَقَالَ يَٰقَوْمِ ٱعْبُدُوا۟ ٱللَّهَ وَٱرْجُوا۟ ٱلْيَوْمَ ٱلْءَاخِرَ وَلَا تَعْثَوْا۟ فِى ٱلْأَرْضِ مُفْسِدِينَ

۞ فَكَذَّبُوهُ فَأَخَذَتْهُمُ ٱلرَّجْفَةُ فَأَصْبَحُوا۟ فِى دَارِهِمْ جَٰثِمِينَ ۞ وَعَادًا وَثَمُودَا۟ وَقَد تَّبَيَّنَ لَكُم مِّن مَّسَٰكِنِهِمْ وَزَيَّنَ لَهُمُ ٱلشَّيْطَٰنُ أَعْمَٰلَهُمْ فَصَدَّهُمْ عَنِ ٱلسَّبِيلِ وَكَانُوا۟ مُسْتَبْصِرِينَ ۞

31. Et quand Nos Anges apportèrent à Abraham la bonne annonce[1], ils dirent: «Nous allons anéantir les habitants de cette cité car ses habitants sont injustes».

32. Il dit: «Mais Lot s'y trouve!» Ils dirent: «Nous savons parfaitement qui y habite: nous le sauverons certainement, lui et sa famille, excepté sa femme qui sera parmi ceux qui périront».

33. Et quand Nos Anges vinrent à Lot, il fut affligé pour eux, et se sentit incapable de les protéger. Ils lui dirent: «Ne crains rien et ne t'afflige pas... Nous te sauverons ainsi que ta famille, excepté ta femme qui sera parmi ceux qui périront.

34. Nous ferons tomber du ciel un châtiment sur les habitants de cette cité, pour leur perversité».

35. Et certainement, Nous avons laissé (des ruines de cette cité) un signe (d'avertissement) évident pour des gens qui comprennent.

36. De même, aux Madyan (Nous envoyâmes) leur frère Šuʿayb qui leur dit: «Ô mon peuple, adorez Allāh et attendez-vous[2] au Jour dernier, et ne semez pas la corruption sur terre».

37. Mais ils le traitèrent de menteur. Le cataclysme les saisit, et au matin, ils gisaient sans vie dans leurs demeures.

38. De même (Nous anéantîmes) les ʿĀd et les Ṯamūd. - Vous le voyez clairement à travers leurs habitations[3] - Le Diable, cependant, leur avait embelli leurs actions, au point de les repousser loin du Sentier ; ils étaient pourtant invités à être clairvoyants.

---

1. *La bonne annonce*: la naissance de Isaac et de son fils Jacob.
2. *Attendez-vous...*: craignez ce jour et œuvrez avec l'espoir d'obtenir la récompense d'Allāh en ce Jour.
3. *Leurs habitations*: les ruines de leurs anciennes demeures.

وَقَرُونَ وَفِرْعَوْنَ وَهَٰمَٰنَ وَلَقَدْ جَآءَهُم مُّوسَىٰ بِٱلْبَيِّنَٰتِ فَٱسْتَكْبَرُوا۟ فِى ٱلْأَرْضِ وَمَا كَانُوا۟ سَٰبِقِينَ ۝ فَكُلًّا أَخَذْنَا بِذَنۢبِهِۦ ۖ فَمِنْهُم مَّنْ أَرْسَلْنَا عَلَيْهِ حَاصِبًا وَمِنْهُم مَّنْ أَخَذَتْهُ ٱلصَّيْحَةُ وَمِنْهُم مَّنْ خَسَفْنَا بِهِ ٱلْأَرْضَ وَمِنْهُم مَّنْ أَغْرَقْنَا ۚ وَمَا كَانَ ٱللَّهُ لِيَظْلِمَهُمْ وَلَٰكِن كَانُوٓا۟ أَنفُسَهُمْ يَظْلِمُونَ ۝ مَثَلُ ٱلَّذِينَ ٱتَّخَذُوا۟ مِن دُونِ ٱللَّهِ أَوْلِيَآءَ كَمَثَلِ ٱلْعَنكَبُوتِ ٱتَّخَذَتْ بَيْتًا ۖ وَإِنَّ أَوْهَنَ ٱلْبُيُوتِ لَبَيْتُ ٱلْعَنكَبُوتِ ۖ لَوْ كَانُوا۟ يَعْلَمُونَ ۝ إِنَّ ٱللَّهَ يَعْلَمُ مَا يَدْعُونَ مِن دُونِهِۦ مِن شَىْءٍ ۚ وَهُوَ ٱلْعَزِيزُ ٱلْحَكِيمُ ۝ وَتِلْكَ ٱلْأَمْثَٰلُ نَضْرِبُهَا لِلنَّاسِ ۖ وَمَا يَعْقِلُهَآ إِلَّا ٱلْعَٰلِمُونَ ۝ خَلَقَ ٱللَّهُ ٱلسَّمَٰوَٰتِ وَٱلْأَرْضَ بِٱلْحَقِّ ۚ إِنَّ فِى ذَٰلِكَ لَءَايَةً لِّلْمُؤْمِنِينَ ۝ ٱتْلُ مَآ أُوحِىَ إِلَيْكَ مِنَ ٱلْكِتَٰبِ وَأَقِمِ ٱلصَّلَوٰةَ ۖ إِنَّ ٱلصَّلَوٰةَ تَنْهَىٰ عَنِ ٱلْفَحْشَآءِ وَٱلْمُنكَرِ ۗ وَلَذِكْرُ ٱللَّهِ أَكْبَرُ ۗ وَٱللَّهُ يَعْلَمُ مَا تَصْنَعُونَ ۝

39. De même (Nous détruisîmes) Coré, Pharaon et Hāmān. Alors que Moïse leur apporta des preuves, ils s'enorgueillirent sur terre. Et ils n'ont pas pu [Nous] échapper.

40. Nous saisîmes donc chacun pour son péché : il y en eut sur qui Nous envoyâmes un ouragan ; il y en eut que le Cri saisit ; il y en eut que Nous fîmes engloutir par la terre ; et il y en eut que Nous noyâmes. Cependant, Allāh n'est pas tel à leur faire du tort ; mais ils ont fait du tort à eux-mêmes[1].

41. Ceux qui ont pris des protecteurs en dehors d'Allāh ressemblent à l'araignée qui s'est donnée maison. Or la maison la plus fragile est celle de l'araignée. Si seulement ils savaient!

42. Allāh connaît toute chose qu'ils invoquent en dehors de Lui. Et c'est Lui le Tout Puissant, le Sage.

43. Telles sont les paraboles que Nous citons aux gens ; cependant, seuls les savants les comprennent.

44. C'est pour une juste raison qu'Allāh a créé les cieux et la terre. Voilà bien là une preuve pour les croyants.

45. Récite ce qui t'est révélé du Livre et accomplis la Ṣalāt. En vérité la Ṣalāt préserve de la turpitude et du blâmable. Le rappel d'Allāh est certes ce qu'il y a de plus grand. Et Allāh sait ce que vous faites.

---

1. *L'ouragan*: (et sa pluie mortelle): vise le peuple de Lot, les Sodomites.
Le Cri: destructeur des Ṯamūd ;
L'engloutissement par la terre: Coré ;
La noyade: Pharaon, et le peuple de Noé.

۞ وَلَا تُجَٰدِلُوٓاْ أَهْلَ ٱلْكِتَٰبِ إِلَّا بِٱلَّتِى هِىَ أَحْسَنُ إِلَّا ٱلَّذِينَ ظَلَمُواْ مِنْهُمْ وَقُولُوٓاْ ءَامَنَّا بِٱلَّذِىٓ أُنزِلَ إِلَيْنَا وَأُنزِلَ إِلَيْكُمْ وَإِلَٰهُنَا وَإِلَٰهُكُمْ وَٰحِدٌ وَنَحْنُ لَهُۥ مُسْلِمُونَ ﴿٤٦﴾ وَكَذَٰلِكَ أَنزَلْنَآ إِلَيْكَ ٱلْكِتَٰبَ فَٱلَّذِينَ ءَاتَيْنَٰهُمُ ٱلْكِتَٰبَ يُؤْمِنُونَ بِهِۦ وَمِنْ هَٰٓؤُلَآءِ مَن يُؤْمِنُ بِهِۦ وَمَا يَجْحَدُ بِـَٔايَٰتِنَآ إِلَّا ٱلْكَٰفِرُونَ ﴿٤٧﴾ وَمَا كُنتَ تَتْلُواْ مِن قَبْلِهِۦ مِن كِتَٰبٍ وَلَا تَخُطُّهُۥ بِيَمِينِكَ إِذًا لَّٱرْتَابَ ٱلْمُبْطِلُونَ ﴿٤٨﴾ بَلْ هُوَ ءَايَٰتٌۢ بَيِّنَٰتٌ فِى صُدُورِ ٱلَّذِينَ أُوتُواْ ٱلْعِلْمَ وَمَا يَجْحَدُ بِـَٔايَٰتِنَآ إِلَّا ٱلظَّٰلِمُونَ ﴿٤٩﴾ وَقَالُواْ لَوْلَآ أُنزِلَ عَلَيْهِ ءَايَٰتٌ مِّن رَّبِّهِۦ قُلْ إِنَّمَا ٱلْءَايَٰتُ عِندَ ٱللَّهِ وَإِنَّمَآ أَنَا۠ نَذِيرٌ مُّبِينٌ ﴿٥٠﴾ أَوَلَمْ يَكْفِهِمْ أَنَّآ أَنزَلْنَا عَلَيْكَ ٱلْكِتَٰبَ يُتْلَىٰ عَلَيْهِمْ إِنَّ فِى ذَٰلِكَ لَرَحْمَةً وَذِكْرَىٰ لِقَوْمٍ يُؤْمِنُونَ ﴿٥١﴾ قُلْ كَفَىٰ بِٱللَّهِ بَيْنِى وَبَيْنَكُمْ شَهِيدًا يَعْلَمُ مَا فِى ٱلسَّمَٰوَٰتِ وَٱلْأَرْضِ وَٱلَّذِينَ ءَامَنُواْ بِٱلْبَٰطِلِ وَكَفَرُواْ بِٱللَّهِ أُوْلَٰٓئِكَ هُمُ ٱلْخَٰسِرُونَ ﴿٥٢﴾

46. Et ne discutez que de la meilleure façon avec les gens du Livre, sauf ceux d'entre eux qui sont injustes. Et dites: «Nous croyons en ce qu'on a fait descendre vers nous et descendre vers vous, tandis que notre Dieu et votre Dieu est le même[1], et c'est à Lui que nous nous soumettons».

47. C'est ainsi que Nous t'avons fait descendre le Livre (le Qurʾān). Ceux à qui Nous avons donné le Livre y croient. Et parmi ceux-ci, il en est qui y croient. Seuls les mécréants renient Nos versets[2].

48. Et avant cela, tu ne récitais aucun livre et tu n'en n'écrivais aucun de ta main droite. Sinon, ceux qui nient la vérité auraient eu des doutes.

49. Il consiste plutôt en des versets évidents, (préservés) dans les poitrines de ceux à qui le savoir a été donné. Et seuls les injustes renient Nos versets.

50. Et ils dirent: «Pourquoi n'a-t-on pas fait descendre sur lui des prodiges de la part de son Seigneur?» Dis: «Les prodiges sont auprès d'Allāh. Moi, je ne suis qu'un avertisseur bien clair».

51. Ne leur suffit-il donc point que Nous ayons fait descendre sur toi le Livre et qu'il leur soit récité? Il y a assurément là une miséricorde et un rappel pour des gens qui croient.

52. Dis: «Allāh suffit comme témoin entre moi et vous». Il sait ce qui est dans les cieux et la terre. Et quant à ceux qui croient au faux et ne croient pas en Allāh, ceux-là seront les perdants.

---

1. *Le même*: un Dieu Unique.
2. *Ceux ... à qui... le Livre*: ceux qui possèdent la Thora et l'Évangile et qui sont devenus Musulmans. Et parmi ceux-ci: parmi ces Arabes (non Juifs).

وَيَسْتَعْجِلُونَكَ بِالْعَذَابِ وَلَوْلَا أَجَلٌ مُّسَمًّى لَّجَاءَهُمُ الْعَذَابُ وَلَيَأْتِيَنَّهُم بَغْتَةً وَهُمْ لَا يَشْعُرُونَ ۝ يَسْتَعْجِلُونَكَ بِالْعَذَابِ وَإِنَّ جَهَنَّمَ لَمُحِيطَةٌ بِالْكَافِرِينَ ۝ يَوْمَ يَغْشَاهُمُ الْعَذَابُ مِن فَوْقِهِمْ وَمِن تَحْتِ أَرْجُلِهِمْ وَيَقُولُ ذُوقُوا مَا كُنتُمْ تَعْمَلُونَ ۝ يَا عِبَادِيَ الَّذِينَ آمَنُوا إِنَّ أَرْضِي وَاسِعَةٌ فَإِيَّايَ فَاعْبُدُونِ ۝ كُلُّ نَفْسٍ ذَائِقَةُ الْمَوْتِ ثُمَّ إِلَيْنَا تُرْجَعُونَ ۝ وَالَّذِينَ آمَنُوا وَعَمِلُوا الصَّالِحَاتِ لَنُبَوِّئَنَّهُم مِّنَ الْجَنَّةِ غُرَفًا تَجْرِي مِن تَحْتِهَا الْأَنْهَارُ خَالِدِينَ فِيهَا نِعْمَ أَجْرُ الْعَامِلِينَ ۝ الَّذِينَ صَبَرُوا وَعَلَىٰ رَبِّهِمْ يَتَوَكَّلُونَ ۝ وَكَأَيِّن مِّن دَابَّةٍ لَّا تَحْمِلُ رِزْقَهَا اللَّهُ يَرْزُقُهَا وَإِيَّاكُمْ وَهُوَ السَّمِيعُ الْعَلِيمُ ۝ وَلَئِن سَأَلْتَهُم مَّنْ خَلَقَ السَّمَاوَاتِ وَالْأَرْضَ وَسَخَّرَ الشَّمْسَ وَالْقَمَرَ لَيَقُولُنَّ اللَّهُ فَأَنَّىٰ يُؤْفَكُونَ ۝ اللَّهُ يَبْسُطُ الرِّزْقَ لِمَن يَشَاءُ مِنْ عِبَادِهِ وَيَقْدِرُ لَهُ إِنَّ اللَّهَ بِكُلِّ شَيْءٍ عَلِيمٌ ۝ وَلَئِن سَأَلْتَهُم مَّن نَّزَّلَ مِنَ السَّمَاءِ مَاءً فَأَحْيَا بِهِ الْأَرْضَ مِن بَعْدِ مَوْتِهَا لَيَقُولُنَّ اللَّهُ قُلِ الْحَمْدُ لِلَّهِ بَلْ أَكْثَرُهُمْ لَا يَعْقِلُونَ ۝

53. Et ils te demandent de hâter [la venue] du châtiment. S'il n'y avait pas eu un terme fixé, le châtiment leur serait certes venu. Et assurément, il leur viendra soudain, sans qu'ils en aient conscience.

54. Ils te demandent de hâter [la venue] du châtiment, tandis que l'Enfer cerne les mécréants de toutes parts.

55. Le jour où le châtiment les enveloppera d'en haut et sous leurs pieds. Il [leur] dira: «Goûtez à ce que vous faisiez!»

56. Ô Mes serviteurs qui aviez cru! Ma terre est bien vaste. Adorez-Moi donc!

57. Toute âme goûtera la mort. Ensuite c'est vers Nous que vous serez ramenés.

58. Et quant à ceux qui croient et accomplissent de bonnes œuvres, Nous les installerons certes à l'étage dans le Paradis sous lequel coulent les ruisseaux, pour y demeurer éternellement. Quelle belle récompense que celle de ceux qui font le bien,

59. qui endurent, et placent leur confiance en leur Seigneur!

60. Que de bêtes ne se chargent point de leur propre nourriture! C'est Allāh qui les nourrit ainsi que vous. Et c'est Lui l'Audient, l'Omniscient.

61. Si tu leur[1] demandes: «Qui a créé les cieux et la terre, et assujetti le soleil et la lune?», ils diront très certainement: «Allāh». Comment se fait-il qu'ensuite ils se détournent (du chemin droit)?

62. Allāh dispense largement ou restreint Ses dons à qui Il veut parmi Ses serviteurs. Certes, Allāh est Omniscient.

63. Si tu leur demandes: «Qui a fait descendre du ciel une eau avec laquelle Il fit revivre la terre après sa mort?», ils diront très certainement: «Allāh». Dis: «Louange à Allāh!» Mais la plupart d'entre eux ne raisonnent pas.

---

1. *Leur*: aux mécréants.

وَمَا هَٰذِهِ ٱلْحَيَوٰةُ ٱلدُّنْيَآ إِلَّا لَهْوٌ وَلَعِبٌ وَإِنَّ ٱلدَّارَ ٱلْآخِرَةَ لَهِيَ ٱلْحَيَوَانُ لَوْ كَانُوا۟ يَعْلَمُونَ ۝ فَإِذَا رَكِبُوا۟ فِي ٱلْفُلْكِ دَعَوُا۟ ٱللَّهَ مُخْلِصِينَ لَهُ ٱلدِّينَ فَلَمَّا نَجَّىٰهُمْ إِلَى ٱلْبَرِّ إِذَا هُمْ يُشْرِكُونَ ۝ لِيَكْفُرُوا۟ بِمَآ ءَاتَيْنَٰهُمْ وَلِيَتَمَتَّعُوا۟ فَسَوْفَ يَعْلَمُونَ ۝ أَوَلَمْ يَرَوْا۟ أَنَّا جَعَلْنَا حَرَمًا ءَامِنًا وَيُتَخَطَّفُ ٱلنَّاسُ مِنْ حَوْلِهِمْ أَفَبِٱلْبَٰطِلِ يُؤْمِنُونَ وَبِنِعْمَةِ ٱللَّهِ يَكْفُرُونَ ۝ وَمَنْ أَظْلَمُ مِمَّنِ ٱفْتَرَىٰ عَلَى ٱللَّهِ كَذِبًا أَوْ كَذَّبَ بِٱلْحَقِّ لَمَّا جَآءَهُۥٓ أَلَيْسَ فِي جَهَنَّمَ مَثْوًى لِّلْكَٰفِرِينَ ۝ وَٱلَّذِينَ جَٰهَدُوا۟ فِينَا لَنَهْدِيَنَّهُمْ سُبُلَنَا وَإِنَّ ٱللَّهَ لَمَعَ ٱلْمُحْسِنِينَ ۝

سُورَةُ الرُّومِ

بِسْمِ ٱللَّهِ ٱلرَّحْمَٰنِ ٱلرَّحِيمِ

الٓمٓ ۝ غُلِبَتِ ٱلرُّومُ ۝ فِيٓ أَدْنَى ٱلْأَرْضِ وَهُم مِّنۢ بَعْدِ غَلَبِهِمْ سَيَغْلِبُونَ ۝ فِي بِضْعِ سِنِينَ لِلَّهِ ٱلْأَمْرُ مِن قَبْلُ وَمِنۢ بَعْدُ وَيَوْمَئِذٍ يَفْرَحُ ٱلْمُؤْمِنُونَ ۝ بِنَصْرِ ٱللَّهِ يَنصُرُ مَن يَشَآءُ وَهُوَ ٱلْعَزِيزُ ٱلرَّحِيمُ ۝

ربع الحزب ٤١

64. Cette vie d'ici-bas n'est qu'amusement et jeu. La Demeure de l'au-delà est assurément la vraie vie. S'ils savaient!

65. Quand ils montent en bateau, ils invoquent Allāh Lui vouant exclusivement leur culte. Une fois qu'Il les a sauvés [des dangers de la mer en les ramenant] sur la terre ferme, voilà qu'ils [Lui] donnent des associés.

66. Qu'ils nient ce que nous leur avons donné et jouissent des biens de ce monde! Ils sauront bientôt!

67. Ne voient-ils pas que vraiment Nous avons fait un sanctuaire sûr [la Mecque], alors que tout autour d'eux, on enlève les gens? Croiront-ils donc au faux et nieront-ils les bienfaits d'Allāh?

68. Et quel pire injuste que celui qui invente un mensonge contre Allāh, ou qui dément la Vérité quand elle lui parvient? N'est-ce pas dans l'Enfer une demeure pour les mécréants?

69. Et quant à ceux qui luttent pour Notre cause, Nous les guiderons certes sur Nos sentiers. Allāh est en vérité avec les bienfaisants.

AR-RŪM (LES ROMAINS)[1]
sourate 30   60 versets   Pré-hégirien n°84

Au nom d'Allāh, le Tout Miséricordieux, le Très Miséricordieux.

1. Alif, Lām, Mīm[2].

2. Les Romains[3] ont été vaincus,

3. dans le pays voisin[4], et après leur défaite ils seront les vainqueurs,

4. dans quelques années[5]. À Allāh appartient le commandement, au début et à la fin, et ce jour-là les Croyants se réjouiront

5. du secours d'Allāh. Il secourt qui Il veut et Il est le Tout Puissant, le Tout Miséricordieux.

---

1. Titre tiré du v. 2.
2. Voir S. 2, v. 2.
3. *Les Rūm*: (les Romains): désignent ici les byzantins. Nous avons là une allusion à leur défaite par les Perses, et la prédiction de leur victoire sur les Perses plus tard.
4. *Dans le pays voisin*: l'empire byzantin avait des frontières communes avec l'Arabie, à cette époque-là.
5. *Dans quelques années*: dans moins de dix ans.

وَعْدَ ٱللَّهِ لَا يُخْلِفُ ٱللَّهُ وَعْدَهُۥ وَلَٰكِنَّ أَكْثَرَ ٱلنَّاسِ لَا يَعْلَمُونَ

يَعْلَمُونَ ظَٰهِرًا مِّنَ ٱلْحَيَوٰةِ ٱلدُّنْيَا وَهُمْ عَنِ ٱلْأَخِرَةِ هُمْ غَٰفِلُونَ ۞

أَوَلَمْ يَتَفَكَّرُوا۟ فِىٓ أَنفُسِهِم مَّا خَلَقَ ٱللَّهُ ٱلسَّمَٰوَٰتِ وَٱلْأَرْضَ وَمَا بَيْنَهُمَآ إِلَّا بِٱلْحَقِّ وَأَجَلٍ مُّسَمًّى وَإِنَّ كَثِيرًا مِّنَ ٱلنَّاسِ بِلِقَآئِ رَبِّهِمْ لَكَٰفِرُونَ ۞ أَوَلَمْ يَسِيرُوا۟ فِى ٱلْأَرْضِ فَيَنظُرُوا۟ كَيْفَ كَانَ عَٰقِبَةُ ٱلَّذِينَ مِن قَبْلِهِمْ كَانُوٓا۟ أَشَدَّ مِنْهُمْ قُوَّةً وَأَثَارُوا۟ ٱلْأَرْضَ وَعَمَرُوهَآ أَكْثَرَ مِمَّا عَمَرُوهَا وَجَآءَتْهُمْ رُسُلُهُم بِٱلْبَيِّنَٰتِ فَمَا كَانَ ٱللَّهُ لِيَظْلِمَهُمْ وَلَٰكِن كَانُوٓا۟ أَنفُسَهُمْ يَظْلِمُونَ ۞ ثُمَّ كَانَ عَٰقِبَةَ ٱلَّذِينَ أَسَٰٓـُٔوا۟ ٱلسُّوٓأَىٰٓ أَن كَذَّبُوا۟ بِـَٔايَٰتِ ٱللَّهِ وَكَانُوا۟ بِهَا يَسْتَهْزِءُونَ ۞ ٱللَّهُ يَبْدَؤُا۟ ٱلْخَلْقَ ثُمَّ يُعِيدُهُۥ ثُمَّ إِلَيْهِ تُرْجَعُونَ ۞ وَيَوْمَ تَقُومُ ٱلسَّاعَةُ يُبْلِسُ ٱلْمُجْرِمُونَ ۞ وَلَمْ يَكُن لَّهُم مِّن شُرَكَآئِهِمْ شُفَعَٰٓؤُا۟ وَكَانُوا۟ بِشُرَكَآئِهِمْ كَٰفِرِينَ ۞ وَيَوْمَ تَقُومُ ٱلسَّاعَةُ يَوْمَئِذٍ يَتَفَرَّقُونَ ۞ فَأَمَّا ٱلَّذِينَ ءَامَنُوا۟ وَعَمِلُوا۟ ٱلصَّٰلِحَٰتِ فَهُمْ فِى رَوْضَةٍ يُحْبَرُونَ ۞

6. C'est [là] la promesse d'Allāh. Allāh ne manque jamais à Sa promesse mais la plupart des gens ne savent pas.

7. Ils connaissent un aspect de la vie présente, tandis qu'ils sont inattentifs à l'au-delà.

8. N'ont-ils pas médité en eux-mêmes? Allāh n'a créé les cieux et la terre et ce qui est entre eux, qu'à juste raison et pour un terme fixé. Beaucoup de gens cependant ne croient pas en la rencontre de leur Seigneur.

9. N'ont-ils pas parcouru la terre pour voir ce qu'il est advenu de ceux qui ont vécu avant eux? Ceux-là les surpassaient en puissance et avaient labouré et peuplé la terre bien plus qu'ils ne l'ont fait eux-mêmes. Leurs messagers leur vinrent avec des preuves évidentes. Ce n'est pas Allāh qui leur fît du tort ; mais ils se firent du tort à eux-mêmes.

10. Puis, mauvaise fut la fin de ceux qui faisaient le mal, ayant traité de mensonges les versets d'Allāh et les ayant raillés.

11. C'est Allāh qui commence la création ; ensuite Il la refait ; puis, vers Lui vous serez ramenés.

12. Et le jour où l'Heure arrivera, les criminels seront frappés de désespoir.

13. Et ils n'auront point d'intercesseurs parmi ceux qu'ils associaient [à Allāh] et ils renieront même leurs divinités.

14. Le jour où l'Heure arrivera, ce jour-là ils se sépareront [les uns des autres].

15. Ceux qui auront cru et accompli de bonnes œuvres se réjouiront dans un jardin ;

وَأَمَّا الَّذِينَ كَفَرُوا وَكَذَّبُوا بِـَٔايَـٰتِنَا وَلِقَآئِ الْأَخِرَةِ فَأُولَـٰٓئِكَ فِى الْعَذَابِ مُحْضَرُونَ ۝ فَسُبْحَـٰنَ اللَّهِ حِينَ تُمْسُونَ

وَحِينَ تُصْبِحُونَ ۝ وَلَهُ الْحَمْدُ فِى السَّمَـٰوَٰتِ وَالْأَرْضِ وَعَشِيًّا وَحِينَ تُظْهِرُونَ ۝ يُخْرِجُ الْحَىَّ مِنَ الْمَيِّتِ وَيُخْرِجُ

الْمَيِّتَ مِنَ الْحَىِّ وَيُحْىِ الْأَرْضَ بَعْدَ مَوْتِهَا وَكَذَٰلِكَ تُخْرَجُونَ

۝ وَمِنْ ءَايَـٰتِهِۦ أَنْ خَلَقَكُم مِّن تُرَابٍ ثُمَّ إِذَآ أَنتُم بَشَرٌ تَنتَشِرُونَ ۝ وَمِنْ ءَايَـٰتِهِۦ أَنْ خَلَقَ لَكُم مِّنْ أَنفُسِكُمْ

أَزْوَٰجًا لِّتَسْكُنُوٓا إِلَيْهَا وَجَعَلَ بَيْنَكُم مَّوَدَّةً وَرَحْمَةً إِنَّ فِى ذَٰلِكَ لَـَٔايَـٰتٍ لِّقَوْمٍ يَتَفَكَّرُونَ ۝ وَمِنْ ءَايَـٰتِهِۦ خَلْقُ

السَّمَـٰوَٰتِ وَالْأَرْضِ وَاخْتِلَـٰفُ أَلْسِنَتِكُمْ وَأَلْوَٰنِكُمْ إِنَّ فِى ذَٰلِكَ لَـَٔايَـٰتٍ لِّلْعَـٰلِمِينَ ۝ وَمِنْ ءَايَـٰتِهِۦ مَنَامُكُم بِالَّيْلِ

وَالنَّهَارِ وَابْتِغَآؤُكُم مِّن فَضْلِهِۦٓ إِنَّ فِى ذَٰلِكَ لَـَٔايَـٰتٍ لِّقَوْمٍ يَسْمَعُونَ ۝ وَمِنْ ءَايَـٰتِهِۦ يُرِيكُمُ الْبَرْقَ

خَوْفًا وَطَمَعًا وَيُنَزِّلُ مِنَ السَّمَآءِ مَآءً فَيُحْىِۦ بِهِ الْأَرْضَ بَعْدَ مَوْتِهَآ إِنَّ فِى ذَٰلِكَ لَـَٔايَـٰتٍ لِّقَوْمٍ يَعْقِلُونَ ۝

16. et quant à ceux qui n'auront pas cru et auront traité de mensonges Nos signes ainsi que la rencontre de l'au-delà, ceux-là seront emmenés au châtiment.

17. Glorifiez Allāh donc, soir et matin!

18. À Lui toute louange dans les cieux et la terre, dans l'après-midi et au milieu de la journée[1].

19. Du mort, Il fait sortir le vivant, et du vivant, Il fait sortir le mort. Et Il redonne la vie à la terre après sa mort. Et c'est ainsi que l'on vous fera sortir (à la résurrection).

20. Parmi Ses signes: Il vous a créés de terre, - puis, vous voilà des hommes qui se dispersent [dans le monde] - .

21. Et parmi Ses signes Il a créé de vous, pour vous, des épouses pour que vous viviez en tranquillité avec elles et Il a mis entre vous de l'affection et de la bonté. Il y a en cela des preuves pour des gens qui réfléchissent.

22. Et parmi Ses signes la création des cieux et de la terre et la variété de vos idiomes et de vos couleurs. Il y a en cela des preuves pour les savants.

23. Et parmi Ses signes votre sommeil la nuit et le jour, et aussi votre quête de Sa grâce. Il y a en cela des preuves pour des gens qui entendent.

24. Et parmi Ses signes Il vous montre l'éclair avec crainte (de la foudre) et espoir (de la pluie), et fait descendre du ciel une eau avec laquelle Il redonne la vie à la terre après sa mort. Il y a en cela des preuves pour des gens qui raisonnent.

---

1. Ces deux versets 17 et 18 se réfèrent aux cinq prières quotidiennes:
Soir: veut dire les deux prières après le coucher du soleil (Maġrib et ʿIšāʾ).
Matin: veut dire la prière d'avant le lever du soleil (Fajr).
Midi: prière du Ẓuhr ; et l'après-midi: la prière d'al-ʿAṣr.

وَمِنْ ءَايَٰتِهِۦٓ أَن تَقُومَ ٱلسَّمَآءُ وَٱلْأَرْضُ بِأَمْرِهِۦ ثُمَّ إِذَا دَعَاكُمْ دَعْوَةً مِّنَ ٱلْأَرْضِ إِذَآ أَنتُمْ تَخْرُجُونَ ۝ وَلَهُۥ مَن فِي ٱلسَّمَٰوَٰتِ وَٱلْأَرْضِ كُلٌّ لَّهُۥ قَٰنِتُونَ ۝ وَهُوَ ٱلَّذِي يَبْدَؤُا۟ ٱلْخَلْقَ ثُمَّ يُعِيدُهُۥ وَهُوَ أَهْوَنُ عَلَيْهِ وَلَهُ ٱلْمَثَلُ ٱلْأَعْلَىٰ فِي ٱلسَّمَٰوَٰتِ وَٱلْأَرْضِ وَهُوَ ٱلْعَزِيزُ ٱلْحَكِيمُ ۝ ضَرَبَ لَكُم مَّثَلًا مِّنْ أَنفُسِكُمْ هَل لَّكُم مِّن مَّا مَلَكَتْ أَيْمَٰنُكُم مِّن شُرَكَآءَ فِي مَا رَزَقْنَٰكُمْ فَأَنتُمْ فِيهِ سَوَآءٌ تَخَافُونَهُمْ كَخِيفَتِكُمْ أَنفُسَكُمْ كَذَٰلِكَ نُفَصِّلُ ٱلْآيَٰتِ لِقَوْمٍ يَعْقِلُونَ ۝ بَلِ ٱتَّبَعَ ٱلَّذِينَ ظَلَمُوٓا۟ أَهْوَآءَهُم بِغَيْرِ عِلْمٍ فَمَن يَهْدِي مَنْ أَضَلَّ ٱللَّهُ وَمَا لَهُم مِّن نَّٰصِرِينَ ۝ فَأَقِمْ وَجْهَكَ لِلدِّينِ حَنِيفًا فِطْرَتَ ٱللَّهِ ٱلَّتِي فَطَرَ ٱلنَّاسَ عَلَيْهَا لَا تَبْدِيلَ لِخَلْقِ ٱللَّهِ ذَٰلِكَ ٱلدِّينُ ٱلْقَيِّمُ وَلَٰكِنَّ أَكْثَرَ ٱلنَّاسِ لَا يَعْلَمُونَ ۝ مُنِيبِينَ إِلَيْهِ وَٱتَّقُوهُ وَأَقِيمُوا۟ ٱلصَّلَوٰةَ وَلَا تَكُونُوا۟ مِنَ ٱلْمُشْرِكِينَ ۝ مِنَ ٱلَّذِينَ فَرَّقُوا۟ دِينَهُمْ وَكَانُوا۟ شِيَعًا كُلُّ حِزْبٍ بِمَا لَدَيْهِمْ فَرِحُونَ ۝

25. Et parmi Ses signes le ciel et la terre sont maintenus par Son ordre, ensuite lorsqu'Il vous appellera d'un appel, voilà que de la terre vous surgirez.

26. À Lui tous ceux qui sont dans les cieux et la terre: tous Lui sont entièrement soumis.

27. Et c'est Lui qui commence la création puis la refait ; et cela Lui est plus facile. Il a la transcendance absolue dans les cieux et sur la terre. c'est Lui le Tout Puissant, le Sage.

28. Il vous a cité une parabole de vous-mêmes: Avez-vous associé vos esclaves à ce que Nous vous avons attribué en sorte que vous soyez tous égaux [en droit de propriété] et que vous les craignez [autant] que vous vous craignez mutuellement? C'est ainsi que Nous exposons Nos versets pour des gens qui raisonnent.

29. Ceux qui ont été injustes ont plutôt suivi leurs propres passions, sans savoir. Qui donc peut guider celui qu'Allāh égare? Et ils n'ont pas pour eux, de protecteur.

30. Dirige tout ton être[1] vers la religion exclusivement [pour Allāh], telle est la nature qu'Allāh a originellement donnée aux hommes - pas de changement à la création d'Allāh - . Voilà la religion de droiture ; mais la plupart des gens ne savent pas.

31. Revenez repentants vers Lui ; craignez-Le, accomplissez la Ṣalāt et ne soyez pas parmi les associateurs,

32. parmi ceux qui ont divisé leur religion et sont devenus des sectes, chaque parti exultant de ce qu'il détenait.

---

1. *Ton être*: littéralement: ton visage.

وَإِذَا مَسَّ ٱلنَّاسَ ضُرٌّ دَعَوْا رَبَّهُم مُّنِيبِينَ إِلَيْهِ ثُمَّ إِذَآ أَذَاقَهُم

مِّنْهُ رَحْمَةً إِذَا فَرِيقٌ مِّنْهُم بِرَبِّهِمْ يُشْرِكُونَ ۝ لِيَكْفُرُوا بِمَآ

ءَاتَيْنَـٰهُمْ فَتَمَتَّعُوا فَسَوْفَ تَعْلَمُونَ ۝ أَمْ أَنزَلْنَا عَلَيْهِمْ

سُلْطَـٰنًا فَهُوَ يَتَكَلَّمُ بِمَا كَانُوا بِهِۦ يُشْرِكُونَ ۝ وَإِذَآ أَذَقْنَا

ٱلنَّاسَ رَحْمَةً فَرِحُوا بِهَا ۖ وَإِن تُصِبْهُمْ سَيِّئَةٌ بِمَا قَدَّمَتْ أَيْدِيهِمْ

إِذَا هُمْ يَقْنَطُونَ ۝ أَوَلَمْ يَرَوْا أَنَّ ٱللَّهَ يَبْسُطُ ٱلرِّزْقَ لِمَن يَشَآءُ

وَيَقْدِرُ ۚ إِنَّ فِى ذَٰلِكَ لَءَايَـٰتٍ لِّقَوْمٍ يُؤْمِنُونَ ۝ فَـَٔاتِ ذَا ٱلْقُرْبَىٰ

حَقَّهُۥ وَٱلْمِسْكِينَ وَٱبْنَ ٱلسَّبِيلِ ۚ ذَٰلِكَ خَيْرٌ لِّلَّذِينَ يُرِيدُونَ

وَجْهَ ٱللَّهِ ۖ وَأُولَـٰئِكَ هُمُ ٱلْمُفْلِحُونَ ۝ وَمَآ ءَاتَيْتُم مِّن رِّبًا

لِّيَرْبُوَا۟ فِىٓ أَمْوَٰلِ ٱلنَّاسِ فَلَا يَرْبُوا۟ عِندَ ٱللَّهِ ۖ وَمَآ ءَاتَيْتُم مِّن زَكَوٰةٍ

تُرِيدُونَ وَجْهَ ٱللَّهِ فَأُولَـٰئِكَ هُمُ ٱلْمُضْعِفُونَ ۝ ٱللَّهُ ٱلَّذِى

خَلَقَكُمْ ثُمَّ رَزَقَكُمْ ثُمَّ يُمِيتُكُمْ ثُمَّ يُحْيِيكُمْ ۖ هَلْ مِن

شُرَكَآئِكُم مَّن يَفْعَلُ مِن ذَٰلِكُم مِّن شَىْءٍ ۚ سُبْحَـٰنَهُۥ وَتَعَـٰلَىٰ

عَمَّا يُشْرِكُونَ ۝ ظَهَرَ ٱلْفَسَادُ فِى ٱلْبَرِّ وَٱلْبَحْرِ بِمَا كَسَبَتْ

أَيْدِى ٱلنَّاسِ لِيُذِيقَهُم بَعْضَ ٱلَّذِى عَمِلُوا لَعَلَّهُمْ يَرْجِعُونَ ۝

33. Et quand un mal touche les gens, ils invoquent leur Seigneur en revenant à Lui repentants. Puis, s'Il leur fait goûter de Sa part une miséricorde, voilà qu'une partie d'entre eux donnent à leur Seigneur des associés,

34. en sorte qu'ils deviennent ingrats envers ce que Nous leur avons donné. «Et jouissez donc. Vous saurez bientôt».

35. Avons-Nous fait descendre sur eux une autorité (un Livre) telle qu'elle parle de ce qu'ils Lui associaient?

36. Et quand Nous faisons goûter une miséricorde aux gens, ils en exultent. Mais si un malheur les atteint à cause de ce que leurs propres mains ont préparé, voilà qu'ils désespèrent.

37. N'ont-ils pas vu qu'Allāh dispense Ses dons ou les restreint à qui Il veut? Il y a en cela des preuves pour des gens qui croient.

38. Donne donc au proche parent son dû, ainsi qu'au pauvre, et au voyageur en détresse. Cela est meilleur pour ceux qui recherchent la face d'Allāh (Sa satisfaction) ; et ce sont eux qui réussissent.

39. Tout ce que vous donnerez à usure pour augmenter vos biens au dépens des biens d'autrui ne les accroît pas auprès d'Allāh, mais ce que vous donnez comme Zakāt, tout en cherchant la Face d'Allāh (Sa satisfaction)... Ceux-là verront [leurs récompenses] multipliées.

40. C'est Allāh qui vous a créés et vous a nourris. Ensuite Il vous fera mourir, puis Il vous redonnera vie. Y en a-t-il, parmi vos associés, qui fasse quoi que ce soit de tout cela? Gloire à Lui! Il transcende ce qu'on Lui associe.

41. La corruption est apparue sur la terre et dans la mer à cause de ce que les gens ont accompli de leurs propres mains ; afin qu'[Allāh] leur fasse goûter une partie de ce qu'ils ont œuvré ; peut-être reviendront-ils (vers Allāh).

قُلْ سِيرُواْ فِى ٱلْأَرْضِ فَٱنظُرُواْ كَيْفَ كَانَ عَٰقِبَةُ ٱلَّذِينَ مِن قَبْلُ كَانَ أَكْثَرُهُم مُّشْرِكِينَ ۝ فَأَقِمْ وَجْهَكَ لِلدِّينِ ٱلْقَيِّمِ مِن قَبْلِ أَن يَأْتِىَ يَوْمٌ لَّا مَرَدَّ لَهُۥ مِنَ ٱللَّهِ يَوْمَئِذٍ يَصَّدَّعُونَ ۝ مَن كَفَرَ فَعَلَيْهِ كُفْرُهُۥ وَمَنْ عَمِلَ صَٰلِحًا فَلِأَنفُسِهِمْ يَمْهَدُونَ ۝ لِيَجْزِىَ ٱلَّذِينَ ءَامَنُواْ وَعَمِلُواْ ٱلصَّٰلِحَٰتِ مِن فَضْلِهِۦٓ إِنَّهُۥ لَا يُحِبُّ ٱلْكَٰفِرِينَ ۝ وَمِنْ ءَايَٰتِهِۦٓ أَن يُرْسِلَ ٱلرِّيَاحَ مُبَشِّرَٰتٍ وَلِيُذِيقَكُم مِّن رَّحْمَتِهِۦ وَلِتَجْرِىَ ٱلْفُلْكُ بِأَمْرِهِۦ وَلِتَبْتَغُواْ مِن فَضْلِهِۦ وَلَعَلَّكُمْ تَشْكُرُونَ ۝ وَلَقَدْ أَرْسَلْنَا مِن قَبْلِكَ رُسُلًا إِلَىٰ قَوْمِهِمْ فَجَآءُوهُم بِٱلْبَيِّنَٰتِ فَٱنتَقَمْنَا مِنَ ٱلَّذِينَ أَجْرَمُواْ وَكَانَ حَقًّا عَلَيْنَا نَصْرُ ٱلْمُؤْمِنِينَ ۝ ٱللَّهُ ٱلَّذِى يُرْسِلُ ٱلرِّيَٰحَ فَتُثِيرُ سَحَابًا فَيَبْسُطُهُۥ فِى ٱلسَّمَآءِ كَيْفَ يَشَآءُ وَيَجْعَلُهُۥ كِسَفًا فَتَرَى ٱلْوَدْقَ يَخْرُجُ مِنْ خِلَٰلِهِۦ فَإِذَآ أَصَابَ بِهِۦ مَن يَشَآءُ مِنْ عِبَادِهِۦٓ إِذَا هُمْ يَسْتَبْشِرُونَ ۝ وَإِن كَانُواْ مِن قَبْلِ أَن يُنَزَّلَ عَلَيْهِم مِّن قَبْلِهِۦ لَمُبْلِسِينَ ۝ فَٱنظُرْ إِلَىٰٓ ءَاثَٰرِ رَحْمَتِ ٱللَّهِ كَيْفَ يُحْىِ ٱلْأَرْضَ بَعْدَ مَوْتِهَآ إِنَّ ذَٰلِكَ لَمُحْىِ ٱلْمَوْتَىٰ وَهُوَ عَلَىٰ كُلِّ شَىْءٍ قَدِيرٌ ۝

42. Dis: «Parcourez la terre et regardez ce qu'il est advenu de ceux qui ont vécu avant. La plupart d'entre eux étaient des associateurs».

43. Dirige tout ton être[1] vers la religion de droiture, avant que ne vienne d'Allāh un jour qu'on ne peut repousser. Ce jour-là [les gens] seront divisés:

44. Celui qui aura mécru subira [les conséquences] de son infidélité. Et quiconque aura œuvré en bien... C'est pour eux-mêmes qu'ils préparent (leur avenir),

45. afin qu'[Allāh] récompense par Sa grâce ceux qui croient et accomplissent les bonnes œuvres. En vérité, il n'aime pas les infidèles.

46. Parmi Ses signes, Il envoie les vents comme annonciateurs, pour vous faire goûter de Sa miséricorde et pour que le vaisseau vogue, par Son ordre, et que vous recherchiez de Sa grâce. Peut-être seriez-vous reconnaissants!

47. Nous avons effectivement envoyé avant toi des Messagers vers leurs peuples et ils leur apportèrent les preuves. Nous Nous vengeâmes de ceux qui commirent les crimes [de la négation] ; et c'était Notre devoir de secourir les croyants.

48. Allāh, c'est Lui qui envoie les vents qui soulèvent des nuages ; puis Il les étend dans le ciel comme Il veut ; et Il les met en morceaux. Tu vois alors la pluie sortir de leurs profondeurs. Puis, lorsqu'il atteint avec elle qui Il veut parmi Ses serviteurs, les voilà qui se réjouissent,

49. même s'ils étaient auparavant, avant qu'on ne l'ait fait descendre sur eux, désespérés.

50. Regarde donc les effets de la miséricorde d'Allāh comment Il redonne la vie à la terre après sa mort. C'est Lui qui fait revivre les morts et il est Omnipotent.

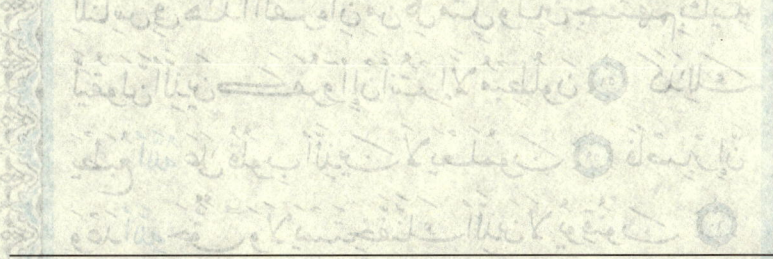

---

1. *Ton être*: littéralement: ton visage.

وَلَئِنْ أَرْسَلْنَا رِيحًا فَرَأَوْهُ مُصْفَرًّا لَّظَلُّوا مِنۢ بَعْدِهِۦ يَكْفُرُونَ

فَإِنَّكَ لَا تُسْمِعُ ٱلْمَوْتَىٰ وَلَا تُسْمِعُ ٱلصُّمَّ ٱلدُّعَآءَ إِذَا وَلَّوْا۟ ﴿٥١﴾ مُدْبِرِينَ ﴿٥٢﴾ وَمَآ أَنتَ بِهَٰدِ ٱلْعُمْىِ عَن ضَلَٰلَتِهِمْ إِن تُسْمِعُ إِلَّا مَن يُؤْمِنُ بِـَٔايَٰتِنَا فَهُم مُّسْلِمُونَ ﴿٥٣﴾ ۞ ٱللَّهُ ٱلَّذِى خَلَقَكُم مِّن ضَعْفٍ ثُمَّ جَعَلَ مِنۢ بَعْدِ ضَعْفٍ قُوَّةً ثُمَّ جَعَلَ مِنۢ بَعْدِ قُوَّةٍ ضَعْفًا وَشَيْبَةً يَخْلُقُ مَا يَشَآءُ وَهُوَ ٱلْعَلِيمُ ٱلْقَدِيرُ ﴿٥٤﴾ وَيَوْمَ تَقُومُ ٱلسَّاعَةُ يُقْسِمُ ٱلْمُجْرِمُونَ مَا لَبِثُوا۟ غَيْرَ سَاعَةٍ كَذَٰلِكَ كَانُوا۟ يُؤْفَكُونَ ﴿٥٥﴾ وَقَالَ ٱلَّذِينَ أُوتُوا۟ ٱلْعِلْمَ وَٱلْإِيمَٰنَ لَقَدْ لَبِثْتُمْ فِى كِتَٰبِ ٱللَّهِ إِلَىٰ يَوْمِ ٱلْبَعْثِ فَهَٰذَا يَوْمُ ٱلْبَعْثِ وَلَٰكِنَّكُمْ كُنتُمْ لَا تَعْلَمُونَ ﴿٥٦﴾ فَيَوْمَئِذٍ لَّا يَنفَعُ ٱلَّذِينَ ظَلَمُوا۟ مَعْذِرَتُهُمْ وَلَا هُمْ يُسْتَعْتَبُونَ ﴿٥٧﴾ وَلَقَدْ ضَرَبْنَا لِلنَّاسِ فِى هَٰذَا ٱلْقُرْءَانِ مِن كُلِّ مَثَلٍ وَلَئِن جِئْتَهُم بِـَٔايَةٍ لَّيَقُولَنَّ ٱلَّذِينَ كَفَرُوٓا۟ إِنْ أَنتُمْ إِلَّا مُبْطِلُونَ ﴿٥٨﴾ كَذَٰلِكَ يَطْبَعُ ٱللَّهُ عَلَىٰ قُلُوبِ ٱلَّذِينَ لَا يَعْلَمُونَ ﴿٥٩﴾ فَٱصْبِرْ إِنَّ وَعْدَ ٱللَّهِ حَقٌّ وَلَا يَسْتَخِفَّنَّكَ ٱلَّذِينَ لَا يُوقِنُونَ ﴿٦٠﴾

51. Et si Nous envoyons un vent et qu'ils voient jaunir [leur végétation], ils demeurent après cela ingrats (oubliant les bienfaits antérieurs).

52. En vérité, tu ne fais pas entendre les morts ; et tu ne fais pas entendre aux sourds l'appel, s'ils s'en vont en tournant le dos.

53. Tu n'es pas celui qui guide les aveugles hors de leur égarement. Tu ne fais entendre que ceux qui croient en Nos versets et qui sont alors entièrement soumis [musulmans].

54. Allāh, c'est Lui qui vous a créés faibles ; puis après la faiblesse, Il vous donne la force ; puis après la force, Il vous réduit à la faiblesse et à la vieillesse: Il crée ce qu'Il veut et c'est Lui l'Omniscient, l'Omnipotent.

55. Et le jour où l'Heure arrivera, les criminels jureront qu'ils n'ont demeuré qu'une heure. C'est ainsi qu'ils ont été détournés (de la vérité) ;

56. tandis que ceux à qui le savoir et la foi furent donnés diront: «Vous avez demeuré d'après le Décret d'Allāh, jusqu'au Jour de la Résurrection, - voici le Jour de la Résurrection, - mais vous ne saviez point».

57. Ce jour-là donc, les excuses ne seront pas utiles aux injustes et on ne leur demandera pas à chercher à plaire à [Allāh].

58. Et dans ce Qur'ān, Nous avons certes cité, pour les gens, des exemples de toutes sortes. Et si tu leur apportes un prodige, ceux qui ne croient pas diront: «Certes, vous n'êtes que des imposteurs».

59. C'est ainsi qu'Allāh scelle les cœurs de ceux qui ne savent pas.

60. Sois donc patient, car la promesse d'Allāh est vérité. Et que ceux qui ne croient pas fermement ne t'ébranlent pas!

سُورَةُ لُقْمَانَ

بِسْمِ ٱللَّهِ ٱلرَّحْمَٰنِ ٱلرَّحِيمِ

الٓمٓ ۝ تِلْكَ ءَايَٰتُ ٱلْكِتَٰبِ ٱلْحَكِيمِ ۝ هُدًى وَرَحْمَةً لِّلْمُحْسِنِينَ ۝ ٱلَّذِينَ يُقِيمُونَ ٱلصَّلَوٰةَ وَيُؤْتُونَ ٱلزَّكَوٰةَ وَهُم بِٱلْءَاخِرَةِ هُمْ يُوقِنُونَ ۝ أُوْلَٰئِكَ عَلَىٰ هُدًى مِّن رَّبِّهِمْ وَأُوْلَٰئِكَ هُمُ ٱلْمُفْلِحُونَ ۝ وَمِنَ ٱلنَّاسِ مَن يَشْتَرِى لَهْوَ ٱلْحَدِيثِ لِيُضِلَّ عَن سَبِيلِ ٱللَّهِ بِغَيْرِ عِلْمٍ وَيَتَّخِذَهَا هُزُوًا أُوْلَٰئِكَ لَهُمْ عَذَابٌ مُّهِينٌ ۝ وَإِذَا تُتْلَىٰ عَلَيْهِ ءَايَٰتُنَا وَلَّىٰ مُسْتَكْبِرًا كَأَن لَّمْ يَسْمَعْهَا كَأَنَّ فِىٓ أُذُنَيْهِ وَقْرًا فَبَشِّرْهُ بِعَذَابٍ أَلِيمٍ ۝ إِنَّ ٱلَّذِينَ ءَامَنُواْ وَعَمِلُواْ ٱلصَّٰلِحَٰتِ لَهُمْ جَنَّٰتُ ٱلنَّعِيمِ ۝ خَٰلِدِينَ فِيهَا وَعْدَ ٱللَّهِ حَقًّا وَهُوَ ٱلْعَزِيزُ ٱلْحَكِيمُ ۝ خَلَقَ ٱلسَّمَٰوَٰتِ بِغَيْرِ عَمَدٍ تَرَوْنَهَا وَأَلْقَىٰ فِى ٱلْأَرْضِ رَوَٰسِىَ أَن تَمِيدَ بِكُمْ وَبَثَّ فِيهَا مِن كُلِّ دَآبَّةٍ وَأَنزَلْنَا مِنَ ٱلسَّمَآءِ مَآءً فَأَنۢبَتْنَا فِيهَا مِن كُلِّ زَوْجٍ كَرِيمٍ ۝ هَٰذَا خَلْقُ ٱللَّهِ فَأَرُونِى مَاذَا خَلَقَ ٱلَّذِينَ مِن دُونِهِۦ بَلِ ٱلظَّٰلِمُونَ فِى ضَلَٰلٍ مُّبِينٍ ۝

LUQMĀN[1]

sourate 31   34 versets   Pré-hégirien n°57

Au nom d'Allāh, le Tout Miséricordieux, le Très Miséricordieux.

1. Alif, Lām, Mīm[2].

2. Voici les versets du Livre plein de sagesse,

3. c'est un guide et une miséricorde aux bienfaisants,

4. qui accomplissent la Ṣalāt, acquittent le Zakāt et qui croient avec certitude en l'au-delà.

5. Ceux-là sont sur le chemin droit de leur Seigneur et ce sont eux les bienheureux.

6. Et, parmi les hommes, il est [quelqu'un] qui, dénué de science, achète de plaisants discours pour égarer hors du chemin d'Allāh et pour le[3] prendre en raillerie. Ceux-là subiront un châtiment avilissant.

7. Et quand on lui récite Nos versets, il tourne le dos avec orgueil, comme s'il ne les avait point entendus, comme s'il y avait un poids dans ses oreilles. Fais-lui donc l'annonce d'un châtiment douloureux.

8. Ceux qui croient et accomplissent les bonnes œuvres auront les Jardins des délices,

9. pour y demeurer éternellement. - c'est en vérité une promesse d'Allāh - . C'est Lui le Puissant, le Sage.

10. Il a créé les cieux sans piliers que vous puissiez voir ; et Il a enfoncé des montagnes fermes dans la terre pour l'empêcher de basculer avec vous ; et Il y a propagé des animaux de toute espèce. Et du ciel, Nous avons fait descendre une eau, avec laquelle Nous avons fait pousser des plantes productives par couples de toute espèce.

11. «Voilà la création d'Allāh. Montrez-Moi donc ce qu'ont créé, ceux qui sont en dehors de Lui?» Mais les injustes sont dans un égarement évident.

---

1. Titre tiré du v. 12.
2. *Alif...*: cf note à S. 2, v. 1.
3. *Le*: le chemin d'Allāh, ou bien les versets du Qur'ān.

وَلَقَدْ ءَاتَيْنَا لُقْمَٰنَ ٱلْحِكْمَةَ أَنِ ٱشْكُرْ لِلَّهِ ۚ وَمَن يَشْكُرْ فَإِنَّمَا يَشْكُرُ لِنَفْسِهِۦ ۖ وَمَن كَفَرَ فَإِنَّ ٱللَّهَ غَنِىٌّ حَمِيدٌ ۝ وَإِذْ قَالَ لُقْمَٰنُ لِٱبْنِهِۦ وَهُوَ يَعِظُهُۥ يَٰبُنَىَّ لَا تُشْرِكْ بِٱللَّهِ ۖ إِنَّ ٱلشِّرْكَ لَظُلْمٌ عَظِيمٌ ۝ وَوَصَّيْنَا ٱلْإِنسَٰنَ بِوَٰلِدَيْهِ حَمَلَتْهُ أُمُّهُۥ وَهْنًا عَلَىٰ وَهْنٍ وَفِصَٰلُهُۥ فِى عَامَيْنِ أَنِ ٱشْكُرْ لِى وَلِوَٰلِدَيْكَ إِلَىَّ ٱلْمَصِيرُ ۝ وَإِن جَٰهَدَاكَ عَلَىٰٓ أَن تُشْرِكَ بِى مَا لَيْسَ لَكَ بِهِۦ عِلْمٌ فَلَا تُطِعْهُمَا ۖ وَصَاحِبْهُمَا فِى ٱلدُّنْيَا مَعْرُوفًا ۖ وَٱتَّبِعْ سَبِيلَ مَنْ أَنَابَ إِلَىَّ ۚ ثُمَّ إِلَىَّ مَرْجِعُكُمْ فَأُنَبِّئُكُم بِمَا كُنتُمْ تَعْمَلُونَ ۝ يَٰبُنَىَّ إِنَّهَآ إِن تَكُ مِثْقَالَ حَبَّةٍ مِّنْ خَرْدَلٍ فَتَكُن فِى صَخْرَةٍ أَوْ فِى ٱلسَّمَٰوَٰتِ أَوْ فِى ٱلْأَرْضِ يَأْتِ بِهَا ٱللَّهُ ۚ إِنَّ ٱللَّهَ لَطِيفٌ خَبِيرٌ ۝ يَٰبُنَىَّ أَقِمِ ٱلصَّلَوٰةَ وَأْمُرْ بِٱلْمَعْرُوفِ وَٱنْهَ عَنِ ٱلْمُنكَرِ وَٱصْبِرْ عَلَىٰ مَآ أَصَابَكَ ۖ إِنَّ ذَٰلِكَ مِنْ عَزْمِ ٱلْأُمُورِ ۝ وَلَا تُصَعِّرْ خَدَّكَ لِلنَّاسِ وَلَا تَمْشِ فِى ٱلْأَرْضِ مَرَحًا ۖ إِنَّ ٱللَّهَ لَا يُحِبُّ كُلَّ مُخْتَالٍ فَخُورٍ ۝ وَٱقْصِدْ فِى مَشْيِكَ وَٱغْضُضْ مِن صَوْتِكَ ۚ إِنَّ أَنكَرَ ٱلْأَصْوَٰتِ لَصَوْتُ ٱلْحَمِيرِ ۝

12. Nous avons effectivement donné à Luqmān la sagesse: «Sois reconnaissant à Allāh, car quiconque est reconnaissant, n'est reconnaissant que pour soi-même ; quant à celui qui est ingrat... , en vérité, Allāh se dispense de tout, et Il est digne de louange».

13. Et lorsque Luqmān dit à son fils tout en l'exhortant: «Ô mon fils, ne donne pas d'associé à Allāh, car l'association à [Allāh] est vraiment une injustice énorme».

14. Nous avons commandé à l'homme [la bienfaisance envers] ses père et mère ; sa mère l'a porté [subissant pour lui] peine sur peine: son sevrage a lieu à deux ans. «Sois reconnaissant envers Moi ainsi qu'envers tes parents. Vers Moi est la destination.

15. Et si tous deux te forcent à M'associer ce dont tu n'as aucune connaissance, alors ne leur obéis pas ; mais reste avec eux ici-bas de façon convenable. Et suis le sentier de celui qui se tourne vers Moi. Vers Moi, ensuite, est votre retour, et alors Je vous informerai de ce que vous faisiez».

16. «Ô mon enfant, fût-ce le poids d'un grain de moutarde, au fond d'un rocher, ou dans les cieux ou dans la terre, Allāh le fera venir¹. Allāh est infiniment Doux et Parfaitement Connaisseur.

17. Ô mon enfant, accomplis la Ṣalāt, commande le convenable, interdis le blâmable et endure ce qui t'arrive avec patience. Telle est la résolution à prendre dans toute entreprise!

18. Et ne détourne pas ton visage des hommes, et ne foule pas la terre avec arrogance: car Allāh n'aime pas le présomptueux plein de gloriole.

19. Sois modeste dans ta démarche, et baisse ta voix, car la plus détestée des voix, c'est bien la voix des ânes».

---

1. *Le fera venir*: pour en rendre compte au Jour du Jugement dernier.

أَلَمْ تَرَوْا أَنَّ ٱللَّهَ سَخَّرَ لَكُم مَّا فِي ٱلسَّمَوَتِ وَمَا فِي ٱلْأَرْضِ وَأَسْبَغَ عَلَيْكُمْ نِعَمَهُ ظَهِرَةً وَبَاطِنَةً وَمِنَ ٱلنَّاسِ مَن يُجَدِلُ فِي ٱللَّهِ بِغَيْرِ عِلْمٍ وَلَا هُدًى وَلَا كِتَبٍ مُّنِيرٍ ۞ وَإِذَا قِيلَ لَهُمُ ٱتَّبِعُوا مَا أَنزَلَ ٱللَّهُ قَالُوا بَلْ نَتَّبِعُ مَا وَجَدْنَا عَلَيْهِ ءَابَاءَنَا أَوَلَوْ كَانَ ٱلشَّيْطَنُ يَدْعُوهُمْ إِلَى عَذَابِ ٱلسَّعِيرِ ۞ ۞ وَمَن يُسْلِمْ وَجْهَهُ إِلَى ٱللَّهِ وَهُوَ مُحْسِنٌ فَقَدِ ٱسْتَمْسَكَ بِٱلْعُرْوَةِ ٱلْوُثْقَىٰ وَإِلَى ٱللَّهِ عَقِبَةُ ٱلْأُمُورِ ۞ وَمَن كَفَرَ فَلَا يَحْزُنكَ كُفْرُهُ إِلَيْنَا مَرْجِعُهُمْ فَنُنَبِّئُهُم بِمَا عَمِلُوٓا إِنَّ ٱللَّهَ عَلِيمٌ بِذَاتِ ٱلصُّدُورِ ۞ نُمَتِّعُهُمْ قَلِيلًا ثُمَّ نَضْطَرُّهُمْ إِلَىٰ عَذَابٍ غَلِيظٍ ۞ وَلَئِن سَأَلْتَهُم مَّنْ خَلَقَ ٱلسَّمَوَتِ وَٱلْأَرْضَ لَيَقُولُنَّ ٱللَّهُ قُلِ ٱلْحَمْدُ لِلَّهِ بَلْ أَكْثَرُهُمْ لَا يَعْلَمُونَ ۞ لِلَّهِ مَا فِي ٱلسَّمَوَتِ وَٱلْأَرْضِ إِنَّ ٱللَّهَ هُوَ ٱلْغَنِيُّ ٱلْحَمِيدُ ۞ وَلَوْ أَنَّمَا فِي ٱلْأَرْضِ مِن شَجَرَةٍ أَقْلَمٌ وَٱلْبَحْرُ يَمُدُّهُ مِنۢ بَعْدِهِ سَبْعَةُ أَبْحُرٍ مَّا نَفِدَتْ كَلِمَتُ ٱللَّهِ إِنَّ ٱللَّهَ عَزِيزٌ حَكِيمٌ ۞ مَّا خَلْقُكُمْ وَلَا بَعْثُكُمْ إِلَّا كَنَفْسٍ وَحِدَةٍ إِنَّ ٱللَّهَ سَمِيعٌ بَصِيرٌ ۞

20. Ne voyez-vous pas qu'Allāh vous a assujetti ce qui est dans les cieux et sur la terre? Et Il vous a comblés de Ses bienfaits apparents et cachés. Et parmi les gens, il y en a qui disputent à propos d'Allāh, sans science, ni guidée, ni Livre éclairant.

21. Et quand on leur dit: «Suivez ce qu'Allāh a fait descendre», ils disent: «Nous suivons plutôt ce sur quoi nous avons trouvé nos ancêtres». Est-ce donc même si le Diable les appelait au châtiment de la fournaise!

22. Et quiconque soumet son être[1] à Allāh, tout en étant bienfaisant, s'accroche réellement à l'anse la plus ferme. La fin de toute chose appartient à Allāh.

23. Celui qui a mécru, que sa mécréance ne t'afflige pas: vers Nous sera leur retour et Nous les informerons de ce qu'ils faisaient. Allāh connaît bien le contenu des poitrines.

24. Nous leur donnons de la jouissance pour peu de temps ; ensuite Nous les forcerons vers un dur châtiment.

25. Si tu leur demandes: «Qui a créé les cieux et la terre?» , ils diront, certes: «Allāh!» Dis: «Louange à Allāh». Mais la plupart d'entre eux ne savent pas.

26. À Allāh appartient tout ce qui est dans les cieux et en terre. Allāh est Celui qui se suffit à Lui-même, Il est Le Digne de louange!

27. Quand bien même tous les arbres de la terre se changeraient en calames [plumes pour écrire], quand bien même l'océan serait un océan d'encre où conflueraient sept autres océans, les paroles d'Allāh ne s'épuiseraient pas. Car Allāh est Puissant et Sage.

28. Votre création et votre résurrection [à tous] sont [aussi faciles à Allāh] que s'il s'agissait d'une seule âme. Certes Allāh est Audient et Clairvoyant.

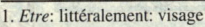

---

1. *Etre*: littéralement: visage

أَلَمْ تَرَ أَنَّ ٱللَّهَ يُولِجُ ٱلَّيْلَ فِي ٱلنَّهَارِ وَيُولِجُ ٱلنَّهَارَ فِي ٱلَّيْلِ وَسَخَّرَ ٱلشَّمْسَ وَٱلْقَمَرَ كُلٌّ يَجْرِي إِلَىٰٓ أَجَلٍ مُّسَمًّى وَأَنَّ ٱللَّهَ بِمَا تَعْمَلُونَ خَبِيرٌ ۝ ذَٰلِكَ بِأَنَّ ٱللَّهَ هُوَ ٱلْحَقُّ وَأَنَّ مَا يَدْعُونَ مِن دُونِهِ ٱلْبَٰطِلُ وَأَنَّ ٱللَّهَ هُوَ ٱلْعَلِيُّ ٱلْكَبِيرُ ۝ أَلَمْ تَرَ أَنَّ ٱلْفُلْكَ تَجْرِي فِي ٱلْبَحْرِ بِنِعْمَتِ ٱللَّهِ لِيُرِيَكُم مِّنْ ءَايَٰتِهِ إِنَّ فِي ذَٰلِكَ لَءَايَٰتٍ لِّكُلِّ صَبَّارٍ شَكُورٍ ۝ وَإِذَا غَشِيَهُم مَّوْجٌ كَٱلظُّلَلِ دَعَوُا۟ ٱللَّهَ مُخْلِصِينَ لَهُ ٱلدِّينَ فَلَمَّا نَجَّىٰهُمْ إِلَى ٱلْبَرِّ فَمِنْهُم مُّقْتَصِدٌ وَمَا يَجْحَدُ بِـَٔايَٰتِنَآ إِلَّا كُلُّ خَتَّارٍ كَفُورٍ ۝ يَٰٓأَيُّهَا ٱلنَّاسُ ٱتَّقُوا۟ رَبَّكُمْ وَٱخْشَوْا۟ يَوْمًا لَّا يَجْزِي وَالِدٌ عَن وَلَدِهِۦ وَلَا مَوْلُودٌ هُوَ جَازٍ عَن وَالِدِهِۦ شَيْـًٔا إِنَّ وَعْدَ ٱللَّهِ حَقٌّ فَلَا تَغُرَّنَّكُمُ ٱلْحَيَوٰةُ ٱلدُّنْيَا وَلَا يَغُرَّنَّكُم بِٱللَّهِ ٱلْغَرُورُ ۝ إِنَّ ٱللَّهَ عِندَهُۥ عِلْمُ ٱلسَّاعَةِ وَيُنَزِّلُ ٱلْغَيْثَ وَيَعْلَمُ مَا فِي ٱلْأَرْحَامِ وَمَا تَدْرِي نَفْسٌ مَّاذَا تَكْسِبُ غَدًا وَمَا تَدْرِي نَفْسٌ بِأَيِّ أَرْضٍ تَمُوتُ إِنَّ ٱللَّهَ عَلِيمٌ خَبِيرٌ ۝

سُورَةُ ٱلسَّجْدَةِ

29. N'as-tu pas vu qu'Allāh fait pénétrer la nuit dans le jour, et qu'il fait pénétrer le jour dans la nuit, et qu'il a assujetti le soleil et la lune chacun poursuivant sa course jusqu'à un terme fixé? Et Allāh est Parfaitement Connaisseur de ce que vous faites.

30. Il en est ainsi parce qu'Allāh est la Vérité, et que tout ce qu'ils invoquent en dehors de Lui est le Faux, et qu'Allāh, c'est Lui le Haut, le Grand.

31. N'as-tu pas vu que c'est par la grâce d'Allāh que le vaisseau vogue dans la mer, afin qu'Il vous fasse voir de Ses merveilles? Il y a en cela des preuves pour tout homme patient et reconnaissant.

32. Quand une vague les recouvre comme des ombres, ils invoquent Allāh, vouant leur culte exclusivement à Lui ; et lorsqu'Il les sauve, en les ramenant vers la terre ferme, certains d'entre eux deviennent réticents ; mais, seul le grand traître et le grand ingrat renient Nos signes.

33. Ô hommes! Craignez votre Seigneur et redoutez un jour où le père ne répondra en quoi que ce soit pour son enfant, ni l'enfant pour son père. La promesse d'Allāh est vérité. Que la vie présente ne vous trompe donc pas, et que le Trompeur (Satan) ne vous induise pas en erreur sur Allāh!

34. La connaissance de l'Heure est auprès d'Allāh ; et c'est Lui qui fait tomber la pluie salvatrice ; et Il sait ce qu'Il y a dans les matrices. Et personne ne sait ce qu'il acquerra demain, et personne ne sait dans quelle terre il mourra. Certes Allāh est Omniscient et Parfaitement Connaisseur.

بِسْمِ اللَّهِ الرَّحْمَٰنِ الرَّحِيمِ

الٓمٓ ۝ تَنزِيلُ ٱلْكِتَٰبِ لَا رَيْبَ فِيهِ مِن رَّبِّ ٱلْعَٰلَمِينَ ۝ أَمْ يَقُولُونَ ٱفْتَرَىٰهُ ۚ بَلْ هُوَ ٱلْحَقُّ مِن رَّبِّكَ لِتُنذِرَ قَوْمًا مَّآ أَتَىٰهُم مِّن نَّذِيرٍ مِّن قَبْلِكَ لَعَلَّهُمْ يَهْتَدُونَ ۝ ٱللَّهُ ٱلَّذِى خَلَقَ ٱلسَّمَٰوَٰتِ وَٱلْأَرْضَ وَمَا بَيْنَهُمَا فِى سِتَّةِ أَيَّامٍ ثُمَّ ٱسْتَوَىٰ عَلَى ٱلْعَرْشِ ۖ مَا لَكُم مِّن دُونِهِۦ مِن وَلِىٍّ وَلَا شَفِيعٍ ۚ أَفَلَا تَتَذَكَّرُونَ ۝ يُدَبِّرُ ٱلْأَمْرَ مِنَ ٱلسَّمَآءِ إِلَى ٱلْأَرْضِ ثُمَّ يَعْرُجُ إِلَيْهِ فِى يَوْمٍ كَانَ مِقْدَارُهُۥٓ أَلْفَ سَنَةٍ مِّمَّا تَعُدُّونَ ۝ ذَٰلِكَ عَٰلِمُ ٱلْغَيْبِ وَٱلشَّهَٰدَةِ ٱلْعَزِيزُ ٱلرَّحِيمُ ۝ ٱلَّذِىٓ أَحْسَنَ كُلَّ شَىْءٍ خَلَقَهُۥ ۖ وَبَدَأَ خَلْقَ ٱلْإِنسَٰنِ مِن طِينٍ ۝ ثُمَّ جَعَلَ نَسْلَهُۥ مِن سُلَٰلَةٍ مِّن مَّآءٍ مَّهِينٍ ۝ ثُمَّ سَوَّىٰهُ وَنَفَخَ فِيهِ مِن رُّوحِهِۦ ۖ وَجَعَلَ لَكُمُ ٱلسَّمْعَ وَٱلْأَبْصَٰرَ وَٱلْأَفْـِٔدَةَ ۚ قَلِيلًا مَّا تَشْكُرُونَ ۝ وَقَالُوٓا۟ أَءِذَا ضَلَلْنَا فِى ٱلْأَرْضِ أَءِنَّا لَفِى خَلْقٍ جَدِيدٍۭ ۚ بَلْ هُم بِلِقَآءِ رَبِّهِمْ كَٰفِرُونَ ۝ ۞ قُلْ يَتَوَفَّىٰكُم مَّلَكُ ٱلْمَوْتِ ٱلَّذِى وُكِّلَ بِكُمْ ثُمَّ إِلَىٰ رَبِّكُمْ تُرْجَعُونَ ۝

ربع الحزب ٤٢

AS-SAJDA (LA PROSTERNATION)[1]
sourate 32   30 versets   Pré-hégirien n°75

Au nom d'Allāh, le Tout Miséricordieux, le Très Miséricordieux.

1. Alif, Lām, Mīm[2].

2. La Révélation du Livre, nul doute là-dessus, émane du Seigneur de l'univers.

3. Diront-ils qu'il (Muḥammad) l'a inventé? Ceci est, au contraire, la vérité venant de ton Seigneur pour que tu avertisses un peuple à qui nul avertisseur avant toi n'est venu, afin qu'ils se guident.

4. Allāh qui a créé en six jours les cieux et la terre, et ce qui est entre eux. Ensuite Il S'est établi «istawā»[3] sur le Trône. Vous n'avez, en dehors de Lui, ni allié ni intercesseur. Ne vous rappelez-vous donc pas?

5. Du ciel à la terre, il administre l'affaire, laquelle ensuite monte vers Lui en un jour équivalent à mille ans de votre calcul.

6. C'est Lui le Connaisseur [des mondes] inconnus et visibles, le Puissant, le Miséricordieux,

7. qui a bien fait tout ce qu'Il a créé. Et il a commencé la création de l'homme à partir de l'argile,

8. puis il tira sa descendance d'une goutte d'eau vile [le sperme] ;

9. puis Il lui donna sa forme parfaite et lui insuffla de Son Esprit[4]. Et Il vous a assigné l'ouïe, les yeux et le cœur. Que vous êtes peu reconnaissants!

10. Et ils disent: «Quand nous serons perdus dans la terre [sous forme de poussière], redeviendrons-nous une création nouvelle?» En outre, ils ne croient pas en la rencontre avec leur Seigneur.

11. Dis: «L'Ange de la mort qui est chargé de vous, vous fera mourir. Ensuite, vous serez ramenés vers Votre Seigneur».

---

1. Titre tiré du contenu du v. 15.
2. Cf. note à S. 2, v. 1.
3. «*Istawā*»: voir la note S. 25, v. 59.
4. *Et lui insuffla de Son Esprit*: Il lui insuffla la vie après avoir été inerte.

وَلَوْ تَرَىٰٓ إِذِ ٱلْمُجْرِمُونَ نَاكِسُوا۟ رُءُوسِهِمْ عِندَ رَبِّهِمْ

رَبَّنَآ أَبْصَرْنَا وَسَمِعْنَا فَٱرْجِعْنَا نَعْمَلْ صَٰلِحًا إِنَّا مُوقِنُونَ ﴿١٢﴾ وَلَوْ شِئْنَا لَءَاتَيْنَا كُلَّ نَفْسٍ هُدَىٰهَا وَلَٰكِنْ حَقَّ ٱلْقَوْلُ مِنِّى لَأَمْلَأَنَّ جَهَنَّمَ مِنَ ٱلْجِنَّةِ وَٱلنَّاسِ أَجْمَعِينَ ﴿١٣﴾ فَذُوقُوا۟ بِمَا نَسِيتُمْ لِقَآءَ يَوْمِكُمْ هَٰذَآ إِنَّا نَسِينَٰكُمْ ۖ وَذُوقُوا۟ عَذَابَ ٱلْخُلْدِ بِمَا كُنتُمْ تَعْمَلُونَ ﴿١٤﴾ إِنَّمَا يُؤْمِنُ بِـَٔايَٰتِنَا ٱلَّذِينَ إِذَا ذُكِّرُوا۟ بِهَا خَرُّوا۟ سُجَّدًا وَسَبَّحُوا۟ بِحَمْدِ رَبِّهِمْ وَهُمْ لَا يَسْتَكْبِرُونَ ۩ ﴿١٥﴾ تَتَجَافَىٰ جُنُوبُهُمْ عَنِ ٱلْمَضَاجِعِ يَدْعُونَ رَبَّهُمْ خَوْفًا وَطَمَعًا وَمِمَّا رَزَقْنَٰهُمْ يُنفِقُونَ ﴿١٦﴾ فَلَا تَعْلَمُ نَفْسٌ مَّآ أُخْفِىَ لَهُم مِّن قُرَّةِ أَعْيُنٍ جَزَآءً بِمَا كَانُوا۟ يَعْمَلُونَ ﴿١٧﴾ أَفَمَن كَانَ مُؤْمِنًا كَمَن كَانَ فَاسِقًا ۚ لَّا يَسْتَوُۥنَ ﴿١٨﴾ أَمَّا ٱلَّذِينَ ءَامَنُوا۟ وَعَمِلُوا۟ ٱلصَّٰلِحَٰتِ فَلَهُمْ جَنَّٰتُ ٱلْمَأْوَىٰ نُزُلًۢا بِمَا كَانُوا۟ يَعْمَلُونَ ﴿١٩﴾ وَأَمَّا ٱلَّذِينَ فَسَقُوا۟ فَمَأْوَىٰهُمُ ٱلنَّارُ ۖ كُلَّمَآ أَرَادُوٓا۟ أَن يَخْرُجُوا۟ مِنْهَآ أُعِيدُوا۟ فِيهَا وَقِيلَ لَهُمْ ذُوقُوا۟ عَذَابَ ٱلنَّارِ ٱلَّذِى كُنتُم بِهِۦ تُكَذِّبُونَ ﴿٢٠﴾

12. Si tu voyais alors les criminels [comparaître], têtes basses devant leur Seigneur! «Notre Seigneur, Nous avons vu et entendu, renvoie-nous donc afin que nous puissions faire du bien ; nous croyons (maintenant) avec certitude».

13. «Si Nous voulions, Nous apporterions à chaque âme sa guidée. Mais la parole venant de Moi doit être réalisée: «J'emplirai l'Enfer de djinns et d'hommes réunis».

14. «Goûtez donc! Pour avoir oublié la rencontre de votre jour que voici. Nous aussi Nous vous avons oubliés. Goûtez au châtiment éternel pour ce que vous faisiez».

15. Seuls croient en Nos versets ceux qui, lorsqu'on les leur rappelle, tombent prosternés et, par des louanges à leur Seigneur, célèbrent Sa gloire et ne s'enflent pas d'orgueil[1].

16. Ils s'arrachent de leurs lits pour invoquer leur Seigneur, par crainte et espoir ; et ils font largesse de ce que Nous leur attribuons.

17. Aucun être ne sait ce qu'on a réservé pour eux comme réjouissance pour les yeux, en récompense de ce qu'ils œuvraient!

18. Celui qui est croyant est-il comparable au pervers? (Non), ils ne sont point égaux.

19. Ceux qui croient et accomplissent les bonnes œuvres, auront leur résidence dans les Jardins du Refuge, en récompense de ce qu'ils œuvraient[2].

20. Et quant à ceux qui auront été pervers, leur refuge sera le Feu: toutes les fois qu'ils voudront en sortir, ils y seront ramenés, et on leur dira: «Goûtez au châtiment du Feu auquel vous refusiez de croire».

---

1. À ce verset on se prosterne.
2. *Le Refuge*: «*Maʾwā*» un des noms du Paradis.

وَلَنُذِيقَنَّهُم مِّنَ ٱلْعَذَابِ ٱلْأَدْنَىٰ دُونَ ٱلْعَذَابِ ٱلْأَكْبَرِ لَعَلَّهُمْ يَرْجِعُونَ ۝ وَمَنْ أَظْلَمُ مِمَّن ذُكِّرَ بِـَٔايَٰتِ رَبِّهِۦ ثُمَّ أَعْرَضَ عَنْهَآ إِنَّا مِنَ ٱلْمُجْرِمِينَ مُنتَقِمُونَ ۝ وَلَقَدْ ءَاتَيْنَا مُوسَى ٱلْكِتَٰبَ فَلَا تَكُن فِى مِرْيَةٍ مِّن لِّقَآئِهِۦ وَجَعَلْنَٰهُ هُدًى لِّبَنِىٓ إِسْرَٰٓءِيلَ ۝ وَجَعَلْنَا مِنْهُمْ أَئِمَّةً يَهْدُونَ بِأَمْرِنَا لَمَّا صَبَرُوا۟ وَكَانُوا۟ بِـَٔايَٰتِنَا يُوقِنُونَ ۝ إِنَّ رَبَّكَ هُوَ يَفْصِلُ بَيْنَهُمْ يَوْمَ ٱلْقِيَٰمَةِ فِيمَا كَانُوا۟ فِيهِ يَخْتَلِفُونَ ۝ أَوَلَمْ يَهْدِ لَهُمْ كَمْ أَهْلَكْنَا مِن قَبْلِهِم مِّنَ ٱلْقُرُونِ يَمْشُونَ فِى مَسَٰكِنِهِمْ إِنَّ فِى ذَٰلِكَ لَـَٔايَٰتٍ أَفَلَا يَسْمَعُونَ ۝ أَوَلَمْ يَرَوْا۟ أَنَّا نَسُوقُ ٱلْمَآءَ إِلَى ٱلْأَرْضِ ٱلْجُرُزِ فَنُخْرِجُ بِهِۦ زَرْعًا تَأْكُلُ مِنْهُ أَنْعَٰمُهُمْ وَأَنفُسُهُمْ أَفَلَا يُبْصِرُونَ ۝ وَيَقُولُونَ مَتَىٰ هَٰذَا ٱلْفَتْحُ إِن كُنتُمْ صَٰدِقِينَ ۝ قُلْ يَوْمَ ٱلْفَتْحِ لَا يَنفَعُ ٱلَّذِينَ كَفَرُوٓا۟ إِيمَٰنُهُمْ وَلَا هُمْ يُنظَرُونَ ۝ فَأَعْرِضْ عَنْهُمْ وَٱنتَظِرْ إِنَّهُم مُّنتَظِرُونَ ۝

سُورَةُ الأَحْزَابِ

21. Nous leur ferons certainement goûter au châtiment ici-bas, avant le grand châtiment afin qu'ils retournent (vers le chemin droit)!

22. Qui est plus injuste que celui à qui les versets d'Allāh sont rappelés et qui ensuite s'en détourne? Nous nous vengerons certes des criminels.

23. Nous avons effectivement donné à Moïse le Livre - ne sois donc pas en doute sur ta rencontre avec lui[1] - , et l'avons assigné comme guide aux Enfants d'Israël.

24. Et Nous avons désigné parmi eux des dirigeants qui guidaient (les gens) par Notre ordre aussi longtemps qu'ils enduraient et croyaient fermement en Nos versets.

25. Ton Seigneur, c'est Lui qui décidera entre eux, au Jour de la Résurrection, de ce sur quoi ils divergeaient.

26. N'est-ce pas pour eux une indication le fait qu'avant eux, Nous ayons fait périr tant de générations dans les maisons desquelles ils marchent? Il y a en cela des preuves! N'écouteront-ils donc pas?

27. N'ont-ils pas vu que Nous poussons l'eau vers un sol aride, qu'ensuite Nous en faisons sortir une culture que consomment leurs bestiaux et eux-mêmes? Ne voient-ils donc pas?

28. Et ils disent: «À quand cette victoire, si vous êtes véridiques?»

29. Dis: «Le jour de la Victoire[2], il sera inutile aux infidèles de croire! Et aucun délai ne leur sera donné».

30. Eloigne-toi d'eux et attends. Eux aussi demeurent dans l'attente.

---

1. *Ta rencontre avec lui*: il s'agit de la rencontre du Prophète Muḥammad (ﷺ) avec Moïse lors de la nuit de l'Ascension.
2. *Victoire*: certains commentateurs pensent que ceci se réfère au jour du Jugement dernier ; d'autres pensent que c'est la victoire de Badr ou la reconquête de La Mecque.

بِسۡمِ ٱللَّهِ ٱلرَّحۡمَٰنِ ٱلرَّحِيمِ

يَـٰٓأَيُّهَا ٱلنَّبِيُّ ٱتَّقِ ٱللَّهَ وَلَا تُطِعِ ٱلۡكَٰفِرِينَ وَٱلۡمُنَٰفِقِينَ إِنَّ ٱللَّهَ كَانَ عَلِيمًا حَكِيمًا ١ وَٱتَّبِعۡ مَا يُوحَىٰٓ إِلَيۡكَ مِن رَّبِّكَ إِنَّ ٱللَّهَ كَانَ بِمَا تَعۡمَلُونَ خَبِيرًا ٢ وَتَوَكَّلۡ عَلَى ٱللَّهِ وَكَفَىٰ بِٱللَّهِ وَكِيلًا ٣ مَّا جَعَلَ ٱللَّهُ لِرَجُلٍ مِّن قَلۡبَيۡنِ فِي جَوۡفِهِۦ وَمَا جَعَلَ أَزۡوَٰجَكُمُ ٱلَّـٰٓـِٔي تُظَٰهِرُونَ مِنۡهُنَّ أُمَّهَٰتِكُمۡ وَمَا جَعَلَ أَدۡعِيَآءَكُمۡ أَبۡنَآءَكُمۡ ذَٰلِكُمۡ قَوۡلُكُم بِأَفۡوَٰهِكُمۡ وَٱللَّهُ يَقُولُ ٱلۡحَقَّ وَهُوَ يَهۡدِي ٱلسَّبِيلَ ٤ ٱدۡعُوهُمۡ لِأٓبَآئِهِمۡ هُوَ أَقۡسَطُ عِندَ ٱللَّهِ فَإِن لَّمۡ تَعۡلَمُوٓاْ ءَابَآءَهُمۡ فَإِخۡوَٰنُكُمۡ فِي ٱلدِّينِ وَمَوَٰلِيكُمۡ وَلَيۡسَ عَلَيۡكُمۡ جُنَاحٌ فِيمَآ أَخۡطَأۡتُم بِهِۦ وَلَٰكِن مَّا تَعَمَّدَتۡ قُلُوبُكُمۡ وَكَانَ ٱللَّهُ غَفُورًا رَّحِيمًا ٥ ٱلنَّبِيُّ أَوۡلَىٰ بِٱلۡمُؤۡمِنِينَ مِنۡ أَنفُسِهِمۡ وَأَزۡوَٰجُهُۥٓ أُمَّهَٰتُهُمۡ وَأُوْلُواْ ٱلۡأَرۡحَامِ بَعۡضُهُمۡ أَوۡلَىٰ بِبَعۡضٍ فِي كِتَٰبِ ٱللَّهِ مِنَ ٱلۡمُؤۡمِنِينَ وَٱلۡمُهَٰجِرِينَ إِلَّآ أَن تَفۡعَلُوٓاْ إِلَىٰٓ أَوۡلِيَآئِكُم مَّعۡرُوفًا كَانَ ذَٰلِكَ فِي ٱلۡكِتَٰبِ مَسۡطُورًا ٦

AL-AḤZĀB (LES COALISÉS)[1]
sourate 33   73 versets   Post-hégirien n°90

Au nom d'Allāh, le Tout Miséricordieux, le Très Miséricordieux.

1. Ô Prophète! Crains Allāh et n'obéis pas aux infidèles et aux hypocrites, car Allāh demeure Omniscient et Sage.

2. Et suis ce qui t'est révélé émanant de Ton Seigneur. Car Allāh est Parfaitement Connaisseur de ce que vous faites.

3. Et place ta confiance en Allāh. Allāh te suffit comme protecteur.

4. Allāh n'a pas placé à l'homme deux cœurs dans sa poitrine. Il n'a point assimilé à vos mères vos épouses [à qui vous dites en les répudiant]: «Tu es [aussi illicite] pour moi que le dos de ma mère[2]». Il n'a point fait de vos enfants adoptifs vos propres enfants. Ce sont des propos [qui sortent] de votre bouche. Mais Allāh dit la vérité et c'est Lui qui met [l'homme] dans la bonne direction.

5. Appelez-les du nom de leurs pères: c'est plus équitable devant Allāh. Mais si vous ne connaissez pas leurs pères, alors considérez-les comme vos frères en religion ou vos alliés. Nul blâme sur vous pour ce que vous faites par erreur, mais (vous serez blâmés pour) ce que vos cœurs font délibérément. Allāh, cependant, est Pardonneur et Miséricordieux[3].

6. Le Prophète a plus de droit sur les croyants qu'ils n'en ont sur eux-mêmes ; et ses épouses sont leurs mères. Les liens de consanguinité ont [dans les successions] la priorité [sur les liens] unissant les croyants [de Médine] et les émigrés [de la Mecque] selon le livre d'Allāh, à moins que vous ne fassiez un testament convenable en faveur de vos frères en religion. Et cela est inscrit dans le Livre[4].

---

1. Titre tiré des v. 20 et 22.
2. *«Le dos de ma mère»*: l'une des formules de divorce chez le Bédouin arabe.
3. *Appelez-les*: les enfants adoptifs.
Ce verset fut révélé à propos de Zayd Ibn Ḥariṭa qui vivait sous le toit du Prophète (ﷺ) comme son propre enfant et qu'on appelait Zayd Ibn Muḥammad. Ce verset et ce qui le précède rendent inopérante l'adoption et le Prophète fut le premier à l'appliquer à l'égard de Zayd.
4. *Ses épouses sont leurs mères*: les croyants n'ont pas le droit de les épouser.
Priorité: ce verset met fin à l'autorisation accordée aux Muhājirūn et Anṣār de s'hériter mutuellement
Le livre: La Table bien gardée: al-Lawḥ al-Maḥfuẓ.

وَإِذْ أَخَذْنَا مِنَ ٱلنَّبِيِّـۧنَ مِيثَٰقَهُمْ وَمِنكَ وَمِن نُّوحٍ وَإِبْرَٰهِيمَ وَمُوسَىٰ وَعِيسَى ٱبْنِ مَرْيَمَ ۖ وَأَخَذْنَا مِنْهُم مِّيثَٰقًا غَلِيظًا ۝

لِّيَسْـَٔلَ ٱلصَّٰدِقِينَ عَن صِدْقِهِمْ ۚ وَأَعَدَّ لِلْكَٰفِرِينَ عَذَابًا أَلِيمًا ۝

يَٰٓأَيُّهَا ٱلَّذِينَ ءَامَنُوا۟ ٱذْكُرُوا۟ نِعْمَةَ ٱللَّهِ عَلَيْكُمْ إِذْ جَآءَتْكُمْ جُنُودٌ فَأَرْسَلْنَا عَلَيْهِمْ رِيحًا وَجُنُودًا لَّمْ تَرَوْهَا ۚ وَكَانَ ٱللَّهُ بِمَا تَعْمَلُونَ بَصِيرًا ۝ إِذْ جَآءُوكُم مِّن فَوْقِكُمْ وَمِنْ أَسْفَلَ مِنكُمْ وَإِذْ زَاغَتِ ٱلْأَبْصَٰرُ وَبَلَغَتِ ٱلْقُلُوبُ ٱلْحَنَاجِرَ وَتَظُنُّونَ بِٱللَّهِ ٱلظُّنُونَا۠ ۝ هُنَالِكَ ٱبْتُلِيَ ٱلْمُؤْمِنُونَ وَزُلْزِلُوا۟ زِلْزَالًا شَدِيدًا ۝ وَإِذْ يَقُولُ ٱلْمُنَٰفِقُونَ وَٱلَّذِينَ فِي قُلُوبِهِم مَّرَضٌ مَّا وَعَدَنَا ٱللَّهُ وَرَسُولُهُۥٓ إِلَّا غُرُورًا ۝ وَإِذْ قَالَت طَّآئِفَةٌ مِّنْهُمْ يَٰٓأَهْلَ يَثْرِبَ لَا مُقَامَ لَكُمْ فَٱرْجِعُوا۟ ۚ وَيَسْتَـْٔذِنُ فَرِيقٌ مِّنْهُمُ ٱلنَّبِيَّ يَقُولُونَ إِنَّ بُيُوتَنَا عَوْرَةٌ وَمَا هِيَ بِعَوْرَةٍ ۖ إِن يُرِيدُونَ إِلَّا فِرَارًا ۝ وَلَوْ دُخِلَتْ عَلَيْهِم مِّنْ أَقْطَارِهَا ثُمَّ سُئِلُوا۟ ٱلْفِتْنَةَ لَـَٔاتَوْهَا وَمَا تَلَبَّثُوا۟ بِهَآ إِلَّا يَسِيرًا ۝ وَلَقَدْ كَانُوا۟ عَٰهَدُوا۟ ٱللَّهَ مِن قَبْلُ لَا يُوَلُّونَ ٱلْأَدْبَٰرَ ۚ وَكَانَ عَهْدُ ٱللَّهِ مَسْـُٔولًا ۝

7. Lorsque Nous prîmes des prophètes leur engagement, de même que de toi, de Noé, d'Abraham, de Moïse, et de Jésus fils de Marie: et Nous avons pris d'eux un engagement solennel,

8. afin [qu'Allāh] interroge les véridiques sur leur sincérité. Et Il a préparé aux infidèles un châtiment douloureux.

9. Ô vous qui croyez! Rappelez-vous le bienfait d'Allāh sur vous, quand des troupes vous sont venues et que Nous avons envoyé contre elles un vent et des troupes que vous n'avez pas vues. Allāh demeure Clairvoyant sur ce que vous faites[1].

10. Quand ils vous vinrent d'en haut et d'en bas [de toutes parts], et que les regards étaient troublés, et les cœurs remontaient aux gorges, et vous faisiez sur Allāh toutes sortes de suppositions...

11. Les croyants furent alors éprouvés et secoués d'une dure secousse.

12. Et quand les hypocrites et ceux qui ont la maladie [le doute] au cœur disaient: «Allāh et Son messager ne nous ont promis que tromperie».

13. De même, un groupe d'entre eux dit: «Gens de Yatrib[2]! Ne demeurez pas ici. Retournez [chez vous]». Un groupe d'entre eux demande au Prophète la permission de partir en disant: «Nos demeures sont sans protection», alors qu'elles ne l'étaient pas: ils ne voulaient que s'enfuir.

14. Et si une percée avait été faite sur eux par les flancs de la ville et qu'ensuite on leur avait demandé de renier leur foi, ils auraient accepté certes, et n'auraient guère tardé,

15. tandis qu'auparavant ils avaient pris l'engagement envers Allāh qu'ils ne tourneraient pas le dos. Et il sera demandé compte de tout engagement vis-à-vis d'Allāh.

---

1. Allusion à la bataille du Fossé (an 5 de l'H.) où les coalisés assiégèrent Médine.
2. *Yatrib*: ancien nom de Médine.

قُل لَّن يَنفَعَكُمُ ٱلْفِرَارُ إِن فَرَرْتُم مِّنَ ٱلْمَوْتِ أَوِ ٱلْقَتْلِ وَإِذًا لَّا تُمَتَّعُونَ إِلَّا قَلِيلًا ۝ قُلْ مَن ذَا ٱلَّذِى يَعْصِمُكُم مِّنَ ٱللَّهِ إِنْ أَرَادَ بِكُمْ سُوٓءًا أَوْ أَرَادَ بِكُمْ رَحْمَةً وَلَا يَجِدُونَ لَهُم مِّن دُونِ ٱللَّهِ وَلِيًّا وَلَا نَصِيرًا ۝ ۞ قَدْ يَعْلَمُ ٱللَّهُ ٱلْمُعَوِّقِينَ مِنكُمْ وَٱلْقَآئِلِينَ لِإِخْوَٰنِهِمْ هَلُمَّ إِلَيْنَا وَلَا يَأْتُونَ ٱلْبَأْسَ إِلَّا قَلِيلًا ۝ أَشِحَّةً عَلَيْكُمْ فَإِذَا جَآءَ ٱلْخَوْفُ رَأَيْتَهُمْ يَنظُرُونَ إِلَيْكَ تَدُورُ أَعْيُنُهُمْ كَٱلَّذِى يُغْشَىٰ عَلَيْهِ مِنَ ٱلْمَوْتِ فَإِذَا ذَهَبَ ٱلْخَوْفُ سَلَقُوكُم بِأَلْسِنَةٍ حِدَادٍ أَشِحَّةً عَلَى ٱلْخَيْرِ أُوْلَٰٓئِكَ لَمْ يُؤْمِنُوا فَأَحْبَطَ ٱللَّهُ أَعْمَٰلَهُمْ وَكَانَ ذَٰلِكَ عَلَى ٱللَّهِ يَسِيرًا ۝ يَحْسَبُونَ ٱلْأَحْزَابَ لَمْ يَذْهَبُوا وَإِن يَأْتِ ٱلْأَحْزَابُ يَوَدُّوا لَوْ أَنَّهُم بَادُونَ فِى ٱلْأَعْرَابِ يَسْئَلُونَ عَنْ أَنۢبَآئِكُمْ وَلَوْ كَانُوا فِيكُم مَّا قَٰتَلُوٓا إِلَّا قَلِيلًا ۝ لَّقَدْ كَانَ لَكُمْ فِى رَسُولِ ٱللَّهِ أُسْوَةٌ حَسَنَةٌ لِّمَن كَانَ يَرْجُوا ٱللَّهَ وَٱلْيَوْمَ ٱلْأَخِرَ وَذَكَرَ ٱللَّهَ كَثِيرًا ۝ وَلَمَّا رَءَا ٱلْمُؤْمِنُونَ ٱلْأَحْزَابَ قَالُوا هَٰذَا مَا وَعَدَنَا ٱللَّهُ وَرَسُولُهُۥ وَصَدَقَ ٱللَّهُ وَرَسُولُهُۥ وَمَا زَادَهُمْ إِلَّآ إِيمَٰنًا وَتَسْلِيمًا ۝

16. Dis: «Jamais la fuite ne vous sera utile si c'est la mort (sans combat) ou le meurtre (dans le combat) que vous fuyez ; dans ce cas, vous ne jouirez (de la vie) que peu (de temps)».

17. Dis: «Quel est celui qui peut vous protéger d'Allāh, s'Il vous veut du mal ou s'Il veut vous accorder une miséricorde?» Et ils ne trouveront pour eux-mêmes en dehors d'Allāh, ni allié ni secoureur.

18. Certes, Allāh connaît ceux d'entre vous qui suscitent des obstacles, ainsi que ceux qui disent à leurs frères: «Venez à nous», tandis qu'ils ne déploient que peu d'ardeur au combat,

19. avares à votre égard. Puis, quand leur vient la peur, tu les vois te regarder avec des yeux révulsés, comme ceux de quelqu'un qui s'est évanoui par peur de la mort. Une fois la peur passée, ils vous lacèrent avec des langues affilées, alors qu'ils sont chiches à faire le bien. Ceux-là n'ont jamais cru. Allāh donc, rend vaines leurs actions. Et cela est facile à Allāh.

20. Ils pensent que les coalisés ne sont pas partis. Or si les coalisés revenaient, [ces gens-là] souhaiteraient être des nomades parmi les Bédouins, et [se contenteraient] de demander de vos nouvelles. S'ils étaient parmi vous, ils n'auraient combattu que très peu.

21. En effet, vous avez dans le Messager d'Allāh un excellent modèle [à suivre], pour quiconque espère en Allāh et au Jour dernier et invoque Allāh fréquemment.

22. Et quand les croyants virent les coalisés, ils dirent: «Voilà ce qu'Allāh et Son messager nous avaient promis ; et Allāh et Son messager disaient la vérité». Et cela ne fit que croître leur foi et leur soumission.

مِّنَ ٱلْمُؤْمِنِينَ رِجَالٌ صَدَقُوا مَا عَاهَدُوا ٱللَّهَ عَلَيْهِ فَمِنْهُم مَّن قَضَىٰ نَحْبَهُ وَمِنْهُم مَّن يَنتَظِرُ وَمَا بَدَّلُوا تَبْدِيلًا ۝ لِّيَجْزِيَ ٱللَّهُ ٱلصَّادِقِينَ بِصِدْقِهِمْ وَيُعَذِّبَ ٱلْمُنَٰفِقِينَ إِن شَآءَ أَوْ يَتُوبَ عَلَيْهِمْ إِنَّ ٱللَّهَ كَانَ غَفُورًا رَّحِيمًا ۝ وَرَدَّ ٱللَّهُ ٱلَّذِينَ كَفَرُوا بِغَيْظِهِمْ لَمْ يَنَالُوا خَيْرًا وَكَفَى ٱللَّهُ ٱلْمُؤْمِنِينَ ٱلْقِتَالَ وَكَانَ ٱللَّهُ قَوِيًّا عَزِيزًا ۝ وَأَنزَلَ ٱلَّذِينَ ظَٰهَرُوهُم مِّنْ أَهْلِ ٱلْكِتَٰبِ مِن صَيَاصِيهِمْ وَقَذَفَ فِى قُلُوبِهِمُ ٱلرُّعْبَ فَرِيقًا تَقْتُلُونَ وَتَأْسِرُونَ فَرِيقًا ۝ وَأَوْرَثَكُمْ أَرْضَهُمْ وَدِيَٰرَهُمْ وَأَمْوَٰلَهُمْ وَأَرْضًا لَّمْ تَطَئُوهَا وَكَانَ ٱللَّهُ عَلَىٰ كُلِّ شَىْءٍ قَدِيرًا ۝ يَٰٓأَيُّهَا ٱلنَّبِىُّ قُل لِّأَزْوَٰجِكَ إِن كُنتُنَّ تُرِدْنَ ٱلْحَيَوٰةَ ٱلدُّنْيَا وَزِينَتَهَا فَتَعَالَيْنَ أُمَتِّعْكُنَّ وَأُسَرِّحْكُنَّ سَرَاحًا جَمِيلًا ۝ وَإِن كُنتُنَّ تُرِدْنَ ٱللَّهَ وَرَسُولَهُ وَٱلدَّارَ ٱلْءَاخِرَةَ فَإِنَّ ٱللَّهَ أَعَدَّ لِلْمُحْسِنَٰتِ مِنكُنَّ أَجْرًا عَظِيمًا ۝ يَٰنِسَآءَ ٱلنَّبِىِّ مَن يَأْتِ مِنكُنَّ بِفَٰحِشَةٍ مُّبَيِّنَةٍ يُضَٰعَفْ لَهَا ٱلْعَذَابُ ضِعْفَيْنِ وَكَانَ ذَٰلِكَ عَلَى ٱللَّهِ يَسِيرًا ۝

23. Il est, parmi les croyants, des hommes qui ont été sincères dans leur engagement envers Allāh. Certains d'entre eux ont atteint leur fin, et d'autres attendent encore; et ils n'ont varié aucunement (dans leur engagement) ;

24. afin qu'Allāh récompense les véridiques pour leur sincérité, et châtie, s'Il veut, les hypocrites, ou accepte leur repentir. Car Allāh est Pardonneur et Miséricordieux.

25. Et Allāh a renvoyé, avec leur rage, les infidèles sans qu'ils n'aient obtenu aucun bien, et Allāh a épargné aux croyants le combat. Allāh est Fort et Puissant.

26. Et Il a fait descendre de leurs forteresses ceux des gens du Livre[1] qui les avaient soutenus [les coalisés], et Il a jeté l'effroi dans leurs cœurs ; un groupe d'entre eux vous tuiez, et un groupe vous faisiez prisonniers.

27. Et Il vous a fait hériter leur terre, leurs demeures, leurs biens, et aussi une terre que vous n'aviez point foulée. Et Allāh est Omnipotent.

28. Ô Prophète! Dis à tes épouses: «Si c'est la vie présente que vous désirez et sa parure, alors venez! Je vous donnerai [les moyens] d'en jouir et vous libérerai [par un divorce] sans préjudice.

29. Mais si c'est Allāh que vous voulez et Son messager ainsi que la Demeure dernière, Allāh a préparé pour les bienfaisantes parmi vous une énorme récompense.

30. Ô femmes du Prophète! Celle d'entre vous qui commettra une turpitude prouvée, le châtiment lui sera doublé par deux fois! Et ceci est facile pour Allāh.

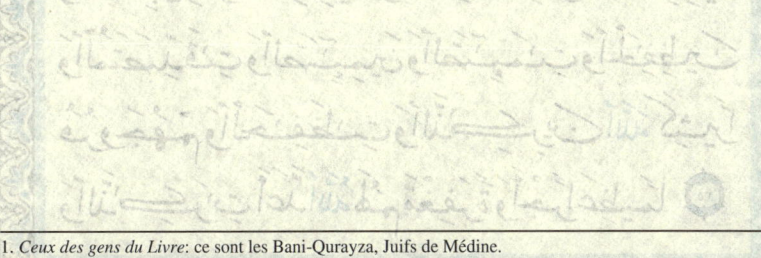

---

1. *Ceux des gens du Livre*: ce sont les Bani-Qurayza, Juifs de Médine.

۞ وَمَن يَقْنُتْ مِنكُنَّ لِلَّهِ وَرَسُولِهِۦ وَتَعْمَلْ صَٰلِحًا نُّؤْتِهَآ أَجْرَهَا مَرَّتَيْنِ وَأَعْتَدْنَا لَهَا رِزْقًا كَرِيمًا ۝ يَٰنِسَآءَ ٱلنَّبِيِّ لَسْتُنَّ كَأَحَدٍ مِّنَ ٱلنِّسَآءِ إِنِ ٱتَّقَيْتُنَّ فَلَا تَخْضَعْنَ بِٱلْقَوْلِ فَيَطْمَعَ ٱلَّذِى فِى قَلْبِهِۦ مَرَضٌ وَقُلْنَ قَوْلًا مَّعْرُوفًا ۝ وَقَرْنَ فِى بُيُوتِكُنَّ وَلَا تَبَرَّجْنَ تَبَرُّجَ ٱلْجَٰهِلِيَّةِ ٱلْأُولَىٰ وَأَقِمْنَ ٱلصَّلَوٰةَ وَءَاتِينَ ٱلزَّكَوٰةَ وَأَطِعْنَ ٱللَّهَ وَرَسُولَهُۥٓ إِنَّمَا يُرِيدُ ٱللَّهُ لِيُذْهِبَ عَنكُمُ ٱلرِّجْسَ أَهْلَ ٱلْبَيْتِ وَيُطَهِّرَكُمْ تَطْهِيرًا ۝ وَٱذْكُرْنَ مَا يُتْلَىٰ فِى بُيُوتِكُنَّ مِنْ ءَايَٰتِ ٱللَّهِ وَٱلْحِكْمَةِ إِنَّ ٱللَّهَ كَانَ لَطِيفًا خَبِيرًا ۝ إِنَّ ٱلْمُسْلِمِينَ وَٱلْمُسْلِمَٰتِ وَٱلْمُؤْمِنِينَ وَٱلْمُؤْمِنَٰتِ وَٱلْقَٰنِتِينَ وَٱلْقَٰنِتَٰتِ وَٱلصَّٰدِقِينَ وَٱلصَّٰدِقَٰتِ وَٱلصَّٰبِرِينَ وَٱلصَّٰبِرَٰتِ وَٱلْخَٰشِعِينَ وَٱلْخَٰشِعَٰتِ وَٱلْمُتَصَدِّقِينَ وَٱلْمُتَصَدِّقَٰتِ وَٱلصَّٰٓئِمِينَ وَٱلصَّٰٓئِمَٰتِ وَٱلْحَٰفِظِينَ فُرُوجَهُمْ وَٱلْحَٰفِظَٰتِ وَٱلذَّٰكِرِينَ ٱللَّهَ كَثِيرًا وَٱلذَّٰكِرَٰتِ أَعَدَّ ٱللَّهُ لَهُم مَّغْفِرَةً وَأَجْرًا عَظِيمًا ۝

31. Et celle d'entre vous qui est entièrement soumise à Allāh et à Son messager et qui fait le bien, Nous lui accorderons deux fois sa récompense, et Nous avons préparé pour elle une généreuse attribution.

32. Ô femmes du Prophète! Vous n'êtes comparables à aucune autre femme. Si vous êtes pieuses, ne soyez pas trop complaisantes[1] dans votre langage, afin que celui dont le cœur est malade [l'hypocrite] ne vous convoite pas. Et tenez un langage décent.

33. Restez dans vos foyers ; et ne vous exhibez pas à la manière des femmes d'avant l'Islām (Jāhiliya). Accomplissez la Ṣalāt, acquittez la Zakāt et obéissez à Allāh et à Son messager. Allāh ne veut que vous débarrasser de toute souillure, ô gens de la maison [du prophète], et veut vous purifier pleinement.

34. Et gardez dans vos mémoires ce qui, dans vos foyers, est récité des versets d'Allāh et de la sagesse. Allāh est Doux et Parfaitement Connaisseur.

35. Les Musulmans et Musulmanes, croyants et croyantes, obéissants et obéissantes, loyaux et loyales, endurants et endurantes, craignants et craignantes, donneurs et donneuses d'aumône, jeûnants et jeûnantes, gardiens de leur chasteté et gardiennes, invocateurs souvent d'Allāh et invocatrices: Allāh a préparé pour eux un pardon et une énorme récompense.

---

1. *Trop complaisantes*: Ne montrez pas trop de complaisance dans vos paroles par crainte que l'homme qui vous écoute ne conçoive de la passion pour vous.

وَمَا كَانَ لِمُؤْمِنٍ وَلَا مُؤْمِنَةٍ إِذَا قَضَى ٱللَّهُ وَرَسُولُهُۥ أَمْرًا أَن يَكُونَ لَهُمُ ٱلْخِيَرَةُ مِنْ أَمْرِهِمْ وَمَن يَعْصِ ٱللَّهَ وَرَسُولَهُۥ فَقَدْ ضَلَّ ضَلَـٰلًا مُّبِينًا ۝ وَإِذْ تَقُولُ لِلَّذِىٓ أَنْعَمَ ٱللَّهُ عَلَيْهِ وَأَنْعَمْتَ عَلَيْهِ أَمْسِكْ عَلَيْكَ زَوْجَكَ وَٱتَّقِ ٱللَّهَ وَتُخْفِى فِى نَفْسِكَ مَا ٱللَّهُ مُبْدِيهِ وَتَخْشَى ٱلنَّاسَ وَٱللَّهُ أَحَقُّ أَن تَخْشَىٰهُ فَلَمَّا قَضَىٰ زَيْدٌ مِّنْهَا وَطَرًا زَوَّجْنَـٰكَهَا لِكَىْ لَا يَكُونَ عَلَى ٱلْمُؤْمِنِينَ حَرَجٌ فِىٓ أَزْوَٰجِ أَدْعِيَآئِهِمْ إِذَا قَضَوْا۟ مِنْهُنَّ وَطَرًا وَكَانَ أَمْرُ ٱللَّهِ مَفْعُولًا ۝ مَّا كَانَ عَلَى ٱلنَّبِىِّ مِنْ حَرَجٍ فِيمَا فَرَضَ ٱللَّهُ لَهُۥ سُنَّةَ ٱللَّهِ فِى ٱلَّذِينَ خَلَوْا۟ مِن قَبْلُ وَكَانَ أَمْرُ ٱللَّهِ قَدَرًا مَّقْدُورًا ۝ ٱلَّذِينَ يُبَلِّغُونَ رِسَـٰلَـٰتِ ٱللَّهِ وَيَخْشَوْنَهُۥ وَلَا يَخْشَوْنَ أَحَدًا إِلَّا ٱللَّهَ وَكَفَىٰ بِٱللَّهِ حَسِيبًا ۝ مَّا كَانَ مُحَمَّدٌ أَبَآ أَحَدٍ مِّن رِّجَالِكُمْ وَلَـٰكِن رَّسُولَ ٱللَّهِ وَخَاتَمَ ٱلنَّبِيِّـۧنَ وَكَانَ ٱللَّهُ بِكُلِّ شَىْءٍ عَلِيمًا ۝ يَـٰٓأَيُّهَا ٱلَّذِينَ ءَامَنُوا۟ ٱذْكُرُوا۟ ٱللَّهَ ذِكْرًا كَثِيرًا ۝ وَسَبِّحُوهُ بُكْرَةً وَأَصِيلًا ۝ هُوَ ٱلَّذِى يُصَلِّى عَلَيْكُمْ وَمَلَـٰٓئِكَتُهُۥ لِيُخْرِجَكُم مِّنَ ٱلظُّلُمَـٰتِ إِلَى ٱلنُّورِ وَكَانَ بِٱلْمُؤْمِنِينَ رَحِيمًا ۝

36. Il n'appartient pas à un croyant ou à une croyante, une fois qu'Allāh et Son messager ont décidé d'une chose d'avoir encore le choix dans leur façon d'agir. Et quiconque désobéit à Allāh et à Son messager, s'est égaré certes, d'un égarement évident.

37. Quand tu disais à celui qu'Allāh avait comblé de bienfait, tout comme toi-même l'avais comblé: «Garde pour toi ton épouse et crains Allāh», et tu cachais en ton âme ce qu'Allāh allait rendre public. Tu craignais les gens, et c'est Allāh qui est plus digne de ta crainte. Puis quand Zayd eut cessé toute relation avec elle, Nous te la fîmes épouser, afin qu'il n'y ait aucun empêchement pour les croyants d'épouser les femmes de leurs fils adoptifs, quand ceux-ci cessent toute relation avec elles. Le commandement d'Allāh doit être exécuté[1].

38. Nul grief à faire au Prophète en ce qu'Allāh lui a imposé[2], conformément aux lois établies pour ceux qui vécurent antérieurement. Le commandement d'Allāh est un décret inéluctable.

39. Ceux qui communiquaient les messages d'Allāh, Le craignaient et ne redoutaient nul autre qu'Allāh. Et Allāh suffit pour tenir le compte de tout.

40. Muḥammad n'a jamais été le père de l'un de vos hommes[3], mais le messager d'Allāh et le dernier des prophètes. Allāh est Omniscient.

41. Ô vous qui croyez! Evoquez Allāh d'une façon abondante,

42. et glorifiez-Le à la pointe et au déclin du jour.

43. C'est Lui qui prie[4] sur vous, - ainsi que Ses Anges, - afin qu'Il vous fasse sortir des ténèbres à la lumière ; et Il est Miséricordieux envers les croyants.

---

1. Ce verset fait allusion à un incident qui a souvent fait l'objet d'une exploitation malveillante de la part d'adversaires de l'Islām. L'incident se résume en ce qui suit: Zayd Ibn Ḥariṯa était un esclave de Muḥammad (ﷺ) avant l'Islām. Ensuite le Prophète l'affranchit et l'adopta comme fils. Dans le dessein de l'anoblir il décida de lui donner en mariage sa propre cousine, Zaynab bint Jaḥš. Très fière de sa naissance, celle-ci s'opposa d'abord au projet puis obtempéra à l'ordre du Prophète. Le mariage fut néanmoins difficile, et Zayd finit par divorcer malgré les conseils du Prophète. Par la suite Muḥammad (ﷺ) épousa Zaynab sur l'ordre d'Allāh pour démontrer pratiquement qu'il n'était pas retenu par les liens de l'adoption, celle-ci ayant déjà été déclarée interdite par les versets 4 et 5 de cette même sourate.
2. *Ce qu'Allāh lui a imposé*: ce qu'Allāh a imposé en sa faveur.
3. *Père de l'un de vos hommes*: les fils de Muḥammad (ﷺ) étaient tous morts en bas âge, il n'avait que des filles et il avait adopté Zayd comme fils.
4. *Prie sur vous...*: la prière d'Allāh est une bénédiction et celle des anges est une demande d'absolution des péchés.

تَحِيَّتُهُمْ يَوْمَ يَلْقَوْنَهُ سَلَامٌ وَأَعَدَّ لَهُمْ أَجْرًا كَرِيمًا ﴿٤٤﴾ يَا أَيُّهَا النَّبِيُّ إِنَّا أَرْسَلْنَاكَ شَاهِدًا وَمُبَشِّرًا وَنَذِيرًا ﴿٤٥﴾ وَدَاعِيًا إِلَى اللَّهِ بِإِذْنِهِ وَسِرَاجًا مُنِيرًا ﴿٤٦﴾ وَبَشِّرِ الْمُؤْمِنِينَ بِأَنَّ لَهُمْ مِنَ اللَّهِ فَضْلًا كَبِيرًا ﴿٤٧﴾ وَلَا تُطِعِ الْكَافِرِينَ وَالْمُنَافِقِينَ وَدَعْ أَذَاهُمْ وَتَوَكَّلْ عَلَى اللَّهِ وَكَفَى بِاللَّهِ وَكِيلًا ﴿٤٨﴾ يَا أَيُّهَا الَّذِينَ آمَنُوا إِذَا نَكَحْتُمُ الْمُؤْمِنَاتِ ثُمَّ طَلَّقْتُمُوهُنَّ مِنْ قَبْلِ أَنْ تَمَسُّوهُنَّ فَمَا لَكُمْ عَلَيْهِنَّ مِنْ عِدَّةٍ تَعْتَدُّونَهَا فَمَتِّعُوهُنَّ وَسَرِّحُوهُنَّ سَرَاحًا جَمِيلًا ﴿٤٩﴾ يَا أَيُّهَا النَّبِيُّ إِنَّا أَحْلَلْنَا لَكَ أَزْوَاجَكَ الَّتِي آتَيْتَ أُجُورَهُنَّ وَمَا مَلَكَتْ يَمِينُكَ مِمَّا أَفَاءَ اللَّهُ عَلَيْكَ وَبَنَاتِ عَمِّكَ وَبَنَاتِ عَمَّاتِكَ وَبَنَاتِ خَالِكَ وَبَنَاتِ خَالَاتِكَ اللَّاتِي هَاجَرْنَ مَعَكَ وَامْرَأَةً مُؤْمِنَةً إِنْ وَهَبَتْ نَفْسَهَا لِلنَّبِيِّ إِنْ أَرَادَ النَّبِيُّ أَنْ يَسْتَنْكِحَهَا خَالِصَةً لَكَ مِنْ دُونِ الْمُؤْمِنِينَ قَدْ عَلِمْنَا مَا فَرَضْنَا عَلَيْهِمْ فِي أَزْوَاجِهِمْ وَمَا مَلَكَتْ أَيْمَانُهُمْ لِكَيْلَا يَكُونَ عَلَيْكَ حَرَجٌ وَكَانَ اللَّهُ غَفُورًا رَحِيمًا ﴿٥٠﴾

44. Leur salutation au jour où ils Le rencontreront sera: «Salām» [paix], et Il leur a préparé une généreuse récompense.

45. Ô Prophète! Nous t'avons envoyé [pour être] témoin, annonciateur, avertisseur,

46. appelant (les gens) à Allāh, par Sa permission ; et comme une lampe éclairante.

47. Et fais aux croyants la bonne annonce qu'ils recevront d'Allāh une grande grâce.

48. Et n'obéis pas aux infidèles et aux hypocrites, ne prête pas attention à leur méchanceté et place ta confiance en Allāh et Allāh suffit comme protecteur.

49. Ô vous qui croyez! Quand vous vous mariez avec des croyantes et qu'ensuite vous divorcez d'avec elles avant de les avoir touchées, vous ne pouvez leur imposer un délai d'attente[1]. Donnez-leur jouissance [d'un bien] et libérez-les [par un divorce] sans préjudice.

50. Ô Prophète! Nous t'avons rendu licites tes épouses à qui tu as donné leur dot (mahr), ce que tu as possédé légalement parmi les captives [ou esclaves] qu'Allāh t'a destinées, les filles de ton oncle paternel, les filles de tes tantes paternelles, les filles de ton oncle maternel, et les filles de tes tantes maternelles, - celles qui avaient émigré en ta compagnie, - ainsi que toute femme croyante si elle fait don de sa personne au Prophète, pourvu que le Prophète consente à se marier avec elle: c'est là un privilège pour toi, à l'exclusion des autres croyants. Nous savons certes, ce que Nous leur avons imposé au sujet de leurs épouses et des esclaves qu'ils possèdent, afin qu'il n'y eût donc point de blâme contre toi. Allāh est Pardonneur et Miséricordieux.

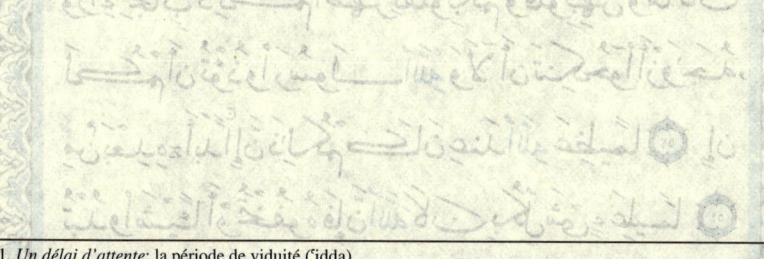

---

1. *Un délai d'attente*: la période de viduité (ʿidda).

رُبُعُ الحِزْب ٤٣

۞ تُرْجِى مَن تَشَآءُ مِنْهُنَّ وَتُـٔوِى إِلَيْكَ مَن تَشَآءُ وَمَنِ ٱبْتَغَيْتَ مِمَّنْ عَزَلْتَ فَلَا جُنَاحَ عَلَيْكَ ذَٰلِكَ أَدْنَىٰ أَن تَقَرَّ أَعْيُنُهُنَّ وَلَا يَحْزَنَّ وَيَرْضَيْنَ بِمَآ ءَاتَيْتَهُنَّ كُلُّهُنَّ وَٱللَّهُ يَعْلَمُ مَا فِى قُلُوبِكُمْ وَكَانَ ٱللَّهُ عَلِيمًا حَلِيمًا ٥١ لَّا يَحِلُّ لَكَ ٱلنِّسَآءُ مِنۢ بَعْدُ وَلَآ أَن تَبَدَّلَ بِهِنَّ مِنْ أَزْوَٰجٍ وَلَوْ أَعْجَبَكَ حُسْنُهُنَّ إِلَّا مَا مَلَكَتْ يَمِينُكَ وَكَانَ ٱللَّهُ عَلَىٰ كُلِّ شَىْءٍ رَّقِيبًا ٥٢ يَٰٓأَيُّهَا ٱلَّذِينَ ءَامَنُوا لَا تَدْخُلُوا بُيُوتَ ٱلنَّبِىِّ إِلَّآ أَن يُؤْذَنَ لَكُمْ إِلَىٰ طَعَامٍ غَيْرَ نَٰظِرِينَ إِنَىٰهُ وَلَٰكِنْ إِذَا دُعِيتُمْ فَٱدْخُلُوا فَإِذَا طَعِمْتُمْ فَٱنتَشِرُوا وَلَا مُسْتَـْٔنِسِينَ لِحَدِيثٍ إِنَّ ذَٰلِكُمْ كَانَ يُؤْذِى ٱلنَّبِىَّ فَيَسْتَحْىِۦ مِنكُمْ وَٱللَّهُ لَا يَسْتَحْىِۦ مِنَ ٱلْحَقِّ وَإِذَا سَأَلْتُمُوهُنَّ مَتَٰعًا فَسْـَٔلُوهُنَّ مِن وَرَآءِ حِجَابٍ ذَٰلِكُمْ أَطْهَرُ لِقُلُوبِكُمْ وَقُلُوبِهِنَّ وَمَا كَانَ لَكُمْ أَن تُؤْذُوا رَسُولَ ٱللَّهِ وَلَآ أَن تَنكِحُوٓا أَزْوَٰجَهُۥ مِنۢ بَعْدِهِۦٓ أَبَدًا إِنَّ ذَٰلِكُمْ كَانَ عِندَ ٱللَّهِ عَظِيمًا ٥٣ إِن تُبْدُوا شَيْـًٔا أَوْ تُخْفُوهُ فَإِنَّ ٱللَّهَ كَانَ بِكُلِّ شَىْءٍ عَلِيمًا ٥٤

51. Tu fais attendre qui veux d'entre elles, et tu héberges chez toi qui tu veux. Puis il ne t'est fait aucun grief si tu invites chez toi l'une de celles que tu avais écartées. Voilà ce qui est le plus propre à les réjouir, à leur éviter tout chagrin et à leur faire accepter de bon cœur ce que tu leur as donné à toutes. Allāh sait, cependant, ce qui est en vos cœurs. Et Allāh est Omniscient et Indulgent.

52. Il ne t'est plus permis désormais de prendre [d'autres] femmes, ni de changer d'épouses, même si leur beauté te plaît ; - à l'exception des esclaves que tu possèdes. Et Allāh observe toute chose.

53. Ô vous qui croyez! N'entrez pas dans les demeures du Prophète, à moins qu'invitation ne vous soit faite à un repas, sans être là à attendre sa cuisson. Mais lorsqu'on vous appelle, alors, entrez. Puis, quand vous aurez mangé, dispersez-vous, sans chercher à vous rendre familiers pour causer. Cela faisait de la peine au Prophète, mais il se gênait de vous (congédier), alors qu'Allāh ne se gêne pas de la vérité. Et si vous leur demandez (à ses femmes) quelque objet, demandez-le leur derrière un rideau: c'est plus pur pour vos cœurs et leurs cœurs ; vous ne devez pas faire de la peine au Messager d'Allāh, ni jamais vous marier avec ses épouses après lui ; ce serait, auprès d'Allāh, un énorme péché.

54. Que vous divulguiez une chose ou que vous la cachiez, ... Allāh demeure Omniscient.

لَّا جُنَاحَ عَلَيْهِنَّ فِىٓ ءَابَآئِهِنَّ وَلَآ أَبْنَآئِهِنَّ وَلَآ إِخْوَٰنِهِنَّ وَلَآ أَبْنَآءِ إِخْوَٰنِهِنَّ وَلَآ أَبْنَآءِ أَخَوَٰتِهِنَّ وَلَا نِسَآئِهِنَّ وَلَا مَا مَلَكَتْ أَيْمَٰنُهُنَّ وَٱتَّقِينَ ٱللَّهَ إِنَّ ٱللَّهَ كَانَ عَلَىٰ كُلِّ شَىْءٍ شَهِيدًا ۝ إِنَّ ٱللَّهَ وَمَلَٰٓئِكَتَهُۥ يُصَلُّونَ عَلَى ٱلنَّبِىِّ يَٰٓأَيُّهَا ٱلَّذِينَ ءَامَنُوا۟ صَلُّوا۟ عَلَيْهِ وَسَلِّمُوا۟ تَسْلِيمًا ۝ إِنَّ ٱلَّذِينَ يُؤْذُونَ ٱللَّهَ وَرَسُولَهُۥ لَعَنَهُمُ ٱللَّهُ فِى ٱلدُّنْيَا وَٱلْءَاخِرَةِ وَأَعَدَّ لَهُمْ عَذَابًا مُّهِينًا ۝ وَٱلَّذِينَ يُؤْذُونَ ٱلْمُؤْمِنِينَ وَٱلْمُؤْمِنَٰتِ بِغَيْرِ مَا ٱكْتَسَبُوا۟ فَقَدِ ٱحْتَمَلُوا۟ بُهْتَٰنًا وَإِثْمًا مُّبِينًا ۝ يَٰٓأَيُّهَا ٱلنَّبِىُّ قُل لِّأَزْوَٰجِكَ وَبَنَاتِكَ وَنِسَآءِ ٱلْمُؤْمِنِينَ يُدْنِينَ عَلَيْهِنَّ مِن جَلَٰبِيبِهِنَّ ذَٰلِكَ أَدْنَىٰٓ أَن يُعْرَفْنَ فَلَا يُؤْذَيْنَ وَكَانَ ٱللَّهُ غَفُورًا رَّحِيمًا ۝ لَّئِن لَّمْ يَنتَهِ ٱلْمُنَٰفِقُونَ وَٱلَّذِينَ فِى قُلُوبِهِم مَّرَضٌ وَٱلْمُرْجِفُونَ فِى ٱلْمَدِينَةِ لَنُغْرِيَنَّكَ بِهِمْ ثُمَّ لَا يُجَاوِرُونَكَ فِيهَآ إِلَّا قَلِيلًا ۝ مَّلْعُونِينَ أَيْنَمَا ثُقِفُوٓا۟ أُخِذُوا۟ وَقُتِّلُوا۟ تَقْتِيلًا ۝ سُنَّةَ ٱللَّهِ فِى ٱلَّذِينَ خَلَوْا۟ مِن قَبْلُ وَلَن تَجِدَ لِسُنَّةِ ٱللَّهِ تَبْدِيلًا ۝

نصف الحزب ٤٣

55. Nul grief sur elles[1] au sujet de leurs pères, leurs fils, leurs frères, les fils de leurs frères, les fils de leurs sœurs, leurs femmes [de suite] et les esclaves qu'elles possèdent. Et craignez Allāh. Car Allāh est témoin de toute chose.

56. Certes, Allāh et Ses Anges prient[2] sur le Prophète ; ô vous qui croyez priez sur lui et adressez [lui] vos salutations.

57. Ceux qui offensent Allāh et Son messager, Allāh les maudit ici-bas, comme dans l'au-delà et leur prépare un châtiment avilissant.

58. Et ceux qui offensent les croyants et les croyantes sans qu'ils l'aient mérité, se chargent d'une calomnie et d'un péché évident.

59. Ô Prophète! Dis à tes épouses, à tes filles, et aux femmes des croyants, de ramener sur elles leurs grands voiles: elles en seront plus vite reconnues et éviteront d'être offensées. Allāh est Pardonneur et Miséricordieux.

60. Certes, si les hypocrites, ceux qui ont la maladie au cœur, et les alarmistes [semeurs de troubles] à Médine ne cessent pas, Nous t'inciterons contre eux, et alors, ils n'y resteront que peu de temps en ton voisinage.

61. Ce sont des maudits. Où qu'on les trouve, ils seront pris et tués impitoyablement.

62. Telle était la loi établie par Allāh envers ceux qui ont vécu auparavant et tu ne trouveras pas de changement dans la loi d'Allāh.

---

1. *Nul grief à elles*: les femmes du Prophète ainsi que toute autre musulmane d'être vues sans voile.
2. *Prient sur lui*: la prière émanant d'Allāh est miséricorde, celle des anges et des hommes est invocation des bénédictions d'Allāh par la formule: «Allahumma ṣalli...»

يَسْـَٔلُكَ ٱلنَّاسُ عَنِ ٱلسَّاعَةِ قُلْ إِنَّمَا عِلْمُهَا عِندَ ٱللَّهِ وَمَا يُدْرِيكَ لَعَلَّ ٱلسَّاعَةَ تَكُونُ قَرِيبًا ۝ إِنَّ ٱللَّهَ لَعَنَ ٱلْكَٰفِرِينَ وَأَعَدَّ لَهُمْ سَعِيرًا ۝ خَٰلِدِينَ فِيهَآ أَبَدًا لَّا يَجِدُونَ وَلِيًّا وَلَا نَصِيرًا ۝ يَوْمَ تُقَلَّبُ وُجُوهُهُمْ فِي ٱلنَّارِ يَقُولُونَ يَٰلَيْتَنَآ أَطَعْنَا ٱللَّهَ وَأَطَعْنَا ٱلرَّسُولَا۠ ۝ وَقَالُوا۟ رَبَّنَآ إِنَّآ أَطَعْنَا سَادَتَنَا وَكُبَرَآءَنَا فَأَضَلُّونَا ٱلسَّبِيلَا۠ ۝ رَبَّنَآ ءَاتِهِمْ ضِعْفَيْنِ مِنَ ٱلْعَذَابِ وَٱلْعَنْهُمْ لَعْنًا كَبِيرًا ۝ يَٰٓأَيُّهَا ٱلَّذِينَ ءَامَنُوا۟ لَا تَكُونُوا۟ كَٱلَّذِينَ ءَاذَوْا۟ مُوسَىٰ فَبَرَّأَهُ ٱللَّهُ مِمَّا قَالُوا۟ وَكَانَ عِندَ ٱللَّهِ وَجِيهًا ۝ يَٰٓأَيُّهَا ٱلَّذِينَ ءَامَنُوا۟ ٱتَّقُوا۟ ٱللَّهَ وَقُولُوا۟ قَوْلًا سَدِيدًا ۝ يُصْلِحْ لَكُمْ أَعْمَٰلَكُمْ وَيَغْفِرْ لَكُمْ ذُنُوبَكُمْ وَمَن يُطِعِ ٱللَّهَ وَرَسُولَهُۥ فَقَدْ فَازَ فَوْزًا عَظِيمًا ۝ إِنَّا عَرَضْنَا ٱلْأَمَانَةَ عَلَى ٱلسَّمَٰوَٰتِ وَٱلْأَرْضِ وَٱلْجِبَالِ فَأَبَيْنَ أَن يَحْمِلْنَهَا وَأَشْفَقْنَ مِنْهَا وَحَمَلَهَا ٱلْإِنسَٰنُ إِنَّهُۥ كَانَ ظَلُومًا جَهُولًا ۝ لِّيُعَذِّبَ ٱللَّهُ ٱلْمُنَٰفِقِينَ وَٱلْمُنَٰفِقَٰتِ وَٱلْمُشْرِكِينَ وَٱلْمُشْرِكَٰتِ وَيَتُوبَ ٱللَّهُ عَلَى ٱلْمُؤْمِنِينَ وَٱلْمُؤْمِنَٰتِ وَكَانَ ٱللَّهُ غَفُورًا رَّحِيمًا ۝

63. Les gens t'interrogent au sujet de l'Heure[1]. Dis: «Sa connaissance est exclusive à Allāh». Qu'en sais-tu? Il se peut que l'Heure soit proche.

64. Allāh a maudit les infidèles et leur a préparé une fournaise,

65. pour qu'ils y demeurent éternellement, sans trouver ni allié ni secoureur.

66. Le jour où leurs visages seront tournés et retournés dans le Feu, ils diront: «Hélas pour nous! Si seulement nous avions obéi à Allāh et obéi au Messager!»

67. Et ils dirent: «Seigneur, nous avons obéi à nos chefs et à nos grands. C'est donc eux qui nous ont égarés du Sentier.

68. Ô notre Seigneur, inflige-leur deux fois le châtiment et maudis les d'une grande malédiction».

69. Ô vous qui croyez! Ne soyez pas comme ceux qui ont offensé Moïse. Allāh l'a déclaré innocent de leurs accusations, car il était honorable auprès d'Allāh.

70. Ô vous qui croyez! Craignez Allāh et parlez avec droiture,

71. afin qu'Il améliore vos actions et vous pardonne vos péchés. Quiconque obéit à Allāh et à Son messager obtient certes une grande réussite.

72. Nous avions proposé aux cieux, à la terre et aux montagnes la responsabilité (de porter les charges de faire le bien et d'éviter le mal). Ils ont refusé de la porter et en ont eu peur, alors que l'homme s'en est chargé ; car il est très injuste [envers lui-même] et très ignorant.

73. [Il en est ainsi] afin qu'Allāh châtie les hypocrites, hommes et femmes, et les associateurs et les associatrices, et Allāh accueille le repentir des croyants et des croyantes. Allāh est Pardonneur et Miséricordieux.

---

1. *L'Heure*: l'Heure du Jugement dernier.

سُورَةُ سَبَأ

بِسْمِ ٱللَّهِ ٱلرَّحْمَٰنِ ٱلرَّحِيمِ

ٱلْحَمْدُ لِلَّهِ ٱلَّذِى لَهُۥ مَا فِى ٱلسَّمَٰوَٰتِ وَمَا فِى ٱلْأَرْضِ وَلَهُ ٱلْحَمْدُ فِى ٱلْءَاخِرَةِ وَهُوَ ٱلْحَكِيمُ ٱلْخَبِيرُ ۝ يَعْلَمُ مَا يَلِجُ فِى ٱلْأَرْضِ وَمَا يَخْرُجُ مِنْهَا وَمَا يَنزِلُ مِنَ ٱلسَّمَآءِ وَمَا يَعْرُجُ فِيهَا وَهُوَ ٱلرَّحِيمُ ٱلْغَفُورُ ۝ وَقَالَ ٱلَّذِينَ كَفَرُوا۟ لَا تَأْتِينَا ٱلسَّاعَةُ قُلْ بَلَىٰ وَرَبِّى لَتَأْتِيَنَّكُمْ عَٰلِمِ ٱلْغَيْبِ لَا يَعْزُبُ عَنْهُ مِثْقَالُ ذَرَّةٍ فِى ٱلسَّمَٰوَٰتِ وَلَا فِى ٱلْأَرْضِ وَلَا أَصْغَرُ مِن ذَٰلِكَ وَلَا أَكْبَرُ إِلَّا فِى كِتَٰبٍ مُّبِينٍ ۝ لِّيَجْزِىَ ٱلَّذِينَ ءَامَنُوا۟ وَعَمِلُوا۟ ٱلصَّٰلِحَٰتِ أُو۟لَٰٓئِكَ لَهُم مَّغْفِرَةٌ وَرِزْقٌ كَرِيمٌ ۝ وَٱلَّذِينَ سَعَوْ فِىٓ ءَايَٰتِنَا مُعَٰجِزِينَ أُو۟لَٰٓئِكَ لَهُمْ عَذَابٌ مِّن رِّجْزٍ أَلِيمٌ ۝ وَيَرَى ٱلَّذِينَ أُوتُوا۟ ٱلْعِلْمَ ٱلَّذِىٓ أُنزِلَ إِلَيْكَ مِن رَّبِّكَ هُوَ ٱلْحَقَّ وَيَهْدِىٓ إِلَىٰ صِرَٰطِ ٱلْعَزِيزِ ٱلْحَمِيدِ ۝ وَقَالَ ٱلَّذِينَ كَفَرُوا۟ هَلْ نَدُلُّكُمْ عَلَىٰ رَجُلٍ يُنَبِّئُكُمْ إِذَا مُزِّقْتُمْ كُلَّ مُمَزَّقٍ إِنَّكُمْ لَفِى خَلْقٍ جَدِيدٍ ۝

SABA'[1]

sourate 34   54 versets   Pré-hégirien n°58

Au nom d'Allāh, le Tout Miséricordieux, le Très Miséricordieux.

1. Louange à Allāh à qui appartient tout ce qui est dans les cieux et tout ce qui est sur la terre. Et louange à Lui dans l'au-delà. Et c'est Lui le Sage, le Parfaitement Connaisseur.

2. Il sait ce qui pénètre en terre et ce qui en sort, ce qui descend du ciel et ce qui y remonte. Et c'est Lui le Miséricordieux, le Pardonneur.

3. Ceux qui ne croient pas disent: «L'Heure ne nous viendra pas»[2]. Dis: «Par mon Seigneur! Très certainement, elle vous viendra. [Mon Seigneur] le Connaisseur de l'inconnaissable. Rien ne Lui échappe fût-il du poids d'un atome dans les cieux, comme sur la terre. Et rien n'existe de plus petit ni de plus grand, qui ne soit inscrit dans un Livre explicite,

4. afin qu'Il récompense ceux qui croient et accomplissent les bonnes œuvres. Pour ceux-ci, il y aura un pardon et un don généreux.

5. Et ceux qui s'efforcent de rendre vains Nos versets, ceux-là auront le châtiment d'un supplice douloureux.

6. Et ceux à qui le savoir a été donné voient que ce qu'on t'a fait descendre de la part de ton Seigneur est la vérité qui guide au chemin du Tout Puissant, du Digne de Louange.

7. Et ceux qui ne croient pas dirent: «Voulez-vous que l'on vous montre un homme qui vous prédise que lorsque vous serez complètement désintégrés, vous reparaîtrez, sans nul doute, en une nouvelle création?

---

1. Titre tiré du verset 15.
2. *L'Heure*: de la fin du monde et du Jugement.

أَفْتَرَىٰ عَلَى ٱللَّهِ كَذِبًا أَم بِهِۦ جِنَّةٌۢ بَلِ ٱلَّذِينَ لَا يُؤْمِنُونَ بِٱلْآخِرَةِ فِى ٱلْعَذَابِ وَٱلضَّلَٰلِ ٱلْبَعِيدِ ۝ أَفَلَمْ يَرَوْا۟ إِلَىٰ مَا بَيْنَ أَيْدِيهِمْ وَمَا خَلْفَهُم مِّنَ ٱلسَّمَآءِ وَٱلْأَرْضِ إِن نَّشَأْ نَخْسِفْ بِهِمُ ٱلْأَرْضَ أَوْ نُسْقِطْ عَلَيْهِمْ كِسَفًا مِّنَ ٱلسَّمَآءِ إِنَّ فِى ذَٰلِكَ لَآيَةً لِّكُلِّ عَبْدٍ مُّنِيبٍ ۝ وَلَقَدْ ءَاتَيْنَا دَاوُۥدَ مِنَّا فَضْلًا يَٰجِبَالُ أَوِّبِى مَعَهُۥ وَٱلطَّيْرَ وَأَلَنَّا لَهُ ٱلْحَدِيدَ ۝ أَنِ ٱعْمَلْ سَٰبِغَٰتٍ وَقَدِّرْ فِى ٱلسَّرْدِ وَٱعْمَلُوا۟ صَٰلِحًا إِنِّى بِمَا تَعْمَلُونَ بَصِيرٌ ۝ وَلِسُلَيْمَٰنَ ٱلرِّيحَ غُدُوُّهَا شَهْرٌ وَرَوَاحُهَا شَهْرٌ وَأَسَلْنَا لَهُۥ عَيْنَ ٱلْقِطْرِ وَمِنَ ٱلْجِنِّ مَن يَعْمَلُ بَيْنَ يَدَيْهِ بِإِذْنِ رَبِّهِۦ وَمَن يَزِغْ مِنْهُمْ عَنْ أَمْرِنَا نُذِقْهُ مِنْ عَذَابِ ٱلسَّعِيرِ ۝ يَعْمَلُونَ لَهُۥ مَا يَشَآءُ مِن مَّحَٰرِيبَ وَتَمَٰثِيلَ وَجِفَانٍ كَٱلْجَوَابِ وَقُدُورٍ رَّاسِيَٰتٍ ٱعْمَلُوٓا۟ ءَالَ دَاوُۥدَ شُكْرًا وَقَلِيلٌ مِّنْ عِبَادِىَ ٱلشَّكُورُ ۝ فَلَمَّا قَضَيْنَا عَلَيْهِ ٱلْمَوْتَ مَا دَلَّهُمْ عَلَىٰ مَوْتِهِۦٓ إِلَّا دَآبَّةُ ٱلْأَرْضِ تَأْكُلُ مِنسَأَتَهُۥ فَلَمَّا خَرَّ تَبَيَّنَتِ ٱلْجِنُّ أَن لَّوْ كَانُوا۟ يَعْلَمُونَ ٱلْغَيْبَ مَا لَبِثُوا۟ فِى ٱلْعَذَابِ ٱلْمُهِينِ ۝

ثلاثة أرباع الحزب ٤٣

8. Invente-t-il un mensonge contre Allāh? Ou bien est-il fou?» [Non], mais ceux qui ne croient pas en l'au-delà sont voués au châtiment et à l'égarement lointain.

9. Ne voient-ils donc pas ce qu'il y a comme ciel et comme terre devant et derrière eux? Si Nous voulions, Nous ferions que la terre les engloutisse, ou que des morceaux du ciel tombent sur eux. Il y a en cela une preuve pour tout serviteur repentant.

10. Nous avons certes accordé une grâce à David de Notre part. Ô montagnes et oiseaux, répétez avec lui (les louanges d'Allāh). Et pour lui, Nous avons amolli le fer,

11. (en lui disant): «Fabrique des cottes de mailles complètes et mesure bien les mailles». Et faites le bien. Je suis Clairvoyant sur ce que vous faites.

12. Et à Salomon (Nous avons assujetti) le vent, dont le parcours du matin équivaut à un mois (de marche) et le parcours du soir, un mois aussi. Et pour lui Nous avons fait couler la source de cuivre. Et parmi les djinns il y en a qui travaillaient sous ses ordres, par permission de son Seigneur. Quiconque d'entre eux, cependant, déviait de Notre ordre, Nous lui faisions goûter au châtiment de la fournaise.

13. Ils exécutaient pour lui ce qu'il voulait: sanctuaires, statues[1], plateaux comme des bassins, et marmites bien ancrées. - «Ô famille de David, œuvrez par gratitude», alors qu'il y a eu peu de Mes serviteurs qui sont reconnaissants.

14. Puis, quand Nous décidâmes sa mort, il n'y eut pour les avertir de sa mort que la «bête de terre», qui rongea sa canne. Puis lorsqu'il s'écroula, il apparut de toute évidence aux djinns que s'ils savaient vraiment l'inconnu, ils ne seraient pas restés dans le supplice humiliant [de la servitude][2].

---

1. *Statues*: la fabrication des statues n'était pas interdite dans la loi de Salomon.
2. La *«bête de terre»*: il s'agit du termite qui rongea la canne qui soutenait le corps de Salomon, mort. Ce verset prouve que les djinns n'ont aucune connaissance de l'inconnaissable [Ġaïb] ; et encore moins les humains.

لَقَدْ كَانَ لِسَبَإٍ فِي مَسْكَنِهِمْ ءَايَةٌ جَنَّتَانِ عَن يَمِينٍ وَشِمَالٍ كُلُوا۟ مِن رِّزْقِ رَبِّكُمْ وَٱشْكُرُوا۟ لَهُۥ بَلْدَةٌ طَيِّبَةٌ وَرَبٌّ غَفُورٌ ﴿١٥﴾ فَأَعْرَضُوا۟ فَأَرْسَلْنَا عَلَيْهِمْ سَيْلَ ٱلْعَرِمِ وَبَدَّلْنَٰهُم بِجَنَّتَيْهِمْ جَنَّتَيْنِ ذَوَاتَىْ أُكُلٍ خَمْطٍ وَأَثْلٍ وَشَىْءٍ مِّن سِدْرٍ قَلِيلٍ ﴿١٦﴾ ذَٰلِكَ جَزَيْنَٰهُم بِمَا كَفَرُوا۟ وَهَلْ نُجَٰزِىٓ إِلَّا ٱلْكَفُورَ ﴿١٧﴾ وَجَعَلْنَا بَيْنَهُمْ وَبَيْنَ ٱلْقُرَى ٱلَّتِى بَٰرَكْنَا فِيهَا قُرًى ظَٰهِرَةً وَقَدَّرْنَا فِيهَا ٱلسَّيْرَ سِيرُوا۟ فِيهَا لَيَالِىَ وَأَيَّامًا ءَامِنِينَ ﴿١٨﴾ فَقَالُوا۟ رَبَّنَا بَٰعِدْ بَيْنَ أَسْفَارِنَا وَظَلَمُوٓا۟ أَنفُسَهُمْ فَجَعَلْنَٰهُمْ أَحَادِيثَ وَمَزَّقْنَٰهُمْ كُلَّ مُمَزَّقٍ إِنَّ فِى ذَٰلِكَ لَءَايَٰتٍ لِّكُلِّ صَبَّارٍ شَكُورٍ ﴿١٩﴾ وَلَقَدْ صَدَّقَ عَلَيْهِمْ إِبْلِيسُ ظَنَّهُۥ فَٱتَّبَعُوهُ إِلَّا فَرِيقًا مِّنَ ٱلْمُؤْمِنِينَ ﴿٢٠﴾ وَمَا كَانَ لَهُۥ عَلَيْهِم مِّن سُلْطَٰنٍ إِلَّا لِنَعْلَمَ مَن يُؤْمِنُ بِٱلْءَاخِرَةِ مِمَّنْ هُوَ مِنْهَا فِى شَكٍّ وَرَبُّكَ عَلَىٰ كُلِّ شَىْءٍ حَفِيظٌ ﴿٢١﴾ قُلِ ٱدْعُوا۟ ٱلَّذِينَ زَعَمْتُم مِّن دُونِ ٱللَّهِ لَا يَمْلِكُونَ مِثْقَالَ ذَرَّةٍ فِى ٱلسَّمَٰوَٰتِ وَلَا فِى ٱلْأَرْضِ وَمَا لَهُمْ فِيهِمَا مِن شِرْكٍ وَمَا لَهُۥ مِنْهُم مِّن ظَهِيرٍ ﴿٢٢﴾

15. Il y avait assurément, pour la tribu de Saba' un Signe dans leurs habitat: deux jardins, l'un à droite et l'autre à gauche. «Mangez de ce que votre Seigneur vous a attribué, et soyez-Lui reconnaissants: une bonne contrée et un Seigneur Pardonneur».

16. Mais ils se détournèrent. Nous déchaînâmes contre eux l'inondation du Barrage, et leur changeâmes leurs deux jardins en deux jardins aux fruits amers, tamaris et quelques jujubiers.

17. Ainsi les rétribuâmes Nous pour leur mécréance. Saurions-Nous sanctionner un autre que le mécréant?

18. Et Nous avions placé entre eux et les cités que Nous avions bénies, d'autres cités proéminentes, et Nous avions évalué les étapes de voyage entre elles. «Voyagez entre elles pendant des nuits et des jours, en sécurité»[1].

19. Puis, ils dirent: «Seigneur, allonge les distances entre nos étapes», et ils se firent du tort à eux-mêmes. Nous fîmes d'eux, donc, des sujets de légendes et les désintégrâmes totalement. Il y a en cela des avertissements pour tout grand endurant et grand reconnaissant.

20. Et Satan a très certainement rendu véridique sa conjecture à leur égard. Ils l'ont suivi donc, sauf un groupe parmi les croyants.

21. Et pourtant il n'avait sur eux aucun pouvoir si ce n'est que Nous voulions distinguer celui qui croyait en l'au-delà et celui qui doutait. Ton Seigneur, cependant, assure la sauvegarde de toute chose.

22. Dis: «Invoquez ceux qu'en dehors d'Allāh vous prétendez [être des divinités.] Ils ne possèdent même pas le poids d'un atome, ni dans les cieux ni sur la terre. Ils n'ont jamais été associés à leur création et Il n'a personne parmi eux pour Le soutenir».

---

1. *Nous avions placé*...: entre le pays ravagé (Saba') (Yémen) et le pays béni (Ach-cham) (Syrie) s'étendait une route aisée jalonnée de cités, séparées par de courtes distances, où l'on pouvait s'arrêter. Or ces gens (v. 19) préférèrent les voyages longs et aventureux...

وَلَا تَنفَعُ ٱلشَّفَٰعَةُ عِندَهُۥٓ إِلَّا لِمَنْ أَذِنَ لَهُۥ حَتَّىٰٓ إِذَا فُزِّعَ عَن قُلُوبِهِمْ قَالُوا۟ مَاذَا قَالَ رَبُّكُمْ قَالُوا۟ ٱلْحَقَّ وَهُوَ ٱلْعَلِىُّ ٱلْكَبِيرُ ﴿٢٣﴾ ۞ قُلْ مَن يَرْزُقُكُم مِّنَ ٱلسَّمَٰوَٰتِ وَٱلْأَرْضِ قُلِ ٱللَّهُ وَإِنَّآ أَوْ إِيَّاكُمْ لَعَلَىٰ هُدًى أَوْ فِى ضَلَٰلٍ مُّبِينٍ ﴿٢٤﴾ قُل لَّا تُسْـَٔلُونَ عَمَّآ أَجْرَمْنَا وَلَا نُسْـَٔلُ عَمَّا تَعْمَلُونَ ﴿٢٥﴾ قُلْ يَجْمَعُ بَيْنَنَا رَبُّنَا ثُمَّ يَفْتَحُ بَيْنَنَا بِٱلْحَقِّ وَهُوَ ٱلْفَتَّاحُ ٱلْعَلِيمُ ﴿٢٦﴾ قُلْ أَرُونِىَ ٱلَّذِينَ أَلْحَقْتُم بِهِۦ شُرَكَآءَ كَلَّا بَلْ هُوَ ٱللَّهُ ٱلْعَزِيزُ ٱلْحَكِيمُ ﴿٢٧﴾ وَمَآ أَرْسَلْنَٰكَ إِلَّا كَآفَّةً لِّلنَّاسِ بَشِيرًا وَنَذِيرًا وَلَٰكِنَّ أَكْثَرَ ٱلنَّاسِ لَا يَعْلَمُونَ ﴿٢٨﴾ وَيَقُولُونَ مَتَىٰ هَٰذَا ٱلْوَعْدُ إِن كُنتُمْ صَٰدِقِينَ ﴿٢٩﴾ قُل لَّكُم مِّيعَادُ يَوْمٍ لَّا تَسْتَـْٔخِرُونَ عَنْهُ سَاعَةً وَلَا تَسْتَقْدِمُونَ ﴿٣٠﴾ وَقَالَ ٱلَّذِينَ كَفَرُوا۟ لَن نُّؤْمِنَ بِهَٰذَا ٱلْقُرْءَانِ وَلَا بِٱلَّذِى بَيْنَ يَدَيْهِ وَلَوْ تَرَىٰٓ إِذِ ٱلظَّٰلِمُونَ مَوْقُوفُونَ عِندَ رَبِّهِمْ يَرْجِعُ بَعْضُهُمْ إِلَىٰ بَعْضٍ ٱلْقَوْلَ يَقُولُ ٱلَّذِينَ ٱسْتُضْعِفُوا۟ لِلَّذِينَ ٱسْتَكْبَرُوا۟ لَوْلَآ أَنتُمْ لَكُنَّا مُؤْمِنِينَ ﴿٣١﴾

23. L'intercession auprès de Lui ne profite qu'à celui en faveur duquel Il la permet. Quand ensuite la frayeur se sera éloignée de leurs cœurs, ils[1] diront: «Qu'a dit votre Seigneur?» Ils répondront: «La Vérité ; C'est Lui le Sublime, le Grand».

24. Dis: «Qui vous nourrit du ciel et de la terre?» Dis: «Allāh. C'est nous ou bien vous qui sommes sur une bonne voie, ou dans un égarement manifeste».

25. Dis: «Vous ne serez pas interrogés sur les crimes que nous avons commis, et nous ne serons pas interrogés sur ce que vous faites».

26. Dis: «Notre Seigneur nous réunira, puis Il tranchera entre nous, avec la vérité, car c'est Lui le Grand Juge, l'Omniscient».

27. Dis: «Montrez-moi ceux que vous Lui avez donnés comme associés. Eh bien, non! C'est plutôt Lui, Allāh, le Puissant, le Sage».

28. Et Nous ne t'avons envoyé qu'en tant qu'annonciateur et avertisseur pour toute l'humanité. Mais la plupart des gens ne savent pas.

29. Et ils disent: «À quand cette promesse, si vous êtes véridiques?»

30. Dis: «Le rendez-vous est pour un jour que vous ne saurez retarder d'une heure, ni avancer!»

31. Et ceux qui avaient mécru dirent: «Jamais nous ne croirons à ce Qur'ān ni à ce qui l'a précédé». Et si tu pouvais voir quand les injustes seront debout devant leur Seigneur, se renvoyant la parole les uns aux autres! Ceux que l'on considérait comme faibles diront à ceux qui s'enorgueillissaient : «Sans vous, nous aurions certes été croyants».

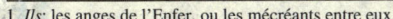

---

1. *Ils*: les anges de l'Enfer, ou les mécréants entre eux.

قَالَ ٱلَّذِينَ ٱسْتَكْبَرُواْ لِلَّذِينَ ٱسْتُضْعِفُوٓاْ أَنَحْنُ صَدَدْنَٰكُمْ عَنِ ٱلْهُدَىٰ بَعْدَ إِذْ جَآءَكُمۖ بَلْ كُنتُم مُّجْرِمِينَ ۝ وَقَالَ ٱلَّذِينَ ٱسْتُضْعِفُواْ لِلَّذِينَ ٱسْتَكْبَرُواْ بَلْ مَكْرُ ٱلَّيْلِ وَٱلنَّهَارِ إِذْ تَأْمُرُونَنَآ أَن نَّكْفُرَ بِٱللَّهِ وَنَجْعَلَ لَهُۥٓ أَندَادًاۚ وَأَسَرُّواْ ٱلنَّدَامَةَ لَمَّا رَأَوُاْ ٱلْعَذَابَۚ وَجَعَلْنَا ٱلْأَغْلَٰلَ فِىٓ أَعْنَاقِ ٱلَّذِينَ كَفَرُواۚ هَلْ يُجْزَوْنَ إِلَّا مَا كَانُواْ يَعْمَلُونَ ۝ وَمَآ أَرْسَلْنَا فِى قَرْيَةٍ مِّن نَّذِيرٍ إِلَّا قَالَ مُتْرَفُوهَآ إِنَّا بِمَآ أُرْسِلْتُم بِهِۦ كَٰفِرُونَ ۝ وَقَالُواْ نَحْنُ أَكْثَرُ أَمْوَٰلًا وَأَوْلَٰدًا وَمَا نَحْنُ بِمُعَذَّبِينَ ۝ قُلْ إِنَّ رَبِّى يَبْسُطُ ٱلرِّزْقَ لِمَن يَشَآءُ وَيَقْدِرُ وَلَٰكِنَّ أَكْثَرَ ٱلنَّاسِ لَا يَعْلَمُونَ ۝ وَمَآ أَمْوَٰلُكُمْ وَلَآ أَوْلَٰدُكُم بِٱلَّتِى تُقَرِّبُكُمْ عِندَنَا زُلْفَىٰٓ إِلَّا مَنْ ءَامَنَ وَعَمِلَ صَٰلِحًا فَأُوْلَٰٓئِكَ لَهُمْ جَزَآءُ ٱلضِّعْفِ بِمَا عَمِلُواْ وَهُمْ فِى ٱلْغُرُفَٰتِ ءَامِنُونَ ۝ وَٱلَّذِينَ يَسْعَوْنَ فِىٓ ءَايَٰتِنَا مُعَٰجِزِينَ أُوْلَٰٓئِكَ فِى ٱلْعَذَابِ مُحْضَرُونَ ۝ قُلْ إِنَّ رَبِّى يَبْسُطُ ٱلرِّزْقَ لِمَن يَشَآءُ مِنْ عِبَادِهِۦ وَيَقْدِرُ لَهُۥۚ وَمَآ أَنفَقْتُم مِّن شَىْءٍ فَهُوَ يُخْلِفُهُۥۖ وَهُوَ خَيْرُ ٱلرَّٰزِقِينَ ۝

32. Ceux qui s'enorgueillissaient diront à ceux qu'il. considéraient comme faibles: «Est-ce nous qui vous avons repoussés de la bonne direction après qu'elle vous fut venue? Mais vous étiez plutôt des criminels».

33. Et ceux que l'on considérait comme faibles diront à ceux qui s'enorgueillissaient: «C'était votre stratagème, plutôt, nuit et jour, de nous commander de ne pas croire en Allāh et de Lui donner des égaux». Et ils cacheront leur regret quand ils verront le châtiment. Nous placerons des carcans aux cous de ceux qui ont mécru: les rétribuerait-on autrement que selon ce qu'ils œuvraient?»

34. Et Nous n'avons envoyé aucun avertisseur dans une cité sans que ses gens aisés n'aient dit: «Nous ne croyons pas au message avec lequel vous êtes envoyés».

35. Et ils dirent: «Nous avons davantage de richesses et d'enfants et nous ne serons pas châtiés».

36. Dis: «Mon Seigneur dispense avec largesse ou restreint Ses dons à qui Il veut. Mais la plupart des gens ne savent pas».

37. Ni vos biens ni vos enfants ne vous rapprocheront à proximité de Nous. Sauf celui qui croit et œuvre dans le bien. Ceux-là auront une double récompense pour ce qu'ils œuvraient, tandis qu'ils seront en sécurité, aux étages supérieurs (du Paradis).

38. Et quant à ceux qui s'efforcent à rendre Nos versets inefficients, ceux-là seront forcés de se présenter au châtiment.

39. Dis: «Mon Seigneur dispense avec largesse ou restreint Ses dons à qui Il veut parmi Ses serviteurs. Et toute dépense que vous faites [dans le bien], Il la remplace, et c'est Lui le Meilleur des donateurs».

وَيَوْمَ يَحْشُرُهُمْ جَمِيعًا ثُمَّ يَقُولُ لِلْمَلَٰئِكَةِ أَهَٰٓؤُلَآءِ إِيَّاكُمْ كَانُوا۟ يَعْبُدُونَ ﴿٤٠﴾ قَالُوا۟ سُبْحَٰنَكَ أَنتَ وَلِيُّنَا مِن دُونِهِم ۖ بَلْ كَانُوا۟ يَعْبُدُونَ ٱلْجِنَّ ۖ أَكْثَرُهُم بِهِم مُّؤْمِنُونَ ﴿٤١﴾ فَٱلْيَوْمَ لَا يَمْلِكُ بَعْضُكُمْ لِبَعْضٍ نَّفْعًا وَلَا ضَرًّا وَنَقُولُ لِلَّذِينَ ظَلَمُوا۟ ذُوقُوا۟ عَذَابَ ٱلنَّارِ ٱلَّتِى كُنتُم بِهَا تُكَذِّبُونَ ﴿٤٢﴾ وَإِذَا تُتْلَىٰ عَلَيْهِمْ ءَايَٰتُنَا بَيِّنَٰتٍ قَالُوا۟ مَا هَٰذَآ إِلَّا رَجُلٌ يُرِيدُ أَن يَصُدَّكُمْ عَمَّا كَانَ يَعْبُدُ ءَابَآؤُكُمْ وَقَالُوا۟ مَا هَٰذَآ إِلَّآ إِفْكٌ مُّفْتَرًى ۚ وَقَالَ ٱلَّذِينَ كَفَرُوا۟ لِلْحَقِّ لَمَّا جَآءَهُمْ إِنْ هَٰذَآ إِلَّا سِحْرٌ مُّبِينٌ ﴿٤٣﴾ وَمَآ ءَاتَيْنَٰهُم مِّن كُتُبٍ يَدْرُسُونَهَا ۖ وَمَآ أَرْسَلْنَآ إِلَيْهِمْ قَبْلَكَ مِن نَّذِيرٍ ﴿٤٤﴾ وَكَذَّبَ ٱلَّذِينَ مِن قَبْلِهِمْ وَمَا بَلَغُوا۟ مِعْشَارَ مَآ ءَاتَيْنَٰهُمْ فَكَذَّبُوا۟ رُسُلِى ۖ فَكَيْفَ كَانَ نَكِيرِ ﴿٤٥﴾ ۞ قُلْ إِنَّمَآ أَعِظُكُم بِوَٰحِدَةٍ ۖ أَن تَقُومُوا۟ لِلَّهِ مَثْنَىٰ وَفُرَٰدَىٰ ثُمَّ تَتَفَكَّرُوا۟ ۚ مَا بِصَاحِبِكُم مِّن جِنَّةٍ ۚ إِنْ هُوَ إِلَّا نَذِيرٌ لَّكُم بَيْنَ يَدَىْ عَذَابٍ شَدِيدٍ ﴿٤٦﴾ قُلْ مَا سَأَلْتُكُم مِّنْ أَجْرٍ فَهُوَ لَكُمْ ۖ إِنْ أَجْرِىَ إِلَّا عَلَى ٱللَّهِ ۖ وَهُوَ عَلَىٰ كُلِّ شَىْءٍ شَهِيدٌ ﴿٤٧﴾ قُلْ إِنَّ رَبِّى يَقْذِفُ بِٱلْحَقِّ عَلَّٰمُ ٱلْغُيُوبِ ﴿٤٨﴾

ربع الحزب ٤٤

40. Et un jour Il les rassemblera tous. Puis Il dira aux Anges: «Est-ce vous que ces gens-là adoraient?»

41. Ils diront: «Gloire à Toi! Tu es notre Allié en dehors d'eux. Ils adoraient plutôt les djinns, en qui la plupart d'entre eux croyaient.

42. Ce jour-là donc, vous n'aurez aucun moyen pour profiter ou nuire les uns aux autres, tandis que Nous dirons aux injustes: «Goûtez au châtiment du Feu que vous traitiez de mensonge».

43. Et quand Nos versets édifiants leur sont récités, ils disent: ce n'est là qu'un homme qui veut vous repousser de ce que vos ancêtres adoraient». Et ils disent: «Ceci (Le Qur'ān) n'est qu'un mensonge inventé». Et ceux qui ne croient pas disent de la Vérité quand elle leur vient: «Ce n'est là qu'une magie évidente!»

44. [Pourtant] Nous ne leur avons pas donné de livres à étudier. Et Nous ne leur avons envoyé avant toi aucun avertisseur.

45. Ceux d'avant eux avaient [aussi] démenti (leurs messagers). [Les Mecquois] n'ont pas atteint le dixième de ce que Nous leur avons donné [en force et en richesse]. Ils traitaient Mes Messagers de menteurs. Et quelle réprobation fut la mienne!

46. Dis: «Je vous exhorte seulement à une chose: que pour Allāh vous vous leviez, par deux ou isolément, et qu'ensuite vous réfléchissiez. Votre compagnon (Muḥammad) n'est nullement possédé: il n'est pour vous qu'un avertisseur annonçant un dur châtiment».

47. Dis: «Ce que je vous demande comme salaire, c'est pour vous-mêmes. Car mon salaire n'incombe qu'à Allāh. Il est Témoin de toute chose».

48. Dis: «Certes, mon Seigneur lance la Vérité, [à Ses messagers], Il est le Parfait Connaisseur des inconnaissables».

قُلْ جَآءَ ٱلْحَقُّ وَمَا يُبْدِئُ ٱلْبَطِلُ وَمَا يُعِيدُ ۝ قُلْ إِن ضَلَلْتُ فَإِنَّمَآ أَضِلُّ عَلَىٰ نَفْسِى وَإِنِ ٱهْتَدَيْتُ فَبِمَا يُوحِىٓ إِلَىَّ رَبِّىٓ إِنَّهُۥ سَمِيعٌ قَرِيبٌ ۝ وَلَوْ تَرَىٰٓ إِذْ فَزِعُواْ فَلَا فَوْتَ وَأُخِذُواْ مِن مَّكَانٍ قَرِيبٍ ۝ وَقَالُوٓاْ ءَامَنَّا بِهِۦ وَأَنَّىٰ لَهُمُ ٱلتَّنَاوُشُ مِن مَّكَانٍ بَعِيدٍ ۝ وَقَدْ كَفَرُواْ بِهِۦ مِن قَبْلُ وَيَقْذِفُونَ بِٱلْغَيْبِ مِن مَّكَانٍ بَعِيدٍ ۝ وَحِيلَ بَيْنَهُمْ وَبَيْنَ مَا يَشْتَهُونَ كَمَا فُعِلَ بِأَشْيَاعِهِم مِّن قَبْلُ إِنَّهُمْ كَانُواْ فِى شَكٍّ مُّرِيبٍ ۝

سورة فاطر

بِسْمِ ٱللَّهِ ٱلرَّحْمَٰنِ ٱلرَّحِيمِ

ٱلْحَمْدُ لِلَّهِ فَاطِرِ ٱلسَّمَٰوَٰتِ وَٱلْأَرْضِ جَاعِلِ ٱلْمَلَٰٓئِكَةِ رُسُلًا أُوْلِىٓ أَجْنِحَةٍ مَّثْنَىٰ وَثُلَٰثَ وَرُبَٰعَ يَزِيدُ فِى ٱلْخَلْقِ مَا يَشَآءُ إِنَّ ٱللَّهَ عَلَىٰ كُلِّ شَىْءٍ قَدِيرٌ ۝ مَّا يَفْتَحِ ٱللَّهُ لِلنَّاسِ مِن رَّحْمَةٍ فَلَا مُمْسِكَ لَهَا وَمَا يُمْسِكْ فَلَا مُرْسِلَ لَهُۥ مِنۢ بَعْدِهِۦ وَهُوَ ٱلْعَزِيزُ ٱلْحَكِيمُ ۝ يَٰٓأَيُّهَا ٱلنَّاسُ ٱذْكُرُواْ نِعْمَتَ ٱللَّهِ عَلَيْكُمْ هَلْ مِنْ خَٰلِقٍ غَيْرُ ٱللَّهِ يَرْزُقُكُم مِّنَ ٱلسَّمَآءِ وَٱلْأَرْضِ لَآ إِلَٰهَ إِلَّا هُوَ فَأَنَّىٰ تُؤْفَكُونَ ۝

49. Dis: «La Vérité [l'Islām] est venue. Et le Faux [la mécréance] ne peut rien commencer ni renouveler».

50. Dis: «Si je m'égare, je ne m'égare qu'à mes dépens ; tandis que si je me guide, alors c'est grâce à ce que Mon Seigneur me révèle, car Il est Audient et Proche».

51. Si tu les voyais quand ils seront saisis de peur, - pas d'échappatoire pour eux, - et ils seront saisis de près!

52. Ils diront alors: «Nous croyons en lui[1]». - Mais comment atteindront-ils la foi de si loin?

53. Alors qu'auparavant ils y avaient effectivement mécru et ils offensent l'inconnu à partir d'un endroit éloigné[2]!

54. On les empêchera d'atteindre ce qu'ils désirent, comme cela fut fait auparavant avec leurs semblables, car ils se trouvaient dans un doute profond.

FĀṬIR (LE CRÉATEUR)[3]
sourate 35   45 versets   Pré-hégirien n°43

Au nom d'Allāh, le Tout Miséricordieux, le Très Miséricordieux.

1. Louange à Allāh, Créateur des cieux et de la terre, qui a fait des Anges des messagers dotés de deux, trois ou quatre ailes. Il ajoute à la création ce qu'Il veut, car Allāh est Omnipotent.

2. Ce qu'Allāh accorde en miséricorde aux gens, il n'est personne à pouvoir le retenir. Et ce qu'Il retient, il n'est personne à le relâcher après Lui. Et c'est Lui le Puissant, le Sage.

3. Ô hommes! Rappelez-vous le bienfait d'Allāh sur vous: existe-t-il en dehors d'Allāh, un créateur qui du ciel et de la terre vous attribue votre subsistance? Point de divinité à part Lui! Comment pouvez-vous vous détourner [de cette vérité]?

---

1. *En lui*: Allāh, le Prophète (ﷺ) ou le Qur'ān.
2. Ils disaient à propos du domaine de l'Inconnaissable des choses très éloignées de la vérité. Il s'agit surtout ici des commentaires des Mecquois sur la partie du Qur'ān relative à l'eschatologie.
3. Titre tiré du v. 1.

وَإِن يُكَذِّبُوكَ فَقَدْ كُذِّبَتْ رُسُلٌ مِّن قَبْلِكَ وَإِلَى ٱللَّهِ تُرْجَعُ ٱلْأُمُورُ ٤ يَٰٓأَيُّهَا ٱلنَّاسُ إِنَّ وَعْدَ ٱللَّهِ حَقٌّ فَلَا تَغُرَّنَّكُمُ ٱلْحَيَوٰةُ ٱلدُّنْيَا وَلَا يَغُرَّنَّكُم بِٱللَّهِ ٱلْغَرُورُ ٥ إِنَّ ٱلشَّيْطَٰنَ لَكُمْ عَدُوٌّ فَٱتَّخِذُوهُ عَدُوًّا إِنَّمَا يَدْعُوا۟ حِزْبَهُۥ لِيَكُونُوا۟ مِنْ أَصْحَٰبِ ٱلسَّعِيرِ ٦ ٱلَّذِينَ كَفَرُوا۟ لَهُمْ عَذَابٌ شَدِيدٌ وَٱلَّذِينَ ءَامَنُوا۟ وَعَمِلُوا۟ ٱلصَّٰلِحَٰتِ لَهُم مَّغْفِرَةٌ وَأَجْرٌ كَبِيرٌ ٧ أَفَمَن زُيِّنَ لَهُۥ سُوٓءُ عَمَلِهِۦ فَرَءَاهُ حَسَنًا فَإِنَّ ٱللَّهَ يُضِلُّ مَن يَشَآءُ وَيَهْدِى مَن يَشَآءُ فَلَا تَذْهَبْ نَفْسُكَ عَلَيْهِمْ حَسَرَٰتٍ إِنَّ ٱللَّهَ عَلِيمٌۢ بِمَا يَصْنَعُونَ ٨ وَٱللَّهُ ٱلَّذِىٓ أَرْسَلَ ٱلرِّيَٰحَ فَتُثِيرُ سَحَابًا فَسُقْنَٰهُ إِلَىٰ بَلَدٍ مَّيِّتٍ فَأَحْيَيْنَا بِهِ ٱلْأَرْضَ بَعْدَ مَوْتِهَا كَذَٰلِكَ ٱلنُّشُورُ ٩ مَن كَانَ يُرِيدُ ٱلْعِزَّةَ فَلِلَّهِ ٱلْعِزَّةُ جَمِيعًا إِلَيْهِ يَصْعَدُ ٱلْكَلِمُ ٱلطَّيِّبُ وَٱلْعَمَلُ ٱلصَّٰلِحُ يَرْفَعُهُۥ وَٱلَّذِينَ يَمْكُرُونَ ٱلسَّيِّـَٔاتِ لَهُمْ عَذَابٌ شَدِيدٌ وَمَكْرُ أُو۟لَٰٓئِكَ هُوَ يَبُورُ ١٠ وَٱللَّهُ خَلَقَكُم مِّن تُرَابٍ ثُمَّ مِن نُّطْفَةٍ ثُمَّ جَعَلَكُمْ أَزْوَٰجًا وَمَا تَحْمِلُ مِنْ أُنثَىٰ وَلَا تَضَعُ إِلَّا بِعِلْمِهِۦ وَمَا يُعَمَّرُ مِن مُّعَمَّرٍ وَلَا يُنقَصُ مِنْ عُمُرِهِۦٓ إِلَّا فِى كِتَٰبٍ إِنَّ ذَٰلِكَ عَلَى ٱللَّهِ يَسِيرٌ ١١

4. Et s'ils te traitent de menteur, certes on a traité de menteurs des Messagers avant toi. Vers Allāh cependant, tout est ramené.

5. Ô hommes! La promesse d'Allāh est vérité. Ne laissez pas la vie présente vous tromper, et que le grand trompeur (Satan) ne vous trompe pas à propos d'Allāh!

6. Le Diable est pour vous un ennemi. Prenez-le donc pour ennemi. Il ne fait qu'appeler ses partisans pour qu'ils soient des gens de la Fournaise.

7. Ceux qui ont mécru auront un dur châtiment, tandis que ceux qui croient et accomplissent les bonnes œuvres auront un pardon et une grosse récompense.

8. Eh quoi! Celui à qui on a enjolivé sa mauvaise action au point qu'il la voit belle...? - Mais Allāh égare qui Il veut, et guide qui Il veut - Que ton âme ne se répande donc pas en regrets pour eux: Allāh est Parfaitement Savant de ce qu'ils fabriquent.

9. Et c'est Allāh qui envoie les vents qui soulèvent un nuage que Nous poussons ensuite vers une contrée morte ; puis, Nous redonnons la vie à la terre après sa mort. C'est ainsi que se fera la Résurrection!

10. Quiconque veut la puissance (qu'il la cherche auprès d'Allāh) car la puissance toute entière est à Allāh: vers Lui monte la bonne parole, et Il élève haut la bonne action[1]. Et quant à ceux qui complotent de mauvaises actions, ils auront un dur châtiment. Cependant, leur stratagème est voué à l'échec.

11. Et Allāh vous a créés de terre, puis d'une goutte de sperme, Il vous a ensuite établis en couples. Nulle femelle ne porte ni ne met bas sans qu'Il le sache. Et aucune existence n'est prolongée ou abrégée sans que cela soit consigné dans un livre[2]. Cela est vraiment facile pour Allāh.

---

1. *Il élève la bonne action*: Il accepte la bonne action qui doit accompagner la bonne parole.
2. *Un livre*: la tablette conservée.

وَمَا يَسْتَوِي ٱلْبَحْرَانِ هَٰذَا عَذْبٌ فُرَاتٌ سَآئِغٌ شَرَابُهُۥ وَهَٰذَا مِلْحٌ أُجَاجٌ وَمِن كُلٍّ تَأْكُلُونَ لَحْمًا طَرِيًّا وَتَسْتَخْرِجُونَ حِلْيَةً تَلْبَسُونَهَا وَتَرَى ٱلْفُلْكَ فِيهِ مَوَاخِرَ لِتَبْتَغُوا۟ مِن فَضْلِهِۦ وَلَعَلَّكُمْ تَشْكُرُونَ ۝ يُولِجُ ٱلَّيْلَ فِى ٱلنَّهَارِ وَيُولِجُ ٱلنَّهَارَ فِى ٱلَّيْلِ وَسَخَّرَ ٱلشَّمْسَ وَٱلْقَمَرَ كُلٌّ يَجْرِى لِأَجَلٍ مُّسَمًّى ذَٰلِكُمُ ٱللَّهُ رَبُّكُمْ لَهُ ٱلْمُلْكُ وَٱلَّذِينَ تَدْعُونَ مِن دُونِهِۦ مَا يَمْلِكُونَ مِن قِطْمِيرٍ ۝ إِن تَدْعُوهُمْ لَا يَسْمَعُوا۟ دُعَآءَكُمْ وَلَوْ سَمِعُوا۟ مَا ٱسْتَجَابُوا۟ لَكُمْ وَيَوْمَ ٱلْقِيَٰمَةِ يَكْفُرُونَ بِشِرْكِكُمْ وَلَا يُنَبِّئُكَ مِثْلُ خَبِيرٍ ۝ يَٰٓأَيُّهَا ٱلنَّاسُ أَنتُمُ ٱلْفُقَرَآءُ إِلَى ٱللَّهِ وَٱللَّهُ هُوَ ٱلْغَنِىُّ ٱلْحَمِيدُ ۝ إِن يَشَأْ يُذْهِبْكُمْ وَيَأْتِ بِخَلْقٍ جَدِيدٍ ۝ وَمَا ذَٰلِكَ عَلَى ٱللَّهِ بِعَزِيزٍ ۝ وَلَا تَزِرُ وَازِرَةٌ وِزْرَ أُخْرَىٰ وَإِن تَدْعُ مُثْقَلَةٌ إِلَىٰ حِمْلِهَا لَا يُحْمَلْ مِنْهُ شَىْءٌ وَلَوْ كَانَ ذَا قُرْبَىٰٓ إِنَّمَا تُنذِرُ ٱلَّذِينَ يَخْشَوْنَ رَبَّهُم بِٱلْغَيْبِ وَأَقَامُوا۟ ٱلصَّلَوٰةَ وَمَن تَزَكَّىٰ فَإِنَّمَا يَتَزَكَّىٰ لِنَفْسِهِۦ وَإِلَى ٱللَّهِ ٱلْمَصِيرُ ۝

12. Les deux mers ne sont pas identiques: [l'eau de] celle-ci est potable, douce et agréable à boire, et celle-là est salée, amère. Cependant de chacune vous mangez une chair fraîche, et vous extrayez un ornement que vous portez. Et tu vois le vaisseau fendre l'eau avec bruit, pour que vous cherchiez certains [des produits] de Sa grâce. Peut-être serez-vous reconnaissants[1]!

13. Il fait que la nuit pénètre le jour et que le jour pénètre la nuit. Et Il a soumis le soleil et la lune. Chacun d'eux s'achemine vers un terme fixé. Tel est Allāh, votre Seigneur: à Lui appartient la royauté, tandis que ceux que vous invoquez, en dehors de Lui, ne sont même pas maîtres de la pellicule d'un noyau de datte.

14. Si vous les invoquez, ils n'entendent pas votre invocation ; et même s'ils entendaient, ils ne sauraient vous répondre. Et le jour du Jugement ils vont nier votre association. Nul ne peut te donner des nouvelles comme Celui qui est parfaitement informé.

15. Ô hommes, vous êtes les indigents ayant besoin d'Allāh, et c'est Allāh, Lui qui se dispense de tout et Il est Le Digne de louange.

16. S'il voulait, Il vous ferait disparaître, et ferait surgir une nouvelle création.

17. Et cela n'est point difficile pour Allāh.

18. Or, personne ne portera le fardeau d'autrui. Et si une âme surchargée [de péchés] appelle à l'aide, rien de sa charge ne sera supporté par une autre même si c'est un proche parent. Tu n'avertis en fait, que ceux qui craignent leur Seigneur malgré qu'ils ne Le voient pas, et qui accomplissent la Ṣalāt. Et quiconque se purifie, ne se purifie que pour lui-même, et vers Allāh est la destination.

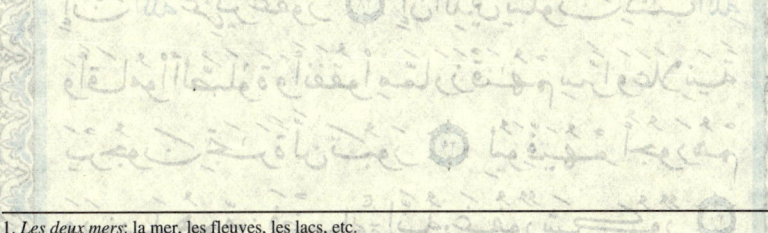

---

1. *Les deux mers*: la mer, les fleuves, les lacs, etc.
Une chair fraîche: celle des poissons.
Et extrayez un ornement: (perles, coquillages, corail, etc.)

وَمَا يَسْتَوِي الْأَعْمَىٰ وَالْبَصِيرُ ۞ وَلَا الظُّلُمَٰتُ وَلَا النُّورُ ۞ وَلَا الظِّلُّ وَلَا الْحَرُورُ ۞ وَمَا يَسْتَوِي الْأَحْيَاءُ وَلَا الْأَمْوَٰتُ إِنَّ اللَّهَ يُسْمِعُ مَن يَشَاءُ وَمَا أَنتَ بِمُسْمِعٍ مَّن فِي الْقُبُورِ ۞ إِنْ أَنتَ إِلَّا نَذِيرٌ ۞ إِنَّا أَرْسَلْنَٰكَ بِالْحَقِّ بَشِيرًا وَنَذِيرًا وَإِن مِّنْ أُمَّةٍ إِلَّا خَلَا فِيهَا نَذِيرٌ ۞ وَإِن يُكَذِّبُوكَ فَقَدْ كَذَّبَ الَّذِينَ مِن قَبْلِهِمْ جَاءَتْهُمْ رُسُلُهُم بِالْبَيِّنَٰتِ وَبِالزُّبُرِ وَبِالْكِتَٰبِ الْمُنِيرِ ۞ ثُمَّ أَخَذْتُ الَّذِينَ كَفَرُوا فَكَيْفَ كَانَ نَكِيرِ ۞ أَلَمْ تَرَ أَنَّ اللَّهَ أَنزَلَ مِنَ السَّمَاءِ مَاءً فَأَخْرَجْنَا بِهِ ثَمَرَٰتٍ مُّخْتَلِفًا أَلْوَٰنُهَا وَمِنَ الْجِبَالِ جُدَدٌ بِيضٌ وَحُمْرٌ مُّخْتَلِفٌ أَلْوَٰنُهَا وَغَرَابِيبُ سُودٌ ۞ وَمِنَ النَّاسِ وَالدَّوَابِّ وَالْأَنْعَٰمِ مُخْتَلِفٌ أَلْوَٰنُهُ كَذَٰلِكَ إِنَّمَا يَخْشَى اللَّهَ مِنْ عِبَادِهِ الْعُلَمَٰؤُا إِنَّ اللَّهَ عَزِيزٌ غَفُورٌ ۞ إِنَّ الَّذِينَ يَتْلُونَ كِتَٰبَ اللَّهِ وَأَقَامُوا الصَّلَوٰةَ وَأَنفَقُوا مِمَّا رَزَقْنَٰهُمْ سِرًّا وَعَلَانِيَةً يَرْجُونَ تِجَٰرَةً لَّن تَبُورَ ۞ لِيُوَفِّيَهُمْ أُجُورَهُمْ وَيَزِيدَهُم مِّن فَضْلِهِ إِنَّهُ غَفُورٌ شَكُورٌ ۞

19. L'aveugle et celui qui voit ne sont pas semblables,

20. ni les ténèbres et la lumière,

21. ni l'ombre et la chaleur ardente.

22. De même, ne sont pas semblables les vivants et les morts. Allāh fait entendre qui Il veut, alors que toi [Muḥammad], tu ne peux faire entendre ceux qui sont dans les tombeaux.

23. Tu n'es qu'un avertisseur.

24. Nous t'avons envoyé avec la Vérité en tant qu'annonciateur et avertisseur. Il n'est pas une nation qui n'ait déjà eu un avertisseur.

25. Et s'ils te traitent de menteur, eh bien, ceux d'avant eux avaient traité (leurs Messagers) de menteurs, cependant que leurs Messagers leur avaient apporté les preuves, les Ecrits et le Livre illuminant.

26. Puis J'ai saisi ceux qui ont mécru. Et quelle réprobation fut la Mienne!

27. N'as-tu pas vu que, du ciel, Allāh fait descendre l'eau? Puis Nous en faisons sortir des fruits de couleurs différentes. Et dans les montagnes, il y a des sillons blancs et rouges, de couleurs différentes, et des roches excessivement noires.

28. Il y a pareillement des couleurs différentes, parmi les hommes, les animaux, et les bestiaux. Parmi Ses serviteurs, seuls les savants[1] craignent Allāh. Allāh est, certes, Puissant et Pardonneur.

29. Ceux qui récitent le Livre d'Allāh, accomplissent la Ṣalāt, et dépensent, en secret et en public de ce que Nous leur avons attribué, espèrent ainsi faire un commerce qui ne périra jamais,

30. afin [qu'Allāh] les récompense pleinement et leur ajoute de Sa grâce. Il est Pardonneur et Reconnaissant.

---

1. *Les savants*: Il faut entendre par la science, aussi bien la science «révélée» que la science acquise. Cela prouve que les savants croyants sont plus aptes à craindre Allāh, et cela rend un vibrant hommage aux hommes de science.

وَالَّذِىٓ أَوْحَيْنَآ إِلَيْكَ مِنَ ٱلْكِتَٰبِ هُوَ ٱلْحَقُّ مُصَدِّقًا لِّمَا بَيْنَ يَدَيْهِ إِنَّ ٱللَّهَ بِعِبَادِهِۦ لَخَبِيرٌۢ بَصِيرٌ ۝ ثُمَّ أَوْرَثْنَا ٱلْكِتَٰبَ ٱلَّذِينَ ٱصْطَفَيْنَا مِنْ عِبَادِنَا فَمِنْهُمْ ظَالِمٌ لِّنَفْسِهِۦ وَمِنْهُم مُّقْتَصِدٌ وَمِنْهُمْ سَابِقٌۢ بِٱلْخَيْرَٰتِ بِإِذْنِ ٱللَّهِ ذَٰلِكَ هُوَ ٱلْفَضْلُ ٱلْكَبِيرُ ۝ جَنَّٰتُ عَدْنٍ يَدْخُلُونَهَا يُحَلَّوْنَ فِيهَا مِنْ أَسَاوِرَ مِن ذَهَبٍ وَلُؤْلُؤًا وَلِبَاسُهُمْ فِيهَا حَرِيرٌ ۝ وَقَالُوا ٱلْحَمْدُ لِلَّهِ ٱلَّذِىٓ أَذْهَبَ عَنَّا ٱلْحَزَنَ إِنَّ رَبَّنَا لَغَفُورٌ شَكُورٌ ۝ ٱلَّذِىٓ أَحَلَّنَا دَارَ ٱلْمُقَامَةِ مِن فَضْلِهِۦ لَا يَمَسُّنَا فِيهَا نَصَبٌ وَلَا يَمَسُّنَا فِيهَا لُغُوبٌ ۝ وَٱلَّذِينَ كَفَرُوا لَهُمْ نَارُ جَهَنَّمَ لَا يُقْضَىٰ عَلَيْهِمْ فَيَمُوتُوا وَلَا يُخَفَّفُ عَنْهُم مِّنْ عَذَابِهَا كَذَٰلِكَ نَجْزِى كُلَّ كَفُورٍ ۝ وَهُمْ يَصْطَرِخُونَ فِيهَا رَبَّنَآ أَخْرِجْنَا نَعْمَلْ صَٰلِحًا غَيْرَ ٱلَّذِى كُنَّا نَعْمَلُ أَوَلَمْ نُعَمِّرْكُم مَّا يَتَذَكَّرُ فِيهِ مَن تَذَكَّرَ وَجَآءَكُمُ ٱلنَّذِيرُ فَذُوقُوا فَمَا لِلظَّٰلِمِينَ مِن نَّصِيرٍ ۝ إِنَّ ٱللَّهَ عَٰلِمُ غَيْبِ ٱلسَّمَٰوَٰتِ وَٱلْأَرْضِ إِنَّهُۥ عَلِيمٌۢ بِذَاتِ ٱلصُّدُورِ ۝

31. Et ce que Nous t'avons révélé du Livre est la Vérité confirmant ce qui l'a précédé[1]. Certes Allāh est Parfaitement Connaisseur et Clairvoyant sur Ses serviteurs.

32. Ensuite, Nous fîmes héritiers du Livre ceux de Nos serviteurs que Nous avons choisis. Il en est parmi eux qui font du tort à eux-mêmes, d'autres qui se tiennent sur une voie moyenne, et d'autres avec la permission d'Allāh devancent [tous les autres] par leurs bonnes actions ; telle est la grâce infinie.

33. Les jardins d'Eden où ils entreront, parés de bracelets en or ainsi que de perles ; et là, leurs vêtements sont de soie.

34. Et ils diront: «Louange à Allāh qui a écarté de nous l'affliction. Notre Seigneur est certes Pardonneur et Reconnaissant.

35. C'est Lui qui nous a installés, par Sa grâce, dans la Demeure de la stabilité, où nulle fatigue, nulle lassitude ne nous touchent».

36. Et ceux qui ont mécru auront le feu de l'Enfer: on ne les achève pas pour qu'ils meurent ; on ne leur allège rien de ses tourments. C'est ainsi que Nous récompensons tout négateur obstiné.

37. Et là, ils hurleront: «Seigneur, fais-nous sortir ; nous ferons le bien, contrairement à ce que nous faisions». «Ne vous avons-Nous pas donné une vie assez longue pour que celui qui réfléchit réfléchisse? L'avertisseur, cependant, vous était venu. Et bien, goûtez (votre punition). Car pour les injustes, il n'y a pas de secoureur».

38. Allāh connaît l'Inconnaissable dans les cieux et la terre. Il connaît le contenu des poitrines.

---

1. *Ce qui l'a précédé*: les livres antérieurs au Qur'ān.

هُوَ ٱلَّذِى جَعَلَكُمْ خَلَـٰٓئِفَ فِى ٱلْأَرْضِ ۚ فَمَن كَفَرَ فَعَلَيْهِ كُفْرُهُۥ ۖ وَلَا يَزِيدُ ٱلْكَـٰفِرِينَ كُفْرُهُمْ عِندَ رَبِّهِمْ إِلَّا مَقْتًا ۖ وَلَا يَزِيدُ ٱلْكَـٰفِرِينَ كُفْرُهُمْ إِلَّا خَسَارًا ﴿٣٩﴾ قُلْ أَرَءَيْتُمْ شُرَكَآءَكُمُ ٱلَّذِينَ تَدْعُونَ مِن دُونِ ٱللَّهِ أَرُونِى مَاذَا خَلَقُوا۟ مِنَ ٱلْأَرْضِ أَمْ لَهُمْ شِرْكٌ فِى ٱلسَّمَـٰوَٰتِ أَمْ ءَاتَيْنَـٰهُمْ كِتَـٰبًا فَهُمْ عَلَىٰ بَيِّنَتٍ مِّنْهُ ۚ بَلْ إِن يَعِدُ ٱلظَّـٰلِمُونَ بَعْضُهُم بَعْضًا إِلَّا غُرُورًا ﴿٤٠﴾ ۞ إِنَّ ٱللَّهَ يُمْسِكُ ٱلسَّمَـٰوَٰتِ وَٱلْأَرْضَ أَن تَزُولَا ۚ وَلَئِن زَالَتَآ إِنْ أَمْسَكَهُمَا مِنْ أَحَدٍ مِّنۢ بَعْدِهِۦٓ ۚ إِنَّهُۥ كَانَ حَلِيمًا غَفُورًا ﴿٤١﴾ وَأَقْسَمُوا۟ بِٱللَّهِ جَهْدَ أَيْمَـٰنِهِمْ لَئِن جَآءَهُمْ نَذِيرٌ لَّيَكُونُنَّ أَهْدَىٰ مِنْ إِحْدَى ٱلْأُمَمِ ۖ فَلَمَّا جَآءَهُمْ نَذِيرٌ مَّا زَادَهُمْ إِلَّا نُفُورًا ﴿٤٢﴾ ٱسْتِكْبَارًا فِى ٱلْأَرْضِ وَمَكْرَ ٱلسَّيِّئِ ۚ وَلَا يَحِيقُ ٱلْمَكْرُ ٱلسَّيِّئُ إِلَّا بِأَهْلِهِ ۚ فَهَلْ يَنظُرُونَ إِلَّا سُنَّتَ ٱلْأَوَّلِينَ ۚ فَلَن تَجِدَ لِسُنَّتِ ٱللَّهِ تَبْدِيلًا ۖ وَلَن تَجِدَ لِسُنَّتِ ٱللَّهِ تَحْوِيلًا ﴿٤٣﴾ أَوَلَمْ يَسِيرُوا۟ فِى ٱلْأَرْضِ فَيَنظُرُوا۟ كَيْفَ كَانَ عَـٰقِبَةُ ٱلَّذِينَ مِن قَبْلِهِمْ وَكَانُوٓا۟ أَشَدَّ مِنْهُمْ قُوَّةً ۚ وَمَا كَانَ ٱللَّهُ لِيُعْجِزَهُۥ مِن شَىْءٍ فِى ٱلسَّمَـٰوَٰتِ وَلَا فِى ٱلْأَرْضِ ۚ إِنَّهُۥ كَانَ عَلِيمًا قَدِيرًا ﴿٤٤﴾

39. C'est Lui qui a fait de vous des successeurs sur terre. Quiconque mécroit, sa mécréance retombera sur lui. Leur mécréance n'ajoute aux mécréants qu'opprobre auprès de leur Seigneur. Leur mécréance n'ajoute que perte aux mécréants.

40. Dis: «Voyez-vous vos associés que vous invoquez en dehors d'Allāh? Montrez-moi ce qu'ils ont créé de la terre. Ont-ils été associés à la création des cieux? Ou leur avons-Nous apporté un Livre qui contienne des preuves [pour ce qu'ils font?]» Non! Mais ce n'est qu'en tromperie que les injustes se font des promesses les uns aux autres.

41. Allāh retient les cieux et la terre pour qu'ils ne s'affaissent pas. Et s'ils s'affaissaient, nul autre après Lui ne pourra les retenir. Il est Indulgent et Pardonneur.

42. Et ils ont juré solennellement par Allāh, que si un avertisseur leur venait, ils seraient certes mieux guidés que n'importe quelle autre communauté. Puis, quand un avertisseur (Muḥammad) leur est venu, cela n'a fait qu'accroître leur répulsion,

43. par orgueil sur terre et par manœuvre perfide. Cependant, la manœuvre perfide n'enveloppe que ses propres auteurs. Attendent-ils donc un autre sort que celui des Anciens? Or, jamais tu ne trouveras de changement dans la règle d'Allāh, et jamais tu ne trouveras de déviation dans la règle d'Allāh.

44. N'ont-ils donc jamais parcouru la terre pour voir ce qu'il est advenu de ceux qui vécurent avant eux et qui étaient plus puissants qu'eux? Et rien, dans les cieux ni sur terre ne saurait réduire l'autorité d'Allāh. Car Il est certes Omniscient, Omnipotent.

وَلَوْ يُؤَاخِذُ ٱللَّهُ ٱلنَّاسَ بِمَا كَسَبُوا۟ مَا تَرَكَ عَلَىٰ

ظَهْرِهَا مِن دَآبَّةٍ وَلَـٰكِن يُؤَخِّرُهُمْ إِلَىٰٓ أَجَلٍ مُّسَمًّى

فَإِذَا جَآءَ أَجَلُهُمْ فَإِنَّ ٱللَّهَ كَانَ بِعِبَادِهِۦ بَصِيرًا ﴿٤٥﴾

سُورَةُ يَس

بِسْمِ ٱللَّهِ ٱلرَّحْمَـٰنِ ٱلرَّحِيمِ

يٓسٓ ﴿١﴾ وَٱلْقُرْءَانِ ٱلْحَكِيمِ ﴿٢﴾ إِنَّكَ لَمِنَ ٱلْمُرْسَلِينَ ﴿٣﴾ عَلَىٰ

صِرَٰطٍ مُّسْتَقِيمٍ ﴿٤﴾ تَنزِيلَ ٱلْعَزِيزِ ٱلرَّحِيمِ ﴿٥﴾ لِتُنذِرَ قَوْمًا مَّآ

أُنذِرَ ءَابَآؤُهُمْ فَهُمْ غَٰفِلُونَ ﴿٦﴾ لَقَدْ حَقَّ ٱلْقَوْلُ عَلَىٰٓ أَكْثَرِهِمْ

فَهُمْ لَا يُؤْمِنُونَ ﴿٧﴾ إِنَّا جَعَلْنَا فِىٓ أَعْنَٰقِهِمْ أَغْلَٰلًا فَهِىَ إِلَى

ٱلْأَذْقَانِ فَهُم مُّقْمَحُونَ ﴿٨﴾ وَجَعَلْنَا مِنۢ بَيْنِ أَيْدِيهِمْ سَدًّا

وَمِنْ خَلْفِهِمْ سَدًّا فَأَغْشَيْنَٰهُمْ فَهُمْ لَا يُبْصِرُونَ ﴿٩﴾ وَسَوَآءٌ

عَلَيْهِمْ ءَأَنذَرْتَهُمْ أَمْ لَمْ تُنذِرْهُمْ لَا يُؤْمِنُونَ ﴿١٠﴾ إِنَّمَا تُنذِرُ

مَنِ ٱتَّبَعَ ٱلذِّكْرَ وَخَشِىَ ٱلرَّحْمَـٰنَ بِٱلْغَيْبِ فَبَشِّرْهُ بِمَغْفِرَةٍ

وَأَجْرٍ كَرِيمٍ ﴿١١﴾ إِنَّا نَحْنُ نُحْىِ ٱلْمَوْتَىٰ وَنَكْتُبُ

مَا قَدَّمُوا۟ وَءَاثَٰرَهُمْ وَكُلَّ شَىْءٍ أَحْصَيْنَٰهُ فِىٓ إِمَامٍ مُّبِينٍ ﴿١٢﴾

45. Et si Allāh s'en prenait aux gens pour ce qu'ils acquièrent, Il ne laisserait à la surface [de la terre] aucun être vivant. Mais Il leur donne un délai jusqu'à un terme fixé. Puis quand leur terme viendra... (Il se saisira d'eux) car Allāh est Très Clairvoyant sur Ses serviteurs.

YĀ-SĪN[1]

sourate 36   83 versets   Pré-hégirien n°41

Au nom d'Allāh, le Tout Miséricordieux, le Très Miséricordieux.

1. Yā-Sīn.

2. Par le Qur'ān plein de sagesse.

3. Tu (Muḥammad) es certes du nombre des messagers,

4. sur un chemin droit.

5. C'est une révélation de la part du Tout-Puissant, du Très Miséricordieux,

6. pour que tu avertisses un peuple dont les ancêtres n'ont pas été avertis: ils sont donc insouciants.

7. En effet, la Parole[2] contre la plupart d'entre eux s'est réalisée: ils ne croiront donc pas.

8. Nous mettrons des carcans à leurs cous, et il y en aura jusqu'aux mentons: et voilà qu'ils iront têtes dressées

9. et Nous mettrons une barrière devant eux et une barrière derrière eux ; Nous les recouvrirons d'un voile: et voilà qu'ils ne pourront rien voir.

10. Cela leur est égal que tu les avertisses ou que tu ne les avertisses pas: ils ne croiront jamais.

11. Tu avertis seulement celui qui suit le Rappel (le Qur'ān), et craint le Tout Miséricordieux, malgré qu'il ne Le voit pas. Annonce-lui un pardon et une récompense généreuse.

12. C'est Nous qui ressuscitons les morts et écrivons ce qu'ils ont fait [pour l'au-delà] ainsi que leurs traces[3]. Et Nous avons dénombré toute chose dans un registre explicite.

---

1. *Yā-Sīn*: cette sourate n'a d'autre titre que les deux lettres Y.S. du premier verset. Cf. la note à S. 2. v.1.
2. *La Parole*: la sentence déjà prononcée dans le livre éternel.
3. *Leurs traces*: les conséquences de leurs actes.

وَاضْرِبْ لَهُم مَّثَلًا أَصْحَابَ الْقَرْيَةِ إِذْ جَاءَهَا الْمُرْسَلُونَ ۝

إِذْ أَرْسَلْنَا إِلَيْهِمُ اثْنَيْنِ فَكَذَّبُوهُمَا فَعَزَّزْنَا بِثَالِثٍ فَقَالُوٓا إِنَّا

إِلَيْكُم مُّرْسَلُونَ ۝ قَالُوا مَا أَنتُمْ إِلَّا بَشَرٌ مِّثْلُنَا وَمَا أَنزَلَ

الرَّحْمَٰنُ مِن شَيْءٍ إِنْ أَنتُمْ إِلَّا تَكْذِبُونَ ۝ قَالُوا رَبُّنَا يَعْلَمُ إِنَّا

إِلَيْكُمْ لَمُرْسَلُونَ ۝ وَمَا عَلَيْنَآ إِلَّا الْبَلَٰغُ الْمُبِينُ ۝

قَالُوٓا إِنَّا تَطَيَّرْنَا بِكُمْ لَئِن لَّمْ تَنتَهُوا لَنَرْجُمَنَّكُمْ وَلَيَمَسَّنَّكُم

مِّنَّا عَذَابٌ أَلِيمٌ ۝ قَالُوا طَٰئِرُكُم مَّعَكُمْ أَئِن ذُكِّرْتُم

بَلْ أَنتُمْ قَوْمٌ مُّسْرِفُونَ ۝ وَجَاءَ مِنْ أَقْصَا الْمَدِينَةِ رَجُلٌ

يَسْعَىٰ قَالَ يَٰقَوْمِ اتَّبِعُوا الْمُرْسَلِينَ ۝ اتَّبِعُوا مَن

لَّا يَسْئَلُكُمْ أَجْرًا وَهُم مُّهْتَدُونَ ۝ وَمَا لِيَ لَا أَعْبُدُ الَّذِى

فَطَرَنِي وَإِلَيْهِ تُرْجَعُونَ ۝ ءَأَتَّخِذُ مِن دُونِهِ ءَالِهَةً إِن

يُرِدْنِ الرَّحْمَٰنُ بِضُرٍّ لَّا تُغْنِ عَنِّي شَفَٰعَتُهُمْ شَيْئًا وَلَا

يُنقِذُونِ ۝ إِنِّي إِذًا لَّفِي ضَلَٰلٍ مُّبِينٍ ۝ إِنِّي ءَامَنتُ

بِرَبِّكُمْ فَاسْمَعُونِ ۝ قِيلَ ادْخُلِ الْجَنَّةَ قَالَ يَٰلَيْتَ قَوْمِي

يَعْلَمُونَ ۝ بِمَا غَفَرَ لِي رَبِّي وَجَعَلَنِي مِنَ الْمُكْرَمِينَ ۝

13. Donne-leur comme exemple les habitants de la cité, quand lui vinrent les envoyés[1].

14. Quand Nous leur envoyâmes deux [envoyés] et qu'ils les traitèrent de menteurs. Nous [les] renforçâmes alors par un troisième et ils dirent: «Vraiment. nous sommes envoyés à vous».

15. Mais ils [les gens] dirent: «Vous n'êtes que des hommes comme nous. Le Tout Miséricordieux n'a rien fait descendre et vous ne faites que mentir».

16. Ils [les messagers] dirent: «Notre Seigneur sait qu'en vérité nous sommes envoyés à vous,

17. et il ne nous incombe que de transmettre clairement (notre message).»

18. Ils dirent: «Nous voyons en vous un mauvais présage. Si vous ne cessez pas, nous vous lapiderons et un douloureux châtiment de notre part vous touchera».

19. Ils dirent: «Votre mauvais présage est avec vous-mêmes. Est-ce que (c'est ainsi que vous agissez) quand on vous [le] rappelle? Mais vous êtes des gens outranciers!»

20. Et du bout de la ville, un homme vint en toute hâte et dit: «Ô mon peuple, suivez les messagers:

21. suivez ceux qui ne vous demandent aucun salaire et qui sont sur la bonne voie.

22. et qu'aurais-je à ne pas adorer Celui qui m'a créé? Et c'est vers Lui que vous serez ramenés.

23. Prendrais-je en dehors de Lui des divinités? Si le Tout Miséricordieux me veut du mal, leur intercession ne me servira à rien et ils ne me sauveront pas.

24. Je serai alors dans un égarement évident.

25. [Mais] je crois en votre Seigneur. Ecoutez-moi donc».

26. Alors, il [lui] fut dit: «Entre au Paradis». Il dit: «Ah si seulement mon peuple savait!

27. ...en raison de quoi mon Seigneur m'a pardonné et mis au nombre des honorés».

---

1. *La cité*: Antioche.
Les envoyés: les apôtres de Jésus.

۞ وَمَآ أَنزَلْنَا عَلَىٰ قَوْمِهِۦ مِنۢ بَعْدِهِۦ مِن جُندٍ مِّنَ ٱلسَّمَآءِ وَمَا كُنَّا مُنزِلِينَ ۝ إِن كَانَتْ إِلَّا صَيْحَةً وَٰحِدَةً فَإِذَا هُمْ خَٰمِدُونَ ۝ يَٰحَسْرَةً عَلَى ٱلْعِبَادِ مَا يَأْتِيهِم مِّن رَّسُولٍ إِلَّا كَانُوا۟ بِهِۦ يَسْتَهْزِءُونَ ۝ أَلَمْ يَرَوْا۟ كَمْ أَهْلَكْنَا قَبْلَهُم مِّنَ ٱلْقُرُونِ أَنَّهُمْ إِلَيْهِمْ لَا يَرْجِعُونَ ۝ وَإِن كُلٌّ لَّمَّا جَمِيعٌ لَّدَيْنَا مُحْضَرُونَ ۝ وَءَايَةٌ لَّهُمُ ٱلْأَرْضُ ٱلْمَيْتَةُ أَحْيَيْنَٰهَا وَأَخْرَجْنَا مِنْهَا حَبًّا فَمِنْهُ يَأْكُلُونَ ۝ وَجَعَلْنَا فِيهَا جَنَّٰتٍ مِّن نَّخِيلٍ وَأَعْنَٰبٍ وَفَجَّرْنَا فِيهَا مِنَ ٱلْعُيُونِ ۝ لِيَأْكُلُوا۟ مِن ثَمَرِهِۦ وَمَا عَمِلَتْهُ أَيْدِيهِمْ أَفَلَا يَشْكُرُونَ ۝ سُبْحَٰنَ ٱلَّذِى خَلَقَ ٱلْأَزْوَٰجَ كُلَّهَا مِمَّا تُنۢبِتُ ٱلْأَرْضُ وَمِنْ أَنفُسِهِمْ وَمِمَّا لَا يَعْلَمُونَ ۝ وَءَايَةٌ لَّهُمُ ٱلَّيْلُ نَسْلَخُ مِنْهُ ٱلنَّهَارَ فَإِذَا هُم مُّظْلِمُونَ ۝ وَٱلشَّمْسُ تَجْرِى لِمُسْتَقَرٍّ لَّهَا ذَٰلِكَ تَقْدِيرُ ٱلْعَزِيزِ ٱلْعَلِيمِ ۝ وَٱلْقَمَرَ قَدَّرْنَٰهُ مَنَازِلَ حَتَّىٰ عَادَ كَٱلْعُرْجُونِ ٱلْقَدِيمِ ۝ لَا ٱلشَّمْسُ يَنۢبَغِى لَهَآ أَن تُدْرِكَ ٱلْقَمَرَ وَلَا ٱلَّيْلُ سَابِقُ ٱلنَّهَارِ وَكُلٌّ فِى فَلَكٍ يَسْبَحُونَ ۝

28. Et après lui Nous ne fîmes descendre du ciel aucune armée. Nous ne voulions rien faire descendre sur son peuple.

29. Ce ne fut qu'un seul Cri et les voilà éteints.

30. Hélas pour les esclaves [les humains]! Jamais il ne leur vient de messager sans qu'ils ne s'en raillent.

31. Ne voient-ils pas combien de générations avant eux Nous avons fait périr? Lesquelles ne retourneront jamais parmi eux.

32. Et tous sans exception comparaîtront devant Nous.

33. Une preuve pour eux est la terre morte, à laquelle Nous redonnons la vie, et d'où Nous faisons sortir des grains dont ils mangent.

34. Nous y avons mis des jardins de palmiers et de vignes et y avons fait jaillir des sources,

35. afin qu'ils mangent de Ses fruits et de ce que leurs mains ont produit[1]. Ne seront-ils pas reconnaissants?

36. Louange à Celui qui a créé tous les couples de ce que la terre fait pousser, d'eux-mêmes, et de ce qu'ils ne savent pas!

37. Et une preuve pour eux est la nuit. Nous en écorchons le jour et ils sont alors dans les ténèbres.

38. et le soleil court vers un gîte qui lui est assigné ; telle est la détermination du Tout-Puissant, de l'Omniscient.

39. Et la lune, Nous lui avons déterminé des phases jusqu'à ce qu'elle devienne comme la palme vieillie[2].

40. Le soleil ne peut rattraper la lune, ni la nuit devancer le jour ; et chacun vogue dans une orbite.

---

1. *Ce que leurs mains ont produit*: autre interprétation: et ce ne sont pas leurs mains qui les ont fabriqués.
2. *Comme la palme vieillie*: le croissant de lune ressemble à la palme desséchée.

وَءَايَةٌ لَّهُمْ أَنَّا حَمَلْنَا ذُرِّيَّتَهُمْ فِى الْفُلْكِ الْمَشْحُونِ ۝ وَخَلَقْنَا

لَهُم مِّن مِّثْلِهِۦ مَا يَرْكَبُونَ ۝ وَإِن نَّشَأْ نُغْرِقْهُمْ فَلَا صَرِيخَ لَهُمْ

وَلَا هُمْ يُنقَذُونَ ۝ إِلَّا رَحْمَةً مِّنَّا وَمَتَٰعًا إِلَىٰ حِينٍ ۝ وَإِذَا

قِيلَ لَهُمُ اتَّقُواْ مَا بَيْنَ أَيْدِيكُمْ وَمَا خَلْفَكُمْ لَعَلَّكُمْ تُرْحَمُونَ ۝

وَمَا تَأْتِيهِم مِّنْ ءَايَةٍ مِّنْ ءَايَٰتِ رَبِّهِمْ إِلَّا كَانُواْ عَنْهَا مُعْرِضِينَ

۝ وَإِذَا قِيلَ لَهُمْ أَنفِقُواْ مِمَّا رَزَقَكُمُ اللَّهُ قَالَ الَّذِينَ كَفَرُواْ

لِلَّذِينَ ءَامَنُوٓاْ أَنُطْعِمُ مَن لَّوْ يَشَآءُ اللَّهُ أَطْعَمَهُۥٓ إِنْ أَنتُمْ إِلَّا فِى

ضَلَٰلٍ مُّبِينٍ ۝ وَيَقُولُونَ مَتَىٰ هَٰذَا الْوَعْدُ إِن كُنتُمْ صَٰدِقِينَ

۝ مَا يَنظُرُونَ إِلَّا صَيْحَةً وَٰحِدَةً تَأْخُذُهُمْ وَهُمْ يَخِصِّمُونَ

۝ فَلَا يَسْتَطِيعُونَ تَوْصِيَةً وَلَآ إِلَىٰٓ أَهْلِهِمْ يَرْجِعُونَ ۝

وَنُفِخَ فِى الصُّورِ فَإِذَا هُم مِّنَ الْأَجْدَاثِ إِلَىٰ رَبِّهِمْ يَنسِلُونَ

۝ قَالُواْ يَٰوَيْلَنَا مَنۢ بَعَثَنَا مِن مَّرْقَدِنَا ۜ هَٰذَا مَا وَعَدَ الرَّحْمَٰنُ

وَصَدَقَ الْمُرْسَلُونَ ۝ إِن كَانَتْ إِلَّا صَيْحَةً

وَٰحِدَةً فَإِذَا هُمْ جَمِيعٌ لَّدَيْنَا مُحْضَرُونَ ۝ فَالْيَوْمَ لَا تُظْلَمُ

نَفْسٌ شَيْـًٔا وَلَا تُجْزَوْنَ إِلَّا مَا كُنتُمْ تَعْمَلُونَ ۝

41. Et un (autre) signe pour eux est que Nous avons transporté leur descendance sur le bâteau chargé[1] ;

42. et Nous leur créâmes des semblables sur lesquels ils montent.

43. Et si Nous le voulons, Nous les noyons ; pour eux alors, pas de secoureur et ils ne seront pas sauvés,

44. sauf par une miséricorde de Notre part, et à titre de jouissance pour un temps.

45. Et quand on leur dit: «Craignez ce qu'il y a devant vous et ce qu'il y a derrière vous afin que vous ayez la miséricorde»[2]! ...

46. Or, pas une preuve ne leur vient, parmi les preuves de leur Seigneur sans qu'ils ne s'en détournent.

47. Et quand on leur dit: «Dépensez de ce qu'Allāh vous a attribué», ceux qui ont mécru disent à ceux qui ont cru: «Nourrirons-nous quelqu'un qu'Allāh aurait nourri s'Il l'avait voulu? Vous n'êtes que dans un égarement évident».

48. Et ils disent: «À quand cette promesse si vous êtes véridiques?»

49. Ils n'attendent qu'un seul Cri qui les saisira alors qu'ils seront en train de disputer.

50. Ils ne pourront donc ni faire de testament, ni retourner chez leurs familles.

51. Et on soufflera dans la Trompe, et voilà que, des tombes, ils se précipiteront vers leur Seigneur,

52. en disant: «Malheur à nous! Qui nous a ressuscités de là ou nous dormions?» C'est ce que le Tout Miséricordieux avait promis ; et les Messagers avaient dit vrai.

53. Ce ne sera qu'un seul Cri, et voilà qu'ils seront tous amenés devant Nous.

54. Ce jour-là, aucune âme ne sera lésée en rien. Et vous ne serez rétribués que selon ce que vous faisiez.

---

1. *Le bateau*: l'arche de Noé.
2. *Craignez*: a) pour vos péchés antérieurs, présents et futurs ; b) le sort des anciens mécréants ; c) la punition de l'au-delà.

إِنَّ أَصۡحَٰبَ ٱلۡجَنَّةِ ٱلۡيَوۡمَ فِي شُغُلٖ فَٰكِهُونَ ۝ هُمۡ وَأَزۡوَٰجُهُمۡ فِي ظِلَٰلٍ عَلَى ٱلۡأَرَآئِكِ مُتَّكِـُٔونَ ۝ لَهُمۡ فِيهَا فَٰكِهَةٞ وَلَهُم مَّا يَدَّعُونَ ۝ سَلَٰمٞ قَوۡلٗا مِّن رَّبّٖ رَّحِيمٖ ۝ وَٱمۡتَٰزُواْ ٱلۡيَوۡمَ أَيُّهَا ٱلۡمُجۡرِمُونَ ۝ ۞ أَلَمۡ أَعۡهَدۡ إِلَيۡكُمۡ يَٰبَنِيٓ ءَادَمَ أَن لَّا تَعۡبُدُواْ ٱلشَّيۡطَٰنَۖ إِنَّهُۥ لَكُمۡ عَدُوّٞ مُّبِينٞ ۝ وَأَنِ ٱعۡبُدُونِيۚ هَٰذَا صِرَٰطٞ مُّسۡتَقِيمٞ ۝ وَلَقَدۡ أَضَلَّ مِنكُمۡ جِبِلّٗا كَثِيرًاۖ أَفَلَمۡ تَكُونُواْ تَعۡقِلُونَ ۝ هَٰذِهِۦ جَهَنَّمُ ٱلَّتِي كُنتُمۡ تُوعَدُونَ ۝ ٱصۡلَوۡهَا ٱلۡيَوۡمَ بِمَا كُنتُمۡ تَكۡفُرُونَ ۝ ٱلۡيَوۡمَ نَخۡتِمُ عَلَىٰٓ أَفۡوَٰهِهِمۡ وَتُكَلِّمُنَآ أَيۡدِيهِمۡ وَتَشۡهَدُ أَرۡجُلُهُم بِمَا كَانُواْ يَكۡسِبُونَ ۝ وَلَوۡ نَشَآءُ لَطَمَسۡنَا عَلَىٰٓ أَعۡيُنِهِمۡ فَٱسۡتَبَقُواْ ٱلصِّرَٰطَ فَأَنَّىٰ يُبۡصِرُونَ ۝ وَلَوۡ نَشَآءُ لَمَسَخۡنَٰهُمۡ عَلَىٰ مَكَانَتِهِمۡ فَمَا ٱسۡتَطَٰعُواْ مُضِيّٗا وَلَا يَرۡجِعُونَ ۝ وَمَن نُّعَمِّرۡهُ نُنَكِّسۡهُ فِي ٱلۡخَلۡقِۚ أَفَلَا يَعۡقِلُونَ ۝ وَمَا عَلَّمۡنَٰهُ ٱلشِّعۡرَ وَمَا يَنۢبَغِي لَهُۥٓۚ إِنۡ هُوَ إِلَّا ذِكۡرٞ وَقُرۡءَانٞ مُّبِينٞ ۝ لِّيُنذِرَ مَن كَانَ حَيّٗا وَيَحِقَّ ٱلۡقَوۡلُ عَلَى ٱلۡكَٰفِرِينَ ۝

55. Les gens du Paradis seront, ce jour-là, dans une occupation qui les remplit de bonheur ;

56. eux et leurs épouses sont sous des ombrages, accoudés sur les divans.

57. Là ils auront des fruits et ils auront ce qu'ils réclameront,

58. «Salām» [paix et salut]! Parole de la part d'un Seigneur Très Miséricordieux.

59. «Ô injustes! Tenez-vous à l'écart ce jour-là!

60. Ne vous ai-Je pas engagés, enfants d'Adam, à ne pas adorer le Diable?Car il est vraiment pour vous un ennemi déclaré,

61. et [ne vous ai-Je pas engagés] à M'adorer? Voilà un chemin bien droit.

62. Et il a très certainement égaré un grand nombre d'entre vous. Ne raisonniez-vous donc pas?

63. Voici l'Enfer qu'on vous promettait.

64. Brûlez-y aujourd'hui, pour avoir mécru».

65. Ce jour-là, Nous scellerons leurs bouches, tandis que leurs mains Nous parleront et que leurs jambes témoigneront de ce qu'ils avaient accompli.

66. Et si Nous voulions, Nous effacerions leurs yeux et ils courront vers le chemin. Mais comment alors pourront-ils voir?

67. Et si Nous voulions, Nous les métamorphoserions sur place ; alors ils ne sauront ni avancer ni revenir.

68. À quiconque Nous accordons une longue vie, Nous faisons baisser sa forme. Ne comprendront-ils donc pas?

69. Nous ne lui (à Muḥammad) avons pas enseigné la poésie ; cela ne lui convient pas non plus. Ceci n'est qu'un rappel et une Lecture [Qur'ān] claire,

70. pour qu'il avertisse celui qui est vivant et que la Parole se réalise contre les mécréants.

أَوَلَمْ يَرَوْاْ أَنَّا خَلَقْنَا لَهُم مِّمَّا عَمِلَتْ أَيْدِينَآ أَنْعَـٰمًا فَهُمْ لَهَا

مَـٰلِكُونَ ۝ وَذَلَّلْنَـٰهَا لَهُمْ فَمِنْهَا رَكُوبُهُمْ وَمِنْهَا يَأْكُلُونَ ۝

وَلَهُمْ فِيهَا مَنَـٰفِعُ وَمَشَارِبُ أَفَلَا يَشْكُرُونَ ۝ وَٱتَّخَذُواْ

مِن دُونِ ٱللَّهِ ءَالِهَةً لَّعَلَّهُمْ يُنصَرُونَ ۝ لَا يَسْتَطِيعُونَ

نَصْرَهُمْ وَهُمْ لَهُمْ جُندٌ مُّحْضَرُونَ ۝ فَلَا يَحْزُنكَ قَوْلُهُمْ

إِنَّا نَعْلَمُ مَا يُسِرُّونَ وَمَا يُعْلِنُونَ ۝ أَوَلَمْ يَرَ ٱلْإِنسَـٰنُ أَنَّا

خَلَقْنَـٰهُ مِن نُّطْفَةٍ فَإِذَا هُوَ خَصِيمٌ مُّبِينٌ ۝ وَضَرَبَ لَنَا

مَثَلًا وَنَسِيَ خَلْقَهُۥ قَالَ مَن يُحْيِ ٱلْعِظَـٰمَ وَهِيَ رَمِيمٌ ۝

قُلْ يُحْيِيهَا ٱلَّذِىٓ أَنشَأَهَآ أَوَّلَ مَرَّةٍ وَهُوَ بِكُلِّ خَلْقٍ عَلِيمٌ ۝

ٱلَّذِى جَعَلَ لَكُم مِّنَ ٱلشَّجَرِ ٱلْأَخْضَرِ نَارًا فَإِذَآ أَنتُم

مِّنْهُ تُوقِدُونَ ۝ أَوَلَيْسَ ٱلَّذِى خَلَقَ ٱلسَّمَـٰوَٰتِ وَٱلْأَرْضَ

بِقَـٰدِرٍ عَلَىٰٓ أَن يَخْلُقَ مِثْلَهُم بَلَىٰ وَهُوَ ٱلْخَلَّـٰقُ ٱلْعَلِيمُ ۝

إِنَّمَآ أَمْرُهُۥٓ إِذَآ أَرَادَ شَيْـًٔا أَن يَقُولَ لَهُۥ كُن فَيَكُونُ ۝

فَسُبْحَـٰنَ ٱلَّذِى بِيَدِهِۦ مَلَكُوتُ كُلِّ شَىْءٍ وَإِلَيْهِ تُرْجَعُونَ ۝

سُورَةُ الصَّافَّاتِ

71. Ne voient-ils donc pas que, parmi ce que Nos mains ont fait, Nous leur avons créé des bestiaux dont ils sont propriétaires ;

72. et Nous les leur avons soumis: certains leur servent de monture et d'autres de nourriture ;

73. et ils en retirent d'autres utilités et des boissons. Ne seront-ils donc pas reconnaissants?

74. Et ils adoptèrent des divinités en dehors d'Allāh, dans l'espoir d'être secourus...

75. Celles-ci ne pourront pas les secourir, elles formeront au contraire une armée dressée contre eux.

76. Que leurs paroles ne t'affligent donc pas! Nous savons ce qu'ils cachent et ce qu'ils divulguent.

77. L'homme ne voit-il pas que Nous l'avons créé d'une goutte de sperme? Et le voilà [devenu] un adversaire déclaré!

78. Il cite pour Nous un exemple, tandis qu'il oublie sa propre création ; il dit: «Qui va redonner la vie à des ossements une fois réduits en poussière?»

79. Dis: «Celui qui les a créés une première fois, leur redonnera la vie. Il Se connaît parfaitement à toute création ;

80. c'est Lui qui, de l'arbre vert, a fait pour vous du feu, et voilà que de cela vous allumez.

81. Celui qui a créé les cieux et la terre ne sera-t-Il pas capable de créer leur pareil? Oh que si! Et Il est le grand Créateur, l'Omniscient.

82. Quand Il veut une chose, Son commandement consiste à dire: «Sois», et c'est.

83. Louange donc, à Celui qui détient en sa main la royauté sur toute chose! Et c'est vers Lui que vous serez ramenés.

بِسْمِ اللَّهِ الرَّحْمَٰنِ الرَّحِيمِ

وَالصَّٰفَّٰتِ صَفًّا ۝ فَالزَّٰجِرَٰتِ زَجْرًا ۝ فَالتَّٰلِيَٰتِ ذِكْرًا ۝

إِنَّ إِلَٰهَكُمْ لَوَٰحِدٌ ۝ رَّبُّ ٱلسَّمَٰوَٰتِ وَٱلْأَرْضِ وَمَا بَيْنَهُمَا وَرَبُّ

ٱلْمَشَٰرِقِ ۝ إِنَّا زَيَّنَّا ٱلسَّمَآءَ ٱلدُّنْيَا بِزِينَةٍ ٱلْكَوَاكِبِ ۝ وَحِفْظًا

مِّن كُلِّ شَيْطَٰنٍ مَّارِدٍ ۝ لَّا يَسَّمَّعُونَ إِلَى ٱلْمَلَإِ ٱلْأَعْلَىٰ وَيُقْذَفُونَ

مِن كُلِّ جَانِبٍ ۝ دُحُورًا وَلَهُمْ عَذَابٌ وَاصِبٌ ۝ إِلَّا مَنْ خَطِفَ

ٱلْخَطْفَةَ فَأَتْبَعَهُۥ شِهَابٌ ثَاقِبٌ ۝ فَٱسْتَفْتِهِمْ أَهُمْ أَشَدُّ خَلْقًا

أَم مَّنْ خَلَقْنَآ إِنَّا خَلَقْنَٰهُم مِّن طِينٍ لَّازِبٍ ۝ بَلْ عَجِبْتَ

وَيَسْخَرُونَ ۝ وَإِذَا ذُكِّرُوا لَا يَذْكُرُونَ ۝ وَإِذَا رَأَوْا ءَايَةً يَسْتَسْخِرُونَ

۝ وَقَالُوٓا إِنْ هَٰذَآ إِلَّا سِحْرٌ مُّبِينٌ ۝ أَءِذَا مِتْنَا وَكُنَّا تُرَابًا وَعِظَٰمًا

أَءِنَّا لَمَبْعُوثُونَ ۝ أَوَءَابَآؤُنَا ٱلْأَوَّلُونَ ۝ قُلْ نَعَمْ وَأَنتُمْ دَٰخِرُونَ

۝ فَإِنَّمَا هِيَ زَجْرَةٌ وَٰحِدَةٌ فَإِذَا هُمْ يَنظُرُونَ ۝ وَقَالُوا يَٰوَيْلَنَا هَٰذَا

يَوْمُ ٱلدِّينِ ۝ هَٰذَا يَوْمُ ٱلْفَصْلِ ٱلَّذِي كُنتُم بِهِۦ تُكَذِّبُونَ

۝ ٱحْشُرُوا ٱلَّذِينَ ظَلَمُوا وَأَزْوَٰجَهُمْ وَمَا كَانُوا يَعْبُدُونَ ۝ مِن دُونِ

ٱللَّهِ فَٱهْدُوهُمْ إِلَىٰ صِرَٰطِ ٱلْجَحِيمِ ۝ وَقِفُوهُمْ إِنَّهُم مَّسْئُولُونَ ۝

AṢ-ṢĀFFĀT (LES RANGÉS)[1]

sourate 37   182 versets   Pré-hégirien n°56

Au nom d'Allāh, le Tout Miséricordieux, le Très Miséricordieux.

1. Par ceux qui sont rangés en rangs[2].

2. Par ceux qui poussent (les nuages) avec force.

3. Par ceux qui récitent, en rappel:

4. «Votre Dieu est en vérité unique,

5. le Seigneur des cieux et de la terre et de ce qui existe entre eux et Seigneur des Levants»[3].

6. Nous avons décoré le ciel le plus proche d'un décor: les étoiles,

7. afin de le protéger contre tout diable rebelle.

8. Ils ne pourront être à l'écoute des dignitaires suprêmes [les Anges] ; car ils seront harcelés de tout côté,

9. et refoulés. Et ils auront un châtiment perpétuel.

10. Sauf celui qui saisit au vol quelque [information] ; il est alors pourchassé par un météore transperçant.

11. Demande-leur s'ils sont plus difficiles à créer que ceux que Nous avons créés? Car Nous les avons créés de boue collante[4]!

12. Mais tu t'étonnes, et ils se moquent!

13. Et quand on le leur rappelle (le Qur'ān), ils ne se rappellent pas ;

14. et quand ils voient un prodige, ils cherchent à s'en moquer,

15. et disent: «Ceci n'est que magie évidente.

16. Lorsque nous serons morts et que nous deviendrons poussière et ossements, serons-nous ressuscités?

17. ainsi que nos premiers ancêtres?»

18. Dis: «Oui! et vous vous humilierez».

19. Il n'y aura qu'un seul Cri, et voilà qu'ils regarderont,

20. et ils diront: «Malheur à nous! C'est le jour de la Rétribution».

21. «C'est le jour du Jugement que vous traitiez de mensonge».

22. «Rassemblez les injustes et leurs épouses et tout ce qu'ils adoraient,

23. en dehors d'Allāh. Puis conduisez-les au chemin de la Fournaise.

24. Et arrêtez-les: car ils doivent être interrogés».

---

1. Titre tiré du v. 1.
2. *Les rangés en rangs*: les Anges, dont les attributions sont définies aux vv. 2 et 3.
3. *Seigneur des Levants*: le soleil se lève en des endroits différents suivant la saison.
4. *Demande-leur*: (aux mécréants mecquois).
Ceux qui...: tout le reste de la création: les cieux, la terre, etc.

مَالَكُمْ لَا تَنَاصَرُونَ ۝ بَلْ هُمُ ٱلْيَوْمَ مُسْتَسْلِمُونَ ۝ وَأَقْبَلَ بَعْضُهُمْ عَلَىٰ بَعْضٍ يَتَسَآءَلُونَ ۝ قَالُوٓا۟ إِنَّكُمْ كُنتُمْ تَأْتُونَنَا عَنِ ٱلْيَمِينِ ۝ قَالُوا۟ بَل لَّمْ تَكُونُوا۟ مُؤْمِنِينَ ۝ وَمَا كَانَ لَنَا عَلَيْكُم مِّن سُلْطَٰنٍ بَلْ كُنتُمْ قَوْمًا طَٰغِينَ ۝ فَحَقَّ عَلَيْنَا قَوْلُ رَبِّنَآ إِنَّا لَذَآئِقُونَ ۝ فَأَغْوَيْنَٰكُمْ إِنَّا كُنَّا غَٰوِينَ ۝ فَإِنَّهُمْ يَوْمَئِذٍ فِى ٱلْعَذَابِ مُشْتَرِكُونَ ۝ إِنَّا كَذَٰلِكَ نَفْعَلُ بِٱلْمُجْرِمِينَ ۝ إِنَّهُمْ كَانُوٓا۟ إِذَا قِيلَ لَهُمْ لَآ إِلَٰهَ إِلَّا ٱللَّهُ يَسْتَكْبِرُونَ ۝ وَيَقُولُونَ أَئِنَّا لَتَارِكُوٓا۟ ءَالِهَتِنَا لِشَاعِرٍ مَّجْنُونٍ ۝ بَلْ جَآءَ بِٱلْحَقِّ وَصَدَّقَ ٱلْمُرْسَلِينَ ۝ إِنَّكُمْ لَذَآئِقُوا۟ ٱلْعَذَابِ ٱلْأَلِيمِ ۝ وَمَا تُجْزَوْنَ إِلَّا مَا كُنتُمْ تَعْمَلُونَ ۝ إِلَّا عِبَادَ ٱللَّهِ ٱلْمُخْلَصِينَ ۝ أُو۟لَٰٓئِكَ لَهُمْ رِزْقٌ مَّعْلُومٌ ۝ فَوَٰكِهُ وَهُم مُّكْرَمُونَ ۝ فِى جَنَّٰتِ ٱلنَّعِيمِ ۝ عَلَىٰ سُرُرٍ مُّتَقَٰبِلِينَ ۝ يُطَافُ عَلَيْهِم بِكَأْسٍ مِّن مَّعِينٍ ۝ بَيْضَآءَ لَذَّةٍ لِّلشَّٰرِبِينَ ۝ لَا فِيهَا غَوْلٌ وَلَا هُمْ عَنْهَا يُنزَفُونَ ۝ وَعِندَهُمْ قَٰصِرَٰتُ ٱلطَّرْفِ عِينٌ ۝ كَأَنَّهُنَّ بَيْضٌ مَّكْنُونٌ ۝ فَأَقْبَلَ بَعْضُهُمْ عَلَىٰ بَعْضٍ يَتَسَآءَلُونَ ۝ قَالَ قَآئِلٌ مِّنْهُمْ إِنِّى كَانَ لِى قَرِينٌ ۝

25. «Pourquoi ne vous portez-vous pas secours mutuellement»?

26. Mais ce jour-là, ils seront complètement soumis,

27. et les uns se tourneront vers les autres s'interrogeant mutuellement ;

28. Ils diront: «C'est vous qui nous forciez (à la mécréance)»[1].

29. «C'est vous plutôt (diront les chefs) qui ne vouliez pas croire.

30. Et nous n'avions aucun pouvoir sur vous. C'est vous plutôt qui étiez des gens transgresseurs.

31. La parole de notre Seigneur s'est donc réalisée contre nous ; certes, nous allons goûter [au châtiment].»

32. «Nous vous avons induits en erreur car, en vérité, nous étions égarés nous-mêmes».

33. Ce jour-là donc, ils seront tous associés dans le châtiment.

34. Ainsi traitons-Nous les criminels.

35. Quand on leur disait: «Point de divinité à part Allāh», ils se gonflaient d'orgueil,

36. et disaient: «Allons-nous abandonner nos divinités pour un poète fou?»

37. Il est plutôt venu avec la Vérité et il a confirmé les messagers (précédents).

38. Vous allez certes, goûter au châtiment douloureux.

39. Et vous ne serez rétribués que selon ce que vous œuvriez,

40. sauf les serviteurs élus d'Allāh,

41. Ceux-là auront une rétribution bien connue:

42. des fruits, et ils seront honorés,

43. dans les Jardins du délice,

44. sur des lits, face à face.

45. On fera circuler entre eux une coupe d'eau remplie à une source

46. blanche, savoureuse à boire,

47. Elle n'offusquera point leur raison et ne les enivrera pas.

48. Et Ils auront auprès d'eux des belles aux grands yeux, au regard chaste,

49. semblables au blanc bien préservé de l'œuf[2].

50. Puis les uns se tourneront vers les autres s'interrogeant mutuellement.

51. L'un d'eux dira: «J'avais un compagnon

---

1. *Littéralement*: Vous veniez à nous du côté droit (au nom de la religion et de la vérité pour nous en détourner).
2. *Autre interp.*: comme perles cachées.

يَقُولُ أَءِنَّكَ لَمِنَ ٱلْمُصَدِّقِينَ ۝ أَءِذَا مِتْنَا وَكُنَّا تُرَابًا وَعِظَـٰمًا أَءِنَّا لَمَدِينُونَ ۝ قَالَ هَلْ أَنتُم مُّطَّلِعُونَ ۝ فَٱطَّلَعَ فَرَءَاهُ فِى سَوَآءِ ٱلْجَحِيمِ ۝ قَالَ تَٱللَّهِ إِن كِدتَّ لَتُرْدِينِ ۝ وَلَوْلَا نِعْمَةُ رَبِّى لَكُنتُ مِنَ ٱلْمُحْضَرِينَ ۝ أَفَمَا نَحْنُ بِمَيِّتِينَ ۝ إِلَّا مَوْتَتَنَا ٱلْأُولَىٰ وَمَا نَحْنُ بِمُعَذَّبِينَ ۝ إِنَّ هَـٰذَا لَهُوَ ٱلْفَوْزُ ٱلْعَظِيمُ ۝ لِمِثْلِ هَـٰذَا فَلْيَعْمَلِ ٱلْعَـٰمِلُونَ ۝ أَذَٰلِكَ خَيْرٌ نُّزُلًا أَمْ شَجَرَةُ ٱلزَّقُّومِ ۝ إِنَّا جَعَلْنَـٰهَا فِتْنَةً لِّلظَّـٰلِمِينَ ۝ إِنَّهَا شَجَرَةٌ تَخْرُجُ فِىٓ أَصْلِ ٱلْجَحِيمِ ۝ طَلْعُهَا كَأَنَّهُۥ رُءُوسُ ٱلشَّيَـٰطِينِ ۝ فَإِنَّهُمْ لَـَٔاكِلُونَ مِنْهَا فَمَالِـُٔونَ مِنْهَا ٱلْبُطُونَ ۝ ثُمَّ إِنَّ لَهُمْ عَلَيْهَا لَشَوْبًا مِّنْ حَمِيمٍ ۝ ثُمَّ إِنَّ مَرْجِعَهُمْ لَإِلَى ٱلْجَحِيمِ ۝ إِنَّهُمْ أَلْفَوْا۟ ءَابَآءَهُمْ ضَآلِّينَ ۝ فَهُمْ عَلَىٰٓ ءَاثَـٰرِهِمْ يُهْرَعُونَ ۝ وَلَقَدْ ضَلَّ قَبْلَهُمْ أَكْثَرُ ٱلْأَوَّلِينَ ۝ وَلَقَدْ أَرْسَلْنَا فِيهِم مُّنذِرِينَ ۝ فَٱنظُرْ كَيْفَ كَانَ عَـٰقِبَةُ ٱلْمُنذَرِينَ ۝ إِلَّا عِبَادَ ٱللَّهِ ٱلْمُخْلَصِينَ ۝ وَلَقَدْ نَادَىٰنَا نُوحٌ فَلَنِعْمَ ٱلْمُجِيبُونَ ۝ وَنَجَّيْنَـٰهُ وَأَهْلَهُۥ مِنَ ٱلْكَرْبِ ٱلْعَظِيمِ ۝

52. qui disait: «Es-tu vraiment de ceux qui croient?

53. Est-ce que quand nous mourrons et serons poussière et ossements, nous aurons à rendre des comptes?»

54. Il dira: «Est-ce que vous voudriez regarder d'en haut?»

55. Alors il regardera d'en haut et il le verra en plein dans la Fournaise,

56. et dira: «Par Allāh! Tu as bien failli causer ma perte!

57. et sans le bienfait de mon Seigneur, j'aurais certainement été du nombre de ceux qu'on traine [au supplice].

58. N'est-il pas vrai que nous ne mourrons

59. que de notre première mort et que nous ne serons pas châtiés?»

60. C'est cela, certes, le grand succès.

61. C'est pour une chose pareille que doivent œuvrer ceux qui œuvrent.

62. Est-ce que ceci est meilleur comme séjour, ou l'arbre de Zaqqūm[1]?

63. Nous l'avons assigné en épreuve aux injustes.

64. C'est un arbre qui sort du fond de la Fournaise.

65. Ses fruits sont comme des têtes de diables.

66. Ils doivent certainement en manger et ils doivent s'en remplir le ventre.

67. Ensuite ils auront par-dessus une mixture d'eau bouillante.

68. Puis leur retour sera vers la Fournaise.

69. C'est qu'ils ont trouvé leurs ancêtres dans l'égarement,

70. et les voilà courant sur leurs traces.

71. En effet, avant eux, la plupart des anciens se sont égarés.

72. Et Nous avions certes envoyé parmi eux des avertisseurs.

73. Regarde donc ce qu'il est advenu de ceux qui ont été avertis!

74. Exception faite des élus, parmi les serviteurs d'Allāh:

75. Noé, en effet, fit appel à Nous qui sommes le Meilleur Répondeur (qui exauce les prières).

76. Et Nous le sauvâmes, lui et sa famille, de la grande angoisse,

---

1. *Zaqqūm*: arbre en Enfer dont le fruit amer et repoussant servira de nourriture aux damnés.

وَجَعَلْنَا ذُرِّيَّتَهُ هُمُ الْبَاقِينَ ۝ وَتَرَكْنَا عَلَيْهِ فِي الْآخِرِينَ ۝ سَلَٰمٌ عَلَىٰ نُوحٍ فِي الْعَالَمِينَ ۝ إِنَّا كَذَٰلِكَ نَجْزِي الْمُحْسِنِينَ ۝ إِنَّهُ مِنْ عِبَادِنَا الْمُؤْمِنِينَ ۝ ثُمَّ أَغْرَقْنَا الْآخَرِينَ ۝ ۞ وَإِنَّ مِن شِيعَتِهِ لَإِبْرَٰهِيمَ ۝ إِذْ جَاءَ رَبَّهُ بِقَلْبٍ سَلِيمٍ ۝ إِذْ قَالَ لِأَبِيهِ وَقَوْمِهِ مَاذَا تَعْبُدُونَ ۝ أَئِفْكًا آلِهَةً دُونَ اللَّهِ تُرِيدُونَ ۝ فَمَا ظَنُّكُم بِرَبِّ الْعَالَمِينَ ۝ فَنَظَرَ نَظْرَةً فِي النُّجُومِ ۝ فَقَالَ إِنِّي سَقِيمٌ ۝ فَتَوَلَّوْا عَنْهُ مُدْبِرِينَ ۝ فَرَاغَ إِلَىٰ آلِهَتِهِمْ فَقَالَ أَلَا تَأْكُلُونَ ۝ مَا لَكُمْ لَا تَنطِقُونَ ۝ فَرَاغَ عَلَيْهِمْ ضَرْبًا بِالْيَمِينِ ۝ فَأَقْبَلُوا إِلَيْهِ يَزِفُّونَ ۝ قَالَ أَتَعْبُدُونَ مَا تَنْحِتُونَ ۝ وَاللَّهُ خَلَقَكُمْ وَمَا تَعْمَلُونَ ۝ قَالُوا ابْنُوا لَهُ بُنْيَانًا فَأَلْقُوهُ فِي الْجَحِيمِ ۝ فَأَرَادُوا بِهِ كَيْدًا فَجَعَلْنَاهُمُ الْأَسْفَلِينَ ۝ وَقَالَ إِنِّي ذَاهِبٌ إِلَىٰ رَبِّي سَيَهْدِينِ ۝ رَبِّ هَبْ لِي مِنَ الصَّالِحِينَ ۝ فَبَشَّرْنَاهُ بِغُلَامٍ حَلِيمٍ ۝ فَلَمَّا بَلَغَ مَعَهُ السَّعْيَ قَالَ يَٰبُنَيَّ إِنِّي أَرَىٰ فِي الْمَنَامِ أَنِّي أَذْبَحُكَ فَانظُرْ مَاذَا تَرَىٰ قَالَ يَٰأَبَتِ افْعَلْ مَا تُؤْمَرُ سَتَجِدُنِي إِن شَاءَ اللَّهُ مِنَ الصَّابِرِينَ ۝

77. et Nous fîmes de sa descendance les seuls survivants,

78. et Nous avons perpétué son souvenir dans la postérité,

79. Paix sur Noé dans tout l'univers!

80. Ainsi récompensons-Nous les bienfaisants.

81. Il était, certes, un de Nos serviteurs croyants.

82. Ensuite Nous noyâmes les autres.

83. Du nombre de ses coreligionnaires, certes, fut Abraham.

84. Quand il vint à son Seigneur avec un cœur sain.

85. Quand il dit à son père et à son peuple: «Qu'est-ce que vous adorez?»

86. Cherchez-vous, dans votre égarement, des divinités en dehors d'Allāh?

87. Que pensez-vous du Seigneur de l'univers?»

88. Puis, il jeta un regard attentif sur les étoiles,

89. et dit: «Je suis malade»[1].

90. Ils lui tournèrent le dos et s'en allèrent.

91. Alors il se glissa vers leurs divinités et dit: «Ne mangez-vous pas?

92. Qu'avez-vous à ne pas parler?»

93. Puis il se mit furtivement à les frapper de sa main droite.

94. Alors [les gens] vinrent à lui en courant.

95. Il [leur] dit: «Adorez-vous ce que vous-mêmes sculptez,

96. alors que c'est Allāh qui vous a créés, vous et ce que vous fabriquez?»

97. Ils dirent: «Qu'on lui construise un four et qu'on le lance dans la fournaise!»

98. Ils voulurent lui jouer un mauvais tour ; mais ce sont eux que Nous mîmes à bas.

99. Et il dit: «Moi, je pars vers mon Seigneur et Il me guidera.

100. Seigneur, fais-moi don d'une [progéniture] d'entre les vertueux».

101. Nous lui fîmes donc la bonne annonce d'un garçon (Ismaïl) longanime.

102. Puis quand celui-ci fut en âge de l'accompagner. [Abraham] dit: «Ô mon fils, je me vois en songe en train de t'immoler. Vois donc ce que tu en penses». (Ismaël) dit: «Ô mon cher père, fais ce qui t'es commandé: tu me trouveras, s'il plaît à Allāh, du nombre des endurants».

---

1. *Je suis malade*: il faut entendre qu'Abraham est vraiment attristé par le fait que son peuple adore les idoles.

فَلَمَّآ أَسْلَمَا وَتَلَّهُ لِلْجَبِينِ ﴿١٠٣﴾ وَنَٰدَيْنَٰهُ أَن يَٰٓإِبْرَٰهِيمُ ﴿١٠٤﴾ قَدْ صَدَّقْتَ ٱلرُّءْيَآ إِنَّا كَذَٰلِكَ نَجْزِى ٱلْمُحْسِنِينَ ﴿١٠٥﴾ إِنَّ هَٰذَا لَهُوَ ٱلْبَلَٰٓؤُا۟ ٱلْمُبِينُ ﴿١٠٦﴾ وَفَدَيْنَٰهُ بِذِبْحٍ عَظِيمٍ ﴿١٠٧﴾ وَتَرَكْنَا عَلَيْهِ فِى ٱلْءَاخِرِينَ ﴿١٠٨﴾ سَلَٰمٌ عَلَىٰٓ إِبْرَٰهِيمَ ﴿١٠٩﴾ كَذَٰلِكَ نَجْزِى ٱلْمُحْسِنِينَ ﴿١١٠﴾ إِنَّهُۥ مِنْ عِبَادِنَا ٱلْمُؤْمِنِينَ ﴿١١١﴾ وَبَشَّرْنَٰهُ بِإِسْحَٰقَ نَبِيًّا مِّنَ ٱلصَّٰلِحِينَ ﴿١١٢﴾ وَبَٰرَكْنَا عَلَيْهِ وَعَلَىٰٓ إِسْحَٰقَ وَمِن ذُرِّيَّتِهِمَا مُحْسِنٌ وَظَالِمٌ لِّنَفْسِهِۦ مُبِينٌ ﴿١١٣﴾ وَلَقَدْ مَنَنَّا عَلَىٰ مُوسَىٰ وَهَٰرُونَ ﴿١١٤﴾ وَنَجَّيْنَٰهُمَا وَقَوْمَهُمَا مِنَ ٱلْكَرْبِ ٱلْعَظِيمِ ﴿١١٥﴾ وَنَصَرْنَٰهُمْ فَكَانُوا۟ هُمُ ٱلْغَٰلِبِينَ ﴿١١٦﴾ وَءَاتَيْنَٰهُمَا ٱلْكِتَٰبَ ٱلْمُسْتَبِينَ ﴿١١٧﴾ وَهَدَيْنَٰهُمَا ٱلصِّرَٰطَ ٱلْمُسْتَقِيمَ ﴿١١٨﴾ وَتَرَكْنَا عَلَيْهِمَا فِى ٱلْءَاخِرِينَ ﴿١١٩﴾ سَلَٰمٌ عَلَىٰ مُوسَىٰ وَهَٰرُونَ ﴿١٢٠﴾ إِنَّا كَذَٰلِكَ نَجْزِى ٱلْمُحْسِنِينَ ﴿١٢١﴾ إِنَّهُمَا مِنْ عِبَادِنَا ٱلْمُؤْمِنِينَ ﴿١٢٢﴾ وَإِنَّ إِلْيَاسَ لَمِنَ ٱلْمُرْسَلِينَ ﴿١٢٣﴾ إِذْ قَالَ لِقَوْمِهِۦٓ أَلَا تَتَّقُونَ ﴿١٢٤﴾ أَتَدْعُونَ بَعْلًا وَتَذَرُونَ أَحْسَنَ ٱلْخَٰلِقِينَ ﴿١٢٥﴾ ٱللَّهَ رَبَّكُمْ وَرَبَّ ءَابَآئِكُمُ ٱلْأَوَّلِينَ ﴿١٢٦﴾

103. Puis quand tous deux se furent soumis (à l'ordre d'Allāh) et qu'il l'eut jeté sur le front,

104. voilà que Nous l'appelâmes «Abraham!

105. Tu as confirmé la vision. C'est ainsi que Nous récompensons les bienfaisants».

106. C'était là certes, l'épreuve manifeste.

107. Et Nous le rançonnâmes d'une immolation généreuse[1].

108. Et Nous perpétuâmes son renom dans la postérité:

109. «Paix sur Abraham».

110. Ainsi récompensons-Nous les bienfaisants ;

111. car il était de Nos serviteurs croyants.

112. Nous lui fîmes la bonne annonce d'Isaac comme prophète d'entre les gens vertueux.

113. Et Nous le bénîmes ainsi que Isaac. Parmi leurs descendances il y a [l'homme] de bien et celui qui est manifestement injuste envers lui-même.

114. Et Nous accordâmes certes à Moïse et Aaron des faveurs,

115. et les sauvâmes ainsi que leur peuple, de la grande angoisse,

116. et les secourûmes, et ils furent eux les vainqueurs.

117. Et Nous leur apportâmes le livre explicite

118. et les guidâmes vers le droit chemin.

119. Et Nous perpétuâmes leur renom dans la postérité:

120. «Paix sur Moïse et Aaron»

121. Ainsi récompensons-Nous les bienfaisants ;

122. car ils étaient du nombre de Nos serviteurs croyants.

123. Elie était, certes, du nombre des Messagers.

124. Quand il dit à son peuple: «Ne craignez-vous pas [Allāh]?»

125. Invoquerez-vous Baal (une idole) et délaisserez-vous le Meilleur des créateurs,

126. Allāh, votre Seigneur et le Seigneur de vos plus anciens ancêtres?»

---

1. Ce verset et le verset suivant rapportent qu'Abraham fut autorisé par Allāh à racheter la vie de son fils unique d'alors, Ismaël, qu'il devait immoler, par le sacrifice d'un animal.

فَكَذَّبُوهُ فَإِنَّهُمْ لَمُحْضَرُونَ ۝ إِلَّا عِبَادَ ٱللَّهِ ٱلْمُخْلَصِينَ ۝

وَتَرَكْنَا عَلَيْهِ فِى ٱلْآخِرِينَ ۝ سَلَٰمٌ عَلَىٰٓ إِلْ يَاسِينَ ۝ إِنَّا كَذَٰلِكَ

نَجْزِى ٱلْمُحْسِنِينَ ۝ إِنَّهُ مِنْ عِبَادِنَا ٱلْمُؤْمِنِينَ ۝ وَإِنَّ لُوطًا

لَّمِنَ ٱلْمُرْسَلِينَ ۝ إِذْ نَجَّيْنَٰهُ وَأَهْلَهُۥٓ أَجْمَعِينَ ۝ إِلَّا عَجُوزًا

فِى ٱلْغَٰبِرِينَ ۝ ثُمَّ دَمَّرْنَا ٱلْآخَرِينَ ۝ وَإِنَّكُمْ لَتَمُرُّونَ عَلَيْهِم

مُّصْبِحِينَ ۝ وَبِٱلَّيْلِ أَفَلَا تَعْقِلُونَ ۝ وَإِنَّ يُونُسَ لَمِنَ

ٱلْمُرْسَلِينَ ۝ إِذْ أَبَقَ إِلَى ٱلْفُلْكِ ٱلْمَشْحُونِ ۝ فَسَاهَمَ فَكَانَ

مِنَ ٱلْمُدْحَضِينَ ۝ فَٱلْتَقَمَهُ ٱلْحُوتُ وَهُوَ مُلِيمٌ ۝ فَلَوْلَآ أَنَّهُۥ

كَانَ مِنَ ٱلْمُسَبِّحِينَ ۝ لَلَبِثَ فِى بَطْنِهِۦٓ إِلَىٰ يَوْمِ يُبْعَثُونَ ۝

۞ فَنَبَذْنَٰهُ بِٱلْعَرَآءِ وَهُوَ سَقِيمٌ ۝ وَأَنۢبَتْنَا عَلَيْهِ شَجَرَةً

مِّن يَقْطِينٍ ۝ وَأَرْسَلْنَٰهُ إِلَىٰ مِا۟ئَةِ أَلْفٍ أَوْ يَزِيدُونَ ۝

فَـَٔامَنُوا۟ فَمَتَّعْنَٰهُمْ إِلَىٰ حِينٍ ۝ فَٱسْتَفْتِهِمْ أَلِرَبِّكَ ٱلْبَنَاتُ

وَلَهُمُ ٱلْبَنُونَ ۝ أَمْ خَلَقْنَا ٱلْمَلَٰٓئِكَةَ إِنَٰثًا وَهُمْ

شَٰهِدُونَ ۝ أَلَآ إِنَّهُم مِّنْ إِفْكِهِمْ لَيَقُولُونَ ۝ وَلَدَ

ٱللَّهُ وَإِنَّهُمْ لَكَٰذِبُونَ ۝ أَصْطَفَى ٱلْبَنَاتِ عَلَى ٱلْبَنِينَ ۝

الحزب
٤٦

127. Ils le traitèrent de menteur. Et bien, ils seront emmenées (au châtiment).

128. Exception faite des serviteurs élus d'Allāh.

129. Et Nous perpétuâmes son renom dans la postérité:

130. «Paix sur Elie et ses adeptes».

131. Ainsi récompensons-Nous les bienfaisants,

132. car il était du nombre de Nos serviteurs croyants.

133. Et Lot était, certes, du nombre des Messagers.

134. Quand Nous le sauvâmes, lui et sa famille, tout entière,

135. sauf une vieille femme qui devait disparaître avec les autres,

136. Et Nous détruisîmes les autres

137. Et vous passez certainement auprès d'eux[1] le matin

138. et la nuit. Ne raisonnez-vous donc pas?

139. Jonas était certes, du nombre des Messagers.

140. Quand il s'enfuit vers le bateau comble,

141. Il prit part au tirage au sort qui le désigna pour être jeté [à la mer].

142. Le poisson l'avala alors qu'il était blâmable[2].

143. S'il n'avait pas été parmi ceux qui glorifient Allāh,

144. il serait demeuré dans son ventre jusqu'au jour où l'on sera ressuscité.

145. Nous le jetâmes sur la terre nue, indisposé qu'il était.

146. Et Nous fîmes pousser au-dessus de lui un plant de courge,

147. et l'envoyâmes ensuite (comme prophète) vers cent mille hommes ou plus.

148. Ils crurent, et nous leur donnâmes jouissance de la vie pour un temps.

149. Pose-leur donc la question: «Ton Seigneur aurait-Il des filles et eux des fils?

150. Ou bien avons-Nous créé des Anges de sexe féminin, et en sont-ils témoins?»

151. Certes, ils disent dans leur mensonge:

152. «Allāh a engendré» ; mais ce sont certainement des menteurs!

153. Aurait-Il choisi des filles de préférence à des fils?

---

1. *Auprès d'eux*: sur la route des caravanes.
2. *Il était blâmable*: pour avoir quitté son peuple sans la permission d'Allāh.

مَالَكُمْ كَيْفَ تَحْكُمُونَ ﴿١٥٤﴾ أَفَلَا تَذَكَّرُونَ ﴿١٥٥﴾ أَمْ لَكُمْ سُلْطَانٌ مُبِينٌ

﴿١٥٦﴾ فَأْتُوا بِكِتَابِكُمْ إِن كُنتُمْ صَادِقِينَ ﴿١٥٧﴾ وَجَعَلُوا بَيْنَهُ وَبَيْنَ الْجِنَّةِ

نَسَبًا وَلَقَدْ عَلِمَتِ الْجِنَّةُ إِنَّهُمْ لَمُحْضَرُونَ ﴿١٥٨﴾ سُبْحَانَ اللَّهِ عَمَّا

يَصِفُونَ ﴿١٥٩﴾ إِلَّا عِبَادَ اللَّهِ الْمُخْلَصِينَ ﴿١٦٠﴾ فَإِنَّكُمْ وَمَا تَعْبُدُونَ

﴿١٦١﴾ مَا أَنتُمْ عَلَيْهِ بِفَاتِنِينَ ﴿١٦٢﴾ إِلَّا مَنْ هُوَ صَالِ الْجَحِيمِ ﴿١٦٣﴾ وَمَا مِنَّا إِلَّا

لَهُ مَقَامٌ مَعْلُومٌ ﴿١٦٤﴾ وَإِنَّا لَنَحْنُ الصَّافُّونَ ﴿١٦٥﴾ وَإِنَّا لَنَحْنُ الْمُسَبِّحُونَ

﴿١٦٦﴾ وَإِن كَانُوا لَيَقُولُونَ ﴿١٦٧﴾ لَوْ أَنَّ عِندَنَا ذِكْرًا مِنَ الْأَوَّلِينَ ﴿١٦٨﴾ لَكُنَّا

عِبَادَ اللَّهِ الْمُخْلَصِينَ ﴿١٦٩﴾ فَكَفَرُوا بِهِ فَسَوْفَ يَعْلَمُونَ ﴿١٧٠﴾ وَلَقَدْ

سَبَقَتْ كَلِمَتُنَا لِعِبَادِنَا الْمُرْسَلِينَ ﴿١٧١﴾ إِنَّهُمْ لَهُمُ الْمَنصُورُونَ ﴿١٧٢﴾ وَإِنَّ

جُندَنَا لَهُمُ الْغَالِبُونَ ﴿١٧٣﴾ فَتَوَلَّ عَنْهُمْ حَتَّى حِينٍ ﴿١٧٤﴾ وَأَبْصِرْهُمْ فَسَوْفَ

يُبْصِرُونَ ﴿١٧٥﴾ أَفَبِعَذَابِنَا يَسْتَعْجِلُونَ ﴿١٧٦﴾ فَإِذَا نَزَلَ بِسَاحَتِهِمْ فَسَاءَ

صَبَاحُ الْمُنذَرِينَ ﴿١٧٧﴾ وَتَوَلَّ عَنْهُمْ حَتَّى حِينٍ ﴿١٧٨﴾ وَأَبْصِرْ فَسَوْفَ

يُبْصِرُونَ ﴿١٧٩﴾ سُبْحَانَ رَبِّكَ رَبِّ الْعِزَّةِ عَمَّا يَصِفُونَ ﴿١٨٠﴾

وَسَلَامٌ عَلَى الْمُرْسَلِينَ ﴿١٨١﴾ وَالْحَمْدُ لِلَّهِ رَبِّ الْعَالَمِينَ ﴿١٨٢﴾

سُورَةُ ص

154. Qu'avez-vous donc à juger ainsi?

155. Ne réfléchissez-vous donc pas?

156. Ou avez-vous un argument évident?

157. Apportez donc votre Livre si vous êtes véridiques!»

158. Et ils ont établi entre Lui et les djinns une parenté, alors que les djinns savent bien qu'ils [les mécréants]¹ vont être emmenés (pour le châtiment).

159. Gloire à Allāh. Il est au-dessus de ce qu'ils décrivent!

160. Exception faite des serviteurs élus d'Allāh.

161. En vérité, vous et tout ce que vous adorez,

162. ne pourrez tenter [personne],

163. excepté celui qui sera brûlé dans la Fournaise.

164. Il n'y en a pas un, parmi nous, qui n'ait une place connue²

165. nous sommes certes, les rangés en rangs ;

166. et c'est nous certes, qui célébrons la gloire [d'Allāh].

167. Même s'ils disaient:

168. «Si nous avions eu un Rappel de [nos] ancêtres,

169. nous aurions été certes les serviteurs élus d'Allāh!

170. Ils y ont mécru et ils sauront bientôt.

171. En effet, Notre Parole a déjà été donnée à Nos serviteurs, les Messagers,

172. que ce sont eux qui seront secourus,

173. et que Nos soldats auront le dessus.

174. Eloigne-toi d'eux, jusqu'à un certain temps ;

175. et observe-les: ils verront bientôt!

176. Quoi! Est-ce Notre châtiment qu'ils cherchent à hâter?

177. Quand il tombera dans leur place, ce sera alors un mauvais matin pour ceux qu'on a avertis!

178. Et éloigne-toi d'eux jusqu'à un certain temps ;

179. et observe ; ils verront bientôt!

180. Gloire à ton Seigneur, le Seigneur de la puissance. Il est au-dessus de ce qu'ils décrivent!

181. Et paix sur les Messagers,

182. et louange à Allāh, Seigneur de l'univers!

---

1. *Qu'ils*: soit les mécréants soit les djinns eux-mêmes.
2. Ce sont les Anges qui parlent ici, les «rangés en rangs» du v. 1.

بِسْمِ اللَّهِ الرَّحْمَٰنِ الرَّحِيمِ

صٓ ۚ وَالْقُرْآنِ ذِي الذِّكْرِ ۝ بَلِ الَّذِينَ كَفَرُوا فِي عِزَّةٍ وَشِقَاقٍ ۝

كَمْ أَهْلَكْنَا مِن قَبْلِهِم مِّن قَرْنٍ فَنَادَوا وَّلَاتَ حِينَ مَنَاصٍ ۝ وَعَجِبُوا

أَن جَاءَهُم مُّنذِرٌ مِّنْهُمْ ۖ وَقَالَ الْكَافِرُونَ هَٰذَا سَاحِرٌ كَذَّابٌ ۝

أَجَعَلَ الْآلِهَةَ إِلَٰهًا وَاحِدًا ۖ إِنَّ هَٰذَا لَشَيْءٌ عُجَابٌ ۝ وَانطَلَقَ الْمَلَأُ

مِنْهُمْ أَنِ امْشُوا وَاصْبِرُوا عَلَىٰ آلِهَتِكُمْ ۖ إِنَّ هَٰذَا لَشَيْءٌ يُرَادُ ۝

مَا سَمِعْنَا بِهَٰذَا فِي الْمِلَّةِ الْآخِرَةِ إِنْ هَٰذَا إِلَّا اخْتِلَاقٌ ۝ أَأُنزِلَ

عَلَيْهِ الذِّكْرُ مِن بَيْنِنَا ۚ بَلْ هُمْ فِي شَكٍّ مِّن ذِكْرِي ۖ بَل لَّمَّا يَذُوقُوا عَذَابِ ۝

أَمْ عِندَهُمْ خَزَائِنُ رَحْمَةِ رَبِّكَ الْعَزِيزِ الْوَهَّابِ ۝ أَمْ لَهُم

مُّلْكُ السَّمَاوَاتِ وَالْأَرْضِ وَمَا بَيْنَهُمَا ۖ فَلْيَرْتَقُوا فِي الْأَسْبَابِ ۝

جُندٌ مَّا هُنَالِكَ مَهْزُومٌ مِّنَ الْأَحْزَابِ ۝ كَذَّبَتْ قَبْلَهُمْ قَوْمُ

نُوحٍ وَعَادٌ وَفِرْعَوْنُ ذُو الْأَوْتَادِ ۝ وَثَمُودُ وَقَوْمُ لُوطٍ وَأَصْحَابُ

الْأَيْكَةِ ۚ أُولَٰئِكَ الْأَحْزَابُ ۝ إِن كُلٌّ إِلَّا كَذَّبَ الرُّسُلَ

فَحَقَّ عِقَابِ ۝ وَمَا يَنظُرُ هَٰؤُلَاءِ إِلَّا صَيْحَةً وَاحِدَةً مَّا لَهَا

مِن فَوَاقٍ ۝ وَقَالُوا رَبَّنَا عَجِّل لَّنَا قِطَّنَا قَبْلَ يَوْمِ الْحِسَابِ ۝

ṢĀD[1]

sourate 38   88 versets   Pré-hégirien n°38

Au nom d'Allāh, le Tout Miséricordieux, le Très Miséricordieux.

1. Ṣād. Par le Qur'ān, au renom glorieux (ḏikr)[2]!

2. Ceux qui ont mécru sont plutôt dans l'orgueil et le schisme!

3. Que de générations avant eux avons-Nous fait périr, qui ont crié, hélas, quand il n'était plus temps d'échapper?

4. Et ils (les Mecquois) s'étonnèrent qu'un avertisseur parmi eux leur soit venu, et les infidèles disent: «C'est un magicien et un grand menteur,

5. Réduira-t-il les divinités à un Seul Dieu? Voilà une chose vraiment étonnante».

6. Et leurs notables partirent en disant: «Allez-vous en, et restez constants à vos dieux: c'est là vraiment une chose souhaitable.

7. Nous n'avons pas entendu cela dans la dernière religion (le Christianisme) ; ce n'est en vérité que pure invention!

8. Quoi! C'est sur lui, parmi nous, qu'on aurait fait descendre le Rappel [le Qur'ān]?» Plutôt ils sont dans le doute au sujet de Mon message. Ou plutôt ils n'ont pas encore goûté à Mon châtiment!

9. Ou bien détiennent-ils les trésors de la miséricorde de ton Seigneur, le Puissant, le Dispensateur par excellence.

10. Ou bien ont-ils le royaume des cieux et de la terre et de ce qui existe entre eux?

Eh bien, qu'ils y montent par n'importe quel moyen!

11. Une armée de coalisés qui, ici même, sera mise en déroute!

12. Avant eux, le peuple de Noé, les ʿĀd et Pharaon l'homme aux pals[3] (ou aux Pyramides),

13. et les Ṯamūd, le peuple de Lot, et les gens d'al-Aïka[4], (ont tous démenti leurs Messagers). Voilà les coalisés.

14. Il n'en est aucun qui n'ait traité les Messagers de menteurs. Et bien, Ma punition s'est avérée contre eux!

15. Ceux-ci[5] n'attendant qu'un seul Cri, sans répétition.

16. Et ils disent: «Seigneur, hâte-nous notre part avant le jour des Comptes»[6].

---

1. Titre tiré du v. 1 ; Ṣād: lettre de l'alphabet. Voir S. 2, v. 1.
2. *Ḏikr*: signifie également: ce qu'on doit se rappeler pour suivre le chemin droit.
3. *L'homme aux pals*: (pour le supplice).
4. *Les gens d'al-Aïka*: du buisson (de Madyan).
5. *Ceux-ci n'attendent*: ce sont les païens de La Mecque, interlocuteurs de Muḥammad (ﷺ).
6. *Seigneur... Comptes*: dit ironiquement.
Notre part: le châtiment dont nous sommes menacés.

أَصْبِرْ عَلَىٰ مَا يَقُولُونَ وَاذْكُرْ عَبْدَنَا دَاوُۥدَ ذَا الْأَيْدِ إِنَّهُۥٓ أَوَّابٌ ﴿١٧﴾

إِنَّا سَخَّرْنَا الْجِبَالَ مَعَهُۥ يُسَبِّحْنَ بِالْعَشِيِّ وَالْإِشْرَاقِ ﴿١٨﴾ وَالطَّيْرَ

مَحْشُورَةً كُلٌّ لَّهُۥٓ أَوَّابٌ ﴿١٩﴾ وَشَدَدْنَا مُلْكَهُۥ وَءَاتَيْنَٰهُ الْحِكْمَةَ

وَفَصْلَ الْخِطَابِ ﴿٢٠﴾ ۞ وَهَلْ أَتَىٰكَ نَبَؤُا۟ الْخَصْمِ إِذْ تَسَوَّرُوا۟

الْمِحْرَابَ ﴿٢١﴾ إِذْ دَخَلُوا۟ عَلَىٰ دَاوُۥدَ فَفَزِعَ مِنْهُمْ قَالُوا۟ لَا تَخَفْ

خَصْمَانِ بَغَىٰ بَعْضُنَا عَلَىٰ بَعْضٍ فَاحْكُم بَيْنَنَا بِالْحَقِّ وَلَا تُشْطِطْ

وَاهْدِنَآ إِلَىٰ سَوَآءِ الصِّرَٰطِ ﴿٢٢﴾ إِنَّ هَٰذَآ أَخِي لَهُۥ تِسْعٌ وَتِسْعُونَ نَعْجَةً

وَلِيَ نَعْجَةٌ وَٰحِدَةٌ فَقَالَ أَكْفِلْنِيهَا وَعَزَّنِي فِي الْخِطَابِ ﴿٢٣﴾ قَالَ

لَقَدْ ظَلَمَكَ بِسُؤَالِ نَعْجَتِكَ إِلَىٰ نِعَاجِهِۦ وَإِنَّ كَثِيرًا مِّنَ الْخُلَطَآءِ لَيَبْغِي

بَعْضُهُمْ عَلَىٰ بَعْضٍ إِلَّا الَّذِينَ ءَامَنُوا۟ وَعَمِلُوا۟ الصَّٰلِحَٰتِ وَقَلِيلٌ

مَّا هُمْ ۗ وَظَنَّ دَاوُۥدُ أَنَّمَا فَتَنَّٰهُ فَاسْتَغْفَرَ رَبَّهُۥ وَخَرَّ رَاكِعًا وَأَنَابَ ۩

﴿٢٤﴾ فَغَفَرْنَا لَهُۥ ذَٰلِكَ وَإِنَّ لَهُۥ عِندَنَا لَزُلْفَىٰ وَحُسْنَ مَـَٔابٍ

يَٰدَاوُۥدُ إِنَّا جَعَلْنَٰكَ خَلِيفَةً فِي الْأَرْضِ فَاحْكُم بَيْنَ النَّاسِ ﴿٢٥﴾

بِالْحَقِّ وَلَا تَتَّبِعِ الْهَوَىٰ فَيُضِلَّكَ عَن سَبِيلِ اللَّهِ إِنَّ الَّذِينَ يَضِلُّونَ

عَن سَبِيلِ اللَّهِ لَهُمْ عَذَابٌ شَدِيدٌ بِمَا نَسُوا۟ يَوْمَ الْحِسَابِ ﴿٢٦﴾

17. Endure ce qu'ils disent ; et rappelle-toi David, Notre serviteur, doué de force [dans l'adoration] et plein de repentir [à Allāh].

18. Nous soumîmes les montagnes à glorifier Allāh, soir et matin, en sa compagnie,

19. de même que les oiseaux assemblés en masse, tous ne faisant qu'obéir à lui [Allāh].

20. Et Nous renforçâmes son royaume et lui donnâmes la sagesse et la faculté de bien juger[1].

21. Et t'est-elle parvenue la nouvelle des disputeurs quand ils grimpèrent au mur du sanctuaire[2]!

22. Quand ils entrèrent auprès de David, il en fut effrayé. Ils dirent: «N'aie pas peur! Nous sommes tous deux en dispute ; l'un de nous a fait du tort à l'autre. Juge donc en toute équité entre nous, ne sois pas injuste et guide-nous vers le chemin droit.

23. Celui-ci est mon frère: il a quatre-vingt-dix-neuf brebis, tandis que je n'ai qu'une brebis. Il m'a dit: «Confie-la-moi» ; et dans la conversation, il a beaucoup fait pression sur moi».

24. Il [David] dit: «Il a été certes injuste envers toi en demandant de joindre ta brebis à ses brebis». Beaucoup de gens transgressent les droits de leurs associés, sauf ceux qui croient et accomplissent les bonnes œuvres - cependant ils sont bien rares. - Et David pensa alors que Nous l'avions mis à l'épreuve. Il demanda donc pardon à son Seigneur et tomba prosterné et se repentit[3].

25. Nous lui pardonnâmes. Il aura une place proche de Nous et un beau refuge.

26. «Ô David, Nous avons fait de toi un calife[4] sur la terre. Juge donc en toute équité parmi les gens et ne suis pas la passion: sinon elle t'égarera du sentier d'Allāh». Car ceux qui s'égarent du sentier d'Allāh auront un dur châtiment pour avoir oublié le Jour des Comptes.

---

1. *Bien juger*: autre sens - parler peu et aller droit au but.
2. *Grimpèrent ... sanctuaire*: David était en train de prier dans son sanctuaire.
3. Après ce verset on se prosterne.
4. *Un calife [Ḫalīfa]*: le détenteur du pouvoir pour gouverner les gens avec équité.

وَمَا خَلَقْنَا ٱلسَّمَآءَ وَٱلْأَرْضَ وَمَا بَيْنَهُمَا بَٰطِلًا ذَٰلِكَ ظَنُّ ٱلَّذِينَ كَفَرُواْ فَوَيْلٌ لِّلَّذِينَ كَفَرُواْ مِنَ ٱلنَّارِ ۞ أَمْ نَجْعَلُ ٱلَّذِينَ ءَامَنُواْ وَعَمِلُواْ ٱلصَّٰلِحَٰتِ كَٱلْمُفْسِدِينَ فِي ٱلْأَرْضِ أَمْ نَجْعَلُ ٱلْمُتَّقِينَ كَٱلْفُجَّارِ ۞ كِتَٰبٌ أَنزَلْنَٰهُ إِلَيْكَ مُبَٰرَكٌ لِّيَدَّبَّرُوٓاْ ءَايَٰتِهِۦ وَلِيَتَذَكَّرَ أُوْلُواْ ٱلْأَلْبَٰبِ ۞ وَوَهَبْنَا لِدَاوُۥدَ سُلَيْمَٰنَ نِعْمَ ٱلْعَبْدُ إِنَّهُۥٓ أَوَّابٌ ۞ إِذْ عُرِضَ عَلَيْهِ بِٱلْعَشِيِّ ٱلصَّٰفِنَٰتُ ٱلْجِيَادُ ۞ فَقَالَ إِنِّىٓ أَحْبَبْتُ حُبَّ ٱلْخَيْرِ عَن ذِكْرِ رَبِّى حَتَّىٰ تَوَارَتْ بِٱلْحِجَابِ ۞ رُدُّوهَا عَلَىَّ فَطَفِقَ مَسْحًۢا بِٱلسُّوقِ وَٱلْأَعْنَاقِ ۞ وَلَقَدْ فَتَنَّا سُلَيْمَٰنَ وَأَلْقَيْنَا عَلَىٰ كُرْسِيِّهِۦ جَسَدًا ثُمَّ أَنَابَ ۞ قَالَ رَبِّ ٱغْفِرْ لِى وَهَبْ لِى مُلْكًا لَّا يَنۢبَغِى لِأَحَدٍ مِّنۢ بَعْدِىٓ إِنَّكَ أَنتَ ٱلْوَهَّابُ ۞ فَسَخَّرْنَا لَهُ ٱلرِّيحَ تَجْرِى بِأَمْرِهِۦ رُخَآءً حَيْثُ أَصَابَ ۞ وَٱلشَّيَٰطِينَ كُلَّ بَنَّآءٍ وَغَوَّاصٍ ۞ وَءَاخَرِينَ مُقَرَّنِينَ فِى ٱلْأَصْفَادِ ۞ هَٰذَا عَطَآؤُنَا فَٱمْنُنْ أَوْ أَمْسِكْ بِغَيْرِ حِسَابٍ ۞ وَإِنَّ لَهُۥ عِندَنَا لَزُلْفَىٰ وَحُسْنَ مَـَٔابٍ ۞ وَٱذْكُرْ عَبْدَنَآ أَيُّوبَ إِذْ نَادَىٰ رَبَّهُۥٓ أَنِّى مَسَّنِىَ ٱلشَّيْطَٰنُ بِنُصْبٍ وَعَذَابٍ ۞ ٱرْكُضْ بِرِجْلِكَ هَٰذَا مُغْتَسَلٌۢ بَارِدٌ وَشَرَابٌ ۞

27. Nous n'avons pas créé le ciel et la terre et ce qui existe entre eux en vain. C'est ce que pensent ceux qui ont mécru. Malheur à ceux qui ont mécru pour le feu [qui les attend]!

28. Traiterons-Nous ceux qui croient et accomplissent les bonnes œuvres comme ceux qui commettent du désordre sur terre? Ou traiterons-Nous les pieux comme les pervers?

29. [Voici] un Livre béni que Nous avons fait descendre vers toi, afin qu'ils méditent sur ses versets et que les doués d'intelligence réfléchissent!

30. Et à David Nous fîmes don de Salomon, - quel bon serviteur! - Il était plein de repentir.

31. Quand un après-midi, on lui présenta de magnifiques chevaux de course,

32. il dit: «Oui, je me suis complu à aimer les biens (de ce monde) au point [d'oublier] le rappel de mon Seigneur jusqu'à ce que [le soleil] se soit caché derrière son voile.

33. Ramenez-les moi.» Alors il se mit à leur couper les pattes et les cous[1].

34. Et Nous avions certes éprouvé Salomon en plaçant sur son siège un corps[2]. Ensuite, il se repentit.

35. Il dit: «Seigneur, pardonne-moi et fais-moi don d'un royaume tel que nul après moi n'aura de pareil. C'est Toi le grand Dispensateur».

36. Nous lui assujettîmes alors le vent qui, par son ordre, soufflait modérément partout où il voulait.

37. De même que les diables, bâtisseurs et plongeurs de toutes sortes.

38. Et d'autres encore, accouplés dans des chaînes.

39. «Voilà Notre don ; distribue-le ou retiens-le sans avoir à en rendre compte».

40. Et il a une place rapprochée de Nous et un beau refuge.

41. Et rappelle-toi Job, Notre serviteur, lorsqu'il appela son Seigneur: «Le Diable m'a infligé détresse et souffrance».

42. Frappe [la terre] de ton pied: voici une eau fraîche pour te laver et voici de quoi boire.

---

1. Repentant pour avoir raté la Ṣalāt d'al-ʿasr, Salomon sacrifia ses chevaux et les donna à manger aux pauvres. Autre interprétation: Salomon ordonna qu'on lui ramène les chevaux. Il se mit alors, par bonté, à leur caresser les pattes et le cou.
2. *Corps*: Salomon ayant déclaré son intention d'engendrer des garçons sans ajouter: «S'il plaît à Allāh», Allāh lui donna un enfant malformé (note extraite d'un ḥadīṯ).

وَوَهَبْنَا لَهُۥٓ أَهْلَهُۥ وَمِثْلَهُم مَّعَهُمْ رَحْمَةً مِّنَّا وَذِكْرَىٰ لِأُوْلِى ٱلْأَلْبَٰبِ ٤٣ وَخُذْ بِيَدِكَ ضِغْثًا فَٱضْرِب بِّهِۦ وَلَا تَحْنَثْ إِنَّا وَجَدْنَٰهُ صَابِرًا نِّعْمَ ٱلْعَبْدُ إِنَّهُۥٓ أَوَّابٌ ٤٤ وَٱذْكُرْ عَبْدَنَآ إِبْرَٰهِيمَ وَإِسْحَٰقَ وَيَعْقُوبَ أُوْلِى ٱلْأَيْدِى وَٱلْأَبْصَٰرِ ٤٥ إِنَّآ أَخْلَصْنَٰهُم بِخَالِصَةٍ ذِكْرَى ٱلدَّارِ ٤٦ وَإِنَّهُمْ عِندَنَا لَمِنَ ٱلْمُصْطَفَيْنَ ٱلْأَخْيَارِ ٤٧ وَٱذْكُرْ إِسْمَٰعِيلَ وَٱلْيَسَعَ وَذَا ٱلْكِفْلِ وَكُلٌّ مِّنَ ٱلْأَخْيَارِ ٤٨ هَٰذَا ذِكْرٌ وَإِنَّ لِلْمُتَّقِينَ لَحُسْنَ مَـَٔابٍ ٤٩ جَنَّٰتِ عَدْنٍ مُّفَتَّحَةً لَّهُمُ ٱلْأَبْوَٰبُ ٥٠ مُتَّكِـِٔينَ فِيهَا يَدْعُونَ فِيهَا بِفَٰكِهَةٍ كَثِيرَةٍ وَشَرَابٍ ٥١ وَعِندَهُمْ قَٰصِرَٰتُ ٱلطَّرْفِ أَتْرَابٌ ٥٢ هَٰذَا مَا تُوعَدُونَ لِيَوْمِ ٱلْحِسَابِ ٥٣ إِنَّ هَٰذَا لَرِزْقُنَا مَا لَهُۥ مِن نَّفَادٍ ٥٤ هَٰذَا وَإِنَّ لِلطَّٰغِينَ لَشَرَّ مَـَٔابٍ ٥٥ جَهَنَّمَ يَصْلَوْنَهَا فَبِئْسَ ٱلْمِهَادُ ٥٦ هَٰذَا فَلْيَذُوقُوهُ حَمِيمٌ وَغَسَّاقٌ ٥٧ وَءَاخَرُ مِن شَكْلِهِۦٓ أَزْوَٰجٌ ٥٨ هَٰذَا فَوْجٌ مُّقْتَحِمٌ مَّعَكُمْ لَا مَرْحَبًۢا بِهِمْ إِنَّهُمْ صَالُوا ٱلنَّارِ ٥٩ قَالُوا بَلْ أَنتُمْ لَا مَرْحَبًۢا بِكُمْ أَنتُمْ قَدَّمْتُمُوهُ لَنَا فَبِئْسَ ٱلْقَرَارُ ٦٠ قَالُوا رَبَّنَا مَن قَدَّمَ لَنَا هَٰذَا فَزِدْهُ عَذَابًا ضِعْفًا فِى ٱلنَّارِ ٦١

43. Et Nous lui rendîmes sa famille et la fîmes deux fois plus nombreuse, comme une miséricorde de Notre part et comme un rappel pour les gens doués d'intelligence.

44. «Et prends dans ta main un faisceau de brindilles, puis frappe avec cela[1]. Et ne viole pas ton serment». Oui, Nous l'avons trouvé vraiment endurant. Quel bon serviteur! Sans cesse il se repentait.

45. Et rappelle-toi Abraham, Isaac et Jacob, Nos serviteurs puissants[2] et clairvoyants.

46. Nous avons fait d'eux l'objet d'une distinction particulière: le rappel de l'au-delà.

47. Ils sont auprès de Nous, certes, parmi les meilleurs élus.

48. Et rappelle-toi Ismaël et Élisée, et Ḏal-Kifl, chacun d'eux parmi les meilleurs.

49. Cela est un rappel. C'est aux pieux qu'appartient, en vérité, la meilleure retraite,

50. Les Jardins d'Eden, aux portes ouvertes pour eux,

51. où, accoudés, ils demanderont des fruits abondants et des boissons.

52. Et auprès d'eux seront les belles au regard chaste, toutes du même âge.

53. Voilà ce qui vous est promis pour le Jour des Comptes.

54. Ce sera Notre attribution inépuisable.

55. Voilà! Alors que les rebelles auront certes la pire retraite,

56. L'Enfer où ils brûleront. Et quel affreux lit!

57. Voilà! Qu'ils y goûtent: eau bouillante et eau purulente,

58. et d'autres punitions du même genre.

59. Voici un groupe qui entre précipitamment en même temps que vous, nulle bienvenue à eux. Ils vont brûler dans le Feu[3].

60. Ils dirent: «Pas de bienvenue pour vous, plutôt. C'est vous qui avez préparé cela pour nous». Quel mauvais lieu de séjour!

61. Ils dirent: «Seigneur, celui qui nous a préparé cela, ajoute-lui un double châtiment dans le Feu».

---

1. *Puis frappe (ta femme)*: il avait juré de battre sa femme, après sa guérison, parce que celle-ci l'a, un jour, importuné.
2. *Puissants*: dans l'obéissance à Allāh.
3. *V.59 et 60*: ce sont les meneurs et les suiveurs qui se parlent, dans l'Enfer.

وَقَالُوا مَا لَنَا لَا نَرَىٰ رِجَالًا كُنَّا نَعُدُّهُم مِّنَ الْأَشْرَارِ ۝ أَتَّخَذْنَٰهُمْ سِخْرِيًّا أَمْ زَاغَتْ عَنْهُمُ الْأَبْصَٰرُ ۝ إِنَّ ذَٰلِكَ لَحَقٌّ تَخَاصُمُ أَهْلِ النَّارِ ۝ قُلْ إِنَّمَا أَنَا۠ مُنذِرٌ ۖ وَمَا مِنْ إِلَٰهٍ إِلَّا اللَّهُ الْوَٰحِدُ الْقَهَّارُ ۝ رَبُّ السَّمَٰوَٰتِ وَالْأَرْضِ وَمَا بَيْنَهُمَا الْعَزِيزُ الْغَفَّٰرُ ۝ قُلْ هُوَ نَبَؤٌا۟ عَظِيمٌ ۝ أَنتُمْ عَنْهُ مُعْرِضُونَ ۝ مَا كَانَ لِيَ مِنْ عِلْمٍ بِالْمَلَإِ الْأَعْلَىٰ إِذْ يَخْتَصِمُونَ ۝ إِن يُوحَىٰ إِلَيَّ إِلَّا أَنَّمَا أَنَا۠ نَذِيرٌ مُّبِينٌ ۝ إِذْ قَالَ رَبُّكَ لِلْمَلَٰئِكَةِ إِنِّي خَٰلِقٌۢ بَشَرًا مِّن طِينٍ ۝ فَإِذَا سَوَّيْتُهُۥ وَنَفَخْتُ فِيهِ مِن رُّوحِي فَقَعُوا۟ لَهُۥ سَٰجِدِينَ ۝ فَسَجَدَ الْمَلَٰئِكَةُ كُلُّهُمْ أَجْمَعُونَ ۝ إِلَّا إِبْلِيسَ اسْتَكْبَرَ وَكَانَ مِنَ الْكَٰفِرِينَ ۝ قَالَ يَٰٓإِبْلِيسُ مَا مَنَعَكَ أَن تَسْجُدَ لِمَا خَلَقْتُ بِيَدَيَّ ۖ أَسْتَكْبَرْتَ أَمْ كُنتَ مِنَ الْعَالِينَ ۝ قَالَ أَنَا۠ خَيْرٌ مِّنْهُ ۖ خَلَقْتَنِي مِن نَّارٍ وَخَلَقْتَهُۥ مِن طِينٍ ۝ قَالَ فَاخْرُجْ مِنْهَا فَإِنَّكَ رَجِيمٌ ۝ وَإِنَّ عَلَيْكَ لَعْنَتِي إِلَىٰ يَوْمِ الدِّينِ ۝ قَالَ رَبِّ فَأَنظِرْنِي إِلَىٰ يَوْمِ يُبْعَثُونَ ۝ قَالَ فَإِنَّكَ مِنَ الْمُنظَرِينَ ۝ إِلَىٰ يَوْمِ الْوَقْتِ الْمَعْلُومِ ۝ قَالَ فَبِعِزَّتِكَ لَأُغْوِيَنَّهُمْ أَجْمَعِينَ ۝ إِلَّا عِبَادَكَ مِنْهُمُ الْمُخْلَصِينَ ۝

62. Et ils dirent: «Pourquoi ne voyons-nous pas des gens que nous comptions parmi les malfaiteurs?

63. Est-ce que nous les avons raillés (à tort) ou échappent-ils à nos regards?»

64. Telles sont en vérité les querelles des gens du Feu.

65. Dis: «Je ne suis qu'un avertisseur. Point de divinité à part Allāh, l'Unique, le Dominateur Suprême,

66. Seigneur des cieux et de la terre et de ce qui existe entre eux, le Puissant, le Grand Pardonneur».

67. Dis: «Ceci (le Qur'ān) est une grande nouvelle,

68. mais vous vous en détournez.

69. Je n'avais aucune connaissance de la cohorte sublime au moment où elle disputait[1].

70. Il m'est seulement révélé que je suis un avertisseur clair».

71. Quand ton Seigneur dit aux Anges: «Je vais créer d'argile un être humain.

72. Quand Je l'aurai bien formé et lui aurai insufflé de Mon Esprit, jetez-vous devant lui, prosternés».

73. Alors tous les Anges se prosternèrent,

74. à l'exception d'Iblis qui s'enfla d'orgueil et fut du nombre des infidèles.

75. (Allāh) lui dit: «Ô Iblis, qui t'a empêché de te prosterner devant ce que J'ai créé de Mes mains? T'enfles-tu d'orgueil ou te considères-tu parmi les hauts placés?»

76. «Je suis meilleur que lui, dit [Iblis,] Tu m'as créé de feu et tu l'as créé d'argile».

77. (Allāh) dit: «Sors d'ici, te voilà banni ;

78. et sur toi sera ma malédiction jusqu'au jour de la Rétribution».

79. «Seigneur, dit [Iblis], donne-moi donc un délai, jusqu'au jour où ils seront ressuscités».

80. (Allāh) dit: «Tu es de ceux à qui un délai est accordé,

81. jusqu'au jour de l'Instant bien Connu».

82. «Par Ta puissance! dit [Satan]. Je les séduirai assurément tous,

83. sauf Tes serviteurs élus parmi eux».

---

1. *Cohorte sublime*: les Anges.
Elle disputait: avant de se prosterner devant Adam.

قَالَ فَالْحَقُّ وَالْحَقَّ أَقُولُ ۝ لَأَمْلَأَنَّ جَهَنَّمَ مِنكَ وَمِمَّن تَبِعَكَ

مِنْهُمْ أَجْمَعِينَ ۝ قُل مَّا أَسْأَلُكُمْ عَلَيْهِ مِنْ أَجْرٍ وَمَا أَنَا۠ مِنَ الْمُتَكَلِّفِينَ

إِنْ هُوَ إِلَّا ذِكْرٌ لِّلْعَالَمِينَ ۝ وَلَتَعْلَمُنَّ نَبَأَهُ بَعْدَ حِينٍ ۝

سُورَةُ الزُّمَر ۝

بِسْمِ اللَّهِ الرَّحْمَٰنِ الرَّحِيمِ

تَنزِيلُ الْكِتَابِ مِنَ اللَّهِ الْعَزِيزِ الْحَكِيمِ ۝ إِنَّا أَنزَلْنَا إِلَيْكَ

الْكِتَابَ بِالْحَقِّ فَاعْبُدِ اللَّهَ مُخْلِصًا لَّهُ الدِّينَ ۝ أَلَا

لِلَّهِ الدِّينُ الْخَالِصُ وَالَّذِينَ اتَّخَذُوا مِن دُونِهِ أَوْلِيَاءَ

مَا نَعْبُدُهُمْ إِلَّا لِيُقَرِّبُونَا إِلَى اللَّهِ زُلْفَىٰ إِنَّ اللَّهَ يَحْكُمُ بَيْنَهُمْ

فِي مَا هُمْ فِيهِ يَخْتَلِفُونَ إِنَّ اللَّهَ لَا يَهْدِي مَنْ هُوَ كَاذِبٌ

كَفَّارٌ ۝ لَّوْ أَرَادَ اللَّهُ أَن يَتَّخِذَ وَلَدًا لَّاصْطَفَىٰ مِمَّا

يَخْلُقُ مَا يَشَاءُ سُبْحَانَهُ هُوَ اللَّهُ الْوَاحِدُ الْقَهَّارُ ۝

خَلَقَ السَّمَاوَاتِ وَالْأَرْضَ بِالْحَقِّ يُكَوِّرُ اللَّيْلَ عَلَى النَّهَارِ

وَيُكَوِّرُ النَّهَارَ عَلَى اللَّيْلِ وَسَخَّرَ الشَّمْسَ وَالْقَمَرَ

كُلٌّ يَجْرِي لِأَجَلٍ مُّسَمًّى أَلَا هُوَ الْعَزِيزُ الْغَفَّارُ ۝

84. (Allāh) dit: «En vérité, et c'est la vérité que je dis,

85. J'emplirai certainement l'Enfer de toi et de tous ceux d'entre eux qui te suivront».

86. Dis: «Pour cela, je ne vous demande aucun salaire ; et je ne suis pas un imposteur.

8 . Ceci [le Qur'ān] n'est qu'un rappel à l'univers.

88. Et certainement vous en aurez des nouvelles bientôt!»

AZ-ZUMAR (LES GROUPES)[1]
sourate 39   75 versets   Pré-hégirien n°59

Au nom d'Allāh, le Tout Miséricordieux, le Très Miséricordieux.

1. La révélation du Livre vient d'Allāh, le Puissant, le Sage.

2. Nous t'avons fait descendre le Livre en toute vérité. Adore donc Allāh en Lui vouant un culte exclusif.

3. C'est à Allāh qu'appartient la religion pure. Tandis que ceux qui prennent des protecteurs en dehors de Lui (disent): «Nous ne les adorons que pour qu'ils nous rapprochent davantage d'Allāh». En vérité, Allāh jugera parmi eux sur ce en quoi ils divergent. Allāh ne guide pas celui qui est menteur et grand ingrat.

4. Si Allāh avait voulu s'attribuer un enfant, Il aurait certes choisi ce qu'Il eût voulu parmi ce qu'Il crée. Gloire à Lui! C'est Lui Allāh, l'Unique, le Dominateur Suprême.

5. Il a créé les cieux et la terre en toute vérité. Il enroule la nuit sur le jour et enroule le jour sur la nuit, et Il a assujetti le soleil et la lune à poursuivre chacun sa course pour un terme fixé. C'est bien Lui le Puissant, le Grand Pardonneur!

1.Titre tiré des vv. 71 et 73.

خَلَقَكُم مِّن نَّفْسٍ وَٰحِدَةٍ ثُمَّ جَعَلَ مِنْهَا زَوْجَهَا وَأَنزَلَ لَكُم مِّنَ ٱلْأَنْعَٰمِ ثَمَٰنِيَةَ أَزْوَٰجٍ يَخْلُقُكُمْ فِى بُطُونِ أُمَّهَٰتِكُمْ خَلْقًا مِّنۢ بَعْدِ خَلْقٍ فِى ظُلُمَٰتٍ ثَلَٰثٍ ذَٰلِكُمُ ٱللَّهُ رَبُّكُمْ لَهُ ٱلْمُلْكُ لَا إِلَٰهَ إِلَّا هُوَ فَأَنَّىٰ تُصْرَفُونَ ٦ إِن تَكْفُرُوا فَإِنَّ ٱللَّهَ غَنِىٌّ عَنكُمْ وَلَا يَرْضَىٰ لِعِبَادِهِ ٱلْكُفْرَ وَإِن تَشْكُرُوا يَرْضَهُ لَكُمْ وَلَا تَزِرُ وَازِرَةٌ وِزْرَ أُخْرَىٰ ثُمَّ إِلَىٰ رَبِّكُم مَّرْجِعُكُمْ فَيُنَبِّئُكُم بِمَا كُنتُمْ تَعْمَلُونَ إِنَّهُۥ عَلِيمٌۢ بِذَاتِ ٱلصُّدُورِ ٧ ۞ وَإِذَا مَسَّ ٱلْإِنسَٰنَ ضُرٌّ دَعَا رَبَّهُۥ مُنِيبًا إِلَيْهِ ثُمَّ إِذَا خَوَّلَهُۥ نِعْمَةً مِّنْهُ نَسِىَ مَا كَانَ يَدْعُوٓا إِلَيْهِ مِن قَبْلُ وَجَعَلَ لِلَّهِ أَندَادًا لِّيُضِلَّ عَن سَبِيلِهِۦ قُلْ تَمَتَّعْ بِكُفْرِكَ قَلِيلًا إِنَّكَ مِنْ أَصْحَٰبِ ٱلنَّارِ ٨ أَمَّنْ هُوَ قَٰنِتٌ ءَانَآءَ ٱلَّيْلِ سَاجِدًا وَقَآئِمًا يَحْذَرُ ٱلْءَاخِرَةَ وَيَرْجُوا۟ رَحْمَةَ رَبِّهِۦ قُلْ هَلْ يَسْتَوِى ٱلَّذِينَ يَعْلَمُونَ وَٱلَّذِينَ لَا يَعْلَمُونَ إِنَّمَا يَتَذَكَّرُ أُو۟لُوا۟ ٱلْأَلْبَٰبِ ٩ قُلْ يَٰعِبَادِ ٱلَّذِينَ ءَامَنُوا۟ ٱتَّقُوا۟ رَبَّكُمْ لِلَّذِينَ أَحْسَنُوا۟ فِى هَٰذِهِ ٱلدُّنْيَا حَسَنَةٌ وَأَرْضُ ٱللَّهِ وَٰسِعَةٌ إِنَّمَا يُوَفَّى ٱلصَّٰبِرُونَ أَجْرَهُم بِغَيْرِ حِسَابٍ ١٠

ثلاثة أرباع الحزب ٤٦

6. Il vous a créés d'une personne unique et a tiré d'elle son épouse. Et Il a fait descendre [créé] pour vous huit couples de bestiaux. Il vous crée dans les ventres de vos mères, création après création, dans trois ténèbres[1]. Tel est Allāh, votre Seigneur! À Lui appartient toute la Royauté. Point de divinité à part Lui. Comment pouvez-vous vous détourner [de son culte]?

7. Si vous ne croyez pas, Allāh se passe largement de vous. De Ses serviteurs cependant, Il n'agrée pas la mécréance. Et si vous êtes reconnaissants, Il l'agrée pour vous. Nul pécheur ne portera les péchés d'autrui. Ensuite, vers votre Seigneur sera votre retour: Il vous informera alors de ce que vous faisiez car Il connaît parfaitement le contenu des poitrines.

8. Et quand un malheur touche l'homme, il appelle son Seigneur en se tournant vers Lui. Puis quand Il lui accorde de Sa part un bienfait, il oublie la raison pour laquelle il faisait appel, et il assigne à Allāh des égaux, afin d'égarer (les gens) de Son chemin. Dis «Jouis de ta mécréance un court moment. Tu fais partie des gens du Feu».

9. Est-ce que celui qui, aux heures de la nuit, reste en dévotion, prosterné et debout, prenant garde à l'au-delà et espérant la miséricorde de son Seigneur...[2] Dis: «Sont-ils égaux, ceux qui savent et ceux qui ne savent pas?» Seuls les doués d'intelligence se rappellent.

10. Dis: «Ô Mes serviteurs qui avez cru! Craignez votre Seigneur». Ceux qui ici-bas font le bien, auront une bonne [récompense]. La terre d'Allāh est vaste et les endurants auront leur pleine récompense sans compter.

---

1. *Dans trois ténèbres*: le ventre, la matrice et le placenta.
2. *Dans cette phrase on sous-entend*: ... est égal à celui qui ne le fait pas?

قُلْ إِنِّي أُمِرْتُ أَنْ أَعْبُدَ اللَّهَ مُخْلِصًا لَّهُ الدِّينَ ۝ وَأُمِرْتُ لِأَنْ أَكُونَ أَوَّلَ الْمُسْلِمِينَ ۝ قُلْ إِنِّي أَخَافُ إِنْ عَصَيْتُ رَبِّي عَذَابَ يَوْمٍ عَظِيمٍ ۝ قُلِ اللَّهَ أَعْبُدُ مُخْلِصًا لَّهُ دِينِي ۝ فَاعْبُدُوا مَا شِئْتُم مِّن دُونِهِ قُلْ إِنَّ الْخَاسِرِينَ الَّذِينَ خَسِرُوا أَنفُسَهُمْ وَأَهْلِيهِمْ يَوْمَ الْقِيَامَةِ أَلَا ذَٰلِكَ هُوَ الْخُسْرَانُ الْمُبِينُ ۝ لَهُم مِّن فَوْقِهِمْ ظُلَلٌ مِّنَ النَّارِ وَمِن تَحْتِهِمْ ظُلَلٌ ذَٰلِكَ يُخَوِّفُ اللَّهُ بِهِ عِبَادَهُ يَا عِبَادِ فَاتَّقُونِ ۝ وَالَّذِينَ اجْتَنَبُوا الطَّاغُوتَ أَن يَعْبُدُوهَا وَأَنَابُوا إِلَى اللَّهِ لَهُمُ الْبُشْرَىٰ فَبَشِّرْ عِبَادِ ۝ الَّذِينَ يَسْتَمِعُونَ الْقَوْلَ فَيَتَّبِعُونَ أَحْسَنَهُ أُولَٰئِكَ الَّذِينَ هَدَاهُمُ اللَّهُ وَأُولَٰئِكَ هُمْ أُولُو الْأَلْبَابِ ۝ أَفَمَنْ حَقَّ عَلَيْهِ كَلِمَةُ الْعَذَابِ أَفَأَنتَ تُنقِذُ مَن فِي النَّارِ ۝ لَٰكِنِ الَّذِينَ اتَّقَوْا رَبَّهُمْ لَهُمْ غُرَفٌ مِّن فَوْقِهَا غُرَفٌ مَّبْنِيَّةٌ تَجْرِي مِن تَحْتِهَا الْأَنْهَارُ وَعْدَ اللَّهِ لَا يُخْلِفُ اللَّهُ الْمِيعَادَ ۝ أَلَمْ تَرَ أَنَّ اللَّهَ أَنزَلَ مِنَ السَّمَاءِ مَاءً فَسَلَكَهُ يَنَابِيعَ فِي الْأَرْضِ ثُمَّ يُخْرِجُ بِهِ زَرْعًا مُّخْتَلِفًا أَلْوَانُهُ ثُمَّ يَهِيجُ فَتَرَاهُ مُصْفَرًّا ثُمَّ يَجْعَلُهُ حُطَامًا إِنَّ فِي ذَٰلِكَ لَذِكْرَىٰ لِأُولِي الْأَلْبَابِ ۝

11. Dis: «Il m'a été ordonné d'adorer Allāh en Lui vouant exclusivement le culte,

12. et il m'a été ordonné d'être le premier des Musulmans.

13. Dis: «Je crains, si Je désobéis à mon Seigneur, le châtiment d'un jour terrible».

14. Dis: «C'est Allāh que j'adore, et Lui voue exclusivement mon culte.

15. Adorez donc, en dehors de Lui, qui vous voudrez!» - Dis: «Les perdants sont ceux qui, au Jour de la Résurrection, auront causé la perte de leurs propres âmes et celles de leurs familles». C'est bien cela la perte évidente.

16. Au-dessus d'eux, ils auront des couches de feu, et des couches au-dessous d'eux. Voilà ce dont Allāh menace Ses esclaves. «Ô Mes esclaves, craignez-Moi donc!»

17. Et à ceux qui s'écartent des Ṭāğūt[1] pour ne pas les adorer, tandis qu'ils reviennent à Allāh, à eux la bonne nouvelle! Annonce la bonne nouvelle à Mes serviteurs

18. qui prêtent l'oreille à la Parole, puis suivent ce qu'elle contient de meilleur. Ce sont ceux-là qu'Allāh a guidés et ce sont eux les doués d'intelligence!

19. Et bien quoi! Celui contre qui s'avère le décret du châtiment... est-ce que tu sauves celui qui est dans le Feu?

20. Mais ceux qui auront craint leur Seigneur auront [pour demeure] des étages [au Paradis] au-dessus desquels d'autres étages sont construits et sous lesquels coulent les rivières. Promesse d'Allāh! Allāh ne manque pas à Sa promesse.

21. Ne vois-tu pas qu'Allāh fait descendre du ciel de l'eau, puis Il l'achemine vers des sources dans la terre ; ensuite, avec cela, Il fait sortir une culture aux couleurs diverses, laquelle se fane ensuite, de sorte que tu la vois jaunie ; ensuite, Il la réduit en miettes. C'est là certainement un rappel aux [gens] doués d'intelligence.

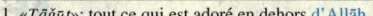

---

1. «*Ṭāğūt*»: tout ce qui est adoré en dehors d'Allāh.

أَفَمَن شَرَحَ ٱللَّهُ صَدْرَهُۥ لِلْإِسْلَٰمِ فَهُوَ عَلَىٰ نُورٍ مِّن رَّبِّهِۦ فَوَيْلٌ لِّلْقَٰسِيَةِ قُلُوبُهُم مِّن ذِكْرِ ٱللَّهِ أُو۟لَٰٓئِكَ فِى ضَلَٰلٍ مُّبِينٍ ٢٢ ٱللَّهُ نَزَّلَ أَحْسَنَ ٱلْحَدِيثِ كِتَٰبًا مُّتَشَٰبِهًا مَّثَانِىَ تَقْشَعِرُّ مِنْهُ جُلُودُ ٱلَّذِينَ يَخْشَوْنَ رَبَّهُمْ ثُمَّ تَلِينُ جُلُودُهُمْ وَقُلُوبُهُمْ إِلَىٰ ذِكْرِ ٱللَّهِ ذَٰلِكَ هُدَى ٱللَّهِ يَهْدِى بِهِۦ مَن يَشَآءُ وَمَن يُضْلِلِ ٱللَّهُ فَمَا لَهُۥ مِنْ هَادٍ ٢٣ أَفَمَن يَتَّقِى بِوَجْهِهِۦ سُوٓءَ ٱلْعَذَابِ يَوْمَ ٱلْقِيَٰمَةِ وَقِيلَ لِلظَّٰلِمِينَ ذُوقُوا۟ مَا كُنتُمْ تَكْسِبُونَ ٢٤ كَذَّبَ ٱلَّذِينَ مِن قَبْلِهِمْ فَأَتَىٰهُمُ ٱلْعَذَابُ مِنْ حَيْثُ لَا يَشْعُرُونَ ٢٥ فَأَذَاقَهُمُ ٱللَّهُ ٱلْخِزْىَ فِى ٱلْحَيَوٰةِ ٱلدُّنْيَا وَلَعَذَابُ ٱلْءَاخِرَةِ أَكْبَرُ لَوْ كَانُوا۟ يَعْلَمُونَ ٢٦ وَلَقَدْ ضَرَبْنَا لِلنَّاسِ فِى هَٰذَا ٱلْقُرْءَانِ مِن كُلِّ مَثَلٍ لَّعَلَّهُمْ يَتَذَكَّرُونَ ٢٧ قُرْءَانًا عَرَبِيًّا غَيْرَ ذِى عِوَجٍ لَّعَلَّهُمْ يَتَّقُونَ ٢٨ ضَرَبَ ٱللَّهُ مَثَلًا رَّجُلًا فِيهِ شُرَكَآءُ مُتَشَٰكِسُونَ وَرَجُلًا سَلَمًا لِّرَجُلٍ هَلْ يَسْتَوِيَانِ مَثَلًا ٱلْحَمْدُ لِلَّهِ بَلْ أَكْثَرُهُمْ لَا يَعْلَمُونَ ٢٩ إِنَّكَ مَيِّتٌ وَإِنَّهُم مَّيِّتُونَ ٣٠ ثُمَّ إِنَّكُمْ يَوْمَ ٱلْقِيَٰمَةِ عِندَ رَبِّكُمْ تَخْتَصِمُونَ ٣١

22. Est-ce que celui dont Allāh ouvre la poitrine à l'Islām et qui détient ainsi une lumière venant de Son Seigneur...[1] Malheur donc à ceux dont les cœurs sont endurcis contre le rappel d'Allāh. Ceux-là sont dans un égarement évident.

23. Allāh a fait descendre le plus beau des récits, un Livre dont [certains versets] se ressemblent et se répètent. Les peaux de ceux qui redoutent leur Seigneur frissonnent (à l'entendre) ; puis leurs peaux et leurs cœurs s'apaisent au rappel d'Allāh. Voilà le [Livre] guide d'Allāh par lequel Il guide qui Il veut. Mais quiconque Allāh égare n'a point de guide.

24. Est-ce que celui qui, au Jour de la Résurrection, se sera protégé le visage contre le pire châtiment...[2] Et l'on dira aux injustes: «Goûtez à ce que vous avez acquis».

25. Ceux qui ont vécu avant eux ont démenti (les Messagers), le châtiment leur est venu par où ils ne le pressentaient pas.

26. Allāh leur a fait goûter l'ignominie dans la vie présente. Le châtiment de l'au-delà, cependant, est plus grand, si seulement ils savaient!

27. Nous avons, dans ce Qur'ān, cité pour les gens des exemples de toutes sortes afin qu'ils se souviennent.

28. Un Qur'ān [en langue] arabe, dénué de tortuosité, afin qu'ils soient pieux!

29. Allāh a cité comme parabole un homme appartenant à des associés se querellant à son sujet et un [autre] homme appartenant à un seul homme: sont-ils égaux[3] en exemple? Louanges à Allāh ! Mais la plupart d'entre eux ne savent pas.

30. En vérité tu mourras et ils mourront eux aussi ;

31. ensuite, au Jour de la Résurrection, vous vous disputerez auprès de votre Seigneur.

---

1. *Dans cette phrase on sous-entend*: ... est meilleur ou est-ce celui qui est resté mécréant?
2. *On sous-entend*: ... est comparable à celui qui sera au Paradis?
3. *Sont-ils égaux...*: le polythéiste qui s'adresse à plusieurs divinités à la fois est-il comparable au monothéiste qui ne s'adresse qu'à Allāh ?

۞ فَمَنْ أَظْلَمُ مِمَّن كَذَبَ عَلَى اللَّهِ وَكَذَّبَ بِالصِّدْقِ إِذْ جَاءَهُ أَلَيْسَ فِي جَهَنَّمَ مَثْوًى لِّلْكَافِرِينَ ۝ وَالَّذِي جَاءَ بِالصِّدْقِ وَصَدَّقَ بِهِ أُولَٰئِكَ هُمُ الْمُتَّقُونَ ۝ لَهُم مَّا يَشَاءُونَ عِندَ رَبِّهِمْ ذَٰلِكَ جَزَاءُ الْمُحْسِنِينَ ۝ لِيُكَفِّرَ اللَّهُ عَنْهُمْ أَسْوَأَ الَّذِي عَمِلُوا وَيَجْزِيَهُمْ أَجْرَهُم بِأَحْسَنِ الَّذِي كَانُوا يَعْمَلُونَ ۝ أَلَيْسَ اللَّهُ بِكَافٍ عَبْدَهُ وَيُخَوِّفُونَكَ بِالَّذِينَ مِن دُونِهِ وَمَن يُضْلِلِ اللَّهُ فَمَا لَهُ مِنْ هَادٍ ۝ وَمَن يَهْدِ اللَّهُ فَمَا لَهُ مِن مُّضِلٍّ أَلَيْسَ اللَّهُ بِعَزِيزٍ ذِي انتِقَامٍ ۝ وَلَئِن سَأَلْتَهُم مَّنْ خَلَقَ السَّمَاوَاتِ وَالْأَرْضَ لَيَقُولُنَّ اللَّهُ قُلْ أَفَرَأَيْتُم مَّا تَدْعُونَ مِن دُونِ اللَّهِ إِنْ أَرَادَنِيَ اللَّهُ بِضُرٍّ هَلْ هُنَّ كَاشِفَاتُ ضُرِّهِ أَوْ أَرَادَنِي بِرَحْمَةٍ هَلْ هُنَّ مُمْسِكَاتُ رَحْمَتِهِ قُلْ حَسْبِيَ اللَّهُ عَلَيْهِ يَتَوَكَّلُ الْمُتَوَكِّلُونَ ۝ قُلْ يَا قَوْمِ اعْمَلُوا عَلَىٰ مَكَانَتِكُمْ إِنِّي عَامِلٌ فَسَوْفَ تَعْلَمُونَ ۝ مَن يَأْتِيهِ عَذَابٌ يُخْزِيهِ وَيَحِلُّ عَلَيْهِ عَذَابٌ مُّقِيمٌ ۝

32. Quel pire injuste donc, que celui qui ment contre Allāh et qui traite de mensonge la vérité quand elle lui vient? N'est-ce pas dans l'Enfer qu'il y a un refuge pour les mécréants?

33. Tandis que celui qui vient avec la vérité et celui qui la confirme, ceux-là sont les pieux.

34. ils auront tout ce qu'ils désireront auprès de leur Seigneur ; voilà la récompense des bienfaisants,

35. afin qu'Allāh leur efface les pires de leurs actions et les récompense selon ce qu'ils auront fait de meilleur.

36. Allāh ne suffit-Il pas à Son esclave [comme soutien]? Et ils te font peur avec ce qui est en dehors de Lui. Et quiconque Allāh égare n'a point de guide.

37. Quiconque Allāh guide, nul ne peut l'égarer. Allāh n'est-il pas Puissant et Détenteur du pouvoir de châtier?

38. Si tu leur demandais: «Qui a créé les cieux et la terre?», Ils diraient assurément: «Allāh». Dis: «Voyez-vous ceux que vous invoquez en dehors d'Allāh ; si Allāh me voulait du mal, est-ce que [ces divinités] pourraient dissiper Son mal? Ou s'Il me voulait une miséricorde, pourraient-elles retenir Sa miséricorde?» - Dis: «Allāh me suffit: c'est en Lui que placent leur confiance ceux qui cherchent un appui.»

39. Dis: «Ô mon peuple, agissez selon votre méthode, moi j'agirai [selon la mienne]. Bientôt vous saurez

40. sur qui s'abattra un châtiment qui l'avilira ; et sur qui se justifiera un châtiment durable».

إِنَّآ أَنزَلْنَا عَلَيْكَ ٱلْكِتَٰبَ لِلنَّاسِ بِٱلْحَقِّ ۖ فَمَنِ ٱهْتَدَىٰ فَلِنَفْسِهِۦ ۖ وَمَن ضَلَّ فَإِنَّمَا يَضِلُّ عَلَيْهَا ۖ وَمَآ أَنتَ عَلَيْهِم بِوَكِيلٍ ۝ ٱللَّهُ يَتَوَفَّى ٱلْأَنفُسَ حِينَ مَوْتِهَا وَٱلَّتِى لَمْ تَمُتْ فِى مَنَامِهَا ۖ فَيُمْسِكُ ٱلَّتِى قَضَىٰ عَلَيْهَا ٱلْمَوْتَ وَيُرْسِلُ ٱلْأُخْرَىٰٓ إِلَىٰٓ أَجَلٍ مُّسَمًّى ۚ إِنَّ فِى ذَٰلِكَ لَءَايَٰتٍ لِّقَوْمٍ يَتَفَكَّرُونَ ۝ أَمِ ٱتَّخَذُوا۟ مِن دُونِ ٱللَّهِ شُفَعَآءَ ۚ قُلْ أَوَلَوْ كَانُوا۟ لَا يَمْلِكُونَ شَيْـًٔا وَلَا يَعْقِلُونَ ۝ قُل لِّلَّهِ ٱلشَّفَٰعَةُ جَمِيعًا ۖ لَّهُۥ مُلْكُ ٱلسَّمَٰوَٰتِ وَٱلْأَرْضِ ۖ ثُمَّ إِلَيْهِ تُرْجَعُونَ ۝ وَإِذَا ذُكِرَ ٱللَّهُ وَحْدَهُ ٱشْمَأَزَّتْ قُلُوبُ ٱلَّذِينَ لَا يُؤْمِنُونَ بِٱلْءَاخِرَةِ ۖ وَإِذَا ذُكِرَ ٱلَّذِينَ مِن دُونِهِۦٓ إِذَا هُمْ يَسْتَبْشِرُونَ ۝ قُلِ ٱللَّهُمَّ فَاطِرَ ٱلسَّمَٰوَٰتِ وَٱلْأَرْضِ عَٰلِمَ ٱلْغَيْبِ وَٱلشَّهَٰدَةِ أَنتَ تَحْكُمُ بَيْنَ عِبَادِكَ فِى مَا كَانُوا۟ فِيهِ يَخْتَلِفُونَ ۝ وَلَوْ أَنَّ لِلَّذِينَ ظَلَمُوا۟ مَا فِى ٱلْأَرْضِ جَمِيعًا وَمِثْلَهُۥ مَعَهُۥ لَٱفْتَدَوْا۟ بِهِۦ مِن سُوٓءِ ٱلْعَذَابِ يَوْمَ ٱلْقِيَٰمَةِ ۚ وَبَدَا لَهُم مِّنَ ٱللَّهِ مَا لَمْ يَكُونُوا۟ يَحْتَسِبُونَ ۝

41. Nous t'avons fait descendre[1] le Livre, pour les hommes, en toute vérité. Quiconque se guide [le fait] pour son propre bien ; et quiconque s'égare, s'égare à son détriment. Tu n'es nullement responsable [de leurs propres affaires].

42. Allāh reçoit les âmes au moment de leur mort ainsi que celles qui ne meurent pas au cours de leur sommeil. Il retient celles à qui Il a décrété la mort, tandis qu'Il renvoie les autres jusqu'à un terme fixé. Il y a certainement là des preuves pour des gens qui réfléchissent.

43. Ont-ils adopté, en dehors d'Allāh, des intercesseurs? Dis: «Quoi! Même s'ils ne détiennent rien et sont dépourvus de raison?»

44. Dis: «L'intercession toute entière appartient à Allāh. À Lui la royauté des cieux et de la terre. Puis c'est vers Lui que vous serez ramenés».

45. Et quand Allāh est mentionné seul (sans associés), les cœurs de ceux qui ne croient pas en l'au-delà se crispent et quand on mentionne ceux qui sont en dehors de Lui, voilà qu'ils se réjouissent.

46. Dis: «Ô Allāh, Créateur des cieux et de la terre, Connaisseur de tout ce que le monde ignore comme de ce qu'il perçoit, c'est Toi qui jugeras entre Tes serviteurs ce sur quoi ils divergeaient».

47. Si les injustes possédaient tout ce qui se trouve sur la terre, - et autant encore, - ils l'offriraient comme rançon pour échapper au pire châtiment le Jour de la Résurrection; et leur apparaîtra, de la part d'Allāh, ce qu'ils n'avaient jamais imaginé ;

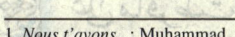

---

1. *Nous t'avons...*: Muḥammad.

وَبَدَا لَهُمْ سَيِّئَاتُ مَا كَسَبُوا۟ وَحَاقَ بِهِم مَّا كَانُوا۟ بِهِۦ
يَسْتَهْزِءُونَ ۝ فَإِذَا مَسَّ ٱلْإِنسَٰنَ ضُرٌّ دَعَانَا ثُمَّ إِذَا خَوَّلْنَٰهُ
نِعْمَةً مِّنَّا قَالَ إِنَّمَآ أُوتِيتُهُۥ عَلَىٰ عِلْمٍ بَلْ هِىَ فِتْنَةٌ وَلَٰكِنَّ
أَكْثَرَهُمْ لَا يَعْلَمُونَ ۝ قَدْ قَالَهَا ٱلَّذِينَ مِن قَبْلِهِمْ فَمَآ أَغْنَىٰ
عَنْهُم مَّا كَانُوا۟ يَكْسِبُونَ ۝ فَأَصَابَهُمْ سَيِّئَاتُ مَا كَسَبُوا۟
وَٱلَّذِينَ ظَلَمُوا۟ مِنْ هَٰٓؤُلَآءِ سَيُصِيبُهُمْ سَيِّئَاتُ مَا كَسَبُوا۟
وَمَا هُم بِمُعْجِزِينَ ۝ أَوَلَمْ يَعْلَمُوٓا۟ أَنَّ ٱللَّهَ يَبْسُطُ ٱلرِّزْقَ
لِمَن يَشَآءُ وَيَقْدِرُ إِنَّ فِى ذَٰلِكَ لَءَايَٰتٍ لِّقَوْمٍ يُؤْمِنُونَ ۝

۞ قُلْ يَٰعِبَادِىَ ٱلَّذِينَ أَسْرَفُوا۟ عَلَىٰٓ أَنفُسِهِمْ لَا تَقْنَطُوا۟ مِن
رَّحْمَةِ ٱللَّهِ إِنَّ ٱللَّهَ يَغْفِرُ ٱلذُّنُوبَ جَمِيعًا إِنَّهُۥ هُوَ ٱلْغَفُورُ ٱلرَّحِيمُ
۝ وَأَنِيبُوٓا۟ إِلَىٰ رَبِّكُمْ وَأَسْلِمُوا۟ لَهُۥ مِن قَبْلِ أَن يَأْتِيَكُمُ
ٱلْعَذَابُ ثُمَّ لَا تُنصَرُونَ ۝ وَٱتَّبِعُوٓا۟ أَحْسَنَ مَآ أُنزِلَ
إِلَيْكُم مِّن رَّبِّكُم مِّن قَبْلِ أَن يَأْتِيَكُمُ ٱلْعَذَابُ
بَغْتَةً وَأَنتُمْ لَا تَشْعُرُونَ ۝ أَن تَقُولَ نَفْسٌ يَٰحَسْرَتَىٰ
عَلَىٰ مَا فَرَّطتُ فِى جَنۢبِ ٱللَّهِ وَإِن كُنتُ لَمِنَ ٱلسَّٰخِرِينَ ۝

48. et leur apparaîtront les méfaits qu'ils ont commis, et ce dont ils se raillaient les enveloppera.

49. Quand un malheur touche l'homme, il Nous invoque. Quand ensuite Nous lui accordons une faveur de Notre part, il dit: «Je ne la dois qu'à [ma] science». C'est une épreuve, plutôt ; mais la plupart d'entre eux ne savent pas.

50. Ainsi parlaient ceux qui vécurent avant eux. Mais ce qu'ils ont acquis ne leur a servi à rien ;

51. Ils furent donc atteints par les mauvaises conséquences de leurs acquis. Ceux de ces gens [les Mecquois] qui auront commis l'injustice seront atteints par les mauvaises conséquences de leurs acquis et ils ne pourront s'opposer à la puissance [d'Allāh].

52. Ne savent-ils pas qu'Allāh attribue Ses dons avec largesse ou les restreint à qui Il veut? Il y a en cela des preuves pour des gens qui croient.

53. Dis: «Ô Mes serviteurs qui avez commis des excès à votre propre détriment, ne désespérez pas de la miséricorde d'Allāh. Car Allāh pardonne tous les péchés. Oui, c'est Lui le Pardonneur, le Très Miséricordieux.

54. Et revenez repentant à votre Seigneur, et soumettez-vous à Lui, avant que ne vous vienne le châtiment et vous ne recevez alors aucun secours.

55. Et suivez la meilleure révélation[1] qui vous est descendue de la part de votre Seigneur, avant que le châtiment ne vous vienne soudain, sans que vous ne [le] pressentiez ;

56. avant qu'une âme ne dise: «Malheur à moi pour mes manquements envers 'Allāh. Car j'ai été certes, parmi les railleurs» ;

---

1. *La meilleure révélation*: le Qur'ān.

أَوْ تَقُولَ لَوْ أَنَّ اللَّهَ هَدَىٰنِى لَكُنتُ مِنَ الْمُتَّقِينَ ۝ أَوْ تَقُولَ حِينَ تَرَى الْعَذَابَ لَوْ أَنَّ لِى كَرَّةً فَأَكُونَ مِنَ الْمُحْسِنِينَ ۝ بَلَىٰ قَدْ جَآءَتْكَ ءَايَٰتِى فَكَذَّبْتَ بِهَا وَاسْتَكْبَرْتَ وَكُنتَ مِنَ الْكَٰفِرِينَ ۝ وَيَوْمَ الْقِيَٰمَةِ تَرَى الَّذِينَ كَذَبُوا۟ عَلَى اللَّهِ وُجُوهُهُم مُّسْوَدَّةٌ أَلَيْسَ فِى جَهَنَّمَ مَثْوًى لِّلْمُتَكَبِّرِينَ ۝ وَيُنَجِّى اللَّهُ الَّذِينَ اتَّقَوْا۟ بِمَفَازَتِهِمْ لَا يَمَسُّهُمُ السُّوٓءُ وَلَا هُمْ يَحْزَنُونَ ۝ اللَّهُ خَٰلِقُ كُلِّ شَىْءٍ وَهُوَ عَلَىٰ كُلِّ شَىْءٍ وَكِيلٌ ۝ لَّهُۥ مَقَالِيدُ السَّمَٰوَٰتِ وَالْأَرْضِ وَالَّذِينَ كَفَرُوا۟ بِـَٔايَٰتِ اللَّهِ أُو۟لَٰٓئِكَ هُمُ الْخَٰسِرُونَ ۝ قُلْ أَفَغَيْرَ اللَّهِ تَأْمُرُوٓنِّىٓ أَعْبُدُ أَيُّهَا الْجَٰهِلُونَ ۝ وَلَقَدْ أُوحِىَ إِلَيْكَ وَإِلَى الَّذِينَ مِن قَبْلِكَ لَئِنْ أَشْرَكْتَ لَيَحْبَطَنَّ عَمَلُكَ وَلَتَكُونَنَّ مِنَ الْخَٰسِرِينَ ۝ بَلِ اللَّهَ فَاعْبُدْ وَكُن مِّنَ الشَّٰكِرِينَ ۝ وَمَا قَدَرُوا۟ اللَّهَ حَقَّ قَدْرِهِۦ وَالْأَرْضُ جَمِيعًا قَبْضَتُهُۥ يَوْمَ الْقِيَٰمَةِ وَالسَّمَٰوَٰتُ مَطْوِيَّٰتٌۢ بِيَمِينِهِۦ سُبْحَٰنَهُۥ وَتَعَٰلَىٰ عَمَّا يُشْرِكُونَ ۝

57. ou qu'elle ne dise: «Si Allāh m'avait guidée, j'aurais été certes, parmi les pieux» ;

58. ou bien qu'elle ne dise en voyant le châtiment: «Ah! S'il y avait pour moi un retour! Je serais alors parmi les bienfaisants».

59. «Oh que si! Mes versets te sont venus et tu les as traités de mensonge, tu t'es enflé d'orgueil et tu étais parmi les mécréants».

60. Et au Jour de la Résurrection, tu verras les visages de ceux qui mentaient sur Allāh, assombris. N'est-ce pas dans l'Enfer qu'il y aura une demeure pour les orgueilleux?

61. Et Allāh sauvera ceux qui ont été pieux en leur faisant gagner [leur place au Paradis]. Nul mal ne les touchera et ils ne seront point affligés.

62. Allāh est le Créateur de toute chose, et de toute chose Il est Garant.

63. Il détient les clefs des cieux et de la terre ; et ceux qui ne croient pas aux versets d'Allāh, ce sont ceux-là les perdants.

64. Dis: «Me commanderez-vous d'adorer autre qu'Allāh, Ô ignorants?»

65. En effet, il t'a été révélé, ainsi qu'à ceux qui t'ont précédé: «Si tu donnes des associés à Allāh, ton œuvre sera certes vaine ; et tu seras très certainement du nombre des perdants.

66. Tout au contraire, adore Allāh seul et sois du nombre des reconnaissants».

67. Ils n'ont pas estimé Allāh comme Il devrait l'être alors qu'au Jour de la Résurrection, Il fera de la terre entière une poignée, et les cieux seront pliés dans Sa [main] droite[1]. Gloire à Lui! Il est au-dessus de ce qu'ils Lui associent.

---

1. *Sa main droite*: Allāh ne ressemble pas aux créatures.

وَنُفِخَ فِى الصُّورِ فَصَعِقَ مَن فِى السَّمَوَٰتِ وَمَن فِى الْأَرْضِ إِلَّا مَن شَاءَ اللَّهُ ثُمَّ نُفِخَ فِيهِ أُخْرَىٰ فَإِذَا هُمْ قِيَامٌ يَنظُرُونَ ۞ وَأَشْرَقَتِ الْأَرْضُ بِنُورِ رَبِّهَا وَوُضِعَ الْكِتَٰبُ وَجِا۟ىٓءَ بِالنَّبِيِّۦنَ وَالشُّهَدَاءِ وَقُضِىَ بَيْنَهُم بِالْحَقِّ وَهُمْ لَا يُظْلَمُونَ ۞ وَوُفِّيَتْ كُلُّ نَفْسٍ مَّا عَمِلَتْ وَهُوَ أَعْلَمُ بِمَا يَفْعَلُونَ ۞ وَسِيقَ الَّذِينَ كَفَرُوٓا۟ إِلَىٰ جَهَنَّمَ زُمَرًا ۖ حَتَّىٰٓ إِذَا جَا۟ءُوهَا فُتِحَتْ أَبْوَٰبُهَا وَقَالَ لَهُمْ خَزَنَتُهَآ أَلَمْ يَأْتِكُمْ رُسُلٌ مِّنكُمْ يَتْلُونَ عَلَيْكُمْ ءَايَٰتِ رَبِّكُمْ وَيُنذِرُونَكُمْ لِقَا۟ءَ يَوْمِكُمْ هَٰذَا ۚ قَالُوا۟ بَلَىٰ وَلَٰكِنْ حَقَّتْ كَلِمَةُ الْعَذَابِ عَلَى الْكَٰفِرِينَ ۞ قِيلَ ادْخُلُوٓا۟ أَبْوَٰبَ جَهَنَّمَ خَٰلِدِينَ فِيهَا ۖ فَبِئْسَ مَثْوَى الْمُتَكَبِّرِينَ ۞ وَسِيقَ الَّذِينَ اتَّقَوْا۟ رَبَّهُمْ إِلَى الْجَنَّةِ زُمَرًا ۖ حَتَّىٰٓ إِذَا جَا۟ءُوهَا وَفُتِحَتْ أَبْوَٰبُهَا وَقَالَ لَهُمْ خَزَنَتُهَا سَلَٰمٌ عَلَيْكُمْ طِبْتُمْ فَادْخُلُوهَا خَٰلِدِينَ ۞ وَقَالُوا۟ الْحَمْدُ لِلَّهِ الَّذِى صَدَقَنَا وَعْدَهُ وَأَوْرَثَنَا الْأَرْضَ نَتَبَوَّأُ مِنَ الْجَنَّةِ حَيْثُ نَشَاءُ ۖ فَنِعْمَ أَجْرُ الْعَٰمِلِينَ ۞

68. Et on soufflera dans la Trompe, et voilà que ceux qui seront dans les cieux et ceux qui seront sur la terre seront foudroyés, sauf ceux qu'Allāh voudra [épargner]. Puis on y soufflera de nouveau, et les voilà debout à regarder.

69. Et la terre resplendira de la lumière de son Seigneur ; le Livre¹ sera déposé, et on fera venir les prophètes et les témoins ; on décidera parmi eux en toute équité et ils ne seront point lésés ;

70. et chaque âme sera pleinement rétribuée pour ce qu'elle aura œuvré. Il [Allāh] connaît mieux ce qu'ils font.

71. Et ceux qui avaient mécru seront conduits par groupes à l'Enfer. Puis, quand ils y parviendront, ses portes s'ouvriront et ses gardiens leur diront: «Des messagers [choisis] parmi vous ne vous sont-ils pas venus, vous récitant les versets de votre Seigneur et vous avertissant de la rencontre de votre jour que voici?» Ils diront: si, mais le décret du châtiment s'est avéré juste contre les mécréants.

72. «Entrez, [leur] dira-t-on, par les portes de l'Enfer, pour y demeurer éternellement». Qu'il est mauvais le lieu de séjour des orgueilleux!

73. Et ceux qui avaient craint leur Seigneur seront conduits par groupes au Paradis. Puis, quand ils y parviendront et que ses portes s'ouvriront, ses gardiens leur diront: «Salut à vous! Vous avez été bons: entrez donc, pour y demeurer éternellement».

74. Et ils diront: «Louange à Allāh qui nous a tenu Sa promesse et nous a fait hériter la terre²! Nous allons nous installer dans le Paradis là où nous voulons». Que la récompense de ceux qui font le bien est excellente!

---

1. *Le Livre*: où sont consignées les actions des hommes.
2. *La terre*: le sol du Paradis.

وَتَرَى ٱلْمَلَٰئِكَةَ حَآفِّينَ مِنْ حَوْلِ ٱلْعَرْشِ يُسَبِّحُونَ بِحَمْدِ رَبِّهِمْ وَقُضِيَ بَيْنَهُم بِٱلْحَقِّ وَقِيلَ ٱلْحَمْدُ لِلَّهِ رَبِّ ٱلْعَٰلَمِينَ ۝

سُورَةُ غَافِر

بِسْمِ ٱللَّهِ ٱلرَّحْمَٰنِ ٱلرَّحِيمِ

حمٓ ۝ تَنزِيلُ ٱلْكِتَٰبِ مِنَ ٱللَّهِ ٱلْعَزِيزِ ٱلْعَلِيمِ ۝ غَافِرِ ٱلذَّنۢبِ وَقَابِلِ ٱلتَّوْبِ شَدِيدِ ٱلْعِقَابِ ذِى ٱلطَّوْلِ لَآ إِلَٰهَ إِلَّا هُوَ إِلَيْهِ ٱلْمَصِيرُ ۝ مَا يُجَٰدِلُ فِىٓ ءَايَٰتِ ٱللَّهِ إِلَّا ٱلَّذِينَ كَفَرُوا۟ فَلَا يَغْرُرْكَ تَقَلُّبُهُمْ فِى ٱلْبِلَٰدِ ۝ كَذَّبَتْ قَبْلَهُمْ قَوْمُ نُوحٍ وَٱلْأَحْزَابُ مِنۢ بَعْدِهِمْ وَهَمَّتْ كُلُّ أُمَّةٍۭ بِرَسُولِهِمْ لِيَأْخُذُوهُ وَجَٰدَلُوا۟ بِٱلْبَٰطِلِ لِيُدْحِضُوا۟ بِهِ ٱلْحَقَّ فَأَخَذْتُهُمْ فَكَيْفَ كَانَ عِقَابِ ۝ وَكَذَٰلِكَ حَقَّتْ كَلِمَتُ رَبِّكَ عَلَى ٱلَّذِينَ كَفَرُوٓا۟ أَنَّهُمْ أَصْحَٰبُ ٱلنَّارِ ۝ ٱلَّذِينَ يَحْمِلُونَ ٱلْعَرْشَ وَمَنْ حَوْلَهُۥ يُسَبِّحُونَ بِحَمْدِ رَبِّهِمْ وَيُؤْمِنُونَ بِهِۦ وَيَسْتَغْفِرُونَ لِلَّذِينَ ءَامَنُوا۟ رَبَّنَا وَسِعْتَ كُلَّ شَىْءٍ رَّحْمَةً وَعِلْمًا فَٱغْفِرْ لِلَّذِينَ تَابُوا۟ وَٱتَّبَعُوا۟ سَبِيلَكَ وَقِهِمْ عَذَابَ ٱلْجَحِيمِ ۝

75. Et tu verras les Anges faisant cercle autour du Trône, célébrant les louanges de leur Seigneur et Le glorifiant. Et il sera jugé entre eux en toute équité, et l'on dira: «Louange à Allāh, Seigneur de l'univers».

ĞĀFIR (LE PARDONNEUR)[1]
sourate 40   85 versets   Pré-hégirien n°60

Au nom d'Allāh, le Tout Miséricordieux, le Très Miséricordieux.

1. Ḥā, Mīm[2].

2. La révélation du Livre vient d'Allāh, le Puissant, l'Omniscient.

3. Le Pardonneur des péchés, l'Accueillant au repentir, le Dur en punition, le Détenteur des faveurs. Point de divinité à part Lui et vers Lui est la destination.

4. Seuls ceux qui ont mécru discutent les versets d'Allāh. Que leurs activités dans le pays ne te trompent pas.

5. Avant eux, le peuple de Noé a traité (Son Messager) de menteur, et les coalisés après eux[3] (ont fait de même), et chaque communauté a conçu le dessein de s'emparer de Son Messager. Et ils[4] ont discuté de faux arguments pour rejeter la vérité. Alors Je les ai saisis. Et quelle punition fut la Mienne!

6. Ainsi s'avéra juste la Parole de ton Seigneur contre ceux qui ont mécru: «Ils seront les gens du Feu».

7. Ceux (les Anges) qui portent le Trône et ceux qui l'entourent célèbrent les louanges de leur Seigneur, croient en Lui et implorent le pardon pour ceux qui croient: «Seigneur! Tu étends sur toute chose Ta miséricorde et Ta science. Pardonne donc à ceux qui se repentent et suivent Ton chemin et protège-les du châtiment de l'Enfer.

---

1. Titre tiré du v. 3.
2. *Ḥā, Mīm*: deux lettres de l'alphabet. Cf. note à S. 2, v. 1.
3. *Après eux*: après le peuple de Noé, d'autres peuples ont fait de même, tels les ʿĀd et les Ṯamūd.
4. *Ils ont discuté*: les membres de la communauté.

رَبَّنَا وَأَدْخِلْهُمْ جَنَّتِ عَدْنٍ ٱلَّتِي وَعَدتَّهُمْ وَمَن صَلَحَ مِنْ ءَابَآئِهِمْ وَأَزْوَٰجِهِمْ وَذُرِّيَّتِهِمْ إِنَّكَ أَنتَ ٱلْعَزِيزُ ٱلْحَكِيمُ ۝ وَقِهِمُ ٱلسَّيِّـَٔاتِ وَمَن تَقِ ٱلسَّيِّـَٔاتِ يَوْمَئِذٍ فَقَدْ رَحِمْتَهُۥ وَذَٰلِكَ هُوَ ٱلْفَوْزُ ٱلْعَظِيمُ ۝ إِنَّ ٱلَّذِينَ كَفَرُوٓا يُنَادَوْنَ لَمَقْتُ ٱللَّهِ أَكْبَرُ مِن مَّقْتِكُمْ أَنفُسَكُمْ إِذْ تُدْعَوْنَ إِلَى ٱلْإِيمَٰنِ فَتَكْفُرُونَ ۝ قَالُوا۟ رَبَّنَآ أَمَتَّنَا ٱثْنَتَيْنِ وَأَحْيَيْتَنَا ٱثْنَتَيْنِ فَٱعْتَرَفْنَا بِذُنُوبِنَا فَهَلْ إِلَىٰ خُرُوجٍ مِّن سَبِيلٍ ۝ ذَٰلِكُم بِأَنَّهُۥٓ إِذَا دُعِيَ ٱللَّهُ وَحْدَهُۥ كَفَرْتُمْ وَإِن يُشْرَكْ بِهِۦ تُؤْمِنُوا۟ فَٱلْحُكْمُ لِلَّهِ ٱلْعَلِيِّ ٱلْكَبِيرِ ۝ هُوَ ٱلَّذِي يُرِيكُمْ ءَايَٰتِهِۦ وَيُنَزِّلُ لَكُم مِّنَ ٱلسَّمَآءِ رِزْقًا وَمَا يَتَذَكَّرُ إِلَّا مَن يُنِيبُ ۝ فَٱدْعُوا۟ ٱللَّهَ مُخْلِصِينَ لَهُ ٱلدِّينَ وَلَوْ كَرِهَ ٱلْكَٰفِرُونَ ۝ رَفِيعُ ٱلدَّرَجَٰتِ ذُو ٱلْعَرْشِ يُلْقِي ٱلرُّوحَ مِنْ أَمْرِهِۦ عَلَىٰ مَن يَشَآءُ مِنْ عِبَادِهِۦ لِيُنذِرَ يَوْمَ ٱلتَّلَاقِ ۝ يَوْمَ هُم بَٰرِزُونَ لَا يَخْفَىٰ عَلَى ٱللَّهِ مِنْهُمْ شَىْءٌ لِّمَنِ ٱلْمُلْكُ ٱلْيَوْمَ لِلَّهِ ٱلْوَٰحِدِ ٱلْقَهَّارِ ۝

8. Seigneur! Fais-les entrer aux jardins d'Eden que Tu leur as promis, ainsi qu'aux vertueux parmi leurs ancêtres, leurs épouses et leurs descendants, car c'est Toi le Puissant, le Sage.

9. Et préserve-les [du châtiment] des mauvaises actions. Quiconque Tu préserves [du châtiment] des mauvaises actions ce jour-là, Tu lui feras miséricorde». Et c'est là l'énorme succès.

10. À ceux qui n'auront pas cru on proclamera: «l'aversion d'Allāh [envers vous] est plus grande que votre aversion envers vous-mêmes, lorsque vous étiez appelés à la foi et que vous persistiez dans la mécréance».

11. Ils diront: «Notre Seigneur, Tu nous as fait mourir deux fois, et redonné la vie deux fois[1]: nous reconnaissons donc nos péchés. Y a-t-il un moyen d'en sortir»?

12. «... Il en est ainsi car lorsqu'Allāh était invoqué seul (sans associé), vous ne croyiez pas ; et si on Lui donnait des associés, alors vous croyiez. Le jugement appartient à Allāh, le Très-Haut, le Très Grand».

13. C'est Lui qui vous fait voir Ses preuves, et fait descendre du ciel, pour vous, une subsistance. Seul se rappelle celui qui revient [à Allāh].

14. Invoquez Allāh donc, en Lui vouant un culte exclusif, quelque répulsion qu'en aient les mécréants.

15. Il est Celui qui est élevé aux degrés les plus hauts[2], Possesseur du Trône, Il envoie par Son ordre l'Esprit sur celui qu'Il veut parmi Ses serviteurs, afin que celui-ci avertisse du jour de la Rencontre[2],

16. le jour où ils comparaîtront sans que rien en eux ne soit caché à Allāh. À qui appartient la royauté, aujourd'hui? À Allāh, l'Unique, le Dominateur[3].

---

1. *Mourir deux fois... vie deux fois*: la première «mort» c'est avant la naissance, et la deuxième celle d'ici-bas. La première «vie» est la naissance ici-bas, et la deuxième lors de la Résurrection.
2. *Il est Celui qui...*: autre interp: Celui qui élève les degrés des croyants au Paradis.
Sur celui qu'il veut: (il s'agit là du Prophète de l'époque voulue).
3. Allāh pose la question et donne la réponse.

اَلْيَوْمَ تُجْزَىٰ كُلُّ نَفْسٍ بِمَا كَسَبَتْ لَا ظُلْمَ اَلْيَوْمَ إِنَّ اللَّهَ سَرِيعُ اَلْحِسَابِ ۝ وَأَنذِرْهُمْ يَوْمَ اَلْآزِفَةِ إِذِ اَلْقُلُوبُ لَدَى اَلْحَنَاجِرِ كَٰظِمِينَ مَا لِلظَّٰلِمِينَ مِنْ حَمِيمٍ وَلَا شَفِيعٍ يُطَاعُ ۝ يَعْلَمُ خَآئِنَةَ اَلْأَعْيُنِ وَمَا تُخْفِى اَلصُّدُورُ ۝ وَاللَّهُ يَقْضِى بِالْحَقِّ وَالَّذِينَ يَدْعُونَ مِن دُونِهِۦ لَا يَقْضُونَ بِشَىْءٍ إِنَّ اللَّهَ هُوَ اَلسَّمِيعُ اَلْبَصِيرُ ۝ ۞ أَوَلَمْ يَسِيرُوا۟ فِى اَلْأَرْضِ فَيَنظُرُوا۟ كَيْفَ كَانَ عَٰقِبَةُ اَلَّذِينَ كَانُوا۟ مِن قَبْلِهِمْ كَانُوا۟ هُمْ أَشَدَّ مِنْهُمْ قُوَّةً وَءَاثَارًا فِى اَلْأَرْضِ فَأَخَذَهُمُ اَللَّهُ بِذُنُوبِهِمْ وَمَا كَانَ لَهُم مِّنَ اَللَّهِ مِن وَاقٍ ۝ ذَٰلِكَ بِأَنَّهُمْ كَانَت تَّأْتِيهِمْ رُسُلُهُم بِالْبَيِّنَٰتِ فَكَفَرُوا۟ فَأَخَذَهُمُ اَللَّهُ إِنَّهُۥ قَوِىٌّ شَدِيدُ اَلْعِقَابِ ۝ وَلَقَدْ أَرْسَلْنَا مُوسَىٰ بِآيَٰتِنَا وَسُلْطَٰنٍ مُّبِينٍ ۝ إِلَىٰ فِرْعَوْنَ وَهَٰمَٰنَ وَقَٰرُونَ فَقَالُوا۟ سَٰحِرٌ كَذَّابٌ ۝ فَلَمَّا جَآءَهُم بِالْحَقِّ مِنْ عِندِنَا قَالُوا۟ اَقْتُلُوا۟ أَبْنَآءَ اَلَّذِينَ ءَامَنُوا۟ مَعَهُۥ وَاسْتَحْيُوا۟ نِسَآءَهُمْ وَمَا كَيْدُ اَلْكَٰفِرِينَ إِلَّا فِى ضَلَٰلٍ ۝

17. Ce jour-là, chaque âme sera rétribuée selon ce qu'elle aura acquis. Ce jour-là, pas d'injustice, car Allāh est prompt dans [Ses] comptes.

18. Et avertis-les du jour qui approche, quand les cœurs remonteront aux gorges, terrifiés (ou angoissés). Les injustes n'auront ni ami zélé, ni intercesseur écouté.

19. Il (Allāh) connaît la trahison des yeux, tout comme ce que les poitrines cachent.

20. Et Allāh juge en toute équité, tandis que ceux qu'ils invoquent en dehors de Lui ne jugent rien. En vérité c'est Allāh qui est l'Audient, le Clairvoyant.

21. Ne parcourent-ils pas la terre, pour voir ce qu'il est advenu de ceux qui ont vécu avant eux? Ils étaient [pourtant] plus forts qu'eux et ont laissé sur terre bien plus de vestiges. Allāh les saisit pour leurs péchés et ils n'eurent point de protecteur contre Allāh.

22. Ce fut ainsi, parce que leurs Messagers leur avaient apporté les preuves, mais ils se montrèrent mécréants. Allāh donc les saisit, car Il est fort et redoutable dans Son châtiment.

23. Nous envoyâmes effectivement Moïse avec Nos signes et une preuve évidente,

24. vers Pharaon, Hāmān et Coré. Mais ils dirent: «Magicien! Grand menteur!»

25. Puis, quand il leur eut apporté la vérité venant de Nous, ils dirent: «Tuez les fils de ceux qui ont cru avec lui, et laissez vivre leurs femmes». Et les ruses des mécréants ne vont qu'en pure perte.

وَقَالَ فِرْعَوْنُ ذَرُونِيٓ أَقْتُلْ مُوسَىٰ وَلْيَدْعُ رَبَّهُۥٓ إِنِّىٓ أَخَافُ أَن يُبَدِّلَ دِينَكُمْ أَوْ أَن يُظْهِرَ فِى ٱلْأَرْضِ ٱلْفَسَادَ ۞

وَقَالَ مُوسَىٰٓ إِنِّى عُذْتُ بِرَبِّى وَرَبِّكُم مِّن كُلِّ مُتَكَبِّرٍ لَّا يُؤْمِنُ بِيَوْمِ ٱلْحِسَابِ ۞ وَقَالَ رَجُلٌ مُّؤْمِنٌ مِّنْ ءَالِ فِرْعَوْنَ يَكْتُمُ إِيمَٰنَهُۥٓ أَتَقْتُلُونَ رَجُلًا أَن يَقُولَ رَبِّىَ ٱللَّهُ وَقَدْ جَآءَكُم بِٱلْبَيِّنَٰتِ مِن رَّبِّكُمْ وَإِن يَكُ كَٰذِبًا فَعَلَيْهِ كَذِبُهُۥ وَإِن يَكُ صَادِقًا يُصِبْكُم بَعْضُ ٱلَّذِى يَعِدُكُمْ إِنَّ ٱللَّهَ لَا يَهْدِى مَنْ هُوَ مُسْرِفٌ كَذَّابٌ ۞ يَٰقَوْمِ لَكُمُ ٱلْمُلْكُ ٱلْيَوْمَ ظَٰهِرِينَ فِى ٱلْأَرْضِ فَمَن يَنصُرُنَا مِنۢ بَأْسِ ٱللَّهِ إِن جَآءَنَا قَالَ فِرْعَوْنُ مَآ أُرِيكُمْ إِلَّا مَآ أَرَىٰ وَمَآ أَهْدِيكُمْ إِلَّا سَبِيلَ ٱلرَّشَادِ ۞ وَقَالَ ٱلَّذِىٓ ءَامَنَ يَٰقَوْمِ إِنِّىٓ أَخَافُ عَلَيْكُم مِّثْلَ يَوْمِ ٱلْأَحْزَابِ ۞ مِثْلَ دَأْبِ قَوْمِ نُوحٍ وَعَادٍ وَثَمُودَ وَٱلَّذِينَ مِنۢ بَعْدِهِمْ وَمَا ٱللَّهُ يُرِيدُ ظُلْمًا لِّلْعِبَادِ ۞ وَيَٰقَوْمِ إِنِّىٓ أَخَافُ عَلَيْكُمْ يَوْمَ ٱلتَّنَادِ ۞ يَوْمَ تُوَلُّونَ مُدْبِرِينَ مَا لَكُم مِّنَ ٱللَّهِ مِنْ عَاصِمٍ وَمَن يُضْلِلِ ٱللَّهُ فَمَا لَهُۥ مِنْ هَادٍ ۞

26. Et Pharaon dit: «Laissez-moi tuer Moïse, Et qu'il appelle son Seigneur! Je crains qu'il ne change votre religion ou qu'il ne fasse apparaître la corruption sur terre».

27. Moïse [lui] dit: «Je cherche auprès de mon Seigneur et le vôtre, protection contre tout orgueilleux qui ne croit pas au jour du Compte».

28. Et un homme croyant de la famille de Pharaon, qui dissimulait sa foi, dit: «Tuez-vous un homme parce qu'il dit: «Mon Seigneur est Allāh»? Alors qu'il est venu à vous avec les preuves évidentes de la part de votre Seigneur. S'il est menteur, son mensonge sera à son détriment ; tandis que s'il est véridique, alors une partie de ce dont il vous menace tombera sur vous». Certes, Allāh ne guide pas celui qui est outrancier et imposteur!

29. «Ô mon peuple, triomphant sur la terre, vous avez la royauté aujourd'hui[1]. Mais qui nous secourra de la rigueur d'Allāh si elle nous vient?» Pharaon dit: «Je ne vous indique que ce que je considère bon. Je ne vous guide qu'au sentier de la droiture».

30. Et celui qui était croyant dit: «Ô mon peuple, je crains pour vous un jour semblable à celui des coalisés.

31. Un sort semblable à celui du peuple de Noé, des ʿĀd et des Ṯamūd. et de ceux [qui vécurent] après eux». Allāh ne veut [faire subir] aucune injustice aux serviteurs.

32. «Ô mon peuple, je crains pour vous le jour de l'Appel Mutuel[2],

33. Le jour où vous tournerez le dos en déroute, sans qu'il y ait pour vous de protecteur contre Allāh». Et quiconque Allāh égare, n'a point de guide.

---

1. *Ô mon peuple*...: suite du discours du croyant anonyme.
2. *Appel Mutuel*: dans leur détresse, les gens s'interpelleront les uns les autres tel que c'est mentionné dans S. 7, v. 44: les gens du Paradis poseront des questions aux gens de l'Enfer ; et aussi dans S. 7, vv 48 et 50: les gens de l'Enfer crieront aux gens du Paradis pour leur demander à boire, etc.

وَلَقَدْ جَاءَكُمْ يُوسُفُ مِن قَبْلُ بِالْبَيِّنَتِ فَمَا زِلْتُمْ فِى شَكٍّ مِّمَّا جَاءَكُم بِهِۦ ۖ حَتَّىٰٓ إِذَا هَلَكَ قُلْتُمْ لَن يَبْعَثَ ٱللَّهُ مِنۢ بَعْدِهِۦ رَسُولًا ۚ كَذَٰلِكَ يُضِلُّ ٱللَّهُ مَنْ هُوَ مُسْرِفٌ مُّرْتَابٌ ۞ ٱلَّذِينَ يُجَٰدِلُونَ فِىٓ ءَايَٰتِ ٱللَّهِ بِغَيْرِ سُلْطَٰنٍ أَتَىٰهُمْ ۖ كَبُرَ مَقْتًا عِندَ ٱللَّهِ وَعِندَ ٱلَّذِينَ ءَامَنُوا ۚ كَذَٰلِكَ يَطْبَعُ ٱللَّهُ عَلَىٰ كُلِّ قَلْبِ مُتَكَبِّرٍ جَبَّارٍ ۞ وَقَالَ فِرْعَوْنُ يَٰهَٰمَٰنُ ٱبْنِ لِى صَرْحًا لَّعَلِّىٓ أَبْلُغُ ٱلْأَسْبَٰبَ ۞ أَسْبَٰبَ ٱلسَّمَٰوَٰتِ فَأَطَّلِعَ إِلَىٰٓ إِلَٰهِ مُوسَىٰ وَإِنِّى لَأَظُنُّهُۥ كَٰذِبًا ۚ وَكَذَٰلِكَ زُيِّنَ لِفِرْعَوْنَ سُوٓءُ عَمَلِهِۦ وَصُدَّ عَنِ ٱلسَّبِيلِ ۚ وَمَا كَيْدُ فِرْعَوْنَ إِلَّا فِى تَبَابٍ ۞ وَقَالَ ٱلَّذِىٓ ءَامَنَ يَٰقَوْمِ ٱتَّبِعُونِ أَهْدِكُمْ سَبِيلَ ٱلرَّشَادِ ۞ يَٰقَوْمِ إِنَّمَا هَٰذِهِ ٱلْحَيَوٰةُ ٱلدُّنْيَا مَتَٰعٌ وَإِنَّ ٱلْءَاخِرَةَ هِىَ دَارُ ٱلْقَرَارِ ۞ مَنْ عَمِلَ سَيِّئَةً فَلَا يُجْزَىٰٓ إِلَّا مِثْلَهَا ۖ وَمَنْ عَمِلَ صَٰلِحًا مِّن ذَكَرٍ أَوْ أُنثَىٰ وَهُوَ مُؤْمِنٌ فَأُو۟لَٰٓئِكَ يَدْخُلُونَ ٱلْجَنَّةَ يُرْزَقُونَ فِيهَا بِغَيْرِ حِسَابٍ ۞

34. «Certes, Joseph vous est venu auparavant avec les preuves évidentes, mais vous n'avez jamais cessé d'avoir des doutes sur ce qu'il vous avait apporté. Mais lorsqu'il mourut, vous dites alors: «Allāh n'enverra plus jamais de Messager après lui». Ainsi Allāh égare-t-Il celui qui est outrancier et celui qui doute.

35. Ceux qui discutent les prodiges d'Allāh sans qu'aucune preuve ne leur soit venue, [leur action] est grandement haïssable auprès d'Allāh et auprès de ceux qui croient. Ainsi Allāh scelle-t-Il le cœur de tout orgueilleux tyran.

36. Et Pharaon dit: «Ô Hāmān, bâtis-moi une tour: peut-être atteindrai-je les voies,

37. les voies des cieux, et apercevrai-je le Dieu de Moïse ; mais je pense que celui-ci est menteur». Ainsi la mauvaise action de Pharaon lui parut enjolivée ; et il fut détourné du droit chemin ; et le stratagème de Pharaon n'est voué qu'à la destruction.

38. Et celui qui avait-cru dit: «Ô mon peuple, suivez-moi. Je vous guiderai au sentier de la droiture.

39. Ô mon peuple, cette vie n'est que jouissance temporaire, alors que l'au-delà est vraiment la demeure de la stabilité.

40. Quiconque fait une mauvaise action ne sera rétribué que par son pareil ; et quiconque, mâle ou femelle, fait une bonne action tout en étant croyant, alors ceux-là entreront au Paradis pour y recevoir leur subsistance sans compter.

۞ وَيَٰقَوْمِ مَا لِىٓ أَدْعُوكُمْ إِلَى ٱلنَّجَوٰةِ وَتَدْعُونَنِىٓ إِلَى

ٱلنَّارِ ﴿٤١﴾ تَدْعُونَنِى لِأَكْفُرَ بِٱللَّهِ وَأُشْرِكَ بِهِۦ مَا لَيْسَ

لِى بِهِۦ عِلْمٌ وَأَنَا۠ أَدْعُوكُمْ إِلَى ٱلْعَزِيزِ ٱلْغَفَّٰرِ ﴿٤٢﴾ لَا جَرَمَ

أَنَّمَا تَدْعُونَنِىٓ إِلَيْهِ لَيْسَ لَهُۥ دَعْوَةٌ فِى ٱلدُّنْيَا وَلَا فِى ٱلْأَخِرَةِ

وَأَنَّ مَرَدَّنَآ إِلَى ٱللَّهِ وَأَنَّ ٱلْمُسْرِفِينَ هُمْ أَصْحَٰبُ ٱلنَّارِ

﴿٤٣﴾ فَسَتَذْكُرُونَ مَآ أَقُولُ لَكُمْ وَأُفَوِّضُ أَمْرِىٓ إِلَى

ٱللَّهِ إِنَّ ٱللَّهَ بَصِيرٌۢ بِٱلْعِبَادِ ﴿٤٤﴾ فَوَقَىٰهُ ٱللَّهُ سَيِّـَٔاتِ

مَا مَكَرُواْ وَحَاقَ بِـَٔالِ فِرْعَوْنَ سُوٓءُ ٱلْعَذَابِ ﴿٤٥﴾ ٱلنَّارُ

يُعْرَضُونَ عَلَيْهَا غُدُوًّا وَعَشِيًّا وَيَوْمَ تَقُومُ ٱلسَّاعَةُ أَدْخِلُوٓاْ

ءَالَ فِرْعَوْنَ أَشَدَّ ٱلْعَذَابِ ﴿٤٦﴾ وَإِذْ يَتَحَآجُّونَ فِى

ٱلنَّارِ فَيَقُولُ ٱلضُّعَفَٰٓؤُاْ لِلَّذِينَ ٱسْتَكْبَرُوٓاْ إِنَّا كُنَّا

لَكُمْ تَبَعًا فَهَلْ أَنتُم مُّغْنُونَ عَنَّا نَصِيبًا مِّنَ ٱلنَّارِ

﴿٤٧﴾ قَالَ ٱلَّذِينَ ٱسْتَكْبَرُوٓاْ إِنَّا كُلٌّ فِيهَآ إِنَّ ٱللَّهَ

قَدْ حَكَمَ بَيْنَ ٱلْعِبَادِ ﴿٤٨﴾ وَقَالَ ٱلَّذِينَ فِى ٱلنَّارِ لِخَزَنَةِ

جَهَنَّمَ ٱدْعُواْ رَبَّكُمْ يُخَفِّفْ عَنَّا يَوْمًا مِّنَ ٱلْعَذَابِ ﴿٤٩﴾

41. Ô mon peuple, mais qu'ai-je à vous appeler au salut, alors que vous m'appelez au Feu?

42. Vous m'invitez à nier Allāh et à Lui donner des associés dont je n'ai aucun savoir, alors que je vous appelle au Tout Puissant, au Grand Pardonneur.

43. Nul doute que ce à quoi vous m'appelez ne peut exaucer une invocation ni ici-bas ni dans l'au-delà. C'est vers Allāh qu'est notre retour, et les outranciers sont eux les gens du Feu.

44. Bientôt vous vous rappellerez ce que je vous dis ; et je confie mon sort à Allāh. Allāh est, certes Clairvoyant sur les serviteurs.

45. Allāh donc le protégea des méfaits de leurs ruses, alors que le pire châtiment cerna les gens de Pharaon:

46. le Feu, auquel ils sont exposés matin et soir[1]. Et le jour où l'Heure arrivera (il sera dit): «Faites entrer les gens de Pharaon au plus dur du châtiment».

47. Et quand ils se disputeront dans le Feu, les faibles diront à ceux qui s'enflaient d'orgueil: «Nous vous avions suivis: pourriez-vous nous préserver d'une partie du feu?»

48. Et ceux qui s'enflaient d'orgueil diront: «En vérité, nous y voilà tous». Allāh a déjà rendu Son jugement entre les serviteurs.

49. Et ceux qui seront dans le Feu diront aux gardiens de l'Enfer: «Priez votre Seigneur de nous alléger un jour de [notre] supplice».

---

1. *Ils sont exposés*: ils sont brûlés.
Ce verset fait allusion au châtiment de la tombe. Un ḥadīṯ dit: «La tombe est ou bien l'un des jardins du Paradis ou bien l'une des fosses de l'Enfer».

قَالُوٓاْ أَوَلَمْ تَكُ تَأْتِيكُمْ رُسُلُكُم بِٱلْبَيِّنَٰتِ قَالُواْ بَلَىٰ قَالُواْ فَٱدْعُواْ وَمَا دُعَٰٓؤُاْ ٱلْكَٰفِرِينَ إِلَّا فِى ضَلَٰلٍ ۞ إِنَّا لَنَنصُرُ رُسُلَنَا وَٱلَّذِينَ ءَامَنُواْ فِى ٱلْحَيَوٰةِ ٱلدُّنْيَا وَيَوْمَ يَقُومُ ٱلْأَشْهَٰدُ ۞ يَوْمَ لَا يَنفَعُ ٱلظَّٰلِمِينَ مَعْذِرَتُهُمْ وَلَهُمُ ٱللَّعْنَةُ وَلَهُمْ سُوٓءُ ٱلدَّارِ ۞ وَلَقَدْ ءَاتَيْنَا مُوسَى ٱلْهُدَىٰ وَأَوْرَثْنَا بَنِىٓ إِسْرَٰٓءِيلَ ٱلْكِتَٰبَ ۞ هُدًى وَذِكْرَىٰ لِأُوْلِى ٱلْأَلْبَٰبِ ۞ فَٱصْبِرْ إِنَّ وَعْدَ ٱللَّهِ حَقٌّ وَٱسْتَغْفِرْ لِذَنۢبِكَ وَسَبِّحْ بِحَمْدِ رَبِّكَ بِٱلْعَشِىِّ وَٱلْإِبْكَٰرِ ۞ إِنَّ ٱلَّذِينَ يُجَٰدِلُونَ فِىٓ ءَايَٰتِ ٱللَّهِ بِغَيْرِ سُلْطَٰنٍ أَتَىٰهُمْ إِن فِى صُدُورِهِمْ إِلَّا كِبْرٌ مَّا هُم بِبَٰلِغِيهِ فَٱسْتَعِذْ بِٱللَّهِ إِنَّهُۥ هُوَ ٱلسَّمِيعُ ٱلْبَصِيرُ ۞ لَخَلْقُ ٱلسَّمَٰوَٰتِ وَٱلْأَرْضِ أَكْبَرُ مِنْ خَلْقِ ٱلنَّاسِ وَلَٰكِنَّ أَكْثَرَ ٱلنَّاسِ لَا يَعْلَمُونَ ۞ وَمَا يَسْتَوِى ٱلْأَعْمَىٰ وَٱلْبَصِيرُ وَٱلَّذِينَ ءَامَنُواْ وَعَمِلُواْ ٱلصَّٰلِحَٰتِ وَلَا ٱلْمُسِىٓءُ قَلِيلًا مَّا تَتَذَكَّرُونَ ۞

50. «Ils diront: «vos Messagers, ne vous apportaient-ils pas les preuves évidentes»? Ils diront: «Si»! Ils [les gardiens] diront: «Eh bien, priez»! Et l'invocation des mécréants n'est qu'aberration.

51. Nous secourrons, certes, Nos Messagers et ceux qui croient, dans la vie présente tout comme au jour où les témoins [les Anges gardiens] se dresseront (le Jour du Jugement),

52. au jour où leur excuse ne sera pas utile aux injustes, tandis qu'il y aura pour eux la malédiction et la pire demeure.

53. En effet, Nous avons apporté à Moïse la guidée, et fait hériter aux Enfants d'Israël, le Livre,

54. une guidée et un rappel aux gens doués d'intelligence.

55. Endure donc, car la promesse d'Allāh est vérité, implore le pardon pour ton péché et célèbre la gloire et la louange de ton Seigneur, soir et matin[1].

56. Ceux qui discutent sur les versets d'Allāh sans qu'aucune preuve ne leur soit venue, n'ont dans leurs poitrines qu'orgueil. Ils n'atteindront pas leur but. Implore donc la protection d'Allāh, car c'est Lui l'Audient, le Clairvoyant.

57. La création des cieux et de la terre est quelque chose de plus grand que la création des gens. Mais la plupart des gens ne savent pas.

58. L'aveugle et le voyant ne sont pas égaux, et ceux qui croient et accomplissent les bonnes œuvres ne peuvent être comparés à celui qui fait le mal. C'est rare que vous vous rappeliez!

---

1. La parole divine est ici adressée à Muḥammad (ﷺ). Et le péché qui lui est attribué ici se limite selon certains exégètes, à des erreurs minimes commises avant la Prophétie. D'autres exégètes estiment qu'Allāh demande à Son Prophète d'implorer le pardon pour sa communauté.

إِنَّ ٱلسَّاعَةَ لَآتِيَةٌ لَّا رَيْبَ فِيهَا وَلَٰكِنَّ أَكْثَرَ ٱلنَّاسِ لَا يُؤْمِنُونَ ۞ وَقَالَ رَبُّكُمُ ٱدْعُونِىٓ أَسْتَجِبْ لَكُمْ إِنَّ ٱلَّذِينَ يَسْتَكْبِرُونَ عَنْ عِبَادَتِى سَيَدْخُلُونَ جَهَنَّمَ دَاخِرِينَ ۞ ٱللَّهُ ٱلَّذِى جَعَلَ لَكُمُ ٱلَّيْلَ لِتَسْكُنُوا۟ فِيهِ وَٱلنَّهَارَ مُبْصِرًا إِنَّ ٱللَّهَ لَذُو فَضْلٍ عَلَى ٱلنَّاسِ وَلَٰكِنَّ أَكْثَرَ ٱلنَّاسِ لَا يَشْكُرُونَ ۞ ذَٰلِكُمُ ٱللَّهُ رَبُّكُمْ خَٰلِقُ كُلِّ شَىْءٍ لَّآ إِلَٰهَ إِلَّا هُوَ فَأَنَّىٰ تُؤْفَكُونَ ۞ كَذَٰلِكَ يُؤْفَكُ ٱلَّذِينَ كَانُوا۟ بِـَٔايَٰتِ ٱللَّهِ يَجْحَدُونَ ۞ ٱللَّهُ ٱلَّذِى جَعَلَ لَكُمُ ٱلْأَرْضَ قَرَارًا وَٱلسَّمَآءَ بِنَآءً وَصَوَّرَكُمْ فَأَحْسَنَ صُوَرَكُمْ وَرَزَقَكُم مِّنَ ٱلطَّيِّبَٰتِ ذَٰلِكُمُ ٱللَّهُ رَبُّكُمْ فَتَبَارَكَ ٱللَّهُ رَبُّ ٱلْعَٰلَمِينَ ۞ هُوَ ٱلْحَىُّ لَآ إِلَٰهَ إِلَّا هُوَ فَٱدْعُوهُ مُخْلِصِينَ لَهُ ٱلدِّينَ ٱلْحَمْدُ لِلَّهِ رَبِّ ٱلْعَٰلَمِينَ ۞ ۞ قُلْ إِنِّى نُهِيتُ أَنْ أَعْبُدَ ٱلَّذِينَ تَدْعُونَ مِن دُونِ ٱللَّهِ لَمَّا جَآءَنِىَ ٱلْبَيِّنَٰتُ مِن رَّبِّى وَأُمِرْتُ أَنْ أُسْلِمَ لِرَبِّ ٱلْعَٰلَمِينَ ۞

59. En vérité, L'Heure va arriver: pas de doute là-dessus ; mais la plupart des gens n'y croient pas.

60. Et votre Seigneur dit: «Appelez-Moi, Je vous répondrai. Ceux qui, par orgueil, se refusent à M'adorer entreront bientôt dans l'Enfer, humiliés».

61. Allāh est celui qui vous a assigné la nuit pour que vous vous y reposiez, et le jour pour y voir clair. Allāh est le Pourvoyeur de grâce aux hommes, mais la plupart des gens ne sont pas reconnaissants.

62. Tel est votre Seigneur, Créateur de toute chose. Point de divinité à part Lui. Comment se fait-il que vous vous détourniez (du chemin droit)?

63. Ainsi ceux qui nient les prodiges d'Allāh se détournent-ils [du chemin droit.]

64. C'est Allāh qui vous a assigné la terre comme demeure stable et le ciel comme toit et vous a donné votre forme, - et quelle belle forme Il vous a donnée! - et Il vous a nourris de bonnes choses. Tel est Allāh, votre Seigneur ; gloire à Allāh, Seigneur de l'univers!

65. C'est Lui le Vivant. Point de divinité à part Lui. Appelez-Le donc, en Lui vouant un culte exclusif. Louange à Allāh, Seigneur de l'univers!

66. Dis: «Il m'a été interdit, une fois que les preuves me sont venues de mon Seigneur, d'adorer ceux que vous invoquez en dehors d'Allāh, et il m'a été ordonné de me soumettre au Seigneur de l'univers».

هُوَ ٱلَّذِى خَلَقَكُم مِّن تُرَابٍ ثُمَّ مِن نُّطْفَةٍ ثُمَّ مِنْ عَلَقَةٍ ثُمَّ يُخْرِجُكُمْ طِفْلًا ثُمَّ لِتَبْلُغُوٓاْ أَشُدَّكُمْ ثُمَّ لِتَكُونُواْ شُيُوخًا ۚ وَمِنكُم مَّن يُتَوَفَّىٰ مِن قَبْلُ ۖ وَلِتَبْلُغُوٓاْ أَجَلًا مُّسَمًّى وَلَعَلَّكُمْ تَعْقِلُونَ ۝ هُوَ ٱلَّذِى يُحْىِۦ وَيُمِيتُ ۖ فَإِذَا قَضَىٰٓ أَمْرًا فَإِنَّمَا يَقُولُ لَهُۥ كُن فَيَكُونُ ۝ أَلَمْ تَرَ إِلَى ٱلَّذِينَ يُجَٰدِلُونَ فِىٓ ءَايَٰتِ ٱللَّهِ أَنَّىٰ يُصْرَفُونَ ۝ ٱلَّذِينَ كَذَّبُواْ بِٱلْكِتَٰبِ وَبِمَآ أَرْسَلْنَا بِهِۦ رُسُلَنَا ۖ فَسَوْفَ يَعْلَمُونَ ۝ إِذِ ٱلْأَغْلَٰلُ فِىٓ أَعْنَٰقِهِمْ وَٱلسَّلَٰسِلُ يُسْحَبُونَ ۝ فِى ٱلْحَمِيمِ ثُمَّ فِى ٱلنَّارِ يُسْجَرُونَ ۝ ثُمَّ قِيلَ لَهُمْ أَيْنَ مَا كُنتُمْ تُشْرِكُونَ ۝ مِن دُونِ ٱللَّهِ ۖ قَالُواْ ضَلُّواْ عَنَّا بَل لَّمْ نَكُن نَّدْعُواْ مِن قَبْلُ شَيْـًٔا ۚ كَذَٰلِكَ يُضِلُّ ٱللَّهُ ٱلْكَٰفِرِينَ ۝ ذَٰلِكُم بِمَا كُنتُمْ تَفْرَحُونَ فِى ٱلْأَرْضِ بِغَيْرِ ٱلْحَقِّ وَبِمَا كُنتُمْ تَمْرَحُونَ ۝ ٱدْخُلُوٓاْ أَبْوَٰبَ جَهَنَّمَ خَٰلِدِينَ فِيهَا ۖ فَبِئْسَ مَثْوَى ٱلْمُتَكَبِّرِينَ ۝ فَٱصْبِرْ إِنَّ وَعْدَ ٱللَّهِ حَقٌّ ۚ فَإِمَّا نُرِيَنَّكَ بَعْضَ ٱلَّذِى نَعِدُهُمْ أَوْ نَتَوَفَّيَنَّكَ فَإِلَيْنَا يُرْجَعُونَ ۝

67. C'est Lui qui vous a créés de terre, puis d'une goutte sperme, puis d'une adhérence; puis Il vous fait sortir petit enfant pour qu'ensuite vous atteigniez votre maturité et qu'ensuite vous deveniez vieux, - certains parmi vous meurent plus tôt, - et pour que vous atteigniez un terme fixé, afin que vous raisonniez.

68. C'est Lui qui donne la vie et donne la mort. Puis quand Il décide une affaire, Il n'a qu'à dire: «Sois», et elle est.

69. N'as-tu pas vu comment ceux qui discutent sur les versets d'Allāh se laissent détourner?

70. Ceux qui traitent de mensonge le Livre (le Qur'ān) et ce avec quoi Nous avons envoyé Nos Messagers ; ils sauront bientôt,

71. quand, des carcans à leurs cous et avec des chaînes ils seront traînés

72. dans l'eau bouillante ; et qu'ensuite ils brûleront dans le Feu.

73. Puis on leur dira: «Où sont ceux que vous associez

74. à Allāh?» «Ils se sont écartés de nous, diront-ils. Ou plutôt, nous n'invoquions rien, auparavant». Ainsi Allāh égare-t-Il les mécréants.

75. Voilà le prix de votre exultation sur terre, sans raison, ainsi que de votre joie immodérée.

76. Franchissez les portes de l'Enfer pour y demeurer éternellement. Qu'il est mauvais le lieu de séjour des orgueilleux!

77. Endure donc. La promesse d'Allāh est vraie. Que Nous te montrions une partie de ce dont Nous les menaçons ou que Nous te fassions mourir (avant cela) ... c'est vers Nous qu'ils seront ramenés.

وَلَقَدْ أَرْسَلْنَا رُسُلًا مِّن قَبْلِكَ مِنْهُم مَّن قَصَصْنَا عَلَيْكَ

وَمِنْهُم مَّن لَّمْ نَقْصُصْ عَلَيْكَ ۗ وَمَا كَانَ لِرَسُولٍ أَن يَأْتِيَ

بِآيَةٍ إِلَّا بِإِذْنِ ٱللَّهِ ۚ فَإِذَا جَاءَ أَمْرُ ٱللَّهِ قُضِيَ بِٱلْحَقِّ وَخَسِرَ

هُنَالِكَ ٱلْمُبْطِلُونَ ۝ ٱللَّهُ ٱلَّذِى جَعَلَ لَكُمُ ٱلْأَنْعَٰمَ

لِتَرْكَبُوا۟ مِنْهَا وَمِنْهَا تَأْكُلُونَ ۝ وَلَكُمْ فِيهَا

مَنَٰفِعُ وَلِتَبْلُغُوا۟ عَلَيْهَا حَاجَةً فِى صُدُورِكُمْ وَعَلَيْهَا وَعَلَى

ٱلْفُلْكِ تُحْمَلُونَ ۝ وَيُرِيكُمْ ءَايَٰتِهِۦ فَأَىَّ ءَايَٰتِ

ٱللَّهِ تُنكِرُونَ ۝ أَفَلَمْ يَسِيرُوا۟ فِى ٱلْأَرْضِ فَيَنظُرُوا۟ كَيْفَ

كَانَ عَٰقِبَةُ ٱلَّذِينَ مِن قَبْلِهِمْ ۚ كَانُوٓا۟ أَكْثَرَ مِنْهُمْ وَأَشَدَّ

قُوَّةً وَءَاثَارًا فِى ٱلْأَرْضِ فَمَآ أَغْنَىٰ عَنْهُم مَّا كَانُوا۟ يَكْسِبُونَ

۝ فَلَمَّا جَاءَتْهُمْ رُسُلُهُم بِٱلْبَيِّنَٰتِ فَرِحُوا۟ بِمَا عِندَهُم

مِّنَ ٱلْعِلْمِ وَحَاقَ بِهِم مَّا كَانُوا۟ بِهِۦ يَسْتَهْزِءُونَ ۝ فَلَمَّا

رَأَوْا۟ بَأْسَنَا قَالُوٓا۟ ءَامَنَّا بِٱللَّهِ وَحْدَهُۥ وَكَفَرْنَا بِمَا كُنَّا بِهِۦ

مُشْرِكِينَ ۝ فَلَمْ يَكُ يَنفَعُهُمْ إِيمَٰنُهُمْ لَمَّا رَأَوْا۟ بَأْسَنَا ۖ سُنَّتَ

ٱللَّهِ ٱلَّتِى قَدْ خَلَتْ فِى عِبَادِهِۦ ۖ وَخَسِرَ هُنَالِكَ ٱلْكَٰفِرُونَ ۝

78. Certes, Nous avons envoyé avant toi des Messagers. Il en est dont Nous t'avons raconté l'histoire ; et il en est dont Nous ne t'avons pas raconté l'histoire. Et il n'appartient pas à un Messager d'apporter un signe [ou verset] si ce n'est avec la permission d'Allāh. Lorsque le commandement d'Allāh viendra, tout sera décidé en toute justice; et ceux qui profèrent des mensonges sont alors les perdants.

79. C'est Allāh qui vous a fait les bestiaux pour que vous en montiez et que vous en mangiez,

80. et vous y avez des profits et afin que vous atteigniez sur eux une chose nécessaire qui vous tenait à cœur[1]. C'est sur eux et sur les vaisseaux que vous êtes transportés.

81. Et Il vous montre Ses merveilles. Quelles merveilles d'Allāh niez-vous donc?

82. Ne parcourent-ils donc pas la terre pour voir ce qu'il est advenu de ceux qui étaient avant eux? Ils étaient [pourtant] plus nombreux qu'eux et bien plus puissants et ils [avaient laissé] sur terre beaucoup plus de vestiges. Mais ce qu'ils ont acquis ne leur a servi à rien.

83. Lorsque leurs Messagers leur apportaient les preuves évidentes, ils exultaient des connaissances qu'ils avaient. Et ce dont ils se moquaient les enveloppa.

84. Puis, quand ils virent Notre rigueur ils dirent: «Nous croyons en Allāh seul, et nous renions ce que nous Lui donnions comme associés».

85. Mais leur croyance, au moment où ils eurent constaté Notre rigueur, ne leur profita point ; Telle est la règle d'Allāh envers Ses serviteurs dans le passé. Et c'est là que les mécréants se trouvèrent perdants.

---

1. *Qui vous tenait à cœur*: littéralement: dans vos poitrines.

سُورَةُ فُصِّلَتْ

بِسْمِ اللَّهِ الرَّحْمَٰنِ الرَّحِيمِ

حمٓ ۝ تَنزِيلٌ مِّنَ الرَّحْمَٰنِ الرَّحِيمِ ۝ كِتَٰبٌ فُصِّلَتْ ءَايَٰتُهُۥ قُرْءَانًا عَرَبِيًّا لِّقَوْمٍ يَعْلَمُونَ ۝ بَشِيرًا وَنَذِيرًا فَأَعْرَضَ أَكْثَرُهُمْ فَهُمْ لَا يَسْمَعُونَ ۝ وَقَالُوا۟ قُلُوبُنَا فِىٓ أَكِنَّةٍ مِّمَّا تَدْعُونَآ إِلَيْهِ وَفِىٓ ءَاذَانِنَا وَقْرٌ وَمِنۢ بَيْنِنَا وَبَيْنِكَ حِجَابٌ فَٱعْمَلْ إِنَّنَا عَٰمِلُونَ ۝ قُلْ إِنَّمَآ أَنَا۠ بَشَرٌ مِّثْلُكُمْ يُوحَىٰٓ إِلَىَّ أَنَّمَآ إِلَٰهُكُمْ إِلَٰهٌ وَٰحِدٌ فَٱسْتَقِيمُوٓا۟ إِلَيْهِ وَٱسْتَغْفِرُوهُ وَوَيْلٌ لِّلْمُشْرِكِينَ ۝ ٱلَّذِينَ لَا يُؤْتُونَ ٱلزَّكَوٰةَ وَهُم بِٱلْءَاخِرَةِ هُمْ كَٰفِرُونَ ۝ إِنَّ ٱلَّذِينَ ءَامَنُوا۟ وَعَمِلُوا۟ ٱلصَّٰلِحَٰتِ لَهُمْ أَجْرٌ غَيْرُ مَمْنُونٍ ۝ قُلْ أَئِنَّكُمْ لَتَكْفُرُونَ بِٱلَّذِى خَلَقَ ٱلْأَرْضَ فِى يَوْمَيْنِ وَتَجْعَلُونَ لَهُۥٓ أَندَادًا ذَٰلِكَ رَبُّ ٱلْعَٰلَمِينَ ۝ وَجَعَلَ فِيهَا رَوَٰسِىَ مِن فَوْقِهَا وَبَٰرَكَ فِيهَا وَقَدَّرَ فِيهَآ أَقْوَٰتَهَا فِىٓ أَرْبَعَةِ أَيَّامٍ سَوَآءً لِّلسَّآئِلِينَ ۝ ثُمَّ ٱسْتَوَىٰٓ إِلَى ٱلسَّمَآءِ وَهِىَ دُخَانٌ فَقَالَ لَهَا وَلِلْأَرْضِ ٱئْتِيَا طَوْعًا أَوْ كَرْهًا قَالَتَآ أَتَيْنَا طَآئِعِينَ ۝

FUṢṢILAT (LES VERSETS DÉTAILLÉS)[1]
sourate 41   54 versets   Pré-hégirien n°61

Au nom d'Allāh, le Tout Miséricordieux, le Très Miséricordieux.

1. Ḥā, Mīm[2].

2. [C'est] une Révélation descendue de la part du Tout Miséricordieux, du Très Miséricordieux.

3. Un Livre dont les versets sont détaillés (et clairement exposés), un Qur'ān [lecture] arabe pour des gens qui savent,

4. annonciateur [d'une bonne nouvelle] et avertisseur. Mais la plupart d'entre eux se détournent ; c'est qu'ils n'entendent pas.

5. Et ils dirent: «Nos cœurs sont voilés contre ce à quoi tu nous appelles, nos oreilles sont sourdes. Et entre nous et toi, il y a une cloison. Agis donc de ton côté ; nous agissons du notre».

6. Dis: «Je ne suis qu'un homme comme vous. Il m'a été révélé que votre Dieu est un Dieu unique. Cherchez le droit chemin vers Lui et implorez Son pardon». Et malheur aux Associateurs

7. qui n'acquittent pas la Zakāt et ne croient pas en l'au-delà!

8. Ceux qui croient et accomplissent de bonnes œuvres auront une énorme récompense jamais interrompue.

9. Dis: «Renierez-vous [l'existence] de celui qui a créé la terre en deux jours, et Lui donnerez-vous des égaux? Tel est le Seigneur de l'univers,

10. c'est Lui qui a fermement fixé des montagnes au-dessus d'elle, l'a bénie, et lui assigna ses ressources alimentaires en quatre jours d'égale durée. [Telle est la réponse] à ceux qui t'interrogent.

11. Il S'est ensuite adressé au ciel qui était alors fumée et lui dit, ainsi qu'à la terre: «Venez tous deux, bon gré, mal gré». Tous deux dirent: «Nous venons obéissants».

---

1. *Les versets détaillés*: titre pris des vv. 3 et 44. Autre titre donné parfois: «Ḥā, Mīm», la Prosternation tiré des initiales du début de la sourate ainsi que du fait qu'il y a un lieu de prosternation dans cette sourate.
2. Ḥā, Mīm: (voir la note à S. 2, v. 1).

فَقَضَىٰهُنَّ سَبْعَ سَمَوَٰتٍ فِى يَوْمَيْنِ وَأَوْحَىٰ فِى كُلِّ سَمَآءٍ أَمْرَهَا وَزَيَّنَّا ٱلسَّمَآءَ ٱلدُّنْيَا بِمَصَٰبِيحَ وَحِفْظًا ذَٰلِكَ تَقْدِيرُ ٱلْعَزِيزِ ٱلْعَلِيمِ ﴿١٢﴾ فَإِنْ أَعْرَضُوا فَقُلْ أَنذَرْتُكُمْ صَٰعِقَةً مِّثْلَ صَٰعِقَةِ عَادٍ وَثَمُودَ ﴿١٣﴾ إِذْ جَآءَتْهُمُ ٱلرُّسُلُ مِنۢ بَيْنِ أَيْدِيهِمْ وَمِنْ خَلْفِهِمْ أَلَّا تَعْبُدُوٓا إِلَّا ٱللَّهَ قَالُوا لَوْ شَآءَ رَبُّنَا لَأَنزَلَ مَلَٰٓئِكَةً فَإِنَّا بِمَآ أُرْسِلْتُم بِهِۦ كَٰفِرُونَ ﴿١٤﴾ فَأَمَّا عَادٌ فَٱسْتَكْبَرُوا فِى ٱلْأَرْضِ بِغَيْرِ ٱلْحَقِّ وَقَالُوا مَنْ أَشَدُّ مِنَّا قُوَّةً أَوَلَمْ يَرَوْا أَنَّ ٱللَّهَ ٱلَّذِى خَلَقَهُمْ هُوَ أَشَدُّ مِنْهُمْ قُوَّةً وَكَانُوا بِـَٔايَٰتِنَا يَجْحَدُونَ ﴿١٥﴾ فَأَرْسَلْنَا عَلَيْهِمْ رِيحًا صَرْصَرًا فِىٓ أَيَّامٍ نَّحِسَاتٍ لِّنُذِيقَهُمْ عَذَابَ ٱلْخِزْىِ فِى ٱلْحَيَوٰةِ ٱلدُّنْيَا وَلَعَذَابُ ٱلْءَاخِرَةِ أَخْزَىٰ وَهُمْ لَا يُنصَرُونَ ﴿١٦﴾ وَأَمَّا ثَمُودُ فَهَدَيْنَٰهُمْ فَٱسْتَحَبُّوا ٱلْعَمَىٰ عَلَى ٱلْهُدَىٰ فَأَخَذَتْهُمْ صَٰعِقَةُ ٱلْعَذَابِ ٱلْهُونِ بِمَا كَانُوا يَكْسِبُونَ ﴿١٧﴾ وَنَجَّيْنَا ٱلَّذِينَ ءَامَنُوا وَكَانُوا يَتَّقُونَ ﴿١٨﴾ وَيَوْمَ يُحْشَرُ أَعْدَآءُ ٱللَّهِ إِلَى ٱلنَّارِ فَهُمْ يُوزَعُونَ ﴿١٩﴾ حَتَّىٰٓ إِذَا مَا جَآءُوهَا شَهِدَ عَلَيْهِمْ سَمْعُهُمْ وَأَبْصَٰرُهُمْ وَجُلُودُهُم بِمَا كَانُوا يَعْمَلُونَ ﴿٢٠﴾

12. Il décréta d'en faire sept cieux en deux jours et révéla à chaque ciel sa fonction[1]. Et Nous avons décoré le ciel le plus proche de lampes [étoiles] et l'avons protégé. Tel est l'Ordre établi par le Puissant, l'Omniscient.

13. S'ils s'en détournent, alors dis-leur ; «Je vous ai avertis d'une foudre semblable à celle qui frappa les ʿĀd et les Ṯamūd».

14. Quand les Messagers leur étaient venus, de devant eux et par derrière[2], [leur disant]: «N'adorez qu'Allāh», ils dirent: «Si notre Seigneur avait voulu, Il aurait certainement fait descendre des Anges. Nous ne croyons donc pas [au message] avec lequel vous avez été envoyés».

15. Quant aux ʿĀd, ils s'enflèrent d'orgueil sur terre injustement, et dirent: «Qui est plus fort que nous?» Quoi! N'ont-ils pas vu qu'en vérité Allāh qui les a créés est plus fort qu'eux? Et ils reniaient Nos signes.

16. Nous déchaînâmes contre eux un vent violent et glacial en des jours néfastes, afin de leur faire goûter le châtiment de l'ignominie dans la vie présente. Le châtiment de l'au-delà cependant est plus ignominieux encore, et ils ne seront pas secourus.

17. Et quant aux Ṯamūd Nous les guidâmes ; mais ils ont préféré l'aveuglement à la guidée. C'est alors qu'ils furent saisis par la foudre du supplice le plus humiliant pour ce qu'ils avaient acquis.

18. Et Nous sauvâmes ceux qui croyaient et craignaient Allāh.

19. Et le jour où les ennemis d'Allāh seront rassemblés en masse vers le Feu... Puis on les poussera [dans sa direction].

20. Alors, quand ils y seront, leur ouïe, leurs yeux et leurs peaux témoigneront contre eux de ce qu'ils œuvraient.

---

1. *Sept cieux en deux jours*: avec 4 jours pour la terre, cela fait six jours, comme cela est répété maintes fois ailleurs.
2. *De devant eux et par derrière*: de tous côtés, avec toutes les preuves.

وَقَالُوا لِجُلُودِهِمْ لِمَ شَهِدتُّمْ عَلَيْنَا قَالُوا أَنطَقَنَا ٱللَّهُ ٱلَّذِى

أَنطَقَ كُلَّ شَىْءٍ وَهُوَ خَلَقَكُمْ أَوَّلَ مَرَّةٍ وَإِلَيْهِ تُرْجَعُونَ ۝

وَمَا كُنتُمْ تَسْتَتِرُونَ أَن يَشْهَدَ عَلَيْكُمْ سَمْعُكُمْ وَلَآ أَبْصَٰرُكُمْ

وَلَا جُلُودُكُمْ وَلَٰكِن ظَنَنتُمْ أَنَّ ٱللَّهَ لَا يَعْلَمُ كَثِيرًا مِّمَّا تَعْمَلُونَ

۝ وَذَٰلِكُمْ ظَنُّكُمُ ٱلَّذِى ظَنَنتُم بِرَبِّكُمْ أَرْدَىٰكُمْ فَأَصْبَحْتُم

مِّنَ ٱلْخَٰسِرِينَ ۝ فَإِن يَصْبِرُوا فَٱلنَّارُ مَثْوًى لَّهُمْ وَإِن

يَسْتَعْتِبُوا فَمَا هُم مِّنَ ٱلْمُعْتَبِينَ ۝ ۞ وَقَيَّضْنَا لَهُمْ

قُرَنَآءَ فَزَيَّنُوا لَهُم مَّا بَيْنَ أَيْدِيهِمْ وَمَا خَلْفَهُمْ وَحَقَّ عَلَيْهِمُ

ٱلْقَوْلُ فِىٓ أُمَمٍ قَدْ خَلَتْ مِن قَبْلِهِم مِّنَ ٱلْجِنِّ وَٱلْإِنسِ إِنَّهُمْ

كَانُوا خَٰسِرِينَ ۝ وَقَالَ ٱلَّذِينَ كَفَرُوا لَا تَسْمَعُوا لِهَٰذَا ٱلْقُرْءَانِ

وَٱلْغَوْا فِيهِ لَعَلَّكُمْ تَغْلِبُونَ ۝ فَلَنُذِيقَنَّ ٱلَّذِينَ كَفَرُوا عَذَابًا

شَدِيدًا وَلَنَجْزِيَنَّهُمْ أَسْوَأَ ٱلَّذِى كَانُوا يَعْمَلُونَ ۝ ذَٰلِكَ جَزَآءُ

أَعْدَآءِ ٱللَّهِ ٱلنَّارُ لَهُمْ فِيهَا دَارُ ٱلْخُلْدِ جَزَآءًۢ بِمَا كَانُوا بِـَٔايَٰتِنَا يَجْحَدُونَ

۝ وَقَالَ ٱلَّذِينَ كَفَرُوا رَبَّنَآ أَرِنَا ٱلَّذَيْنِ أَضَلَّانَا مِنَ ٱلْجِنِّ

وَٱلْإِنسِ نَجْعَلْهُمَا تَحْتَ أَقْدَامِنَا لِيَكُونَا مِنَ ٱلْأَسْفَلِينَ ۝

21. Ils diront à leurs peaux: «Pourquoi avez-vous témoigné contre nous?» Elles diront: «C'est Allāh qui nous a fait parler, Lui qui fait parler toute chose. C'est Lui qui vous a créés une première fois et c'est vers Lui que vous serez retournés».

22. Vous ne pouviez vous cacher au point que ni votre ouïe, ni vos yeux et ni vos peaux ne puissent témoigner contre vous. Mais vous pensiez qu'Allāh ne savait pas beaucoup de ce que vous faisiez.

23. Et c'est cette pensée que vous avez eue de votre Seigneur, qui vous a ruinés, de sorte que vous êtes devenus du nombre des perdants.

24. S'ils endurent, le Feu sera leur lieu de séjour ; et s'ils cherchent à s'excuser, ils ne seront pas excusés.

25. Et Nous leur avons destiné des compagnons inséparables [des démons] qui leur ont enjolivé ce qui était devant et derrière eux[1]. Et le décret s'est avéré juste contre eux, comme contre les autres communautés de djinns et d'hommes qui ont vécu avant eux. Ils sont certes perdants!

26. Et ceux qui avaient mécru dirent: «Ne prêtez pas l'oreille à ce Qur'ān, et faites du chahut (pendant sa récitation), afin d'avoir le dessus».

27. Nous ferons certes, goûter à ceux qui ne croient pas un dur châtiment, et les rétribuerons certes [d'une punition] pire que ce [que méritent] leurs méfaits.

28. Ainsi, la rétribution des ennemis d'Allāh sera le Feu où ils auront une demeure éternelle, comme punition pour avoir nié Nos versets [le Qur'ān].

29. Et les mécréants diront: «Seigneur, fais-nous voir ceux des djinns et des humains qui nous ont égarés, afin que nous les placions tous sous nos pieds, pour qu'ils soient parmi les plus bas».

---

1. *Devant eux... derrière eux*: leurs actions présentes et futures.

إِنَّ الَّذِينَ قَالُوا رَبُّنَا اللَّهُ ثُمَّ اسْتَقَامُوا تَتَنَزَّلُ عَلَيْهِمُ الْمَلَائِكَةُ أَلَّا تَخَافُوا وَلَا تَحْزَنُوا وَأَبْشِرُوا بِالْجَنَّةِ الَّتِي كُنتُمْ تُوعَدُونَ ۝ نَحْنُ أَوْلِيَاؤُكُمْ فِي الْحَيَاةِ الدُّنْيَا وَفِي الْآخِرَةِ وَلَكُمْ فِيهَا مَا تَشْتَهِي أَنفُسُكُمْ وَلَكُمْ فِيهَا مَا تَدَّعُونَ ۝ نُزُلًا مِّنْ غَفُورٍ رَّحِيمٍ ۝ وَمَنْ أَحْسَنُ قَوْلًا مِّمَّن دَعَا إِلَى اللَّهِ وَعَمِلَ صَالِحًا وَقَالَ إِنَّنِي مِنَ الْمُسْلِمِينَ ۝ وَلَا تَسْتَوِي الْحَسَنَةُ وَلَا السَّيِّئَةُ ادْفَعْ بِالَّتِي هِيَ أَحْسَنُ فَإِذَا الَّذِي بَيْنَكَ وَبَيْنَهُ عَدَاوَةٌ كَأَنَّهُ وَلِيٌّ حَمِيمٌ ۝ وَمَا يُلَقَّاهَا إِلَّا الَّذِينَ صَبَرُوا وَمَا يُلَقَّاهَا إِلَّا ذُو حَظٍّ عَظِيمٍ ۝ وَإِمَّا يَنزَغَنَّكَ مِنَ الشَّيْطَانِ نَزْغٌ فَاسْتَعِذْ بِاللَّهِ إِنَّهُ هُوَ السَّمِيعُ الْعَلِيمُ ۝ وَمِنْ آيَاتِهِ اللَّيْلُ وَالنَّهَارُ وَالشَّمْسُ وَالْقَمَرُ لَا تَسْجُدُوا لِلشَّمْسِ وَلَا لِلْقَمَرِ وَاسْجُدُوا لِلَّهِ الَّذِي خَلَقَهُنَّ إِن كُنتُمْ إِيَّاهُ تَعْبُدُونَ ۝ فَإِنِ اسْتَكْبَرُوا فَالَّذِينَ عِندَ رَبِّكَ يُسَبِّحُونَ لَهُ بِاللَّيْلِ وَالنَّهَارِ وَهُمْ لَا يَسْأَمُونَ ۝ ۩

سجدة

30. Ceux qui disent: «Notre Seigneur est Allāh», et qui se tiennent dans le droit chemin, les Anges descendent sur eux[1]. «N'ayez pas peur et ne soyez pas affligés ; mais ayez la bonne nouvelle du Paradis qui vous était promis.

31. Nous sommes vos protecteurs dans la vie présente et dans l'au-delà ; et vous y aurez ce que vos âmes désireront et ce que vous réclamerez,

32. un lieu d'accueil de la part d'un Très Grand Pardonneur, d'un Très Miséricordieux»

33. Et qui profère plus belles paroles que celui qui appelle à Allāh, fait bonne œuvre et dit: «Je suis du nombre des Musulmans?»

34. La bonne action et la mauvaise ne sont pas pareilles. Repousse (le mal) par ce qui est meilleur ; et voilà que celui avec qui tu avais une animosité devient tel un ami chaleureux.

35. Mais (ce privilège) n'est donné qu'à ceux qui endurent et il n'est donné qu'au possesseur d'une grâce infinie.

36. Et si jamais le Diable t'incite (à agir autrement), alors cherche refuge auprès Allāh; c'est Lui, vraiment l'Audient, l'Omniscient.

37. Parmi Ses merveilles, sont la nuit et le jour, le soleil et la lune: ne vous prosternez ni devant le soleil, ni devant la lune, mais prosternez-vous devant Allāh qui les a créés, si c'est Lui que vous adorez[2].

38. Mais s'ils s'enflent d'orgueil... ceux qui sont auprès de ton Seigneur [les Anges] Le glorifient, nuit et jour, sans jamais se lasser!

---

1. Les Anges descendent sur eux: au moment de la mort.
2. Après ce verset, on se prosterne.

وَمِنْ ءَايَٰتِهِۦٓ أَنَّكَ تَرَى ٱلْأَرْضَ خَٰشِعَةً فَإِذَآ أَنزَلْنَا عَلَيْهَا ٱلْمَآءَ ٱهْتَزَّتْ وَرَبَتْ إِنَّ ٱلَّذِىٓ أَحْيَاهَا لَمُحْىِ ٱلْمَوْتَىٰٓ إِنَّهُۥ عَلَىٰ كُلِّ شَىْءٍ قَدِيرٌ ۝ إِنَّ ٱلَّذِينَ يُلْحِدُونَ فِىٓ ءَايَٰتِنَا لَا يَخْفَوْنَ عَلَيْنَآ أَفَمَن يُلْقَىٰ فِى ٱلنَّارِ خَيْرٌ أَم مَّن يَأْتِىٓ ءَامِنًا يَوْمَ ٱلْقِيَٰمَةِ ٱعْمَلُوا۟ مَا شِئْتُمْ إِنَّهُۥ بِمَا تَعْمَلُونَ بَصِيرٌ ۝ إِنَّ ٱلَّذِينَ كَفَرُوا۟ بِٱلذِّكْرِ لَمَّا جَآءَهُمْ وَإِنَّهُۥ لَكِتَٰبٌ عَزِيزٌ ۝ لَّا يَأْتِيهِ ٱلْبَٰطِلُ مِنۢ بَيْنِ يَدَيْهِ وَلَا مِنْ خَلْفِهِۦ تَنزِيلٌ مِّنْ حَكِيمٍ حَمِيدٍ ۝ مَّا يُقَالُ لَكَ إِلَّا مَا قَدْ قِيلَ لِلرُّسُلِ مِن قَبْلِكَ إِنَّ رَبَّكَ لَذُو مَغْفِرَةٍ وَذُو عِقَابٍ أَلِيمٍ ۝ وَلَوْ جَعَلْنَٰهُ قُرْءَانًا أَعْجَمِيًّا لَّقَالُوا۟ لَوْلَا فُصِّلَتْ ءَايَٰتُهُۥٓ ءَا۬عْجَمِىٌّ وَعَرَبِىٌّ قُلْ هُوَ لِلَّذِينَ ءَامَنُوا۟ هُدًى وَشِفَآءٌ وَٱلَّذِينَ لَا يُؤْمِنُونَ فِىٓ ءَاذَانِهِمْ وَقْرٌ وَهُوَ عَلَيْهِمْ عَمًى أُو۟لَٰٓئِكَ يُنَادَوْنَ مِن مَّكَانٍ بَعِيدٍ ۝ وَلَقَدْ ءَاتَيْنَا مُوسَى ٱلْكِتَٰبَ فَٱخْتُلِفَ فِيهِ وَلَوْلَا كَلِمَةٌ سَبَقَتْ مِن رَّبِّكَ لَقُضِىَ بَيْنَهُمْ وَإِنَّهُمْ لَفِى شَكٍّ مِّنْهُ مُرِيبٍ ۝ مَّنْ عَمِلَ صَٰلِحًا فَلِنَفْسِهِۦ وَمَنْ أَسَآءَ فَعَلَيْهَا وَمَا رَبُّكَ بِظَلَّٰمٍ لِّلْعَبِيدِ ۝

39. Et parmi Ses merveilles est que tu vois la terre humiliée (toute nue). Puis aussitôt que Nous faisons descendre l'eau sur elle, elle se soulève et augmente [de volume]. Celui qui lui redonne la vie est certes Celui qui fera revivre les morts, car Il est Omnipotent.

40. Ceux qui dénaturent le sens de Nos versets (le Qur'ān) ne Nous échappent pas. Celui qui sera jeté au Feu sera-t-il meilleur que celui qui viendra en toute sécurité le Jour de la Résurrection? Faites ce que vous voulez car Il est Clairvoyant sur tout ce que vous faites ;

41. Ceux qui ne croient pas au Rappel [le Qur'ān] quand il leur parvient...[1] alors que c'est un Livre puissant [inattaquable] ;

42. Le faux ne l'atteint [d'aucune part], ni par devant ni par derrière[2]: c'est une révélation émanant d'un Sage, Digne de louange.

43. Il ne t'est dit que ce qui a été dit aux Messagers avant toi. Ton Seigneur est certes, Détenteur du pardon et Détenteur aussi d'une punition douloureuse.

44. Si Nous en avions fait un Qur'ān en une langue autre que l'arabe, ils auraient dit: «Pourquoi ses versets n'ont-ils pas été exposés clairement? Quoi? Un [Qur'ān] non-arabe et [un Messager] arabe?» Dis: «Pour ceux qui croient, il est une guidée et une guérison». Et quant à ceux qui ne croient pas, il y a une surdité dans leurs oreilles et ils sont frappés aveuglement en ce qui le concerne ; ceux-là sont appelés d'un endroit lointain.

45. Nous avons effectivement donné à Moïse le Livre. Puis, il y eut controverse là-dessus. Et si ce n'était une parole préalable de ton Seigneur, on aurait certainement tranché entre eux. Ils sont vraiment, à son sujet, dans un doute troublant.

46. Quiconque fait une bonne œuvre, c'est pour son bien. Et quiconque fait le mal, il le fait à ses dépens. Ton Seigneur, cependant, n'est point injuste envers les serviteurs.

---

1. Il faut sous-entendre: seront châtiés.
2. *Ni par devant... ni par derrière*: Il est inaccessible à l'erreur.

۞ إِلَيْهِ يُرَدُّ عِلْمُ ٱلسَّاعَةِ وَمَا تَخْرُجُ مِن ثَمَرَٰتٍ مِّنْ أَكْمَامِهَا وَمَا تَحْمِلُ مِنْ أُنثَىٰ وَلَا تَضَعُ إِلَّا بِعِلْمِهِۦ وَيَوْمَ يُنَادِيهِمْ أَيْنَ شُرَكَآءِى قَالُوٓا۟ ءَاذَنَّٰكَ مَا مِنَّا مِن شَهِيدٍ ۝ وَضَلَّ عَنْهُم مَّا كَانُوا۟ يَدْعُونَ مِن قَبْلُ وَظَنُّوا۟ مَا لَهُم مِّن مَّحِيصٍ ۝ لَّا يَسْـَٔمُ ٱلْإِنسَٰنُ مِن دُعَآءِ ٱلْخَيْرِ وَإِن مَّسَّهُ ٱلشَّرُّ فَيَـُٔوسٌ قَنُوطٌ ۝ وَلَئِنْ أَذَقْنَٰهُ رَحْمَةً مِّنَّا مِنۢ بَعْدِ ضَرَّآءَ مَسَّتْهُ لَيَقُولَنَّ هَٰذَا لِى وَمَآ أَظُنُّ ٱلسَّاعَةَ قَآئِمَةً وَلَئِن رُّجِعْتُ إِلَىٰ رَبِّىٓ إِنَّ لِى عِندَهُۥ لَلْحُسْنَىٰ فَلَنُنَبِّئَنَّ ٱلَّذِينَ كَفَرُوا۟ بِمَا عَمِلُوا۟ وَلَنُذِيقَنَّهُم مِّنْ عَذَابٍ غَلِيظٍ ۝ وَإِذَآ أَنْعَمْنَا عَلَى ٱلْإِنسَٰنِ أَعْرَضَ وَنَـَٔا بِجَانِبِهِۦ وَإِذَا مَسَّهُ ٱلشَّرُّ فَذُو دُعَآءٍ عَرِيضٍ ۝ قُلْ أَرَءَيْتُمْ إِن كَانَ مِنْ عِندِ ٱللَّهِ ثُمَّ كَفَرْتُم بِهِۦ مَنْ أَضَلُّ مِمَّنْ هُوَ فِى شِقَاقٍۭ بَعِيدٍ ۝ سَنُرِيهِمْ ءَايَٰتِنَا فِى ٱلْءَافَاقِ وَفِىٓ أَنفُسِهِمْ حَتَّىٰ يَتَبَيَّنَ لَهُمْ أَنَّهُ ٱلْحَقُّ أَوَلَمْ يَكْفِ بِرَبِّكَ أَنَّهُۥ عَلَىٰ كُلِّ شَىْءٍ شَهِيدٌ ۝ أَلَآ إِنَّهُمْ فِى مِرْيَةٍ مِّن لِّقَآءِ رَبِّهِمْ أَلَآ إِنَّهُۥ بِكُلِّ شَىْءٍ مُّحِيطٌۢ ۝

47. À Lui revient la connaissance de l'Heure. Aucun fruit ne sort de son enveloppe, aucune femelle ne conçoit ni ne met bas sans qu'Il n'en ait connaissance. Et le jour où Il les appellera: «Où sont Mes associés?», ils diront: «Nous Te déclarons qu'il n'y a point de témoin parmi nous»[1]!

48. Et ce qu'auparavant ils invoquaient les délaissera ; et ils réaliseront qu'ils n'ont point d'échappatoire.

49. L'homme ne se lasse pas d'implorer le bien. Si le mal le touche, le voilà désespéré, désemparé.

50. Et si nous lui faisons goûter une miséricorde de Notre part, après qu'une détresse l'ait touché, il dit certainement: «Cela m'est dû! Et je ne pense pas que l'Heure se lèvera [un jour]. Et si je suis ramené vers mon Seigneur, je trouverai, près de Lui, la plus belle part». Nous informerons ceux qui ont mécru de ce qu'ils ont fait et Nous leur ferons sûrement goûter à un dur châtiment.

51. Quand Nous comblons de bienfaits l'homme, il s'esquive et s'éloigne. Et quand un malheur le touche, il se livre alors à une longue prière.

52. Dis: «Voyez-vous? Si ceci (le Qur'ān) émane d'Allāh et qu'ensuite vous le reniez; qui se trouvera plus égaré que celui qui s'éloigne dans la dissidence?»

53. Nous leur montrerons Nos signes dans l'univers et en eux-mêmes, jusqu'à ce qu'il leur devienne évident que c'est cela (le Qur'ān), la Vérité. Ne suffit-il pas que ton Seigneur soit témoin de toute-chose?

54. Ils sont dans le doute, n'est-ce pas, au sujet de la rencontre de leur Seigneur? C'est Lui certes qui embrasse toute chose (par Sa science et Sa puissance).

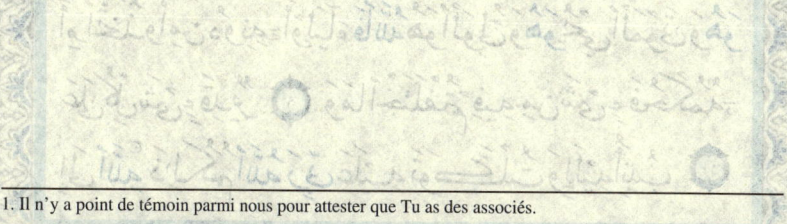

1. Il n'y a point de témoin parmi nous pour attester que Tu as des associés.

سُورَةُ الشُّورَى

بِسۡمِ ٱللَّهِ ٱلرَّحۡمَٰنِ ٱلرَّحِيمِ

حمٓ ﴿١﴾ عٓسٓقٓ ﴿٢﴾ كَذَٰلِكَ يُوحِىٓ إِلَيۡكَ وَإِلَى ٱلَّذِينَ مِن قَبۡلِكَ ٱللَّهُ ٱلۡعَزِيزُ ٱلۡحَكِيمُ ﴿٣﴾ لَهُۥ مَا فِى ٱلسَّمَٰوَٰتِ وَمَا فِى ٱلۡأَرۡضِ وَهُوَ ٱلۡعَلِىُّ ٱلۡعَظِيمُ ﴿٤﴾ تَكَادُ ٱلسَّمَٰوَٰتُ يَتَفَطَّرۡنَ مِن فَوۡقِهِنَّ وَٱلۡمَلَٰٓئِكَةُ يُسَبِّحُونَ بِحَمۡدِ رَبِّهِمۡ وَيَسۡتَغۡفِرُونَ لِمَن فِى ٱلۡأَرۡضِ أَلَآ إِنَّ ٱللَّهَ هُوَ ٱلۡغَفُورُ ٱلرَّحِيمُ ﴿٥﴾ وَٱلَّذِينَ ٱتَّخَذُواْ مِن دُونِهِۦٓ أَوۡلِيَآءَ ٱللَّهُ حَفِيظٌ عَلَيۡهِمۡ وَمَآ أَنتَ عَلَيۡهِم بِوَكِيلٍ ﴿٦﴾ وَكَذَٰلِكَ أَوۡحَيۡنَآ إِلَيۡكَ قُرۡءَانًا عَرَبِيًّا لِّتُنذِرَ أُمَّ ٱلۡقُرَىٰ وَمَنۡ حَوۡلَهَا وَتُنذِرَ يَوۡمَ ٱلۡجَمۡعِ لَا رَيۡبَ فِيهِ فَرِيقٌ فِى ٱلۡجَنَّةِ وَفَرِيقٌ فِى ٱلسَّعِيرِ ﴿٧﴾ وَلَوۡ شَآءَ ٱللَّهُ لَجَعَلَهُمۡ أُمَّةً وَٰحِدَةً وَلَٰكِن يُدۡخِلُ مَن يَشَآءُ فِى رَحۡمَتِهِۦ وَٱلظَّٰلِمُونَ مَا لَهُم مِّن وَلِىٍّ وَلَا نَصِيرٍ ﴿٨﴾ أَمِ ٱتَّخَذُواْ مِن دُونِهِۦٓ أَوۡلِيَآءَ فَٱللَّهُ هُوَ ٱلۡوَلِىُّ وَهُوَ يُحۡىِ ٱلۡمَوۡتَىٰ وَهُوَ عَلَىٰ كُلِّ شَىۡءٍ قَدِيرٌ ﴿٩﴾ وَمَا ٱخۡتَلَفۡتُمۡ فِيهِ مِن شَىۡءٍ فَحُكۡمُهُۥٓ إِلَى ٱللَّهِ ذَٰلِكُمُ ٱللَّهُ رَبِّى عَلَيۡهِ تَوَكَّلۡتُ وَإِلَيۡهِ أُنِيبُ ﴿١٠﴾

AŠ-ŠŪRĀ (LA CONSULTATION)[1]

sourate 42   53 versets   Pré-hégirien n°62

Au nom d'Allāh, le Tout Miséricordieux, le Très Miséricordieux.

1. Ḥā, Mīm[2].

2. ʿAïn, Sīn, Qāf.

3. C'est ainsi qu'Allāh, le Puissant, le Sage, te fait des révélations, comme à ceux qui ont vécu avant toi.

4. À Lui appartient ce qui est dans les cieux et ce qui est sur la terre. Et Il est le Sublime, le Très Grand,

5. Peu s'en faut que les cieux ne se fendent depuis leur faîte quand les anges glorifient leur Seigneur, célèbrent Ses louanges et implorent le pardon pour ceux qui sont sur la terre. Allāh est certes le Pardonneur, le Très Miséricordieux.

6. Et quant à ceux qui prennent des protecteurs en dehors de Lui, Allāh veille à ce qu'ils font. Et tu n'es pas pour eux un garant.

7. Et c'est ainsi que Nous t'avons révélé un Qurʾān arabe, afin que tu avertisses la Mère des cités (la Mecque) et ses alentours et que tu avertisses du jour du rassemblement, - sur lequel il n'y a pas de doute - Un groupe au Paradis et un groupe dans la fournaise ardente.

8. Et si Allāh avait voulu, Il en aurait fait une seule communauté. Mais Il fait entrer qui Il veut dans Sa miséricorde. Et les injustes n'auront ni maître ni secoureur.

9. Ont-ils pris des maîtres en dehors de Lui? C'est Allāh qui est le seul Maître et c'est Lui qui redonne la vie aux morts ; et c'est Lui qui est Omnipotent.

10. Sur toutes vos divergences, le jugement appartient à Allāh. Tel est Allāh mon Seigneur ; en Lui je place ma confiance et c'est à Lui que je retourne [repentant]

---

1. Titre tiré du v. 38.
2. Cf. note à S. 2, v. 1.

483

فَاطِرُ السَّمَوَاتِ وَالْأَرْضِ جَعَلَ لَكُم مِّنْ أَنفُسِكُمْ أَزْوَاجًا وَمِنَ الْأَنْعَامِ أَزْوَاجًا يَذْرَؤُكُمْ فِيهِ لَيْسَ كَمِثْلِهِ شَيْءٌ وَهُوَ السَّمِيعُ الْبَصِيرُ ۝ لَّهُۥ مَقَالِيدُ السَّمَوَاتِ وَالْأَرْضِ يَبْسُطُ الرِّزْقَ لِمَن يَشَاءُ وَيَقْدِرُ إِنَّهُۥ بِكُلِّ شَيْءٍ عَلِيمٌ ۝

۞ شَرَعَ لَكُم مِّنَ الدِّينِ مَا وَصَّىٰ بِهِۦ نُوحًا وَالَّذِىٓ أَوْحَيْنَآ إِلَيْكَ وَمَا وَصَّيْنَا بِهِۦٓ إِبْرَٰهِيمَ وَمُوسَىٰ وَعِيسَىٰٓ أَنْ أَقِيمُوا الدِّينَ وَلَا تَتَفَرَّقُوا فِيهِ كَبُرَ عَلَى الْمُشْرِكِينَ مَا تَدْعُوهُمْ إِلَيْهِ اللَّهُ يَجْتَبِىٓ إِلَيْهِ مَن يَشَاءُ وَيَهْدِىٓ إِلَيْهِ مَن يُنِيبُ ۝ وَمَا تَفَرَّقُوٓا إِلَّا مِنۢ بَعْدِ مَا جَآءَهُمُ الْعِلْمُ بَغْيًۢا بَيْنَهُمْ وَلَوْلَا كَلِمَةٌ سَبَقَتْ مِن رَّبِّكَ إِلَىٰٓ أَجَلٍ مُّسَمًّى لَّقُضِىَ بَيْنَهُمْ وَإِنَّ الَّذِينَ أُورِثُوا الْكِتَابَ مِنۢ بَعْدِهِمْ لَفِى شَكٍّ مِّنْهُ مُرِيبٍ ۝ فَلِذَٰلِكَ فَادْعُ وَاسْتَقِمْ كَمَآ أُمِرْتَ وَلَا تَتَّبِعْ أَهْوَآءَهُمْ وَقُلْ ءَامَنتُ بِمَآ أَنزَلَ اللَّهُ مِن كِتَابٍ وَأُمِرْتُ لِأَعْدِلَ بَيْنَكُمُ اللَّهُ رَبُّنَا وَرَبُّكُمْ لَنَآ أَعْمَالُنَا وَلَكُمْ أَعْمَالُكُمْ لَا حُجَّةَ بَيْنَنَا وَبَيْنَكُمُ اللَّهُ يَجْمَعُ بَيْنَنَا وَإِلَيْهِ الْمَصِيرُ ۝

11. ... Créateur des cieux et de la terre. Il vous a donné des épouses [issues] de vous-mêmes et des bestiaux par couples ; par ce moyen Il vous multiplie. Il n'y a rien qui Lui ressemble ; et c'est Lui l'Audient, le Clairvoyant.

12. Il possède les clefs [des trésors] des cieux et de la terre. Il attribue Ses dons avec largesse, ou les restreint à qui Il veut. Certes, Il est Omniscient.

13. Il vous a légiféré en matière de religion, ce qu'Il avait enjoint à Noé, ce que Nous t'avons révélé, ainsi que ce que Nous avons enjoint à Abraham, à Moïse et à Jésus: «Etablissez la religion ; et n'en faites pas un sujet de divisions». Ce à quoi tu appelles les associateurs leur parait énorme. Allāh élit et rapproche de Lui qui Il veut et guide vers Lui celui qui se repent.

14. Ils ne se sont divisés qu'après avoir reçu la science et ceci par rivalité entre eux. Et si ce n'était une parole préalable de ton Seigneur pour un terme fixé, on aurait certainement tranché entre eux[1]. Ceux à qui le Livre a été donné en héritage après eux sont vraiment à son sujet, dans un doute troublant.

15. Appelle donc (les gens) à cela[2] ; reste droit comme il t'a été commandé ; ne suis pas leurs passions ; et dis: «Je crois en tout ce qu'Allāh a fait descendre comme Livre, et il m'a été commandé d'être équitable entre vous. Allāh est notre Seigneur et votre Seigneur. À nous nos œuvres et à vous vos œuvres. Aucun argument [ne peut trancher] entre nous et vous. Allāh nous regroupera tous. Et vers Lui est la destination»[3].

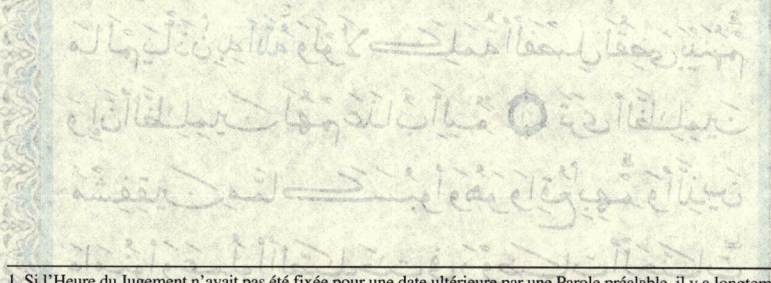

---

1. Si l'Heure du Jugement n'avait pas été fixée pour une date ultérieure par une Parole préalable, il y a longtemps que la discorde aurait valu aux hommes jugement et condamnation définitive.
2. *À cela*: à la foi dont parle le v. 13.
3. *Allāh nous regroupera tous*: (pour confrontation). Il est donc commandé à Muḥammad (ﷺ): et de s'adresser aux gens du Livre (judéo-chrétiens, etc.) et de faire la justice, même envers ceux qui ne partagent pas notre religion.

وَالَّذِينَ يُحَاجُّونَ فِى اللَّهِ مِنۢ بَعْدِ مَا اسْتُجِيبَ لَهُۥ حُجَّتُهُمْ دَاحِضَةٌ عِندَ رَبِّهِمْ وَعَلَيْهِمْ غَضَبٌ وَلَهُمْ عَذَابٌ شَدِيدٌ ۝

اللَّهُ الَّذِىٓ أَنزَلَ الْكِتَٰبَ بِالْحَقِّ وَالْمِيزَانَ ۗ وَمَا يُدْرِيكَ لَعَلَّ السَّاعَةَ قَرِيبٌ ۝ يَسْتَعْجِلُ بِهَا الَّذِينَ لَا يُؤْمِنُونَ بِهَا ۖ وَالَّذِينَ ءَامَنُوا۟ مُشْفِقُونَ مِنْهَا وَيَعْلَمُونَ أَنَّهَا الْحَقُّ ۗ أَلَآ إِنَّ الَّذِينَ يُمَارُونَ فِى السَّاعَةِ لَفِى ضَلَٰلٍۭ بَعِيدٍ ۝

اللَّهُ لَطِيفٌۢ بِعِبَادِهِۦ يَرْزُقُ مَن يَشَآءُ ۖ وَهُوَ الْقَوِىُّ الْعَزِيزُ ۝

مَن كَانَ يُرِيدُ حَرْثَ الْءَاخِرَةِ نَزِدْ لَهُۥ فِى حَرْثِهِۦ ۖ وَمَن كَانَ يُرِيدُ حَرْثَ الدُّنْيَا نُؤْتِهِۦ مِنْهَا وَمَا لَهُۥ فِى الْءَاخِرَةِ مِن نَّصِيبٍ ۝ أَمْ لَهُمْ شُرَكَٰٓؤُا۟ شَرَعُوا۟ لَهُم مِّنَ الدِّينِ مَا لَمْ يَأْذَنۢ بِهِ اللَّهُ ۚ وَلَوْلَا كَلِمَةُ الْفَصْلِ لَقُضِىَ بَيْنَهُمْ ۗ وَإِنَّ الظَّٰلِمِينَ لَهُمْ عَذَابٌ أَلِيمٌ ۝ تَرَى الظَّٰلِمِينَ مُشْفِقِينَ مِمَّا كَسَبُوا۟ وَهُوَ وَاقِعٌۢ بِهِمْ ۗ وَالَّذِينَ ءَامَنُوا۟ وَعَمِلُوا۟ الصَّٰلِحَٰتِ فِى رَوْضَاتِ الْجَنَّاتِ ۖ لَهُم مَّا يَشَآءُونَ عِندَ رَبِّهِمْ ۚ ذَٰلِكَ هُوَ الْفَضْلُ الْكَبِيرُ ۝

16. Et ceux qui discutent au sujet d'Allāh, après qu'il a été répondu à [Son appel], leur argumentation est auprès d'Allāh sans valeur. Une colère tombera sur eux et ils auront un dur châtiment.

17. C'est Allāh qui a fait descendre le Livre en toute vérité, ainsi que la balance. Et qu'en sais-tu? Peut-être que l'Heure est proche?

18. Ceux qui n'y croient pas cherchent à la hâter ; tandis que ceux qui croient en sont craintifs et savent qu'elle est la pure vérité. Et ceux qui discutent à propos de l'Heure sont dans un égarement lointain.

19. Allāh est doux envers Ses serviteurs. Il attribue [Ses biens] à qui Il veut. Et c'est Lui le Fort, le Puissant.

20. Quiconque désire labourer [le champ] de la vie future, Nous augmenterons pour lui son labour. Quiconque désire labourer [le champ] de la présente vie, Nous lui en accorderons de [ses jouissances] ; mais il n'aura pas de part dans l'au-delà.

21. Ou bien auraient-ils des associés [à Allāh] qui auraient établi pour eux des lois religieuses qu'Allāh n'a jamais permises? Or, si l'arrêt décisif n'avait pas été prononcé, il aurait été tranché entre eux. Les injustes auront certes un châtiment douloureux.

22. Tu verras les injustes épouvantés par ce qu'ils ont fait, et le châtiment s'abattra sur eux (inéluctablement). Et ceux qui croient et accomplissent les bonnes œuvres, seront dans les sites fleuris des jardins, ayant ce qu'ils voudront auprès de leur Seigneur. Telle est la grande grâce!

ذَٰلِكَ ٱلَّذِى يُبَشِّرُ ٱللَّهُ عِبَادَهُ ٱلَّذِينَ ءَامَنُوا۟ وَعَمِلُوا۟ ٱلصَّٰلِحَٰتِ قُل لَّآ أَسْـَٔلُكُمْ عَلَيْهِ أَجْرًا إِلَّا ٱلْمَوَدَّةَ فِى ٱلْقُرْبَىٰ وَمَن يَقْتَرِفْ حَسَنَةً نَّزِدْ لَهُۥ فِيهَا حُسْنًا إِنَّ ٱللَّهَ غَفُورٌ شَكُورٌ ۝

أَمْ يَقُولُونَ ٱفْتَرَىٰ عَلَى ٱللَّهِ كَذِبًا فَإِن يَشَإِ ٱللَّهُ يَخْتِمْ عَلَىٰ قَلْبِكَ وَيَمْحُ ٱللَّهُ ٱلْبَٰطِلَ وَيُحِقُّ ٱلْحَقَّ بِكَلِمَٰتِهِۦٓ إِنَّهُۥ عَلِيمٌۢ بِذَاتِ ٱلصُّدُورِ ۝

وَهُوَ ٱلَّذِى يَقْبَلُ ٱلتَّوْبَةَ عَنْ عِبَادِهِۦ وَيَعْفُوا۟ عَنِ ٱلسَّيِّـَٔاتِ وَيَعْلَمُ مَا تَفْعَلُونَ ۝

وَيَسْتَجِيبُ ٱلَّذِينَ ءَامَنُوا۟ وَعَمِلُوا۟ ٱلصَّٰلِحَٰتِ وَيَزِيدُهُم مِّن فَضْلِهِۦ وَٱلْكَٰفِرُونَ لَهُمْ عَذَابٌ شَدِيدٌ ۝

۞ وَلَوْ بَسَطَ ٱللَّهُ ٱلرِّزْقَ لِعِبَادِهِۦ لَبَغَوْا۟ فِى ٱلْأَرْضِ وَلَٰكِن يُنَزِّلُ بِقَدَرٍ مَّا يَشَآءُ إِنَّهُۥ بِعِبَادِهِۦ خَبِيرٌۢ بَصِيرٌ ۝

وَهُوَ ٱلَّذِى يُنَزِّلُ ٱلْغَيْثَ مِنۢ بَعْدِ مَا قَنَطُوا۟ وَيَنشُرُ رَحْمَتَهُۥ وَهُوَ ٱلْوَلِىُّ ٱلْحَمِيدُ ۝

وَمِنْ ءَايَٰتِهِۦ خَلْقُ ٱلسَّمَٰوَٰتِ وَٱلْأَرْضِ وَمَا بَثَّ فِيهِمَا مِن دَآبَّةٍ وَهُوَ عَلَىٰ جَمْعِهِمْ إِذَا يَشَآءُ قَدِيرٌ ۝

وَمَآ أَصَٰبَكُم مِّن مُّصِيبَةٍ فَبِمَا كَسَبَتْ أَيْدِيكُمْ وَيَعْفُوا۟ عَن كَثِيرٍ ۝

وَمَآ أَنتُم بِمُعْجِزِينَ فِى ٱلْأَرْضِ وَمَا لَكُم مِّن دُونِ ٱللَّهِ مِن وَلِىٍّ وَلَا نَصِيرٍ ۝

نصف الحزب ٤٩

23. Telle est la [bonne nouvelle] qu'Allāh annonce à ceux de Ses serviteurs qui croient et accomplissent les bonnes œuvres! Dis: «Je ne vous en demande aucun salaire si ce n'est l'affection eu égard à [nos liens] de parenté». Et quiconque accomplit une bonne action, Nous répondons par [une récompense] plus belle encore. Allāh est certes Pardonneur et Reconnaissant.

24. Ou bien ils disent: il a inventé un mensonge contre Allāh. Or, si Allāh voulait, Il scellerait ton cœur. Par Ses Paroles cependant, Allāh efface le faux et confirme le vrai. Il connaît parfaitement le contenu des poitrines.

25. Et c'est Lui qui agrée de Ses serviteurs le repentir, pardonne les méfaits et sait ce que vous faites,

26. et exauce [les vœux] de ceux qui croient et accomplissent les bonnes œuvres et leur accroît Sa faveur, tandis que les mécréants ont un dur châtiment.

27. Si Allāh attribuait Ses dons avec largesse à [tous] Ses serviteurs, ils commettraient des abus sur la terre ; mais, Il fait descendre avec mesure ce qu'Il veut. Il connaît parfaitement Ses serviteurs et en est Clairvoyant.

28. Et c'est Lui qui fait descendre la pluie après qu'on en a désespéré, et répand Sa miséricorde. Et c'est Lui le Maître, le Digne de louange.

29. Parmi Ses preuves est la création des cieux et de la terre et des êtres vivants qu'Il y a disséminés. Il a en outre le pouvoir de les réunir quand Il voudra.

30. Tout malheur qui vous atteint est dû à ce que vos mains ont acquis. Et Il pardonne beaucoup.

31. Vous ne pouvez pas échapper à la puissance d'Allāh sur la terre ; et vous n'avez en dehors d'Allāh, ni maître ni défenseur.

وَمِنْ ءَايَٰتِهِ ٱلْجَوَارِ فِى ٱلْبَحْرِ كَٱلْأَعْلَٰمِ ۝ إِن يَشَأْ يُسْكِنِ ٱلرِّيحَ فَيَظْلَلْنَ رَوَاكِدَ عَلَىٰ ظَهْرِهِۦٓ إِنَّ فِى ذَٰلِكَ لَءَايَٰتٍ لِّكُلِّ صَبَّارٍ شَكُورٍ ۝ أَوْ يُوبِقْهُنَّ بِمَا كَسَبُوا۟ وَيَعْفُ عَن كَثِيرٍ ۝ وَيَعْلَمَ ٱلَّذِينَ يُجَٰدِلُونَ فِىٓ ءَايَٰتِنَا مَا لَهُم مِّن مَّحِيصٍ ۝ فَمَآ أُوتِيتُم مِّن شَىْءٍ فَمَتَٰعُ ٱلْحَيَوٰةِ ٱلدُّنْيَا وَمَا عِندَ ٱللَّهِ خَيْرٌ وَأَبْقَىٰ لِلَّذِينَ ءَامَنُوا۟ وَعَلَىٰ رَبِّهِمْ يَتَوَكَّلُونَ ۝ وَٱلَّذِينَ يَجْتَنِبُونَ كَبَٰٓئِرَ ٱلْإِثْمِ وَٱلْفَوَٰحِشَ وَإِذَا مَا غَضِبُوا۟ هُمْ يَغْفِرُونَ ۝ وَٱلَّذِينَ ٱسْتَجَابُوا۟ لِرَبِّهِمْ وَأَقَامُوا۟ ٱلصَّلَوٰةَ وَأَمْرُهُمْ شُورَىٰ بَيْنَهُمْ وَمِمَّا رَزَقْنَٰهُمْ يُنفِقُونَ ۝ وَٱلَّذِينَ إِذَآ أَصَابَهُمُ ٱلْبَغْىُ هُمْ يَنتَصِرُونَ ۝ وَجَزَٰٓؤُا۟ سَيِّئَةٍ سَيِّئَةٌ مِّثْلُهَا فَمَنْ عَفَا وَأَصْلَحَ فَأَجْرُهُۥ عَلَى ٱللَّهِ إِنَّهُۥ لَا يُحِبُّ ٱلظَّٰلِمِينَ ۝ وَلَمَنِ ٱنتَصَرَ بَعْدَ ظُلْمِهِۦ فَأُو۟لَٰٓئِكَ مَا عَلَيْهِم مِّن سَبِيلٍ ۝ إِنَّمَا ٱلسَّبِيلُ عَلَى ٱلَّذِينَ يَظْلِمُونَ ٱلنَّاسَ وَيَبْغُونَ فِى ٱلْأَرْضِ بِغَيْرِ ٱلْحَقِّ أُو۟لَٰٓئِكَ لَهُمْ عَذَابٌ أَلِيمٌ ۝ وَلَمَن صَبَرَ وَغَفَرَ إِنَّ ذَٰلِكَ لَمِنْ عَزْمِ ٱلْأُمُورِ ۝ وَمَن يُضْلِلِ ٱللَّهُ فَمَا لَهُۥ مِن وَلِىٍّ مِّنۢ بَعْدِهِۦ وَتَرَى ٱلظَّٰلِمِينَ لَمَّا رَأَوُا۟ ٱلْعَذَابَ يَقُولُونَ هَلْ إِلَىٰ مَرَدٍّ مِّن سَبِيلٍ ۝

32. Et parmi Ses preuves, sont les vaisseaux à travers la mer, semblables à des montagnes.

33. S'il veut, Il calme le vent, et les voilà qui restent immobiles à sa surface. Ce sont certainement là des preuves pour tout [homme] endurant et reconnaissant.

34. Ou bien, Il les détruit en punition de ce qu'ils ont acquis [comme péchés]. Cependant, Il pardonne beaucoup.

35. Ceux qui disputent à propos de Nos preuves savent bien qu'ils n'ont pas d'échappatoire.

36. Tout ce qui vous a été donné [comme bien] n'est que jouissance de la vie présente; mais ce qui est auprès d'Allāh est meilleur et plus durable pour ceux qui ont cru et qui placent leur confiance en leur Seigneur,

37. qui évitent [de commettre] les péchés les plus graves ainsi que les turpitudes, et qui pardonnent après s'être mis en colère,

38. qui répondent à l'appel de leur Seigneur, accomplissent la Ṣalāt, se consultent[1] entre eux à propos de leurs affaires, dépensent de ce que Nous leur attribuons,

39. et qui, atteints par l'injustice, ripostent.

40. La sanction d'une mauvaise action est une mauvaise action [une peine] identique[2]. Mais quiconque pardonne et réforme, son salaire incombe à Allāh. Il n'aime point les injustes!

41. Quant à ceux qui ripostent après avoir été lésés,... ceux-là pas de voie (recours légal) contre eux ;

42. il n'y a de voie [de recours] que contre ceux qui lèsent les gens et commettent des abus, contrairement au droit, sur la terre: ceux-là auront un châtiment douloureux.

43. Et celui qui endure et pardonne, cela en vérité, fait partie des bonnes dispositions et de la résolution dans les affaires.

44. Et quiconque Allāh égare n'a aucun protecteur après Lui. Cependant, tu verras les injustes dire, en voyant le châtiment: «Y a-t-il un moyen de retourner [sur terre]?»

---

1. *Se consultent...*: important verset pour mettre en relief les traits caractéristiques de l'Islām: la Consultation entre musulmans est un principe constitutionnel de la communauté islāmique.
2. Par application de la loi du talion.

وَتَرَىٰهُمْ يُعْرَضُونَ عَلَيْهَا خَٰشِعِينَ مِنَ ٱلذُّلِّ يَنظُرُونَ مِن طَرْفٍ خَفِيٍّ وَقَالَ ٱلَّذِينَ ءَامَنُوٓا۟ إِنَّ ٱلْخَٰسِرِينَ ٱلَّذِينَ خَسِرُوٓا۟ أَنفُسَهُمْ وَأَهْلِيهِمْ يَوْمَ ٱلْقِيَٰمَةِ أَلَآ إِنَّ ٱلظَّٰلِمِينَ فِى عَذَابٍ مُّقِيمٍ ۝ وَمَا كَانَ لَهُم مِّنْ أَوْلِيَآءَ يَنصُرُونَهُم مِّن دُونِ ٱللَّهِ وَمَن يُضْلِلِ ٱللَّهُ فَمَا لَهُۥ مِن سَبِيلٍ ۝ ٱسْتَجِيبُوا۟ لِرَبِّكُم مِّن قَبْلِ أَن يَأْتِىَ يَوْمٌ لَّا مَرَدَّ لَهُۥ مِنَ ٱللَّهِ مَا لَكُم مِّن مَّلْجَإٍ يَوْمَئِذٍ وَمَا لَكُم مِّن نَّكِيرٍ ۝ فَإِنْ أَعْرَضُوا۟ فَمَآ أَرْسَلْنَٰكَ عَلَيْهِمْ حَفِيظًا إِنْ عَلَيْكَ إِلَّا ٱلْبَلَٰغُ وَإِنَّآ إِذَآ أَذَقْنَا ٱلْإِنسَٰنَ مِنَّا رَحْمَةً فَرِحَ بِهَا وَإِن تُصِبْهُمْ سَيِّئَةٌ بِمَا قَدَّمَتْ أَيْدِيهِمْ فَإِنَّ ٱلْإِنسَٰنَ كَفُورٌ ۝ لِّلَّهِ مُلْكُ ٱلسَّمَٰوَٰتِ وَٱلْأَرْضِ يَخْلُقُ مَا يَشَآءُ يَهَبُ لِمَن يَشَآءُ إِنَٰثًا وَيَهَبُ لِمَن يَشَآءُ ٱلذُّكُورَ ۝ أَوْ يُزَوِّجُهُمْ ذُكْرَانًا وَإِنَٰثًا وَيَجْعَلُ مَن يَشَآءُ عَقِيمًا إِنَّهُۥ عَلِيمٌ قَدِيرٌ ۝ وَمَا كَانَ لِبَشَرٍ أَن يُكَلِّمَهُ ٱللَّهُ إِلَّا وَحْيًا أَوْ مِن وَرَآئِ حِجَابٍ أَوْ يُرْسِلَ رَسُولًا فَيُوحِىَ بِإِذْنِهِۦ مَا يَشَآءُ إِنَّهُۥ عَلِىٌّ حَكِيمٌ ۝

45. Et tu les verras exposés devant l'Enfer, confondus dans l'avilissement, et regardant d'un œil furtif, tandis que ceux qui ont cru diront: «Les perdants sont certes, ceux qui au Jour de la Résurrection font leur propre perte et celle de leurs familles». Les injustes subiront certes un châtiment permanent.

46. Ils n'auront pas de protecteur en dehors d'Allāh pour les secourir et quiconque Allāh égare n'a plus aucune voie.

47. Répondez à l'appel de votre Seigneur avant que ne vienne un jour dont Allāh ne reportera jamais le terme. Ce jour-là, nul refuge pour vous et vous ne pourrez point nier (vos péchés).

48. S'ils se détournent,... Nous ne t'avons pas envoyé pour assurer leur sauvegarde: tu n'es chargé que de transmettre [le message]. Et lorsque Nous faisons goûter à l'homme une miséricorde venant de Nous, il en exulte ; mais si un malheur les atteint pour ce que leurs mains ont perpétré... , l'homme est alors très ingrat!

49. À Allāh appartient la royauté des cieux et de la terre. Il crée ce qu'Il veut. Il fait don de filles à qui Il veut, et don de garçons à qui Il veut,

50. ou bien Il donne à la fois garçons et filles ; et Il rend stérile qui Il veut. Il est certes Omniscient et Omnipotent.

51. Il n'a pas été donné à un mortel qu'Allāh lui parle autrement que par révélation, ou de derrière un voile, ou qu'Il [lui] envoie un messager (Ange) qui révèle, par Sa permission, ce qu'Il [Allāh] veut. Il est Sublime et Sage.

وَكَذَٰلِكَ أَوْحَيْنَآ إِلَيْكَ رُوحًا مِّنْ أَمْرِنَا مَا كُنتَ تَدْرِى مَا ٱلْكِتَٰبُ وَلَا ٱلْإِيمَٰنُ وَلَٰكِن جَعَلْنَٰهُ نُورًا نَّهْدِى بِهِۦ مَن نَّشَآءُ مِنْ عِبَادِنَا وَإِنَّكَ لَتَهْدِىٓ إِلَىٰ صِرَٰطٍ مُّسْتَقِيمٍ ۝ صِرَٰطِ ٱللَّهِ ٱلَّذِى لَهُۥ مَا فِى ٱلسَّمَٰوَٰتِ وَمَا فِى ٱلْأَرْضِ أَلَآ إِلَى ٱللَّهِ تَصِيرُ ٱلْأُمُورُ ۝

سُورَةُ الزُّخْرُفِ

بِسْمِ ٱللَّهِ ٱلرَّحْمَٰنِ ٱلرَّحِيمِ

حمٓ ۝ وَٱلْكِتَٰبِ ٱلْمُبِينِ ۝ إِنَّا جَعَلْنَٰهُ قُرْءَٰنًا عَرَبِيًّا لَّعَلَّكُمْ تَعْقِلُونَ ۝ وَإِنَّهُۥ فِىٓ أُمِّ ٱلْكِتَٰبِ لَدَيْنَا لَعَلِىٌّ حَكِيمٌ ۝ أَفَنَضْرِبُ عَنكُمُ ٱلذِّكْرَ صَفْحًا أَن كُنتُمْ قَوْمًا مُّسْرِفِينَ ۝ وَكَمْ أَرْسَلْنَا مِن نَّبِىٍّ فِى ٱلْأَوَّلِينَ ۝ وَمَا يَأْتِيهِم مِّن نَّبِىٍّ إِلَّا كَانُوا۟ بِهِۦ يَسْتَهْزِءُونَ ۝ فَأَهْلَكْنَآ أَشَدَّ مِنْهُم بَطْشًا وَمَضَىٰ مَثَلُ ٱلْأَوَّلِينَ ۝ وَلَئِن سَأَلْتَهُم مَّنْ خَلَقَ ٱلسَّمَٰوَٰتِ وَٱلْأَرْضَ لَيَقُولُنَّ خَلَقَهُنَّ ٱلْعَزِيزُ ٱلْعَلِيمُ ۝ ٱلَّذِى جَعَلَ لَكُمُ ٱلْأَرْضَ مَهْدًا وَجَعَلَ لَكُمْ فِيهَا سُبُلًا لَّعَلَّكُمْ تَهْتَدُونَ ۝

52. Et c'est ainsi que Nous t'avons révélé un esprit [le Qur'ān][1] provenant de Notre ordre. Tu n'avais aucune connaissance du Livre ni de la foi ; mais Nous en avons fait une lumière par laquelle Nous guidons qui Nous voulons parmi Nos serviteurs. Et en vérité tu guides vers un chemin droit,

53. le chemin d'Allāh à Qui appartient ce qui est dans les cieux et ce qui est sur la terre. Oui c'est à Allāh que s'acheminent toutes les choses.

AZ-ZUḤRUF (L'ORNEMENT)[2]
sourate 43   89 versets   Pré-hégirien n°63

Au nom d'Allāh, le Tout Miséricordieux, le Très Miséricordieux.

1. Ḥā, Mīm[3].

2. Par le Livre explicite!

3. Nous en avons fait un Qur'ān arabe afin que vous raisonniez.

4. Il est auprès de Nous, dans l'Ecriture-Mère (l'original au ciel), sublime et rempli de sagesse.

5. Quoi! Allons-Nous vous dispenser du Rappel [le Qur'ān] pour la raison que vous êtes des gens outranciers?

6. Que de prophètes avons-Nous envoyés aux Anciens!

7. et pas un prophète ne leur venait qu'ils ne le tournaient en dérision.

8. Nous avons fait périr de plus redoutables qu'eux! Et on a déjà cité l'exemple des anciens.

9. Et si tu leur demandes: «Qui a créé les cieux et la terre?» Ils diront très certainement: «Le Puissant, l'Omniscient les a créés».

10. Celui qui vous a donné la terre pour berceau et vous y a tracé des sentiers afin que vous vous guidiez ;

---

1. *Un esprit* [*le Qur'ān*]: parce qu'il revivifie les cœurs.
2. Titre tiré du v. 35.
3. *Ḥā, Mīm*: note à S. 2, v. 1.

وَالَّذِى نَزَّلَ مِنَ السَّمَآءِ مَآءَۢ بِقَدَرٍ فَأَنشَرْنَا بِهِۦ بَلْدَةً مَّيْتًا كَذَٰلِكَ تُخْرَجُونَ ۝ وَالَّذِى خَلَقَ الْأَزْوَٰجَ كُلَّهَا وَجَعَلَ لَكُم مِّنَ الْفُلْكِ وَالْأَنْعَٰمِ مَا تَرْكَبُونَ ۝ لِتَسْتَوُۥا۟ عَلَىٰ ظُهُورِهِۦ ثُمَّ تَذْكُرُوا۟ نِعْمَةَ رَبِّكُمْ إِذَا اسْتَوَيْتُمْ عَلَيْهِ وَتَقُولُوا۟ سُبْحَٰنَ الَّذِى سَخَّرَ لَنَا هَٰذَا وَمَا كُنَّا لَهُۥ مُقْرِنِينَ ۝ وَإِنَّآ إِلَىٰ رَبِّنَا لَمُنقَلِبُونَ ۝ وَجَعَلُوا۟ لَهُۥ مِنْ عِبَادِهِۦ جُزْءًا إِنَّ الْإِنسَٰنَ لَكَفُورٌ مُّبِينٌ ۝ أَمِ اتَّخَذَ مِمَّا يَخْلُقُ بَنَاتٍ وَأَصْفَىٰكُم بِالْبَنِينَ ۝ وَإِذَا بُشِّرَ أَحَدُهُم بِمَا ضَرَبَ لِلرَّحْمَٰنِ مَثَلًا ظَلَّ وَجْهُهُۥ مُسْوَدًّا وَهُوَ كَظِيمٌ ۝ أَوَمَن يُنَشَّؤُا۟ فِى الْحِلْيَةِ وَهُوَ فِى الْخِصَامِ غَيْرُ مُبِينٍ ۝ وَجَعَلُوا۟ الْمَلَٰٓئِكَةَ الَّذِينَ هُمْ عِبَٰدُ الرَّحْمَٰنِ إِنَٰثًا أَشَهِدُوا۟ خَلْقَهُمْ سَتُكْتَبُ شَهَٰدَتُهُمْ وَيُسْـَٔلُونَ ۝ وَقَالُوا۟ لَوْ شَآءَ الرَّحْمَٰنُ مَا عَبَدْنَٰهُم مَّا لَهُم بِذَٰلِكَ مِنْ عِلْمٍ إِنْ هُمْ إِلَّا يَخْرُصُونَ ۝ أَمْ ءَاتَيْنَٰهُمْ كِتَٰبًا مِّن قَبْلِهِۦ فَهُم بِهِۦ مُسْتَمْسِكُونَ ۝ بَلْ قَالُوٓا۟ إِنَّا وَجَدْنَآ ءَابَآءَنَا عَلَىٰٓ أُمَّةٍ وَإِنَّا عَلَىٰٓ ءَاثَٰرِهِم مُّهْتَدُونَ ۝

11. Celui qui a fait descendre l'eau du ciel avec mesure et avec laquelle Nous ranimons une cité morte [aride]. Ainsi vous serez ressuscités ;

12. Celui qui a créé les couples dans leur totalité et a fait pour vous, des vaisseaux et des bestiaux, des montures,

13. afin que vous vous installiez sur leurs dos, et qu'ensuite, après vous y être installés, vous vous rappeliez le bienfait de votre Seigneur et que vous disiez: «Gloire à Celui qui nous a soumis tout cela alors que nous n'étions pas capables de les dominer.

14. C'est vers notre Seigneur que nous retournerons».

15. Et ils Lui firent de Ses serviteurs une partie [de Lui-Même]. L'homme est vraiment un ingrat déclaré!

16. Ou bien Se serait-Il attribué des filles parmi ce qu'il crée et accordé à vous par préférence des fils[1]?

17. Or, quand on annonce à l'un d'eux (la naissance) d'une semblable de ce qu'il attribue au Tout Miséricordieux, son visage s'assombrit d'un chagrin profond.

18. Quoi! Cet être (la fille) élevé au milieu des parures et qui, dans la dispute, est incapable de se défendre par une argumentation claire et convaincante[2]?

19. Et ils firent des Anges qui sont les serviteurs du Tout Miséricordieux des [êtres] féminins! Etaient-ils témoins de leur création? Leur témoignage sera alors inscrit ; et ils seront interrogés.

20. Et ils dirent: «Si le Tout Miséricordieux avait voulu, nous ne les aurions pas adorés». Ils n'en ont aucune connaissance ; ils ne font que se livrer à des conjectures.

21. Ou bien, leur avions-Nous donné avant lui [le Qur'ān] un Livre auquel ils seraient fermement attachés?

22. Mais plutôt ils dirent: «Nous avons trouvé nos ancêtres sur une religion, et nous nous guidons sur leurs traces».

---

1. Les infidèles désignaient les Anges comme filles de Dieu.
2. Il ne s'agit là que de souligner la grande sensibilité de la femme et sa sentimentalité.

وَكَذَٰلِكَ مَآ أَرْسَلْنَا مِن قَبْلِكَ فِى قَرْيَةٍ مِّن نَّذِيرٍ إِلَّا قَالَ مُتْرَفُوهَآ

إِنَّا وَجَدْنَآ ءَابَآءَنَا عَلَىٰٓ أُمَّةٍ وَإِنَّا عَلَىٰٓ ءَاثَٰرِهِم مُّقْتَدُونَ ۝

قَٰلَ أَوَلَوْ جِئْتُكُم بِأَهْدَىٰ مِمَّا وَجَدتُّمْ عَلَيْهِ ءَابَآءَكُمْ قَالُوٓا۟

إِنَّا بِمَآ أُرْسِلْتُم بِهِۦ كَٰفِرُونَ ۝ فَٱنتَقَمْنَا مِنْهُمْ فَٱنظُرْ كَيْفَ

كَانَ عَٰقِبَةُ ٱلْمُكَذِّبِينَ ۝ وَإِذْ قَالَ إِبْرَٰهِيمُ لِأَبِيهِ وَقَوْمِهِۦٓ

إِنَّنِى بَرَآءٌ مِّمَّا تَعْبُدُونَ ۝ إِلَّا ٱلَّذِى فَطَرَنِى فَإِنَّهُۥ سَيَهْدِينِ

وَجَعَلَهَا كَلِمَةَۢ بَاقِيَةً فِى عَقِبِهِۦ لَعَلَّهُمْ يَرْجِعُونَ ۝ بَلْ

مَتَّعْتُ هَٰٓؤُلَآءِ وَءَابَآءَهُمْ حَتَّىٰ جَآءَهُمُ ٱلْحَقُّ وَرَسُولٌ مُّبِينٌ ۝

وَلَمَّا جَآءَهُمُ ٱلْحَقُّ قَالُوا۟ هَٰذَا سِحْرٌ وَإِنَّا بِهِۦ كَٰفِرُونَ ۝ وَقَالُوا۟

لَوْلَا نُزِّلَ هَٰذَا ٱلْقُرْءَانُ عَلَىٰ رَجُلٍ مِّنَ ٱلْقَرْيَتَيْنِ عَظِيمٍ ۝ أَهُمْ

يَقْسِمُونَ رَحْمَتَ رَبِّكَ نَحْنُ قَسَمْنَا بَيْنَهُم مَّعِيشَتَهُمْ فِى ٱلْحَيَوٰةِ

ٱلدُّنْيَا وَرَفَعْنَا بَعْضَهُمْ فَوْقَ بَعْضٍ دَرَجَٰتٍ لِّيَتَّخِذَ بَعْضُهُم

بَعْضًا سُخْرِيًّا وَرَحْمَتُ رَبِّكَ خَيْرٌ مِّمَّا يَجْمَعُونَ ۝ وَلَوْلَآ

أَن يَكُونَ ٱلنَّاسُ أُمَّةً وَٰحِدَةً لَّجَعَلْنَا لِمَن يَكْفُرُ بِٱلرَّحْمَٰنِ

لِبُيُوتِهِمْ سُقُفًا مِّن فِضَّةٍ وَمَعَارِجَ عَلَيْهَا يَظْهَرُونَ ۝

23. Et c'est ainsi que Nous n'avons pas envoyé avant toi d'avertisseur en une cité, sans que ses gens aisés n'aient dit: «Nous avons trouvé nos ancêtres sur une religion et nous suivons leurs traces».

24. Il dit: «Même si je viens à vous avec une meilleure direction que celle sur laquelle vous avez trouvé vos ancêtres?» Ils dirent: «Nous ne croyons pas au message avec lequel vous avez été envoyés»[1].

25. Nous Nous vengeâmes d'eux. Regarde ce qu'il est advenu de ceux qui criaient au mensonge.

26. Et lorsqu'Abraham dit à son père et à son peuple: «Je désavoue totalement ce que vous adorez,

27. à l'exception de Celui qui m'a créé, car c'est Lui en vérité qui me guidera».

28. Et il en[2] fit une parole qui devait se perpétuer parmi sa descendance. Peut-être reviendront-ils?

29. Mais à ces gens ainsi qu'à leurs ancêtres, J'ai accordé la jouissance jusqu'à ce que leur vinrent la Vérité (le Qur'ān) et un Messager explicite.

30. Et quand la Vérité leur vint, ils dirent: «C'est de la magie et nous n'y croyons pas».

31. Et ils dirent: «Pourquoi n'a-t-on pas fait descendre ce Qur'ān sur un haut personnage de l'une des deux cités?» (la Mecque et Ṭā'if)[3].

32. Est-ce eux qui distribuent la miséricorde de ton Seigneur? C'est Nous qui avons réparti entre eux leur subsistance dans la vie présente et qui les avons élevés en grades les uns sur les autres, afin que les uns prennent les autres à leur service. La miséricorde de ton Seigneur vaut mieux, cependant, que ce qu'ils amassent.

33. Si les hommes ne devaient pas constituer une seule communauté (mécréante), Nous aurions certes pourvu les maisons de ceux qui ne croient pas au Tout Miséricordieux, de toits d'argent avec des escaliers pour y monter ;

---

1. *Il dit*: il s'agit de l'avertisseur, Prophète de cette ville.
Vous avez été...: transition du singulier au pluriel impliquant que la réponse des mécréants vise à la fois le Prophète et ceux qui avaient embrassé sa religion.
2. *Il en fit*: Il fit de cette déclaration.
3. Allusion est faite dans ce verset à deux notables: al-Walid Ibn al-Muġīra de la Mecque et ʿUrwa Ibn Masʿūd de Ṭā'if.

وَلِبُيُوتِهِمْ أَبْوَابًا وَسُرُرًا عَلَيْهَا يَتَّكِئُونَ ۝ وَزُخْرُفًا وَإِن كُلُّ ذَٰلِكَ لَمَّا مَتَاعُ الْحَيَوٰةِ الدُّنْيَا وَالْأَخِرَةُ عِندَ رَبِّكَ لِلْمُتَّقِينَ ۝ وَمَن يَعْشُ عَن ذِكْرِ الرَّحْمَٰنِ نُقَيِّضْ لَهُۥ شَيْطَانًا فَهُوَ لَهُۥ قَرِينٌ ۝ وَإِنَّهُمْ لَيَصُدُّونَهُمْ عَنِ السَّبِيلِ وَيَحْسَبُونَ أَنَّهُم مُّهْتَدُونَ ۝ حَتَّىٰ إِذَا جَاءَنَا قَالَ يَٰلَيْتَ بَيْنِي وَبَيْنَكَ بُعْدَ الْمَشْرِقَيْنِ فَبِئْسَ الْقَرِينُ ۝ وَلَن يَنفَعَكُمُ الْيَوْمَ إِذ ظَّلَمْتُمْ أَنَّكُمْ فِي الْعَذَابِ مُشْتَرِكُونَ ۝ أَفَأَنتَ تُسْمِعُ الصُّمَّ أَوْ تَهْدِي الْعُمْيَ وَمَن كَانَ فِي ضَلَالٍ مُّبِينٍ ۝ فَإِمَّا نَذْهَبَنَّ بِكَ فَإِنَّا مِنْهُم مُّنتَقِمُونَ ۝ أَوْ نُرِيَنَّكَ الَّذِي وَعَدْنَاهُمْ فَإِنَّا عَلَيْهِم مُّقْتَدِرُونَ ۝ فَاسْتَمْسِكْ بِالَّذِي أُوحِيَ إِلَيْكَ إِنَّكَ عَلَىٰ صِرَاطٍ مُّسْتَقِيمٍ ۝ وَإِنَّهُۥ لَذِكْرٌ لَّكَ وَلِقَوْمِكَ وَسَوْفَ تُسْـَٔلُونَ ۝ وَسْـَٔلْ مَنْ أَرْسَلْنَا مِن قَبْلِكَ مِن رُّسُلِنَا أَجَعَلْنَا مِن دُونِ الرَّحْمَٰنِ ءَالِهَةً يُعْبَدُونَ ۝ وَلَقَدْ أَرْسَلْنَا مُوسَىٰ بِـَٔايَٰتِنَا إِلَىٰ فِرْعَوْنَ وَمَلَإِيْهِۦ فَقَالَ إِنِّي رَسُولُ رَبِّ الْعَٰلَمِينَ ۝ فَلَمَّا جَاءَهُم بِـَٔايَٰتِنَا إِذَا هُم مِّنْهَا يَضْحَكُونَ ۝

34. (Nous aurions pourvu) leurs maisons de portes et de divans où ils s'accouderaient,

35. ainsi que des ornements. Et tout cela ne serait que jouissance temporaire de la vie d'ici-bas, alors que l'au-delà, auprès de ton Seigneur, est pour les pieux.

36. Et quiconque s'aveugle (et s'écarte) du rappel du Tout Miséricordieux, Nous lui désignons un diable qui devient son compagnon inséparable.

37. Ils [Les diables] détournent certes [les hommes] du droit chemin, tandis que ceux-ci s'estiment être bien guidés.

38. Lorsque cet [homme] vient à Nous, il dira [à son démon]: «Hélas! Que n'y a-t-il entre toi et moi la distance entre les deux orients [l'Est et l'Ouest]!» - Quel mauvais compagnon [que tu es]!

39. Il ne vous profitera point ce jour-là - du moment que vous avez été injustes - que vous soyez associés dans le châtiment.

40. Est-ce donc toi qui fait entendre les sourds ou qui guide les aveugles et ceux qui sont dans un égarement évident?

41. Soit que Nous t'enlevons [te ferons mourir] et alors Nous Nous vengerons d'eux;

42. ou bien que Nous te ferons voir ce que Nous leur avons promis [le châtiment] ; car Nous avons sur eux un pouvoir certain.

43. Tiens fermement à ce qui t'a été révélé car tu es sur le droit chemin.

44. C'est certainement un rappel [le Qurʾān] pour toi et ton peuple. Et vous en serez interrogés.

45. Et demande à ceux de Nos messagers que Nous avons envoyés avant toi, si Nous avons institué, en dehors du Tout Miséricordieux, des divinités à adorer?

46. Nous avons effectivement envoyé Moïse avec Nos miracles, à Pharaon et à ses notables. Il dit: «Je suis le Messager du Seigneur de l'univers».

47. Puis, lorsqu'il vint à eux avec Nos miracles, voilà qu'ils en rirent.

وَمَا نُرِيهِم مِّنْ ءَايَةٍ إِلَّا هِىَ أَكْبَرُ مِنْ أُخْتِهَا وَأَخَذْنَهُم بِالْعَذَابِ لَعَلَّهُمْ يَرْجِعُونَ ۝ وَقَالُوا۟ يَأَيُّهَ السَّاحِرُ ادْعُ لَنَا رَبَّكَ بِمَا عَهِدَ عِندَكَ إِنَّنَا لَمُهْتَدُونَ ۝ فَلَمَّا كَشَفْنَا عَنْهُمُ الْعَذَابَ إِذَا هُمْ يَنكُثُونَ ۝ وَنَادَىٰ فِرْعَوْنُ فِى قَوْمِهِۦ قَالَ يَقَوْمِ أَلَيْسَ لِى مُلْكُ مِصْرَ وَهَذِهِ الْأَنْهَرُ تَجْرِى مِن تَحْتِىٓ أَفَلَا تُبْصِرُونَ ۝ أَمْ أَنَا۠ خَيْرٌ مِّنْ هَذَا الَّذِى هُوَ مَهِينٌ وَلَا يَكَادُ يُبِينُ ۝ فَلَوْلَآ أُلْقِىَ عَلَيْهِ أَسْوِرَةٌ مِّن ذَهَبٍ أَوْ جَآءَ مَعَهُ الْمَلَٰٓئِكَةُ مُقْتَرِنِينَ ۝ فَاسْتَخَفَّ قَوْمَهُۥ فَأَطَاعُوهُ إِنَّهُمْ كَانُوا۟ قَوْمًا فَسِقِينَ ۝ فَلَمَّآ ءَاسَفُونَا انتَقَمْنَا مِنْهُمْ فَأَغْرَقْنَهُمْ أَجْمَعِينَ ۝ فَجَعَلْنَهُمْ سَلَفًا وَمَثَلًا لِّلْءَاخِرِينَ ۝ وَلَمَّا ضُرِبَ ابْنُ مَرْيَمَ مَثَلًا إِذَا قَوْمُكَ مِنْهُ يَصِدُّونَ ۝ وَقَالُوٓا۟ ءَأَٰلِهَتُنَا خَيْرٌ أَمْ هُوَ مَا ضَرَبُوهُ لَكَ إِلَّا جَدَلًا بَلْ هُمْ قَوْمٌ خَصِمُونَ ۝ إِنْ هُوَ إِلَّا عَبْدٌ أَنْعَمْنَا عَلَيْهِ وَجَعَلْنَهُ مَثَلًا لِّبَنِىٓ إِسْرَٰٓءِيلَ ۝ وَلَوْ نَشَآءُ لَجَعَلْنَا مِنكُم مَّلَٰٓئِكَةً فِى الْأَرْضِ يَخْلُفُونَ ۝

ربع
الحزب
٥٠

48. Chaque miracle que Nous leur montrions était plus probant que son précédent. Et Nous les saisîmes par le châtiment, peut-être reviendront-ils [vers Nous].

49. Et ils dirent: «Ô magicien! Implore pour nous ton Seigneur au nom de l'engagement[1] qu'Il a pris envers toi. Nous suivrons le droit chemin».

50. Puis quand Nous eûmes écarté d'eux le châtiment, voilà qu'ils violèrent leurs engagements.

51. Et Pharaon fit une proclamation à son peuple et dit: «Ô mon peuple! Le royaume de Miṣr [l'Egypte] ne m'appartient-il pas ainsi que ces canaux qui coulent à mes pieds? N'observez-vous donc pas?

52. Ne suis-je pas meilleur que ce misérable qui sait à peine s'exprimer?

53. Pourquoi ne lui a-t-on pas lancé des bracelets d'or? Pourquoi les Anges ne l'ont-ils pas accompagné?»

54. Ainsi chercha-t-il à étourdir son peuple et ainsi lui obéirent-ils car ils étaient des gens pervers.

55. Puis lorsqu'ils Nous eurent irrité, Nous Nous vengeâmes d'eux et les noyâmes tous.

56. Nous fîmes d'eux un antécédant et un exemple [une leçon] pour la postérité.

57. Quand on cite l'exemple du fils de Marie, ton peuple s'en détourne[2],

58. en disant: «Nos dieux sont-ils meilleurs, ou bien lui?» Ce n'est que par polémique qu'ils te le citent comme exemple. Ce sont plutôt des gens chicaniers.

59. Il (Jésus) n'était qu'un Serviteur que Nous avions comblé de bienfaits et que Nous avions désigné en exemple aux Enfants d'Israël.

60. Si Nous voulions, Nous ferions de vous des Anges qui vous succéderaient sur la terre.

---

1. *L'engagement*: la promesse faite à Moïse de dissiper le mal du peuple de Pharaon dès lors qu'ils croient en Allāh et au message de Moïse.
2. *S'en détourne*: autre sens, s'en réjouit.

وَإِنَّهُۥ لَعِلْمٌ لِّلسَّاعَةِ فَلَا تَمْتَرُنَّ بِهَا وَٱتَّبِعُونِ هَٰذَا صِرَٰطٌ

مُّسْتَقِيمٌ ۝ وَلَا يَصُدَّنَّكُمُ ٱلشَّيْطَٰنُ إِنَّهُۥ لَكُمْ عَدُوٌّ مُّبِينٌ

۝ وَلَمَّا جَآءَ عِيسَىٰ بِٱلْبَيِّنَٰتِ قَالَ قَدْ جِئْتُكُم بِٱلْحِكْمَةِ

وَلِأُبَيِّنَ لَكُم بَعْضَ ٱلَّذِى تَخْتَلِفُونَ فِيهِ فَٱتَّقُوا۟ ٱللَّهَ وَأَطِيعُونِ

۝ إِنَّ ٱللَّهَ هُوَ رَبِّى وَرَبُّكُمْ فَٱعْبُدُوهُ هَٰذَا صِرَٰطٌ مُّسْتَقِيمٌ

۝ فَٱخْتَلَفَ ٱلْأَحْزَابُ مِنۢ بَيْنِهِمْ فَوَيْلٌ لِّلَّذِينَ ظَلَمُوا۟

مِنْ عَذَابِ يَوْمٍ أَلِيمٍ ۝ هَلْ يَنظُرُونَ إِلَّا ٱلسَّاعَةَ أَن

تَأْتِيَهُم بَغْتَةً وَهُمْ لَا يَشْعُرُونَ ۝ ٱلْأَخِلَّآءُ يَوْمَئِذٍۭ

بَعْضُهُمْ لِبَعْضٍ عَدُوٌّ إِلَّا ٱلْمُتَّقِينَ ۝ يَٰعِبَادِ لَا خَوْفٌ

عَلَيْكُمُ ٱلْيَوْمَ وَلَآ أَنتُمْ تَحْزَنُونَ ۝ ٱلَّذِينَ ءَامَنُوا۟ بِـَٔايَٰتِنَا

وَكَانُوا۟ مُسْلِمِينَ ۝ ٱدْخُلُوا۟ ٱلْجَنَّةَ أَنتُمْ وَأَزْوَٰجُكُمْ

تُحْبَرُونَ ۝ يُطَافُ عَلَيْهِم بِصِحَافٍ مِّن ذَهَبٍ وَأَكْوَابٍ

وَفِيهَا مَا تَشْتَهِيهِ ٱلْأَنفُسُ وَتَلَذُّ ٱلْأَعْيُنُ وَأَنتُمْ فِيهَا

خَٰلِدُونَ ۝ وَتِلْكَ ٱلْجَنَّةُ ٱلَّتِىٓ أُورِثْتُمُوهَا بِمَا كُنتُمْ

تَعْمَلُونَ ۝ لَكُمْ فِيهَا فَٰكِهَةٌ كَثِيرَةٌ مِّنْهَا تَأْكُلُونَ ۝

61. Il sera un signe au sujet de l'Heure. N'en doutez point. Et suivez-moi: voilà un droit chemin.

62. Que le Diable ne vous détourne point! Car il est pour vous un ennemi déclaré.

63. Et quand Jésus apporta les preuves, il dit: «Je suis venu à vous avec la sagesse et pour vous expliquer certains de vos sujets de désaccord. Craignez Allāh donc et obéissez-moi.

64. Allāh est en vérité mon Seigneur et votre Seigneur. Adorez-Le donc. Voilà un droit chemin».

65. Mais les factions divergèrent entre elles¹. Malheur donc aux injustes du châtiment d'un jour douloureux!

66. Attendent-ils seulement que l'Heure leur vienne à l'improviste, sans qu'ils ne s'en rendent compte?

67. Les amis, ce jour-là, seront ennemis les uns des autres ; excepté les pieux.

68. «Ô Mes serviteurs! Vous ne devez avoir aucune crainte aujourd'hui ; vous ne serez point affligés,

69. Ceux qui croient en Nos signes et sont musulmans²,

70. «Entrez au Paradis, vous et vos épouses, vous y serez fêtés».

71. On fera circuler parmi eux des plats d'or et des coupes ; et il y aura là [pour eux] tout ce que les âmes désirent et ce qui réjouit les yeux ; - «et vous y demeurerez éternellement.

72. Tel est le Paradis qu'on vous fait hériter pour ce que vous faisiez.

73. Il y aura là pour vous beaucoup de fruits dont vous mangerez».

---

1. *Les factions divergèrent*: au sujet de Jésus. Certains en firent un Dieu, d'autres dirent qu'il est le fils de Dieu et d'autres encore le prirent pour le troisième de trois [père, fils et saint-esprit].
2. *Ceux*: les serviteurs d'Allāh, mentionnés dans le verset précédent.

إِنَّ ٱلْمُجْرِمِينَ فِى عَذَابِ جَهَنَّمَ خَٰلِدُونَ ۝ لَا يُفَتَّرُ عَنْهُمْ وَهُمْ فِيهِ مُبْلِسُونَ ۝ وَمَا ظَلَمْنَٰهُمْ وَلَٰكِن كَانُوا۟ هُمُ ٱلظَّٰلِمِينَ ۝ وَنَادَوْا۟ يَٰمَٰلِكُ لِيَقْضِ عَلَيْنَا رَبُّكَ قَالَ إِنَّكُم مَّٰكِثُونَ ۝ لَقَدْ جِئْنَٰكُم بِٱلْحَقِّ وَلَٰكِنَّ أَكْثَرَكُمْ لِلْحَقِّ كَٰرِهُونَ ۝ أَمْ أَبْرَمُوٓا۟ أَمْرًا فَإِنَّا مُبْرِمُونَ ۝ أَمْ يَحْسَبُونَ أَنَّا لَا نَسْمَعُ سِرَّهُمْ وَنَجْوَىٰهُم بَلَىٰ وَرُسُلُنَا لَدَيْهِمْ يَكْتُبُونَ ۝ قُلْ إِن كَانَ لِلرَّحْمَٰنِ وَلَدٌ فَأَنَا۠ أَوَّلُ ٱلْعَٰبِدِينَ ۝ سُبْحَٰنَ رَبِّ ٱلسَّمَٰوَٰتِ وَٱلْأَرْضِ رَبِّ ٱلْعَرْشِ عَمَّا يَصِفُونَ ۝ فَذَرْهُمْ يَخُوضُوا۟ وَيَلْعَبُوا۟ حَتَّىٰ يُلَٰقُوا۟ يَوْمَهُمُ ٱلَّذِى يُوعَدُونَ ۝ وَهُوَ ٱلَّذِى فِى ٱلسَّمَآءِ إِلَٰهٌ وَفِى ٱلْأَرْضِ إِلَٰهٌ وَهُوَ ٱلْحَكِيمُ ٱلْعَلِيمُ ۝ وَتَبَارَكَ ٱلَّذِى لَهُۥ مُلْكُ ٱلسَّمَٰوَٰتِ وَٱلْأَرْضِ وَمَا بَيْنَهُمَا وَعِندَهُۥ عِلْمُ ٱلسَّاعَةِ وَإِلَيْهِ تُرْجَعُونَ ۝ وَلَا يَمْلِكُ ٱلَّذِينَ يَدْعُونَ مِن دُونِهِ ٱلشَّفَٰعَةَ إِلَّا مَن شَهِدَ بِٱلْحَقِّ وَهُمْ يَعْلَمُونَ ۝ وَلَئِن سَأَلْتَهُم مَّنْ خَلَقَهُمْ لَيَقُولُنَّ ٱللَّهُ فَأَنَّىٰ يُؤْفَكُونَ ۝ وَقِيلِهِۦ يَٰرَبِّ إِنَّ هَٰٓؤُلَآءِ قَوْمٌ لَّا يُؤْمِنُونَ ۝ فَٱصْفَحْ عَنْهُمْ وَقُلْ سَلَٰمٌ فَسَوْفَ يَعْلَمُونَ ۝

74. Quant aux criminels, ils demeureront éternellement dans le châtiment de l'Enfer,

75. qui ne sera jamais interrompu pour eux et où ils seront en désespoir.

76. Nous ne leur avons fait aucun tort, mais c'étaient eux les injustes.

77. et ils crieront: «Ô Mālik[1]! Que ton Seigneur nous achève!» Il dira: «En vérité, vous êtes pour y demeurer [éternellement]»!

78. «Certes, Nous vous avions apporté la Vérité ; mais la plupart d'entre vous détestaient la Vérité».

79. Ont-ils pris quelque décision[2] [entre eux]? Car c'est Nous qui décidons!

80. Ou bien escomptent-ils que Nous n'entendons pas leur secret ni leurs délibérations? Mais si! Nos Anges prennent note auprès d'eux.

81. Dis: «Si le Tout Miséricordieux avait un enfant, alors je serais le premier à l'adorer».

82. Gloire au Seigneur des cieux et de la terre, Seigneur du Trône ; Il transcende ce qu'ils décrivent.

83. Laisse-les donc s'enfoncer dans leur fausseté et s'amuser jusqu'à ce qu'ils rencontrent le jour qui leur est promis.

84. c'est Lui qui est Dieu dans le ciel et Dieu sur terre ; et c'est Lui le Sage, l'Omniscient!

85. Et béni soit Celui à qui appartient la souveraineté des cieux et de la terre et de ce qui est entre eux. Il détient la science de l'Heure. Et c'est vers Lui que vous serez ramenés.

86. Et ceux qu'ils invoquent en dehors de Lui n'ont aucun pouvoir d'intercession, à l'exception de ceux qui auront témoigné de la vérité en pleine connaissance de cause.

87. Et si tu leur demandes qui les a créés, ils diront très certainement: «Allāh». Comment se fait-il donc qu'ils se détournent?

88. Et sa parole (la parole du Prophète à Allāh): «Seigneur, ce sont là des gens qui ne croient pas».

89. Et bien, éloigne-toi d'eux (pardonne-leur) ; et dis: «Salut!» Car ils sauront bientôt.

---

1. Mālik est le nom de l'ange chargé de garder l'enfer.
2. Il s'agit des Mecquois qui cherchaient le moyen d'en finir avec Muḥammad (ﷺ).

سُورَةُ الدُّخَانِ

بِسۡمِ ٱللَّهِ ٱلرَّحۡمَٰنِ ٱلرَّحِيمِ

حمٓ ۝ وَٱلۡكِتَٰبِ ٱلۡمُبِينِ ۝ إِنَّآ أَنزَلۡنَٰهُ فِى لَيۡلَةٖ مُّبَٰرَكَةٍۚ إِنَّا كُنَّا مُنذِرِينَ ۝ فِيهَا يُفۡرَقُ كُلُّ أَمۡرٍ حَكِيمٍ ۝ أَمۡرٗا مِّنۡ عِندِنَآۚ إِنَّا كُنَّا مُرۡسِلِينَ ۝ رَحۡمَةٗ مِّن رَّبِّكَۚ إِنَّهُۥ هُوَ ٱلسَّمِيعُ ٱلۡعَلِيمُ ۝ رَبِّ ٱلسَّمَٰوَٰتِ وَٱلۡأَرۡضِ وَمَا بَيۡنَهُمَآۖ إِن كُنتُم مُّوقِنِينَ ۝ لَآ إِلَٰهَ إِلَّا هُوَ يُحۡيِۦ وَيُمِيتُۖ رَبُّكُمۡ وَرَبُّ ءَابَآئِكُمُ ٱلۡأَوَّلِينَ ۝ بَلۡ هُمۡ فِى شَكّٖ يَلۡعَبُونَ ۝ فَٱرۡتَقِبۡ يَوۡمَ تَأۡتِى ٱلسَّمَآءُ بِدُخَانٖ مُّبِينٖ ۝ يَغۡشَى ٱلنَّاسَۖ هَٰذَا عَذَابٌ أَلِيمٞ ۝ رَّبَّنَا ٱكۡشِفۡ عَنَّا ٱلۡعَذَابَ إِنَّا مُؤۡمِنُونَ ۝ أَنَّىٰ لَهُمُ ٱلذِّكۡرَىٰ وَقَدۡ جَآءَهُمۡ رَسُولٞ مُّبِينٞ ۝ ثُمَّ تَوَلَّوۡاْ عَنۡهُ وَقَالُواْ مُعَلَّمٞ مَّجۡنُونٌ ۝ إِنَّا كَاشِفُواْ ٱلۡعَذَابِ قَلِيلًاۚ إِنَّكُمۡ عَآئِدُونَ ۝ يَوۡمَ نَبۡطِشُ ٱلۡبَطۡشَةَ ٱلۡكُبۡرَىٰٓ إِنَّا مُنتَقِمُونَ ۝ وَلَقَدۡ فَتَنَّا قَبۡلَهُمۡ قَوۡمَ فِرۡعَوۡنَ وَجَآءَهُمۡ رَسُولٞ كَرِيمٌ ۝ أَنۡ أَدُّوٓاْ إِلَىَّ عِبَادَ ٱللَّهِۖ إِنِّى لَكُمۡ رَسُولٌ أَمِينٞ ۝

AD-DUḤĀN (LA FUMÉE)[1]

sourate 44   59 versets   Pré-hégirien n°64

Au nom d'Allāh, le Tout Miséricordieux, le Très Miséricordieux.

1. Ḥā, Mīm[2].

2. Par le Livre (le Qur'ān) explicite.

3. Nous l'avons fait descendre en une nuit bénie, Nous sommes en vérité Celui qui avertit,

4. durant laquelle est décidé tout ordre sage,

5. c'est là un commandement venant de Nous. C'est Nous qui envoyons [les Messagers],

6. à titre de miséricorde de la part de ton Seigneur, car c'est Lui l'Audient, l'Omniscient,

7. Seigneur des cieux et de la terre et de ce qui est entre eux, si seulement vous pouviez en avoir la conviction.

8. Point de divinité à part Lui. Il donne la vie et donne la mort, et Il est votre Seigneur et le Seigneur de vos premiers ancêtres.

9. Mais ces gens-là, dans le doute, s'amusent.

10. Eh bien, attends le jour où le ciel apportera une fumée visible

11. qui couvrira les gens. Ce sera un châtiment douloureux.

12. «Seigneur, éloigne de nous le châtiment. Car, [à présent] nous croyons».

13. D'où leur vient cette prise de conscience[3] alors qu'un Messager explicite leur est déjà venu,

14. Puis ils s'en détournèrent en disant: «C'est un homme instruit [par d'autres], un possédé».

15. Nous dissiperons le châtiment pour peu de temps ; car vous récidiverez.

16. Le jour où Nous userons de la plus grande violence et Nous Nous vengerons.

17. Et avant eux, Nous avons déjà éprouvé le peuple de Pharaon, quand un noble Messager leur était venu[4],

18. [leur disant]: «Livrez-moi les serviteurs d'Allāh! Je suis pour vous un Messager digne de confiance.

---

1. Titre tiré du v. 10.
2. *Ḥā, Mīm*: voir la note à S. 2, v. 1.
3. Littéralement: comment le rappel les atteindrait-il...?
4. *Avant eux...*: avant les interlocuteurs de Muḥammad (ﷺ).
Un noble Messager: Moïse.

وَأَن لَّا تَعْلُوا عَلَى ٱللَّهِ إِنِّى ءَاتِيكُم بِسُلْطَٰنٍ مُّبِينٍ ۝ وَإِنِّى عُذْتُ بِرَبِّى وَرَبِّكُمْ أَن تَرْجُمُونِ ۝ وَإِن لَّمْ تُؤْمِنُوا لِى فَٱعْتَزِلُونِ ۝ فَدَعَا رَبَّهُۥٓ أَنَّ هَٰٓؤُلَآءِ قَوْمٌ مُّجْرِمُونَ ۝ فَأَسْرِ بِعِبَادِى لَيْلًا إِنَّكُم مُّتَّبَعُونَ ۝ وَٱتْرُكِ ٱلْبَحْرَ رَهْوًا إِنَّهُمْ جُندٌ مُّغْرَقُونَ ۝ كَمْ تَرَكُوا مِن جَنَّٰتٍ وَعُيُونٍ ۝ وَزُرُوعٍ وَمَقَامٍ كَرِيمٍ ۝ وَنَعْمَةٍ كَانُوا فِيهَا فَٰكِهِينَ ۝ كَذَٰلِكَ وَأَوْرَثْنَٰهَا قَوْمًا ءَاخَرِينَ ۝ فَمَا بَكَتْ عَلَيْهِمُ ٱلسَّمَآءُ وَٱلْأَرْضُ وَمَا كَانُوا مُنظَرِينَ ۝ وَلَقَدْ نَجَّيْنَا بَنِىٓ إِسْرَٰٓءِيلَ مِنَ ٱلْعَذَابِ ٱلْمُهِينِ ۝ مِن فِرْعَوْنَ إِنَّهُۥ كَانَ عَالِيًا مِّنَ ٱلْمُسْرِفِينَ ۝ وَلَقَدِ ٱخْتَرْنَٰهُمْ عَلَىٰ عِلْمٍ عَلَى ٱلْعَٰلَمِينَ ۝ وَءَاتَيْنَٰهُم مِّنَ ٱلْءَايَٰتِ مَا فِيهِ بَلَٰٓؤٌا۟ مُّبِينٌ ۝ إِنَّ هَٰٓؤُلَآءِ لَيَقُولُونَ ۝ إِنْ هِىَ إِلَّا مَوْتَتُنَا ٱلْأُولَىٰ وَمَا نَحْنُ بِمُنشَرِينَ ۝ فَأْتُوا بِـَٔابَآئِنَآ إِن كُنتُمْ صَٰدِقِينَ ۝ أَهُمْ خَيْرٌ أَمْ قَوْمُ تُبَّعٍ وَٱلَّذِينَ مِن قَبْلِهِمْ أَهْلَكْنَٰهُمْ إِنَّهُمْ كَانُوا مُجْرِمِينَ ۝ وَمَا خَلَقْنَا ٱلسَّمَٰوَٰتِ وَٱلْأَرْضَ وَمَا بَيْنَهُمَا لَٰعِبِينَ ۝ مَا خَلَقْنَٰهُمَآ إِلَّا بِٱلْحَقِّ وَلَٰكِنَّ أَكْثَرَهُمْ لَا يَعْلَمُونَ ۝

19. Ne vous montrez pas hautains vis-à-vis d'Allāh, car je vous apporte une preuve évidente.

20. Et je cherche protection auprès de mon Seigneur et votre Seigneur, pour que vous ne me lapidiez pas.

21. Si vous ne voulez pas croire en moi, éloignez-vous de moi».

22. Il invoqua alors son Seigneur: «Ce sont des gens criminels».

23. «Voyage de nuit avec Mes serviteurs ; vous serez poursuivis[1].

24. Laisse la mer calme ; [telle que tu l'as franchie] ce sont, des armées [voués] à la noyade».

25. Que de jardins et de sources ils laissèrent [derrière eux]

26. que de champs et de superbes résidences,

27. que de délices au sein desquels ils se réjouissaient.

28. Il en fut ainsi et Nous fîmes qu'un autre peuple en hérita.

29. Ni le ciel ni la terre ne les pleurèrent et ils n'eurent aucun délai.

30. Et certes, Nous sauvâmes les Enfants d'Israël du châtiment avilissant

31. de Pharaon qui était hautain et outrancier.

32. À bon escient Nous les choisîmes parmi tous les peuples de l'univers[2],

33. et leur apportâmes des miracles de quoi les mettre manifestement à l'épreuve.

34. Ceux-là (les Mecquois) disent:

35. «Il n'y a pour nous qu'une mort, la première. Et nous ne serons pas ressuscités.

36. Faites donc revenir nos ancêtres, si vous êtes véridiques».

37. Sont-ils les meilleurs ou le peuple de Tubbaʿ[3] et ceux qui les ont précédés? Nous les avons fait périr parce que vraiment ils étaient criminels.

38. Ce n'est pas par divertissement que Nous avons créé les cieux et la terre et ce qui est entre eux.

39. Nous ne les avons créés qu'en toute vérité. Mais la plupart d'entre eux ne savent pas.

---

1. C'est Allāh qui répond à la prière de Moïse.
2. Les peuples de leur époque
3. *Tubbaʿ*: un prophète ou un homme pieux.

إِنَّ يَوْمَ ٱلْفَصْلِ مِيقَٰتُهُمْ أَجْمَعِينَ ۝ يَوْمَ لَا يُغْنِى مَوْلًى عَن مَّوْلًى شَيْـًٔا وَلَا هُمْ يُنصَرُونَ ۝ إِلَّا مَن رَّحِمَ ٱللَّهُ ۚ إِنَّهُۥ هُوَ ٱلْعَزِيزُ ٱلرَّحِيمُ ۝ إِنَّ شَجَرَتَ ٱلزَّقُّومِ ۝ طَعَامُ ٱلْأَثِيمِ ۝ كَٱلْمُهْلِ يَغْلِى فِى ٱلْبُطُونِ ۝ كَغَلْىِ ٱلْحَمِيمِ ۝ خُذُوهُ فَٱعْتِلُوهُ إِلَىٰ سَوَآءِ ٱلْجَحِيمِ ۝ ثُمَّ صُبُّوا۟ فَوْقَ رَأْسِهِۦ مِنْ عَذَابِ ٱلْحَمِيمِ ۝ ذُقْ إِنَّكَ أَنتَ ٱلْعَزِيزُ ٱلْكَرِيمُ ۝ إِنَّ هَٰذَا مَا كُنتُم بِهِۦ تَمْتَرُونَ ۝ إِنَّ ٱلْمُتَّقِينَ فِى مَقَامٍ أَمِينٍ ۝ فِى جَنَّٰتٍ وَعُيُونٍ ۝ يَلْبَسُونَ مِن سُندُسٍ وَإِسْتَبْرَقٍ مُّتَقَٰبِلِينَ ۝ كَذَٰلِكَ وَزَوَّجْنَٰهُم بِحُورٍ عِينٍ ۝ يَدْعُونَ فِيهَا بِكُلِّ فَٰكِهَةٍ ءَامِنِينَ ۝ لَا يَذُوقُونَ فِيهَا ٱلْمَوْتَ إِلَّا ٱلْمَوْتَةَ ٱلْأُولَىٰ ۖ وَوَقَىٰهُمْ عَذَابَ ٱلْجَحِيمِ ۝ فَضْلًا مِّن رَّبِّكَ ۚ ذَٰلِكَ هُوَ ٱلْفَوْزُ ٱلْعَظِيمُ ۝ فَإِنَّمَا يَسَّرْنَٰهُ بِلِسَانِكَ لَعَلَّهُمْ يَتَذَكَّرُونَ ۝ فَٱرْتَقِبْ إِنَّهُم مُّرْتَقِبُونَ ۝

سُورَةُ الجَاثِيَةِ

40. En vérité, le Jour de la Décision[1] sera leur rendez-vous à tous,

41. le jour où un allié ne sera d'aucune utilité à un [autre] allié ; et ils ne seront point secourus non plus,

42. sauf celui à qui Allāh fera miséricorde. Car c'est Lui, le Puissant, le Très Miséricordieux.

43. Certes l'arbre de Zaqqūm

44. sera la nourriture du grand pécheur.

45. Comme du métal en fusion ; il bouillonnera dans les ventres

46. comme le bouillonnement de l'eau surchauffée.

47. Qu'on le saisisse et qu'on l'emporte en plein dans la fournaise ;

48. qu'on verse ensuite sur sa tête de l'eau bouillante comme châtiment.

49. Goûte! Toi [qui prétendait être] le puissant, le noble.

50. Voilà ce dont vous doutiez.

51. Les pieux seront dans une demeure sûre,

52. parmi des jardins et des sources,

53. Ils porteront des vêtements de satin et de brocart et seront placés face à face.

54. C'est ainsi! Et Nous leur donnerons pour épouses des houris aux grands yeux.

55. Ils y demanderont en toute quiétude toutes sortes de fruits.

56. Ils n'y goûteront pas à la mort sauf leur mort première. Et [Allāh] les protègera du châtiment de la Fournaise,

57. c'est là une grâce de ton Seigneur. Et c'est là l'énorme succès.

58. Nous ne l'avons facilité[2] dans ta langue, qu'afin qu'ils se rappellent!

59. Attends donc. Eux aussi attendent.

---

1. Le Jour du Jugement.
2. *Nous ne l'avons facilité*: Nous avons facilité la récitation du Qur'ān.

بِسْمِ اللَّهِ الرَّحْمَٰنِ الرَّحِيمِ

حم ۝ تَنزِيلُ الْكِتَٰبِ مِنَ اللَّهِ الْعَزِيزِ الْحَكِيمِ ۝ إِنَّ فِي السَّمَٰوَٰتِ وَالْأَرْضِ لَآيَٰتٍ لِّلْمُؤْمِنِينَ ۝ وَفِي خَلْقِكُمْ وَمَا يَبُثُّ مِن دَابَّةٍ ءَايَٰتٌ لِّقَوْمٍ يُوقِنُونَ ۝ وَاخْتِلَٰفِ الَّيْلِ وَالنَّهَارِ وَمَا أَنزَلَ اللَّهُ مِنَ السَّمَاءِ مِن رِّزْقٍ فَأَحْيَا بِهِ الْأَرْضَ بَعْدَ مَوْتِهَا وَتَصْرِيفِ الرِّيَٰحِ ءَايَٰتٌ لِّقَوْمٍ يَعْقِلُونَ ۝ تِلْكَ ءَايَٰتُ اللَّهِ نَتْلُوهَا عَلَيْكَ بِالْحَقِّ فَبِأَيِّ حَدِيثٍ بَعْدَ اللَّهِ وَءَايَٰتِهِ يُؤْمِنُونَ ۝ وَيْلٌ لِّكُلِّ أَفَّاكٍ أَثِيمٍ ۝ يَسْمَعُ ءَايَٰتِ اللَّهِ تُتْلَىٰ عَلَيْهِ ثُمَّ يُصِرُّ مُسْتَكْبِرًا كَأَن لَّمْ يَسْمَعْهَا فَبَشِّرْهُ بِعَذَابٍ أَلِيمٍ ۝ وَإِذَا عَلِمَ مِنْ ءَايَٰتِنَا شَيْئًا اتَّخَذَهَا هُزُوًا أُو۟لَٰئِكَ لَهُمْ عَذَابٌ مُّهِينٌ ۝ مِّن وَرَائِهِمْ جَهَنَّمُ وَلَا يُغْنِي عَنْهُم مَّا كَسَبُوا۟ شَيْئًا وَلَا مَا اتَّخَذُوا۟ مِن دُونِ اللَّهِ أَوْلِيَاءَ وَلَهُمْ عَذَابٌ عَظِيمٌ ۝ هَٰذَا هُدًى وَالَّذِينَ كَفَرُوا۟ بِـَٔايَٰتِ رَبِّهِمْ لَهُمْ عَذَابٌ مِّن رِّجْزٍ أَلِيمٌ ۝

۞ اللَّهُ الَّذِي سَخَّرَ لَكُمُ الْبَحْرَ لِتَجْرِيَ الْفُلْكُ فِيهِ بِأَمْرِهِ وَلِتَبْتَغُوا۟ مِن فَضْلِهِ وَلَعَلَّكُمْ تَشْكُرُونَ ۝ وَسَخَّرَ لَكُم مَّا فِي السَّمَٰوَٰتِ وَمَا فِي الْأَرْضِ جَمِيعًا مِّنْهُ إِنَّ فِي ذَٰلِكَ لَآيَٰتٍ لِّقَوْمٍ يَتَفَكَّرُونَ ۝

ثلاثة أرباع الحزب ٥٠

AL-JĀṮIYA (L'AGENOUILLÉE)[1]

sourate 45   37 versets   Pré-hégirien n°65

Au nom d'Allāh, le Tout Miséricordieux, le Très Miséricordieux.

1. Ḥā, Mīm[2].

2. La révélation du Livre émane d'Allāh, le Puissant, le Sage.

3. Il y a certes dans les cieux et la terre des preuves pour les croyants.

4. Et dans votre propre création, et dans ce qu'Il dissémine comme animaux, il y a des signes pour des gens qui croient avec certitude.

5. De même dans l'alternance de la nuit et du jour, et dans ce qu'Allāh fait descendre du ciel, comme subsistance [pluie] par laquelle Il redonne la vie à la terre une fois morte, et dans la distribution des vents, il y a des signes pour des gens qui raisonnent.

6. Voilà les versets d'Allāh que Nous te récitons en toute vérité. Alors dans quelle parole croiront-ils après [la parole] d'Allāh et après Ses signes?

7. Malheur à tout grand imposteur pécheur!

8. Il entend les versets d'Allāh qu'on lui récite puis persiste dans son orgueil, comme s'il ne les avait jamais entendus. Annonce-lui donc un châtiment douloureux.

9. S'il a connaissance de quelques-uns de Nos versets, il les tourne en dérision. Ceux-là auront un châtiment avilissant:

10. l'Enfer est à leurs trousses. Ce qu'ils auront acquis ne leur servira à rien, ni ce qu'ils auront pris comme protecteurs, en dehors d'Allāh. Ils auront un énorme châtiment.

11. Ceci [le Qur'ān] est un guide. Et ceux qui récusent les versets de leur Seigneur auront le supplice d'un châtiment douloureux.

12. Allāh, c'est Lui qui vous a assujetti la mer, afin que les vaisseaux y voguent, par Son ordre, et que vous alliez en quête de Sa grâce afin que vous soyez reconnaissants.

13. Et il vous a assujetti tout ce qui est dans les cieux et sur la terre, le tout venant de Lui. Il y a là des signes pour des gens qui réfléchissent[3].

---

1. Titre tiré du v. 28.
2. *Ḥā, Mīm*: voir S. 2, v. 1.
3. Il est du devoir du croyant de méditer sur les données de la nature afin d'en tirer profit.

قُل لِّلَّذِينَ ءَامَنُوا۟ يَغْفِرُوا۟ لِلَّذِينَ لَا يَرْجُونَ أَيَّامَ ٱللَّهِ لِيَجْزِىَ قَوْمًۢا بِمَا كَانُوا۟ يَكْسِبُونَ ﴿١٤﴾ مَنْ عَمِلَ صَٰلِحًا فَلِنَفْسِهِۦ ۖ وَمَنْ أَسَآءَ فَعَلَيْهَا ۖ ثُمَّ إِلَىٰ رَبِّكُمْ تُرْجَعُونَ ﴿١٥﴾ وَلَقَدْ ءَاتَيْنَا بَنِىٓ إِسْرَٰٓءِيلَ ٱلْكِتَٰبَ وَٱلْحُكْمَ وَٱلنُّبُوَّةَ وَرَزَقْنَٰهُم مِّنَ ٱلطَّيِّبَٰتِ وَفَضَّلْنَٰهُمْ عَلَى ٱلْعَٰلَمِينَ ﴿١٦﴾ وَءَاتَيْنَٰهُم بَيِّنَٰتٍ مِّنَ ٱلْأَمْرِ ۖ فَمَا ٱخْتَلَفُوٓا۟ إِلَّا مِنۢ بَعْدِ مَا جَآءَهُمُ ٱلْعِلْمُ بَغْيًۢا بَيْنَهُمْ ۚ إِنَّ رَبَّكَ يَقْضِى بَيْنَهُمْ يَوْمَ ٱلْقِيَٰمَةِ فِيمَا كَانُوا۟ فِيهِ يَخْتَلِفُونَ ﴿١٧﴾ ثُمَّ جَعَلْنَٰكَ عَلَىٰ شَرِيعَةٍ مِّنَ ٱلْأَمْرِ فَٱتَّبِعْهَا وَلَا تَتَّبِعْ أَهْوَآءَ ٱلَّذِينَ لَا يَعْلَمُونَ ﴿١٨﴾ إِنَّهُمْ لَن يُغْنُوا۟ عَنكَ مِنَ ٱللَّهِ شَيْـًٔا ۚ وَإِنَّ ٱلظَّٰلِمِينَ بَعْضُهُمْ أَوْلِيَآءُ بَعْضٍ ۖ وَٱللَّهُ وَلِىُّ ٱلْمُتَّقِينَ ﴿١٩﴾ هَٰذَا بَصَٰٓئِرُ لِلنَّاسِ وَهُدًى وَرَحْمَةٌ لِّقَوْمٍ يُوقِنُونَ ﴿٢٠﴾ أَمْ حَسِبَ ٱلَّذِينَ ٱجْتَرَحُوا۟ ٱلسَّيِّـَٔاتِ أَن نَّجْعَلَهُمْ كَٱلَّذِينَ ءَامَنُوا۟ وَعَمِلُوا۟ ٱلصَّٰلِحَٰتِ سَوَآءً مَّحْيَاهُمْ وَمَمَاتُهُمْ ۚ سَآءَ مَا يَحْكُمُونَ ﴿٢١﴾ وَخَلَقَ ٱللَّهُ ٱلسَّمَٰوَٰتِ وَٱلْأَرْضَ بِٱلْحَقِّ وَلِتُجْزَىٰ كُلُّ نَفْسٍۢ بِمَا كَسَبَتْ وَهُمْ لَا يُظْلَمُونَ ﴿٢٢﴾

14. Dis à ceux qui ont cru de pardonner à ceux qui n'espèrent pas les jours d'Allāh afin qu'Il rétribue [chaque] peuple pour les acquis[1] qu'ils faisaient.

15. Quiconque fait le bien, le fait pour lui-même ; et quiconque agit mal, agit contre lui-même. Puis vous serez ramenés vers votre Seigneur.

16. Nous avons effectivement apporté aux Enfants d'Israël le Livre, la sagesse, la prophétie, et leur avons attribué de bonnes choses, et les préférâmes aux autres humains [leurs contemporains] ;

17. Et Nous leur avons apporté des preuves évidentes de l'Ordre[2]. Ils ne divergèrent qu'après que la science leur fut venue, par agressivité entre eux. Ton Seigneur décidera parmi eux, au Jour de la Résurrection, sur ce en quoi ils divergeaient.

18. Puis Nous t'avons mis sur la voie de l'Ordre [une religion claire et parfaite]. Suis-la donc et ne suis pas les passions de ceux qui ne savent pas.

19. Ils ne te seront d'aucune utilité vis-à-vis d'Allāh. Les injustes sont vraiment alliés les uns des autres ; tandis qu'Allāh est le Protecteur des pieux.

20. Ceci [le Qur'ān] constitue pour les hommes une source de clarté, un guide et une miséricorde pour des gens qui croient avec certitude.

21. Ceux qui commettent des mauvaises actions comptent-ils que Nous allons les traiter comme ceux qui croient et accomplissent les bonnes œuvres, dans leur vie et dans leur mort? Comme ils jugent mal!

22. Et Allāh a créé les cieux et la terre en toute vérité et afin que chaque âme soit rétribuée selon ce qu'elle a acquis. Ils ne seront cependant pas lésés.

---

1. *Ceux qui n'espèrent pas*: ceux qui ne craignent pas.
Les jours d'Allāh: les événements qu'Allāh peut faire arriver.
Ce verset exclut l'esprit de vengeance envers les non-Musulmans.
2. *L'Ordre*: le commandement ; les lois imposées antérieurement ayant trait aux obligations religieuses contenues dans la Thora ainsi qu'à l'annonce de la prophétie de Muḥammad (ﷺ).

أَفَرَءَيْتَ مَنِ ٱتَّخَذَ إِلَٰهَهُۥ هَوَىٰهُ وَأَضَلَّهُ ٱللَّهُ عَلَىٰ عِلْمٍ وَخَتَمَ عَلَىٰ سَمْعِهِۦ وَقَلْبِهِۦ وَجَعَلَ عَلَىٰ بَصَرِهِۦ غِشَٰوَةً فَمَن يَهْدِيهِ مِنۢ بَعْدِ ٱللَّهِ أَفَلَا تَذَكَّرُونَ ۞ وَقَالُوا۟ مَا هِيَ إِلَّا حَيَاتُنَا ٱلدُّنْيَا نَمُوتُ وَنَحْيَا وَمَا يُهْلِكُنَا إِلَّا ٱلدَّهْرُ وَمَا لَهُم بِذَٰلِكَ مِنْ عِلْمٍ إِنْ هُمْ إِلَّا يَظُنُّونَ ۞ وَإِذَا تُتْلَىٰ عَلَيْهِمْ ءَايَٰتُنَا بَيِّنَٰتٍ مَّا كَانَ حُجَّتَهُمْ إِلَّا أَن قَالُوا۟ ٱئْتُوا۟ بِـَٔابَآئِنَآ إِن كُنتُمْ صَٰدِقِينَ ۞ قُلِ ٱللَّهُ يُحْيِيكُمْ ثُمَّ يُمِيتُكُمْ ثُمَّ يَجْمَعُكُمْ إِلَىٰ يَوْمِ ٱلْقِيَٰمَةِ لَا رَيْبَ فِيهِ وَلَٰكِنَّ أَكْثَرَ ٱلنَّاسِ لَا يَعْلَمُونَ ۞ وَلِلَّهِ مُلْكُ ٱلسَّمَٰوَٰتِ وَٱلْأَرْضِ وَيَوْمَ تَقُومُ ٱلسَّاعَةُ يَوْمَئِذٍ يَخْسَرُ ٱلْمُبْطِلُونَ ۞ وَتَرَىٰ كُلَّ أُمَّةٍ جَاثِيَةً كُلُّ أُمَّةٍ تُدْعَىٰ إِلَىٰ كِتَٰبِهَا ٱلْيَوْمَ تُجْزَوْنَ مَا كُنتُمْ تَعْمَلُونَ ۞ هَٰذَا كِتَٰبُنَا يَنطِقُ عَلَيْكُم بِٱلْحَقِّ إِنَّا كُنَّا نَسْتَنسِخُ مَا كُنتُمْ تَعْمَلُونَ ۞ فَأَمَّا ٱلَّذِينَ ءَامَنُوا۟ وَعَمِلُوا۟ ٱلصَّٰلِحَٰتِ فَيُدْخِلُهُمْ رَبُّهُمْ فِى رَحْمَتِهِۦ ذَٰلِكَ هُوَ ٱلْفَوْزُ ٱلْمُبِينُ ۞ وَأَمَّا ٱلَّذِينَ كَفَرُوٓا۟ أَفَلَمْ تَكُنْ ءَايَٰتِى تُتْلَىٰ عَلَيْكُمْ فَٱسْتَكْبَرْتُمْ وَكُنتُمْ قَوْمًا مُّجْرِمِينَ ۞ وَإِذَا قِيلَ إِنَّ وَعْدَ ٱللَّهِ حَقٌّ وَٱلسَّاعَةُ لَا رَيْبَ فِيهَا قُلْتُم مَّا نَدْرِى مَا ٱلسَّاعَةُ إِن نَّظُنُّ إِلَّا ظَنًّا وَمَا نَحْنُ بِمُسْتَيْقِنِينَ ۞

23. Vois-tu celui qui prend Sa passion pour sa propre divinité? Et Allāh l'égare sciemment[1] et scelle son ouïe et son cœur et étend un voile sur sa vue. Qui donc peut le guider après Allāh? Ne vous rappelez-vous donc pas?

24. Et ils dirent: «Il n'y a pour nous que la vie d'ici-bas: nous mourons et nous vivons et seul le temps nous fait périr». Ils n'ont de cela aucune connaissance: ils ne font qu'émettre des conjectures.

25. Et quand on leur récite Nos versets bien clairs, leur seul argument est de dire: «Faites revenir nos ancêtres si vous êtes véridiques».

26. Dis: «Allāh vous donne la vie puis Il vous donne la mort. Ensuite Il vous réunira le Jour de la Résurrection, il n'y a pas de doute à ce sujet, mais la plupart des gens ne savent pas.

27. À Allāh appartient le royaume des cieux et de la terre. Et le jour où l'Heure arrivera, ce jour-là, les imposteurs seront perdus.

28. Et tu verras chaque communauté agenouillée. Chaque communauté sera appelée vers son livre. On vous rétribuera aujourd'hui selon ce que vous œuvriez.

29. Voilà Notre Livre, Il parle de vous en toute vérité[2] car Nous enregistrions [tout] ce que vous faisiez»,

30. Ceux qui ont cru et fait de bonnes œuvres, leur Seigneur les fera entrer dans Sa miséricorde. Voilà le succès évident.

31. Et quant à ceux qui ont mécru [il sera dit]: «Mes versets ne vous étaient-ils pas récités? Mais vous vous enfliez d'orgueil et vous étiez des gens criminels».

32. Et quand on disait: «La promesse d'Allāh est vérité ; et l'Heure n'est pas l'objet d'un doute», vous disiez: «Nous ne savons pas ce que c'est que l'Heure ; et nous ne faisions à son sujet que de simples conjectures et nous ne sommes pas convaincus [qu'elle arrivera].

---

1. *Sciemment*: autre sens: après que le message lui soit communiqué.
2. *Il parle de vous*: il témoigne pour ou contre vous.

وَبَدَا لَهُمْ سَيِّئَاتُ مَا عَمِلُوا وَحَاقَ بِهِم مَّا كَانُوا بِهِۦ يَسْتَهْزِءُونَ ۝

وَقِيلَ ٱلْيَوْمَ نَنسَىٰكُمْ كَمَا نَسِيتُمْ لِقَآءَ يَوْمِكُمْ هَٰذَا وَمَأْوَىٰكُمُ ٱلنَّارُ وَمَا

لَكُم مِّن نَّٰصِرِينَ ۝ ذَٰلِكُم بِأَنَّكُمُ ٱتَّخَذْتُمْ ءَايَٰتِ ٱللَّهِ هُزُوًا وَغَرَّتْكُمُ

ٱلْحَيَوٰةُ ٱلدُّنْيَا فَٱلْيَوْمَ لَا يُخْرَجُونَ مِنْهَا وَلَا هُمْ يُسْتَعْتَبُونَ ۝

فَلِلَّهِ ٱلْحَمْدُ رَبِّ ٱلسَّمَٰوَٰتِ وَرَبِّ ٱلْأَرْضِ رَبِّ ٱلْعَٰلَمِينَ ۝ وَلَهُ

ٱلْكِبْرِيَآءُ فِي ٱلسَّمَٰوَٰتِ وَٱلْأَرْضِ وَهُوَ ٱلْعَزِيزُ ٱلْحَكِيمُ ۝

سُورَةُ الأَحْقَافِ

بِسْمِ ٱللَّهِ ٱلرَّحْمَٰنِ ٱلرَّحِيمِ

حمٓ ۝ تَنزِيلُ ٱلْكِتَٰبِ مِنَ ٱللَّهِ ٱلْعَزِيزِ ٱلْحَكِيمِ ۝ مَا خَلَقْنَا

ٱلسَّمَٰوَٰتِ وَٱلْأَرْضَ وَمَا بَيْنَهُمَآ إِلَّا بِٱلْحَقِّ وَأَجَلٍ مُّسَمًّى وَٱلَّذِينَ

كَفَرُوا عَمَّآ أُنذِرُوا مُعْرِضُونَ ۝ قُلْ أَرَءَيْتُم مَّا تَدْعُونَ مِن

دُونِ ٱللَّهِ أَرُونِي مَاذَا خَلَقُوا مِنَ ٱلْأَرْضِ أَمْ لَهُمْ شِرْكٌ فِي ٱلسَّمَٰوَٰتِ

ٱئْتُونِي بِكِتَٰبٍ مِّن قَبْلِ هَٰذَآ أَوْ أَثَٰرَةٍ مِّنْ عِلْمٍ إِن كُنتُمْ

صَٰدِقِينَ ۝ وَمَنْ أَضَلُّ مِمَّن يَدْعُوا مِن دُونِ ٱللَّهِ مَن

لَّا يَسْتَجِيبُ لَهُۥٓ إِلَىٰ يَوْمِ ٱلْقِيَٰمَةِ وَهُمْ عَن دُعَآئِهِمْ غَٰفِلُونَ ۝

33. Et leur apparaîtra [la laideur] de leurs mauvaises actions. Et ce dont ils se moquaient les cernera.

34. Et on leur dira: «Aujourd'hui Nous vous oublions comme vous avez oublié la rencontre de votre jour que voici. Votre refuge est le Feu ; et vous n'aurez point de secoureurs.

35. Cela parce que vous preniez en raillerie les versets d'Allāh et que la vie d'ici-bas vous trompait». Ce jour-là on ne les en fera pas sortir et on ne les excusera pas non plus.

36. Louange à Allāh, Seigneur des cieux et Seigneur de la terre: Seigneur de l'univers.

37. Et à Lui la grandeur dans les cieux et la terre. Et c'est Lui le Puissant, le Sage.

AL-AḤQĀF[1]
sourate 46   35 versets   Pré-hégirien n°66

Au nom d'Allāh, le Tout Miséricordieux, le Très Miséricordieux.

1. Ḥā',Mīm[2].

2. La révélation du Livre émane d'Allāh, le Puissant, le Sage.

3. Nous n'avons créé les cieux et la terre et ce qui est entre eux qu'en toute vérité et [pour] un terme fixé. Ceux qui ont mécru se détournent de ce dont ils ont été avertis.

4. Dis: «Que pensez-vous de ceux que vous invoquez en dehors d'Allāh? Montrez-moi donc ce qu'ils ont créé de la terre! Ou ont-ils dans les cieux une participation avec Dieu? Apportez-moi un Livre antérieur à celui-ci (le Qur'ān) ou même un vestige d'une science, si vous êtes véridiques»,

5. Et qui est plus égaré que celui qui invoque en dehors d'Allāh, celui qui ne saura lui

répondre jusqu'au Jour de la Résurrection? Et elles [leurs divinités] sont indifférentes à leur invocation.

---

1. Titre tiré du v. 21.
Al-Aḥqāf: signifie «les dunes», mais désigne une contrée désertique de l'Arabie du Sud.
2. Cf. note à S. 2, v. 1.

وَإِذَا حُشِرَ النَّاسُ كَانُوا لَهُمْ أَعْدَاءً وَكَانُوا بِعِبَادَتِهِمْ كَافِرِينَ ۝ وَإِذَا تُتْلَىٰ عَلَيْهِمْ ءَايَٰتُنَا بَيِّنَٰتٍ قَالَ الَّذِينَ كَفَرُوا لِلْحَقِّ لَمَّا جَاءَهُمْ هَٰذَا سِحْرٌ مُّبِينٌ ۝ أَمْ يَقُولُونَ افْتَرَىٰهُ قُلْ إِنِ افْتَرَيْتُهُ فَلَا تَمْلِكُونَ لِي مِنَ اللَّهِ شَيْئًا هُوَ أَعْلَمُ بِمَا تُفِيضُونَ فِيهِ كَفَىٰ بِهِ شَهِيدًا بَيْنِي وَبَيْنَكُمْ وَهُوَ الْغَفُورُ الرَّحِيمُ ۝ قُلْ مَا كُنتُ بِدْعًا مِّنَ الرُّسُلِ وَمَا أَدْرِي مَا يُفْعَلُ بِي وَلَا بِكُمْ إِنْ أَتَّبِعُ إِلَّا مَا يُوحَىٰ إِلَيَّ وَمَا أَنَا إِلَّا نَذِيرٌ مُّبِينٌ ۝ قُلْ أَرَءَيْتُمْ إِن كَانَ مِنْ عِندِ اللَّهِ وَكَفَرْتُم بِهِ وَشَهِدَ شَاهِدٌ مِّنْ بَنِي إِسْرَٰٓءِيلَ عَلَىٰ مِثْلِهِ فَـَٔامَنَ وَاسْتَكْبَرْتُمْ إِنَّ اللَّهَ لَا يَهْدِي الْقَوْمَ الظَّٰلِمِينَ ۝ وَقَالَ الَّذِينَ كَفَرُوا لِلَّذِينَ ءَامَنُوا لَوْ كَانَ خَيْرًا مَّا سَبَقُونَا إِلَيْهِ وَإِذْ لَمْ يَهْتَدُوا بِهِ فَسَيَقُولُونَ هَٰذَا إِفْكٌ قَدِيمٌ ۝ وَمِن قَبْلِهِ كِتَٰبُ مُوسَىٰ إِمَامًا وَرَحْمَةً وَهَٰذَا كِتَٰبٌ مُّصَدِّقٌ لِّسَانًا عَرَبِيًّا لِّيُنذِرَ الَّذِينَ ظَلَمُوا وَبُشْرَىٰ لِلْمُحْسِنِينَ ۝ إِنَّ الَّذِينَ قَالُوا رَبُّنَا اللَّهُ ثُمَّ اسْتَقَٰمُوا فَلَا خَوْفٌ عَلَيْهِمْ وَلَا هُمْ يَحْزَنُونَ ۝ أُو۟لَٰٓئِكَ أَصْحَٰبُ الْجَنَّةِ خَٰلِدِينَ فِيهَا جَزَاءً بِمَا كَانُوا يَعْمَلُونَ ۝

6. Et quand les gens seront rassemblés [pour le Jugement] elles seront leurs ennemies et nieront leur adoration [pour elles].

7. Et quand on leur récite Nos versets bien clairs, ceux qui ont mécru disent à propos de la vérité, une fois venue à eux: «C'est de la magie manifeste».

8. Ou bien ils disent: «Il l'a inventé!» Dis: «Si je l'ai inventé, alors vous ne pourrez rien pour moi contre [la punition] d'Allāh. Il sait parfaitement ce que vous propagez (en calomnies contre le Qur'ān): Allāh est suffisant comme témoin entre moi et vous. Et c'est Lui le Pardonneur, le Très Miséricordieux».

9. Dis: «Je ne suis pas une innovation parmi les messagers ; et je ne sais pas ce que l'on fera de moi, ni de vous. Je ne fais que suivre ce qui m'est révélé ; et je ne suis qu'un avertisseur clair».

10. Dis: «Que direz-vous si [cette révélation s'avère] venir d'Allāh et que vous n'y croyez pas, qu'un témoin parmi les fils d'Israël en atteste la conformité [au Pentateuque] et y croit pendant que vous, vous le repoussez avec orgueil... En vérité Allāh ne guide pas les gens injustes!»

11. Et ceux qui ont mécru dirent à ceux qui ont cru: «Si ceci était un bien, ils (les pauvres) ne nous y auraient pas devancés». Et comme ils ne se seront pas laissés guider par lui ils diront: «Ce n'est qu'un vieux mensonge!»

12. Et avant lui, il y avait le Livre de Moïse, comme guide et comme miséricorde. Et ceci est [un livre] confirmateur, en langue arabe, pour avertir ceux qui font du tort et pour faire la bonne annonce aux bienfaisants.

13. Ceux qui disent: «Notre Seigneur est Allāh» et qui ensuite se tiennent sur le droit chemin. Ils ne doivent avoir aucune crainte et ne seront point affligés.

14. Ceux-là sont les gens du Paradis où ils demeureront éternellement, en récompense de ce qu'ils faisaient.

وَوَصَّيْنَا ٱلْإِنسَـٰنَ بِوَٰلِدَيْهِ إِحْسَـٰنًا حَمَلَتْهُ أُمُّهُۥ كُرْهًا وَوَضَعَتْهُ كُرْهًا وَحَمْلُهُۥ وَفِصَـٰلُهُۥ ثَلَـٰثُونَ شَهْرًا حَتَّىٰٓ إِذَا بَلَغَ أَشُدَّهُۥ وَبَلَغَ أَرْبَعِينَ سَنَةً قَالَ رَبِّ أَوْزِعْنِىٓ أَنْ أَشْكُرَ نِعْمَتَكَ ٱلَّتِىٓ أَنْعَمْتَ عَلَىَّ وَعَلَىٰ وَٰلِدَىَّ وَأَنْ أَعْمَلَ صَـٰلِحًا تَرْضَىٰهُ وَأَصْلِحْ لِى فِى ذُرِّيَّتِىٓ إِنِّى تُبْتُ إِلَيْكَ وَإِنِّى مِنَ ٱلْمُسْلِمِينَ ﴿١٥﴾ أُوْلَـٰٓئِكَ ٱلَّذِينَ نَتَقَبَّلُ عَنْهُمْ أَحْسَنَ مَا عَمِلُواْ وَنَتَجَاوَزُ عَن سَيِّـَٔاتِهِمْ فِىٓ أَصْحَـٰبِ ٱلْجَنَّةِ وَعْدَ ٱلصِّدْقِ ٱلَّذِى كَانُواْ يُوعَدُونَ ﴿١٦﴾ وَٱلَّذِى قَالَ لِوَٰلِدَيْهِ أُفٍّ لَّكُمَآ أَتَعِدَانِنِىٓ أَنْ أُخْرَجَ وَقَدْ خَلَتِ ٱلْقُرُونُ مِن قَبْلِى وَهُمَا يَسْتَغِيثَانِ ٱللَّهَ وَيْلَكَ ءَامِنْ إِنَّ وَعْدَ ٱللَّهِ حَقٌّ فَيَقُولُ مَا هَـٰذَآ إِلَّآ أَسَـٰطِيرُ ٱلْأَوَّلِينَ ﴿١٧﴾ أُوْلَـٰٓئِكَ ٱلَّذِينَ حَقَّ عَلَيْهِمُ ٱلْقَوْلُ فِىٓ أُمَمٍ قَدْ خَلَتْ مِن قَبْلِهِم مِّنَ ٱلْجِنِّ وَٱلْإِنسِ إِنَّهُمْ كَانُواْ خَـٰسِرِينَ ﴿١٨﴾ وَلِكُلٍّ دَرَجَـٰتٌ مِّمَّا عَمِلُواْ وَلِيُوَفِّيَهُمْ أَعْمَـٰلَهُمْ وَهُمْ لَا يُظْلَمُونَ ﴿١٩﴾ وَيَوْمَ يُعْرَضُ ٱلَّذِينَ كَفَرُواْ عَلَى ٱلنَّارِ أَذْهَبْتُمْ طَيِّبَـٰتِكُمْ فِى حَيَاتِكُمُ ٱلدُّنْيَا وَٱسْتَمْتَعْتُم بِهَا فَٱلْيَوْمَ تُجْزَوْنَ عَذَابَ ٱلْهُونِ بِمَا كُنتُمْ تَسْتَكْبِرُونَ فِى ٱلْأَرْضِ بِغَيْرِ ٱلْحَقِّ وَبِمَا كُنتُمْ تَفْسُقُونَ ﴿٢٠﴾

15. Et Nous avons enjoint à l'homme de la bonté envers ses père et mère: sa mère l'a péniblement porté et en a péniblement accouché ; et sa gestation et sevrage durent trente mois ; puis quand il atteint ses pleines forces et atteint quarante ans, il dit: «Ô Seigneur! Inspire-moi pour que je rende grâce au bienfait dont Tu m'as comblé ainsi qu'à mes père et mère, et pour que je fasse une bonne œuvre que Tu agrées. Et fais que ma postérité soit de moralité saine. Je me repens à Toi et je suis du nombre des Soumis».

16. Ce sont ceux-là dont Nous acceptons le meilleur de ce qu'ils œuvrent et passons sur leurs méfaits, (ils seront) parmi les gens du Paradis, selon la promesse véridique qui leur était faite.

17. Quant à celui qui dit à ses père et mère: «Fi de vous deux! Me promettez-vous qu'on me fera sortir de terre alors que des générations avant moi ont passé?» Et les deux, implorant le secours d'Allāh, [lui dirent]: «Malheur à toi! Crois. Car la promesse d'Allāh est véridique». Mais il (répond): «Ce ne sont que des contes d'Anciens».

18. Ce sont ceux-là qui ont mérité la sentence [prescrite] en même temps que des communautés déjà passées avant eux parmi les djinns et les hommes. Ils étaient réellement perdants.

19. Et il y a des rangs [de mérite] pour chacun, selon ce qu'ils ont fait, afin qu'Allāh leur attribue la pleine récompense de leurs œuvres ; et ils ne seront point lésés.

20. Et le jour où ceux qui ont mécru seront présentés au Feu (il leur sera dit): «Vous avez dissipé vos [biens] excellents et vous en avez joui pleinement durant votre vie sur terre: on vous rétribue donc aujourd'hui du châtiment avilissant, pour l'orgueil dont vous vous enfliez injustement sur terre, et pour votre perversité.

۞ وَاذْكُرْ أَخَا عَادٍ إِذْ أَنذَرَ قَوْمَهُ بِالْأَحْقَافِ وَقَدْ خَلَتِ النُّذُرُ مِنۢ بَيْنِ يَدَيْهِ وَمِنْ خَلْفِهِۦٓ أَلَّا تَعْبُدُوٓا۟ إِلَّا اللَّهَ إِنِّىٓ أَخَافُ عَلَيْكُمْ عَذَابَ يَوْمٍ عَظِيمٍ ۞ قَالُوٓا۟ أَجِئْتَنَا لِتَأْفِكَنَا عَنْ ءَالِهَتِنَا فَأْتِنَا بِمَا تَعِدُنَآ إِن كُنتَ مِنَ الصَّـٰدِقِينَ ۞ قَالَ إِنَّمَا الْعِلْمُ عِندَ اللَّهِ وَأُبَلِّغُكُم مَّآ أُرْسِلْتُ بِهِۦ وَلَـٰكِنِّىٓ أَرَىٰكُمْ قَوْمًا تَجْهَلُونَ ۞ فَلَمَّا رَأَوْهُ عَارِضًا مُّسْتَقْبِلَ أَوْدِيَتِهِمْ قَالُوا۟ هَـٰذَا عَارِضٌ مُّمْطِرُنَا بَلْ هُوَ مَا اسْتَعْجَلْتُم بِهِۦ رِيحٌ فِيهَا عَذَابٌ أَلِيمٌ ۞ تُدَمِّرُ كُلَّ شَىْءٍ بِأَمْرِ رَبِّهَا فَأَصْبَحُوا۟ لَا يُرَىٰٓ إِلَّا مَسَـٰكِنُهُمْ كَذَٰلِكَ نَجْزِى الْقَوْمَ الْمُجْرِمِينَ ۞ وَلَقَدْ مَكَّنَّـٰهُمْ فِيمَآ إِن مَّكَّنَّـٰكُمْ فِيهِ وَجَعَلْنَا لَهُمْ سَمْعًا وَأَبْصَـٰرًا وَأَفْـِٔدَةً فَمَآ أَغْنَىٰ عَنْهُمْ سَمْعُهُمْ وَلَآ أَبْصَـٰرُهُمْ وَلَآ أَفْـِٔدَتُهُم مِّن شَىْءٍ إِذْ كَانُوا۟ يَجْحَدُونَ بِـَٔايَـٰتِ اللَّهِ وَحَاقَ بِهِم مَّا كَانُوا۟ بِهِۦ يَسْتَهْزِءُونَ ۞ وَلَقَدْ أَهْلَكْنَا مَا حَوْلَكُم مِّنَ الْقُرَىٰ وَصَرَّفْنَا الْءَايَـٰتِ لَعَلَّهُمْ يَرْجِعُونَ ۞ فَلَوْلَا نَصَرَهُمُ الَّذِينَ اتَّخَذُوا۟ مِن دُونِ اللَّهِ قُرْبَانًا ءَالِهَةًۢ بَلْ ضَلُّوا۟ عَنْهُمْ وَذَٰلِكَ إِفْكُهُمْ وَمَا كَانُوا۟ يَفْتَرُونَ ۞

21. Et rappelle-toi le frère des ʿĀd (Hūd) quand il avertit son peuple à Al-Ahqāf - alors qu'avant et après lui, des avertisseurs sont passés - [en disant]: «N'adorez qu'Allāh. Je crains pour vous le châtiment d'un jour terrible».

22. Ils dirent: «Es-tu venu à nous pour nous détourner de nos divinités? Eh bien, apporte-nous ce que tu nous promets si tu es du nombre des véridiques».

23. Il dit: «La science n'est qu'auprès d'Allāh. Je vous transmets cependant le message avec lequel j'ai été envoyé. Mais je vois que vous êtes des gens ignorants».

24. Puis, voyant un nuage se dirigeant vers leurs vallées, ils dirent ; «Voici un nuage qui nous apporte de la pluie». Au contraire! C'est cela même que vous cherchiez à hâter: C'est un vent qui contient un châtiment douloureux,

25. détruisant tout, par le commandement de son Seigneur». Puis, le lendemain on ne voyait plus que leurs demeures. Ainsi rétribuons-Nous les gens criminels.

26. En effet, Nous les avions consolidés dans des positions que Nous ne vous avons pas données. Et Nous leur avions assigné une ouïe, des yeux et des cœurs, mais ni leur ouïe, ni leurs yeux, ni leurs cœurs ne leur ont profité en quoi que ce soit, parce qu'ils niaient les signes d'Allāh. Et ce dont ils se moquaient les cerna.

27. Nous avons assurément fait périr les cités autour de vous ; et Nous avons diversifié les signes afin qu'ils reviennent (de leur mécréance).

28. Pourquoi donc ne les secourent pas, ceux qu'ils avaient pris, en dehors d'Allāh, comme divinités pour [soi-disant] les rapprocher de Lui? Ceux-ci, au contraire, les abandonnèrent ; telle est leur imposture et voilà ce qu'ils inventaient comme mensonges.

وَإِذْ صَرَفْنَا إِلَيْكَ نَفَرًا مِّنَ ٱلْجِنِّ يَسْتَمِعُونَ ٱلْقُرْءَانَ فَلَمَّا حَضَرُوهُ قَالُوٓا۟ أَنصِتُوا۟ فَلَمَّا قُضِىَ وَلَّوْا۟ إِلَىٰ قَوْمِهِم مُّنذِرِينَ ۝ قَالُوا۟ يَٰقَوْمَنَآ إِنَّا سَمِعْنَا كِتَٰبًا أُنزِلَ مِنۢ بَعْدِ مُوسَىٰ مُصَدِّقًا لِّمَا بَيْنَ يَدَيْهِ يَهْدِىٓ إِلَى ٱلْحَقِّ وَإِلَىٰ طَرِيقٍ مُّسْتَقِيمٍ ۝ يَٰقَوْمَنَآ أَجِيبُوا۟ دَاعِىَ ٱللَّهِ وَءَامِنُوا۟ بِهِۦ يَغْفِرْ لَكُم مِّن ذُنُوبِكُمْ وَيُجِرْكُم مِّنْ عَذَابٍ أَلِيمٍ ۝ وَمَن لَّا يُجِبْ دَاعِىَ ٱللَّهِ فَلَيْسَ بِمُعْجِزٍ فِى ٱلْأَرْضِ وَلَيْسَ لَهُۥ مِن دُونِهِۦٓ أَوْلِيَآءُ أُو۟لَٰٓئِكَ فِى ضَلَٰلٍ مُّبِينٍ ۝ أَوَلَمْ يَرَوْا۟ أَنَّ ٱللَّهَ ٱلَّذِى خَلَقَ ٱلسَّمَٰوَٰتِ وَٱلْأَرْضَ وَلَمْ يَعْىَ بِخَلْقِهِنَّ بِقَٰدِرٍ عَلَىٰٓ أَن يُحْىِۦَ ٱلْمَوْتَىٰ بَلَىٰٓ إِنَّهُۥ عَلَىٰ كُلِّ شَىْءٍ قَدِيرٌ ۝ وَيَوْمَ يُعْرَضُ ٱلَّذِينَ كَفَرُوا۟ عَلَى ٱلنَّارِ أَلَيْسَ هَٰذَا بِٱلْحَقِّ قَالُوا۟ بَلَىٰ وَرَبِّنَا قَالَ فَذُوقُوا۟ ٱلْعَذَابَ بِمَا كُنتُمْ تَكْفُرُونَ ۝ فَٱصْبِرْ كَمَا صَبَرَ أُو۟لُوا۟ ٱلْعَزْمِ مِنَ ٱلرُّسُلِ وَلَا تَسْتَعْجِل لَّهُمْ كَأَنَّهُمْ يَوْمَ يَرَوْنَ مَا يُوعَدُونَ لَمْ يَلْبَثُوٓا۟ إِلَّا سَاعَةً مِّن نَّهَارٍ بَلَٰغٌ فَهَلْ يُهْلَكُ إِلَّا ٱلْقَوْمُ ٱلْفَٰسِقُونَ ۝

سُورَةُ مُحَمَّدٍ

29. (Rappelle-toi) lorsque Nous dirigeâmes vers toi une troupe de djinns pour qu'ils écoutent le Qur'ān. Quand ils assistèrent [à sa lecture] ils dirent: «Ecoutez attentivement»... Puis, quand ce fut terminé, ils retournèrent à leur peuple en avertisseurs[1].

30. Ils dirent: «Ô notre peuple! Nous venons d'entendre un Livre qui a été descendu après Moïse, confirmant ce qui l'a précédé. Il guide vers la vérité et vers un chemin droit.

31. Ô notre peuple! Répondez au prédicateur d'Allāh et croyez en lui. Il [Allāh] vous pardonnera une partie de vos péchés et vous protègera contre un châtiment douloureux.

32. Et quiconque ne répond pas au prédicateur d'Allāh ne saura échapper au pouvoir [d'Allāh] sur terre. Et il n'aura pas de protecteurs en dehors de Lui. Ceux-là sont dans un égarement évident.

33. Ne voient-ils pas qu'Allāh qui a créé les cieux et la terre, et qui n'a pas été fatigué par leur création, est capable en vérité de redonner la vie aux morts? Mais si. Il est certes Omnipotent.

34. Et le jour où seront présentés au Feu ceux qui ont mécru (on leur dira): «Ceci n'est-il pas la vérité?» Ils diront: «Mais si, par notre Seigneur». Il dira: «Eh bien, goûtez le châtiment pour votre mécréance».

35. Endure (Muḥammad) donc, comme ont enduré les messagers doués de fermeté ; et ne te montre pas trop pressé de les voir subir [leur châtiment]. Le jour où ils verront ce qui leur est promis, il leur semblera qu'ils n'étaient restés [sur terre] qu'une heure d'un jour. Voilà une communication. Qui sera donc anéanti sinon les gens pervers?

---

1. Il est dit que trois ans avant l'Hégire, lorsque Muḥammad (ﷺ) rebroussa chemin de Ṭā'if, où il était allé chercher asile, un groupe de djinns l'entendit réciter le Qur'ān, durant la prière nocturne et se convertit aussitôt à l'Islām.

بِسْمِ اللَّهِ الرَّحْمَٰنِ الرَّحِيمِ

ٱلَّذِينَ كَفَرُوا۟ وَصَدُّوا۟ عَن سَبِيلِ ٱللَّهِ أَضَلَّ أَعْمَٰلَهُمْ ۝ وَٱلَّذِينَ

ءَامَنُوا۟ وَعَمِلُوا۟ ٱلصَّٰلِحَٰتِ وَءَامَنُوا۟ بِمَا نُزِّلَ عَلَىٰ مُحَمَّدٍ وَهُوَ ٱلْحَقُّ مِن

رَّبِّهِمْ كَفَّرَ عَنْهُمْ سَيِّـَٔاتِهِمْ وَأَصْلَحَ بَالَهُمْ ۝ ذَٰلِكَ بِأَنَّ ٱلَّذِينَ كَفَرُوا۟

ٱتَّبَعُوا۟ ٱلْبَٰطِلَ وَأَنَّ ٱلَّذِينَ ءَامَنُوا۟ ٱتَّبَعُوا۟ ٱلْحَقَّ مِن رَّبِّهِمْ كَذَٰلِكَ يَضْرِبُ

ٱللَّهُ لِلنَّاسِ أَمْثَٰلَهُمْ ۝ فَإِذَا لَقِيتُمُ ٱلَّذِينَ كَفَرُوا۟ فَضَرْبَ ٱلرِّقَابِ حَتَّىٰ

إِذَآ أَثْخَنتُمُوهُمْ فَشُدُّوا۟ ٱلْوَثَاقَ فَإِمَّا مَنًّۢا بَعْدُ وَإِمَّا فِدَآءً حَتَّىٰ تَضَعَ ٱلْحَرْبُ

أَوْزَارَهَا ذَٰلِكَ وَلَوْ يَشَآءُ ٱللَّهُ لَٱنتَصَرَ مِنْهُمْ وَلَٰكِن لِّيَبْلُوَا۟ بَعْضَكُم

بِبَعْضٍ وَٱلَّذِينَ قُتِلُوا۟ فِى سَبِيلِ ٱللَّهِ فَلَن يُضِلَّ أَعْمَٰلَهُمْ ۝ سَيَهْدِيهِمْ

وَيُصْلِحُ بَالَهُمْ ۝ وَيُدْخِلُهُمُ ٱلْجَنَّةَ عَرَّفَهَا لَهُمْ ۝ يَٰٓأَيُّهَا ٱلَّذِينَ

ءَامَنُوٓا۟ إِن تَنصُرُوا۟ ٱللَّهَ يَنصُرْكُمْ وَيُثَبِّتْ أَقْدَامَكُمْ ۝ وَٱلَّذِينَ كَفَرُوا۟

فَتَعْسًا لَّهُمْ وَأَضَلَّ أَعْمَٰلَهُمْ ۝ ذَٰلِكَ بِأَنَّهُمْ كَرِهُوا۟ مَآ أَنزَلَ ٱللَّهُ

فَأَحْبَطَ أَعْمَٰلَهُمْ ۝ ۞ أَفَلَمْ يَسِيرُوا۟ فِى ٱلْأَرْضِ فَيَنظُرُوا۟ كَيْفَ

كَانَ عَٰقِبَةُ ٱلَّذِينَ مِن قَبْلِهِمْ دَمَّرَ ٱللَّهُ عَلَيْهِمْ وَلِلْكَٰفِرِينَ أَمْثَٰلُهَا ۝

ذَٰلِكَ بِأَنَّ ٱللَّهَ مَوْلَى ٱلَّذِينَ ءَامَنُوا۟ وَأَنَّ ٱلْكَٰفِرِينَ لَا مَوْلَىٰ لَهُمْ ۝

MUḤAMMAD[1]

sourate 47   38 versets   Post-hégirien n°95

Au nom d'Allāh le Tout Miséricordieux, le Très Miséricordieux.

1. Ceux qui ont mécru et obstrué le chemin d'Allāh, Il a rendu leurs œuvres vaines.

2. Et ceux qui ont cru et accompli de bonnes œuvres et ont cru en ce qui a été descendu sur Muḥammad - et c'est la vérité venant de leur Seigneur - Il leur efface leurs méfaits et améliore leur condition.

3. Il en est ainsi parce que ceux qui ont mécru ont suivi le faux et que ceux qui ont cru ont suivi la Vérité émanant de leur Seigneur. C'est ainsi qu'Allāh propose leurs exemples aux gens.

4. Lorsque vous rencontrez (au combat) ceux qui ont mécru frappez-en les cous. Puis, quand vous les avez dominés[2], enchaînez-les solidement. Ensuite, c'est soit la libération gratuite, soit la rançon, jusqu'à ce que la guerre dépose ses fardeaux. Il en est ainsi, car si Allāh voulait, Il se vengerait Lui-même contre eux, mais c'est pour vous éprouver les uns par les autres. Et ceux qui seront tués dans le chemin d'Allāh, Il ne rendra jamais vaines leurs actions.

5. Il les guidera et améliorera leur condition,

6. et les fera entrer au Paradis qu'Il leur aura fait connaître.

7. Ô vous qui croyez! Si vous faites triompher (la cause d') Allāh, Il vous fera triompher et raffermira vos pas.

8. Et quant à ceux qui ont mécru, il y aura un malheur pour eux, et Il rendra leurs œuvres vaines.

9. C'est parce qu'ils ont de la répulsion pour ce qu'Allāh a fait descendre. Il a rendu donc vaines leurs œuvres.

10. N'ont-il pas parcouru la terre pour voir ce qu'il est advenu de leurs prédécesseurs? Allāh les a détruits. Pareilles fins sont réservées aux mécréants.

11. C'est qu'Allāh est vraiment le Protecteur de ceux qui ont cru ; tandis que les mécréants n'ont pas de protecteur.

---

1. Titre tiré du v. 2.
2. *Vous les avez dominés*: quand vous les aurez affaiblis par un grand nombre de morts et de blessés.

إِنَّ ٱللَّهَ يُدْخِلُ ٱلَّذِينَ ءَامَنُوا۟ وَعَمِلُوا۟ ٱلصَّٰلِحَٰتِ جَنَّٰتٍ تَجْرِى مِن

تَحْتِهَا ٱلْأَنْهَٰرُ وَٱلَّذِينَ كَفَرُوا۟ يَتَمَتَّعُونَ وَيَأْكُلُونَ كَمَا تَأْكُلُ ٱلْأَنْعَٰمُ

وَٱلنَّارُ مَثْوًى لَّهُمْ ۞ وَكَأَيِّن مِّن قَرْيَةٍ هِىَ أَشَدُّ قُوَّةً مِّن قَرْيَتِكَ

ٱلَّتِىٓ أَخْرَجَتْكَ أَهْلَكْنَٰهُمْ فَلَا نَاصِرَ لَهُمْ ۞ أَفَمَن كَانَ عَلَىٰ بَيِّنَةٍ

مِّن رَّبِّهِۦ كَمَن زُيِّنَ لَهُۥ سُوٓءُ عَمَلِهِۦ وَٱتَّبَعُوٓا۟ أَهْوَآءَهُم ۞ مَّثَلُ ٱلْجَنَّةِ

ٱلَّتِى وُعِدَ ٱلْمُتَّقُونَ فِيهَآ أَنْهَٰرٌ مِّن مَّآءٍ غَيْرِ ءَاسِنٍ وَأَنْهَٰرٌ مِّن لَّبَنٍ لَّمْ

يَتَغَيَّرْ طَعْمُهُۥ وَأَنْهَٰرٌ مِّنْ خَمْرٍ لَّذَّةٍ لِّلشَّٰرِبِينَ وَأَنْهَٰرٌ مِّنْ عَسَلٍ مُّصَفًّى

وَلَهُمْ فِيهَا مِن كُلِّ ٱلثَّمَرَٰتِ وَمَغْفِرَةٌ مِّن رَّبِّهِمْ كَمَنْ هُوَ خَٰلِدٌ فِى ٱلنَّارِ

وَسُقُوا۟ مَآءً حَمِيمًا فَقَطَّعَ أَمْعَآءَهُمْ ۞ وَمِنْهُم مَّن يَسْتَمِعُ إِلَيْكَ

حَتَّىٰٓ إِذَا خَرَجُوا۟ مِنْ عِندِكَ قَالُوا۟ لِلَّذِينَ أُوتُوا۟ ٱلْعِلْمَ مَاذَا قَالَ ءَانِفًا

أُو۟لَٰٓئِكَ ٱلَّذِينَ طَبَعَ ٱللَّهُ عَلَىٰ قُلُوبِهِمْ وَٱتَّبَعُوٓا۟ أَهْوَآءَهُمْ ۞ وَٱلَّذِينَ

ٱهْتَدَوْا۟ زَادَهُمْ هُدًى وَءَاتَىٰهُمْ تَقْوَىٰهُمْ ۞ فَهَلْ يَنظُرُونَ إِلَّا

ٱلسَّاعَةَ أَن تَأْتِيَهُم بَغْتَةً فَقَدْ جَآءَ أَشْرَاطُهَا فَأَنَّىٰ لَهُمْ إِذَا جَآءَتْهُمْ

ذِكْرَىٰهُمْ ۞ فَٱعْلَمْ أَنَّهُۥ لَآ إِلَٰهَ إِلَّا ٱللَّهُ وَٱسْتَغْفِرْ لِذَنۢبِكَ

وَلِلْمُؤْمِنِينَ وَٱلْمُؤْمِنَٰتِ وَٱللَّهُ يَعْلَمُ مُتَقَلَّبَكُمْ وَمَثْوَىٰكُمْ ۞

12. Ceux qui croient et accomplissent de bonnes œuvres, Allāh les fera entrer dans des Jardins sous lesquels coulent les ruisseaux. Et ceux qui mécroient jouissent et mangent comme mangent les bestiaux ; et le Feu sera leur lieu de séjour.

13. Et que de cités, bien plus fortes que ta cité qui t'a expulsé, avons-Nous fait périr, et ils n'eurent point de secoureur.

14. Est-ce que celui qui se base sur une preuve claire venant de son Seigneur est comparable à ceux dont on a embelli les mauvaises actions et qui ont suivi leurs propres passions.

15. Voici la description du Paradis qui a été promis aux pieux: il y aura là des ruisseaux d'une eau jamais malodorante, et des ruisseaux d'un lait au goût inaltérable, et des ruisseaux d'un vin délicieux à boire, ainsi que des ruisseaux d'un miel purifié. Et il y a là, pour eux, des fruits de toutes sortes, ainsi qu'un pardon de la part de leur Seigneur. [Ceux-là] seront-ils pareils à ceux qui s'éternisent dans le Feu et qui sont abreuvés d'une eau bouillante qui leur déchire les entrailles?

16. Et il en est parmi eux qui t'écoutent. Une fois sortis de chez toi, ils disent à ceux qui ont reçu la science: «Qu'a-t-il dit, tantôt?» Ce sont ceux-là dont Allāh a scellé les cœurs et qui suivent leurs propres passions.

17. Quant à ceux qui se mirent sur la bonne voie, Il les guida encore plus et leur inspira leur piété.

18. Qu'est-ce qu'ils attendent sinon que l'Heure leur vienne à l'improviste? Or ses signes avant coureurs sont certes déjà venus. Et comment pourront-ils se rappeler quand elle leur viendra (à l'improviste)?

19. Sache donc qu'en vérité, il n'y a point de divinité à part Allāh, et implore le pardon pour ton péché, ainsi que pour les croyants et les croyantes. Allāh connaît vos activités (sur terre) et votre lieu de repos (dans l'au-delà)[1].

---

1. *Vos activités ... lieu de repos*: autre sens: vos activités pendant la journée et votre lieu de repos pendant la nuit.

وَيَقُولُ الَّذِينَ ءَامَنُوا لَوْلَا نُزِّلَتْ سُورَةٌ فَإِذَآ أُنزِلَتْ سُورَةٌ مُّحْكَمَةٌ وَذُكِرَ فِيهَا الْقِتَالُ رَأَيْتَ الَّذِينَ فِى قُلُوبِهِم مَّرَضٌ يَنظُرُونَ إِلَيْكَ نَظَرَ الْمَغْشِىِّ عَلَيْهِ مِنَ الْمَوْتِ فَأَوْلَىٰ لَهُمْ ۝ طَاعَةٌ وَقَوْلٌ مَّعْرُوفٌ فَإِذَا عَزَمَ الْأَمْرُ فَلَوْ صَدَقُوا اللَّهَ لَكَانَ خَيْرًا لَّهُمْ ۝ فَهَلْ عَسَيْتُمْ إِن تَوَلَّيْتُمْ أَن تُفْسِدُوا فِى الْأَرْضِ وَتُقَطِّعُوٓا أَرْحَامَكُمْ ۝ أُوْلَٰٓئِكَ الَّذِينَ لَعَنَهُمُ اللَّهُ فَأَصَمَّهُمْ وَأَعْمَىٰٓ أَبْصَٰرَهُمْ ۝ أَفَلَا يَتَدَبَّرُونَ الْقُرْءَانَ أَمْ عَلَىٰ قُلُوبٍ أَقْفَالُهَآ ۝ إِنَّ الَّذِينَ ارْتَدُّوا عَلَىٰٓ أَدْبَٰرِهِم مِّنۢ بَعْدِ مَا تَبَيَّنَ لَهُمُ الْهُدَى الشَّيْطَٰنُ سَوَّلَ لَهُمْ وَأَمْلَىٰ لَهُمْ ۝ ذَٰلِكَ بِأَنَّهُمْ قَالُوا لِلَّذِينَ كَرِهُوا مَا نَزَّلَ اللَّهُ سَنُطِيعُكُمْ فِى بَعْضِ الْأَمْرِ وَاللَّهُ يَعْلَمُ إِسْرَارَهُمْ ۝ فَكَيْفَ إِذَا تَوَفَّتْهُمُ الْمَلَٰٓئِكَةُ يَضْرِبُونَ وُجُوهَهُمْ وَأَدْبَٰرَهُمْ ۝ ذَٰلِكَ بِأَنَّهُمُ اتَّبَعُوا مَآ أَسْخَطَ اللَّهَ وَكَرِهُوا رِضْوَٰنَهُ فَأَحْبَطَ أَعْمَٰلَهُمْ ۝ أَمْ حَسِبَ الَّذِينَ فِى قُلُوبِهِم مَّرَضٌ أَن لَّن يُخْرِجَ اللَّهُ أَضْغَٰنَهُمْ ۝

20. Ceux qui ont cru disent: «Ah! Si une sourate descendait!» Puis, Quand on fait descendre une sourate explicite et qu'on y mentionne le combat, tu vois ceux qui ont une maladie au cœur[1] te regarder du regard de celui qui s'évanouit devant la mort. Seraient bien préférables pour eux

21. une obéissance et une parole convenable. Puis, quand l'affaire est décidée[2], il serait mieux pour eux certes, de se montrer sincères vis-à-vis d'Allāh.

22. Si vous vous détournez[3], ne risquez-vous pas de semer la corruption sur terre et de rompre vos liens de parenté?

23. Ce sont ceux-là qu'Allāh a maudits, a rendus sourds et a rendu leurs yeux aveugles.

24. Ne méditent-ils pas sur le Qur'ān? Ou y a-t-il des cadenas sur leurs cœurs?

25. Ceux qui sont revenus sur leurs pas après que le droit chemin leur a été clairement exposé, le Diable les a séduits et trompés.

26. C'est parce qu'ils ont dit à ceux qui ont de la répulsion pour la révélation d'Allāh: «Nous allons vous obéir dans certaines choses». Allāh cependant connaît ce qu'ils cachent.

27. Qu'adviendra-t-il d'eux quand les Anges les achèveront, frappant leurs faces et leurs dos?

28. Cela parce qu'ils ont suivi ce qui courrouce Allāh, et qu'ils ont de la répulsion pour [ce qui attire] Son agrément. Il a donc rendu vaines leurs œuvres.

29. Ou bien est-ce que ceux qui ont une maladie au cœur escomptent qu'Allāh ne saura jamais faire apparaître leur haine?

---

1. *Ceux qui ont une maladie au cœur*: ceux qui doutent ; les hypocrites.
2. *L'affaire est décidée*: le combat a été imposé.
3. *Si vous vous détournez*: autre interprétation: si vous êtes investis de pouvoir.

وَلَوْ نَشَآءُ لَأَرَيْنَـٰكَهُمْ فَلَعَرَفْتَهُم بِسِيمَـٰهُمْ وَلَتَعْرِفَنَّهُمْ فِى لَحْنِ ٱلْقَوْلِ وَٱللَّهُ يَعْلَمُ أَعْمَـٰلَكُمْ ۝ وَلَنَبْلُوَنَّكُمْ حَتَّىٰ نَعْلَمَ ٱلْمُجَـٰهِدِينَ مِنكُمْ وَٱلصَّـٰبِرِينَ وَنَبْلُوَا۟ أَخْبَارَكُمْ ۝ إِنَّ ٱلَّذِينَ كَفَرُوا۟ وَصَدُّوا۟ عَن سَبِيلِ ٱللَّهِ وَشَآقُّوا۟ ٱلرَّسُولَ مِنۢ بَعْدِ مَا تَبَيَّنَ لَهُمُ ٱلْهُدَىٰ لَن يَضُرُّوا۟ ٱللَّهَ شَيْـًٔا وَسَيُحْبِطُ أَعْمَـٰلَهُمْ ۝

۞ يَـٰٓأَيُّهَا ٱلَّذِينَ ءَامَنُوٓا۟ أَطِيعُوا۟ ٱللَّهَ وَأَطِيعُوا۟ ٱلرَّسُولَ وَلَا تُبْطِلُوٓا۟ أَعْمَـٰلَكُمْ ۝ إِنَّ ٱلَّذِينَ كَفَرُوا۟ وَصَدُّوا۟ عَن سَبِيلِ ٱللَّهِ ثُمَّ مَاتُوا۟ وَهُمْ كُفَّارٌ فَلَن يَغْفِرَ ٱللَّهُ لَهُمْ ۝ فَلَا تَهِنُوا۟ وَتَدْعُوٓا۟ إِلَى ٱلسَّلْمِ وَأَنتُمُ ٱلْأَعْلَوْنَ وَٱللَّهُ مَعَكُمْ وَلَن يَتِرَكُمْ أَعْمَـٰلَكُمْ ۝ إِنَّمَا ٱلْحَيَوٰةُ ٱلدُّنْيَا لَعِبٌ وَلَهْوٌ وَإِن تُؤْمِنُوا۟ وَتَتَّقُوا۟ يُؤْتِكُمْ أُجُورَكُمْ وَلَا يَسْـَٔلْكُمْ أَمْوَٰلَكُمْ ۝ إِن يَسْـَٔلْكُمُوهَا فَيُحْفِكُمْ تَبْخَلُوا۟ وَيُخْرِجْ أَضْغَـٰنَكُمْ ۝ هَـٰٓأَنتُمْ هَـٰٓؤُلَآءِ تُدْعَوْنَ لِتُنفِقُوا۟ فِى سَبِيلِ ٱللَّهِ فَمِنكُم مَّن يَبْخَلُ وَمَن يَبْخَلْ فَإِنَّمَا يَبْخَلُ عَن نَّفْسِهِ وَٱللَّهُ ٱلْغَنِىُّ وَأَنتُمُ ٱلْفُقَرَآءُ وَإِن تَتَوَلَّوْا۟ يَسْتَبْدِلْ قَوْمًا غَيْرَكُمْ ثُمَّ لَا يَكُونُوٓا۟ أَمْثَـٰلَكُم ۝

30. Or, si Nous voulions Nous te les montrerions. Tu les reconnaîtrais certes à leurs traits ; et tu les reconnaîtrais très certainement au ton de leur parler. Et Allāh connaît bien vos actions.

31. Nous vous éprouverons certes afin de distinguer ceux d'entre vous qui luttent [pour la cause d'Allāh] et qui endurent, et afin d'éprouver [faire apparaître] vos nouvelles.

32. Ceux qui ont mécru et obstrué le chemin d'Allāh et se sont mis dans le clan opposé au Messager après que le droit chemin leur fut clairement exposé, ne sauront nuire à Allāh en quoi que ce soit. Il rendra vaines leurs œuvres.

33. Ô vous qui avez cru! Obéissez à Allāh, obéissez au Messager, et ne rendez pas vaines vos œuvres.

34. Ceux qui ont mécru et obstrué le chemin d'Allāh puis sont morts tout en étant mécréants, Allāh ne leur pardonnera jamais.

35. Ne faiblissez donc pas et n'appelez pas à la paix alors que vous êtes les plus hauts, qu'Allāh est avec vous, et qu'Il ne vous frustrera jamais [du mérite] de vos œuvres.

36. La vie présente n'est que jeu et amusement ; alors que si vous croyez et craignez [Allāh], Il vous accordera vos récompenses et ne vous demandera pas vos biens[1].

37. S'Il vous les demandait importunément, vous deviendriez avares et il ferait apparaître vos haines.

38. Vous voilà appelés à faire des dépenses dans le chemin d'Allāh. Certains parmi vous se montrent avares. Quiconque cependant est avare, l'est à son détriment. Allāh est le Suffisant à Soi-même alors que vous êtes les besogneux. Et si vous vous détournez, Il vous remplacera par un peuple autre que vous, et ils ne seront pas comme vous.

---

1. *Et ne vous demandera pas vos biens*: selon «Al-Jalālayn», Allāh ne vous demandera pas la totalité de vos biens mais vous demande de vous acquitter de la Zakāt imposée.

سُورَةُ الْفَتْحِ

بِسْمِ اللَّهِ الرَّحْمَٰنِ الرَّحِيمِ

إِنَّا فَتَحْنَا لَكَ فَتْحًا مُّبِينًا ۝ لِّيَغْفِرَ لَكَ اللَّهُ مَا تَقَدَّمَ مِن ذَنبِكَ وَمَا تَأَخَّرَ وَيُتِمَّ نِعْمَتَهُ عَلَيْكَ وَيَهْدِيَكَ صِرَاطًا مُّسْتَقِيمًا ۝ وَيَنصُرَكَ اللَّهُ نَصْرًا عَزِيزًا ۝ هُوَ الَّذِي أَنزَلَ السَّكِينَةَ فِي قُلُوبِ الْمُؤْمِنِينَ لِيَزْدَادُوا إِيمَانًا مَّعَ إِيمَانِهِمْ ۗ وَلِلَّهِ جُنُودُ السَّمَاوَاتِ وَالْأَرْضِ ۚ وَكَانَ اللَّهُ عَلِيمًا حَكِيمًا ۝ لِّيُدْخِلَ الْمُؤْمِنِينَ وَالْمُؤْمِنَاتِ جَنَّاتٍ تَجْرِي مِن تَحْتِهَا الْأَنْهَارُ خَالِدِينَ فِيهَا وَيُكَفِّرَ عَنْهُمْ سَيِّئَاتِهِمْ ۚ وَكَانَ ذَٰلِكَ عِندَ اللَّهِ فَوْزًا عَظِيمًا ۝ وَيُعَذِّبَ الْمُنَافِقِينَ وَالْمُنَافِقَاتِ وَالْمُشْرِكِينَ وَالْمُشْرِكَاتِ الظَّانِّينَ بِاللَّهِ ظَنَّ السَّوْءِ ۚ عَلَيْهِمْ دَائِرَةُ السَّوْءِ ۖ وَغَضِبَ اللَّهُ عَلَيْهِمْ وَلَعَنَهُمْ وَأَعَدَّ لَهُمْ جَهَنَّمَ ۖ وَسَاءَتْ مَصِيرًا ۝ وَلِلَّهِ جُنُودُ السَّمَاوَاتِ وَالْأَرْضِ ۚ وَكَانَ اللَّهُ عَزِيزًا حَكِيمًا ۝ إِنَّا أَرْسَلْنَاكَ شَاهِدًا وَمُبَشِّرًا وَنَذِيرًا ۝ لِّتُؤْمِنُوا بِاللَّهِ وَرَسُولِهِ وَتُعَزِّرُوهُ وَتُوَقِّرُوهُ وَتُسَبِّحُوهُ بُكْرَةً وَأَصِيلًا ۝

AL-FATḤ (LA VICTOIRE ÉCLATANTE)[1]
sourate 48   29 versets   Post-hégirien n°111

Au nom d'Allāh, le Tout Miséricordieux, le Très Miséricordieux.

1. En vérité Nous t'avons accordé une victoire éclatante,

2. afin qu'Allāh te pardonne tes péchés[2], passés et futurs, qu'Il parachève sur toi Son bienfait et te guide sur une voie droite ;

3. et qu'Allāh te donne un puissant secours.

4. C'est Lui qui a fait descendre la quiétude dans les cœurs des croyants afin qu'ils ajoutent une foi à leur foi. À Allāh appartiennent les armées des cieux et de la terre; et Allāh est Omniscient et Sage

5. afin qu'Il fasse entrer les croyants et les croyantes dans des Jardins sous lesquels coulent les ruisseaux où ils demeureront éternellement, et afin de leur effacer leurs méfaits. Cela est auprès d'Allāh un énorme succès.

6. Et afin qu'il châtie les hypocrites, hommes et femmes, et les associateurs et les associatrices, qui pensent du mal d'Allāh. Qu'un mauvais sort tombe sur eux. Allāh est courroucé contre eux, les a maudits, et leur a préparé l'Enfer. Quelle mauvaise destination!

7. À Allāh appartiennent les armées des cieux et de la terre ; et Allāh est Puissant et Sage.

8. Nous t'avons envoyé en tant que témoin, annonciateur de la bonne nouvelle et avertisseur,

9. pour que vous croyiez en Allāh et en Son messager, que vous l'honoriez, reconnaissiez Sa dignité, et Le glorifiez matin et soir.

---

1. Titre tiré du v. 1: en l'an 6 de l'Hég. le Prophète avait conclu à Ḥudaybiyah une trêve avec les païens de la Mecque. Cette trêve est qualifiée ici de «victoire éclatante» et de «puissant secours» (versets 1 et 3) parce qu'elle conduisit à la conquête de la Mecque.
2. Il s'agit d'erreurs minimes considérées par Allāh comme étant des péchés par rapport au rang du Prophète. Plusieurs commentateurs interprètent l'expression «tes péchés» par «les péchés de ta communauté».

إِنَّ ٱلَّذِينَ يُبَايِعُونَكَ إِنَّمَا يُبَايِعُونَ ٱللَّهَ يَدُ ٱللَّهِ فَوْقَ أَيْدِيهِمْ فَمَن نَّكَثَ فَإِنَّمَا يَنكُثُ عَلَىٰ نَفْسِهِۦ وَمَنْ أَوْفَىٰ بِمَا عَٰهَدَ عَلَيْهُ ٱللَّهَ فَسَيُؤْتِيهِ أَجْرًا عَظِيمًا ﴿١٠﴾ سَيَقُولُ لَكَ ٱلْمُخَلَّفُونَ مِنَ ٱلْأَعْرَابِ شَغَلَتْنَا أَمْوَٰلُنَا وَأَهْلُونَا فَٱسْتَغْفِرْ لَنَا يَقُولُونَ بِأَلْسِنَتِهِم مَّا لَيْسَ فِى قُلُوبِهِمْ قُلْ فَمَن يَمْلِكُ لَكُم مِّنَ ٱللَّهِ شَيْـًٔا إِنْ أَرَادَ بِكُمْ ضَرًّا أَوْ أَرَادَ بِكُمْ نَفْعًا بَلْ كَانَ ٱللَّهُ بِمَا تَعْمَلُونَ خَبِيرًا ﴿١١﴾ بَلْ ظَنَنتُمْ أَن لَّن يَنقَلِبَ ٱلرَّسُولُ وَٱلْمُؤْمِنُونَ إِلَىٰٓ أَهْلِيهِمْ أَبَدًا وَزُيِّنَ ذَٰلِكَ فِى قُلُوبِكُمْ وَظَنَنتُمْ ظَنَّ ٱلسَّوْءِ وَكُنتُمْ قَوْمًۢا بُورًا ﴿١٢﴾ وَمَن لَّمْ يُؤْمِنۢ بِٱللَّهِ وَرَسُولِهِۦ فَإِنَّآ أَعْتَدْنَا لِلْكَٰفِرِينَ سَعِيرًا ﴿١٣﴾ وَلِلَّهِ مُلْكُ ٱلسَّمَٰوَٰتِ وَٱلْأَرْضِ يَغْفِرُ لِمَن يَشَآءُ وَيُعَذِّبُ مَن يَشَآءُ وَكَانَ ٱللَّهُ غَفُورًا رَّحِيمًا ﴿١٤﴾ سَيَقُولُ ٱلْمُخَلَّفُونَ إِذَا ٱنطَلَقْتُمْ إِلَىٰ مَغَانِمَ لِتَأْخُذُوهَا ذَرُونَا نَتَّبِعْكُمْ يُرِيدُونَ أَن يُبَدِّلُوا۟ كَلَٰمَ ٱللَّهِ قُل لَّن تَتَّبِعُونَا كَذَٰلِكُمْ قَالَ ٱللَّهُ مِن قَبْلُ فَسَيَقُولُونَ بَلْ تَحْسُدُونَنَا بَلْ كَانُوا۟ لَا يَفْقَهُونَ إِلَّا قَلِيلًا ﴿١٥﴾

10. Ceux qui te prêtent serment d'allégeance ne font que prêter serment à Allāh: la main d'Allāh est au-dessus de leurs mains. Quiconque viole le serment, ne le viole qu'à son propre détriment ; et quiconque remplit son engagement envers Allāh, Il lui apportera bientôt une énorme récompense.

11. Ceux des Bédouins qui ont été laissés en arrière[1] te diront: «Nos biens et nos familles nous ont retenus: implore donc pour nous le pardon». Ils disent avec leurs langues ce qui n'est pas dans leurs cœurs. Dis: «Qui donc peut quelque chose pour vous auprès d'Allāh s'Il veut vous faire du mal ou s'Il veut vous faire du bien? Mais Allāh est Parfaitement Connaisseur de ce que vous œuvrez.

12. Vous pensiez plutôt que le Messager et les croyants ne retourneraient jamais plus à leur famille. Et cela vous a été embelli dans vos cœurs ; et vous avez eu de mauvaises pensées. Et vous fûtes des gens perdus».

13. Et quiconque ne croit pas en Allāh et en Son messager... alors, pour les mécréants, Nous avons préparé une fournaise ardente.

14. À Allāh appartient la souveraineté des cieux et de la terre. Il pardonne à qui Il veut et châtie qui Il veut. Allāh demeure cependant, Pardonneur et Miséricordieux.

15. Ceux qui restèrent en arrière diront, quand vous vous dirigez vers le butin pour vous en emparer ; «Laissez-nous vous suivre». Ils voudraient changer la parole d'Allāh. Dis: «Jamais vous ne nous suivrez: ainsi Allāh a déjà annoncé». Mais ils diront: «Vous êtes plutôt envieux à notre égard». Mais ils ne comprenaient en réalité que peu.

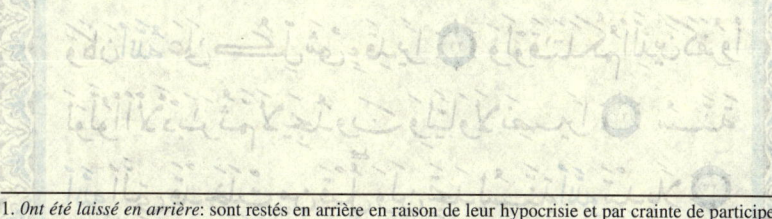

---

1. *Ont été laissé en arrière*: sont restés en arrière en raison de leur hypocrisie et par crainte de participer au combat opposant le Prophète aux Qoraychites.

قُل لِّلْمُخَلَّفِينَ مِنَ ٱلْأَعْرَابِ سَتُدْعَوْنَ إِلَىٰ قَوْمٍ أُوْلِى بَأْسٍ شَدِيدٍ تُقَٰتِلُونَهُمْ أَوْ يُسْلِمُونَ فَإِن تُطِيعُوا يُؤْتِكُمُ ٱللَّهُ أَجْرًا حَسَنًا وَإِن تَتَوَلَّوْا كَمَا تَوَلَّيْتُم مِّن قَبْلُ يُعَذِّبْكُمْ عَذَابًا أَلِيمًا ۝ لَّيْسَ عَلَى ٱلْأَعْمَىٰ حَرَجٌ وَلَا عَلَى ٱلْأَعْرَجِ حَرَجٌ وَلَا عَلَى ٱلْمَرِيضِ حَرَجٌ وَمَن يُطِعِ ٱللَّهَ وَرَسُولَهُ يُدْخِلْهُ جَنَّٰتٍ تَجْرِى مِن تَحْتِهَا ٱلْأَنْهَٰرُ وَمَن يَتَوَلَّ يُعَذِّبْهُ عَذَابًا أَلِيمًا ۝ ۞ لَّقَدْ رَضِيَ ٱللَّهُ عَنِ ٱلْمُؤْمِنِينَ إِذْ يُبَايِعُونَكَ تَحْتَ ٱلشَّجَرَةِ فَعَلِمَ مَا فِى قُلُوبِهِمْ فَأَنزَلَ ٱلسَّكِينَةَ عَلَيْهِمْ وَأَثَٰبَهُمْ فَتْحًا قَرِيبًا ۝ وَمَغَانِمَ كَثِيرَةً يَأْخُذُونَهَا وَكَانَ ٱللَّهُ عَزِيزًا حَكِيمًا ۝ وَعَدَكُمُ ٱللَّهُ مَغَانِمَ كَثِيرَةً تَأْخُذُونَهَا فَعَجَّلَ لَكُمْ هَٰذِهِ وَكَفَّ أَيْدِىَ ٱلنَّاسِ عَنكُمْ وَلِتَكُونَ ءَايَةً لِّلْمُؤْمِنِينَ وَيَهْدِيَكُمْ صِرَٰطًا مُّسْتَقِيمًا ۝ وَأُخْرَىٰ لَمْ تَقْدِرُوا عَلَيْهَا قَدْ أَحَاطَ ٱللَّهُ بِهَا وَكَانَ ٱللَّهُ عَلَىٰ كُلِّ شَىْءٍ قَدِيرًا ۝ وَلَوْ قَٰتَلَكُمُ ٱلَّذِينَ كَفَرُوا لَوَلَّوُا ٱلْأَدْبَٰرَ ثُمَّ لَا يَجِدُونَ وَلِيًّا وَلَا نَصِيرًا ۝ سُنَّةَ ٱللَّهِ ٱلَّتِى قَدْ خَلَتْ مِن قَبْلُ وَلَن تَجِدَ لِسُنَّةِ ٱللَّهِ تَبْدِيلًا ۝

16. Dis à ceux des Bédouins qui restèrent en arrière: «Vous serez bientôt appelés contre des gens d'une force redoutable. Vous les combattrez à moins qu'ils n'embrassent l'Islām. Si vous obéissez, Allāh vous donnera une belle récompense, et si vous vous détournez comme vous vous êtes détournés auparavant, Il vous châtiera d'un châtiment douloureux».

17. Nul grief n'est à faire à l'aveugle, ni au boiteux ni au malade[1]. Et quiconque obéit à Allāh et à Son messager, Il le fera entrer dans des Jardins sous lesquels coulent les ruisseaux. Quiconque cependant se détourne, Il le châtiera d'un douloureux châtiment.

18. Allāh a très certainement agréé les croyants quand ils t'ont prêté le serment d'allégeance sous l'arbre[2]. Il a su ce qu'il y avait dans leurs cœurs, et a fait descendre sur eux la quiétude, et Il les a récompensés par une victoire proche

19. ainsi qu'un abondant butin qu'ils ramasseront. Allāh est Puissant et Sage.

20. Allāh vous a promis un abondant butin que vous prendrez, et Il a hâté pour vous Celle-ci[3] et repoussé de vous les mains des gens, afin que tout cela soit un signe pour les croyants et qu'Il vous guide dans un droit chemin ;

21. Il vous promet un autre butin[4] que vous ne seriez jamais capables de remporter et qu'Allāh a embrassé en Sa puissance, car Allāh est Omnipotent.

22. Et si ceux qui ont mécru vous combattent, ils se détourneront, certes ; puis ils ne trouveront ni allié ni secoureur.

23. Telle est la règle d'Allāh appliquée aux générations passées. Et tu ne trouveras jamais de changement à la règle d'Allāh.

---

1. Les infirmes et les malades sont dispensés de participer au Jihād, (le combat dans le sentier d'Allāh).
2. La prestation de serment eut lieu à Ḥudaybiya près de la Mecque.
3. Allusion est faite ici à la prise sans combat de la ville de Ḥaybar en l'an VII de l'Hégire.
4. Les termes «autre butin» recèlent une allusion à la conquête de la Mecque.

وَهُوَ الَّذِي كَفَّ أَيْدِيَهُمْ عَنكُمْ وَأَيْدِيَكُمْ عَنْهُم بِبَطْنِ مَكَّةَ مِنۢ بَعْدِ أَنْ أَظْفَرَكُمْ عَلَيْهِمْ وَكَانَ اللَّهُ بِمَا تَعْمَلُونَ بَصِيرًا ۝ هُمُ الَّذِينَ كَفَرُوا۟ وَصَدُّوكُمْ عَنِ الْمَسْجِدِ الْحَرَامِ وَالْهَدْىَ مَعْكُوفًا أَن يَبْلُغَ مَحِلَّهُۥ وَلَوْلَا رِجَالٌ مُّؤْمِنُونَ وَنِسَآءٌ مُّؤْمِنَـٰتٌ لَّمْ تَعْلَمُوهُمْ أَن تَطَـُٔوهُمْ فَتُصِيبَكُم مِّنْهُم مَّعَرَّةٌۢ بِغَيْرِ عِلْمٍ لِّيُدْخِلَ اللَّهُ فِى رَحْمَتِهِۦ مَن يَشَآءُ لَوْ تَزَيَّلُوا۟ لَعَذَّبْنَا الَّذِينَ كَفَرُوا۟ مِنْهُمْ عَذَابًا أَلِيمًا ۝ إِذْ جَعَلَ الَّذِينَ كَفَرُوا۟ فِى قُلُوبِهِمُ الْحَمِيَّةَ حَمِيَّةَ الْجَـٰهِلِيَّةِ فَأَنزَلَ اللَّهُ سَكِينَتَهُۥ عَلَىٰ رَسُولِهِۦ وَعَلَى الْمُؤْمِنِينَ وَأَلْزَمَهُمْ كَلِمَةَ التَّقْوَىٰ وَكَانُوٓا۟ أَحَقَّ بِهَا وَأَهْلَهَا وَكَانَ اللَّهُ بِكُلِّ شَىْءٍ عَلِيمًا ۝ لَّقَدْ صَدَقَ اللَّهُ رَسُولَهُ الرُّءْيَا بِالْحَقِّ لَتَدْخُلُنَّ الْمَسْجِدَ الْحَرَامَ إِن شَآءَ اللَّهُ ءَامِنِينَ مُحَلِّقِينَ رُءُوسَكُمْ وَمُقَصِّرِينَ لَا تَخَافُونَ فَعَلِمَ مَا لَمْ تَعْلَمُوا۟ فَجَعَلَ مِن دُونِ ذَٰلِكَ فَتْحًا قَرِيبًا ۝ هُوَ الَّذِىٓ أَرْسَلَ رَسُولَهُۥ بِالْهُدَىٰ وَدِينِ الْحَقِّ لِيُظْهِرَهُۥ عَلَى الدِّينِ كُلِّهِۦ وَكَفَىٰ بِاللَّهِ شَهِيدًا ۝

24. C'est Lui qui, dans la vallée de la Mecque, a écarté leurs mains de vous, de même qu'Il a écarté vos mains d'eux, après vous avoir fait triompher sur eux. Et Allāh voit parfaitement ce que vous œuvrez,

25. Ce sont eux qui ont mécru et qui vous ont obstrué le chemin de la Mosquée Sacrée [et ont empêché] que les offrandes entravées parvinssent à leur lieu d'immolation. S'il n'y avait pas eu des hommes croyants et des femmes croyantes (parmi les Mecquois) que vous ne connaissiez pas[1] et que vous auriez pu piétiner sans le savoir, vous rendant ainsi coupables d'une action répréhensible...[2] [Tout cela s'est fait] pour qu'Allāh fasse entrer qui Il veut dans Sa miséricorde. Et s'ils [les croyants] s'étaient signalés, Nous aurions certes châtié d'un châtiment douloureux ceux qui avaient mécru parmi [les Mecquois].

26. Quand ceux qui ont mécru eurent mis dans leurs cœurs la fureur, [la] fureur de l'ignorance... Puis Allāh fit descendre Sa quiétude sur Son Messager ainsi que sur les croyants, et les obligea à une parole de piété, dont ils étaient les plus dignes et les plus proches. Allāh est Omniscient.

27. Allāh a été véridique en la vision par laquelle Il annonça à Son messager en toute vérité: vous entrerez dans la Mosquée Sacrée si Allāh veut, en toute sécurité, ayant rasé vos têtes ou coupé vos cheveux, sans aucune crainte. Il savait donc ce que vous ne saviez pas. Il a placé en deçà de cela (la trêve de Ḥudaybiya) une victoire proche[3].

28. C'est Lui qui a envoyé Son messager avec la guidée et la religion de vérité [l'Islām] pour la faire triompher sur toute autre religion. Allāh suffit comme témoin.

---

1. Les Mecquois auraient été durement châtiés à cause des souffrances qu'ils ont infligés aux Musulmans, s'il n'y avait pas eu dans leurs rangs des Musulmans et des Musulmanes qu'on ne pouvait distinguer.
2. ... Allāh vous aurait permis de combattre pour conquérir la Mecque.
3. Ces versets visent la conquête de la Mecque deux ans après la trêve.

مُّحَمَّدٌ رَّسُولُ ٱللَّهِ وَٱلَّذِينَ مَعَهُۥٓ أَشِدَّآءُ عَلَى ٱلْكُفَّارِ رُحَمَآءُ بَيْنَهُمْ تَرَىٰهُمْ رُكَّعًا سُجَّدًا يَبْتَغُونَ فَضْلًا مِّنَ ٱللَّهِ وَرِضْوَٰنًا سِيمَاهُمْ فِى وُجُوهِهِم مِّنْ أَثَرِ ٱلسُّجُودِ ذَٰلِكَ مَثَلُهُمْ فِى ٱلتَّوْرَىٰةِ وَمَثَلُهُمْ فِى ٱلْإِنجِيلِ كَزَرْعٍ أَخْرَجَ شَطْـَٔهُۥ فَـَٔازَرَهُۥ فَٱسْتَغْلَظَ فَٱسْتَوَىٰ عَلَىٰ سُوقِهِۦ يُعْجِبُ ٱلزُّرَّاعَ لِيَغِيظَ بِهِمُ ٱلْكُفَّارَ وَعَدَ ٱللَّهُ ٱلَّذِينَ ءَامَنُوا۟ وَعَمِلُوا۟ ٱلصَّٰلِحَٰتِ مِنْهُم مَّغْفِرَةً وَأَجْرًا عَظِيمًۢا ۩

سُورَةُ الحُجُرات

بِسْمِ ٱللَّهِ ٱلرَّحْمَٰنِ ٱلرَّحِيمِ

يَٰٓأَيُّهَا ٱلَّذِينَ ءَامَنُوا۟ لَا تُقَدِّمُوا۟ بَيْنَ يَدَىِ ٱللَّهِ وَرَسُولِهِۦ وَٱتَّقُوا۟ ٱللَّهَ إِنَّ ٱللَّهَ سَمِيعٌ عَلِيمٌ ۝ يَٰٓأَيُّهَا ٱلَّذِينَ ءَامَنُوا۟ لَا تَرْفَعُوٓا۟ أَصْوَٰتَكُمْ فَوْقَ صَوْتِ ٱلنَّبِىِّ وَلَا تَجْهَرُوا۟ لَهُۥ بِٱلْقَوْلِ كَجَهْرِ بَعْضِكُمْ لِبَعْضٍ أَن تَحْبَطَ أَعْمَٰلُكُمْ وَأَنتُمْ لَا تَشْعُرُونَ ۝ إِنَّ ٱلَّذِينَ يَغُضُّونَ أَصْوَٰتَهُمْ عِندَ رَسُولِ ٱللَّهِ أُو۟لَٰٓئِكَ ٱلَّذِينَ ٱمْتَحَنَ ٱللَّهُ قُلُوبَهُمْ لِلتَّقْوَىٰ لَهُم مَّغْفِرَةٌ وَأَجْرٌ عَظِيمٌ ۝ إِنَّ ٱلَّذِينَ يُنَادُونَكَ مِن وَرَآءِ ٱلْحُجُرَٰتِ أَكْثَرُهُمْ لَا يَعْقِلُونَ ۝

29. Muḥammad est le Messager d'Allāh, Et ceux qui sont avec lui sont durs envers les mécréants, miséricordieux entre eux. Tu les vois inclinés, prosternés, recherchant d'Allāh grâce et agrément. Leurs visages sont marqués par la trace laissée par la prosternation. Telle est leur image dans la Thora. Et l'image que l'on donne d'eux dans l'Evangile est celle d'une semence qui sort sa pousse, puis se raffermit, s'épaissit, et ensuite se dresse sur sa tige, à l'émerveillement des semeurs. [Allāh] par eux [les croyants] remplit de dépit les mécréants. Allāh promet à ceux d'entre eux qui croient et font de bonnes œuvres, un pardon et une énorme récompense.

AL-ḤUJURĀT (LES APPARTEMENTS)[1]

sourate 49   18 versets   Post-hégirien n°106

Au nom d'Allāh, le Tout Miséricordieux, le Très Miséricordieux.

1. Ô vous qui avez cru! Ne devancez pas Allāh et Son messager[2]. Et craignez Allāh. Allāh est Audient et Omniscient.

2. Ô vous qui avez cru! N'élevez pas vos voix au-dessus de la voix du Prophète, et ne haussez pas le ton en lui parlant, comme vous le haussez les uns avec les autres, sinon vos œuvres deviendraient vaines sans que vous vous en rendiez compte.

3. Ceux qui auprès du Messager d'Allāh baissent leurs voix sont ceux dont Allāh a éprouvé les cœurs pour la piété. Ils auront un pardon et une énorme récompense.

4. Ceux qui t'appellent à haute voix de derrière[3] les appartements, la plupart d'entre eux ne raisonnent pas.

---

1. Titre tiré du v. 4.
2. *Ne devancez pas...*: dans vos initiatives et dans vos décisions.
3. *De derrière*: de l'extérieur de tes appartements.

وَلَوْ أَنَّهُمْ صَبَرُوا حَتَّىٰ تَخْرُجَ إِلَيْهِمْ لَكَانَ خَيْرًا لَّهُمْ وَٱللَّهُ غَفُورٌ رَّحِيمٌ ۝ يَـٰٓأَيُّهَا ٱلَّذِينَ ءَامَنُوٓا إِن جَآءَكُمْ فَاسِقٌۢ بِنَبَإٍ فَتَبَيَّنُوٓا أَن تُصِيبُوا قَوْمًۢا بِجَهَـٰلَةٍ فَتُصْبِحُوا عَلَىٰ مَا فَعَلْتُمْ نَـٰدِمِينَ ۝

وَٱعْلَمُوٓا أَنَّ فِيكُمْ رَسُولَ ٱللَّهِ لَوْ يُطِيعُكُمْ فِى كَثِيرٍ مِّنَ ٱلْأَمْرِ لَعَنِتُّمْ وَلَـٰكِنَّ ٱللَّهَ حَبَّبَ إِلَيْكُمُ ٱلْإِيمَـٰنَ وَزَيَّنَهُۥ فِى قُلُوبِكُمْ وَكَرَّهَ إِلَيْكُمُ ٱلْكُفْرَ وَٱلْفُسُوقَ وَٱلْعِصْيَانَ أُوْلَـٰٓئِكَ هُمُ ٱلرَّٰشِدُونَ ۝ فَضْلًا مِّنَ ٱللَّهِ وَنِعْمَةً وَٱللَّهُ عَلِيمٌ حَكِيمٌ ۝ وَإِن طَآئِفَتَانِ مِنَ ٱلْمُؤْمِنِينَ ٱقْتَتَلُوا فَأَصْلِحُوا بَيْنَهُمَا فَإِنۢ بَغَتْ إِحْدَىٰهُمَا عَلَى ٱلْأُخْرَىٰ فَقَـٰتِلُوا ٱلَّتِى تَبْغِى حَتَّىٰ تَفِىٓءَ إِلَىٰٓ أَمْرِ ٱللَّهِ فَإِن فَآءَتْ فَأَصْلِحُوا بَيْنَهُمَا بِٱلْعَدْلِ وَأَقْسِطُوٓا إِنَّ ٱللَّهَ يُحِبُّ ٱلْمُقْسِطِينَ ۝ إِنَّمَا ٱلْمُؤْمِنُونَ إِخْوَةٌ فَأَصْلِحُوا بَيْنَ أَخَوَيْكُمْ وَٱتَّقُوا ٱللَّهَ لَعَلَّكُمْ تُرْحَمُونَ ۝ يَـٰٓأَيُّهَا ٱلَّذِينَ ءَامَنُوا لَا يَسْخَرْ قَوْمٌ مِّن قَوْمٍ عَسَىٰٓ أَن يَكُونُوا خَيْرًا مِّنْهُمْ وَلَا نِسَآءٌ مِّن نِّسَآءٍ عَسَىٰٓ أَن يَكُنَّ خَيْرًا مِّنْهُنَّ وَلَا تَلْمِزُوٓا أَنفُسَكُمْ وَلَا تَنَابَزُوا بِٱلْأَلْقَـٰبِ بِئْسَ ٱلِٱسْمُ ٱلْفُسُوقُ بَعْدَ ٱلْإِيمَـٰنِ وَمَن لَّمْ يَتُبْ فَأُوْلَـٰٓئِكَ هُمُ ٱلظَّـٰلِمُونَ ۝

5. Et s'ils patientaient jusqu'à ce que tu sortes à eux, ce serait certes mieux pour eux. Allāh cependant, est Pardonneur et Miséricordieux.

6. Ô vous qui avez cru! Si un pervers vous apporte une nouvelle, voyez bien clair [de crainte] que par inadvertance vous ne portiez atteinte à des gens et que vous ne regrettiez par la suite ce que vous avez fait.

7. Et sachez que le Messager d'Allāh est parmi vous. S'il vous obéissait dans maintes affaires, vous seriez en difficultés. Mais Allāh vous a fait aimer la foi et l'a embellie dans vos cœurs et vous a fait détester la mécréance, la perversité et la désobéissance. Ceux-là sont les bien dirigés,

8. c'est là en effet une grâce d'Allāh et un bienfait. Allāh est Omniscient et Sage.

9. Et si deux groupes de croyants se combattent, faites la conciliation entre eux. Si l'un deux se rebelle contre l'autre, combattez le groupe qui se rebelle, jusqu'à ce qu'il se conforme à l'ordre d'Allāh. Puis, s'il s'y conforme, réconciliez-les avec justice et soyez équitables car Allāh aime les équitables.

10. Les croyants ne sont que des frères. Etablissez la concorde entre vos frères, et craignez Allāh, afin qu'on vous fasse miséricorde.

11. Ô vous qui avez cru! Qu'un groupe ne se raille pas d'un autre groupe: ceux-ci sont peut-être meilleurs qu'eux. Et que des femmes ne se raillent pas d'autres femmes: celles-ci sont peut-être meilleures qu'elles. Ne vous dénigrez pas et ne vous lancez pas mutuellement des sobriquets (injurieux). Quel vilain mot que «perversion» lorsqu'on a déjà la foi[1]. Et quiconque ne se repent pas... Ceux-là sont les injustes.

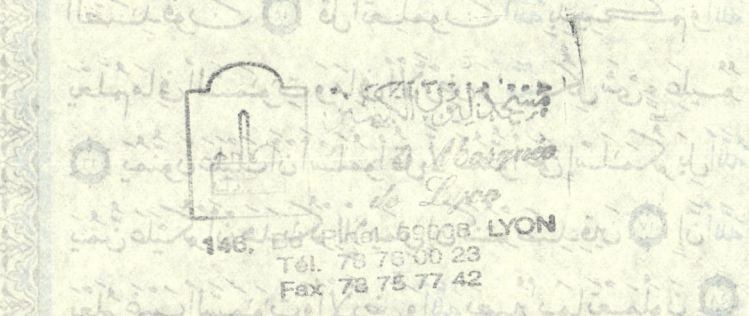

---

1. Il n'est pas permis d'être taxé de pervers quand on a la foi.

يَـٰٓأَيُّهَا ٱلَّذِينَ ءَامَنُوا ٱجْتَنِبُوا كَثِيرًا مِّنَ ٱلظَّنِّ إِنَّ بَعْضَ ٱلظَّنِّ إِثْمٌ

وَلَا تَجَسَّسُوا وَلَا يَغْتَب بَّعْضُكُم بَعْضًا أَيُحِبُّ أَحَدُكُمْ أَن

يَأْكُلَ لَحْمَ أَخِيهِ مَيْتًا فَكَرِهْتُمُوهُ وَٱتَّقُوا ٱللَّهَ إِنَّ ٱللَّهَ تَوَّابٌ

رَّحِيمٌ ۞ يَـٰٓأَيُّهَا ٱلنَّاسُ إِنَّا خَلَقْنَـٰكُم مِّن ذَكَرٍ وَأُنثَىٰ وَجَعَلْنَـٰكُمْ

شُعُوبًا وَقَبَآئِلَ لِتَعَارَفُوٓا إِنَّ أَكْرَمَكُمْ عِندَ ٱللَّهِ أَتْقَىٰكُمْ إِنَّ ٱللَّهَ

عَلِيمٌ خَبِيرٌ ۞ ۞ قَالَتِ ٱلْأَعْرَابُ ءَامَنَّا قُل لَّمْ تُؤْمِنُوا وَلَـٰكِن

قُولُوٓا أَسْلَمْنَا وَلَمَّا يَدْخُلِ ٱلْإِيمَـٰنُ فِى قُلُوبِكُمْ وَإِن تُطِيعُوا ٱللَّهَ

وَرَسُولَهُۥ لَا يَلِتْكُم مِّنْ أَعْمَـٰلِكُمْ شَيْـًٔا إِنَّ ٱللَّهَ غَفُورٌ رَّحِيمٌ ۞

إِنَّمَا ٱلْمُؤْمِنُونَ ٱلَّذِينَ ءَامَنُوا بِٱللَّهِ وَرَسُولِهِۦ ثُمَّ لَمْ يَرْتَابُوا

وَجَـٰهَدُوا بِأَمْوَٰلِهِمْ وَأَنفُسِهِمْ فِى سَبِيلِ ٱللَّهِ أُولَـٰٓئِكَ هُمُ

ٱلصَّـٰدِقُونَ ۞ قُلْ أَتُعَلِّمُونَ ٱللَّهَ بِدِينِكُمْ وَٱللَّهُ

يَعْلَمُ مَا فِى ٱلسَّمَـٰوَٰتِ وَمَا فِى ٱلْأَرْضِ وَٱللَّهُ بِكُلِّ شَىْءٍ عَلِيمٌ

۞ يَمُنُّونَ عَلَيْكَ أَنْ أَسْلَمُوا قُل لَّا تَمُنُّوا عَلَىَّ إِسْلَـٰمَكُم بَلِ ٱللَّهُ

يَمُنُّ عَلَيْكُمْ أَنْ هَدَىٰكُمْ لِلْإِيمَـٰنِ إِن كُنتُمْ صَـٰدِقِينَ ۞ إِنَّ ٱللَّهَ

يَعْلَمُ غَيْبَ ٱلسَّمَـٰوَٰتِ وَٱلْأَرْضِ وَٱللَّهُ بَصِيرٌۢ بِمَا تَعْمَلُونَ ۞

نصف الحزب ٥٢

12. Ô vous qui avez cru! Evitez de trop conjecturer [sur autrui] car une partie des conjectures est péché. Et n'espionnez pas ; et ne médisez pas les uns des autres. L'un de vous aimerait-il manger la chair de son frère mort? (Non!) vous en aurez horreur. Et craignez Allāh. Car Allāh est Grand Accueillant au repentir, Très Miséricordieux.

13. Ô hommes! Nous vous avons créés d'un mâle et d'une femelle, et Nous avons fait de vous des nations et des tribus, pour que vous vous entre-connaissiez. Le plus noble d'entre vous, auprès d'Allāh, est le plus pieux. Allāh est certes Omniscient et Grand Connaisseur.

14. Les Bédouins ont dit: «Nous avons la foi». Dis: «Vous n'avez pas encore la foi. Dites plutôt: Nous nous sommes simplement soumis, car la foi n'a pas encore pénétré dans vos cœurs. Et si vous obéissez à Allāh et à Son messager, Il ne vous fera rien perdre de vos œuvres». Allāh est Pardonneur et Miséricordieux.

15. Les vrais croyants sont seulement ceux qui croient en Allāh et en Son messager, qui par la suite ne doutent point et qui luttent avec leurs biens et leurs personnes dans le chemin d'Allāh. Ceux-là sont les véridiques.

16. Dis: «Est-ce vous qui apprendrez à Allāh votre religion, alors qu'Allāh sait tout ce qui est dans les cieux et sur la terre?» Et Allāh est Omniscient.

17. Ils te rappellent leur conversion à l'Islām comme si c'était une faveur de leur part. Dis: «Ne me rappelez pas votre conversion à l'Islām comme une faveur. C'est tout au contraire une faveur dont Allāh vous a comblés en vous dirigeant vers la foi, si toutefois vous êtes véridiques».

18. Allāh connaît l'Inconnaissable des cieux et de la terre et Allāh est Clairvoyant sur ce que vous faites.

سورة ق

بِسْمِ اللَّهِ الرَّحْمَٰنِ الرَّحِيمِ

قٓ ۚ وَالْقُرْآنِ الْمَجِيدِ ۝ بَلْ عَجِبُوا أَن جَاءَهُم مُّنذِرٌ مِّنْهُمْ فَقَالَ الْكَافِرُونَ هَٰذَا شَيْءٌ عَجِيبٌ ۝ أَإِذَا مِتْنَا وَكُنَّا تُرَابًا ۖ ذَٰلِكَ رَجْعٌ بَعِيدٌ ۝ قَدْ عَلِمْنَا مَا تَنقُصُ الْأَرْضُ مِنْهُمْ ۖ وَعِندَنَا كِتَابٌ حَفِيظٌ ۝ بَلْ كَذَّبُوا بِالْحَقِّ لَمَّا جَاءَهُمْ فَهُمْ فِي أَمْرٍ مَّرِيجٍ ۝ أَفَلَمْ يَنظُرُوا إِلَى السَّمَاءِ فَوْقَهُمْ كَيْفَ بَنَيْنَاهَا وَزَيَّنَّاهَا وَمَا لَهَا مِن فُرُوجٍ ۝ وَالْأَرْضَ مَدَدْنَاهَا وَأَلْقَيْنَا فِيهَا رَوَاسِيَ وَأَنبَتْنَا فِيهَا مِن كُلِّ زَوْجٍ بَهِيجٍ ۝ تَبْصِرَةً وَذِكْرَىٰ لِكُلِّ عَبْدٍ مُّنِيبٍ ۝ وَنَزَّلْنَا مِنَ السَّمَاءِ مَاءً مُّبَارَكًا فَأَنبَتْنَا بِهِ جَنَّاتٍ وَحَبَّ الْحَصِيدِ ۝ وَالنَّخْلَ بَاسِقَاتٍ لَّهَا طَلْعٌ نَّضِيدٌ ۝ رِّزْقًا لِّلْعِبَادِ ۖ وَأَحْيَيْنَا بِهِ بَلْدَةً مَّيْتًا ۚ كَذَٰلِكَ الْخُرُوجُ ۝ كَذَّبَتْ قَبْلَهُمْ قَوْمُ نُوحٍ وَأَصْحَابُ الرَّسِّ وَثَمُودُ ۝ وَعَادٌ وَفِرْعَوْنُ وَإِخْوَانُ لُوطٍ ۝ وَأَصْحَابُ الْأَيْكَةِ وَقَوْمُ تُبَّعٍ ۚ كُلٌّ كَذَّبَ الرُّسُلَ فَحَقَّ وَعِيدِ ۝ أَفَعَيِينَا بِالْخَلْقِ الْأَوَّلِ ۚ بَلْ هُمْ فِي لَبْسٍ مِّنْ خَلْقٍ جَدِيدٍ ۝

QĀF[1]

sourate 50   45 versets   Pré-hégirien n°34

Au nom d'Allāh, le Tout Miséricordieux, le Très Miséricordieux.

1. Qāf. Par le Qur'ān glorieux[2]!

2. Mais ils s'étonnent que l'un des leurs leur vint comme avertisseur ; et les mécréants dirent: «Ceci est une chose étonnante».

3. Quoi! Quand nous serons morts et réduits en poussière...? Ce serait revenir de loin»!

4. Certes, Nous savons ce que la terre rongera d'eux [de leurs corps] ; et Nous avons un Livre où tout est conservé.

5. Plutôt, ils traitent de mensonge la vérité qui leur est venue: les voilà donc dans une situation confuse.

6. N'ont-ils donc pas observé le ciel au-dessus d'eux, comment Nous l'avons bâti et embelli ; et comment il est sans fissures?

7. Et ta terre, Nous l'avons étendue et Nous y avons enfoncé fermement des montagnes et y avons fait pousser toutes sortes de magnifiques couples de [végétaux],

8. à titre d'appel à la clairvoyance et un rappel pour tout serviteur repentant.

9. Et Nous avons fait descendre du ciel une eau bénie, avec laquelle Nous avons fait pousser des jardins et le grain qu'on moissonne,

10. ainsi que les hauts palmiers aux régimes superposés,

11. comme subsistance pour les serviteurs. Et par elle (l'eau) Nous avons redonné la vie à une contrée morte. Ainsi se fera la résurrection.

12. Avant eux, le peuple de Noé, les gens d'ar-Rass et les Ṯamūd crièrent au mensonge,

13. de même que les ʿĀd et Pharaon et les frères de Lot,

14. et les gens d'al-Aïka et le peuple de Tubbaʿ. Tous traitèrent les Messagers de menteurs. C'est ainsi que Ma menace se justifia.

15. Quoi? Avons-Nous été fatigué par la première création? Mais ils sont dans la confusion [au sujet] d'une création nouvelle.

---

1. Titre tiré du v. 1.
2. *Cf. note à S. v. 1*: pour l'initiale qāf.

وَلَقَدْ خَلَقْنَا ٱلْإِنسَٰنَ وَنَعْلَمُ مَا تُوَسْوِسُ بِهِۦ نَفْسُهُۥ وَنَحْنُ أَقْرَبُ إِلَيْهِ مِنْ حَبْلِ ٱلْوَرِيدِ ۝ إِذْ يَتَلَقَّى ٱلْمُتَلَقِّيَانِ عَنِ ٱلْيَمِينِ وَعَنِ ٱلشِّمَالِ قَعِيدٌ ۝ مَّا يَلْفِظُ مِن قَوْلٍ إِلَّا لَدَيْهِ رَقِيبٌ عَتِيدٌ ۝ وَجَآءَتْ سَكْرَةُ ٱلْمَوْتِ بِٱلْحَقِّ ذَٰلِكَ مَا كُنتَ مِنْهُ تَحِيدُ ۝ وَنُفِخَ فِى ٱلصُّورِ ذَٰلِكَ يَوْمُ ٱلْوَعِيدِ ۝ وَجَآءَتْ كُلُّ نَفْسٍ مَّعَهَا سَآئِقٌ وَشَهِيدٌ ۝ لَّقَدْ كُنتَ فِى غَفْلَةٍ مِّنْ هَٰذَا فَكَشَفْنَا عَنكَ غِطَآءَكَ فَبَصَرُكَ ٱلْيَوْمَ حَدِيدٌ ۝ وَقَالَ قَرِينُهُۥ هَٰذَا مَا لَدَىَّ عَتِيدٌ ۝ أَلْقِيَا فِى جَهَنَّمَ كُلَّ كَفَّارٍ عَنِيدٍ ۝ مَّنَّاعٍ لِّلْخَيْرِ مُعْتَدٍ مُّرِيبٍ ۝ ٱلَّذِى جَعَلَ مَعَ ٱللَّهِ إِلَٰهًا ءَاخَرَ فَأَلْقِيَاهُ فِى ٱلْعَذَابِ ٱلشَّدِيدِ ۝ ۞ قَالَ قَرِينُهُۥ رَبَّنَا مَآ أَطْغَيْتُهُۥ وَلَٰكِن كَانَ فِى ضَلَٰلٍۭ بَعِيدٍ ۝ قَالَ لَا تَخْتَصِمُوا۟ لَدَىَّ وَقَدْ قَدَّمْتُ إِلَيْكُم بِٱلْوَعِيدِ ۝ مَا يُبَدَّلُ ٱلْقَوْلُ لَدَىَّ وَمَآ أَنَا۠ بِظَلَّٰمٍ لِّلْعَبِيدِ ۝ يَوْمَ نَقُولُ لِجَهَنَّمَ هَلِ ٱمْتَلَأْتِ وَتَقُولُ هَلْ مِن مَّزِيدٍ ۝ وَأُزْلِفَتِ ٱلْجَنَّةُ لِلْمُتَّقِينَ غَيْرَ بَعِيدٍ ۝ هَٰذَا مَا تُوعَدُونَ لِكُلِّ أَوَّابٍ حَفِيظٍ ۝ مَّنْ خَشِىَ ٱلرَّحْمَٰنَ بِٱلْغَيْبِ وَجَآءَ بِقَلْبٍ مُّنِيبٍ ۝ ٱدْخُلُوهَا بِسَلَٰمٍ ذَٰلِكَ يَوْمُ ٱلْخُلُودِ ۝ لَهُم مَّا يَشَآءُونَ فِيهَا وَلَدَيْنَا مَزِيدٌ ۝

16. Nous avons effectivement créé l'homme et Nous savons ce que son âme lui suggère et Nous sommes plus près de lui que sa veine jugulaire

17. quand les deux recueillants, assis à droite et à gauche, recueillent[1].

18. Il ne prononce pas une parole sans avoir auprès de lui un observateur prêt à l'inscrire.

19. L'agonie de la mort fait apparaître la vérité: «Voilà ce dont tu t'écartais».

20. Et l'on soufflera dans la Trompe: Voilà le jour de la Menace.

21. Alors chaque âme viendra accompagnée d'un conducteur et d'un témoin.

22. «Tu restais indifférent à cela. Et bien, Nous ôtons ton voile ; ta vue est perçante aujourd'hui[2].

23. Et son compagnon dira: «Voilà ce qui est avec moi, tout prêt»[3].

24. «Vous deux, jetez dans l'Enfer tout mécréant endurci et rebelle[4],

25. acharné à empêcher le bien, transgresseur, douteur,

26. celui qui plaçait à côté d'Allāh une autre divinité. Jetez-le donc dans le dur châtiment».

27. Son camarade (le Diable) dira: «Seigneur, ce n'est pas moi qui l'ai fait transgresser; mais il était déjà dans un profond égarement».

28. Alors [Allāh] dira: «Ne vous disputez pas devant moi! Alors que Je vous ai déjà fait part de la menace.

29. Chez Moi, la parole ne change pas ; et Je n'opprime nullement les serviteurs».

30. Le jour où Nous dirons à l'Enfer ; «Es-tu rempli?» Il dira: «Y en a-t-il encore»?

31. Le Paradis sera rapproché à proximité des pieux.

32. «Voilà ce qui vous a été promis, [ainsi qu'] à tout homme plein de repentir et respectueux [des prescriptions divines]

33. qui redoute le Tout Miséricordieux bien qu'il ne Le voit pas[5], et qui vient [vers Lui] avec un cœur porté à l'obéissance.

34. Entrez-y en toute sécurité». Voilà le jour de l'éternité!

35. Il y aura là pour eux tout ce qu'ils voudront. Et auprès de Nous il y a davantage encore.

---

1. *Les deux recueillant*: sont deux anges, et ce qu'ils recueillent, ce sont les paroles et les actions de l'homme qu'ils inscrivent sur le livre des comptes.
2. C'est Allāh qui interpelle le mécréant.
3. *Voilà ce qui est avec moi tout prêt*: l'Ange présente à Allāh ce qu'il a recueilli et rédigé pour le compte de l'homme (V. 17 et v. 18).
4. Allāh s'adresse aux deux Anges.
5. *Bien qu'il ne Le voit...*: autre sens: alors qu'il n'est vu par personne.

وَكَمْ أَهْلَكْنَا قَبْلَهُم مِّن قَرْنٍ هُمْ أَشَدُّ مِنْهُم بَطْشًا فَنَقَّبُوا۟ فِى
ٱلْبِلَٰدِ هَلْ مِن مَّحِيصٍ ۝ إِنَّ فِى ذَٰلِكَ لَذِكْرَىٰ لِمَن كَانَ
لَهُۥ قَلْبٌ أَوْ أَلْقَى ٱلسَّمْعَ وَهُوَ شَهِيدٌ ۝ وَلَقَدْ خَلَقْنَا
ٱلسَّمَٰوَٰتِ وَٱلْأَرْضَ وَمَا بَيْنَهُمَا فِى سِتَّةِ أَيَّامٍ وَمَا مَسَّنَا
مِن لُّغُوبٍ ۝ فَٱصْبِرْ عَلَىٰ مَا يَقُولُونَ وَسَبِّحْ بِحَمْدِ رَبِّكَ
قَبْلَ طُلُوعِ ٱلشَّمْسِ وَقَبْلَ ٱلْغُرُوبِ ۝ وَمِنَ ٱلَّيْلِ فَسَبِّحْهُ
وَأَدْبَٰرَ ٱلسُّجُودِ ۝ وَٱسْتَمِعْ يَوْمَ يُنَادِ ٱلْمُنَادِ مِن مَّكَانٍ قَرِيبٍ
يَوْمَ يَسْمَعُونَ ٱلصَّيْحَةَ بِٱلْحَقِّ ذَٰلِكَ يَوْمُ ٱلْخُرُوجِ ۝ إِنَّا
نَحْنُ نُحْىِۦ وَنُمِيتُ وَإِلَيْنَا ٱلْمَصِيرُ ۝ يَوْمَ تَشَقَّقُ ٱلْأَرْضُ
عَنْهُمْ سِرَاعًا ذَٰلِكَ حَشْرٌ عَلَيْنَا يَسِيرٌ ۝ نَّحْنُ أَعْلَمُ بِمَا يَقُولُونَ
وَمَا أَنتَ عَلَيْهِم بِجَبَّارٍ فَذَكِّرْ بِٱلْقُرْءَانِ مَن يَخَافُ وَعِيدِ ۝

سُورَةُ الذَّارِيَاتِ

بِسْمِ ٱللَّهِ ٱلرَّحْمَٰنِ ٱلرَّحِيمِ

وَٱلذَّٰرِيَٰتِ ذَرْوًا ۝ فَٱلْحَٰمِلَٰتِ وِقْرًا ۝ فَٱلْجَٰرِيَٰتِ يُسْرًا ۝
فَٱلْمُقَسِّمَٰتِ أَمْرًا ۝ إِنَّمَا تُوعَدُونَ لَصَادِقٌ ۝ وَإِنَّ ٱلدِّينَ لَوَٰقِعٌ ۝

36. Combien avons-Nous fait périr, avant eux, de générations bien plus fortes qu'eux. Ils avaient parcouru les contrées, cherchant [vainement] où fuir.

37. Il y a bien là un rappel pour quiconque a un cœur, prête l'oreille tout en étant témoin.

38. En effet, Nous avons créé les cieux et la terre et ce qui existe entre eux en six jours, sans éprouver la moindre lassitude.

39. Endure donc ce qu'ils disent ; et célèbre la louange de ton Seigneur avant le lever du soleil et avant [son] coucher ;

40. et célèbre Sa gloire, une partie de la nuit et à la suite des prosternations [prières].

41. Et sois à l'écoute, le jour où le Crieur criera d'un endroit proche,

42. le jour où ils entendront en toute vérité le Cri. Voilà le Jour de la Résurrection.

43. C'est Nous qui donnons la vie et donnons la mort, et vers Nous sera la destination,

44. le jour où la terre se fendra, les [rejetant] précipitamment. Ce sera un rassemblement facile pour Nous.

45. Nous savons mieux ce qu'ils disent, Tu n'as pas pour mission d'exercer sur eux une contrainte. Rappelle donc, par le Qur'ān celui qui craint Ma menace.

AḎ-ḎĀRIYĀT (QUI ÉPARPILLENT)[1]

sourate 51   60 versets   Pré-hégirien n°67

Au nom d'Allāh, le Tout Miséricordieux, le Très Miséricordieux.

1. Par les vents qui éparpillent!

2. Par les porteurs de fardeaux!

3. Par les glisseurs agiles!

4. Par les distributeurs selon un commandement[2]!

5. Ce qui vous est promis est certainement vrai.

6. Et la Rétribution arrivera inévitablement.

---

1. Titre tiré du v. 1.
2. Ce commentaire concerne les quatre premiers versets. D'après les commentateurs, les *«éparpilleurs»* sont les vents ; les *«porteurs de fardeaux»*: les nuages ; les *«glisseurs»* (littér.: ceux qui coulent): les bateaux; les *«distributeurs selon un commandement d'Allāh»*: les Anges qui nous apportent notre subsistance suivant Son ordre.
Cette façon de jurer, de prendre à témoins, est propre aux Sourates du début de la révélation.

وَٱلسَّمَآءِ ذَاتِ ٱلْحُبُكِ ۝ إِنَّكُمْ لَفِى قَوْلٍ مُّخْتَلِفٍ ۝ يُؤْفَكُ عَنْهُ مَنْ أُفِكَ ۝ قُتِلَ ٱلْخَرَّٰصُونَ ۝ ٱلَّذِينَ هُمْ فِى غَمْرَةٍ سَاهُونَ ۝ يَسْـَٔلُونَ أَيَّانَ يَوْمُ ٱلدِّينِ ۝ يَوْمَ هُمْ عَلَى ٱلنَّارِ يُفْتَنُونَ ۝ ذُوقُوا۟ فِتْنَتَكُمْ هَٰذَا ٱلَّذِى كُنتُم بِهِۦ تَسْتَعْجِلُونَ ۝ إِنَّ ٱلْمُتَّقِينَ فِى جَنَّٰتٍ وَعُيُونٍ ۝ ءَاخِذِينَ مَآ ءَاتَىٰهُمْ رَبُّهُمْ إِنَّهُمْ كَانُوا۟ قَبْلَ ذَٰلِكَ مُحْسِنِينَ ۝ كَانُوا۟ قَلِيلًا مِّنَ ٱلَّيْلِ مَا يَهْجَعُونَ ۝ وَبِٱلْأَسْحَارِ هُمْ يَسْتَغْفِرُونَ ۝ وَفِىٓ أَمْوَٰلِهِمْ حَقٌّ لِّلسَّآئِلِ وَٱلْمَحْرُومِ ۝ وَفِى ٱلْأَرْضِ ءَايَٰتٌ لِّلْمُوقِنِينَ ۝ وَفِىٓ أَنفُسِكُمْ أَفَلَا تُبْصِرُونَ ۝ وَفِى ٱلسَّمَآءِ رِزْقُكُمْ وَمَا تُوعَدُونَ ۝ فَوَرَبِّ ٱلسَّمَآءِ وَٱلْأَرْضِ إِنَّهُۥ لَحَقٌّ مِّثْلَ مَآ أَنَّكُمْ تَنطِقُونَ ۝ هَلْ أَتَىٰكَ حَدِيثُ ضَيْفِ إِبْرَٰهِيمَ ٱلْمُكْرَمِينَ ۝ إِذْ دَخَلُوا۟ عَلَيْهِ فَقَالُوا۟ سَلَٰمًا قَالَ سَلَٰمٌ قَوْمٌ مُّنكَرُونَ ۝ فَرَاغَ إِلَىٰٓ أَهْلِهِۦ فَجَآءَ بِعِجْلٍ سَمِينٍ ۝ فَقَرَّبَهُۥٓ إِلَيْهِمْ قَالَ أَلَا تَأْكُلُونَ ۝ فَأَوْجَسَ مِنْهُمْ خِيفَةً قَالُوا۟ لَا تَخَفْ وَبَشَّرُوهُ بِغُلَٰمٍ عَلِيمٍ ۝ فَأَقْبَلَتِ ٱمْرَأَتُهُۥ فِى صَرَّةٍ فَصَكَّتْ وَجْهَهَا وَقَالَتْ عَجُوزٌ عَقِيمٌ ۝ قَالُوا۟ كَذَٰلِكِ قَالَ رَبُّكِ إِنَّهُۥ هُوَ ٱلْحَكِيمُ ٱلْعَلِيمُ ۝

7. Par le ciel aux voies parfaitement tracées!

8. Vous divergez sur ce que vous dites[1].

9. Est détourné de lui[2] quiconque a été détourné de la foi.

10. Maudits soient les menteurs,

11. qui sont plongés dans l'insouciance.

12. Ils demandent: «À quand le jour de la Rétribution?»

13. Le jour où ils seront éprouvés au Feu:

14. «Goûtez à votre épreuve [punition] ; voici ce que vous cherchiez à hâter».

15. Les pieux seront dans des Jardins et [parmi] des sources,

16. recevant ce que leur Seigneur leur aura donné. Car ils ont été auparavant des bienfaisants:

17. ils dormaient peu, la nuit[3],

18. et aux dernières heures de la nuit ils imploraient le pardon [d'Allāh] ;

19. et dans leurs biens, il y avait un droit au mendiant et au déshérité.

20. Il y a sur terre des preuves pour ceux qui croient avec certitude ;

21. ainsi qu'en vous-mêmes. N'observez-vous donc pas?

22. Et il y a dans le ciel votre subsistance et ce qui vous a été promis.

23. Par le Seigneur du ciel et de la terre! Ceci est tout aussi vrai que le fait que vous parliez.

24. T'est-il parvenu le récit des visiteurs honorables d'Abraham?

25. Quand ils entrèrent chez lui et dirent: «Paix!», il [leur] dit: «Paix, visiteurs inconnus».

26. Puis il alla discrètement à sa famille et apporta un veau gras.

27. Ensuite il l'approcha d'eux... «Ne mangez-vous pas?» dit-il.

28. Il ressentit alors de la peur vis-à-vis d'eux. Ils dirent: «N'aie pas peur». Et ils lui annoncèrent [la naissance] d'un garçon plein de savoir.

29. Alors sa femme s'avança en criant, se frappa le visage et dit: «Une vieille femme stérile...»[4].

30. Ils dirent: «Ainsi a dit ton Seigneur. C'est Lui vraiment le Sage, l'Omniscient».

---

1. *Ce que vous dites*: à propos du Prophète et du Qurʾān.
2. *De lui*: du Qurʾān ou du Prophète.
3. *Ils passaient la plus grande partie*: de la nuit en prière.
4. Une femme stérile comme moi peut-elle donner des enfants?

قَالَ فَمَا خَطْبُكُمْ أَيُّهَا الْمُرْسَلُونَ ۝ قَالُوٓا إِنَّآ أُرْسِلْنَآ إِلَىٰ قَوْمٍ

مُّجْرِمِينَ ۝ لِنُرْسِلَ عَلَيْهِمْ حِجَارَةً مِّن طِينٍ ۝ مُّسَوَّمَةً عِندَ رَبِّكَ

لِلْمُسْرِفِينَ ۝ فَأَخْرَجْنَا مَن كَانَ فِيهَا مِنَ الْمُؤْمِنِينَ ۝ فَمَا وَجَدْنَا

فِيهَا غَيْرَ بَيْتٍ مِّنَ الْمُسْلِمِينَ ۝ وَتَرَكْنَا فِيهَآ ءَايَةً لِّلَّذِينَ يَخَافُونَ

الْعَذَابَ الْأَلِيمَ ۝ وَفِي مُوسَىٰٓ إِذْ أَرْسَلْنَٰهُ إِلَىٰ فِرْعَوْنَ بِسُلْطَٰنٍ

مُّبِينٍ ۝ فَتَوَلَّىٰ بِرُكْنِهِۦ وَقَالَ سَٰحِرٌ أَوْ مَجْنُونٌ ۝ فَأَخَذْنَٰهُ وَجُنُودَهُۥ

فَنَبَذْنَٰهُمْ فِي الْيَمِّ وَهُوَ مُلِيمٌ ۝ وَفِي عَادٍ إِذْ أَرْسَلْنَا عَلَيْهِمُ الرِّيحَ

الْعَقِيمَ ۝ مَا تَذَرُ مِن شَىْءٍ أَتَتْ عَلَيْهِ إِلَّا جَعَلَتْهُ كَالرَّمِيمِ ۝

وَفِي ثَمُودَ إِذْ قِيلَ لَهُمْ تَمَتَّعُوا حَتَّىٰ حِينٍ ۝ فَعَتَوْا عَنْ أَمْرِ رَبِّهِمْ

فَأَخَذَتْهُمُ الصَّٰعِقَةُ وَهُمْ يَنظُرُونَ ۝ فَمَا اسْتَطَٰعُوا مِن قِيَامٍ

وَمَا كَانُوا مُنتَصِرِينَ ۝ وَقَوْمَ نُوحٍ مِّن قَبْلُ إِنَّهُمْ كَانُوا قَوْمًا

فَٰسِقِينَ ۝ وَالسَّمَآءَ بَنَيْنَٰهَا بِأَيْدٍ وَإِنَّا لَمُوسِعُونَ ۝ وَالْأَرْضَ

فَرَشْنَٰهَا فَنِعْمَ الْمَٰهِدُونَ ۝ وَمِن كُلِّ شَىْءٍ خَلَقْنَا زَوْجَيْنِ

لَعَلَّكُمْ تَذَكَّرُونَ ۝ فَفِرُّوٓا إِلَى اللَّهِ إِنِّي لَكُم مِّنْهُ نَذِيرٌ مُّبِينٌ ۝

وَلَا تَجْعَلُوا مَعَ اللَّهِ إِلَٰهًا ءَاخَرَ إِنِّي لَكُم مِّنْهُ نَذِيرٌ مُّبِينٌ ۝

31. Alors [Abraham] dit: «Quelle est donc votre mission, ô envoyés?»

32. Ils dirent: «Nous avons été envoyés vers des gens criminels,

33. pour lancer sur eux des pierres de glaise,

34. marquées auprès de ton Seigneur à l'intention des outranciers».

35. Nous en fîmes sortir alors ce qu'il y avait comme croyants,

36. mais Nous n'y trouvâmes qu'une seule maison de gens soumis.

37. Et Nous y laissâmes un signe pour ceux qui redoutent le douloureux châtiment ;

38. [Il y a même un signe] en Moïse quand Nous l'envoyâmes, avec une preuve évidente, vers Pharaon.

39. Mais [celui-ci] se détourna confiant en sa puissance, et dit: «C'est un magicien ou un possédé!»

40. Nous le saisîmes ainsi que ses troupes, puis les jetâmes dans les flots, pour son comportement blâmable.

41. De même pour les ʿĀd quand Nous envoyâmes contre eux le vent dévastateur

42. n'épargnant rien sur son passage sans le réduire en poussière.

43. De même pour les Ṯamūd, quand il leur fut dit: «Jouissez jusqu'à un certain temps!»

44. Ils défièrent le commandement de leur Seigneur. La foudre les saisit alors qu'ils regardaient.

45. Ils ne purent ni se mettre debout ni être secourus.

46. De même, pour le peuple de Noé auparavant. Ils étaient des gens pervers.

47. Le ciel, Nous l'avons construit par Notre puissance: et Nous l'étendons [constamment] dans l'immensité.

48. Et la terre, Nous l'avons étendue. Et de quelle excellente façon Nous l'avons nivelée!

49. Et de toute chose Nous avons créé [deux éléments] de couple. Peut-être vous rappellerez-vous?

50. «Fuyez donc vers Allāh. Moi, je suis pour vous de Sa part, un avertisseur explicite.

51. Ne placez pas avec Allāh une autre divinité. Je suis pour vous de Sa part, un avertisseur explicite».

كَذَٰلِكَ مَآ أَتَى ٱلَّذِينَ مِن قَبْلِهِم مِّن رَّسُولٍ إِلَّا قَالُواْ سَاحِرٌ أَوْ مَجْنُونٌ

أَتَوَاصَوْاْ بِهِۦ بَلْ هُمْ قَوْمٌ طَاغُونَ ۝ فَتَوَلَّ عَنْهُمْ فَمَآ أَنتَ

بِمَلُومٍ ۝ وَذَكِّرْ فَإِنَّ ٱلذِّكْرَىٰ تَنفَعُ ٱلْمُؤْمِنِينَ ۝ وَمَا

خَلَقْتُ ٱلْجِنَّ وَٱلْإِنسَ إِلَّا لِيَعْبُدُونِ ۝ مَآ أُرِيدُ مِنْهُم مِّن رِّزْقٍ

وَمَآ أُرِيدُ أَن يُطْعِمُونِ ۝ إِنَّ ٱللَّهَ هُوَ ٱلرَّزَّاقُ ذُو ٱلْقُوَّةِ ٱلْمَتِينُ

فَإِنَّ لِلَّذِينَ ظَلَمُواْ ذَنُوبًا مِّثْلَ ذَنُوبِ أَصْحَٰبِهِمْ فَلَا يَسْتَعْجِلُونِ ۝

فَوَيْلٌ لِّلَّذِينَ كَفَرُواْ مِن يَوْمِهِمُ ٱلَّذِي يُوعَدُونَ ۝

سُورَةُ الطُّورِ

بِسْمِ ٱللَّهِ ٱلرَّحْمَٰنِ ٱلرَّحِيمِ

وَٱلطُّورِ ۝ وَكِتَٰبٍ مَّسْطُورٍ ۝ فِي رَقٍّ مَّنشُورٍ ۝ وَٱلْبَيْتِ

ٱلْمَعْمُورِ ۝ وَٱلسَّقْفِ ٱلْمَرْفُوعِ ۝ وَٱلْبَحْرِ ٱلْمَسْجُورِ ۝ إِنَّ

عَذَابَ رَبِّكَ لَوَٰقِعٌ ۝ مَّا لَهُۥ مِن دَافِعٍ ۝ يَوْمَ تَمُورُ ٱلسَّمَآءُ

مَوْرًا ۝ وَتَسِيرُ ٱلْجِبَالُ سَيْرًا ۝ فَوَيْلٌ يَوْمَئِذٍ لِّلْمُكَذِّبِينَ

ٱلَّذِينَ هُمْ فِي خَوْضٍ يَلْعَبُونَ ۝ يَوْمَ يُدَعُّونَ إِلَىٰ نَارِ

جَهَنَّمَ دَعًّا ۝ هَٰذِهِ ٱلنَّارُ ٱلَّتِي كُنتُم بِهَا تُكَذِّبُونَ ۝

52. Ainsi, aucun Messager n'est venu à leurs prédécesseurs, sans qu'ils n'aient dit: «C'est un magicien ou un possédé».

53. Est-ce qu'ils se sont transmis cette injonction? Ils sont plutôt des gens transgresseurs.

54. Détourne-toi d'eux, tu ne seras pas blâmé [à leur sujet].

55. Et rappelle ; car le rappel profite aux croyants.

56. Je n'ai créé les djinns et les hommes que pour qu'ils M'adorent.

57. Je ne cherche pas d'eux une subsistance ; et Je ne veux pas qu'ils me nourrissent.

58. En vérité, c'est Allāh qui est le Grand Pourvoyeur, Le Détenteur de la force, l'inébranlable.

59. Ceux qui ont été injustes auront une part [de tourments] pareille à celle de leurs compagnons[1]. Qu'ils ne soient pas trop pressés.

60. Malheur donc à ceux qui ont mécru à cause du jour dont ils sont menacés!

AṬ-ṬŪR[2]

sourate 52   49 versets   Pré-hégirien n°76

Au nom d'Allāh, le Tout Miséricordieux, le Très Miséricordieux.

1. Par Aṭ-Ṭūr!

2. Et par un Livre écrit

3. sur un parchemin déployé!

4. Et par la Maison peuplée[3]!

5. Et par la Voûte élevée!

6. Et par la Mer portée à ébullition! (au Jour dernier)

7. Le châtiment de ton Seigneur aura lieu inévitablement.

8. Nul ne pourra le repousser.

9. Le jour où le ciel sera agité d'un tourbillonnement,

10. et les montagnes se mettront en marche.

11. Ce jour-là, malheur à ceux qui traitent (les signes d'Allāh) de mensonges,

12. ceux qui s'ébattent dans des discours frivoles

13. le jour où ils seront brutalement poussés au feu de l'Enfer:

14. Voilà le feu que vous traitiez de mensonge.

---

1. *Leurs compagnons*: ceux qui les ont précédés dans l'injustice.
2. *Aṭ-Ṭūr*: le mont de Sinaï. Titre tiré du v. 1.
3. *La Maison peuplée*: une demeure céleste autour de laquelle circulent les Anges.

أَفَسِحْرٌ هَٰذَآ أَمْ أَنتُمْ لَا تُبْصِرُونَ ۝ ١٥ اصْلَوْهَا فَاصْبِرُوٓا۟

أَوْ لَا تَصْبِرُوا۟ سَوَآءٌ عَلَيْكُمْ إِنَّمَا تُجْزَوْنَ مَا كُنتُمْ تَعْمَلُونَ ۝ ١٦

إِنَّ ٱلْمُتَّقِينَ فِى جَنَّٰتٍ وَنَعِيمٍ ۝ ١٧ فَٰكِهِينَ بِمَآ ءَاتَىٰهُمْ رَبُّهُمْ

وَوَقَىٰهُمْ رَبُّهُمْ عَذَابَ ٱلْجَحِيمِ ۝ ١٨ كُلُوا۟ وَٱشْرَبُوا۟ هَنِيٓـًٔۢا بِمَا

كُنتُمْ تَعْمَلُونَ ۝ ١٩ مُتَّكِـِٔينَ عَلَىٰ سُرُرٍ مَّصْفُوفَةٍ وَزَوَّجْنَٰهُم

بِحُورٍ عِينٍ ۝ ٢٠ وَٱلَّذِينَ ءَامَنُوا۟ وَٱتَّبَعَتْهُمْ ذُرِّيَّتُهُم بِإِيمَٰنٍ أَلْحَقْنَا

بِهِمْ ذُرِّيَّتَهُمْ وَمَآ أَلَتْنَٰهُم مِّنْ عَمَلِهِم مِّن شَىْءٍ كُلُّ ٱمْرِئٍ بِمَا كَسَبَ

رَهِينٌ ۝ ٢١ وَأَمْدَدْنَٰهُم بِفَٰكِهَةٍ وَلَحْمٍ مِّمَّا يَشْتَهُونَ ۝ ٢٢ يَتَنَٰزَعُونَ

فِيهَا كَأْسًا لَّا لَغْوٌ فِيهَا وَلَا تَأْثِيمٌ ۝ ٢٣ وَيَطُوفُ عَلَيْهِمْ غِلْمَانٌ

لَّهُمْ كَأَنَّهُمْ لُؤْلُؤٌ مَّكْنُونٌ ۝ ٢٤ وَأَقْبَلَ بَعْضُهُمْ عَلَىٰ بَعْضٍ يَتَسَآءَلُونَ

۝ ٢٥ قَالُوٓا۟ إِنَّا كُنَّا قَبْلُ فِىٓ أَهْلِنَا مُشْفِقِينَ ۝ ٢٦ فَمَنَّ ٱللَّهُ

عَلَيْنَا وَوَقَىٰنَا عَذَابَ ٱلسَّمُومِ ۝ ٢٧ إِنَّا كُنَّا مِن قَبْلُ

نَدْعُوهُ إِنَّهُۥ هُوَ ٱلْبَرُّ ٱلرَّحِيمُ ۝ ٢٨ فَذَكِّرْ فَمَآ أَنتَ بِنِعْمَتِ

رَبِّكَ بِكَاهِنٍ وَلَا مَجْنُونٍ ۝ ٢٩ أَمْ يَقُولُونَ شَاعِرٌ نَّتَرَبَّصُ بِهِۦ رَيْبَ

ٱلْمَنُونِ ۝ ٣٠ قُلْ تَرَبَّصُوا۟ فَإِنِّى مَعَكُم مِّنَ ٱلْمُتَرَبِّصِينَ ۝ ٣١

ربع الحزب ٥٣

15. Est-ce que cela est de la magie? Ou bien ne voyez-vous pas clair?

16. Brûlez dedans Supportez ou ne supportez pas, ce sera égal pour vous: vous n'êtes rétribués que selon ce que vous faisiez.

17. Les pieux seront dans des Jardins et dans des délices,

18. se réjouissant de ce que leur Seigneur leur aura donné, et leur Seigneur les aura protégés du châtiment de la Fournaise.

19. «En récompense de ce que vous faisiez, mangez et buvez en toute sérénité,

20. accoudés sur des lits bien rangés», et Nous leur ferons épouser des houris aux grands yeux noirs,

21. Ceux qui auront cru et que leurs descendants auront suivis dans la foi, Nous ferons que leurs descendants les rejoignent. Et Nous ne diminuerons en rien le mérité de leurs œuvres, chacun étant tenu responsable de ce qu'il aura acquis.

22. Nous les pourvoirons abondamment des fruits et des viandes qu'ils désireront.

23. Là, ils se passeront les uns les autres une coupe qui ne provoquera ni vanité ni incrimination.

24. Et parmi eux circuleront des garçons à leur service, pareils à des perles bien conservées.

25. Et ils se tourneront les uns vers les autres s'interrogeant ;

26. ils diront: «Nous vivions au milieu des nôtres dans la crainte [d'Allāh] ;

27. Puis Allāh nous a favorisés et protégés du châtiment du Samūm¹.

28. Antérieurement, nous L'invoquions. C'est Lui certes, le Charitable, le Très Miséricordieux»,

29. Rappelle donc et par la grâce de ton Seigneur tu n'es ni un devin ni un possédé.

30. Ou bien ils disent: «C'est un poète! Attendons pour lui le coup de la mort».

31. Dis: «Attendez! Je suis avec vous parmi ceux qui attendent».

---

1. Samūm: le supplice du souffle de l'Enfer.

أَمْ تَأْمُرُهُمْ أَحْلَامُهُم بِهَٰذَآ أَمْ هُمْ قَوْمٌ طَاغُونَ ۝ أَمْ يَقُولُونَ تَقَوَّلَهُۥ بَل لَّا يُؤْمِنُونَ ۝ فَلْيَأْتُوا بِحَدِيثٍ مِّثْلِهِۦٓ إِن كَانُوا صَٰدِقِينَ ۝ أَمْ خُلِقُوا مِنْ غَيْرِ شَيْءٍ أَمْ هُمُ ٱلْخَٰلِقُونَ ۝ أَمْ خَلَقُوا ٱلسَّمَٰوَٰتِ وَٱلْأَرْضَ بَل لَّا يُوقِنُونَ ۝ أَمْ عِندَهُمْ خَزَآئِنُ رَبِّكَ أَمْ هُمُ ٱلْمُصَۣيْطِرُونَ ۝ أَمْ لَهُمْ سُلَّمٌ يَسْتَمِعُونَ فِيهِ فَلْيَأْتِ مُسْتَمِعُهُم بِسُلْطَٰنٍ مُّبِينٍ ۝ أَمْ لَهُ ٱلْبَنَٰتُ وَلَكُمُ ٱلْبَنُونَ ۝ أَمْ تَسْـَٔلُهُمْ أَجْرًا فَهُم مِّن مَّغْرَمٍ مُّثْقَلُونَ ۝ أَمْ عِندَهُمُ ٱلْغَيْبُ فَهُمْ يَكْتُبُونَ ۝ أَمْ يُرِيدُونَ كَيْدًا فَٱلَّذِينَ كَفَرُوا هُمُ ٱلْمَكِيدُونَ ۝ أَمْ لَهُمْ إِلَٰهٌ غَيْرُ ٱللَّهِ سُبْحَٰنَ ٱللَّهِ عَمَّا يُشْرِكُونَ ۝ وَإِن يَرَوْا كِسْفًا مِّنَ ٱلسَّمَآءِ سَاقِطًا يَقُولُوا سَحَابٌ مَّرْكُومٌ ۝ فَذَرْهُمْ حَتَّىٰ يُلَٰقُوا يَوْمَهُمُ ٱلَّذِي فِيهِ يُصْعَقُونَ ۝ يَوْمَ لَا يُغْنِي عَنْهُمْ كَيْدُهُمْ شَيْئًا وَلَا هُمْ يُنصَرُونَ ۝ وَإِنَّ لِلَّذِينَ ظَلَمُوا عَذَابًا دُونَ ذَٰلِكَ وَلَٰكِنَّ أَكْثَرَهُمْ لَا يَعْلَمُونَ ۝ وَٱصْبِرْ لِحُكْمِ رَبِّكَ فَإِنَّكَ بِأَعْيُنِنَا وَسَبِّحْ بِحَمْدِ رَبِّكَ حِينَ تَقُومُ ۝ وَمِنَ ٱلَّيْلِ فَسَبِّحْهُ وَإِدْبَٰرَ ٱلنُّجُومِ ۝

سُورَةُ ٱلنَّجْمِ

32. Est-ce leur raison qui leur commande cela? Ou sont-ils des gens outranciers?

33. Ou bien ils disent: «Il l'a inventé lui-même?» Non... mais ils ne croient pas.

34. Eh bien, qu'ils produisent un récit pareil à lui (le Qur'ān), s'ils sont véridiques.

35. Ont-ils été créés à partir de rien ou sont-ils eux les créateurs?

36. Ou ont-ils créé les cieux et la terre? Mais ils n'ont plutôt aucune conviction.

37. Possèdent-ils les trésors de ton Seigneur? Ou sont-ils eux les maîtres souverains?

38. Ont-ils une échelle d'où ils écoutent? Que celui des leurs qui reste à l'écoute apporte une preuve évidente[1]!

39. [Allāh] aurait-Il les filles, tandis que vous, les fils?

40. Ou leur demandes-tu un salaire, de sorte qu'ils soient grevés d'une lourde dette?

41. Ou bien détiennent-ils l'Inconnaissable pour le mentionner par écrit?

42. Ou cherchent-ils un stratagème? Mais ce sont ceux qui ont mécru qui sont victimes de leur propre stratagème.

43. Ou ont-ils une autre divinité à part Allāh? Qu'Allāh soit glorifié et purifié de tout ce qu'ils associent!

44. Et s'ils voient tomber des fragments du ciel, ils disent: «Ce sont des nuages superposés».

45. Laisse-les donc, jusqu'à ce qu'ils rencontrent leur jour où ils seront foudroyés,

46. le jour où leur ruse ne leur servira à rien, où ils ne seront pas secourus.

47. Les injustes auront un châtiment préalable. Mais la plupart d'entre eux ne savent pas.

48. Et supporte patiemment la décision de ton Seigneur. Car en vérité, tu es sous Nos yeux. Et célèbre la gloire de ton Seigneur quand tu te lèves ;

49. Glorifie-Le une partie de la nuit et au déclin des étoiles.

---

1. *D'où ils écoutent*: ce qui se dit au ciel.

بِسْمِ اللَّهِ الرَّحْمَٰنِ الرَّحِيمِ

وَالنَّجْمِ إِذَا هَوَىٰ ۝ مَا ضَلَّ صَاحِبُكُمْ وَمَا غَوَىٰ ۝ وَمَا يَنطِقُ ۝

عَنِ الْهَوَىٰ ۝ إِنْ هُوَ إِلَّا وَحْيٌ يُوحَىٰ ۝ عَلَّمَهُ شَدِيدُ الْقُوَىٰ ۝

ذُو مِرَّةٍ فَاسْتَوَىٰ ۝ وَهُوَ بِالْأُفُقِ الْأَعْلَىٰ ۝ ثُمَّ دَنَا فَتَدَلَّىٰ ۝

فَكَانَ قَابَ قَوْسَيْنِ أَوْ أَدْنَىٰ ۝ فَأَوْحَىٰ إِلَىٰ عَبْدِهِ مَا أَوْحَىٰ ۝

مَا كَذَبَ الْفُؤَادُ مَا رَأَىٰ ۝ أَفَتُمَارُونَهُ عَلَىٰ مَا يَرَىٰ ۝ وَلَقَدْ رَآهُ

نَزْلَةً أُخْرَىٰ ۝ عِندَ سِدْرَةِ الْمُنْتَهَىٰ ۝ عِندَهَا جَنَّةُ الْمَأْوَىٰ ۝

إِذْ يَغْشَى السِّدْرَةَ مَا يَغْشَىٰ ۝ مَا زَاغَ الْبَصَرُ وَمَا طَغَىٰ ۝ لَقَدْ رَأَىٰ

مِنْ آيَاتِ رَبِّهِ الْكُبْرَىٰ ۝ أَفَرَأَيْتُمُ اللَّاتَ وَالْعُزَّىٰ ۝ وَمَنَاةَ

الثَّالِثَةَ الْأُخْرَىٰ ۝ أَلَكُمُ الذَّكَرُ وَلَهُ الْأُنثَىٰ ۝ تِلْكَ إِذًا قِسْمَةٌ

ضِيزَىٰ ۝ إِنْ هِيَ إِلَّا أَسْمَاءٌ سَمَّيْتُمُوهَا أَنتُمْ وَآبَاؤُكُم مَّا أَنزَلَ

اللَّهُ بِهَا مِن سُلْطَانٍ إِن يَتَّبِعُونَ إِلَّا الظَّنَّ وَمَا تَهْوَى الْأَنفُسُ

وَلَقَدْ جَاءَهُم مِّن رَّبِّهِمُ الْهُدَىٰ ۝ أَمْ لِلْإِنسَانِ مَا تَمَنَّىٰ ۝ فَلِلَّهِ

الْآخِرَةُ وَالْأُولَىٰ ۝ ۞ وَكَم مِّن مَّلَكٍ فِي السَّمَاوَاتِ لَا تُغْنِي

شَفَاعَتُهُمْ شَيْئًا إِلَّا مِن بَعْدِ أَن يَأْذَنَ اللَّهُ لِمَن يَشَاءُ وَيَرْضَىٰ ۝

AN-NAJM (L'ÉTOILE)[1]
sourate 53   62 versets   Pré-hégirien n°23

Au nom d'Allāh, le Tout Miséricordieux, le Très Miséricordieux.

1. Par l'étoile à son déclin!

2. Votre compagnon ne s'est pas égaré et n'a pas été induit en erreur[2]

3. et il ne prononce rien sous l'effet de la passion ;

4. ce n'est rien d'autre qu'une révélation inspirée.

5. Que lui a enseigné [l'Ange Gabriel] à la force prodigieuse,

6. doué de sagacité ; c'est alors qu'il se montra sous sa forme réelle [angélique],

7. alors qu'Il se trouvait à l'horizon supérieur.

8. Puis il se rapprocha et descendit encore plus bas,

9. et fut à deux portées d'arc, ou plus près encore.

10. Il révéla à Son serviteur ce qu'Il révéla.

11. Le cœur n'a pas menti en ce qu'il a vu.

12. Lui contestez-vous donc ce qu'il voit?

13. Il l'a pourtant vu, lors d'une autre descente,

14. près de la Sidrat-ul-Muntahā[3],

15. près d'elle se trouve le jardin de Ma'wā[4]:

16. au moment où le lotus était couvert de ce qui le couvrait.

17. La vue n'a nullement dévié ni outrepassé la mesure.

18. Il a bien vu certaines des grandes merveilles de son Seigneur.

19. Que vous en semble [des divinités], Lāt et ʿUzzā,

20. ainsi que Manāt, cette troisième autre?[5]

21. Sera-ce à vous le garçon et à Lui la fille?

22. Que voilà donc un partage injuste!

23. Ce ne sont que des noms que vous avez inventés, vous et vos ancêtres. Allāh n'a fait descendre aucune preuve à leur sujet. Ils ne suivent que la conjecture et les passions de [leurs] âmes, alors que la guidée leur est venue de leur Seigneur.

24. Ou bien l'homme aura-t-il tout ce qu'il désire?

25. À Allāh appartiennent la vie future et la vie d'ici-bas.

26. Et que d'Anges dans les cieux dont l'intercession ne sert à rien, sinon qu'après qu'Allāh l'aura permis, en faveur de qui Il veut et qu'Il agrée.

---

1. Titre tiré du v. 1.
2. *Votre compagnon*: Muhammad (ﷺ). Les 18 premiers versets de cette Sourate parlent du «Miʿrāj» [l'Ascension].
3. *Sidrat -ul-Muntahā*: le lotus de la limite, un arbre au septième ciel que l'Ange Gabriel ne pouvait dépasser; ce fut lors de l'Ascension du Prophète.
4. *Le jardin de Ma'wā*: l'asile paradisiaque.
5. *Al-Lāt* était adorée à Ṭā'if ;
Al-Uzzā: à Nakhla, entre la Mecque et Ṭā'if
la Mer Rouge.
Ces fétiches étaient vénérés aussi dans la Kaʿba. Toutes les trois étaient des idoles.

إِنَّ ٱلَّذِينَ لَا يُؤْمِنُونَ بِٱلْأَخِرَةِ لَيُسَمُّونَ ٱلْمَلَـٰٓئِكَةَ تَسْمِيَةَ ٱلْأُنثَىٰ ﴿٢٧﴾ وَمَا لَهُم بِهِۦ مِنْ عِلْمٍ إِن يَتَّبِعُونَ إِلَّا ٱلظَّنَّ وَإِنَّ ٱلظَّنَّ لَا يُغْنِى مِنَ ٱلْحَقِّ شَيْـًٔا ﴿٢٨﴾ فَأَعْرِضْ عَن مَّن تَوَلَّىٰ عَن ذِكْرِنَا وَلَمْ يُرِدْ إِلَّا ٱلْحَيَوٰةَ ٱلدُّنْيَا ﴿٢٩﴾ ذَٰلِكَ مَبْلَغُهُم مِّنَ ٱلْعِلْمِ إِنَّ رَبَّكَ هُوَ أَعْلَمُ بِمَن ضَلَّ عَن سَبِيلِهِۦ وَهُوَ أَعْلَمُ بِمَنِ ٱهْتَدَىٰ ﴿٣٠﴾ وَلِلَّهِ مَا فِى ٱلسَّمَـٰوَٰتِ وَمَا فِى ٱلْأَرْضِ لِيَجْزِىَ ٱلَّذِينَ أَسَـٰٓـُٔوا۟ بِمَا عَمِلُوا۟ وَيَجْزِىَ ٱلَّذِينَ أَحْسَنُوا۟ بِٱلْحُسْنَى ﴿٣١﴾ ٱلَّذِينَ يَجْتَنِبُونَ كَبَـٰٓئِرَ ٱلْإِثْمِ وَٱلْفَوَٰحِشَ إِلَّا ٱللَّمَمَ إِنَّ رَبَّكَ وَٰسِعُ ٱلْمَغْفِرَةِ هُوَ أَعْلَمُ بِكُمْ إِذْ أَنشَأَكُم مِّنَ ٱلْأَرْضِ وَإِذْ أَنتُمْ أَجِنَّةٌ فِى بُطُونِ أُمَّهَـٰتِكُمْ فَلَا تُزَكُّوٓا۟ أَنفُسَكُمْ هُوَ أَعْلَمُ بِمَنِ ٱتَّقَىٰٓ ﴿٣٢﴾ أَفَرَءَيْتَ ٱلَّذِى تَوَلَّىٰ ﴿٣٣﴾ وَأَعْطَىٰ قَلِيلًا وَأَكْدَىٰٓ ﴿٣٤﴾ أَعِندَهُۥ عِلْمُ ٱلْغَيْبِ فَهُوَ يَرَىٰٓ ﴿٣٥﴾ أَمْ لَمْ يُنَبَّأْ بِمَا فِى صُحُفِ مُوسَىٰ ﴿٣٦﴾ وَإِبْرَٰهِيمَ ٱلَّذِى وَفَّىٰٓ ﴿٣٧﴾ أَلَّا تَزِرُ وَازِرَةٌ وِزْرَ أُخْرَىٰ ﴿٣٨﴾ وَأَن لَّيْسَ لِلْإِنسَـٰنِ إِلَّا مَا سَعَىٰ ﴿٣٩﴾ وَأَنَّ سَعْيَهُۥ سَوْفَ يُرَىٰ ﴿٤٠﴾ ثُمَّ يُجْزَىٰهُ ٱلْجَزَآءَ ٱلْأَوْفَىٰ ﴿٤١﴾ وَأَنَّ إِلَىٰ رَبِّكَ ٱلْمُنتَهَىٰ ﴿٤٢﴾ وَأَنَّهُۥ هُوَ أَضْحَكَ وَأَبْكَىٰ ﴿٤٣﴾ وَأَنَّهُۥ هُوَ أَمَاتَ وَأَحْيَا ﴿٤٤﴾

27. Ceux qui ne croient pas en l'au-delà donnent aux Anges des noms de femmes,

28. alors qu'ils n'en ont aucune science: ils ne suivent que la conjecture, alors que la conjecture ne sert à rien contre la vérité.

29. Ecarte-toi donc, de celui qui tourne le dos à Notre rappel et qui ne désire que la vie présente.

30. Voilà toute la portée de leur savoir. Certes ton Seigneur connaît parfaitement celui qui s'égare de Son chemin et Il connaît parfaitement qui est bien guidé.

31. À Allāh appartient ce qui est dans les cieux et sur la terre afin qu'Il rétribue ceux qui font le mal selon ce qu'ils œuvrent, et récompense ceux qui font le bien par la meilleure [récompense],

32. ceux qui évitent les plus grands péchés ainsi que les turpitudes et [qui ne commettent] que des fautes légères. Certes, le pardon de Ton Seigneur est immense. C'est Lui qui vous connaît le mieux quand Il vous a produit de terre, et aussi quand vous étiez des embryons dans les ventres de vos mères. Ne vantez pas vous-mêmes votre pureté; c'est Lui qui connaît mieux ceux qui [Le] craignent.

33. Vois-tu celui qui s'est détourné,

34. donné peu et a [finalement] cessé de donner?

35. Détient-il la science de l'Inconnaissable en sorte qu'il voit?

36. Ne lui a-t-on pas annoncé ce qu'il y avait dans les feuilles de Moïse

37. et celles d'Abraham qui a tenu parfaitement [sa promesse de transmettre]

38. qu'aucune [âme] ne portera le fardeau (le péché) d'autrui,

39. et qu'en vérité, l'homme n'obtient que [le fruit] de ses efforts ;

40. et que son effort, en vérité, lui sera présenté (le jour du Jugement).

41. Ensuite il en sera récompensé pleinement,

42. et que tout aboutit, en vérité, vers ton Seigneur,

43. et que c'est Lui qui a fait rire et qui a fait pleurer,

44. et que c'est Lui qui a fait mourir et qui a ramené à la vie,

وَأَنَّهُ خَلَقَ الزَّوْجَيْنِ الذَّكَرَ وَالْأُنثَىٰ ٤٥ مِن نُّطْفَةٍ إِذَا تُمْنَىٰ ٤٦ وَأَنَّ

عَلَيْهِ النَّشْأَةَ الْأُخْرَىٰ ٤٧ وَأَنَّهُ هُوَ أَغْنَىٰ وَأَقْنَىٰ ٤٨ وَأَنَّهُ هُوَ رَبُّ

الشِّعْرَىٰ ٤٩ وَأَنَّهُ أَهْلَكَ عَادًا الْأُولَىٰ ٥٠ وَثَمُودَا فَمَا أَبْقَىٰ ٥١

وَقَوْمَ نُوحٍ مِّن قَبْلُ إِنَّهُمْ كَانُوا هُمْ أَظْلَمَ وَأَطْغَىٰ ٥٢ وَالْمُؤْتَفِكَةَ

أَهْوَىٰ ٥٣ فَغَشَّاهَا مَا غَشَّىٰ ٥٤ فَبِأَيِّ آلَاءِ رَبِّكَ تَتَمَارَىٰ ٥٥

هَٰذَا نَذِيرٌ مِّنَ النُّذُرِ الْأُولَىٰ ٥٦ أَزِفَتِ الْآزِفَةُ ٥٧ لَيْسَ لَهَا مِن

دُونِ اللَّهِ كَاشِفَةٌ ٥٨ أَفَمِنْ هَٰذَا الْحَدِيثِ تَعْجَبُونَ ٥٩ وَتَضْحَكُونَ

وَلَا تَبْكُونَ ٦٠ وَأَنتُمْ سَامِدُونَ ٦١ فَاسْجُدُوا لِلَّهِ وَاعْبُدُوا ۩ ٦٢

سجدة

سُورَةُ الْقَمَرِ

بِسْمِ اللَّهِ الرَّحْمَٰنِ الرَّحِيمِ

اقْتَرَبَتِ السَّاعَةُ وَانشَقَّ الْقَمَرُ ١ وَإِن يَرَوْا آيَةً يُعْرِضُوا

وَيَقُولُوا سِحْرٌ مُّسْتَمِرٌّ ٢ وَكَذَّبُوا وَاتَّبَعُوا أَهْوَاءَهُمْ

وَكُلُّ أَمْرٍ مُّسْتَقِرٌّ ٣ وَلَقَدْ جَاءَهُم مِّنَ الْأَنبَاءِ

مَا فِيهِ مُزْدَجَرٌ ٤ حِكْمَةٌ بَالِغَةٌ فَمَا تُغْنِ النُّذُرُ

فَتَوَلَّ عَنْهُمْ يَوْمَ يَدْعُ الدَّاعِ إِلَىٰ شَيْءٍ نُّكُرٍ ٦

45. et que c'est Lui qui a crée les deux éléments de couple, le mâle et la femelle,

46. d'une goutte de sperme quand elle est éjaculée

47. et que la seconde création Lui incombe,

48. et c'est Lui qui a enrichi et qui a fait acquérir.

49. Et c'est Lui qui est le Seigneur de Sirius[1],

50. et c'est Lui qui a fait périr les anciens ʿĀd,

51. ainsi que les Ṯamūd, et Il fit que rien n'en subsistât,

52. ainsi que le peuple de Noé antérieurement, car ils étaient encore plus injustes et plus violents,

53. de même qu'Il anéantit les villes renversées[2].

54. Et les recouvrit de ce dont Il les recouvrit.

55. Lequel donc des bienfaits de ton Seigneur mets-tu en doute?

56. Voici un avertisseur analogue aux avertisseurs anciens:

57. l'Imminente (L'heure du Jugement) s'approche.

58. Rien d'autre en dehors d'Allāh ne peut la dévoiler.

59. Quoi! Vous étonnez-vous de ce discours (le Qur'ān)?

60. Et vous [en] riez et n'[en] pleurez point?

61. absorbés [que vous êtes] par votre distraction.

62. Prosternez-vous donc à Allāh et adorez-Le[3].

AL-QAMAR (LA LUNE)[4]
sourate 54   55 versets   Pré-hégirien n°37

Au nom d'Allāh, le Tout Miséricordieux, le Très Miséricordieux.

1. L'Heure approche et la lune s'est fendue.

2. Et s'ils voient un prodige, ils s'en détournent et disent: «Une magie persistante».

3. Et ils [le] traitent de mensonge et suivent leurs propres impulsions, or chaque chose arrivera à son terme [et son but].

4. Ils ont pourtant reçu comme nouvelles de quoi les empêcher (du mal) ;

5. [Cela est] une sagesse parfaite. Mais les avertissements ne [leur] servent à rien.

6. Détourne-toi d'eux. Le jour où l'appeleur appellera vers une chose affreuse,

---

1. Astre adoré par la tribu de Ḥuzâ'a.
2. *Les villes renversées*: les villes du peuple de Lot.
3. À la fin de ce verset, il est recommandé de se prosterner
4. Titre tiré du v. 1.

خُشَّعًا أَبْصَـٰرُهُمْ يَخْرُجُونَ مِنَ ٱلْأَجْدَاثِ كَأَنَّهُمْ جَرَادٌ مُّنتَشِرٌ ۞

مُّهْطِعِينَ إِلَى ٱلدَّاعِ يَقُولُ ٱلْكَـٰفِرُونَ هَـٰذَا يَوْمٌ عَسِرٌ ۞ كَذَّبَتْ

قَبْلَهُمْ قَوْمُ نُوحٍ فَكَذَّبُوا عَبْدَنَا وَقَالُوا مَجْنُونٌ وَٱزْدُجِرَ ۞ فَدَعَا

رَبَّهُۥٓ أَنِّى مَغْلُوبٌ فَٱنتَصِرْ ۞ فَفَتَحْنَآ أَبْوَٰبَ ٱلسَّمَآءِ بِمَآءٍ مُّنْهَمِرٍ ۞

وَفَجَّرْنَا ٱلْأَرْضَ عُيُونًا فَٱلْتَقَى ٱلْمَآءُ عَلَىٰٓ أَمْرٍ قَدْ قُدِرَ ۞

وَحَمَلْنَـٰهُ عَلَىٰ ذَاتِ أَلْوَٰحٍ وَدُسُرٍ ۞ تَجْرِى بِأَعْيُنِنَا جَزَآءً لِّمَن كَانَ

كُفِرَ ۞ وَلَقَد تَّرَكْنَـٰهَآ ءَايَةً فَهَلْ مِن مُّدَّكِرٍ ۞ فَكَيْفَ كَانَ

عَذَابِى وَنُذُرِ ۞ وَلَقَدْ يَسَّرْنَا ٱلْقُرْءَانَ لِلذِّكْرِ فَهَلْ مِن مُّدَّكِرٍ

۞ كَذَّبَتْ عَادٌ فَكَيْفَ كَانَ عَذَابِى وَنُذُرِ ۞ إِنَّآ أَرْسَلْنَا عَلَيْهِمْ

رِيحًا صَرْصَرًا فِى يَوْمِ نَحْسٍ مُّسْتَمِرٍّ ۞ تَنزِعُ ٱلنَّاسَ كَأَنَّهُمْ أَعْجَازُ

نَخْلٍ مُّنقَعِرٍ ۞ فَكَيْفَ كَانَ عَذَابِى وَنُذُرِ ۞ وَلَقَدْ يَسَّرْنَا ٱلْقُرْءَانَ

لِلذِّكْرِ فَهَلْ مِن مُّدَّكِرٍ ۞ كَذَّبَتْ ثَمُودُ بِٱلنُّذُرِ ۞ فَقَالُوٓا أَبَشَرًا

مِّنَّا وَٰحِدًا نَّتَّبِعُهُۥٓ إِنَّآ إِذًا لَّفِى ضَلَـٰلٍ وَسُعُرٍ ۞ أَءُلْقِىَ ٱلذِّكْرُ عَلَيْهِ

مِنۢ بَيْنِنَا بَلْ هُوَ كَذَّابٌ أَشِرٌ ۞ سَيَعْلَمُونَ غَدًا مَّنِ ٱلْكَذَّابُ

ٱلْأَشِرُ ۞ إِنَّا مُرْسِلُوا ٱلنَّاقَةِ فِتْنَةً لَّهُمْ فَٱرْتَقِبْهُمْ وَٱصْطَبِرْ ۞

7. les regards baissés, ils sortiront des tombes comme des sauterelles éparpillées,

8. courant, le cou tendu, vers l'appeleur. Les mécréants diront: «Voilà un jour difficile».

9. Avant eux, le peuple de Noé avait crié au mensonge. Ils traitèrent Notre serviteur de menteur et dirent: «C'est un possédé!» et il fut repoussé.

10. Il invoqua donc son Seigneur: «Moi, je suis vaincu. Fais triompher (Ta cause)».

11. Nous ouvrîmes alors les portes du ciel à une eau torrentielle,

12. et fîmes jaillir la terre en sources. Les eaux se rencontrèrent d'après un ordre qui était déjà décrété dans une chose [faite].

13. Et Nous le portâmes sur un objet [fait] de planches et de clous [l'arche],

14. voguant sous Nos yeux: récompense pour celui qu'on avait renié [Noé].

15. Et Nous la laissâmes, comme un signe [d'avertissement]. Y a-t-il quelqu'un pour réfléchir?

16. Comment furent Mon châtiment et Mes avertissements?

17. En effet, Nous avons rendu le Qur'ān facile pour la méditation[1]. Y a-t-il quelqu'un pour réfléchir?

18. Les ʿĀd ont traité de menteur (leur Messager). Comment furent Mon châtiment et Mes avertissements?

19. Nous avons envoyé contre eux un vent violent et glacial, en un jour néfaste et interminable ;

20. il arrachait les gens comme des souches de palmiers déracinés.

21. Comment furent Mon châtiment et Mes avertissements?

22. En effet, Nous avons rendu le Qur'ān facile pour la méditation. Y a-t-il quelqu'un pour réfléchir?

23. Les Ṯamūd ont traité de mensonges les avertissements.

24. Ils dirent: «Allons-nous suivre un seul homme (Ṣāliḥ) d'entre nous-mêmes? Nous serions alors dans l'égarement et la folie.

25. Est-ce que le message a été envoyé à lui à l'exception de nous tous? C'est plutôt un grand menteur, plein de prétention et d'orgueil».

26. Demain, ils sauront qui est le grand menteur plein de prétention et d'orgueil.

27. Nous leur enverrons la chamelle, comme épreuve[2]. Surveille-les donc et sois patient.

---

1. *La méditation*: (autres sens) pour la récitation, ou la compréhension ou l'exhortation, ou pour l'apprendre par cœur.
2. *Sur cette chamelle*: voir S. 7, v. 73 et la note.

وَنَبِّئْهُمْ أَنَّ ٱلْمَاءَ قِسْمَةٌ بَيْنَهُمْ كُلُّ شِرْبٍ مُّحْتَضَرٌ ۝ فَنَادَوْاْ صَاحِبَهُمْ

فَتَعَاطَىٰ فَعَقَرَ ۝ فَكَيْفَ كَانَ عَذَابِى وَنُذُرِ ۝ إِنَّا أَرْسَلْنَا عَلَيْهِمْ

صَيْحَةً وَٰحِدَةً فَكَانُواْ كَهَشِيمِ ٱلْمُحْتَظِرِ ۝ وَلَقَدْ يَسَّرْنَا ٱلْقُرْءَانَ

لِلذِّكْرِ فَهَلْ مِن مُّدَّكِرٍ ۝ كَذَّبَتْ قَوْمُ لُوطٍ بِٱلنُّذُرِ ۝ إِنَّا أَرْسَلْنَا

عَلَيْهِمْ حَاصِبًا إِلَّا ءَالَ لُوطٍ نَّجَّيْنَٰهُم بِسَحَرٍ ۝ نِّعْمَةً مِّنْ عِندِنَا

كَذَٰلِكَ نَجْزِى مَن شَكَرَ ۝ وَلَقَدْ أَنذَرَهُم بَطْشَتَنَا فَتَمَارَوْاْ

بِٱلنُّذُرِ ۝ وَلَقَدْ رَٰوَدُوهُ عَن ضَيْفِهِۦ فَطَمَسْنَا أَعْيُنَهُمْ فَذُوقُواْ

عَذَابِى وَنُذُرِ ۝ وَلَقَدْ صَبَّحَهُم بُكْرَةً عَذَابٌ مُّسْتَقِرٌّ ۝

فَذُوقُواْ عَذَابِى وَنُذُرِ ۝ وَلَقَدْ يَسَّرْنَا ٱلْقُرْءَانَ لِلذِّكْرِ فَهَلْ مِن مُّدَّكِرٍ

۝ وَلَقَدْ جَاءَ ءَالَ فِرْعَوْنَ ٱلنُّذُرُ ۝ كَذَّبُواْ بِـَٔايَٰتِنَا كُلِّهَا فَأَخَذْنَٰهُمْ

أَخْذَ عَزِيزٍ مُّقْتَدِرٍ ۝ أَكُفَّارُكُمْ خَيْرٌ مِّنْ أُوْلَٰئِكُمْ أَمْ لَكُم بَرَآءَةٌ

فِى ٱلزُّبُرِ ۝ أَمْ يَقُولُونَ نَحْنُ جَمِيعٌ مُّنتَصِرٌ ۝ سَيُهْزَمُ ٱلْجَمْعُ

وَيُوَلُّونَ ٱلدُّبُرَ ۝ بَلِ ٱلسَّاعَةُ مَوْعِدُهُمْ وَٱلسَّاعَةُ أَدْهَىٰ وَأَمَرُّ

۝ إِنَّ ٱلْمُجْرِمِينَ فِى ضَلَٰلٍ وَسُعُرٍ ۝ يَوْمَ يُسْحَبُونَ فِى ٱلنَّارِ

عَلَىٰ وُجُوهِهِمْ ذُوقُواْ مَسَّ سَقَرَ ۝ إِنَّا كُلَّ شَىْءٍ خَلَقْنَٰهُ بِقَدَرٍ ۝

28. Et informe-les que l'eau sera en partage entre eux [et la chamelle] ; chacun boira à son tour.

29. Puis ils appelèrent leur camarade qui prit [son épée] et [la] tua.

30. Comment furent donc Mon châtiment et Mes avertissements?

31. Nous lâchâmes sur eux un seul Cri, et voilà qu'ils furent réduits à l'état de paille d'étable.

32. Et vraiment, Nous avons rendu le Qur'ān facile pour la méditation. Y a-t-il quelqu'un pour réfléchir?

33. Le peuple de Lot traita de mensonges les avertissements.

34. Nous lâchâmes sur eux un ouragan, excepté la famille de Lot que Nous sauvâmes avant l'aube,

35. à titre de bienfait de Notre part: ainsi récompensons-Nous celui qui est reconnaissant.

36. Il les avait pourtant avertis de Nos représailles. Mais ils mirent les avertissements en doute.

37. En effet, ils voulaient séduire ses hôtes. Nous aveuglâmes leurs yeux. «Goûtez donc Mon châtiment et Mes avertissements».

38. En effet, au petit matin, un châtiment persistant les surprit.

39. Goûtez donc Mon châtiment et Mes avertissements.

40. Et vraiment, Nous avons rendu le Qur'ān facile pour la méditation. Y a-t-il quelqu'un pour réfléchir?

41. Les avertissements vinrent certes, aux gens de Pharaon.

42. Ils traitèrent de mensonges tous Nos prodiges. Nous les saisîmes donc, de la saisie d'un Puissant Omnipotent.

43. Vos mécréants[1] sont-ils meilleurs que ceux-là?[2] Ou bien y a-t-il dans les Ecritures une immunité pour vous?

44. Ou bien ils disent: «Nous formons un groupe [fort] et nous vaincrons».

45. Leur rassemblement sera bientôt mis en déroute, et ils fuiront,

46. L'Heure, plutôt, sera leur rendez-vous, et l'Heure sera plus terrible et plus amère.

47. Les criminels sont certes, dans l'égarement et la folie.

48. Le jour où on les traînera dans le Feu sur leurs visages, (on leur dira): «Goûtez au contact de Sakar [la chaleur brûlante de l'Enfer].»

49. Nous avons créé toute chose avec mesure,

---

1. *Vos mécréants*: à vous, habitants de la Mecque.
2. *Ceux-là*: les mécréants des peuples passés.

وَمَآ أَمْرُنَآ إِلَّا وَ حِدَةٌ كَلَمْحٍ بِٱلْبَصَرِ ۝ وَلَقَدْ أَهْلَكْنَآ ۝

أَشْيَاعَكُمْ فَهَلْ مِن مُّدَّكِرٍ ۝ وَكُلُّ شَىْءٍ فَعَلُوهُ ۝

فِى ٱلزُّبُرِ ۝ وَكُلُّ صَغِيرٍ وَكَبِيرٍ مُّسْتَطَرٌ ۝ إِنَّ ٱلْمُتَّقِينَ ۝

فِى جَنَّتٍ وَنَهَرٍ ۝ فِى مَقْعَدِ صِدْقٍ عِندَ مَلِيكٍ مُّقْتَدِرٍۭ ۝

سُورَةُ الرَّحْمٰن

بِسْمِ ٱللَّهِ ٱلرَّحْمَٰنِ ٱلرَّحِيمِ

ٱلرَّحْمَٰنُ ۝ عَلَّمَ ٱلْقُرْءَانَ ۝ خَلَقَ ٱلْإِنسَٰنَ ۝

عَلَّمَهُ ٱلْبَيَانَ ۝ ٱلشَّمْسُ وَٱلْقَمَرُ بِحُسْبَانٍ ۝ وَٱلنَّجْمُ

وَٱلشَّجَرُ يَسْجُدَانِ ۝ وَٱلسَّمَآءَ رَفَعَهَا وَوَضَعَ ٱلْمِيزَانَ

۝ أَلَّا تَطْغَوْاْ فِى ٱلْمِيزَانِ ۝ وَأَقِيمُواْ ٱلْوَزْنَ بِٱلْقِسْطِ

وَلَا تُخْسِرُواْ ٱلْمِيزَانَ ۝ وَٱلْأَرْضَ وَضَعَهَا لِلْأَنَامِ ۝

فِيهَا فَٰكِهَةٌ وَٱلنَّخْلُ ذَاتُ ٱلْأَكْمَامِ ۝ وَٱلْحَبُّ ذُو ٱلْعَصْفِ

وَٱلرَّيْحَانُ ۝ فَبِأَىِّ ءَالَآءِ رَبِّكُمَا تُكَذِّبَانِ ۝ خَلَقَ

ٱلْإِنسَٰنَ مِن صَلْصَٰلٍ كَٱلْفَخَّارِ ۝ وَخَلَقَ ٱلْجَآنَّ

مِن مَّارِجٍ مِّن نَّارٍ ۝ فَبِأَىِّ ءَالَآءِ رَبِّكُمَا تُكَذِّبَانِ ۝

50. et Notre ordre est une seule [parole] ; [il est prompt] comme un clin d'œil.

51. En effet, nous avons fait périr des peuples semblables à vous. Y a-t-il quelqu'un pour s'en souvenir?

52. Et tout ce qu'ils ont fait est mentionné dans les registres,

53. et tout fait, petit et grand, est consigné.

54. Les pieux seront dans des Jardins et parmi des ruisseaux,

55. dans un séjour de vérité, auprès d'un Souverain Omnipotent.

AR-RAḤMĀN (LE TOUT MISÉRICORDIEUX)[1]

sourate 55   78 versets   Post-hégirien n°97

Au nom d'Allāh, le Tout Miséricordieux, le Très Miséricordieux.

1. Le Tout Miséricordieux.

2. Il a enseigné le Qur'ān.

3. Il a créé l'homme.

4. Il lui a appris à s'exprimer clairement.

5. Le soleil et la lune [évoluent] selon un calcul [minutieux].

6. Et l'herbe et les arbres se prosternent[2].

7. Et quant au ciel, Il l'a élevé bien haut. Et Il a établi la balance,

8. afin que vous ne transgressiez pas dans la pesée:

9. Donnez [toujours] le poids exact et ne faussez pas la pesée.

10. Quant à la terre, Il l'a étendue pour les êtres vivants:

11. il s'y trouve des fruits, et aussi les palmiers aux fruits recouverts d'enveloppes,

12. tout comme les grains dans leurs balles, et les plantes aromatiques.

13. Lequel donc des bienfaits de votre[3] Seigneur nierez-vous?

14. Il a créé l'homme d'argile sonnante comme la poterie ;

15. et il a créé les djinns de la flamme d'un feu sans fumée.

16. Lequel donc des bienfaits de votre Seigneur nierez-vous?

---

1. Titre tiré du v. 1.
2. *Se prosternent*: obéissent aux commandements d'Allāh.
3. *De votre Seigneur*: votre concerne l'homme et le djinn, comme le suggèrent les v. 14, 15, 31 et 39 infra.

رَبُّ الْمَشْرِقَيْنِ وَرَبُّ الْمَغْرِبَيْنِ ۝ فَبِأَيِّ ءَالَآءِ رَبِّكُمَا تُكَذِّبَانِ ۝

مَرَجَ الْبَحْرَيْنِ يَلْتَقِيَانِ ۝ بَيْنَهُمَا بَرْزَخٌ لَّا يَبْغِيَانِ ۝ فَبِأَيِّ ءَالَآءِ

رَبِّكُمَا تُكَذِّبَانِ ۝ يَخْرُجُ مِنْهُمَا اللُّؤْلُؤُ وَالْمَرْجَانُ ۝ فَبِأَيِّ

ءَالَآءِ رَبِّكُمَا تُكَذِّبَانِ ۝ وَلَهُ الْجَوَارِ الْمُنشَئَاتُ فِي الْبَحْرِ كَالْأَعْلَامِ

۝ فَبِأَيِّ ءَالَآءِ رَبِّكُمَا تُكَذِّبَانِ ۝ كُلُّ مَنْ عَلَيْهَا فَانٍ ۝ وَيَبْقَىٰ

وَجْهُ رَبِّكَ ذُو الْجَلَالِ وَالْإِكْرَامِ ۝ فَبِأَيِّ ءَالَآءِ رَبِّكُمَا تُكَذِّبَانِ

يَسْئَلُهُ مَن فِي السَّمَوَاتِ وَالْأَرْضِ كُلَّ يَوْمٍ هُوَ فِي شَأْنٍ ۝ فَبِأَيِّ

ءَالَآءِ رَبِّكُمَا تُكَذِّبَانِ ۝ سَنَفْرُغُ لَكُمْ أَيُّهَ الثَّقَلَانِ ۝ فَبِأَيِّ

ءَالَآءِ رَبِّكُمَا تُكَذِّبَانِ ۝ يَمَعْشَرَ الْجِنِّ وَالْإِنسِ إِنِ اسْتَطَعْتُمْ

أَن تَنفُذُوا مِنْ أَقْطَارِ السَّمَوَاتِ وَالْأَرْضِ فَانفُذُوا لَا تَنفُذُونَ

إِلَّا بِسُلْطَانٍ ۝ فَبِأَيِّ ءَالَآءِ رَبِّكُمَا تُكَذِّبَانِ ۝ يُرْسَلُ عَلَيْكُمَا

شُوَاظٌ مِّن نَّارٍ وَنُحَاسٌ فَلَا تَنتَصِرَانِ ۝ فَبِأَيِّ ءَالَآءِ رَبِّكُمَا

تُكَذِّبَانِ ۝ فَإِذَا انشَقَّتِ السَّمَآءُ فَكَانَتْ وَرْدَةً كَالدِّهَانِ

۝ فَبِأَيِّ ءَالَآءِ رَبِّكُمَا تُكَذِّبَانِ ۝ فَيَوْمَئِذٍ لَّا يُسْئَلُ عَن ذَنبِهِ

إِنسٌ وَلَا جَآنٌّ ۝ فَبِأَيِّ ءَالَآءِ رَبِّكُمَا تُكَذِّبَانِ ۝

17. Seigneur des deux Levants et Seigneur des deux Couchants![1]

18. Lequel donc des bienfaits de votre Seigneur nierez-vous?

19. Il a donné libre cours aux deux mers pour se rencontrer[2].

20. Il y a entre elles une barrière qu'elles ne dépassent pas[3].

21. Lequel donc des bienfaits de votre Seigneur nierez-vous?

22. De ces deux [mers] sortent la perle et le corail.

23. Lequel donc des bienfaits de votre Seigneur nierez-vous?

24. À Lui appartiennent les vaisseaux élevés sur la mer comme des montagnes.

25. Lequel donc des bienfaits de votre Seigneur nierez-vous?

26. Tout ce qui est sur elle [la terre] doit disparaître,

27. [Seule] subsistera La Face [Wajh][4] de ton Seigneur, plein de majesté et de noblesse.

28. Lequel donc des bienfaits de votre Seigneur nierez-vous?

29. Ceux qui sont dans les cieux et la terre L'implorent. Chaque jour, Il accomplit une œuvre nouvelle.

30. Lequel donc des bienfaits de votre Seigneur nierez-vous?

31. Nous allons bientôt entreprendre votre jugement, ô vous les deux charges [hommes et djinns].

32. Lequel donc des bienfaits de votre Seigneur nierez-vous?

33. Ô peuple de djinns et d'hommes! Si vous pouvez sortir du domaine des cieux et de la terre, alors faites-le. Mais vous ne pourrez en sortir qu'à l'aide d'un pouvoir [illimité].

34. Lequel donc des bienfaits de votre Seigneur nierez-vous?

35. Il sera lancé contre vous un jet de feu et de fumée [ou de cuivre fondu], et vous ne serez pas secourus.

36. Lequel donc des bienfaits de votre Seigneur nierez-vous?

37. Puis quand le ciel se fendra et deviendra alors écarlate comme le cuir rouge.

38. Lequel donc des bienfaits de votre Seigneur nierez-vous?

39. Alors, ni aux hommes ni aux djinns, on ne posera des questions à propos de leurs péchés.

40. Lequel donc des bienfaits de votre Seigneur nierez-vous?

---

1. *Des deux Levants... des deux Couchants*: se réfère à la lune et au soleil (voit v. 5).
2. *Sur ces deux masses d'eau*: voir S. 25, v. 53.
3. *Qu'elles ne dépassent pas*: de sorte qu'elles ne se mélangent pas.
4. *Wajh*: mot arabe qui signifie «visage». Bien entendu, Allāh ne ressemble point aux créatures.

يُعْرَفُ ٱلْمُجْرِمُونَ بِسِيمَـٰهُمْ فَيُؤْخَذُ بِٱلنَّوَٰصِى وَٱلْأَقْدَامِ ۝ فَبِأَىِّ

ءَالَآءِ رَبِّكُمَا تُكَذِّبَانِ ۝ هَـٰذِهِۦ جَهَنَّمُ ٱلَّتِى يُكَذِّبُ بِهَا ٱلْمُجْرِمُونَ

۝ يَطُوفُونَ بَيْنَهَا وَبَيْنَ حَمِيمٍ ءَانٍ ۝ فَبِأَىِّ ءَالَآءِ رَبِّكُمَا تُكَذِّبَانِ

۝ وَلِمَنْ خَافَ مَقَامَ رَبِّهِۦ جَنَّتَانِ ۝ فَبِأَىِّ ءَالَآءِ رَبِّكُمَا تُكَذِّبَانِ

۝ ذَوَاتَآ أَفْنَانٍ ۝ فَبِأَىِّ ءَالَآءِ رَبِّكُمَا تُكَذِّبَانِ ۝ فِيهِمَا عَيْنَانِ

تَجْرِيَانِ ۝ فَبِأَىِّ ءَالَآءِ رَبِّكُمَا تُكَذِّبَانِ ۝ فِيهِمَا مِن كُلِّ فَـٰكِهَةٍ

زَوْجَانِ ۝ فَبِأَىِّ ءَالَآءِ رَبِّكُمَا تُكَذِّبَانِ ۝ مُتَّكِـِٔينَ عَلَىٰ فُرُشٍ

بَطَآئِنُهَا مِنْ إِسْتَبْرَقٍ وَجَنَى ٱلْجَنَّتَيْنِ دَانٍ ۝ فَبِأَىِّ ءَالَآءِ رَبِّكُمَا

تُكَذِّبَانِ ۝ فِيهِنَّ قَـٰصِرَٰتُ ٱلطَّرْفِ لَمْ يَطْمِثْهُنَّ إِنسٌ قَبْلَهُمْ

وَلَا جَآنٌّ ۝ فَبِأَىِّ ءَالَآءِ رَبِّكُمَا تُكَذِّبَانِ ۝ كَأَنَّهُنَّ ٱلْيَاقُوتُ

وَٱلْمَرْجَانُ ۝ فَبِأَىِّ ءَالَآءِ رَبِّكُمَا تُكَذِّبَانِ ۝ هَلْ جَزَآءُ

ٱلْإِحْسَـٰنِ إِلَّا ٱلْإِحْسَـٰنُ ۝ فَبِأَىِّ ءَالَآءِ رَبِّكُمَا تُكَذِّبَانِ

۝ وَمِن دُونِهِمَا جَنَّتَانِ ۝ فَبِأَىِّ ءَالَآءِ رَبِّكُمَا تُكَذِّبَانِ

۝ مُدْهَآمَّتَانِ ۝ فَبِأَىِّ ءَالَآءِ رَبِّكُمَا تُكَذِّبَانِ ۝ فِيهِمَا

عَيْنَانِ نَضَّاخَتَانِ ۝ فَبِأَىِّ ءَالَآءِ رَبِّكُمَا تُكَذِّبَانِ ۝

41. On reconnaîtra les criminels à leurs traits. Ils seront donc saisis par les toupets et les pieds.

42. Lequel donc des bienfaits de votre Seigneur nierez-vous?

43. Voilà l'Enfer que les criminels traitaient de mensonge.

44. Ils feront le va-et-vient entre lui (l'Enfer) et une eau bouillante extrêmement chaude.

45. Lequel donc des bienfaits de votre Seigneur nierez-vous?

46. Et pour celui qui aura craint de comparaître devant son Seigneur, il y aura deux jardins ;

47. Lequel donc des bienfaits de votre Seigneur nierez-vous?

48. Aux branches touffues.

49. Lequel donc des bienfaits de votre Seigneur nierez-vous?

50. Ils y trouveront deux sources courantes.

51. Lequel donc des bienfaits de votre Seigneur nierez-vous?

52. Ils contiennent deux espèces de chaque fruit.

53. Lequel donc des bienfaits de vote Seigneur nierez-vous?

54. Ils seront accoudés sur des tapis doublés de brocart, et les fruits des deux jardins seront à leur portée (pour être cueillis).

55. Lequel donc des bienfaits de votre Seigneur nierez-vous?

56. Ils y trouveront [les houris] aux regards chastes, qu'avant eux aucun homme ou djinn n'aura déflorées.

57. Lequel donc des bienfaits de votre Seigneur nierez-vous?

58. Elles seront [aussi belles] que le rubis et le corail.

59. Lequel donc des bienfaits de votre Seigneur nierez-vous?

60. Y a-t-il d'autre récompense pour le bien, que le bien?

61. Lequel donc des bienfaits de votre Seigneur nierez-vous?

62. En deçà de ces deux jardins il y aura deux autres jardins.

63. Lequel donc des bienfaits de votre Seigneur nierez-vous?

64. Ils sont d'un vert sombre.

65. Lequel donc des bienfaits de votre Seigneur nierez-vous?

66. Dans lesquelles il y aura deux sources jaillissantes.

67. Lequel donc des bienfaits de votre Seigneur nierez-vous?

فِيهِمَا فَاكِهَةٌ وَنَخْلٌ وَرُمَّانٌ ۝ فَبِأَيِّ ءَالَآءِ رَبِّكُمَا تُكَذِّبَانِ ۝

فِيهِنَّ خَيْرَٰتٌ حِسَانٌ ۝ فَبِأَيِّ ءَالَآءِ رَبِّكُمَا تُكَذِّبَانِ ۝ حُورٌ

مَّقْصُورَٰتٌ فِى ٱلْخِيَامِ ۝ فَبِأَيِّ ءَالَآءِ رَبِّكُمَا تُكَذِّبَانِ ۝

لَمْ يَطْمِثْهُنَّ إِنسٌ قَبْلَهُمْ وَلَا جَآنٌّ ۝ فَبِأَيِّ ءَالَآءِ رَبِّكُمَا تُكَذِّبَانِ ۝

۝ مُتَّكِـِٔينَ عَلَىٰ رَفْرَفٍ خُضْرٍ وَعَبْقَرِىٍّ حِسَانٍ ۝ فَبِأَيِّ

ءَالَآءِ رَبِّكُمَا تُكَذِّبَانِ ۝ تَبَارَكَ ٱسْمُ رَبِّكَ ذِى ٱلْجَلَٰلِ وَٱلْإِكْرَامِ ۝

سُورَةُ الواقعة

بِسْمِ اللَّهِ الرَّحْمَٰنِ الرَّحِيمِ

إِذَا وَقَعَتِ ٱلْوَاقِعَةُ ۝ لَيْسَ لِوَقْعَتِهَا كَاذِبَةٌ ۝ خَافِضَةٌ رَّافِعَةٌ ۝

إِذَا رُجَّتِ ٱلْأَرْضُ رَجًّا ۝ وَبُسَّتِ ٱلْجِبَالُ بَسًّا ۝

فَكَانَتْ هَبَآءً مُّنۢبَثًّا ۝ وَكُنتُمْ أَزْوَٰجًا ثَلَٰثَةً ۝ فَأَصْحَٰبُ

ٱلْمَيْمَنَةِ مَآ أَصْحَٰبُ ٱلْمَيْمَنَةِ ۝ وَأَصْحَٰبُ ٱلْمَشْـَٔمَةِ مَآ أَصْحَٰبُ

ٱلْمَشْـَٔمَةِ ۝ وَٱلسَّٰبِقُونَ ٱلسَّٰبِقُونَ ۝ أُوْلَٰٓئِكَ ٱلْمُقَرَّبُونَ ۝

فِى جَنَّٰتِ ٱلنَّعِيمِ ۝ ثُلَّةٌ مِّنَ ٱلْأَوَّلِينَ ۝ وَقَلِيلٌ مِّنَ ٱلْءَاخِرِينَ ۝

عَلَىٰ سُرُرٍ مَّوْضُونَةٍ ۝ مُّتَّكِـِٔينَ عَلَيْهَا مُتَقَٰبِلِينَ ۝

68. Ils contiennent des fruits, des palmiers, et des grenadiers.

69. Lequel donc des bienfaits de votre Seigneur nierez-vous?

70. Là, il y aura des vertueuses et des belles.

71. Lequel donc des bienfaits de votre Seigneur nierez-vous?

72. Des houris cloîtrées dans les tentes,

73. Lequel donc des bienfaits de votre Seigneur nierez-vous?

74. Qu'avant eux aucun homme ou djinn n'a déflorées.

75. Lequel donc des bienfaits de votre Seigneur nierez-vous?

76. Ils seront accoudés sur des coussins verts et des tapis épais et jolis.

77. Lequel donc des bienfaits de votre Seigneur nierez-vous?

78. Béni soit le Nom de ton Seigneur, Plein de Majesté et de Munificence!

AL-WĀQIʿA (L'ÉVÉNEMENT)[1]
sourate 56   96 versets   Pré-hégirien n°46

Au nom d'Allāh, le Tout Miséricordieux, le Très Miséricordieux.

1. Quand l'événement (le Jugement) arrivera,

2. nul ne traitera sa venue de mensonge.

3. Il abaissera (les uns), il élèvera (les autres).

4. Quand la terre sera secouée violemment,

5. et les montagnes seront réduites en miettes,

6. et qu'elles deviendront poussière éparpillée

7. alors vous serez trois catégories:

8. les gens de la droite - que sont les gens de la droite?[2]

9. Et les gens de la gauche - que sont les gens de la gauche?

10. Les premiers (à suivre les ordres d'Allāh sur la terre) ce sont eux qui seront les premiers (dans l'au-delà).

11. Ce sont ceux-là les plus rapprochés d'Allāh

12. dans les Jardins des délices,

13. une multitude d'élus parmi les premières [générations],

14. et un petit nombre parmi les dernières [générations],

15. sur des lits ornés [d'or et de pierreries],

16. s'y accoudant et se faisant face.

---

1. Titre tiré du v. 1.
2. Les gens de la droite sont les bienheureux, qui recevront leurs livres du côté droit, et les gens de la gauche sont ceux qui recevront leurs livres du côté gauche ; ce sont les malheureux.

يَطُوفُ عَلَيْهِمْ وِلْدَٰنٌ مُّخَلَّدُونَ ۝ بِأَكْوَابٍ وَأَبَارِيقَ وَكَأْسٍ مِّن مَّعِينٍ ۝ لَّا يُصَدَّعُونَ عَنْهَا وَلَا يُنزِفُونَ ۝ وَفَٰكِهَةٍ مِّمَّا يَتَخَيَّرُونَ ۝ وَلَحْمِ طَيْرٍ مِّمَّا يَشْتَهُونَ ۝ وَحُورٌ عِينٌ ۝ كَأَمْثَٰلِ ٱللُّؤْلُؤِ ٱلْمَكْنُونِ ۝ جَزَآءً بِمَا كَانُوا۟ يَعْمَلُونَ ۝ لَا يَسْمَعُونَ فِيهَا لَغْوًا وَلَا تَأْثِيمًا ۝ إِلَّا قِيلًا سَلَٰمًا سَلَٰمًا ۝ وَأَصْحَٰبُ ٱلْيَمِينِ مَآ أَصْحَٰبُ ٱلْيَمِينِ ۝ فِى سِدْرٍ مَّخْضُودٍ ۝ وَطَلْحٍ مَّنضُودٍ ۝ وَظِلٍّ مَّمْدُودٍ ۝ وَمَآءٍ مَّسْكُوبٍ ۝ وَفَٰكِهَةٍ كَثِيرَةٍ ۝ لَّا مَقْطُوعَةٍ وَلَا مَمْنُوعَةٍ ۝ وَفُرُشٍ مَّرْفُوعَةٍ ۝ إِنَّآ أَنشَأْنَٰهُنَّ إِنشَآءً ۝ فَجَعَلْنَٰهُنَّ أَبْكَارًا ۝ عُرُبًا أَتْرَابًا ۝ لِّأَصْحَٰبِ ٱلْيَمِينِ ۝ ثُلَّةٌ مِّنَ ٱلْأَوَّلِينَ ۝ وَثُلَّةٌ مِّنَ ٱلْءَاخِرِينَ ۝ وَأَصْحَٰبُ ٱلشِّمَالِ مَآ أَصْحَٰبُ ٱلشِّمَالِ ۝ فِى سَمُومٍ وَحَمِيمٍ ۝ وَظِلٍّ مِّن يَحْمُومٍ ۝ لَّا بَارِدٍ وَلَا كَرِيمٍ ۝ إِنَّهُمْ كَانُوا۟ قَبْلَ ذَٰلِكَ مُتْرَفِينَ ۝ وَكَانُوا۟ يُصِرُّونَ عَلَى ٱلْحِنثِ ٱلْعَظِيمِ ۝ وَكَانُوا۟ يَقُولُونَ أَئِذَا مِتْنَا وَكُنَّا تُرَابًا وَعِظَٰمًا أَءِنَّا لَمَبْعُوثُونَ ۝ أَوَءَابَآؤُنَا ٱلْأَوَّلُونَ ۝ قُلْ إِنَّ ٱلْأَوَّلِينَ وَٱلْءَاخِرِينَ ۝ لَمَجْمُوعُونَ إِلَىٰ مِيقَٰتِ يَوْمٍ مَّعْلُومٍ ۝

17. Parmi eux circuleront des garçons éternellement jeunes,

18. avec des coupes, des aiguières et un verre [rempli] d'une liqueur de source

19. qui ne leur provoquera ni maux de tête ni étourdissement ;

20. et des fruits de leur choix,

21. et toute chair d'oiseau qu'ils désireront.

22. Et ils auront des houris aux yeux, grands et beaux,

23. pareilles à des perles en coquille

24. en récompense pour ce qu'ils faisaient.

25. Ils n'y entendront ni futilité ni blasphème ;

26. mais seulement les propos: «Salām! Salām!»... [Paix! Paix!]

27. Et les gens de la droite ; que sont les gens de la droite?

28. [Ils seront parmi] des jujubiers sans épines,

29. et parmi des bananiers aux régimes bien fournis,

30. dans une ombre étendue

31. [près] d'une eau coulant continuellement,

32. et des fruits abondants

33. ni interrompus ni défendus,

34. sur des lits surélevés,

35. C'est Nous qui les[1] avons créées à la perfection,

36. et Nous les avons faites vierges,

37. gracieuses, toutes de même âge,

38. pour les gens de la droite,

39. une multitude d'élus parmi les premières [générations],

40. et une multitude d'élus parmi les dernières [générations].

41. Et les gens de la gauche ; que sont les gens de la gauche?

42. Ils seront au milieu d'un souffle brûlant et d'une eau bouillante,

43. à l'ombre d'une fumée noire

44. ni fraîche, ni douce.

45. Ils vivaient auparavant dans le luxe.

46. Ils persistaient dans le grand péché [le polythéisme]

47. et disaient: «Quand nous mourrons et serons poussière et ossements, serons-nous ressuscités?

48. ainsi que nos anciens ancêtres?... »

49. Dis: «En vérité les premiers et les derniers

50. seront réunis pour le rendez-vous d'un jour connu».

---

1. *Les*: les houris.

ثُمَّ إِنَّكُمْ أَيُّهَا الضَّآلُّونَ الْمُكَذِّبُونَ ۝ لَآكِلُونَ مِن شَجَرٍ مِّن زَقُّومٍ ۝

فَمَالِئُونَ مِنْهَا الْبُطُونَ ۝ فَشَٰرِبُونَ عَلَيْهِ مِنَ الْحَمِيمِ ۝ فَشَٰرِبُونَ

شُرْبَ الْهِيمِ ۝ هَٰذَا نُزُلُهُمْ يَوْمَ الدِّينِ ۝ نَحْنُ خَلَقْنَٰكُمْ فَلَوْلَا

تُصَدِّقُونَ ۝ أَفَرَءَيْتُم مَّا تُمْنُونَ ۝ ءَأَنتُمْ تَخْلُقُونَهُ أَمْ نَحْنُ

الْخَٰلِقُونَ ۝ نَحْنُ قَدَّرْنَا بَيْنَكُمُ الْمَوْتَ وَمَا نَحْنُ بِمَسْبُوقِينَ ۝

عَلَىٰٓ أَن نُّبَدِّلَ أَمْثَٰلَكُمْ وَنُنشِئَكُمْ فِي مَا لَا تَعْلَمُونَ ۝ وَلَقَدْ

عَلِمْتُمُ النَّشْأَةَ الْأُولَىٰ فَلَوْلَا تَذَكَّرُونَ ۝ أَفَرَءَيْتُم مَّا تَحْرُثُونَ

۝ ءَأَنتُمْ تَزْرَعُونَهُ أَمْ نَحْنُ الزَّٰرِعُونَ ۝ لَوْ نَشَآءُ لَجَعَلْنَٰهُ

حُطَٰمًا فَظَلْتُمْ تَفَكَّهُونَ ۝ إِنَّا لَمُغْرَمُونَ ۝ بَلْ نَحْنُ مَحْرُومُونَ

۝ أَفَرَءَيْتُمُ الْمَآءَ الَّذِي تَشْرَبُونَ ۝ ءَأَنتُمْ أَنزَلْتُمُوهُ مِنَ الْمُزْنِ

أَمْ نَحْنُ الْمُنزِلُونَ ۝ لَوْ نَشَآءُ جَعَلْنَٰهُ أُجَاجًا فَلَوْلَا تَشْكُرُونَ

۝ أَفَرَءَيْتُمُ النَّارَ الَّتِي تُورُونَ ۝ ءَأَنتُمْ أَنشَأْتُمْ شَجَرَتَهَآ أَمْ

نَحْنُ الْمُنشِئُونَ ۝ نَحْنُ جَعَلْنَٰهَا تَذْكِرَةً وَمَتَٰعًا لِّلْمُقْوِينَ

۝ فَسَبِّحْ بِاسْمِ رَبِّكَ الْعَظِيمِ ۝ ۞ فَلَآ أُقْسِمُ

بِمَوَٰقِعِ النُّجُومِ ۝ وَإِنَّهُۥ لَقَسَمٌ لَّوْ تَعْلَمُونَ عَظِيمٌ ۝

51. Et puis, vous, les égarés, qui traitiez (la Résurrection) de mensonge,

52. vous mangerez certainement d'un arbre de Zaqqûm.

53. Vous vous en remplirez le ventre,

54. puis vous boirez par-dessus cela de l'eau bouillante,

55. vous en boirez comme boivent les chameaux assoiffés.

56. Voilà le repas d'accueil qui leur sera servi, au jour de la Rétribution.

57. C'est Nous qui vous avons créés. Pourquoi ne croiriez-vous donc pas [à la résurrection]?

58. Voyez-vous donc ce que vous éjaculez:

59. est-ce vous qui le créez ou [en] sommes Nous le Créateur?

60. Nous avons prédéterminé la mort parmi vous. Nous ne serons point empêchés

61. de vous remplacer par vos semblables, et vous faire renaître dans [un état] que vous ne savez pas.

62. Vous avez connu la première création. Ne vous rappelez-vous donc pas?

63. Voyez-vous donc ce que vous labourez?

64. Est-ce vous qui le cultivez? ou [en] sommes Nous le cultivateur?

65. Si Nous voulions, Nous le réduirions en débris. Et vous ne cesseriez pas de vous étonner et [de crier]:

66. «Nous voilà endettés!

67. ou plutôt, exposés aux privations».

68. Voyez-vous donc l'eau que vous buvez?

69. Est-ce vous qui l'avez fait descendre du nuage? ou [en] sommes Nous le descendeur?

70. Si Nous voulions, Nous la rendrions salée. Pourquoi n'êtes-vous donc pas reconnaissants?

71. Voyez-vous donc le feu que vous obtenez par frottement?

72. Est-ce vous qui avez créé son arbre ou [en] sommes Nous le Créateur?

73. Nous en avons fait un rappel (de l'Enfer), et un élément utile pour ceux qui en ont besoin[1].

74. Glorifie donc le nom de ton Seigneur, le Très Grand!

75. Non!... Je jure par les positions des étoiles (dans le firmament).

76. Et c'est vraiment un serment solennel, si vous saviez.

---

1. *Le sens initial*: pour les voyageurs campant dans le désert.

إِنَّهُ لَقُرْآنٌ كَرِيمٌ ۝ فِى كِتَابٍ مَّكْنُونٍ ۝ لَّا يَمَسُّهُۥٓ إِلَّا ٱلْمُطَهَّرُونَ ۝ تَنزِيلٌ مِّن رَّبِّ ٱلْعَٰلَمِينَ ۝ أَفَبِهَٰذَا ٱلْحَدِيثِ أَنتُم مُّدْهِنُونَ ۝ وَتَجْعَلُونَ رِزْقَكُمْ أَنَّكُمْ تُكَذِّبُونَ ۝ فَلَوْلَآ إِذَا بَلَغَتِ ٱلْحُلْقُومَ ۝ وَأَنتُمْ حِينَئِذٍ تَنظُرُونَ ۝ وَنَحْنُ أَقْرَبُ إِلَيْهِ مِنكُمْ وَلَٰكِن لَّا تُبْصِرُونَ ۝ فَلَوْلَآ إِن كُنتُمْ غَيْرَ مَدِينِينَ ۝ تَرْجِعُونَهَآ إِن كُنتُمْ صَٰدِقِينَ ۝ فَأَمَّآ إِن كَانَ مِنَ ٱلْمُقَرَّبِينَ ۝ فَرَوْحٌ وَرَيْحَانٌ وَجَنَّتُ نَعِيمٍ ۝ وَأَمَّآ إِن كَانَ مِنْ أَصْحَٰبِ ٱلْيَمِينِ ۝ فَسَلَٰمٌ لَّكَ مِنْ أَصْحَٰبِ ٱلْيَمِينِ ۝ وَأَمَّآ إِن كَانَ مِنَ ٱلْمُكَذِّبِينَ ٱلضَّآلِّينَ ۝ فَنُزُلٌ مِّنْ حَمِيمٍ ۝ وَتَصْلِيَةُ جَحِيمٍ ۝ إِنَّ هَٰذَا لَهُوَ حَقُّ ٱلْيَقِينِ ۝ فَسَبِّحْ بِٱسْمِ رَبِّكَ ٱلْعَظِيمِ ۝

سورة الحديد

بِسْمِ ٱللَّهِ ٱلرَّحْمَٰنِ ٱلرَّحِيمِ

سَبَّحَ لِلَّهِ مَا فِى ٱلسَّمَٰوَٰتِ وَٱلْأَرْضِ وَهُوَ ٱلْعَزِيزُ ٱلْحَكِيمُ ۝ لَهُۥ مُلْكُ ٱلسَّمَٰوَٰتِ وَٱلْأَرْضِ يُحْىِۦ وَيُمِيتُ وَهُوَ عَلَىٰ كُلِّ شَىْءٍ قَدِيرٌ ۝ هُوَ ٱلْأَوَّلُ وَٱلْآخِرُ وَٱلظَّٰهِرُ وَٱلْبَاطِنُ وَهُوَ بِكُلِّ شَىْءٍ عَلِيمٌ ۝

77. Et c'est certainement un Qur'ān noble,

78. dans un Livre bien gardé[1]

79. que seuls les purifiés touchent[2];

80. C'est une révélation de la part du Seigneur de l'Univers.

81. Est-ce ce discours-là que vous traitez de mensonge?

82. Et est-ce pour vous [une façon d'être reconnaissant] à votre subsistance que de traiter (le Qur'ān) de mensonge?

83. Lorsque le souffle de la vie remonte à la gorge (d'un moribond),

84. et qu'à ce moment là vous regardez,

85. et que Nous sommes plus proche de lui que vous [qui l'entourez] mais vous ne [le] voyez point.

86. Pourquoi donc, si vous croyez que vous n'avez pas de compte à rendre,

87. ne la faites-vous pas revenir [cette âme], si vous êtes véridiques?

88. Si celui-ci est du nombre des rapprochés (d'Allāh),

89. alors (il aura) du repos, de la grâce et un Jardin de délices.

90. Et s'il est du nombre des gens de la droite,

91. il sera [accueilli par ces mots]: «Paix à toi» de la part des gens de la droite.

92. Et s'il est de ceux qui avaient traité de mensonge (la résurrection) et s'étaient égarés,

93. alors, il sera installé dans une eau bouillante,

94. et il brûlera dans la Fournaise.

95. C'est cela la pleine certitude.

96. Glorifie donc le nom de ton Seigneur, le Très Grand!

AL-ḤADĪD (LE FER)[3]
sourate 57   29 versets   Post-hégirien n°94

Au nom d'Allāh, le Tout Miséricordieux, le Très Miséricordieux.

1. Tout ce qui est dans les cieux et la terre glorifie Allāh. Et c'est Lui le Puissant, le Sage.

2. A Lui appartient la souveraineté des cieux et de la terre. Il fait vivre et il fait mourir, et Il est Omnipotent.

3. C'est Lui le Premier et le Dernier, l'Apparent et le Caché et Il est Omniscient.

---

1. *Le Livre bien gardé*: Le Livre qui est au ciel, auprès d'Allāh.
2. *Les Purifiés*: Ce sont les Anges qui sont seuls autorisés à le toucher. En se basant sur ce verset, le Musulman ne peut toucher la copie du Qur'ān que s'il est en état de pureté.
3. Titre tiré du v. 25.

هُوَ ٱلَّذِى خَلَقَ ٱلسَّمَٰوَٰتِ وَٱلۡأَرۡضَ فِى سِتَّةِ أَيَّامٍ ثُمَّ ٱسۡتَوَىٰ عَلَى ٱلۡعَرۡشِ يَعۡلَمُ مَا يَلِجُ فِى ٱلۡأَرۡضِ وَمَا يَخۡرُجُ مِنۡهَا وَمَا يَنزِلُ مِنَ ٱلسَّمَآءِ وَمَا يَعۡرُجُ فِيهَا وَهُوَ مَعَكُمۡ أَيۡنَ مَا كُنتُمۡ وَٱللَّهُ بِمَا تَعۡمَلُونَ بَصِيرٌ ۝ لَّهُۥ مُلۡكُ ٱلسَّمَٰوَٰتِ وَٱلۡأَرۡضِ وَإِلَى ٱللَّهِ تُرۡجَعُ ٱلۡأُمُورُ ۝ يُولِجُ ٱلَّيۡلَ فِى ٱلنَّهَارِ وَيُولِجُ ٱلنَّهَارَ فِى ٱلَّيۡلِ وَهُوَ عَلِيمٌۢ بِذَاتِ ٱلصُّدُورِ ۝ ءَامِنُواْ بِٱللَّهِ وَرَسُولِهِۦ وَأَنفِقُواْ مِمَّا جَعَلَكُم مُّسۡتَخۡلَفِينَ فِيهِ فَٱلَّذِينَ ءَامَنُواْ مِنكُمۡ وَأَنفَقُواْ لَهُمۡ أَجۡرٌ كَبِيرٌ ۝ وَمَا لَكُمۡ لَا تُؤۡمِنُونَ بِٱللَّهِ وَٱلرَّسُولُ يَدۡعُوكُمۡ لِتُؤۡمِنُواْ بِرَبِّكُمۡ وَقَدۡ أَخَذَ مِيثَٰقَكُمۡ إِن كُنتُم مُّؤۡمِنِينَ ۝ هُوَ ٱلَّذِى يُنَزِّلُ عَلَىٰ عَبۡدِهِۦٓ ءَايَٰتٍۭ بَيِّنَٰتٍ لِّيُخۡرِجَكُم مِّنَ ٱلظُّلُمَٰتِ إِلَى ٱلنُّورِ وَإِنَّ ٱللَّهَ بِكُمۡ لَرَءُوفٌ رَّحِيمٌ ۝ وَمَا لَكُمۡ أَلَّا تُنفِقُواْ فِى سَبِيلِ ٱللَّهِ وَلِلَّهِ مِيرَٰثُ ٱلسَّمَٰوَٰتِ وَٱلۡأَرۡضِ لَا يَسۡتَوِى مِنكُم مَّنۡ أَنفَقَ مِن قَبۡلِ ٱلۡفَتۡحِ وَقَٰتَلَ أُوْلَٰٓئِكَ أَعۡظَمُ دَرَجَةً مِّنَ ٱلَّذِينَ أَنفَقُواْ مِنۢ بَعۡدُ وَقَٰتَلُواْ وَكُلًّا وَعَدَ ٱللَّهُ ٱلۡحُسۡنَىٰ وَٱللَّهُ بِمَا تَعۡمَلُونَ خَبِيرٌ ۝ مَّن ذَا ٱلَّذِى يُقۡرِضُ ٱللَّهَ قَرۡضًا حَسَنًا فَيُضَٰعِفَهُۥ لَهُۥ وَلَهُۥٓ أَجۡرٌ كَرِيمٌ ۝

4. C'est Lui qui a créé les cieux et la terre en six jours puis Il S'est établi[1] sur le Trône; Il sait ce qui pénètre dans la terre et ce qui en sort, et ce qui descend du ciel et ce qui y monte, et Il est avec vous où que vous soyez. Et Allāh observe parfaitement ce que vous faites.

5. À Lui appartient la souveraineté des cieux et de la terre. Et à Allāh tout est ramené.

6. Il fait pénétrer la nuit dans le jour et fait pénétrer le jour dans la nuit, et Il sait parfaitement le contenu des poitrines.

7. Croyez en Allāh et en Son Messager, et dépensez de ce dont Il vous a donné la lieutenance. Ceux d'entre vous qui croient et dépensent [pour la cause d'Allāh] auront une grande récompense.

8. Et qu'avez-vous à ne pas croire en Allāh, alors que le Messager vous appelle à croire en votre Seigneur? Et [Allāh] a déjà pris [acte] de votre engagement si vous êtes [sincères] dans votre foi.

9. C'est Lui qui fait descendre sur Son serviteur des versets clairs, afin qu'il vous fasse sortir des ténèbres à la lumière ; et assurément Allāh est Compatissant envers vous, et Très Miséricordieux.

10. Et qu'avez-vous à ne pas dépenser dans le chemin d'Allāh, alors que c'est à Allāh que revient l'héritage des cieux et de la terre? On ne peut comparer cependant celui d'entre vous qui a donné ses biens et combattu avant la conquête...[2] ces derniers sont plus hauts en hiérarchie que ceux qui ont dépensé et ont combattu après. Or, à chacun, Allāh a promis la plus belle récompense, et Allāh est Grand-Connaisseur de ce que vous faites.

11. Quiconque fait à Allāh un prêt sincère[3], Allāh le lui multiplie, et il aura une généreuse récompense.

---

1. *S'est établi*: il est prouvé qu'Allāh ne ressemble point aux créatures.
2. *La conquête*: de la Mecque.
3. *Prêt sincère*: toute dépense dans le sentier d'Allāh.

يَوْمَ تَرَى الْمُؤْمِنِينَ وَالْمُؤْمِنَتِ يَسْعَىٰ نُورُهُم بَيْنَ أَيْدِيهِمْ وَبِأَيْمَنِهِم بُشْرَىٰكُمُ الْيَوْمَ جَنَّتٌ تَجْرِى مِن تَحْتِهَا الْأَنْهَرُ خَلِدِينَ فِيهَا ذَٰلِكَ هُوَ الْفَوْزُ الْعَظِيمُ ۝ يَوْمَ يَقُولُ الْمُنَفِقُونَ وَالْمُنَفِقَتُ لِلَّذِينَ ءَامَنُوا انظُرُونَا نَقْتَبِسْ مِن نُّورِكُمْ قِيلَ ارْجِعُوا وَرَآءَكُمْ فَالْتَمِسُوا نُورًا فَضُرِبَ بَيْنَهُم بِسُورٍ لَّهُۥ بَابٌ بَاطِنُهُۥ فِيهِ الرَّحْمَةُ وَظَهِرُهُۥ مِن قِبَلِهِ الْعَذَابُ ۝ يُنَادُونَهُمْ أَلَمْ نَكُن مَّعَكُمْ قَالُوا بَلَىٰ وَلَٰكِنَّكُمْ فَتَنتُمْ أَنفُسَكُمْ وَتَرَبَّصْتُمْ وَارْتَبْتُمْ وَغَرَّتْكُمُ الْأَمَانِىُّ حَتَّىٰ جَآءَ أَمْرُ اللَّهِ وَغَرَّكُم بِاللَّهِ الْغَرُورُ ۝ فَالْيَوْمَ لَا يُؤْخَذُ مِنكُمْ فِدْيَةٌ وَلَا مِنَ الَّذِينَ كَفَرُوا مَأْوَىٰكُمُ النَّارُ هِىَ مَوْلَىٰكُمْ وَبِئْسَ الْمَصِيرُ ۝ أَلَمْ يَأْنِ لِلَّذِينَ ءَامَنُوا أَن تَخْشَعَ قُلُوبُهُمْ لِذِكْرِ اللَّهِ وَمَا نَزَلَ مِنَ الْحَقِّ وَلَا يَكُونُوا كَالَّذِينَ أُوتُوا الْكِتَبَ مِن قَبْلُ فَطَالَ عَلَيْهِمُ الْأَمَدُ فَقَسَتْ قُلُوبُهُمْ وَكَثِيرٌ مِّنْهُمْ فَسِقُونَ ۝ اعْلَمُوا أَنَّ اللَّهَ يُحْىِ الْأَرْضَ بَعْدَ مَوْتِهَا قَدْ بَيَّنَّا لَكُمُ الْآيَتِ لَعَلَّكُمْ تَعْقِلُونَ ۝ إِنَّ الْمُصَّدِّقِينَ وَالْمُصَّدِّقَتِ وَأَقْرَضُوا اللَّهَ قَرْضًا حَسَنًا يُضَعَفُ لَهُمْ وَلَهُمْ أَجْرٌ كَرِيمٌ ۝

12. Le jour où tu verras les croyants et les croyantes, leur lumière courant devant eux et à leur droite ; (on leur dira): «Voici une bonne nouvelle pour vous, aujourd'hui: des Jardins sous lesquels coulent les ruisseaux pour y demeurer éternellement». Tel est l'énorme succès.

13. Le jour où les hypocrites, hommes et femmes, diront à ceux qui croient: «Attendez que nous empruntions [un peu] de votre lumière». Il sera dit: «Revenez en arrière, et cherchez de la lumière». C'est alors qu'on éleva entre eux une muraille[1] ayant une porte dont l'intérieur contient la miséricorde, et dont la face apparente a devant elle le châtiment [l'Enfer].

14. «N'étions-nous pas avec vous?» leur crieront-ils. «Oui, répondront [les autres] mais vous vous êtes laissés tenter, vous avez comploté (contre les croyants) et vous avez douté et de vains espoirs vous ont trompés, jusqu'à ce que vînt l'ordre d'Allāh[2]. Et le séducteur [le diable] vous a trompés au sujet d'Allāh.

15. Aujourd'hui donc, on n'acceptera de rançon ni de vous ni de ceux qui ont mécru. Votre asile est le Feu: c'est lui qui est votre compagnon inséparable. Et quelle mauvaise destination!

16. Le moment n'est-il pas venu pour ceux qui ont cru, que leurs cœurs s'humilient à l'évocation d'Allāh et devant ce qui est descendu de la vérité [le Qur'ān]? Et de ne point être pareils à ceux qui ont reçu le Livre avant eux[3]. Ceux-ci trouvèrent le temps assez long et leurs cœurs s'endurcirent, et beaucoup d'entre eux sont pervers.

17. Sachez qu'Allāh redonne la vie à la terre une fois morte. Certes, Nous vous avons exposé les preuves clairement afin que vous raisonniez.

18. Ceux et celles qui font la charité et qui ont fait à Allāh un prêt sincère, cela leur sera multiplié et ils auront une généreuse récompense.

---

1. *Une muraille*: qui sépare le Paradis de l'Enfer.
2. *L'ordre d'Allāh*: la mort.
3. *Avant eux*: les Juifs et les Chrétiens.

وَٱلَّذِينَ ءَامَنُوا۟ بِٱللَّهِ وَرُسُلِهِۦٓ أُو۟لَٰٓئِكَ هُمُ ٱلصِّدِّيقُونَ وَٱلشُّهَدَآءُ عِندَ رَبِّهِمْ لَهُمْ أَجْرُهُمْ وَنُورُهُمْ وَٱلَّذِينَ كَفَرُوا۟ وَكَذَّبُوا۟ بِـَٔايَٰتِنَآ أُو۟لَٰٓئِكَ أَصْحَٰبُ ٱلْجَحِيمِ ۝ ٱعْلَمُوٓا۟ أَنَّمَا ٱلْحَيَوٰةُ ٱلدُّنْيَا لَعِبٌ وَلَهْوٌ وَزِينَةٌ وَتَفَاخُرٌۢ بَيْنَكُمْ وَتَكَاثُرٌ فِى ٱلْأَمْوَٰلِ وَٱلْأَوْلَٰدِ كَمَثَلِ غَيْثٍ أَعْجَبَ ٱلْكُفَّارَ نَبَاتُهُۥ ثُمَّ يَهِيجُ فَتَرَىٰهُ مُصْفَرًّا ثُمَّ يَكُونُ حُطَٰمًا وَفِى ٱلْءَاخِرَةِ عَذَابٌ شَدِيدٌ وَمَغْفِرَةٌ مِّنَ ٱللَّهِ وَرِضْوَٰنٌ وَمَا ٱلْحَيَوٰةُ ٱلدُّنْيَآ إِلَّا مَتَٰعُ ٱلْغُرُورِ ۝ سَابِقُوٓا۟ إِلَىٰ مَغْفِرَةٍ مِّن رَّبِّكُمْ وَجَنَّةٍ عَرْضُهَا كَعَرْضِ ٱلسَّمَآءِ وَٱلْأَرْضِ أُعِدَّتْ لِلَّذِينَ ءَامَنُوا۟ بِٱللَّهِ وَرُسُلِهِۦ ذَٰلِكَ فَضْلُ ٱللَّهِ يُؤْتِيهِ مَن يَشَآءُ وَٱللَّهُ ذُو ٱلْفَضْلِ ٱلْعَظِيمِ ۝ مَآ أَصَابَ مِن مُّصِيبَةٍ فِى ٱلْأَرْضِ وَلَا فِىٓ أَنفُسِكُمْ إِلَّا فِى كِتَٰبٍ مِّن قَبْلِ أَن نَّبْرَأَهَآ إِنَّ ذَٰلِكَ عَلَى ٱللَّهِ يَسِيرٌ ۝ لِّكَيْلَا تَأْسَوْا۟ عَلَىٰ مَا فَاتَكُمْ وَلَا تَفْرَحُوا۟ بِمَآ ءَاتَىٰكُمْ وَٱللَّهُ لَا يُحِبُّ كُلَّ مُخْتَالٍ فَخُورٍ ۝ ٱلَّذِينَ يَبْخَلُونَ وَيَأْمُرُونَ ٱلنَّاسَ بِٱلْبُخْلِ وَمَن يَتَوَلَّ فَإِنَّ ٱللَّهَ هُوَ ٱلْغَنِىُّ ٱلْحَمِيدُ ۝

19. Ceux qui ont cru en Allāh et en Ses messagers ceux-là sont les grands véridiques et les témoins auprès d'Allāh[1]. Ils auront leur récompense et leur lumière, tandis que ceux qui ont mécru et traité de mensonges Nos signes, ceux-là seront les gens de la Fournaise.

20. Sachez que la vie présente n'est que jeu, amusement, vaine parure, une course à l'orgueil entre vous et une rivalité dans l'acquisition des richesses et des enfants. Elle est en cela pareille à une pluie: la végétation qui en vient émerveille les cultivateurs, puis elle se fane et tu la vois donc jaunie ; ensuite elle devient des débris. Et dans l'au-delà, il y a un dur châtiment, et aussi pardon et agrément d'Allāh. Et la vie présente n'est que jouissance trompeuse.

21. Hâtez-vous vers un pardon de votre Seigneur ainsi qu'un Paradis aussi large que le ciel et la terre, préparé pour ceux qui ont cru en Allāh et en Ses Messagers. Telle est la grâce d'Allāh qu'Il donne à qui Il veut. Et Allāh est le Détenteur de l'énorme grâce.

22. Nul malheur n'atteint la terre ni vos personnes, qui ne soit enregistré dans un Livre avant que Nous ne l'ayons créé ; et cela est certes facile à Allāh,

23. afin que vous ne vous tourmentiez pas au sujet de ce qui vous a échappé, ni n'exultiez pour ce qu'Il vous a donné. Et Allāh n'aime point tout présomptueux plein de gloriole.

24. Ceux qui[2] sont avares et ordonnent aux gens l'avarice. Et quiconque se détourne... Allāh Se suffit alors à Lui-même et Il est Digne de louange.

---

1. *Autre interp.*: ceux qui ont cru ... les grands véridiques ; les martyrs auront leur récompense et leur lumière auprès de leur Seigneur.
2. *Ceux qui*: les présomptueux.

لَقَدْ أَرْسَلْنَا رُسُلَنَا بِالْبَيِّنَـٰتِ وَأَنزَلْنَا مَعَهُمُ الْكِتَـٰبَ وَالْمِيزَانَ لِيَقُومَ النَّاسُ بِالْقِسْطِ وَأَنزَلْنَا الْحَدِيدَ فِيهِ بَأْسٌ شَدِيدٌ وَمَنَـٰفِعُ لِلنَّاسِ وَلِيَعْلَمَ اللَّهُ مَن يَنصُرُهُۥ وَرُسُلَهُۥ بِالْغَيْبِ إِنَّ اللَّهَ قَوِيٌّ عَزِيزٌ ۝ وَلَقَدْ أَرْسَلْنَا نُوحًا وَإِبْرَٰهِيمَ وَجَعَلْنَا فِى ذُرِّيَّتِهِمَا النُّبُوَّةَ وَالْكِتَـٰبَ فَمِنْهُم مُّهْتَدٍ وَكَثِيرٌ مِّنْهُمْ فَـٰسِقُونَ ۝ ثُمَّ قَفَّيْنَا عَلَىٰٓ ءَاثَـٰرِهِم بِرُسُلِنَا وَقَفَّيْنَا بِعِيسَى ابْنِ مَرْيَمَ وَءَاتَيْنَـٰهُ الْإِنجِيلَ وَجَعَلْنَا فِى قُلُوبِ الَّذِينَ اتَّبَعُوهُ رَأْفَةً وَرَحْمَةً وَرَهْبَانِيَّةً ابْتَدَعُوهَا مَا كَتَبْنَـٰهَا عَلَيْهِمْ إِلَّا ابْتِغَآءَ رِضْوَٰنِ اللَّهِ فَمَا رَعَوْهَا حَقَّ رِعَايَتِهَا فَـَٔاتَيْنَا الَّذِينَ ءَامَنُوا مِنْهُمْ أَجْرَهُمْ وَكَثِيرٌ مِّنْهُمْ فَـٰسِقُونَ ۝ يَـٰٓأَيُّهَا الَّذِينَ ءَامَنُوا اتَّقُوا اللَّهَ وَءَامِنُوا بِرَسُولِهِۦ يُؤْتِكُمْ كِفْلَيْنِ مِن رَّحْمَتِهِۦ وَيَجْعَل لَّكُمْ نُورًا تَمْشُونَ بِهِۦ وَيَغْفِرْ لَكُمْ وَاللَّهُ غَفُورٌ رَّحِيمٌ ۝ لِّئَلَّا يَعْلَمَ أَهْلُ الْكِتَـٰبِ أَلَّا يَقْدِرُونَ عَلَىٰ شَىْءٍ مِّن فَضْلِ اللَّهِ وَأَنَّ الْفَضْلَ بِيَدِ اللَّهِ يُؤْتِيهِ مَن يَشَآءُ وَاللَّهُ ذُو الْفَضْلِ الْعَظِيمِ ۝

25. Nous avons effectivement envoyé Nos Messagers avec des preuves évidentes, et fait descendre avec eux le Livre et la balance, afin que les gens établissent la justice. Et Nous avons fait descendre le fer, dans lequel il y a une force redoutable, aussi bien que des utilités pour les gens, et pour qu'Allāh reconnaisse qui, dans l'Invisible, défendra Sa cause et celle de Ses Messagers. Certes, Allāh est Fort et Puissant.

26. Nous avons effectivement envoyé Noé et Abraham et accordé à leur descendance la prophétie et le Livre. Certains d'entre eux furent bien-guidés, tandis que beaucoup d'entre eux furent pervers.

27. Ensuite, sur leurs traces, Nous avons fait suivre Nos [autres] messagers, et Nous les avons fait suivre de Jésus fils de Marie et lui avons apporté l'Evangile, et mis dans les cœurs de ceux qui le suivirent douceur et mansuétude. Le monachisme qu'ils inventèrent, Nous ne le leur avons nullement prescrit. [Ils devaient] seulement rechercher l'agrément d'Allāh. Mais ils ne l'observèrent pas (ce monachisme) comme il se devait. Nous avons donné leur récompense à ceux d'entre eux qui crurent. Mais beaucoup d'entre eux furent des pervers.

28. Ô Vous qui avez cru! Craignez Allāh et croyez en Son messager pour qu'il vous accorde deux parts de Sa miséricorde, et qu'Il vous assigne une lumière à l'aide de laquelle vous marcherez, et qu'Il vous pardonne, car Allāh est Pardonneur et Très Miséricordieux.

29. Cela afin que les gens du Livre sachent qu'ils ne peuvent en rien disposer de la grâce d'Allāh et que la grâce est dans la main d'Allāh. Il la donne à qui il veut, et Allāh est le Détenteur de la grâce immense.

سورة المجادلة

بِسۡمِ ٱللَّهِ ٱلرَّحۡمَٰنِ ٱلرَّحِيمِ

قَدۡ سَمِعَ ٱللَّهُ قَوۡلَ ٱلَّتِي تُجَٰدِلُكَ فِي زَوۡجِهَا وَتَشۡتَكِيٓ إِلَى ٱللَّهِ وَٱللَّهُ يَسۡمَعُ تَحَاوُرَكُمَآ إِنَّ ٱللَّهَ سَمِيعُۢ بَصِيرٌ ۝ ٱلَّذِينَ يُظَٰهِرُونَ مِنكُم مِّن نِّسَآئِهِم مَّا هُنَّ أُمَّهَٰتِهِمۡ إِنۡ أُمَّهَٰتُهُمۡ إِلَّا ٱلَّٰٓـِٔي وَلَدۡنَهُمۡۚ وَإِنَّهُمۡ لَيَقُولُونَ مُنكَرٗا مِّنَ ٱلۡقَوۡلِ وَزُورٗاۚ وَإِنَّ ٱللَّهَ لَعَفُوٌّ غَفُورٌ ۝ وَٱلَّذِينَ يُظَٰهِرُونَ مِن نِّسَآئِهِمۡ ثُمَّ يَعُودُونَ لِمَا قَالُواْ فَتَحۡرِيرُ رَقَبَةٖ مِّن قَبۡلِ أَن يَتَمَآسَّاۚ ذَٰلِكُمۡ تُوعَظُونَ بِهِۦۚ وَٱللَّهُ بِمَا تَعۡمَلُونَ خَبِيرٌ ۝ فَمَن لَّمۡ يَجِدۡ فَصِيَامُ شَهۡرَيۡنِ مُتَتَابِعَيۡنِ مِن قَبۡلِ أَن يَتَمَآسَّاۖ فَمَن لَّمۡ يَسۡتَطِعۡ فَإِطۡعَامُ سِتِّينَ مِسۡكِينٗاۚ ذَٰلِكَ لِتُؤۡمِنُواْ بِٱللَّهِ وَرَسُولِهِۦۚ وَتِلۡكَ حُدُودُ ٱللَّهِۗ وَلِلۡكَٰفِرِينَ عَذَابٌ أَلِيمٌ ۝ إِنَّ ٱلَّذِينَ يُحَآدُّونَ ٱللَّهَ وَرَسُولَهُۥ كُبِتُواْ كَمَا كُبِتَ ٱلَّذِينَ مِن قَبۡلِهِمۡۚ وَقَدۡ أَنزَلۡنَآ ءَايَٰتِۭ بَيِّنَٰتٖۚ وَلِلۡكَٰفِرِينَ عَذَابٌ مُّهِينٞ ۝ يَوۡمَ يَبۡعَثُهُمُ ٱللَّهُ جَمِيعٗا فَيُنَبِّئُهُم بِمَا عَمِلُوٓاْۚ أَحۡصَىٰهُ ٱللَّهُ وَنَسُوهُۚ وَٱللَّهُ عَلَىٰ كُلِّ شَيۡءٖ شَهِيدٌ ۝

AL-MUJĀDALA (LA DISCUSSION)[1]
sourate 58   22 versets   Post-hégirien n°105

Au nom d'Allāh, le Tout Miséricordieux, le Très Miséricordieux.

1. Allāh a bien entendu la parole de celle qui discutait avec toi à propos de son époux et se plaignait à Allāh. Et Allāh entendait votre conversation, car Allāh est Audient et Clairvoyant.

2. Ceux d'entre vous qui répudient leurs femmes, en déclarant qu'elles sont pour eux comme le dos de leurs mères...[2] alors qu'elles ne sont nullement leurs mères, car ils n'ont pour mères que celles qui les ont enfantés. Ils prononcent certes une parole blâmable et mensongère. Allāh cependant est Indulgent et Pardonneur.

3. Ceux qui comparent leurs femmes au dos de leurs mères, puis reviennent sur ce qu'ils ont dit, doivent affranchir un esclave avant d'avoir aucun contact [conjugal] avec leur femme. C'est ce dont on vous exhorte. Et Allāh est Parfaitement Connaisseur de ce que vous faites.

4. Mais celui qui n'en trouve pas les moyens doit jeûner alors deux mois consécutifs avant d'avoir aucun contact [conjugal] avec sa femme. Mais s'il ne peut le faire non plus, alors qu'il nourrisse soixante pauvres. Cela, pour que vous croyiez en Allāh et en Son messager. Voilà les limites imposées par Allāh. Et les mécréants auront un châtiment douloureux.

5. Ceux qui s'opposent à Allāh et à Son messager seront culbutés comme furent culbutés leurs devanciers. Nous avons déjà fait descendre des preuves explicites, et les mécréants auront un châtiment avilissant,

6. le jour où Allāh les ressuscitera tous, puis les informera de ce qu'ils ont fait. Allāh l'a dénombré et ils l'auront oublié. Allāh est témoin de toute chose.

---

1. Titre tiré du contenu du v. 1.
2. *Comme le dos de leurs mères*: formule de divorce. Voir aussi S. 33, v. 4.

أَلَمْ تَرَ أَنَّ ٱللَّهَ يَعْلَمُ مَا فِى ٱلسَّمَوَٰتِ وَمَا فِى ٱلْأَرْضِ مَا يَكُونُ مِن نَّجْوَىٰ ثَلَٰثَةٍ إِلَّا هُوَ رَابِعُهُمْ وَلَا خَمْسَةٍ إِلَّا هُوَ سَادِسُهُمْ وَلَا أَدْنَىٰ مِن ذَٰلِكَ وَلَا أَكْثَرَ إِلَّا هُوَ مَعَهُمْ أَيْنَ مَا كَانُوا۟ ثُمَّ يُنَبِّئُهُم بِمَا عَمِلُوا۟ يَوْمَ ٱلْقِيَٰمَةِ إِنَّ ٱللَّهَ بِكُلِّ شَىْءٍ عَلِيمٌ ۝ أَلَمْ تَرَ إِلَى ٱلَّذِينَ نُهُوا۟ عَنِ ٱلنَّجْوَىٰ ثُمَّ يَعُودُونَ لِمَا نُهُوا۟ عَنْهُ وَيَتَنَٰجَوْنَ بِٱلْإِثْمِ وَٱلْعُدْوَٰنِ وَمَعْصِيَتِ ٱلرَّسُولِ وَإِذَا جَآءُوكَ حَيَّوْكَ بِمَا لَمْ يُحَيِّكَ بِهِ ٱللَّهُ وَيَقُولُونَ فِىٓ أَنفُسِهِمْ لَوْلَا يُعَذِّبُنَا ٱللَّهُ بِمَا نَقُولُ حَسْبُهُمْ جَهَنَّمُ يَصْلَوْنَهَا فَبِئْسَ ٱلْمَصِيرُ ۝ يَٰٓأَيُّهَا ٱلَّذِينَ ءَامَنُوٓا۟ إِذَا تَنَٰجَيْتُمْ فَلَا تَتَنَٰجَوْا۟ بِٱلْإِثْمِ وَٱلْعُدْوَٰنِ وَمَعْصِيَتِ ٱلرَّسُولِ وَتَنَٰجَوْا۟ بِٱلْبِرِّ وَٱلتَّقْوَىٰ وَٱتَّقُوا۟ ٱللَّهَ ٱلَّذِىٓ إِلَيْهِ تُحْشَرُونَ ۝ إِنَّمَا ٱلنَّجْوَىٰ مِنَ ٱلشَّيْطَٰنِ لِيَحْزُنَ ٱلَّذِينَ ءَامَنُوا۟ وَلَيْسَ بِضَآرِّهِمْ شَيْـًٔا إِلَّا بِإِذْنِ ٱللَّهِ وَعَلَى ٱللَّهِ فَلْيَتَوَكَّلِ ٱلْمُؤْمِنُونَ ۝ يَٰٓأَيُّهَا ٱلَّذِينَ ءَامَنُوٓا۟ إِذَا قِيلَ لَكُمْ تَفَسَّحُوا۟ فِى ٱلْمَجَٰلِسِ فَٱفْسَحُوا۟ يَفْسَحِ ٱللَّهُ لَكُمْ وَإِذَا قِيلَ ٱنشُزُوا۟ فَٱنشُزُوا۟ يَرْفَعِ ٱللَّهُ ٱلَّذِينَ ءَامَنُوا۟ مِنكُمْ وَٱلَّذِينَ أُوتُوا۟ ٱلْعِلْمَ دَرَجَٰتٍ وَٱللَّهُ بِمَا تَعْمَلُونَ خَبِيرٌ ۝

7. Ne vois-tu pas qu'Allāh sait ce qui est dans les cieux et sur la terre? Pas de conversation secrète entre trois sans qu'Il ne soit leur quatrième, ni entre cinq sans qu'Il n'y ne soit leur sixième, ni moins ni plus que cela sans qu'Il ne soit avec eux, là où ils se trouvent. Ensuite, Il les informera, au Jour de la Résurrection, de ce qu'ils faisaient, car Allāh est Omniscient.

8. Ne vois-tu pas ceux à qui les conversations secrètes ont été interdites? Puis, ils retournent à ce qui leur a été interdit, et se concertent pour pécher, transgresser et désobéir au Messager. Et quand ils viennent à toi, ils te saluent d'une façon dont Allāh ne t'a pas salué, et disent en eux-mêmes: «Pourquoi Allāh ne nous châtie pas pour ce que nous disons?» L'Enfer leur suffira, où ils brûleront. Et quelle mauvaise destination!

9. Ô vous qui avez cru! Quand vous tenez des conversations secrètes, ne vous concertez pas pour pécher, transgresser et désobéir au Messager, mais concertez-vous dans la bonté et la piété. Et craignez Allāh vers qui vous serez rassemblés.

10. La conversation secrète n'est que [l'œuvre] du Diable pour attrister ceux qui ont cru. Mais il ne peut leur nuire en rien sans la permission d'Allāh. Et c'est en Allāh que les croyants doivent placer leur confiance.

11. Ô vous qui avez cru! Quand on vous dit: «Faites place [aux autres] dans les assemblées», alors faites place. Allāh vous ménagera une place (au Paradis). Et quand on vous dit de vous lever, levez-vous. Allāh élèvera en degrés ceux d'entre vous qui auront cru et ceux qui auront reçu le savoir. Allāh est Parfaitement Connaisseur de ce que vous faites.

يَـٰٓأَيُّهَا ٱلَّذِينَ ءَامَنُوٓاْ إِذَا نَٰجَيْتُمُ ٱلرَّسُولَ فَقَدِّمُواْ بَيْنَ يَدَىْ نَجْوَىٰكُمْ

صَدَقَةً ذَٰلِكَ خَيْرٌ لَّكُمْ وَأَطْهَرُ فَإِن لَّمْ تَجِدُواْ فَإِنَّ ٱللَّهَ غَفُورٌ رَّحِيمٌ

﴿١٢﴾ ءَأَشْفَقْتُمْ أَن تُقَدِّمُواْ بَيْنَ يَدَىْ نَجْوَىٰكُمْ صَدَقَٰتٍ فَإِذْ لَمْ تَفْعَلُواْ

وَتَابَ ٱللَّهُ عَلَيْكُمْ فَأَقِيمُواْ ٱلصَّلَوٰةَ وَءَاتُواْ ٱلزَّكَوٰةَ وَأَطِيعُواْ ٱللَّهَ

وَرَسُولَهُۥ وَٱللَّهُ خَبِيرٌۢ بِمَا تَعْمَلُونَ ﴿١٣﴾ ۞ أَلَمْ تَرَ إِلَى ٱلَّذِينَ تَوَلَّوْاْ قَوْمًا

غَضِبَ ٱللَّهُ عَلَيْهِم مَّا هُم مِّنكُمْ وَلَا مِنْهُمْ وَيَحْلِفُونَ عَلَى ٱلْكَذِبِ

وَهُمْ يَعْلَمُونَ ﴿١٤﴾ أَعَدَّ ٱللَّهُ لَهُمْ عَذَابًا شَدِيدًا إِنَّهُمْ سَآءَ مَا كَانُواْ

يَعْمَلُونَ ﴿١٥﴾ ٱتَّخَذُوٓاْ أَيْمَٰنَهُمْ جُنَّةً فَصَدُّواْ عَن سَبِيلِ ٱللَّهِ فَلَهُمْ

عَذَابٌ مُّهِينٌ ﴿١٦﴾ لَّن تُغْنِيَ عَنْهُمْ أَمْوَٰلُهُمْ وَلَآ أَوْلَٰدُهُم مِّنَ ٱللَّهِ

شَيْـًٔا أُوْلَـٰٓئِكَ أَصْحَٰبُ ٱلنَّارِ هُمْ فِيهَا خَٰلِدُونَ ﴿١٧﴾ يَوْمَ يَبْعَثُهُمُ

ٱللَّهُ جَمِيعًا فَيَحْلِفُونَ لَهُۥ كَمَا يَحْلِفُونَ لَكُمْ وَيَحْسَبُونَ أَنَّهُمْ عَلَىٰ شَىْءٍ أَلَآ

إِنَّهُمْ هُمُ ٱلْكَٰذِبُونَ ﴿١٨﴾ ٱسْتَحْوَذَ عَلَيْهِمُ ٱلشَّيْطَٰنُ فَأَنسَىٰهُمْ ذِكْرَ

ٱللَّهِ أُوْلَـٰٓئِكَ حِزْبُ ٱلشَّيْطَٰنِ أَلَآ إِنَّ حِزْبَ ٱلشَّيْطَٰنِ هُمُ ٱلْخَٰسِرُونَ

﴿١٩﴾ إِنَّ ٱلَّذِينَ يُحَآدُّونَ ٱللَّهَ وَرَسُولَهُۥٓ أُوْلَـٰٓئِكَ فِى ٱلْأَذَلِّينَ

كَتَبَ ٱللَّهُ لَأَغْلِبَنَّ أَنَا۠ وَرُسُلِىٓ إِنَّ ٱللَّهَ قَوِىٌّ عَزِيزٌ ﴿٢١﴾

12. Ô vous qui avez cru! Quand vous avez un entretien confidentiel avec le Messager, faites précéder d'une aumône votre entretien: cela est meilleur pour vous et plus pur. Mais si vous n'en trouvez pas les moyens alors Allāh est Pardonneur et très Miséricordieux!

13. Appréhendez-vous[1] de faire précéder d'aumônes votre entretien? Mais, si vous ne l'avez pas fait et qu'Allāh a accueilli votre repentir, alors accomplissez la Ṣalāt, acquittez la Zakāt, et obéissez à Allāh et à Son messager. Allāh est Parfaitement Connaisseur de ce que vous faites.

14. N'as-tu pas vu ceux qui ont pris pour alliés des gens contre qui Allāh S'est courroucé? Ils ne sont ni des vôtres, ni des leurs ; et ils jurent mensongèrement, alors qu'ils savent[2].

15. Allāh leur a préparé un dur châtiment. Ce qu'ils faisaient alors était très mauvais.

16. Prenant leurs serments comme boucliers, ils obstruent le chemin d'Allāh. Ils auront donc un châtiment avilissant.

17. Ni leurs biens, ni leurs enfants ne leur seront d'aucune utilité contre la [punition] d'Allāh. Ce sont les gens du Feu où ils demeureront éternellement.

18. Le jour où Allāh les ressuscitera tous, ils Lui jureront alors comme ils vous jurent à vous-mêmes, pensant s'appuyer sur quelque chose de solide. Mais ce sont eux les menteurs.

19. Le Diable les a dominés et leur a fait oublier le rappel d'Allāh. Ceux-là sont le parti du Diable et c'est le parti du Diable qui sont assurément les perdants.

20. Ceux qui s'opposent à Allāh et à Son messager seront parmi les plus humiliés.

21. Allāh a prescrit: «Assurément, Je triompherai, Moi ainsi que Mes Messagers». En vérité Allāh est Fort et Puissant.

---

1. *Appréhendez-vous?*: par crainte de tomber dans la pauvreté.
2. N'as-tu pas vu ceux qui: les hypocrites.
ls ne sont ni des vôtres ni des leurs: ce sont les Juifs de Médine.

لَّا تَجِدُ قَوْمًا يُؤْمِنُونَ بِاللَّهِ وَالْيَوْمِ الْآخِرِ يُوَآدُّونَ مَنْ حَآدَّ اللَّهَ وَرَسُولَهُ وَلَوْ كَانُوٓا ءَابَآءَهُمْ أَوْ أَبْنَآءَهُمْ أَوْ إِخْوَٰنَهُمْ أَوْ عَشِيرَتَهُمْ أُوْلَٰٓئِكَ كَتَبَ فِى قُلُوبِهِمُ الْإِيمَٰنَ وَأَيَّدَهُم بِرُوحٍ مِّنْهُ وَيُدْخِلُهُمْ جَنَّٰتٍ تَجْرِى مِن تَحْتِهَا الْأَنْهَٰرُ خَٰلِدِينَ فِيهَا رَضِىَ اللَّهُ عَنْهُمْ وَرَضُواْ عَنْهُ أُوْلَٰٓئِكَ حِزْبُ اللَّهِ أَلَآ إِنَّ حِزْبَ اللَّهِ هُمُ الْمُفْلِحُونَ ﴿٢٢﴾

سُورَةُ الْحَشْرِ

بِسْمِ اللَّهِ الرَّحْمَٰنِ الرَّحِيمِ

سَبَّحَ لِلَّهِ مَا فِى السَّمَٰوَٰتِ وَمَا فِى الْأَرْضِ وَهُوَ الْعَزِيزُ الْحَكِيمُ ﴿١﴾ هُوَ الَّذِىٓ أَخْرَجَ الَّذِينَ كَفَرُواْ مِنْ أَهْلِ الْكِتَٰبِ مِن دِيَٰرِهِمْ لِأَوَّلِ الْحَشْرِ مَا ظَنَنتُمْ أَن يَخْرُجُواْ وَظَنُّوٓاْ أَنَّهُم مَّانِعَتُهُمْ حُصُونُهُم مِّنَ اللَّهِ فَأَتَىٰهُمُ اللَّهُ مِنْ حَيْثُ لَمْ يَحْتَسِبُواْ وَقَذَفَ فِى قُلُوبِهِمُ الرُّعْبَ يُخْرِبُونَ بُيُوتَهُم بِأَيْدِيهِمْ وَأَيْدِى الْمُؤْمِنِينَ فَاعْتَبِرُواْ يَٰٓأُوْلِى الْأَبْصَٰرِ ﴿٢﴾ وَلَوْلَآ أَن كَتَبَ اللَّهُ عَلَيْهِمُ الْجَلَآءَ لَعَذَّبَهُمْ فِى الدُّنْيَا وَلَهُمْ فِى الْآخِرَةِ عَذَابُ النَّارِ ﴿٣﴾

22. Tu n'en trouveras pas, parmi les gens qui croient en Allāh et au Jour dernier, qui prennent pour amis ceux qui s'opposent à Allāh et à Son Messager, fussent-ils leurs pères, leurs fils, leurs frères ou les gens de leur tribu. Il a prescrit la foi dans leurs cœurs et Il les a aidés de Son secours. Il les fera entrer dans des Jardins sous lesquels coulent les ruisseaux, où ils demeureront éternellement. Allāh les agrée et ils L'agréent. Ceux-là sont le parti d'Allāh. Le parti d'Allāh est celui de ceux qui réussissent.

AL-ḤAŠR (L'EXODE)[1]
sourate 59   24 versets   Post-hégirien n°101

Au nom d'Allāh, le Tout Miséricordieux, le Très Miséricordieux.

1. Ce qui est dans les cieux et ce qui est sur la terre glorifient Allāh, et Il est le Puissant, le Sage.

2. C'est Lui qui a expulsé de leurs maisons, ceux parmi les gens du Livre qui ne croyaient pas, lors du premier exode[2]. Vous ne pensiez pas qu'ils partiraient, et ils pensaient qu'en vérité leurs forteresses les défendraient contre Allāh. Mais Allāh est venu à eux par où ils ne s'attendaient point, et a lancé la terreur dans leurs cœurs. Ils démolissaient leurs maisons de leurs propres mains, autant que des mains des croyants. Tirez-en une leçon, ô vous qui êtes doués de clairvoyance.

3. Et si Allāh n'avait pas prescrit contre eux l'expatriation, Il les aurait certainement châtiés ici-bas ; et dans l'au-delà ils auront le châtiment du Feu.

---

1. Titre tiré du v. 2.
2. Les gens du Livre: les Banū-Naḍīr, tribu juive qui habitait Médine à cette époque. Le Prophète était allé chez eux, et ils avaient tenté de l'écraser en jetant une meule du haut d'une tour. Ainsi ont ils rompu l'alliance qui les liait aux Musulmans et mérité le sort qui les a frappés. Assiégés, ils se soumirent. Le Prophète accepta de leur pardonner à condition qu'ils quittent la région. Ils abandonnèrent donc leur terre et s'établirent à Ḥaybar.

ذَٰلِكَ بِأَنَّهُمْ شَآقُّوا۟ ٱللَّهَ وَرَسُولَهُۥ ۖ وَمَن يُشَآقِّ ٱللَّهَ فَإِنَّ ٱللَّهَ شَدِيدُ ٱلْعِقَابِ ﴿٤﴾ مَا قَطَعْتُم مِّن لِّينَةٍ أَوْ تَرَكْتُمُوهَا قَآئِمَةً عَلَىٰٓ أُصُولِهَا فَبِإِذْنِ ٱللَّهِ وَلِيُخْزِىَ ٱلْفَٰسِقِينَ ﴿٥﴾ وَمَآ أَفَآءَ ٱللَّهُ عَلَىٰ رَسُولِهِۦ مِنْهُمْ فَمَآ أَوْجَفْتُمْ عَلَيْهِ مِنْ خَيْلٍ وَلَا رِكَابٍ وَلَٰكِنَّ ٱللَّهَ يُسَلِّطُ رُسُلَهُۥ عَلَىٰ مَن يَشَآءُ ۚ وَٱللَّهُ عَلَىٰ كُلِّ شَىْءٍ قَدِيرٌ ﴿٦﴾ مَّآ أَفَآءَ ٱللَّهُ عَلَىٰ رَسُولِهِۦ مِنْ أَهْلِ ٱلْقُرَىٰ فَلِلَّهِ وَلِلرَّسُولِ وَلِذِى ٱلْقُرْبَىٰ وَٱلْيَتَٰمَىٰ وَٱلْمَسَٰكِينِ وَٱبْنِ ٱلسَّبِيلِ كَىْ لَا يَكُونَ دُولَةًۢ بَيْنَ ٱلْأَغْنِيَآءِ مِنكُمْ ۚ وَمَآ ءَاتَىٰكُمُ ٱلرَّسُولُ فَخُذُوهُ وَمَا نَهَىٰكُمْ عَنْهُ فَٱنتَهُوا۟ ۚ وَٱتَّقُوا۟ ٱللَّهَ ۖ إِنَّ ٱللَّهَ شَدِيدُ ٱلْعِقَابِ ﴿٧﴾ لِلْفُقَرَآءِ ٱلْمُهَٰجِرِينَ ٱلَّذِينَ أُخْرِجُوا۟ مِن دِيَٰرِهِمْ وَأَمْوَٰلِهِمْ يَبْتَغُونَ فَضْلًا مِّنَ ٱللَّهِ وَرِضْوَٰنًا وَيَنصُرُونَ ٱللَّهَ وَرَسُولَهُۥٓ ۚ أُو۟لَٰٓئِكَ هُمُ ٱلصَّٰدِقُونَ ﴿٨﴾ وَٱلَّذِينَ تَبَوَّءُو ٱلدَّارَ وَٱلْإِيمَٰنَ مِن قَبْلِهِمْ يُحِبُّونَ مَنْ هَاجَرَ إِلَيْهِمْ وَلَا يَجِدُونَ فِى صُدُورِهِمْ حَاجَةً مِّمَّآ أُوتُوا۟ وَيُؤْثِرُونَ عَلَىٰٓ أَنفُسِهِمْ وَلَوْ كَانَ بِهِمْ خَصَاصَةٌ ۚ وَمَن يُوقَ شُحَّ نَفْسِهِۦ فَأُو۟لَٰٓئِكَ هُمُ ٱلْمُفْلِحُونَ ﴿٩﴾

4. Il en est ainsi parce qu'ils se sont dressés contre Allāh et Son messager. Et quiconque se dresse contre Allāh... alors, vraiment Allāh est dur en punition.

5. Tout palmier que vous avez coupé ou que vous avez laissé debout sur ses racines, c'est avec la permission d'Allāh et afin qu'Il couvre ainsi d'ignominie les pervers.

6. Le butin provenant de leurs biens et qu'Allāh a accordé sans combat à Son Messager, vous n'y aviez engagé ni chevaux, ni chameaux ; mais Allāh, donne à Ses messagers la domination sur qui Il veut, et Allāh est Omnipotent.

7. Le butin provenant [des biens] des habitants des cités, qu'Allāh a accordé sans combat à Son Messager, appartient à Allāh, au Messager, aux proches parents, aux orphelins, aux pauvres et au voyageur en détresse, afin que cela ne circule pas parmi les seuls riches d'entre vous. Prenez ce que le Messager vous donne ; et ce qu'il vous interdit, abstenez-vous en ; et craignez Allāh car Allāh est dur en punition.

8. [Il appartient aussi] aux émigrés besogneux[1] qui ont été expulsés de leurs demeures et de leurs biens, tandis qu'ils recherchaient une grâce et un agrément d'Allāh, et qu'ils portaient secours à (la cause d') Allāh et à Son Messager. Ceux-là sont les véridiques.

9. Il [appartient également] à ceux qui, avant eux, se sont installés dans le pays[2] et dans la foi, qui aiment ceux qui émigrent vers eux, et ne ressentent dans leurs cœurs aucune envie pour ce que [ces immigrés] ont reçu, et qui [les] préfèrent à eux-mêmes, même s'il y a pénurie chez eux. Quiconque se prémunit contre sa propre avarice, ceux-là sont ceux qui réussissent.

---

1. *Aux émigrés besogneux*: aux réfugiés mecquois, émigrés avec le Prophète, et installés à Médine.
2. *Dans le pays*: en terre d'Islām. Il s'agit ici de Médine.

وَالَّذِينَ جَآءُو مِنۢ بَعْدِهِمْ يَقُولُونَ رَبَّنَا ٱغْفِرْ لَنَا

وَلِإِخْوَٰنِنَا ٱلَّذِينَ سَبَقُونَا بِٱلْإِيمَٰنِ وَلَا تَجْعَلْ فِى قُلُوبِنَا

غِلًّا لِّلَّذِينَ ءَامَنُوا۟ رَبَّنَآ إِنَّكَ رَءُوفٌ رَّحِيمٌ ۞ ١٠ أَلَمْ تَرَ إِلَى

ٱلَّذِينَ نَافَقُوا۟ يَقُولُونَ لِإِخْوَٰنِهِمُ ٱلَّذِينَ كَفَرُوا۟ مِنْ أَهْلِ

ٱلْكِتَٰبِ لَئِنْ أُخْرِجْتُمْ لَنَخْرُجَنَّ مَعَكُمْ وَلَا نُطِيعُ فِيكُمْ

أَحَدًا أَبَدًا وَإِن قُوتِلْتُمْ لَنَنصُرَنَّكُمْ وَٱللَّهُ يَشْهَدُ إِنَّهُمْ لَكَٰذِبُونَ

١١ لَئِنْ أُخْرِجُوا۟ لَا يَخْرُجُونَ مَعَهُمْ وَلَئِن قُوتِلُوا۟ لَا يَنصُرُونَهُمْ

وَلَئِن نَّصَرُوهُمْ لَيُوَلُّنَّ ٱلْأَدْبَٰرَ ثُمَّ لَا يُنصَرُونَ ١٢

لَأَنتُمْ أَشَدُّ رَهْبَةً فِى صُدُورِهِم مِّنَ ٱللَّهِ ذَٰلِكَ بِأَنَّهُمْ قَوْمٌ

لَّا يَفْقَهُونَ ١٣ لَا يُقَٰتِلُونَكُمْ جَمِيعًا إِلَّا فِى قُرًى

مُّحَصَّنَةٍ أَوْ مِن وَرَآءِ جُدُرٍ بَأْسُهُم بَيْنَهُمْ شَدِيدٌ تَحْسَبُهُمْ

جَمِيعًا وَقُلُوبُهُمْ شَتَّىٰ ذَٰلِكَ بِأَنَّهُمْ قَوْمٌ لَّا يَعْقِلُونَ

١٤ كَمَثَلِ ٱلَّذِينَ مِن قَبْلِهِمْ قَرِيبًا ذَاقُوا۟ وَبَالَ أَمْرِهِمْ وَلَهُمْ عَذَابٌ

أَلِيمٌ ١٥ كَمَثَلِ ٱلشَّيْطَٰنِ إِذْ قَالَ لِلْإِنسَٰنِ ٱكْفُرْ فَلَمَّا كَفَرَ

قَالَ إِنِّى بَرِىٓءٌ مِّنكَ إِنِّىٓ أَخَافُ ٱللَّهَ رَبَّ ٱلْعَٰلَمِينَ ١٦

10. Et [il appartient également] à ceux qui sont venus après eux en disant: «Seigneur, pardonne-nous, ainsi qu'à nos frères qui nous ont précédés dans la foi ; et ne mets dans nos cœurs aucune rancœur pour ceux qui ont cru. Seigneur, Tu es Compatissant et Très Miséricordieux».

11. N'as-tu pas vu les hypocrites disant à leurs confrères qui ont mécru parmi les gens du Livre: «Si vous êtes chassés, nous partirons certes avec vous et nous n'obéirons jamais à personne contre vous ; et si vous êtes attaqués, nous vous secourrons certes». Et Allāh atteste qu'en vérité ils sont des menteurs.

12. S'ils sont chassés, ils ne partiront pas avec eux ; et s'ils sont attaqués, ils ne les secourront pas ; et même s'ils allaient à leur secours, ils tourneraient sûrement le dos; puis ils ne seront point secourus.

13. Vous jetez dans leurs cœurs plus de terreur qu'Allāh. C'est qu'ils sont des gens qui ne comprennent pas.

14. Tous ne vous combattront que retranchés dans des cités fortifiées ou de derrière des murailles. Leurs dissensions internes sont extrêmes. Tu les croirait unis, alors que leurs cœurs sont divisés. C'est qu'ils sont des gens qui ne raisonnent pas.

15. Ils sont semblables à ceux qui, peu de temps avant eux, ont goûté la conséquence de leur comportement et ils auront un châtiment douloureux[1];

16. ils sont semblables au Diable quand il dit à l'homme: «Sois incrédule». Puis quand il a mécru, il dit: «Je te désavoue car je redoute Allāh, le Seigneur de l'Univers».

---

1. *Qui étaient là un peu avant eux* ...: Ce sont les Juifs de Banū-Qaïnuqāʿ à Médine qui un an avant les Banū-Naḍīr susmentionnés, furent expulsés de la région, pour leur comportement également répréhensible.

فَكَانَ عَٰقِبَتَهُمَآ أَنَّهُمَا فِى ٱلنَّارِ خَٰلِدَيْنِ فِيهَا ۚ وَذَٰلِكَ جَزَٰٓؤُا۟ ٱلظَّٰلِمِينَ ۝ يَٰٓأَيُّهَا ٱلَّذِينَ ءَامَنُوا۟ ٱتَّقُوا۟ ٱللَّهَ وَلْتَنظُرْ نَفْسٌ مَّا قَدَّمَتْ لِغَدٍ ۖ وَٱتَّقُوا۟ ٱللَّهَ ۚ إِنَّ ٱللَّهَ خَبِيرٌۢ بِمَا تَعْمَلُونَ ۝ وَلَا تَكُونُوا۟ كَٱلَّذِينَ نَسُوا۟ ٱللَّهَ فَأَنسَىٰهُمْ أَنفُسَهُمْ ۚ أُو۟لَٰٓئِكَ هُمُ ٱلْفَٰسِقُونَ ۝ لَا يَسْتَوِىٓ أَصْحَٰبُ ٱلنَّارِ وَأَصْحَٰبُ ٱلْجَنَّةِ ۚ أَصْحَٰبُ ٱلْجَنَّةِ هُمُ ٱلْفَآئِزُونَ ۝ لَوْ أَنزَلْنَا هَٰذَا ٱلْقُرْءَانَ عَلَىٰ جَبَلٍ لَّرَأَيْتَهُۥ خَٰشِعًا مُّتَصَدِّعًا مِّنْ خَشْيَةِ ٱللَّهِ ۚ وَتِلْكَ ٱلْأَمْثَٰلُ نَضْرِبُهَا لِلنَّاسِ لَعَلَّهُمْ يَتَفَكَّرُونَ ۝ هُوَ ٱللَّهُ ٱلَّذِى لَآ إِلَٰهَ إِلَّا هُوَ ۖ عَٰلِمُ ٱلْغَيْبِ وَٱلشَّهَٰدَةِ ۖ هُوَ ٱلرَّحْمَٰنُ ٱلرَّحِيمُ ۝ هُوَ ٱللَّهُ ٱلَّذِى لَآ إِلَٰهَ إِلَّا هُوَ ٱلْمَلِكُ ٱلْقُدُّوسُ ٱلسَّلَٰمُ ٱلْمُؤْمِنُ ٱلْمُهَيْمِنُ ٱلْعَزِيزُ ٱلْجَبَّارُ ٱلْمُتَكَبِّرُ ۚ سُبْحَٰنَ ٱللَّهِ عَمَّا يُشْرِكُونَ ۝ هُوَ ٱللَّهُ ٱلْخَٰلِقُ ٱلْبَارِئُ ٱلْمُصَوِّرُ ۖ لَهُ ٱلْأَسْمَآءُ ٱلْحُسْنَىٰ ۚ يُسَبِّحُ لَهُۥ مَا فِى ٱلسَّمَٰوَٰتِ وَٱلْأَرْضِ ۖ وَهُوَ ٱلْعَزِيزُ ٱلْحَكِيمُ ۝

سُورَةُ ٱلْمُمْتَحَنَةِ

17. Ils eurent pour destinée d'être tous deux dans le Feu pour y demeurer éternellement. Telle est la rétribution des injustes.

18. Ô vous qui avez cru! Craignez Allāh. Que chaque âme voit bien ce qu'elle a avancé pour demain. Et craignez Allāh, car Allāh est Parfaitement Connaisseur de ce que vous faites.

19. Et ne soyez pas comme ceux qui ont oublié Allāh ; [Allāh] leur a fait alors oublier leurs propres personnes ; ceux-là sont les pervers.

20. Ne seront pas égaux les gens du Feu et les gens du Paradis. Les gens du Paradis sont eux les gagnants.

21. Si Nous avions fait descendre ce Qur'ān sur une montagne, tu l'aurais vu s'humilier et se fendre par crainte d'Allāh. Et ces paraboles Nous les citons aux gens afin qu'ils réfléchissent.

22. C'est Lui Allāh. Nulle divinité autre que Lui, le Connaisseur de l'Invisible tout comme du visible. C'est Lui, le Tout Miséricordieux, le Très Miséricordieux.

23. C'est Lui, Allāh. Nulle divinité autre que Lui ; Le Souverain, Le Pur, L'Apaisant, Le Rassurant, le Prédominant, Le Tout Puissant, Le Contraignant, L'Orgueilleux. Gloire à Allāh! Il transcende ce qu'ils Lui associent.

24. C'est Lui Allāh, le Créateur, Celui qui donne un commencement à toute chose, le Formateur. À Lui les plus beaux noms. Tout ce qui est dans les cieux et la terre Le glorifie. Et c'est Lui le Puissant, le Sage.

بِسۡمِ ٱللَّهِ ٱلرَّحۡمَٰنِ ٱلرَّحِيمِ

يَٰٓأَيُّهَا ٱلَّذِينَ ءَامَنُوا۟ لَا تَتَّخِذُوا۟ عَدُوِّى وَعَدُوَّكُمۡ أَوۡلِيَآءَ تُلۡقُونَ إِلَيۡهِم بِٱلۡمَوَدَّةِ وَقَدۡ كَفَرُوا۟ بِمَا جَآءَكُم مِّنَ ٱلۡحَقِّ يُخۡرِجُونَ ٱلرَّسُولَ وَإِيَّاكُمۡ أَن تُؤۡمِنُوا۟ بِٱللَّهِ رَبِّكُمۡ إِن كُنتُمۡ خَرَجۡتُمۡ جِهَٰدًا فِى سَبِيلِى وَٱبۡتِغَآءَ مَرۡضَاتِى تُسِرُّونَ إِلَيۡهِم بِٱلۡمَوَدَّةِ وَأَنَا۠ أَعۡلَمُ بِمَآ أَخۡفَيۡتُمۡ وَمَآ أَعۡلَنتُمۡ وَمَن يَفۡعَلۡهُ مِنكُمۡ فَقَدۡ ضَلَّ سَوَآءَ ٱلسَّبِيلِ ١ إِن يَثۡقَفُوكُمۡ يَكُونُوا۟ لَكُمۡ أَعۡدَآءً وَيَبۡسُطُوٓا۟ إِلَيۡكُمۡ أَيۡدِيَهُمۡ وَأَلۡسِنَتَهُم بِٱلسُّوٓءِ وَوَدُّوا۟ لَوۡ تَكۡفُرُونَ ٢ لَن تَنفَعَكُمۡ أَرۡحَامُكُمۡ وَلَآ أَوۡلَٰدُكُمۡ يَوۡمَ ٱلۡقِيَٰمَةِ يَفۡصِلُ بَيۡنَكُمۡ وَٱللَّهُ بِمَا تَعۡمَلُونَ بَصِيرٌ ٣ قَدۡ كَانَتۡ لَكُمۡ أُسۡوَةٌ حَسَنَةٌ فِىٓ إِبۡرَٰهِيمَ وَٱلَّذِينَ مَعَهُۥٓ إِذۡ قَالُوا۟ لِقَوۡمِهِمۡ إِنَّا بُرَءَٰٓؤُا۟ مِنكُمۡ وَمِمَّا تَعۡبُدُونَ مِن دُونِ ٱللَّهِ كَفَرۡنَا بِكُمۡ وَبَدَا بَيۡنَنَا وَبَيۡنَكُمُ ٱلۡعَدَٰوَةُ وَٱلۡبَغۡضَآءُ أَبَدًا حَتَّىٰ تُؤۡمِنُوا۟ بِٱللَّهِ وَحۡدَهُۥٓ إِلَّا قَوۡلَ إِبۡرَٰهِيمَ لِأَبِيهِ لَأَسۡتَغۡفِرَنَّ لَكَ وَمَآ أَمۡلِكُ لَكَ مِنَ ٱللَّهِ مِن شَىۡءٍ رَّبَّنَا عَلَيۡكَ تَوَكَّلۡنَا وَإِلَيۡكَ أَنَبۡنَا وَإِلَيۡكَ ٱلۡمَصِيرُ ٤ رَبَّنَا لَا تَجۡعَلۡنَا فِتۡنَةً لِّلَّذِينَ كَفَرُوا۟ وَٱغۡفِرۡ لَنَا رَبَّنَآ إِنَّكَ أَنتَ ٱلۡعَزِيزُ ٱلۡحَكِيمُ ٥

AL-MUMTAḤANA (L'ÉPROUVÉE)
sourate 60   13 versets   Post-hégirien n°91

Au nom d'Allāh, le Tout Miséricordieux, le Très Miséricordieux.

1. Ô vous qui avez cru! Ne prenez pas pour alliés Mon ennemi et le vôtre, leur offrant l'amitié, alors qu'ils ont nié ce qui vous est parvenu de la vérité. Ils expulsent le Messager et vous-mêmes parce que vous croyez en Allāh, votre Seigneur. Si vous êtes sortis pour lutter dans Mon chemin et pour rechercher Mon agrément, leur témoignerez-vous secrètement de l'amitié, alors que Je connais parfaitement ce que vous cachez et ce que vous divulguez? Et quiconque d'entre vous le fait s'égare de la droiture du sentier.

2. S'ils vous dominent, ils seront des ennemis pour vous et étendront en mal leurs mains et leurs langues vers vous ; et ils aimeraient que vous deveniez mécréants.

3. Ni vos proches parents ni vos enfants ne vous seront d'aucune utilité le Jour de la Résurrection, Il [Allāh] décidera entre vous, et Allāh est Clairvoyant sur ce que vous faites.

4. Certes, vous avez eu un bel exemple [à suivre] en Abraham et en ceux qui étaient avec lui, quand ils dirent à leur peuple: «Nous vous désavouons, vous et ce que vous adorez en dehors d'Allāh. Nous vous renions. Entre vous et nous, l'inimitié et la haine sont à jamais déclarées jusqu'à ce que vous croyiez en Allāh, seul». Exception faite de la parole d'Abraham [adressée] à son père: «J'implorerai certes, le pardon [d'Allāh] en ta faveur bien que je ne puisse rien pour toi auprès d'Allāh». «Seigneur, c'est en Toi que nous mettons notre confiance et à Toi nous revenons [repentants]. Et vers Toi est le Devenir.

5. Seigneur, ne fais pas de nous [un sujet] de tentation pour ceux qui ont mécru ; et pardonne-nous, Seigneur, car c'est Toi le Puissant, le Sage».

---

1. Titre tiré du contenu du v. 10.

لَّقَدْ كَانَ لَكُمْ فِيهِمْ أُسْوَةٌ حَسَنَةٌ لِّمَن كَانَ يَرْجُوا۟ ٱللَّهَ وَٱلْيَوْمَ ٱلْأَخِرَ ۚ وَمَن يَتَوَلَّ فَإِنَّ ٱللَّهَ هُوَ ٱلْغَنِىُّ ٱلْحَمِيدُ ۝ ۞ عَسَى ٱللَّهُ أَن يَجْعَلَ بَيْنَكُمْ وَبَيْنَ ٱلَّذِينَ عَادَيْتُم مِّنْهُم مَّوَدَّةً ۚ وَٱللَّهُ قَدِيرٌ ۚ وَٱللَّهُ غَفُورٌ رَّحِيمٌ ۝ لَّا يَنْهَىٰكُمُ ٱللَّهُ عَنِ ٱلَّذِينَ لَمْ يُقَٰتِلُوكُمْ فِى ٱلدِّينِ وَلَمْ يُخْرِجُوكُم مِّن دِيَٰرِكُمْ أَن تَبَرُّوهُمْ وَتُقْسِطُوٓا۟ إِلَيْهِمْ ۚ إِنَّ ٱللَّهَ يُحِبُّ ٱلْمُقْسِطِينَ ۝ إِنَّمَا يَنْهَىٰكُمُ ٱللَّهُ عَنِ ٱلَّذِينَ قَٰتَلُوكُمْ فِى ٱلدِّينِ وَأَخْرَجُوكُم مِّن دِيَٰرِكُمْ وَظَٰهَرُوا۟ عَلَىٰٓ إِخْرَاجِكُمْ أَن تَوَلَّوْهُمْ ۚ وَمَن يَتَوَلَّهُمْ فَأُو۟لَٰٓئِكَ هُمُ ٱلظَّٰلِمُونَ ۝ يَٰٓأَيُّهَا ٱلَّذِينَ ءَامَنُوٓا۟ إِذَا جَآءَكُمُ ٱلْمُؤْمِنَٰتُ مُهَٰجِرَٰتٍ فَٱمْتَحِنُوهُنَّ ۖ ٱللَّهُ أَعْلَمُ بِإِيمَٰنِهِنَّ ۖ فَإِنْ عَلِمْتُمُوهُنَّ مُؤْمِنَٰتٍ فَلَا تَرْجِعُوهُنَّ إِلَى ٱلْكُفَّارِ ۖ لَا هُنَّ حِلٌّ لَّهُمْ وَلَا هُمْ يَحِلُّونَ لَهُنَّ ۖ وَءَاتُوهُم مَّآ أَنفَقُوا۟ ۚ وَلَا جُنَاحَ عَلَيْكُمْ أَن تَنكِحُوهُنَّ إِذَآ ءَاتَيْتُمُوهُنَّ أُجُورَهُنَّ ۚ وَلَا تُمْسِكُوا۟ بِعِصَمِ ٱلْكَوَافِرِ وَسْـَٔلُوا۟ مَآ أَنفَقْتُمْ وَلْيَسْـَٔلُوا۟ مَآ أَنفَقُوا۟ ۚ ذَٰلِكُمْ حُكْمُ ٱللَّهِ ۖ يَحْكُمُ بَيْنَكُمْ ۚ وَٱللَّهُ عَلِيمٌ حَكِيمٌ ۝ وَإِن فَاتَكُمْ شَىْءٌ مِّنْ أَزْوَٰجِكُمْ إِلَى ٱلْكُفَّارِ فَعَاقَبْتُمْ فَـَٔاتُوا۟ ٱلَّذِينَ ذَهَبَتْ أَزْوَٰجُهُم مِّثْلَ مَآ أَنفَقُوا۟ ۚ وَٱتَّقُوا۟ ٱللَّهَ ٱلَّذِىٓ أَنتُم بِهِۦ مُؤْمِنُونَ ۝

6. Vous avez certes eu en eux un bel exemple [à suivre], pour celui qui espère en Allāh et en le Jour dernier ; mais quiconque se détourne.., alors Allāh Se suffit à Lui-même et est Digne de louange.

7. Il se peut qu'Allāh établisse de l'amitié entre vous et ceux d'entre eux dont vous avez été les ennemis. Et Allāh est Omnipotent et Allāh est Pardonneur et Très Miséricordieux.

8. Allāh ne vous défend pas d'être bienfaisants et équitables envers ceux qui ne vous ont pas combattus pour la religion et ne vous ont pas chassés de vos demeures. Car Allāh aime les équitables.

9. Allāh vous défend seulement de prendre pour alliés ceux qui vous ont combattus pour la religion, chassés de vos demeures et ont aidé à votre expulsion. Et ceux qui les prennent pour alliés sont les injustes.

10. Ô vous qui avez cru! Quand les croyantes viennent à vous en émigrées, éprouvez-les ; Allāh connaît mieux leur foi ; si vous constatez qu'elles sont croyantes, ne les renvoyez pas aux mécréants. Elles ne sont pas licites [en tant qu'épouses] pour eux, et eux non plus ne sont pas licites [en tant qu'époux] pour elles. Et rendez-leur[1] ce qu'ils ont dépensé (comme mahr). Il ne vous sera fait aucun grief en vous mariant avec elles quand vous leur aurez donné leur mahr. Et ne gardez pas de liens conjugaux avec les mécréantes[2]. Réclamez ce que vous avez dépensé et que (les mécréants) aussi réclament ce qu'ils ont dépensé. Tel est le jugement d'Allāh par lequel Il juge entre vous, et Allāh est Omniscient et Sage.

11. Et si quelqu'une de vos épouses s'échappe vers les mécréants, et que vous fassiez des représailles[3], restituez à ceux dont les épouses sont parties autant que ce qu'ils avaient dépensé. Craignez Allāh en qui vous croyez.

---

1. *Et rendez-leur*: et rendez à leurs maris, demeurés mécréants.
2. *Les mécréantes*: les païennes idolâtres.
3. *Représailles*: si vous attaquez les mécréants subséquemment et que vous vous emparez de leur butin, restituez alors aux maris dont les femmes se sont évadées, le montant du Mahr qu'ils avaient dépensé. Ce montant doit être prélevé dudit butin.

يَـٰٓأَيُّهَا ٱلنَّبِىُّ إِذَا جَآءَكَ ٱلْمُؤْمِنَـٰتُ يُبَايِعْنَكَ عَلَىٰٓ أَن لَّا يُشْرِكْنَ بِٱللَّهِ شَيْـًٔا وَلَا يَسْرِقْنَ وَلَا يَزْنِينَ وَلَا يَقْتُلْنَ أَوْلَـٰدَهُنَّ وَلَا يَأْتِينَ بِبُهْتَـٰنٍ يَفْتَرِينَهُۥ بَيْنَ أَيْدِيهِنَّ وَأَرْجُلِهِنَّ وَلَا يَعْصِينَكَ فِى مَعْرُوفٍ فَبَايِعْهُنَّ وَٱسْتَغْفِرْ لَهُنَّ ٱللَّهَ إِنَّ ٱللَّهَ غَفُورٌ رَّحِيمٌ ۝ يَـٰٓأَيُّهَا ٱلَّذِينَ ءَامَنُوا۟ لَا تَتَوَلَّوْا۟ قَوْمًا غَضِبَ ٱللَّهُ عَلَيْهِمْ قَدْ يَئِسُوا۟ مِنَ ٱلْءَاخِرَةِ كَمَا يَئِسَ ٱلْكُفَّارُ مِنْ أَصْحَـٰبِ ٱلْقُبُورِ ۝

سُورَةُ الصَّفِّ

بِسْمِ ٱللَّهِ ٱلرَّحْمَـٰنِ ٱلرَّحِيمِ

سَبَّحَ لِلَّهِ مَا فِى ٱلسَّمَـٰوَٰتِ وَمَا فِى ٱلْأَرْضِ وَهُوَ ٱلْعَزِيزُ ٱلْحَكِيمُ ۝ يَـٰٓأَيُّهَا ٱلَّذِينَ ءَامَنُوا۟ لِمَ تَقُولُونَ مَا لَا تَفْعَلُونَ ۝ كَبُرَ مَقْتًا عِندَ ٱللَّهِ أَن تَقُولُوا۟ مَا لَا تَفْعَلُونَ ۝ إِنَّ ٱللَّهَ يُحِبُّ ٱلَّذِينَ يُقَـٰتِلُونَ فِى سَبِيلِهِۦ صَفًّا كَأَنَّهُم بُنْيَـٰنٌ مَّرْصُوصٌ ۝ وَإِذْ قَالَ مُوسَىٰ لِقَوْمِهِۦ يَـٰقَوْمِ لِمَ تُؤْذُونَنِى وَقَد تَّعْلَمُونَ أَنِّى رَسُولُ ٱللَّهِ إِلَيْكُمْ فَلَمَّا زَاغُوٓا۟ أَزَاغَ ٱللَّهُ قُلُوبَهُمْ وَٱللَّهُ لَا يَهْدِى ٱلْقَوْمَ ٱلْفَـٰسِقِينَ ۝

12. Ô Prophète! Quand les croyantes viennent te prêter serment d'allégeance, [et en jurent] qu'elles n'associeront rien à Allāh, qu'elles ne voleront pas, qu'elles ne se livreront pas à l'adultère, qu'elles ne tueront pas leurs propres enfants, qu'elles ne commettront aucune infamie ni avec leurs mains ni avec leurs pieds et qu'elles ne désobéiront pas en ce qui est convenable, alors reçois leur serment d'allégeance, et implore d'Allāh le pardon pour elles. Allāh est certes, Pardonneur et Très Miséricordieux.

13. Ô vous qui avez cru! Ne prenez pas pour alliés des gens contre lesquels Allāh est courroucé et qui désespèrent de l'au-delà, tout comme les mécréants désespèrent des gens des tombeaux.

AṢ-ṢAFF (LE RANG)[1]
sourate 61   14 versets   Post-hégirien n°109

Au nom d'Allāh, le Tout Miséricordieux, le Très Miséricordieux.

1. Ce qui est dans les cieux et ce qui est sur la terre glorifient Allāh, et Il est le Puissant, le Sage.

2. Ô vous qui avez cru! Pourquoi dites-vous ce que vous ne faites pas?

3. C'est une grande abomination auprès d'Allāh que de dire ce que vous ne faites pas.

4. Allāh aime ceux qui combattent dans Son chemin en rang serré pareils à un édifice renforcé.

5. Et quand Moïse dit à son peuple: «Ô mon peuple! Pourquoi me maltraitez-vous alors que vous savez que je suis vraiment le Messager d'Allāh [envoyé] à vous?» Puis quand ils dévièrent, Allāh fit dévier leurs cœurs, car Allāh ne guide pas les gens pervers.

---

1. Titre tiré du v. 4.

وَإِذْ قَالَ عِيسَى ابْنُ مَرْيَمَ يَٰبَنِي إِسْرَٰٓءِيلَ إِنِّي رَسُولُ ٱللَّهِ إِلَيْكُم مُّصَدِّقًا لِّمَا بَيْنَ يَدَيَّ مِنَ ٱلتَّوْرَىٰةِ وَمُبَشِّرًا بِرَسُولٍ يَأْتِي مِنۢ بَعْدِي ٱسْمُهُۥٓ أَحْمَدُ فَلَمَّا جَآءَهُم بِٱلْبَيِّنَٰتِ قَالُوا۟ هَٰذَا سِحْرٌ مُّبِينٌ ۝ وَمَنْ أَظْلَمُ مِمَّنِ ٱفْتَرَىٰ عَلَى ٱللَّهِ ٱلْكَذِبَ وَهُوَ يُدْعَىٰٓ إِلَى ٱلْإِسْلَٰمِ وَٱللَّهُ لَا يَهْدِي ٱلْقَوْمَ ٱلظَّٰلِمِينَ ۝ يُرِيدُونَ لِيُطْفِـُٔوا۟ نُورَ ٱللَّهِ بِأَفْوَٰهِهِمْ وَٱللَّهُ مُتِمُّ نُورِهِۦ وَلَوْ كَرِهَ ٱلْكَٰفِرُونَ ۝ هُوَ ٱلَّذِي أَرْسَلَ رَسُولَهُۥ بِٱلْهُدَىٰ وَدِينِ ٱلْحَقِّ لِيُظْهِرَهُۥ عَلَى ٱلدِّينِ كُلِّهِۦ وَلَوْ كَرِهَ ٱلْمُشْرِكُونَ ۝ يَٰٓأَيُّهَا ٱلَّذِينَ ءَامَنُوا۟ هَلْ أَدُلُّكُمْ عَلَىٰ تِجَٰرَةٍ تُنجِيكُم مِّنْ عَذَابٍ أَلِيمٍ ۝ تُؤْمِنُونَ بِٱللَّهِ وَرَسُولِهِۦ وَتُجَٰهِدُونَ فِي سَبِيلِ ٱللَّهِ بِأَمْوَٰلِكُمْ وَأَنفُسِكُمْ ذَٰلِكُمْ خَيْرٌ لَّكُمْ إِن كُنتُمْ تَعْلَمُونَ ۝ يَغْفِرْ لَكُمْ ذُنُوبَكُمْ وَيُدْخِلْكُمْ جَنَّٰتٍ تَجْرِي مِن تَحْتِهَا ٱلْأَنْهَٰرُ وَمَسَٰكِنَ طَيِّبَةً فِي جَنَّٰتِ عَدْنٍ ذَٰلِكَ ٱلْفَوْزُ ٱلْعَظِيمُ ۝ وَأُخْرَىٰ تُحِبُّونَهَا نَصْرٌ مِّنَ ٱللَّهِ وَفَتْحٌ قَرِيبٌ وَبَشِّرِ ٱلْمُؤْمِنِينَ ۝ يَٰٓأَيُّهَا ٱلَّذِينَ ءَامَنُوا۟ كُونُوٓا۟ أَنصَارَ ٱللَّهِ كَمَا قَالَ عِيسَى ٱبْنُ مَرْيَمَ لِلْحَوَارِيِّـۧنَ مَنْ أَنصَارِيٓ إِلَى ٱللَّهِ قَالَ ٱلْحَوَارِيُّونَ نَحْنُ أَنصَارُ ٱللَّهِ فَـَٔامَنَت طَّآئِفَةٌ مِّنۢ بَنِيٓ إِسْرَٰٓءِيلَ وَكَفَرَت طَّآئِفَةٌ فَأَيَّدْنَا ٱلَّذِينَ ءَامَنُوا۟ عَلَىٰ عَدُوِّهِمْ فَأَصْبَحُوا۟ ظَٰهِرِينَ ۝

6. Et quand Jésus fils de Marie dit: «Ô Enfants d'Israël, je suis vraiment le Messager d'Allāh [envoyé] à vous, confirmateur de ce qui, dans la Thora, est antérieur à moi, et annonciateur d'un Messager à venir après moi, dont le nom sera «Ahmad»[1]. Puis quand celui-ci vint à eux avec des preuves évidentes, ils dirent: «C'est là une magie manifeste».

7. Et qui est plus injuste que celui qui invente un mensonge contre Allāh, alors qu'il est appelé à l'Islām? Et Allāh ne guide pas les gens injustes.

8. Ils veulent éteindre de leurs bouches la lumière d'Allāh, alors qu'Allāh parachèvera Sa lumière en dépit de l'aversion des mécréants.

9. C'est Lui qui a envoyé Son messager avec la guidée et la Religion de Vérité, pour la placer au-dessus de toute autre religion, en dépit de l'aversion des associateurs.

10. Ô vous qui avez cru! Vous indiquerai-je un commerce qui vous sauvera d'un châtiment douloureux?

11. Vous croyez en Allāh et en Son messager et vous combattez avec vos biens et vos personnes dans le chemin d'Allāh, et cela vous est bien meilleur, si vous saviez!

12. Il vous pardonnera vos péchés et vous fera entrer dans des Jardins sous lesquels coulent les ruisseaux, et dans des demeures agréables dans les jardins d'Eden. Voilà l'énorme succès

13. et Il vous accordera d'autres choses encore que vous aimez bien: un secours [venant] d'Allāh et une victoire prochaine. Et annonce la bonne nouvelle aux croyants.

14. Ô vous qui avez cru! Soyez les alliés d'Allāh, à l'instar de ce que Jésus fils de Marie a dit aux apôtres: «Qui sont mes alliés (pour la cause) d'Allāh?» - Les apôtres dirent: «Nous sommes les alliés d'Allāh». Un groupe des Enfants d'Israël crut, tandis qu'un groupe nia. Nous aidâmes donc ceux qui crurent contre leur ennemi, et ils triomphèrent.

---

1. Ahmad en arabe a presque la même signification que Muḥammad (ﷺ) c'est pourquoi les deux termes sont utilisés dans le Qur'ān pour désigner la même personne: le prophète de l'Islām.

سُورَةُ الْجُمُعَةِ

بِسْمِ ٱللَّهِ ٱلرَّحْمَٰنِ ٱلرَّحِيمِ

يُسَبِّحُ لِلَّهِ مَا فِى ٱلسَّمَٰوَٰتِ وَمَا فِى ٱلْأَرْضِ ٱلْمَلِكِ ٱلْقُدُّوسِ ٱلْعَزِيزِ ٱلْحَكِيمِ ۝ هُوَ ٱلَّذِى بَعَثَ فِى ٱلْأُمِّيِّـۧنَ رَسُولًا مِّنْهُمْ يَتْلُوا۟ عَلَيْهِمْ ءَايَٰتِهِۦ وَيُزَكِّيهِمْ وَيُعَلِّمُهُمُ ٱلْكِتَٰبَ وَٱلْحِكْمَةَ وَإِن كَانُوا۟ مِن قَبْلُ لَفِى ضَلَٰلٍ مُّبِينٍ ۝ وَءَاخَرِينَ مِنْهُمْ لَمَّا يَلْحَقُوا۟ بِهِمْ وَهُوَ ٱلْعَزِيزُ ٱلْحَكِيمُ ۝ ذَٰلِكَ فَضْلُ ٱللَّهِ يُؤْتِيهِ مَن يَشَآءُ وَٱللَّهُ ذُو ٱلْفَضْلِ ٱلْعَظِيمِ ۝ مَثَلُ ٱلَّذِينَ حُمِّلُوا۟ ٱلتَّوْرَىٰةَ ثُمَّ لَمْ يَحْمِلُوهَا كَمَثَلِ ٱلْحِمَارِ يَحْمِلُ أَسْفَارًۢا بِئْسَ مَثَلُ ٱلْقَوْمِ ٱلَّذِينَ كَذَّبُوا۟ بِـَٔايَٰتِ ٱللَّهِ وَٱللَّهُ لَا يَهْدِى ٱلْقَوْمَ ٱلظَّٰلِمِينَ ۝ قُلْ يَٰٓأَيُّهَا ٱلَّذِينَ هَادُوٓا۟ إِن زَعَمْتُمْ أَنَّكُمْ أَوْلِيَآءُ لِلَّهِ مِن دُونِ ٱلنَّاسِ فَتَمَنَّوُا۟ ٱلْمَوْتَ إِن كُنتُمْ صَٰدِقِينَ ۝ وَلَا يَتَمَنَّوْنَهُۥٓ أَبَدًۢا بِمَا قَدَّمَتْ أَيْدِيهِمْ وَٱللَّهُ عَلِيمٌۢ بِٱلظَّٰلِمِينَ ۝ قُلْ إِنَّ ٱلْمَوْتَ ٱلَّذِى تَفِرُّونَ مِنْهُ فَإِنَّهُۥ مُلَٰقِيكُمْ ثُمَّ تُرَدُّونَ إِلَىٰ عَٰلِمِ ٱلْغَيْبِ وَٱلشَّهَٰدَةِ فَيُنَبِّئُكُم بِمَا كُنتُمْ تَعْمَلُونَ ۝

AL-JUMUᶜA (LE VENDREDI)[1]
sourate 62   11 versets   Post-hégirien n°110

Au nom d'Allāh, le Tout Miséricordieux, le Très Miséricordieux.

1. Ce qui est dans les cieux et ce qui est sur la terre glorifient Allāh, le Souverain, le Pur, le Puissant, le Sage.

2. C'est Lui qui a envoyé à des gens sans Livre (les Arabes)[2] un Messager des leurs qui leur récite Ses versets, les purifie et leur enseigne le Livre et la Sagesse, bien qu'ils étaient auparavant dans un égarement évident,

3. ainsi qu'à d'autres[3] parmi ceux qui ne les ont pas encore rejoints. C'est Lui le Puissant, le Sage.

4. Telle est la grâce d'Allāh qu'Il donne à qui Il veut. Et Allāh est le Détenteur de l'énorme grâce.

5. Ceux qui ont été chargés de la Thora mais qui ne l'ont pas appliquée sont pareils à l'âne qui porte des livres. Quel mauvais exemple que celui de ceux qui traitent de mensonges les versets d'Allāh et Allāh ne guide pas les gens injustes.

6. Dis: «Ô vous qui pratiquez le judaïsme! Si vous prétendez être les bien-aimés d'Allāh à l'exclusion des autres, souhaitez donc la mort, si vous êtes véridiques».

7. Or, ils ne la souhaiteront jamais, à cause de ce que leurs mains ont préparé. Allāh cependant connaît bien les injustes.

8. Dis: «La mort que vous fuyez va certes vous rencontrer. Ensuite vous serez ramenés à Celui qui connaît parfaitement le monde Invisible et le monde visible et qui vous informera alors de ce que vous faisiez».

---

1. Titre tiré du v. 9.
2. *Gens sans livre*: (autre sens) gens illettrés.
3. *Ainsi qu'à d'autres*: le Messager n'a pas été envoyé pour ses seuls contemporains: il l'a été aussi pour tous jusqu'à la fin du monde.

يَـٰٓأَيُّهَا ٱلَّذِينَ ءَامَنُوٓا۟ إِذَا نُودِىَ لِلصَّلَوٰةِ مِن يَوْمِ ٱلْجُمُعَةِ فَٱسْعَوْا۟ إِلَىٰ ذِكْرِ ٱللَّهِ وَذَرُوا۟ ٱلْبَيْعَ ذَٰلِكُمْ خَيْرٌ لَّكُمْ إِن كُنتُمْ تَعْلَمُونَ ﴿٩﴾ فَإِذَا قُضِيَتِ ٱلصَّلَوٰةُ فَٱنتَشِرُوا۟ فِى ٱلْأَرْضِ وَٱبْتَغُوا۟ مِن فَضْلِ ٱللَّهِ وَٱذْكُرُوا۟ ٱللَّهَ كَثِيرًا لَّعَلَّكُمْ تُفْلِحُونَ ﴿١٠﴾ وَإِذَا رَأَوْا۟ تِجَٰرَةً أَوْ لَهْوًا ٱنفَضُّوٓا۟ إِلَيْهَا وَتَرَكُوكَ قَآئِمًا قُلْ مَا عِندَ ٱللَّهِ خَيْرٌ مِّنَ ٱللَّهْوِ وَمِنَ ٱلتِّجَٰرَةِ وَٱللَّهُ خَيْرُ ٱلرَّٰزِقِينَ ﴿١١﴾

سُورَةُ المُنَافِقُون

بِسْمِ ٱللَّهِ ٱلرَّحْمَٰنِ ٱلرَّحِيمِ

إِذَا جَآءَكَ ٱلْمُنَٰفِقُونَ قَالُوا۟ نَشْهَدُ إِنَّكَ لَرَسُولُ ٱللَّهِ وَٱللَّهُ يَعْلَمُ إِنَّكَ لَرَسُولُهُۥ وَٱللَّهُ يَشْهَدُ إِنَّ ٱلْمُنَٰفِقِينَ لَكَٰذِبُونَ ﴿١﴾ ٱتَّخَذُوٓا۟ أَيْمَٰنَهُمْ جُنَّةً فَصَدُّوا۟ عَن سَبِيلِ ٱللَّهِ إِنَّهُمْ سَآءَ مَا كَانُوا۟ يَعْمَلُونَ ﴿٢﴾ ذَٰلِكَ بِأَنَّهُمْ ءَامَنُوا۟ ثُمَّ كَفَرُوا۟ فَطُبِعَ عَلَىٰ قُلُوبِهِمْ فَهُمْ لَا يَفْقَهُونَ ﴿٣﴾ ۞ وَإِذَا رَأَيْتَهُمْ تُعْجِبُكَ أَجْسَامُهُمْ وَإِن يَقُولُوا۟ تَسْمَعْ لِقَوْلِهِمْ كَأَنَّهُمْ خُشُبٌ مُّسَنَّدَةٌ يَحْسَبُونَ كُلَّ صَيْحَةٍ عَلَيْهِمْ هُمُ ٱلْعَدُوُّ فَٱحْذَرْهُمْ قَٰتَلَهُمُ ٱللَّهُ أَنَّىٰ يُؤْفَكُونَ ﴿٤﴾

9. Ô vous qui avez cru! Quand on appelle à la Ṣalāt du jour du Vendredi, accourez à l'invocation d'Allāh et laissez tout négoce[1]. Cela est bien meilleur pour vous, si vous saviez!

10. Puis quand la Ṣalāt est achevée, dispersez-vous sur terre, et recherchez [quelque effet] de la grâce d'Allāh, et invoquez beaucoup Allāh afin que vous réussissiez.

11. Quand ils entrevoient quelque commerce ou quelque divertissement, ils s'y dispersent et te laissent debout. Dis: «Ce qui est auprès d'Allāh est bien meilleur que le divertissement et le commerce, et Allāh est le Meilleur des pourvoyeurs».

AL-MUNĀFIQŪN (LES HYPOCRITES)[2]
sourate 63   11 versets   Post-hégirien n°104

Au nom d'Allāh, le Tout Miséricordieux, le Très Miséricordieux.

1. Quand les hypocrites viennent à toi, ils disent: «Nous attestons que tu es certes le Messager d'Allāh» ; Allāh sait que tu es vraiment Son messager ; et Allāh atteste que les hypocrites sont assurément des menteurs.

2. Ils prennent leurs serments pour bouclier et obstruent le chemin d'Allāh. Quelles mauvaises choses que ce qu'ils faisaient!

3. C'est parce qu'en vérité ils ont cru, puis rejeté la foi. Leurs cœurs donc, ont été scellés, de sorte qu'ils ne comprennent rien.

4. Et quand tu les vois, leurs corps t'émerveillent ; et s'ils parlent, tu écoutes leur parole. Ils sont comme des bûches appuyées (contre des murs) et ils pensent que chaque cri est dirigé contre eux. L'ennemi c'est eux. Prends y garde. Qu'Allāh les extermine! Comme les voilà détournés (du droit chemin).

---

1. *Laissez tout négoce*: abandonnez toutes vos occupations pour pouvoir accomplir votre devoir religieux.
2. Titre tiré du v. 1.

وَإِذَا قِيلَ لَهُمْ تَعَالَوْا يَسْتَغْفِرْ لَكُمْ رَسُولُ ٱللَّهِ لَوَّوْا رُءُوسَهُمْ وَرَأَيْتَهُمْ يَصُدُّونَ وَهُم مُّسْتَكْبِرُونَ ۝ سَوَآءٌ عَلَيْهِمْ أَسْتَغْفَرْتَ لَهُمْ أَمْ لَمْ تَسْتَغْفِرْ لَهُمْ لَن يَغْفِرَ ٱللَّهُ لَهُمْ إِنَّ ٱللَّهَ لَا يَهْدِى ٱلْقَوْمَ ٱلْفَٰسِقِينَ ۝ هُمُ ٱلَّذِينَ يَقُولُونَ لَا تُنفِقُوا عَلَىٰ مَنْ عِندَ رَسُولِ ٱللَّهِ حَتَّىٰ يَنفَضُّوا وَلِلَّهِ خَزَآئِنُ ٱلسَّمَٰوَٰتِ وَٱلْأَرْضِ وَلَٰكِنَّ ٱلْمُنَٰفِقِينَ لَا يَفْقَهُونَ ۝ يَقُولُونَ لَئِن رَّجَعْنَآ إِلَى ٱلْمَدِينَةِ لَيُخْرِجَنَّ ٱلْأَعَزُّ مِنْهَا ٱلْأَذَلَّ وَلِلَّهِ ٱلْعِزَّةُ وَلِرَسُولِهِ وَلِلْمُؤْمِنِينَ وَلَٰكِنَّ ٱلْمُنَٰفِقِينَ لَا يَعْلَمُونَ ۝ يَٰٓأَيُّهَا ٱلَّذِينَ ءَامَنُوا لَا تُلْهِكُمْ أَمْوَٰلُكُمْ وَلَآ أَوْلَٰدُكُمْ عَن ذِكْرِ ٱللَّهِ وَمَن يَفْعَلْ ذَٰلِكَ فَأُو۟لَٰٓئِكَ هُمُ ٱلْخَٰسِرُونَ ۝ وَأَنفِقُوا مِن مَّا رَزَقْنَٰكُم مِّن قَبْلِ أَن يَأْتِىَ أَحَدَكُمُ ٱلْمَوْتُ فَيَقُولَ رَبِّ لَوْلَآ أَخَّرْتَنِىٓ إِلَىٰٓ أَجَلٍ قَرِيبٍ فَأَصَّدَّقَ وَأَكُن مِّنَ ٱلصَّٰلِحِينَ ۝ وَلَن يُؤَخِّرَ ٱللَّهُ نَفْسًا إِذَا جَآءَ أَجَلُهَا وَٱللَّهُ خَبِيرٌۢ بِمَا تَعْمَلُونَ ۝

سُورَةُ التَّغَابُن

5. Et quand on leur dit: «Venez que le Messager d'Allāh implore le pardon pour vous», ils détournent leurs têtes, et tu les vois se détourner tandis qu'ils s'enflent d'orgueil.

6. C'est égal, pour eux, que tu implores le pardon pour eux ou que tu ne le fasses pas: Allāh ne le ur pardonnera jamais, car Allāh ne guide pas les gens pervers.

7. Ce sont eux qui disent: «Ne dépensez point pour ceux qui sont auprès du Messager d'Allāh, afin qu'ils se dispersent». Et c'est à Allāh qu'appartiennent les trésors des cieux et de la terre, mais les hypocrites ne comprennent pas.

8. Ils disent: «Si nous retournons à Médine, le plus puissant en fera assurèment sortir le plus humble[1]».Or c'est à Allāh qu'est la puissance ainsi qu'à Son messager et aux croyants. Mais les hypocrites ne le savent pas.

9. Ô vous qui avez cru! Que ni vos biens ni vos enfants ne vous distraient du rappel d'Allāh. Et quiconque fait cela... alors ceux-là seront les perdants.

10. Et dépensez de ce que Nous vous avons octroyé avant que la mort ne vienne à l'un de vous et qu'il dise alors: «Seigneur! si seulement Tu m'accordais un court délai: je ferais l'aumône et serais parmi les gens de bien».

11. Allāh cependant n'accorde jamais de délai à une âme dont le terme est arrivé. Et Allāh est Parfaitement Connaisseur de ce que vous faites.

---

1. *Le plus puissant*: selon la prétention des hypocrites il s'agit de leur chef Ibn Ubayy, choisi pour devenir le roi de Médine, avant l'arrivée du Prophète.
Le plus humble: selon leur prétention il s'agit de Muḥammad (ﷺ).

بِسْمِ ٱللَّهِ ٱلرَّحْمَٰنِ ٱلرَّحِيمِ

يُسَبِّحُ لِلَّهِ مَا فِي ٱلسَّمَٰوَٰتِ وَمَا فِي ٱلْأَرْضِ لَهُ ٱلْمُلْكُ وَلَهُ ٱلْحَمْدُ وَهُوَ عَلَىٰ كُلِّ شَيْءٍ قَدِيرٌ ۝ هُوَ ٱلَّذِي خَلَقَكُمْ فَمِنكُمْ كَافِرٌ وَمِنكُم مُّؤْمِنٌ وَٱللَّهُ بِمَا تَعْمَلُونَ بَصِيرٌ ۝ خَلَقَ ٱلسَّمَٰوَٰتِ وَٱلْأَرْضَ بِٱلْحَقِّ وَصَوَّرَكُمْ فَأَحْسَنَ صُوَرَكُمْ وَإِلَيْهِ ٱلْمَصِيرُ ۝ يَعْلَمُ مَا فِي ٱلسَّمَٰوَٰتِ وَٱلْأَرْضِ وَيَعْلَمُ مَا تُسِرُّونَ وَمَا تُعْلِنُونَ وَٱللَّهُ عَلِيمٌ بِذَاتِ ٱلصُّدُورِ ۝ أَلَمْ يَأْتِكُمْ نَبَؤُاْ ٱلَّذِينَ كَفَرُواْ مِن قَبْلُ فَذَاقُواْ وَبَالَ أَمْرِهِمْ وَلَهُمْ عَذَابٌ أَلِيمٌ ۝ ذَٰلِكَ بِأَنَّهُۥ كَانَت تَّأْتِيهِمْ رُسُلُهُم بِٱلْبَيِّنَٰتِ فَقَالُوٓاْ أَبَشَرٌ يَهْدُونَنَا فَكَفَرُواْ وَتَوَلَّواْ وَّٱسْتَغْنَى ٱللَّهُ وَٱللَّهُ غَنِيٌّ حَمِيدٌ ۝ زَعَمَ ٱلَّذِينَ كَفَرُوٓاْ أَن لَّن يُبْعَثُواْ قُلْ بَلَىٰ وَرَبِّي لَتُبْعَثُنَّ ثُمَّ لَتُنَبَّؤُنَّ بِمَا عَمِلْتُمْ وَذَٰلِكَ عَلَى ٱللَّهِ يَسِيرٌ ۝ فَـَٔامِنُواْ بِٱللَّهِ وَرَسُولِهِۦ وَٱلنُّورِ ٱلَّذِيٓ أَنزَلْنَا وَٱللَّهُ بِمَا تَعْمَلُونَ خَبِيرٌ ۝ يَوْمَ يَجْمَعُكُمْ لِيَوْمِ ٱلْجَمْعِ ذَٰلِكَ يَوْمُ ٱلتَّغَابُنِ وَمَن يُؤْمِنۢ بِٱللَّهِ وَيَعْمَلْ صَٰلِحًا يُكَفِّرْ عَنْهُ سَيِّـَٔاتِهِۦ وَيُدْخِلْهُ جَنَّٰتٍ تَجْرِي مِن تَحْتِهَا ٱلْأَنْهَٰرُ خَٰلِدِينَ فِيهَآ أَبَدًا ذَٰلِكَ ٱلْفَوْزُ ٱلْعَظِيمُ ۝

AT-TAĠĀBUN (LA GRANDE PERTE)¹
sourate 64   18 versets   Post-hégirien n°108

Au nom d'Allāh, le Tout Miséricordieux, le Très Miséricordieux.

1. Ce qui est dans les cieux et ce qui est sur la terre glorifient Allāh. A Lui la royauté et à Lui les louanges. Et Il est Omnipotent.

2. C'est Lui qui vous a créés. Parmi vous [il y a] mécréant et croyant. Allāh observe parfaitement ce que vous faites.

3. Il a créé les cieux et la terre en toute vérité et vous a donné votre forme et quelle belle forme Il vous a donné! Et vers Lui est le devenir.

4. Il sait ce qui est dans les cieux et la terre, et Il sait ce que vous cachez ainsi que ce que vous divulguez. Et Allāh connaît bien le contenu des poitrines.

5. Ne vous est-elle pas parvenue, la nouvelle de ceux qui auparavant ont mécru et qui ont goûté la conséquence néfaste de leur acte ; ils auront en outre un châtiment douloureux.

6. Il en est ainsi parce que leurs messagers leur venaient avec des preuves évidentes, et qu'ils ont dit: «Sont-ce des hommes qui nous guideront?» Ils mécrurent alors et se détournèrent et Allāh Se passa [d'eux] et Allāh Se suffit à Lui-même et Il est Digne de louange.

7. Ceux qui ont mécru prétendent qu'ils ne seront point ressuscités. Dis: «Mais si! Par mon Seigneur! Vous serez très certainement ressuscités ; puis vous serez certes informés de ce que vous faisiez. Et cela est facile pour Allāh».

8. Croyez en Allāh donc et en Son messager, ainsi qu'en la Lumière [le Qur'ān] que Nous avons fait descendre. Et Allāh est Parfaitement Connaisseur de ce que vous faites.

9. Le jour où Il vous réunira pour le jour du Rassemblement, ce sera le jour de la grande perte. Et celui qui croit en Allāh et accomplit les bonnes œuvres, Il lui effacera ses mauvaises actions et le fera entrer dans des Jardins sous lesquels coulent les ruisseaux où ils demeureront éternellement. Voilà l'énorme succès!

---

1. Titre tiré du v. 9.
Autre sens attribué au titre: la duperie mutuelle.

وَٱلَّذِينَ كَفَرُوا۟ وَكَذَّبُوا۟ بِـَٔايَـٰتِنَآ أُو۟لَـٰٓئِكَ أَصْحَـٰبُ ٱلنَّارِ خَـٰلِدِينَ فِيهَا ۖ وَبِئْسَ ٱلْمَصِيرُ ﴿١٠﴾ مَآ أَصَابَ مِن مُّصِيبَةٍ إِلَّا بِإِذْنِ ٱللَّهِ ۗ وَمَن يُؤْمِنۢ بِٱللَّهِ يَهْدِ قَلْبَهُۥ ۚ وَٱللَّهُ بِكُلِّ شَىْءٍ عَلِيمٌ ﴿١١﴾ وَأَطِيعُوا۟ ٱللَّهَ وَأَطِيعُوا۟ ٱلرَّسُولَ ۚ فَإِن تَوَلَّيْتُمْ فَإِنَّمَا عَلَىٰ رَسُولِنَا ٱلْبَلَـٰغُ ٱلْمُبِينُ ﴿١٢﴾ ٱللَّهُ لَآ إِلَـٰهَ إِلَّا هُوَ ۚ وَعَلَى ٱللَّهِ فَلْيَتَوَكَّلِ ٱلْمُؤْمِنُونَ ﴿١٣﴾ يَـٰٓأَيُّهَا ٱلَّذِينَ ءَامَنُوٓا۟ إِنَّ مِنْ أَزْوَٰجِكُمْ وَأَوْلَـٰدِكُمْ عَدُوًّا لَّكُمْ فَٱحْذَرُوهُمْ ۚ وَإِن تَعْفُوا۟ وَتَصْفَحُوا۟ وَتَغْفِرُوا۟ فَإِنَّ ٱللَّهَ غَفُورٌ رَّحِيمٌ ﴿١٤﴾ إِنَّمَآ أَمْوَٰلُكُمْ وَأَوْلَـٰدُكُمْ فِتْنَةٌ ۚ وَٱللَّهُ عِندَهُۥٓ أَجْرٌ عَظِيمٌ ﴿١٥﴾ فَٱتَّقُوا۟ ٱللَّهَ مَا ٱسْتَطَعْتُمْ وَٱسْمَعُوا۟ وَأَطِيعُوا۟ وَأَنفِقُوا۟ خَيْرًا لِّأَنفُسِكُمْ ۗ وَمَن يُوقَ شُحَّ نَفْسِهِۦ فَأُو۟لَـٰٓئِكَ هُمُ ٱلْمُفْلِحُونَ ﴿١٦﴾ إِن تُقْرِضُوا۟ ٱللَّهَ قَرْضًا حَسَنًا يُضَـٰعِفْهُ لَكُمْ وَيَغْفِرْ لَكُمْ ۚ وَٱللَّهُ شَكُورٌ حَلِيمٌ ﴿١٧﴾ عَـٰلِمُ ٱلْغَيْبِ وَٱلشَّهَـٰدَةِ ٱلْعَزِيزُ ٱلْحَكِيمُ ﴿١٨﴾

سُورَةُ الطَّلَاقِ

10. Et ceux qui ont mécru et traité de mensonges Nos versets, ceux-là sont les gens du Feu où ils demeureront éternellement. Et quelle mauvaise destination!

11. Nul malheur n'atteint [l'homme] que par la permission d'Allāh. Et quiconque croit en Allāh, [Allāh] guide son cœur. Allāh est Omniscient.

12. Obéissez à Allāh et obéissez au Messager et si vous vous détournez... il n'incombe à Notre messager que de transmettre en clair (son message).

13. Allāh, nulle autre divinité que Lui! Et c'est à Allāh que les croyants [doivent] s'en remettre.

14. Ô vous qui avez cru, vous avez de vos épouses et de vos enfants un ennemi [une tentation]. Prenez-y garde donc. Mais si vous [les] excusez, passez sur [leurs] fautes et [leur] pardonnez, sachez qu'Allāh est Pardonneur, Très Miséricordieux.

15. Vos biens et vos enfants ne sont qu'une tentation, alors qu'auprès d'Allāh est une énorme récompense.

16. Craignez Allāh, donc autant que vous pouvez, écoutez, obéissez et faites largesses. Ce sera un bien pour vous. Et quiconque a été protégé contre sa propre avidité ... ceux-là sont ceux qui réussissent.

17. Si vous faites à Allāh un prêt sincère, Il le multipliera pour vous et vous pardonnera. Allāh cependant est très Reconnaissant et Indulgent.

18. Il est le Connaisseur du monde Invisible et visible, et Il est le Puissant, le Sage.

بِسْمِ اللَّهِ الرَّحْمَٰنِ الرَّحِيمِ

يَٰٓأَيُّهَا ٱلنَّبِيُّ إِذَا طَلَّقْتُمُ ٱلنِّسَآءَ فَطَلِّقُوهُنَّ لِعِدَّتِهِنَّ وَأَحْصُوا۟ ٱلْعِدَّةَ وَٱتَّقُوا۟ ٱللَّهَ رَبَّكُمْ لَا تُخْرِجُوهُنَّ مِنۢ بُيُوتِهِنَّ وَلَا يَخْرُجْنَ إِلَّآ أَن يَأْتِينَ بِفَٰحِشَةٍ مُّبَيِّنَةٍ وَتِلْكَ حُدُودُ ٱللَّهِ وَمَن يَتَعَدَّ حُدُودَ ٱللَّهِ فَقَدْ ظَلَمَ نَفْسَهُۥ لَا تَدْرِى لَعَلَّ ٱللَّهَ يُحْدِثُ بَعْدَ ذَٰلِكَ أَمْرًا ۝ فَإِذَا بَلَغْنَ أَجَلَهُنَّ فَأَمْسِكُوهُنَّ بِمَعْرُوفٍ أَوْ فَارِقُوهُنَّ بِمَعْرُوفٍ وَأَشْهِدُوا۟ ذَوَىْ عَدْلٍ مِّنكُمْ وَأَقِيمُوا۟ ٱلشَّهَٰدَةَ لِلَّهِ ذَٰلِكُمْ يُوعَظُ بِهِۦ مَن كَانَ يُؤْمِنُ بِٱللَّهِ وَٱلْيَوْمِ ٱلْءَاخِرِ وَمَن يَتَّقِ ٱللَّهَ يَجْعَل لَّهُۥ مَخْرَجًا ۝ وَيَرْزُقْهُ مِنْ حَيْثُ لَا يَحْتَسِبُ وَمَن يَتَوَكَّلْ عَلَى ٱللَّهِ فَهُوَ حَسْبُهُۥٓ إِنَّ ٱللَّهَ بَٰلِغُ أَمْرِهِۦ قَدْ جَعَلَ ٱللَّهُ لِكُلِّ شَىْءٍ قَدْرًا ۝ وَٱلَّٰٓـِٔى يَئِسْنَ مِنَ ٱلْمَحِيضِ مِن نِّسَآئِكُمْ إِنِ ٱرْتَبْتُمْ فَعِدَّتُهُنَّ ثَلَٰثَةُ أَشْهُرٍ وَٱلَّٰٓـِٔى لَمْ يَحِضْنَ وَأُو۟لَٰتُ ٱلْأَحْمَالِ أَجَلُهُنَّ أَن يَضَعْنَ حَمْلَهُنَّ وَمَن يَتَّقِ ٱللَّهَ يَجْعَل لَّهُۥ مِنْ أَمْرِهِۦ يُسْرًا ۝ ذَٰلِكَ أَمْرُ ٱللَّهِ أَنزَلَهُۥٓ إِلَيْكُمْ وَمَن يَتَّقِ ٱللَّهَ يُكَفِّرْ عَنْهُ سَيِّـَٔاتِهِۦ وَيُعْظِمْ لَهُۥٓ أَجْرًا ۝

AṬ-ṬALĀQ (LE DIVORCE)[1]
sourate 65   12 versets   Post-hégirien n° 99

Au nom d'Allāh, le Tout Miséricordieux, le Très Miséricordieux.

1. Ô Prophète! Quand vous répudiez les femmes, répudiez-les conformément à leur période d'attente prescrite ; et comptez la période ; et craignez Allāh votre Seigneur. Ne les faîtes pas sortir de leurs maisons, et qu'elles n'en sortent pas, à moins qu'elles n'aient commis une turpitude prouvée. Telles sont les lois d'Allāh. Quiconque cependant transgresse les lois d'Allāh, se fait du tort à lui-même. Tu ne sais pas si d'ici là Allāh ne suscitera pas quelque chose de nouveau![2]

2. Puis quand elles atteignent le terme prescrit, retenez-les de façon convenable, ou séparez-vous d'elles de façon convenable ; et prenez deux hommes intègres parmi vous comme témoins. Et acquittez-vous du témoignage envers Allāh. Voilà ce à quoi est exhorté celui qui croit en Allāh et au Jour dernier. Et quiconque craint Allāh, Il lui donnera une issue favorable,

3. et lui accordera Ses dons par [des moyens] sur lesquels il ne comptait pas. Et quiconque place sa confiance en Allāh, Il [Allāh] lui suffit. Allāh atteint ce qu'Il Se propose, et Allāh a assigné une mesure à chaque chose.

4. Si vous avez des doutes à propos (de la période d'attente) de vos femmes qui n'espèrent plus avoir de règles, leur délai est de trois mois. De même pour celles qui n'ont pas encore de règles. Et quant à celles qui sont enceintes, leur période d'attente se terminera à leur accouchement. Quiconque craint Allāh cependant, Il lui facilite les choses[3].

5. Tel est le commandement d'Allāh qu'Il a fait descendre vers vous. Quiconque craint Allāh cependant, Il lui efface ses fautes et lui accorde une grosse récompense.

---

1. Titre tiré du contenu du v. 1.
2. *Conformément à leur délai d'attente*: après les règles, en période de pureté et sans pourtant avoir eu des rapports sexuels avec elle ; et ce pour éviter de prolonger sa période d'attente.
D'ici-là: Iittér.: après cela - dans l'intervalle de ce délai prescrit.
3. *De vos femmes* (divorcées) *qui n'espèrent plus avoir de règles* (parce que, âgées, elles ne peuvent plus en avoir), *et celles qui n'ont pas encore de règles*: les unes et les autres doivent attendre, avant un remariage, trois mois lunaires afin qu'il n'y ait pas de doute possible au sujet d'une grossesse.

أَسْكِنُوهُنَّ مِنْ حَيْثُ سَكَنتُم مِّن وُجْدِكُمْ وَلَا تُضَآرُّوهُنَّ لِتُضَيِّقُوا۟

عَلَيْهِنَّ ۚ وَإِن كُنَّ أُو۟لَـٰتِ حَمْلٍ فَأَنفِقُوا۟ عَلَيْهِنَّ حَتَّىٰ يَضَعْنَ حَمْلَهُنَّ ۚ

فَإِنْ أَرْضَعْنَ لَكُمْ فَـَٔاتُوهُنَّ أُجُورَهُنَّ ۖ وَأْتَمِرُوا۟ بَيْنَكُم بِمَعْرُوفٍ ۖ وَإِن

تَعَاسَرْتُمْ فَسَتُرْضِعُ لَهُۥٓ أُخْرَىٰ ۝ لِيُنفِقْ ذُو سَعَةٍ مِّن سَعَتِهِۦ ۖ

وَمَن قُدِرَ عَلَيْهِ رِزْقُهُۥ فَلْيُنفِقْ مِمَّآ ءَاتَىٰهُ ٱللَّهُ ۚ لَا يُكَلِّفُ ٱللَّهُ نَفْسًا

إِلَّا مَآ ءَاتَىٰهَا ۚ سَيَجْعَلُ ٱللَّهُ بَعْدَ عُسْرٍ يُسْرًا ۝ وَكَأَيِّن مِّن قَرْيَةٍ

عَتَتْ عَنْ أَمْرِ رَبِّهَا وَرُسُلِهِۦ فَحَاسَبْنَٰهَا حِسَابًا شَدِيدًا وَعَذَّبْنَٰهَا

عَذَابًا نُّكْرًا ۝ فَذَاقَتْ وَبَالَ أَمْرِهَا وَكَانَ عَٰقِبَةُ أَمْرِهَا خُسْرًا

أَعَدَّ ٱللَّهُ لَهُمْ عَذَابًا شَدِيدًا ۖ فَٱتَّقُوا۟ ٱللَّهَ يَٰٓأُو۟لِى ٱلْأَلْبَٰبِ ٱلَّذِينَ ءَامَنُوا۟ ۚ

قَدْ أَنزَلَ ٱللَّهُ إِلَيْكُمْ ذِكْرًا ۝ رَّسُولًا يَتْلُوا۟ عَلَيْكُمْ ءَايَٰتِ ٱللَّهِ مُبَيِّنَٰتٍ

لِّيُخْرِجَ ٱلَّذِينَ ءَامَنُوا۟ وَعَمِلُوا۟ ٱلصَّٰلِحَٰتِ مِنَ ٱلظُّلُمَٰتِ إِلَى ٱلنُّورِ ۚ

وَمَن يُؤْمِنۢ بِٱللَّهِ وَيَعْمَلْ صَٰلِحًا يُدْخِلْهُ جَنَّٰتٍ تَجْرِى مِن تَحْتِهَا

ٱلْأَنْهَٰرُ خَٰلِدِينَ فِيهَآ أَبَدًا ۖ قَدْ أَحْسَنَ ٱللَّهُ لَهُۥ رِزْقًا ۝ ٱللَّهُ ٱلَّذِى خَلَقَ

سَبْعَ سَمَٰوَٰتٍ وَمِنَ ٱلْأَرْضِ مِثْلَهُنَّ يَتَنَزَّلُ ٱلْأَمْرُ بَيْنَهُنَّ لِتَعْلَمُوٓا۟ أَنَّ

ٱللَّهَ عَلَىٰ كُلِّ شَىْءٍ قَدِيرٌ وَأَنَّ ٱللَّهَ قَدْ أَحَاطَ بِكُلِّ شَىْءٍ عِلْمًۢا ۝

6. Et faites que ces femmes habitent où vous habitez, et suivant vos moyens. Et ne cherchez pas à leur nuire en les contraignant à vivre à l'étroit. Et si elles sont enceintes, pourvoyez à leurs besoins jusqu'à ce qu'elles aient accouché. Puis, si elles allaitent [l'enfant né] de vous, donnez-leur leurs salaires[1]. Et concertez-vous [à ce sujet] de façon convenable. Et si vous rencontrez des difficultés réciproques, alors, une autre allaitera pour lui.

7. Que celui qui est aisé dépense de sa fortune ; et que celui dont les biens sont restreints dépense selon ce qu'Allāh lui a accordé. Allāh n'impose à personne que selon ce qu'Il lui a donné, et Allāh fera succéder l'aisance à la gêne.

8. Que de cités ont refusé avec insolence le commandement de leur Seigneur et de Ses messagers! Nous leur en demandâmes compte avec sévérité, et les châtiâmes d'un châtiment inouï.

9. Elles goûtèrent donc la conséquence de leur comportement. Et le résultat final de leurs actions fut [leur] perdition.

10. Allāh a préparé pour eux un dur châtiment. Craignez Allāh donc, ô vous qui êtes doués d'intelligence, vous qui avez la foi. Certes, Allāh a fait descendre vers vous un rappel,

11. un Messager qui vous récite les versets d'Allāh comme preuves claires, afin de faire sortir ceux qui croient et accomplissent les bonnes œuvres des ténèbres à la lumière. Et quiconque croit en Allāh et fait le bien, Il le fait entrer aux Jardins sous lesquels coulent les ruisseaux, pour y demeurer éternellement. Allāh lui a fait une belle attribution.

12. Allāh qui a créé sept cieux et autant de terres. Entre eux [Son] commandement descend, afin que vous sachiez qu'Allāh est en vérité Omnipotent et qu'Allāh a embrassé toute chose de [Son] savoir.

---

1. *Donnez-leur leurs salaires*: si la femme refuse d'allaiter l'enfant c'est au père de procurer une nourrice (qu'il paie) pour ses enfants.

سُورَةُ التَّحْرِيمِ

ثلاثة أرباع الحزب ٥٦

بِسْمِ اللَّهِ الرَّحْمَٰنِ الرَّحِيمِ

يَٰٓأَيُّهَا ٱلنَّبِىُّ لِمَ تُحَرِّمُ مَآ أَحَلَّ ٱللَّهُ لَكَ تَبْتَغِى مَرْضَاتَ أَزْوَٰجِكَ وَٱللَّهُ غَفُورٌ رَّحِيمٌ ۞ قَدْ فَرَضَ ٱللَّهُ لَكُمْ تَحِلَّةَ أَيْمَٰنِكُمْ وَٱللَّهُ مَوْلَىٰكُمْ وَهُوَ ٱلْعَلِيمُ ٱلْحَكِيمُ ۞ وَإِذْ أَسَرَّ ٱلنَّبِىُّ إِلَىٰ بَعْضِ أَزْوَٰجِهِۦ حَدِيثًا فَلَمَّا نَبَّأَتْ بِهِۦ وَأَظْهَرَهُ ٱللَّهُ عَلَيْهِ عَرَّفَ بَعْضَهُۥ وَأَعْرَضَ عَنۢ بَعْضٍ فَلَمَّا نَبَّأَهَا بِهِۦ قَالَتْ مَنْ أَنۢبَأَكَ هَٰذَا قَالَ نَبَّأَنِىَ ٱلْعَلِيمُ ٱلْخَبِيرُ ۞ إِن تَتُوبَآ إِلَى ٱللَّهِ فَقَدْ صَغَتْ قُلُوبُكُمَا وَإِن تَظَٰهَرَا عَلَيْهِ فَإِنَّ ٱللَّهَ هُوَ مَوْلَىٰهُ وَجِبْرِيلُ وَصَٰلِحُ ٱلْمُؤْمِنِينَ وَٱلْمَلَٰٓئِكَةُ بَعْدَ ذَٰلِكَ ظَهِيرٌ ۞ عَسَىٰ رَبُّهُۥٓ إِن طَلَّقَكُنَّ أَن يُبْدِلَهُۥٓ أَزْوَٰجًا خَيْرًا مِّنكُنَّ مُسْلِمَٰتٍ مُّؤْمِنَٰتٍ قَٰنِتَٰتٍ تَٰٓئِبَٰتٍ عَٰبِدَٰتٍ سَٰٓئِحَٰتٍ ثَيِّبَٰتٍ وَأَبْكَارًا ۞ يَٰٓأَيُّهَا ٱلَّذِينَ ءَامَنُوا۟ قُوٓا۟ أَنفُسَكُمْ وَأَهْلِيكُمْ نَارًا وَقُودُهَا ٱلنَّاسُ وَٱلْحِجَارَةُ عَلَيْهَا مَلَٰٓئِكَةٌ غِلَاظٌ شِدَادٌ لَّا يَعْصُونَ ٱللَّهَ مَآ أَمَرَهُمْ وَيَفْعَلُونَ مَا يُؤْمَرُونَ ۞ يَٰٓأَيُّهَا ٱلَّذِينَ كَفَرُوا۟ لَا تَعْتَذِرُوا۟ ٱلْيَوْمَ إِنَّمَا تُجْزَوْنَ مَا كُنتُمْ تَعْمَلُونَ ۞

AT-TAḤRĪM (L'INTERDICTION)[1]
sourate 66   12 versets   Post-hégirien n°107

Au nom d'Allāh, le Tout Miséricordieux, le Très Miséricordieux.

1. Ô Prophète! Pourquoi, en recherchant l'agrément de tes femmes, t'interdis-tu ce qu'Allāh t'a rendu licite? Et Allāh est Pardonneur, Très Miséricordieux.

2. Allāh vous a prescrit certes, de vous libérer de vos serments. Allāh est votre Maître; et c'est Lui l'Omniscient, le Sage[2].

3. Lorsque le Prophète confia un secret à l'une de ses épouses et qu'elle l'eut divulgué et qu'Allāh l'en eut informé, celui-ci en fit connaître une partie et passa sur une partie. Puis, quand il l'en eut informée elle dit: «Qui t'en a donné nouvelle?» il dit: «C'est l'Omniscient, le Parfaitement Connaisseur qui m'en a avisé».

4. Si vous vous repentez à Allāh c'est que vos cœurs ont fléchi. Mais si vous vous soutenez l'une l'autre contre le Prophète, alors ses alliés seront Allāh, Gabriel et les vertueux d'entre les croyants, et les Anges sont par surcroît [son] soutien[3].

5. S'ils vous répudie, il se peut que son Seigneur lui donne en échange des épouses meilleures que vous, musulmanes, croyantes, obéissantes, repentantes, adoratrices, jeûneuses, déjà mariées ou vierges[4].

6. Ô vous qui avez cru! Préservez vos personnes et vos familles, d'un Feu dont le combustible sera les gens et les pierres, surveillé par des Anges rudes, durs, ne désobéissant jamais à Allāh en ce qu'Il leur commande, et faisant strictement ce qu'on leur ordonne.

7. Ô vous qui avez mécru! Ne vous excusez pas aujourd'hui Vous ne serez rétribués que selon ce que vous œuvriez.

---

1. Titre tiré du contenu du v. 1.
2. *De vous libérer* (par l'expiation) *de vos serments*: Voir S. 5, v. 89.
3. Vous vous repentez: 'Ā'iša et Ḥafṣa.
Vos cœurs ont fléchi: en ayant divulgué le secret du Prophète.
4. *Jeûneuses*: autre interp. émigrées.

يَـٰٓأَيُّهَا ٱلَّذِينَ ءَامَنُوا۟ تُوبُوٓا۟ إِلَى ٱللَّهِ تَوْبَةً نَّصُوحًا عَسَىٰ رَبُّكُمْ أَن يُكَفِّرَ عَنكُمْ سَيِّـَٔاتِكُمْ وَيُدْخِلَكُمْ جَنَّـٰتٍ تَجْرِى مِن تَحْتِهَا ٱلْأَنْهَـٰرُ يَوْمَ لَا يُخْزِى ٱللَّهُ ٱلنَّبِىَّ وَٱلَّذِينَ ءَامَنُوا۟ مَعَهُۥ نُورُهُمْ يَسْعَىٰ بَيْنَ أَيْدِيهِمْ وَبِأَيْمَـٰنِهِمْ يَقُولُونَ رَبَّنَآ أَتْمِمْ لَنَا نُورَنَا وَٱغْفِرْ لَنَآ إِنَّكَ عَلَىٰ كُلِّ شَىْءٍ قَدِيرٌ ۝

يَـٰٓأَيُّهَا ٱلنَّبِىُّ جَـٰهِدِ ٱلْكُفَّارَ وَٱلْمُنَـٰفِقِينَ وَٱغْلُظْ عَلَيْهِمْ وَمَأْوَىٰهُمْ جَهَنَّمُ وَبِئْسَ ٱلْمَصِيرُ ۝ ضَرَبَ ٱللَّهُ مَثَلًا لِّلَّذِينَ كَفَرُوا۟ ٱمْرَأَتَ نُوحٍ وَٱمْرَأَتَ لُوطٍ كَانَتَا تَحْتَ عَبْدَيْنِ مِنْ عِبَادِنَا صَـٰلِحَيْنِ فَخَانَتَاهُمَا فَلَمْ يُغْنِيَا عَنْهُمَا مِنَ ٱللَّهِ شَيْـًٔا وَقِيلَ ٱدْخُلَا ٱلنَّارَ مَعَ ٱلدَّـٰخِلِينَ ۝

وَضَرَبَ ٱللَّهُ مَثَلًا لِّلَّذِينَ ءَامَنُوا۟ ٱمْرَأَتَ فِرْعَوْنَ إِذْ قَالَتْ رَبِّ ٱبْنِ لِى عِندَكَ بَيْتًا فِى ٱلْجَنَّةِ وَنَجِّنِى مِن فِرْعَوْنَ وَعَمَلِهِۦ وَنَجِّنِى مِنَ ٱلْقَوْمِ ٱلظَّـٰلِمِينَ ۝ وَمَرْيَمَ ٱبْنَتَ عِمْرَٰنَ ٱلَّتِىٓ أَحْصَنَتْ فَرْجَهَا فَنَفَخْنَا فِيهِ مِن رُّوحِنَا وَصَدَّقَتْ بِكَلِمَـٰتِ رَبِّهَا وَكُتُبِهِۦ وَكَانَتْ مِنَ ٱلْقَـٰنِتِينَ ۝

8. Ô vous qui avez cru! Repentez-vous à Allāh d'un repentir sincère. Il se peut que votre Seigneur vous efface vos fautes et qu'Il vous fasse entrer dans des Jardins sous lesquels coulent les ruisseaux, le jour où Allāh épargnera l'ignominie au Prophète et à ceux qui croient avec lui. Leur lumière courra devant eux et à leur droite ; ils diront: «Seigneur, parfais-nous notre lumière et pardonne-nous. Car Tu es Omnipotent».

9. Ô Prophète! Mène la lutte contre les mécréants et les hypocrites et sois rude à leur égard. Leur refuge sera l'Enfer, et quelle mauvaise destination!

10. Allāh a cité en parabole pour ceux qui ont mécru la femme de Noé et la femme de Lot. Elles étaient sous l'autorité de deux vertueux de Nos serviteurs. Toutes deux les trahirent et ils ne furent d'aucune aide pour [ces deux femmes] vis-à-vis d'Allāh. Et il [leur] fut dit: «Entrez au Feu toutes les deux, avec ceux qui y entrent»,

11. et Allāh a cité en parabole pour ceux qui croient, la femme de Pharaon, quand elle dit «Seigneur, construis-moi auprès de Toi une maison dans le Paradis, et sauve-moi de Pharaon et de son œuvre ; et sauve-moi des gens injustes».

12. De même, Marie, la fille d'Imran qui avait préservé sa virginité ; Nous y insufflâmes alors de Notre Esprit. Elle avait déclaré véridiques les paroles de son Seigneur ainsi que Ses Livres: elle fut parmi les dévoués.

سُورَةُ المُلكِ

بِسْمِ اللَّهِ الرَّحْمَٰنِ الرَّحِيمِ

تَبَارَكَ الَّذِي بِيَدِهِ الْمُلْكُ وَهُوَ عَلَىٰ كُلِّ شَيْءٍ قَدِيرٌ ۝ الَّذِي خَلَقَ الْمَوْتَ وَالْحَيَاةَ لِيَبْلُوَكُمْ أَيُّكُمْ أَحْسَنُ عَمَلًا وَهُوَ الْعَزِيزُ الْغَفُورُ ۝ الَّذِي خَلَقَ سَبْعَ سَمَاوَاتٍ طِبَاقًا مَا تَرَىٰ فِي خَلْقِ الرَّحْمَٰنِ مِن تَفَاوُتٍ فَارْجِعِ الْبَصَرَ هَلْ تَرَىٰ مِن فُطُورٍ ۝ ثُمَّ ارْجِعِ الْبَصَرَ كَرَّتَيْنِ يَنقَلِبْ إِلَيْكَ الْبَصَرُ خَاسِئًا وَهُوَ حَسِيرٌ ۝ وَلَقَدْ زَيَّنَّا السَّمَاءَ الدُّنْيَا بِمَصَابِيحَ وَجَعَلْنَاهَا رُجُومًا لِلشَّيَاطِينِ وَأَعْتَدْنَا لَهُمْ عَذَابَ السَّعِيرِ ۝ وَلِلَّذِينَ كَفَرُوا بِرَبِّهِمْ عَذَابُ جَهَنَّمَ وَبِئْسَ الْمَصِيرُ ۝ إِذَا أُلْقُوا فِيهَا سَمِعُوا لَهَا شَهِيقًا وَهِيَ تَفُورُ ۝ تَكَادُ تَمَيَّزُ مِنَ الْغَيْظِ كُلَّمَا أُلْقِيَ فِيهَا فَوْجٌ سَأَلَهُمْ خَزَنَتُهَا أَلَمْ يَأْتِكُمْ نَذِيرٌ ۝ قَالُوا بَلَىٰ قَدْ جَاءَنَا نَذِيرٌ فَكَذَّبْنَا وَقُلْنَا مَا نَزَّلَ اللَّهُ مِن شَيْءٍ إِنْ أَنتُمْ إِلَّا فِي ضَلَالٍ كَبِيرٍ ۝ وَقَالُوا لَوْ كُنَّا نَسْمَعُ أَوْ نَعْقِلُ مَا كُنَّا فِي أَصْحَابِ السَّعِيرِ ۝ فَاعْتَرَفُوا بِذَنبِهِمْ فَسُحْقًا لِأَصْحَابِ السَّعِيرِ ۝ إِنَّ الَّذِينَ يَخْشَوْنَ رَبَّهُم بِالْغَيْبِ لَهُم مَّغْفِرَةٌ وَأَجْرٌ كَبِيرٌ ۝

AL-MULK (LA ROYAUTÉ)[1]

sourate 67   30 versets   Pré-hégirien n°77

Au nom d'Allāh, le Tout Miséricordieux, le Très Miséricordieux.

1. Béni soit celui dans la main de qui est la royauté, et Il est Omnipotent.

2. Celui qui a créé la mort et la vie afin de vous éprouver (et de savoir) qui de vous est le meilleur en œuvre, et c'est Lui le Puissant, le Pardonneur.

3. Celui qui a créé sept cieux superposés sans que tu voies de disproportion en la création du Tout Miséricordieux. Ramène [sur elle] le regard. Y vois-tu une brèche quelconque?

4. Puis, retourne ton regard à deux fois: le regard te reviendra humilié et frustré.

5. Nous avons effectivement embelli le ciel le plus proche avec des lampes [des étoiles] dont Nous avons fait des projectiles pour lapider les diables et Nous leur avons préparé le châtiment de la Fournaise.

6. Ceux qui ont mécru à leur Seigneur auront le châtiment de l'Enfer. Et quelle mauvaise destination!

7. Quand ils y seront jetés, ils lui entendront un gémissement, tandis qu'il bouillonne.

8. Peu s'en faut que, de rage, il n'éclate. Toutes les fois qu'un groupe y est jeté, ses gardiens leur demandent: «Quoi! ne vous est-il pas venu d'avertisseur?»

9. Ils dirent: «Mais si! Un avertisseur nous était venu certes, mais nous avons crié au mensonge et avons dit: Allāh n'a rien fait descendre: vous n'êtes que dans un grand égarement»[2].

10. Et ils dirent: «Si nous avions écouté ou raisonné, nous ne serions pas parmi les gens de la Fournaise».

11. Ils ont reconnu leur péché. Que les gens de la Fournaise soient anéantis à jamais.

12. Ceux qui redoutent leur Seigneur bien qu'ils ne L'aient jamais vu[3] auront un pardon et une grande récompense.

---

1. Titre tiré du v. 1.
2. *Vous n'êtes*: le Prophète et ses adeptes.
3. *Bien qu'ils ne l'aient jamais vu*: (autre sens) sans qu'ils ne soient vus par personne.

وَأَسِرُّوا۟ قَوْلَكُمْ أَوِ ٱجْهَرُوا۟ بِهِۦٓ إِنَّهُۥ عَلِيمٌۢ بِذَاتِ ٱلصُّدُورِ ۝ أَلَا يَعْلَمُ مَنْ خَلَقَ وَهُوَ ٱللَّطِيفُ ٱلْخَبِيرُ ۝ هُوَ ٱلَّذِى جَعَلَ لَكُمُ ٱلْأَرْضَ ذَلُولًا فَٱمْشُوا۟ فِى مَنَاكِبِهَا وَكُلُوا۟ مِن رِّزْقِهِۦ وَإِلَيْهِ ٱلنُّشُورُ ۝ ءَأَمِنتُم مَّن فِى ٱلسَّمَآءِ أَن يَخْسِفَ بِكُمُ ٱلْأَرْضَ فَإِذَا هِىَ تَمُورُ ۝ أَمْ أَمِنتُم مَّن فِى ٱلسَّمَآءِ أَن يُرْسِلَ عَلَيْكُمْ حَاصِبًا فَسَتَعْلَمُونَ كَيْفَ نَذِيرِ ۝ وَلَقَدْ كَذَّبَ ٱلَّذِينَ مِن قَبْلِهِمْ فَكَيْفَ كَانَ نَكِيرِ ۝ أَوَلَمْ يَرَوْا۟ إِلَى ٱلطَّيْرِ فَوْقَهُمْ صَٰٓفَّٰتٍ وَيَقْبِضْنَ مَا يُمْسِكُهُنَّ إِلَّا ٱلرَّحْمَٰنُ إِنَّهُۥ بِكُلِّ شَىْءٍۭ بَصِيرٌ ۝ أَمَّنْ هَٰذَا ٱلَّذِى هُوَ جُندٌ لَّكُمْ يَنصُرُكُم مِّن دُونِ ٱلرَّحْمَٰنِ إِنِ ٱلْكَٰفِرُونَ إِلَّا فِى غُرُورٍ ۝ أَمَّنْ هَٰذَا ٱلَّذِى يَرْزُقُكُمْ إِنْ أَمْسَكَ رِزْقَهُۥ بَل لَّجُّوا۟ فِى عُتُوٍّ وَنُفُورٍ ۝ أَفَمَن يَمْشِى مُكِبًّا عَلَىٰ وَجْهِهِۦٓ أَهْدَىٰٓ أَمَّن يَمْشِى سَوِيًّا عَلَىٰ صِرَٰطٍ مُّسْتَقِيمٍ ۝ قُلْ هُوَ ٱلَّذِىٓ أَنشَأَكُمْ وَجَعَلَ لَكُمُ ٱلسَّمْعَ وَٱلْأَبْصَٰرَ وَٱلْأَفْـِٔدَةَ قَلِيلًا مَّا تَشْكُرُونَ ۝ قُلْ هُوَ ٱلَّذِى ذَرَأَكُمْ فِى ٱلْأَرْضِ وَإِلَيْهِ تُحْشَرُونَ ۝ وَيَقُولُونَ مَتَىٰ هَٰذَا ٱلْوَعْدُ إِن كُنتُمْ صَٰدِقِينَ ۝ قُلْ إِنَّمَا ٱلْعِلْمُ عِندَ ٱللَّهِ وَإِنَّمَآ أَنَا۠ نَذِيرٌ مُّبِينٌ ۝

13. Que vous cachiez votre parole ou la divulguiez Il connaît bien le contenu des poitrines.

14. Ne connaît-Il pas ce qu'Il a créé alors que c'est Lui le Compatissant, le Parfaitement Connaisseur.

15. C'est Lui qui vous a soumis la terre: parcourez donc ses grandes étendues. Mangez de ce qu'Il vous fournit. Vers Lui est la Résurrection.

16. Etes-vous à l'abri que Celui qui est au ciel vous enfouisse en la terre? Et voici qu'elle tremble!

17. Ou êtes-vous à l'abri que Celui qui est au ciel envoie contre vous un ouragan de pierres? Vous saurez ainsi quel fut Mon avertissement.

18. En effet, ceux d'avant eux avaient crié au mensonge. Quelle fut alors Ma réprobation!

19. N'ont-ils pas vu les oiseaux au-dessus d'eux, déployant et repliant leurs ailes tour à tour? Seul le Tout Miséricordieux les soutient. Car Il est sur toute chose, Clairvoyant.

20. Quel est celui qui constituerait pour vous une armée [capable] de vous secourir, en dehors du Tout Miséricordieux? En vérité les mécréants sont dans l'illusion complète.

21. Ou quel est celui qui vous donnera votre subsistance s'Il s'arrête de fournir Son attribution? Mais ils persistent dans leur insolence et dans leur répulsion.

22. Qui est donc mieux guidé? Celui qui marche face contre terre ou celui qui marche redressé sur un chemin droit.

23. Dis: «C'est Lui qui vous a créés et vous a donné l'ouïe, les yeux et les cœurs». Mais vous êtes rarement reconnaissants!

24. Dis: «C'est Lui qui vous a répandus sur la terre, et c'est vers Lui que vous serez rassemblés».

25. Et ils disent: «A quand cette promesse si vous êtes véridiques?»

26. Dis: «Allāh seul [en] a la connaissance. Et moi je ne suis qu'un avertisseur clair».

فَلَمَّا رَأَوْهُ زُلْفَةً سِيئَتْ وُجُوهُ الَّذِينَ كَفَرُوا وَقِيلَ هَذَا الَّذِي

كُنتُم بِهِ تَدَّعُونَ ۝ قُلْ أَرَأَيْتُمْ إِنْ أَهْلَكَنِيَ اللَّهُ وَمَن مَّعِيَ

أَوْ رَحِمَنَا فَمَن يُجِيرُ الْكَافِرِينَ مِنْ عَذَابٍ أَلِيمٍ ۝ قُلْ هُوَ

الرَّحْمَنُ ءَامَنَّا بِهِ وَعَلَيْهِ تَوَكَّلْنَا فَسَتَعْلَمُونَ مَنْ هُوَ فِي ضَلَالٍ مُّبِينٍ

۝ قُلْ أَرَأَيْتُمْ إِنْ أَصْبَحَ مَاؤُكُمْ غَوْرًا فَمَن يَأْتِيكُم بِمَاءٍ مَّعِينٍ ۝

سُورَةُ الْقَلَمِ

بِسْمِ اللَّهِ الرَّحْمَنِ الرَّحِيمِ

۝ رُبع
الحزب
٥٧

ن وَالْقَلَمِ وَمَا يَسْطُرُونَ ۝ مَا أَنتَ بِنِعْمَةِ رَبِّكَ بِمَجْنُونٍ ۝

وَإِنَّ لَكَ لَأَجْرًا غَيْرَ مَمْنُونٍ ۝ وَإِنَّكَ لَعَلَى خُلُقٍ عَظِيمٍ ۝

فَسَتُبْصِرُ وَيُبْصِرُونَ ۝ بِأَييِّكُمُ الْمَفْتُونُ ۝ إِنَّ رَبَّكَ هُوَ

أَعْلَمُ بِمَن ضَلَّ عَن سَبِيلِهِ وَهُوَ أَعْلَمُ بِالْمُهْتَدِينَ ۝ فَلَا تُطِعِ

الْمُكَذِّبِينَ ۝ وَدُّوا لَوْ تُدْهِنُ فَيُدْهِنُونَ ۝ وَلَا تُطِعْ كُلَّ

حَلَّافٍ مَّهِينٍ ۝ هَمَّازٍ مَّشَّاءٍ بِنَمِيمٍ ۝ مَّنَّاعٍ لِّلْخَيْرِ مُعْتَدٍ

أَثِيمٍ ۝ عُتُلٍّ بَعْدَ ذَلِكَ زَنِيمٍ ۝ أَن كَانَ ذَا مَالٍ وَبَنِينَ

۝ إِذَا تُتْلَى عَلَيْهِ ءَايَاتُنَا قَالَ أَسَاطِيرُ الْأَوَّلِينَ ۝

27. Puis, quand ils verront (le châtiment) de près, les visages de ceux qui ont mécru seront affligés. Et il leur sera dit: «Voilà ce que vous réclamiez».

28. Dis: «Que vous en semble? Qu'Allāh me fasse périr ainsi que ceux qui sont avec moi ou qu'Il nous fasse miséricorde, qui protégera alors les mécréants d'un châtiment douloureux?»

29. Dis: «C'est Lui, le Tout Miséricordieux. Nous croyons en Lui et c'est en Lui que nous plaçons notre confiance. Vous saurez bientôt qui est dans un égarement évident».

30. Dis: «Que vous en semble? Si votre eau était absorbée au plus profond de la terre, qui donc vous apporterait de l'eau de source?»[1]

AL-QALAM (LA PLUME)[2]

sourate 68   52 versets   Pré-hégirien n°2

Au nom d'Allāh, le Tout Miséricordieux, le Très Miséricordieux.

1. Nūn[3]. Par la plume et ce qu'ils écrivent!

2. Tu (Muḥammad) n'es pas, par la grâce de ton Seigneur, un possédé.

3. Et il y aura pour toi certes, une récompense jamais interrompue.

4. Et tu es certes, d'une moralité imminente.

5. Tu verras et ils verront

6. qui d'entre vous a perdu la raison.

7. C'est ton Seigneur qui connaît mieux ceux qui s'égarent de Son chemin, et Il connaît mieux ceux qui suivent la bonne voie.

8. N'obéis pas à ceux qui crient au mensonge,

9. Ils aimeraient bien que tu transiges avec eux afin qu'ils transigent avec toi.

10. Et n'obéis à aucun grand jureur, méprisable,

11. grand diffamateur, grand colporteur de médisance,

12. grand empêcheur du bien, transgresseur, grand pécheur,

13. au cœur dur, et en plus de cela bâtard[4].

14. Même s'il est doté de richesses et (de nombreux) enfants.

15. Quand Nos versets lui sont récités, il dit: «Des contes d'anciens».

---

1. *Qui donc vous...*: c'est seul Allāh, le Seigneur de l'Univers qui peut le faire.
2. Titre tiré du v. 1.
Autre titre: Nūn (ou N.) de l'initiale en tête du v. 1.
3. *Nūn*: cf note à S. 2, v. 1.
4. Il s'agit de Walīd Ibn al-Muġīra.

سَنَسِمُهُۥ عَلَى ٱلْخُرْطُومِ ﴿١٦﴾ إِنَّا بَلَوْنَـٰهُمْ كَمَا بَلَوْنَآ أَصْحَـٰبَ ٱلْجَنَّةِ إِذْ أَقْسَمُوا۟

لَيَصْرِمُنَّهَا مُصْبِحِينَ ﴿١٧﴾ وَلَا يَسْتَثْنُونَ ﴿١٨﴾ فَطَافَ عَلَيْهَا طَآئِفٌ مِّن رَّبِّكَ

وَهُمْ نَآئِمُونَ ﴿١٩﴾ فَأَصْبَحَتْ كَٱلصَّرِيمِ ﴿٢٠﴾ فَتَنَادَوْا۟ مُصْبِحِينَ ﴿٢١﴾ أَنِ

ٱغْدُوا۟ عَلَىٰ حَرْثِكُمْ إِن كُنتُمْ صَـٰرِمِينَ ﴿٢٢﴾ فَٱنطَلَقُوا۟ وَهُمْ يَتَخَـٰفَتُونَ ﴿٢٣﴾

أَن لَّا يَدْخُلَنَّهَا ٱلْيَوْمَ عَلَيْكُم مِّسْكِينٌ ﴿٢٤﴾ وَغَدَوْا۟ عَلَىٰ حَرْدٍ قَـٰدِرِينَ ﴿٢٥﴾ فَلَمَّا

رَأَوْهَا قَالُوٓا۟ إِنَّا لَضَآلُّونَ ﴿٢٦﴾ بَلْ نَحْنُ مَحْرُومُونَ ﴿٢٧﴾ قَالَ أَوْسَطُهُمْ أَلَمْ أَقُل

لَّكُمْ لَوْلَا تُسَبِّحُونَ ﴿٢٨﴾ قَالُوا۟ سُبْحَـٰنَ رَبِّنَآ إِنَّا كُنَّا ظَـٰلِمِينَ ﴿٢٩﴾ فَأَقْبَلَ

بَعْضُهُمْ عَلَىٰ بَعْضٍ يَتَلَـٰوَمُونَ ﴿٣٠﴾ قَالُوا۟ يَـٰوَيْلَنَآ إِنَّا كُنَّا طَـٰغِينَ ﴿٣١﴾ عَسَىٰ

رَبُّنَآ أَن يُبْدِلَنَا خَيْرًا مِّنْهَآ إِنَّآ إِلَىٰ رَبِّنَا رَٰغِبُونَ ﴿٣٢﴾ كَذَٰلِكَ ٱلْعَذَابُ وَلَعَذَابُ

ٱلْءَاخِرَةِ أَكْبَرُ لَوْ كَانُوا۟ يَعْلَمُونَ ﴿٣٣﴾ إِنَّ لِلْمُتَّقِينَ عِندَ رَبِّهِمْ جَنَّـٰتِ ٱلنَّعِيمِ

﴿٣٤﴾ أَفَنَجْعَلُ ٱلْمُسْلِمِينَ كَٱلْمُجْرِمِينَ ﴿٣٥﴾ مَا لَكُمْ كَيْفَ تَحْكُمُونَ ﴿٣٦﴾ أَمْ

لَكُمْ كِتَـٰبٌ فِيهِ تَدْرُسُونَ ﴿٣٧﴾ إِنَّ لَكُمْ فِيهِ لَمَا تَخَيَّرُونَ ﴿٣٨﴾ أَمْ لَكُمْ أَيْمَـٰنٌ

عَلَيْنَا بَـٰلِغَةٌ إِلَىٰ يَوْمِ ٱلْقِيَـٰمَةِ إِنَّ لَكُمْ لَمَا تَحْكُمُونَ ﴿٣٩﴾ سَلْهُمْ أَيُّهُم

بِذَٰلِكَ زَعِيمٌ ﴿٤٠﴾ أَمْ لَهُمْ شُرَكَآءُ فَلْيَأْتُوا۟ بِشُرَكَآئِهِمْ إِن كَانُوا۟ صَـٰدِقِينَ ﴿٤١﴾

يَوْمَ يُكْشَفُ عَن سَاقٍ وَيُدْعَوْنَ إِلَى ٱلسُّجُودِ فَلَا يَسْتَطِيعُونَ ﴿٤٢﴾

16. Nous le marquerons sur le museau [nez]¹.

17. Nous les avons éprouvés comme Nous avons éprouvé les propriétaires du verger qui avaient juré d'en faire la récolte au matin,

18. sans dire: «Si Allāh le veut»².

19. Une calamité de la part de ton Seigneur tomba dessus pendant qu'ils dormaient,

20. et le matin, ce fut comme si tout avait été rasé.

21. Le [lendemain] matin, ils s'appelèrent les uns les autres:

22. «Partez tôt à votre champ si vous voulez le récolter».

23. Ils allèrent donc, tout en parlant entre eux à voix basse:

24. «Ne laissez aucun pauvre y entrer aujourd'hui».

25. Ils partirent de bonne heure décidés à user d'avarice [envers les pauvres], convaincus que cela était en leur pouvoir.

26. Puis, quand ils le virent [le jardin], ils dirent: «Vraiment, nous avons perdu notre chemin.

27. Ou plutôt nous sommes frustrés».

28. Le plus juste d'entre eux dit: «Ne vous avais-je pas dit: Si seulement vous avez rendu gloire à Allāh!»

29. Ils dirent: «Gloire à notre Seigneur! Oui, nous avons été des injustes».

30. Puis ils s'adressèrent les uns aux autres, se faisant des reproches.

31. Ils dirent: «Malheur à nous! Nous avons été des rebelles.

32. Nous souhaitons que notre Seigneur nous le remplace par quelque chose de meilleur. Nous désirons nous rapprocher de notre Seigneur».

33. Tel fut le châtiment ; et le châtiment de l'au-delà est plus grand encore, si seulement ils savaient!

34. Les pieux auront auprès de leur Seigneur les Jardins du délice.

35. Traiterons-Nous les soumis [à Allāh] à la manière des criminels?

36. Qu'avez-vous? Comment jugez-vous?

37. Ou bien avez-vous un Livre dans lequel vous apprenez

38. qu'en vérité vous obtiendrez tout ce que vous désirez?

39. Ou bien est-ce que vous avez obtenu de Nous des serments valables jusqu'au Jour de la Résurrection, Nous engageant à vous donner ce que vous décidez?

40. Demande-leur qui d'entre eux en est garant?

41. Ou encore, est-ce qu'ils ont des associés? Eh bien, qu'ils fassent venir leurs associés s'ils sont véridiques!

42. Le jour où ils affronteront les horreurs [du Jugement]³ et où ils seront appelés à la Prosternation mais ils ne le pourront pas.

---

1. Cela s'est effectivement réalisé lors de la bataille de Badr.
2. *Sans dire*: Littér.: sans réserve.
3. *Littéralement*: le jour où un pied sera découvert ; expression désignant l'horreur.

خَشِعَةً أَبْصَـٰرُهُمْ تَرْهَقُهُمْ ذِلَّةٌ وَقَدْ كَانُوا۟ يُدْعَوْنَ إِلَى ٱلسُّجُودِ وَهُمْ سَـٰلِمُونَ ﴿٤٣﴾ فَذَرْنِى وَمَن يُكَذِّبُ بِهَـٰذَا ٱلْحَدِيثِ سَنَسْتَدْرِجُهُم مِّنْ حَيْثُ لَا يَعْلَمُونَ ﴿٤٤﴾ وَأُمْلِى لَهُمْ إِنَّ كَيْدِى مَتِينٌ ﴿٤٥﴾ أَمْ تَسْـَٔلُهُمْ أَجْرًا فَهُم مِّن مَّغْرَمٍ مُّثْقَلُونَ ﴿٤٦﴾ أَمْ عِندَهُمُ ٱلْغَيْبُ فَهُمْ يَكْتُبُونَ ﴿٤٧﴾ فَٱصْبِرْ لِحُكْمِ رَبِّكَ وَلَا تَكُن كَصَاحِبِ ٱلْحُوتِ إِذْ نَادَىٰ وَهُوَ مَكْظُومٌ ﴿٤٨﴾ لَّوْلَآ أَن تَدَٰرَكَهُۥ نِعْمَةٌ مِّن رَّبِّهِۦ لَنُبِذَ بِٱلْعَرَآءِ وَهُوَ مَذْمُومٌ ﴿٤٩﴾ فَٱجْتَبَـٰهُ رَبُّهُۥ فَجَعَلَهُۥ مِنَ ٱلصَّـٰلِحِينَ ﴿٥٠﴾ وَإِن يَكَادُ ٱلَّذِينَ كَفَرُوا۟ لَيُزْلِقُونَكَ بِأَبْصَـٰرِهِمْ لَمَّا سَمِعُوا۟ ٱلذِّكْرَ وَيَقُولُونَ إِنَّهُۥ لَمَجْنُونٌ ﴿٥١﴾ وَمَا هُوَ إِلَّا ذِكْرٌ لِّلْعَـٰلَمِينَ ﴿٥٢﴾

سُورَةُ الْحَاقَّةِ

بِسْمِ ٱللَّهِ ٱلرَّحْمَـٰنِ ٱلرَّحِيمِ

ٱلْحَآقَّةُ ﴿١﴾ مَا ٱلْحَآقَّةُ ﴿٢﴾ وَمَآ أَدْرَىٰكَ مَا ٱلْحَآقَّةُ ﴿٣﴾ كَذَّبَتْ ثَمُودُ وَعَادٌۢ بِٱلْقَارِعَةِ ﴿٤﴾ فَأَمَّا ثَمُودُ فَأُهْلِكُوا۟ بِٱلطَّاغِيَةِ ﴿٥﴾ وَأَمَّا عَادٌ فَأُهْلِكُوا۟ بِرِيحٍ صَرْصَرٍ عَاتِيَةٍ ﴿٦﴾ سَخَّرَهَا عَلَيْهِمْ سَبْعَ لَيَالٍ وَثَمَـٰنِيَةَ أَيَّامٍ حُسُومًا فَتَرَى ٱلْقَوْمَ فِيهَا صَرْعَىٰ كَأَنَّهُمْ أَعْجَازُ نَخْلٍ خَاوِيَةٍ ﴿٧﴾ فَهَلْ تَرَىٰ لَهُم مِّنۢ بَاقِيَةٍ ﴿٨﴾

43. Leurs regards seront abaissés, et l'avilissement les couvrira. Or, ils étaient appelés à la Prosternation au temps où ils étaient sains et saufs!...

44. Laisse-moi donc avec quiconque traite de mensonge ce discours ; Nous allons les mener graduellement par où ils ne savent pas!

45. Et Je leur accorde un délai, car Mon stratagème est sûr!

46. Ou bien est-ce que tu leur demandes un salaire, les accablant ainsi d'une lourde dette?

47. Ou savent-ils l'Inconnaissable et c'est de là qu'ils écrivent [leurs mensonges]?

48. Endure avec patience la sentence de ton Seigneur, et ne sois pas comme l'homme au Poisson (Jonas) qui appela (Allāh) dans sa grande angoisse.

49. Si un bienfait de son Seigneur ne l'avait pas atteint, il aurait été rejeté honni sur une terre déserte,

50. Puis son Seigneur l'élut et le désigna au nombre des gens de bien.

51. Peu s'en faut que ceux qui mécroient ne te transpercent par leurs regards, quand ils entendent le Qur'ān, ils disent: «Il est certes fou!»

52. Et ce n'est qu'un Rappel, adressé aux mondes!

AL-ḤĀQQA (CELLE QUI MONTRE LA VÉRITÉ)[1]
sourate 69   52 versets   Pré-hégirien n° 78

Au nom d'Allāh, le Tout Miséricordieux, le Très Miséricordieux.

1. L'inévitable [l'Heure qui montre la vérité].

2. Qu'est-ce que l'inévitable?

3. Et qui te dira ce que c'est que l'inévitable?

4. Les Tamūd et les ʿĀd avaient traité de mensonge le cataclysme.

5. Quant aux Tamūd, ils furent détruits par le [bruit] excessivement fort.

6. Et quant aux ʿĀd ils furent détruits par un vent mugissant et furieux

7. qu'[Allāh] déchaîna contre eux pendant sept nuits et huit jours consécutifs ; tu voyais alors les gens renversés par terre comme des souches de palmiers évidées.

8. En vois-tu le moindre vestige?

1. Titre tiré des vv. 1-3.

وَجَآءَ فِرْعَوْنُ وَمَن قَبْلَهُۥ وَٱلْمُؤْتَفِكَـٰتُ بِٱلْخَاطِئَةِ ۞ فَعَصَوْا۟ رَسُولَ ۝
رَبِّهِمْ فَأَخَذَهُمْ أَخْذَةً رَّابِيَةً ۝ إِنَّا لَمَّا طَغَا ٱلْمَآءُ حَمَلْنَـٰكُمْ فِى ٱلْجَارِيَةِ
لِنَجْعَلَهَا لَكُمْ تَذْكِرَةً وَتَعِيَهَآ أُذُنٌ وَٰعِيَةٌ ۝ فَإِذَا نُفِخَ فِى ٱلصُّورِ
نَفْخَةٌ وَٰحِدَةٌ ۝ وَحُمِلَتِ ٱلْأَرْضُ وَٱلْجِبَالُ فَدُكَّتَا دَكَّةً وَٰحِدَةً ۝
فَيَوْمَئِذٍ وَقَعَتِ ٱلْوَاقِعَةُ ۝ وَٱنشَقَّتِ ٱلسَّمَآءُ فَهِىَ يَوْمَئِذٍ وَاهِيَةٌ ۝
وَٱلْمَلَكُ عَلَىٰٓ أَرْجَآئِهَا وَيَحْمِلُ عَرْشَ رَبِّكَ فَوْقَهُمْ يَوْمَئِذٍ ثَمَـٰنِيَةٌ ۝
يَوْمَئِذٍ تُعْرَضُونَ لَا تَخْفَىٰ مِنكُمْ خَافِيَةٌ ۝ فَأَمَّا مَنْ أُوتِىَ
كِتَـٰبَهُۥ بِيَمِينِهِۦ فَيَقُولُ هَآؤُمُ ٱقْرَءُوا۟ كِتَـٰبِيَهْ ۝ إِنِّى ظَنَنتُ أَنِّى مُلَـٰقٍ
حِسَابِيَهْ ۝ فَهُوَ فِى عِيشَةٍ رَّاضِيَةٍ ۝ فِى جَنَّةٍ عَالِيَةٍ ۝
قُطُوفُهَا دَانِيَةٌ ۝ كُلُوا۟ وَٱشْرَبُوا۟ هَنِيٓـًٔۢا بِمَآ أَسْلَفْتُمْ فِى ٱلْأَيَّامِ
ٱلْخَالِيَةِ ۝ وَأَمَّا مَنْ أُوتِىَ كِتَـٰبَهُۥ بِشِمَالِهِۦ فَيَقُولُ يَـٰلَيْتَنِى لَمْ أُوتَ كِتَـٰبِيَهْ ۝
وَلَمْ أَدْرِ مَا حِسَابِيَهْ ۝ يَـٰلَيْتَهَا كَانَتِ ٱلْقَاضِيَةَ ۝ مَآ أَغْنَىٰ
عَنِّى مَالِيَهْ ۝ هَلَكَ عَنِّى سُلْطَـٰنِيَهْ ۝ خُذُوهُ فَغُلُّوهُ ۝ ثُمَّ ٱلْجَحِيمَ
صَلُّوهُ ۝ ثُمَّ فِى سِلْسِلَةٍ ذَرْعُهَا سَبْعُونَ ذِرَاعًا فَٱسْلُكُوهُ ۝ إِنَّهُۥ
كَانَ لَا يُؤْمِنُ بِٱللَّهِ ٱلْعَظِيمِ ۝ وَلَا يَحُضُّ عَلَىٰ طَعَامِ ٱلْمِسْكِينِ ۝

۵٦۷

9. Pharaon et ceux qui vécurent avant lui ainsi que les Villes renversées, commirent des fautes[1].

10. Ils désobéirent au Messager de leur Seigneur. Celui-ci donc, les saisit d'une façon irré sistible.

11. C'est Nous qui, quand l'eau déborda[2], vous avons chargés sur l'Arche

12. afin d'en faire pour vous un rappel que toute oreille fidèle conserve.

13. Puis, quand d'un seul souffle, on soufflera dans la Trompe,

14. et que la terre et les montagnes seront soulevées puis tassées d'un seul coup ;

15. ce jour-là alors, l'Evénement se produira,

16. et le ciel se fendra et sera fragile, ce jour-là.

17. Et sur ses côtés [se tiendront] les Anges, tandis que huit, ce jour-là, porteront au-dessus d'eux le Trône de ton Seigneur.

18. Ce jour-là vous serez exposés ; et rien de vous ne sera caché.

19. Quant à celui à qui en aura remis le Livre en sa main droite, il dira: «Tenez! Lisez mon livre.

20. J'étais sûr d'y trouver mon compte».

21. Il jouira d'une vie agréable:

22. dans un Jardin haut placé

23. dont les fruits sont à portée de la main.

24. «Mangez et buvez agréablement pour ce que vous avez avancé dans les jours passés».

25. Quant à celui à qui on aura remis le Livre en sa main gauche, il dira: «Hélas pour moi! J'aurai souhaité qu'on ne m'ait pas remis mon livre,

26. et ne pas avoir connu mon compte...

27. Hélas, comme j'aurai souhaité que [ma première mort] fût la définitive.

28. Ma fortune ne m'a servi à rien.

29. Mon autorité est anéantie et m'a quitté!»

30. «Saisissez-le! Puis, mettez-lui un carcan ;

31. ensuite, brûlez-le dans la Fournaise ;

32. puis, liez-le avec une chaîne de soixante-dix coudées,

33. car il ne croyait pas en Allāh, le Très Grand.

34. et n'incitait pas à nourrir le pauvre.

---

1. *Les villes renversées*: les villes du peuple de Loṭ, Sodome et Gomorrhe.
2. *Quand l'eau déborda*: l'eau du Déluge du temps de Noé.

فَلَيْسَ لَهُ الْيَوْمَ هَٰهُنَا حَمِيمٌ ۝ وَلَا طَعَامٌ إِلَّا مِنْ غِسْلِينٍ ۝ لَّا يَأْكُلُهُ

إِلَّا الْخَاطِئُونَ ۝ فَلَا أُقْسِمُ بِمَا تُبْصِرُونَ ۝ وَمَا لَا تُبْصِرُونَ ۝

إِنَّهُ لَقَوْلُ رَسُولٍ كَرِيمٍ ۝ وَمَا هُوَ بِقَوْلِ شَاعِرٍ قَلِيلًا مَّا تُؤْمِنُونَ ۝

وَلَا بِقَوْلِ كَاهِنٍ قَلِيلًا مَّا تَذَكَّرُونَ ۝ تَنزِيلٌ مِّن رَّبِّ الْعَالَمِينَ ۝ وَلَوْ

تَقَوَّلَ عَلَيْنَا بَعْضَ الْأَقَاوِيلِ ۝ لَأَخَذْنَا مِنْهُ بِالْيَمِينِ ۝ ثُمَّ لَقَطَعْنَا

مِنْهُ الْوَتِينَ ۝ فَمَا مِنكُم مِّنْ أَحَدٍ عَنْهُ حَاجِزِينَ ۝ وَإِنَّهُ لَتَذْكِرَةٌ

لِّلْمُتَّقِينَ ۝ وَإِنَّا لَنَعْلَمُ أَنَّ مِنكُم مُّكَذِّبِينَ ۝ وَإِنَّهُ لَحَسْرَةٌ عَلَى

الْكَافِرِينَ ۝ وَإِنَّهُ لَحَقُّ الْيَقِينِ ۝ فَسَبِّحْ بِاسْمِ رَبِّكَ الْعَظِيمِ ۝

سورة المعارج

بِسْمِ اللَّهِ الرَّحْمَٰنِ الرَّحِيمِ

سَأَلَ سَائِلٌ بِعَذَابٍ وَاقِعٍ ۝ لِّلْكَافِرِينَ لَيْسَ لَهُ دَافِعٌ ۝ مِّنَ

اللَّهِ ذِي الْمَعَارِجِ ۝ تَعْرُجُ الْمَلَائِكَةُ وَالرُّوحُ إِلَيْهِ فِي

يَوْمٍ كَانَ مِقْدَارُهُ خَمْسِينَ أَلْفَ سَنَةٍ ۝ فَاصْبِرْ صَبْرًا جَمِيلًا ۝

إِنَّهُمْ يَرَوْنَهُ بَعِيدًا ۝ وَنَرَاهُ قَرِيبًا ۝ يَوْمَ تَكُونُ السَّمَاءُ كَالْمُهْلِ

وَتَكُونُ الْجِبَالُ كَالْعِهْنِ ۝ وَلَا يَسْأَلُ حَمِيمٌ حَمِيمًا ۝

35. Il n'a pour lui ici, aujourd'hui, point d'ami chaleureux [pour le protéger],

36. ni d'autre nourriture que du pus,

37. que seuls les fautifs mangeront».

38. Mais non... Je jure par ce que vous voyez,

39. ainsi que par ce que vous ne voyez pas,

40. que ceci [le Qur'ān] est la parole d'un noble Messager[1],

41. et que ce n'est pas la parole d'un poète ; mais vous ne croyez que très peu,

42. ni la parole d'un devin, mais vous vous rappelez bien peu.

43. C'est une révélation du Seigneur de l'Univers.

44. Et s'il avait forgé quelques paroles qu'ils Nous avait attribuées,

45. Nous l'aurions saisi de la main droite,

46. ensuite, Nous lui aurions tranché l'aorte.

47. Et nul d'entre vous n'aurait pu lui servir de rempart.

48. C'est en vérité un rappel pour les pieux.

49. Et Nous savons qu'il y a parmi vous qui le traitent de menteur ;

50. mais en vérité, ce sera un sujet de regret pour les mécréants,

51. c'est là la véritable certitude.

52. Glorifie donc le nom de ton Seigneur, le Très Grand!

AL-MAʿĀRIJ (LES VOIES D'ASCENSION)[2]

sourate 70   44 versets   Pré-hégirien n°79

Au nom d'Allāh, le Tout Miséricordieux, le Très Miséricordieux.

1. Un demandeur a réclamé un châtiment inéluctable,

2. pour les mécréants, que nul ne pourrait repousser,

3. et qui vient d'Allāh, le Maître des voies d'ascension.

4. Les Anges ainsi que l'Esprit montent vers Lui en un jour dont la durée est de cinquante mille ans.

5. Supporte donc, d'une belle patience.

6. Ils le (le châtiment) voient bien loin,

7. alors que Nous le voyons bien proche,

8. le jour où le ciel sera comme du métal en fusion

9. et les montagnes comme de la laine,

10. où nul ami dévoué ne s'enquerra d'un ami,

---

1. *Noble Messager*: Il s'agit de Muḥammad (ﷺ) transmetteur du Message divin.
2. Titre tiré du v. 3. Les voies d'Ascension par lesquelles les Anges vont et viennent du ciel et de la terre.

يُبَصَّرُونَهُمْ يَوَدُّ ٱلْمُجْرِمُ لَوْ يَفْتَدِى مِنْ عَذَابِ يَوْمِئِذٍ بِبَنِيهِ ۝

وَصَٰحِبَتِهِۦ وَأَخِيهِ ۝ وَفَصِيلَتِهِ ٱلَّتِى تُـْٔوِيهِ ۝ وَمَن فِى ٱلْأَرْضِ

جَمِيعًا ثُمَّ يُنجِيهِ ۝ كَلَّآ إِنَّهَا لَظَىٰ ۝ نَزَّاعَةً لِّلشَّوَىٰ ۝ تَدْعُواْ

مَنْ أَدْبَرَ وَتَوَلَّىٰ ۝ وَجَمَعَ فَأَوْعَىٰٓ ۝ ۞ إِنَّ ٱلْإِنسَٰنَ خُلِقَ هَلُوعًا

إِذَا مَسَّهُ ٱلشَّرُّ جَزُوعًا ۝ وَإِذَا مَسَّهُ ٱلْخَيْرُ مَنُوعًا ۝ إِلَّا

ٱلْمُصَلِّينَ ۝ ٱلَّذِينَ هُمْ عَلَىٰ صَلَاتِهِمْ دَآئِمُونَ ۝ وَٱلَّذِينَ فِىٓ

أَمْوَٰلِهِمْ حَقٌّ مَّعْلُومٌ ۝ لِّلسَّآئِلِ وَٱلْمَحْرُومِ ۝ وَٱلَّذِينَ يُصَدِّقُونَ

بِيَوْمِ ٱلدِّينِ ۝ وَٱلَّذِينَ هُم مِّنْ عَذَابِ رَبِّهِم مُّشْفِقُونَ ۝ إِنَّ عَذَابَ

رَبِّهِمْ غَيْرُ مَأْمُونٍ ۝ وَٱلَّذِينَ هُمْ لِفُرُوجِهِمْ حَٰفِظُونَ ۝ إِلَّا عَلَىٰٓ

أَزْوَٰجِهِمْ أَوْ مَا مَلَكَتْ أَيْمَٰنُهُمْ فَإِنَّهُمْ غَيْرُ مَلُومِينَ ۝ فَمَنِ ٱبْتَغَىٰ وَرَآءَ

ذَٰلِكَ فَأُوْلَٰٓئِكَ هُمُ ٱلْعَادُونَ ۝ وَٱلَّذِينَ هُمْ لِأَمَٰنَٰتِهِمْ وَعَهْدِهِمْ رَٰعُونَ

وَٱلَّذِينَ هُم بِشَهَٰدَٰتِهِمْ قَآئِمُونَ ۝ وَٱلَّذِينَ هُمْ عَلَىٰ صَلَاتِهِمْ يُحَافِظُونَ

أُوْلَٰٓئِكَ فِى جَنَّٰتٍ مُّكْرَمُونَ ۝ فَمَالِ ٱلَّذِينَ كَفَرُواْ قِبَلَكَ مُهْطِعِينَ

عَنِ ٱلْيَمِينِ وَعَنِ ٱلشِّمَالِ عِزِينَ ۝ أَيَطْمَعُ كُلُّ ٱمْرِئٍ مِّنْهُمْ

أَن يُدْخَلَ جَنَّةَ نَعِيمٍ ۝ كَلَّآ إِنَّا خَلَقْنَٰهُم مِّمَّا يَعْلَمُونَ ۝

11. bien qu'ils se voient l'un l'autre. Le criminel aimerait pouvoir se racheter du châtiment de ce jour, en livrant ses enfants,

12. sa compagne, son frère,

13. même son clan qui lui donnait asile,

14. et tout ce qui est sur la terre, tout, qui pourrait le sauver.

15. Mais rien [ne le sauvera]. [L'Enfer] est un brasier

16. arrachant brutalement la peau du crâne.

17. Il appellera celui qui tournait le dos et s'en allait,

18. amassait et thésaurisait.

19. Oui, l'homme a été créé instable [très inquiet] ;

20. quand le malheur le touche, il est abattu ;

21. et quand le bonheur le touche, il est grand refuseur.

22. Sauf ceux qui pratiquent la Ṣalāt

23. qui sont assidus à leurs Ṣalāts,

24. et sur les biens desquels il y a un droit bien déterminé [la Zakāt]

25. pour le mendiant et le déshérité ;

26. et qui déclarent véridique le Jour de la Rétribution,

27. et ceux qui craignent le châtiment de leur Seigneur

28. car vraiment, il n'y a nulle assurance contre le châtiment de leur Seigneur ;

29. et qui se maintiennent dans la chasteté

30. et n'ont de rapports qu'avec leurs épouses ou les esclaves qu'ils possèdent car dans ce cas, ils ne sont pas blâmables,

31. mais ceux qui cherchent [leur plaisir] en dehors de cela, sont des transgresseurs ;

32. et qui gardent les dépôts confiés à eux, et respectent leurs engagements scrupuleusement ;

33. et qui témoignent de la stricte vérité,

34. et qui sont réguliers dans leur Ṣalāt.

35. Ceux-là seront honorés dans des Jardins.

36. Qu'ont donc, ceux qui ont mécru, à courir vers toi, le cou tendu,

37. de droite et de gauche, [venant] par bandes?

38. Chacun d'eux convoite-t-il qu'on le laisse entrer au Jardin des délices?

39. Mais non! Nous les avons créés de ce qu'ils savent[1].

---

1. *De ce qu'ils savent*: (de la poussière et d'une goutte d'eau méprisable).

فَلَا أُقْسِمُ بِرَبِّ الْمَشَـٰرِقِ وَالْمَغَـٰرِبِ إِنَّا لَقَـٰدِرُونَ ۞ عَلَىٰٓ أَن نُّبَدِّلَ خَيْرًا مِّنْهُمْ وَمَا نَحْنُ بِمَسْبُوقِينَ ۞ فَذَرْهُمْ يَخُوضُوا۟ وَيَلْعَبُوا۟ حَتَّىٰ يُلَـٰقُوا۟ يَوْمَهُمُ الَّذِى يُوعَدُونَ ۞ يَوْمَ يَخْرُجُونَ مِنَ الْأَجْدَاثِ سِرَاعًا كَأَنَّهُمْ إِلَىٰ نُصُبٍ يُوفِضُونَ ۞ خَـٰشِعَةً أَبْصَـٰرُهُمْ تَرْهَقُهُمْ ذِلَّةٌ ۚ ذَٰلِكَ الْيَوْمُ الَّذِى كَانُوا۟ يُوعَدُونَ ۞

سُورَةُ نُوحٍ

بِسْمِ اللَّهِ الرَّحْمَـٰنِ الرَّحِيمِ

إِنَّآ أَرْسَلْنَا نُوحًا إِلَىٰ قَوْمِهِۦٓ أَنْ أَنذِرْ قَوْمَكَ مِن قَبْلِ أَن يَأْتِيَهُمْ عَذَابٌ أَلِيمٌ ۞ قَالَ يَـٰقَوْمِ إِنِّى لَكُمْ نَذِيرٌ مُّبِينٌ ۞ أَنِ اعْبُدُوا۟ اللَّهَ وَاتَّقُوهُ وَأَطِيعُونِ ۞ يَغْفِرْ لَكُم مِّن ذُنُوبِكُمْ وَيُؤَخِّرْكُمْ إِلَىٰٓ أَجَلٍ مُّسَمًّى ۚ إِنَّ أَجَلَ اللَّهِ إِذَا جَآءَ لَا يُؤَخَّرُ ۖ لَوْ كُنتُمْ تَعْلَمُونَ ۞ قَالَ رَبِّ إِنِّى دَعَوْتُ قَوْمِى لَيْلًا وَنَهَارًا ۞ فَلَمْ يَزِدْهُمْ دُعَآءِىٓ إِلَّا فِرَارًا ۞ وَإِنِّى كُلَّمَا دَعَوْتُهُمْ لِتَغْفِرَ لَهُمْ جَعَلُوٓا۟ أَصَـٰبِعَهُمْ فِىٓ ءَاذَانِهِمْ وَاسْتَغْشَوْا۟ ثِيَابَهُمْ وَأَصَرُّوا۟ وَاسْتَكْبَرُوا۟ اسْتِكْبَارًا ۞ ثُمَّ إِنِّى دَعَوْتُهُمْ جِهَارًا ۞ ثُمَّ إِنِّىٓ أَعْلَنتُ لَهُمْ وَأَسْرَرْتُ لَهُمْ إِسْرَارًا ۞ فَقُلْتُ اسْتَغْفِرُوا۟ رَبَّكُمْ إِنَّهُۥ كَانَ غَفَّارًا ۞

40. Eh Non!... Je jure par le Seigneur des Levants¹ et des Couchants que Nous sommes Capable

41. de les remplacer par de meilleurs qu'eux, et nul ne peut nous en empêcher.

42. Laisse-les donc s'enfoncer (dans leur mécréance) et se divertir jusqu'à ce qu'ils rencontrent leur jour dont on les menaçait,

43. le jour où ils sortiront des tombes, rapides comme s'ils couraient vers des pierres dressées ;

44. leurs yeux seront abaissés, l'avilissement les couvrira. C'est cela le jour dont on les menaçait!

NŪḤ (NOÉ)²
sourate 71 / 28 versets / Pré-hégirien n°71

Au nom d'Allāh, le Tout Miséricordieux, le Très Miséricordieux.

1. Nous avons envoyé Noé vers son peuple: «Avertis ton peuple, avant que leur vienne un châtiment douloureux».

2. Il [leur] dit: «Ô mon peuple, je suis vraiment pour vous, un avertisseur clair,

3. Adorez Allāh, craignez-Le et obéissez-moi,

4. pour qu'Il vous pardonne vos péchés et qu'Il vous donne un délai jusqu'à un terme fixé. Mais quand vient le terme fixé par Allāh, il ne saurait être différé si vous saviez!»

5. Il dit: «Seigneur! J'ai appelé mon peuple, nuit et jour.

6. Mais mon appel n'a fait qu'accroître leur fuite.

7. Et chaque fois que je les ai appelés pour que Tu leur pardonnes, ils ont mis leurs doigts dans leurs oreilles, se sont enveloppés de leurs vêtements, se sont entêtés et se sont montrés extrêmement orgueilleux.

8. Ensuite, je les ai appelés ouvertement.

9. Puis, je leur ai fait des proclamations publiques, et des confidences en secret.

10. J'ai donc dit: «Implorez le pardon de votre Seigneur, car Il est grand Pardonneur,

---

1. Le Seigneur des Levants.. le soleil se couche et se lève de jour en jour en des points différents.
2. Titre tiré du v. 1.

يُرْسِلِ السَّمَاءَ عَلَيْكُم مِّدْرَارًا ۝ وَيُمْدِدْكُم بِأَمْوَالٍ وَبَنِينَ وَيَجْعَل

لَّكُمْ جَنَّاتٍ وَيَجْعَل لَّكُمْ أَنْهَارًا ۝ مَّا لَكُمْ لَا تَرْجُونَ لِلَّهِ وَقَارًا ۝

وَقَدْ خَلَقَكُمْ أَطْوَارًا ۝ أَلَمْ تَرَوْا كَيْفَ خَلَقَ اللَّهُ سَبْعَ سَمَاوَاتٍ

طِبَاقًا ۝ وَجَعَلَ الْقَمَرَ فِيهِنَّ نُورًا وَجَعَلَ الشَّمْسَ سِرَاجًا ۝

وَاللَّهُ أَنبَتَكُم مِّنَ الْأَرْضِ نَبَاتًا ۝ ثُمَّ يُعِيدُكُمْ فِيهَا وَيُخْرِجُكُمْ

إِخْرَاجًا ۝ وَاللَّهُ جَعَلَ لَكُمُ الْأَرْضَ بِسَاطًا ۝ لِّتَسْلُكُوا مِنْهَا

سُبُلًا فِجَاجًا ۝ قَالَ نُوحٌ رَّبِّ إِنَّهُمْ عَصَوْنِي وَاتَّبَعُوا مَن لَّمْ يَزِدْهُ

مَالُهُ وَوَلَدُهُ إِلَّا خَسَارًا ۝ وَمَكَرُوا مَكْرًا كُبَّارًا ۝ وَقَالُوا

لَا تَذَرُنَّ آلِهَتَكُمْ وَلَا تَذَرُنَّ وَدًّا وَلَا سُوَاعًا وَلَا يَغُوثَ وَيَعُوقَ

وَنَسْرًا ۝ وَقَدْ أَضَلُّوا كَثِيرًا وَلَا تَزِدِ الظَّالِمِينَ إِلَّا ضَلَالًا ۝

مِّمَّا خَطِيئَاتِهِمْ أُغْرِقُوا فَأُدْخِلُوا نَارًا فَلَمْ يَجِدُوا لَهُم مِّن دُونِ

اللَّهِ أَنصَارًا ۝ وَقَالَ نُوحٌ رَّبِّ لَا تَذَرْ عَلَى الْأَرْضِ مِنَ الْكَافِرِينَ

دَيَّارًا ۝ إِنَّكَ إِن تَذَرْهُمْ يُضِلُّوا عِبَادَكَ وَلَا يَلِدُوا إِلَّا فَاجِرًا

كَفَّارًا ۝ رَّبِّ اغْفِرْ لِي وَلِوَالِدَيَّ وَلِمَن دَخَلَ بَيْتِيَ

مُؤْمِنًا وَلِلْمُؤْمِنِينَ وَالْمُؤْمِنَاتِ وَلَا تَزِدِ الظَّالِمِينَ إِلَّا تَبَارًا ۝

11. pour qu'Il vous envoie du ciel, des pluies abondantes,

12. et qu'Il vous accorde beaucoup de biens et d'enfants, et vous donne des jardins et vous donne des rivières.

13. Qu'avez-vous à ne pas vénérer Allāh comme il se doit,

14. alors qu'Il vous a créés par phases successives[1]?

15. N'avez-vous pas vu comment Allāh a créé sept cieux superposés

16. et y a fait de la lune une lumière et du soleil une lampe?

17. Et c'est Allāh qui, de la terre, vous a fait croître comme des plantes,

18. puis Il vous y fera retourner et vous en fera sortir véritablement.

19. Et c'est Allāh qui vous a fait de la terre un tapis,

20. pour que vous vous acheminiez par ses voies spacieuses».

21. Noé dit: «Seigneur, ils m'ont désobéi et ils ont suivi celui dont les biens et les enfants n'ont fait qu'accroître la perte.

22. Ils ont ourdi un immense stratagème,

23. et ils ont dit: «N'abandonnez jamais vos divinités et n'abandonnez jamais *Wadd, Suwā, Yaġū1, Yaʿūq et Nasr*'[2].

24. Elles [les idoles] ont déjà égaré plusieurs. Ne fais (Seigneur) croître les injustes qu'en égarement.

25. À cause de leurs fautes, ils ont été noyés, puis on les a fait entrer au Feu, et ils n'ont pas trouvé en dehors d'Allāh, de secoureurs».

26. Et Noé dit: «Seigneur, ne laisse sur la terre aucun infidèle.

27. Si Tu les laisses [en vie], ils égareront Tes serviteurs et n'engendreront que des pécheurs infidèles.

28. Seigneur! Pardonne-moi, et à mes père et mère et à celui qui entre dans ma demeure croyant, ainsi qu'aux croyants et croyantes ; et ne fais croître les injustes qu'en perdition».

---

1. *Par phases successives*: de terre, de sperme, de caillot de sang, etc. des phases qui ont déjà été mentionnées plusieurs fois.
2. *Wadd... Nasr'*: des noms d'idoles.

سُورَةُ الجِنّ

بِسۡمِ ٱللَّهِ ٱلرَّحۡمَٰنِ ٱلرَّحِيمِ

قُلۡ أُوحِيَ إِلَيَّ أَنَّهُ ٱسۡتَمَعَ نَفَرٌ مِّنَ ٱلۡجِنِّ فَقَالُوٓا۟ إِنَّا سَمِعۡنَا قُرۡءَانًا عَجَبًا ۝ يَهۡدِيٓ إِلَى ٱلرُّشۡدِ فَـَٔامَنَّا بِهِۦۖ وَلَن نُّشۡرِكَ بِرَبِّنَآ أَحَدًا ۝ وَأَنَّهُۥ تَعَٰلَىٰ جَدُّ رَبِّنَا مَا ٱتَّخَذَ صَٰحِبَةً وَلَا وَلَدًا ۝ وَأَنَّهُۥ كَانَ يَقُولُ سَفِيهُنَا عَلَى ٱللَّهِ شَطَطًا ۝ وَأَنَّا ظَنَنَّآ أَن لَّن تَقُولَ ٱلۡإِنسُ وَٱلۡجِنُّ عَلَى ٱللَّهِ كَذِبًا ۝ وَأَنَّهُۥ كَانَ رِجَالٌ مِّنَ ٱلۡإِنسِ يَعُوذُونَ بِرِجَالٍ مِّنَ ٱلۡجِنِّ فَزَادُوهُمۡ رَهَقًا ۝ وَأَنَّهُمۡ ظَنُّوا۟ كَمَا ظَنَنتُمۡ أَن لَّن يَبۡعَثَ ٱللَّهُ أَحَدًا ۝ وَأَنَّا لَمَسۡنَا ٱلسَّمَآءَ فَوَجَدۡنَٰهَا مُلِئَتۡ حَرَسًا شَدِيدًا وَشُهُبًا ۝ وَأَنَّا كُنَّا نَقۡعُدُ مِنۡهَا مَقَٰعِدَ لِلسَّمۡعِۖ فَمَن يَسۡتَمِعِ ٱلۡءَٰنَ يَجِدۡ لَهُۥ شِهَابًا رَّصَدًا ۝ وَأَنَّا لَا نَدۡرِيٓ أَشَرٌّ أُرِيدَ بِمَن فِي ٱلۡأَرۡضِ أَمۡ أَرَادَ بِهِمۡ رَبُّهُمۡ رَشَدًا ۝ وَأَنَّا مِنَّا ٱلصَّٰلِحُونَ وَمِنَّا دُونَ ذَٰلِكَۖ كُنَّا طَرَآئِقَ قِدَدًا ۝ وَأَنَّا ظَنَنَّآ أَن لَّن نُّعۡجِزَ ٱللَّهَ فِي ٱلۡأَرۡضِ وَلَن نُّعۡجِزَهُۥ هَرَبًا ۝ وَأَنَّا لَمَّا سَمِعۡنَا ٱلۡهُدَىٰٓ ءَامَنَّا بِهِۦۖ فَمَن يُؤۡمِنۢ بِرَبِّهِۦ فَلَا يَخَافُ بَخۡسًا وَلَا رَهَقًا ۝

AL-GINN (LES DJINNS)[1]
sourate 72   28 versets   pré-hégirien n°40

Au nom d'Allāh, le Tout Miséricordieux, le Très Miséricordieux.

1. Dis: «Il m'a été révélé[2] qu'un groupe de djinns prêtèrent l'oreille, puis dirent: «Nous avons certes entendu une Lecture [le Qur'ān] merveilleuse,

2. qui guide vers la droiture. Nous y avons cru, et nous n'associerons jamais personne à notre Seigneur.

3. En vérité notre Seigneur - que Sa grandeur soit exaltée - ne S'est donné ni compagne, ni enfant!

4. Notre insensé [Iblis] disait des extravagances contre Allāh,

5. Et nous pensions que ni les humains ni les djinns ne sauraient jamais proférer de mensonge contre Allāh.

6. Or, il y avait parmi les humains, des mâles qui cherchaient protection auprès des mâles parmi les djinns mais cela ne fit qu'accroître leur détresse.

7. Et ils avaient pensé comme vous avez pensé qu'Allāh ne ressusciterait jamais personne.

8. Nous avions frôlé le ciel et nous l'avions trouvé plein d'une forte garde et de bolides.

9. Nous y prenions place pour écouter. Mais quiconque prête l'oreille maintenant, trouve contre lui un bolide aux aguets.

10. Nous ne savons pas si on veut du mal aux habitants de la terre ou si leur Seigneur veut les mettre sur le droit chemin.

11. Il y a parmi nous des vertueux et [d'autres]qui le sont moins: nous étions divisés en différentes sectes.

12. Nous pensions bien que nous ne saurions jamais réduire Allāh à l'impuissance sur la terre et que nous ne saurions jamais le réduire à l'impuissance en nous enfuyant.

13. Et lorsque nous avons entendu le guide [le Qur'ān], nous y avons cru, et quiconque croit en son Seigneur ne craint alors ni diminution de récompense ni oppression.

---

1. Titre tiré du v. 1.
2. *M'a été révélé*: ceci implique que le Prophète n'avait pas vu les djinns et qu'il ne s'était même pas rendu compte de leur présence. C'est Allāh qui l'en a informé.

وَأَنَّا مِنَّا ٱلْمُسْلِمُونَ وَمِنَّا ٱلْقَٰسِطُونَ فَمَنْ أَسْلَمَ فَأُوْلَٰٓئِكَ تَحَرَّوْاْ رَشَدًا ۝ وَأَمَّا ٱلْقَٰسِطُونَ فَكَانُواْ لِجَهَنَّمَ حَطَبًا ۝ وَأَلَّوِ ٱسْتَقَٰمُواْ عَلَى ٱلطَّرِيقَةِ لَأَسْقَيْنَٰهُم مَّآءً غَدَقًا ۝ لِّنَفْتِنَهُمْ فِيهِ وَمَن يُعْرِضْ عَن ذِكْرِ رَبِّهِۦ يَسْلُكْهُ عَذَابًا صَعَدًا ۝ وَأَنَّ ٱلْمَسَٰجِدَ لِلَّهِ فَلَا تَدْعُواْ مَعَ ٱللَّهِ أَحَدًا ۝ وَأَنَّهُۥ لَمَّا قَامَ عَبْدُ ٱللَّهِ يَدْعُوهُ كَادُواْ يَكُونُونَ عَلَيْهِ لِبَدًا ۝ قُلْ إِنَّمَآ أَدْعُواْ رَبِّي وَلَآ أُشْرِكُ بِهِۦٓ أَحَدًا ۝ قُلْ إِنِّي لَآ أَمْلِكُ لَكُمْ ضَرًّا وَلَا رَشَدًا ۝ قُلْ إِنِّي لَن يُجِيرَنِي مِنَ ٱللَّهِ أَحَدٌ وَلَنْ أَجِدَ مِن دُونِهِۦ مُلْتَحَدًا ۝ إِلَّا بَلَٰغًا مِّنَ ٱللَّهِ وَرِسَٰلَٰتِهِۦ وَمَن يَعْصِ ٱللَّهَ وَرَسُولَهُۥ فَإِنَّ لَهُۥ نَارَ جَهَنَّمَ خَٰلِدِينَ فِيهَآ أَبَدًا ۝ حَتَّىٰٓ إِذَا رَأَوْاْ مَا يُوعَدُونَ فَسَيَعْلَمُونَ مَنْ أَضْعَفُ نَاصِرًا وَأَقَلُّ عَدَدًا ۝ قُلْ إِنْ أَدْرِىٓ أَقَرِيبٌ مَّا تُوعَدُونَ أَمْ يَجْعَلُ لَهُۥ رَبِّيٓ أَمَدًا ۝ عَٰلِمُ ٱلْغَيْبِ فَلَا يُظْهِرُ عَلَىٰ غَيْبِهِۦٓ أَحَدًا ۝ إِلَّا مَنِ ٱرْتَضَىٰ مِن رَّسُولٍ فَإِنَّهُۥ يَسْلُكُ مِنۢ بَيْنِ يَدَيْهِ وَمِنْ خَلْفِهِۦ رَصَدًا ۝ لِّيَعْلَمَ أَن قَدْ أَبْلَغُواْ رِسَٰلَٰتِ رَبِّهِمْ وَأَحَاطَ بِمَا لَدَيْهِمْ وَأَحْصَىٰ كُلَّ شَىْءٍ عَدَدًۢا ۝

14. Il y a parmi nous les Musulmans, et il y en a les injustes [qui ont dévié]. Et ceux qui se sont convertis à l'Islām sont ceux qui ont cherché la droiture.

15. Et quant aux injustes, ils formeront le combustible de l'Enfer.

16. Et s'ils se maintenaient dans la bonne direction, Nous les aurions abreuvés, certes d'une eau abondante,

17. afin de les y éprouver. Et quiconque se détourne du rappel de son Seigneur, Il l'achemine vers un châtiment sans cesse croissant.

18. Les mosquées sont consacrées à Allāh: n'invoquez donc personne avec Allāh.

19. Et quand le serviteur d'Allāh s'est mis debout pour L'invoquer, ils faillirent se ruer en masse sur lui[1].

20. Dis: «Je n'invoque que mon Seigneur et ne Lui associe personne».

21. Dis: «Je ne possède aucun moyen pour vous faire du mal, ni pour vous mettre sur le chemin droit».

22. Dis: «Vraiment, personne ne saura me protéger contre Allāh ; et jamais je ne trouverai de refuge en dehors de Lui.

23. [Je ne puis que transmettre] une communication et des messages [émanant] d'Allāh. Et quiconque désobéit à Allāh et à Son Messager aura le feu de l'Enfer pour y demeurer éternellement.

24. Puis, quand ils verront ce dont on les menaçait, ils sauront lesquels ont les secours les plus faibles et [lesquels] sont les moins nombreux.

25. Dis: «Je ne sais pas si ce dont vous êtes menacés est proche, ou bien, si mon Seigneur va lui assigner un délai.

26. [C'est Lui] qui connaît le mystère. Il ne dévoile Son mystère à personne,

27. sauf à celui qu'Il agrée comme Messager et qu'Il fait précéder et suivre de gardiens vigilants,

28. afin qu'Il sache s'ils ont bien transmis les messages de leur Seigneur. Il cerne (de Son savoir) ce qui est avec eux, et dénombre exactement toute chose.

---

1. *Le serviteur d'Allāh*: Muḥammad (ﷺ).
Ils faillirent se ruer ...: il s'agit des mêmes djinns qui s'approchaient du Prophète tandis qu'il récitait le Qur'ān pendant la Ṣalāt, et cela fut la cause de leur conversion.
Autre interp.: D'après Ibn-Kaṯir ce sont les infidèles qui ont failli être contre lui (le Prophète) en masse.

سورة المزمل

بِسۡمِ ٱللَّهِ ٱلرَّحۡمَٰنِ ٱلرَّحِيمِ

يَٰٓأَيُّهَا ٱلۡمُزَّمِّلُ ۝ قُمِ ٱلَّيۡلَ إِلَّا قَلِيلًا ۝ نِّصۡفَهُۥٓ أَوِ ٱنقُصۡ مِنۡهُ قَلِيلًا ۝ أَوۡ زِدۡ عَلَيۡهِ وَرَتِّلِ ٱلۡقُرۡءَانَ تَرۡتِيلًا ۝ إِنَّا سَنُلۡقِى عَلَيۡكَ قَوۡلًا ثَقِيلًا ۝ إِنَّ نَاشِئَةَ ٱلَّيۡلِ هِىَ أَشَدُّ وَطۡـًٔا وَأَقۡوَمُ قِيلًا ۝ إِنَّ لَكَ فِى ٱلنَّهَارِ سَبۡحًا طَوِيلًا ۝ وَٱذۡكُرِ ٱسۡمَ رَبِّكَ وَتَبَتَّلۡ إِلَيۡهِ تَبۡتِيلًا ۝ رَّبُّ ٱلۡمَشۡرِقِ وَٱلۡمَغۡرِبِ لَآ إِلَٰهَ إِلَّا هُوَ فَٱتَّخِذۡهُ وَكِيلًا ۝ وَٱصۡبِرۡ عَلَىٰ مَا يَقُولُونَ وَٱهۡجُرۡهُمۡ هَجۡرًا جَمِيلًا ۝ وَذَرۡنِى وَٱلۡمُكَذِّبِينَ أُوْلِى ٱلنَّعۡمَةِ وَمَهِّلۡهُمۡ قَلِيلًا ۝ إِنَّ لَدَيۡنَآ أَنكَالًا وَجَحِيمًا ۝ وَطَعَامًا ذَا غُصَّةٍ وَعَذَابًا أَلِيمًا ۝ يَوۡمَ تَرۡجُفُ ٱلۡأَرۡضُ وَٱلۡجِبَالُ وَكَانَتِ ٱلۡجِبَالُ كَثِيبًا مَّهِيلًا ۝ إِنَّآ أَرۡسَلۡنَآ إِلَيۡكُمۡ رَسُولًا شَٰهِدًا عَلَيۡكُمۡ كَمَآ أَرۡسَلۡنَآ إِلَىٰ فِرۡعَوۡنَ رَسُولًا ۝ فَعَصَىٰ فِرۡعَوۡنُ ٱلرَّسُولَ فَأَخَذۡنَٰهُ أَخۡذًا وَبِيلًا ۝ فَكَيۡفَ تَتَّقُونَ إِن كَفَرۡتُمۡ يَوۡمًا يَجۡعَلُ ٱلۡوِلۡدَٰنَ شِيبًا ۝ ٱلسَّمَآءُ مُنفَطِرٌۢ بِهِۦ كَانَ وَعۡدُهُۥ مَفۡعُولًا ۝ إِنَّ هَٰذِهِۦ تَذۡكِرَةٌ فَمَن شَآءَ ٱتَّخَذَ إِلَىٰ رَبِّهِۦ سَبِيلًا ۝

AL-MUZZAMMIL (L'ENVELOPPÉ)[1]

sourate 73   20 versets   Pré-hégirien n°3

Au nom d'Allāh, le Tout Miséricordieux, le Très Miséricordieux.

1. Ô toi[2], l'enveloppé [dans tes vêtements]!

2. Lève-toi [pour prier], toute la nuit, excepté une petite partie ;

3. Sa moitié, ou un peu moins ;

4. ou un peu plus. Et récite le Qur'ān, lentement et clairement.

5. Nous allons te révéler des paroles lourdes (très importantes).

6. La prière pendant la nuit est plus efficace et plus propice pour la récitation.

7. Tu as, dans la journée, à vaquer à de longues occupations.

8. Et rappelle-toi le nom de ton Seigneur et consacre-toi totalement à Lui,

9. le Seigneur du Levant et du Couchant. Il n'y a point de divinité à part Lui. Prends-Le donc comme Protecteur.

10. Et endure ce qu'ils disent ; et écarte-toi d'eux d'une façon convenable.

11. Et laisse-moi avec ceux qui crient au mensonge et qui vivent dans l'aisance ; et accorde-leur un court répit:

12. Nous avons [pour eux] lourdes chaînes et Enfer,

13. et nourriture à faire suffoquer, et châtiment douloureux.

14. Le jour où la terre et les montagnes trembleront, tandis que les montagnes deviendront comme une dune de sable dispersée.

15. Nous vous avons envoyé un Messager pour être témoin contre vous, de même que Nous avions envoyé un Messager à Pharaon.

16. Pharaon désobéit alors au Messager. Nous le saisîmes donc rudement.

17. Comment vous préserverez-vous, si vous mécroyez, d'un jour qui rendra les enfants comme des vieillards aux cheveux blancs?

18. [et] durant lequel le ciel se fendra. Sa promesse s'accomplira sans doute.

19. Ceci est un rappel. Que celui qui veut prenne une voie [menant] à son Seigneur.

---

1. Titre tiré du v. 1.
2. *Toi*: Muḥammad.

۞ إِنَّ رَبَّكَ يَعْلَمُ أَنَّكَ تَقُومُ أَدْنَىٰ مِن ثُلُثَيِ الَّيْلِ وَنِصْفَهُ وَثُلُثَهُ وَطَآئِفَةٌ مِّنَ الَّذِينَ مَعَكَ وَاللَّهُ يُقَدِّرُ الَّيْلَ وَالنَّهَارَ عَلِمَ أَن لَّن تُحْصُوهُ فَتَابَ عَلَيْكُمْ فَاقْرَءُوا مَا تَيَسَّرَ مِنَ الْقُرْءَانِ عَلِمَ أَن سَيَكُونُ مِنكُم مَّرْضَىٰ وَءَاخَرُونَ يَضْرِبُونَ فِي الْأَرْضِ يَبْتَغُونَ مِن فَضْلِ اللَّهِ وَءَاخَرُونَ يُقَٰتِلُونَ فِي سَبِيلِ اللَّهِ فَاقْرَءُوا مَا تَيَسَّرَ مِنْهُ وَأَقِيمُوا الصَّلَوٰةَ وَءَاتُوا الزَّكَوٰةَ وَأَقْرِضُوا اللَّهَ قَرْضًا حَسَنًا وَمَا تُقَدِّمُوا لِأَنفُسِكُم مِّنْ خَيْرٍ تَجِدُوهُ عِندَ اللَّهِ هُوَ خَيْرًا وَأَعْظَمَ أَجْرًا وَاسْتَغْفِرُوا اللَّهَ إِنَّ اللَّهَ غَفُورٌ رَّحِيمٌ ۞

سُورَةُ الْمُدَّثِّرِ

بِسْمِ اللَّهِ الرَّحْمَٰنِ الرَّحِيمِ

يَٰٓأَيُّهَا الْمُدَّثِّرُ ۞ قُمْ فَأَنذِرْ ۞ وَرَبَّكَ فَكَبِّرْ ۞ وَثِيَابَكَ فَطَهِّرْ ۞ وَالرُّجْزَ فَاهْجُرْ ۞ وَلَا تَمْنُن تَسْتَكْثِرُ ۞ وَلِرَبِّكَ فَاصْبِرْ ۞ فَإِذَا نُقِرَ فِي النَّاقُورِ ۞ فَذَٰلِكَ يَوْمَئِذٍ يَوْمٌ عَسِيرٌ ۞ عَلَى الْكَٰفِرِينَ غَيْرُ يَسِيرٍ ۞ ذَرْنِي وَمَنْ خَلَقْتُ وَحِيدًا ۞ وَجَعَلْتُ لَهُۥ مَالًا مَّمْدُودًا ۞ وَبَنِينَ شُهُودًا ۞ وَمَهَّدتُّ لَهُۥ تَمْهِيدًا ۞ ثُمَّ يَطْمَعُ أَنْ أَزِيدَ ۞ كَلَّآ إِنَّهُۥ كَانَ لِأَيَٰتِنَا عَنِيدًا ۞ سَأُرْهِقُهُۥ صَعُودًا ۞

20. Ton Seigneur sait, certes, que tu (Muḥammad) te tiens debout moins de deux tiers de la nuit, ou sa moitié, ou son tiers. De même qu'une partie de ceux qui sont avec toi. Allāh détermine la nuit et le jour. Il sait que vous ne saurez jamais passer toute la nuit en prière. Il a usé envers vous avec indulgence. Récitez donc ce qui [vous] est possible du Qur'ān. Il sait qu'il y aura parmi vous des malades, et d'autres qui voyageront sur la terre, en quête de la grâce d'Allāh, et d'autres encore qui combattront dans le chemin d'Allāh. Récitez-en donc ce qui [vous] sera possible. Accomplissez la Ṣalāt, acquittez la Zakāt, et faites à Allāh un prêt sincère. Tout bien que vous vous préparez, vous le retrouverez auprès d'Allāh, meilleur et plus grand en fait de récompense. Et implorez le pardon d'Allāh. Car Allāh est Pardonneur et Très Miséricordieux.

AL-MUDDAṮṮIR (LE REVÊTU D'UN MANTEAU)[1]

sourate 74 56 versets Pré-hégirien n° 4

Au nom d'Allāh, le Tout Miséricordieux, le Très Miséricordieux.

1. Ô, toi (Muhammad)! Le revêtu d'un manteau!
2. Lève-toi et avertis.
3. Et de ton Seigneur, célèbre la grandeur.
4. Et tes vêtements, purifies-les.
5. Et de tout péché, écarte-toi[2].
6. Et ne donne pas dans le but de recevoir davantage[3].
7. Et pour ton Seigneur, endure.
8. Quand on sonnera du Clairon,
9. alors, ce jour-là sera un jour difficile,
10. pas facile pour les mécréants.
11. Laisse-Moi avec celui que J'ai créé seul[4],
12. et à qui J'ai donné des biens étendus,
13. et des enfants qui lui tiennent toujours compagnie,
14. pour qui aussi J'ai aplani toutes difficultés.
15. Cependant, il convoite [de Moi] que Je lui donne davantage.
16. Pas du tout! Car il reniait nos versets (le Qur'ān) avec entêtement.
17. Je vais le contraindre à gravir une pente.

---

1. Titre tiré du v. 1.
2. *De tout péché*: (autre sens) fuis les idoles.
3. *Autre sens*: ne surestime pas tes actes.
4. *Celui que J'ai créé seul*: Il s'agit de «A1-Walid Ibn-Al-Mughīrah».
Seul: autre interprétation: Moi Allāh tout Seul.

إِنَّهُۥ فَكَّرَ وَقَدَّرَ ﴿١٨﴾ فَقُتِلَ كَيْفَ قَدَّرَ ﴿١٩﴾ ثُمَّ قُتِلَ كَيْفَ قَدَّرَ ﴿٢٠﴾ ثُمَّ نَظَرَ ﴿٢١﴾ ثُمَّ عَبَسَ وَبَسَرَ ﴿٢٢﴾ ثُمَّ أَدْبَرَ وَٱسْتَكْبَرَ ﴿٢٣﴾ فَقَالَ إِنْ هَٰذَآ إِلَّا سِحْرٌ يُؤْثَرُ ﴿٢٤﴾ إِنْ هَٰذَآ إِلَّا قَوْلُ ٱلْبَشَرِ ﴿٢٥﴾ سَأُصْلِيهِ سَقَرَ ﴿٢٦﴾ وَمَآ أَدْرَىٰكَ مَا سَقَرُ ﴿٢٧﴾ لَا تُبْقِى وَلَا تَذَرُ ﴿٢٨﴾ لَوَّاحَةٌ لِّلْبَشَرِ ﴿٢٩﴾ عَلَيْهَا تِسْعَةَ عَشَرَ ﴿٣٠﴾ وَمَا جَعَلْنَآ أَصْحَٰبَ ٱلنَّارِ إِلَّا مَلَٰٓئِكَةً وَمَا جَعَلْنَا عِدَّتَهُمْ إِلَّا فِتْنَةً لِّلَّذِينَ كَفَرُوا۟ لِيَسْتَيْقِنَ ٱلَّذِينَ أُوتُوا۟ ٱلْكِتَٰبَ وَيَزْدَادَ ٱلَّذِينَ ءَامَنُوٓا۟ إِيمَٰنًا وَلَا يَرْتَابَ ٱلَّذِينَ أُوتُوا۟ ٱلْكِتَٰبَ وَٱلْمُؤْمِنُونَ وَلِيَقُولَ ٱلَّذِينَ فِى قُلُوبِهِم مَّرَضٌ وَٱلْكَٰفِرُونَ مَاذَآ أَرَادَ ٱللَّهُ بِهَٰذَا مَثَلًا كَذَٰلِكَ يُضِلُّ ٱللَّهُ مَن يَشَآءُ وَيَهْدِى مَن يَشَآءُ وَمَا يَعْلَمُ جُنُودَ رَبِّكَ إِلَّا هُوَ وَمَا هِىَ إِلَّا ذِكْرَىٰ لِلْبَشَرِ ﴿٣١﴾ كَلَّا وَٱلْقَمَرِ ﴿٣٢﴾ وَٱلَّيْلِ إِذْ أَدْبَرَ ﴿٣٣﴾ وَٱلصُّبْحِ إِذَآ أَسْفَرَ ﴿٣٤﴾ إِنَّهَا لَإِحْدَى ٱلْكُبَرِ ﴿٣٥﴾ نَذِيرًا لِّلْبَشَرِ ﴿٣٦﴾ لِمَن شَآءَ مِنكُمْ أَن يَتَقَدَّمَ أَوْ يَتَأَخَّرَ ﴿٣٧﴾ كُلُّ نَفْسٍ بِمَا كَسَبَتْ رَهِينَةٌ ﴿٣٨﴾ إِلَّآ أَصْحَٰبَ ٱلْيَمِينِ ﴿٣٩﴾ فِى جَنَّٰتٍ يَتَسَآءَلُونَ ﴿٤٠﴾ عَنِ ٱلْمُجْرِمِينَ ﴿٤١﴾ مَا سَلَكَكُمْ فِى سَقَرَ ﴿٤٢﴾ قَالُوا۟ لَمْ نَكُ مِنَ ٱلْمُصَلِّينَ ﴿٤٣﴾ وَلَمْ نَكُ نُطْعِمُ ٱلْمِسْكِينَ ﴿٤٤﴾ وَكُنَّا نَخُوضُ مَعَ ٱلْخَآئِضِينَ ﴿٤٥﴾ وَكُنَّا نُكَذِّبُ بِيَوْمِ ٱلدِّينِ ﴿٤٦﴾ حَتَّىٰٓ أَتَىٰنَا ٱلْيَقِينُ ﴿٤٧﴾

18. Il a réfléchi. Et il a décidé.

19. Qu'il périsse! Comme il a décidé!

20. Encore une fois, qu'il périsse ; comme il a décidé!

21. Ensuite, il a regardé.

22. Et il s'est renfrogné et a durci son visage.

23. Ensuite il a tourné le dos et s'est enflé d'orgueil.

24. Puis il a dit: «Ceci (le Qur'ān) n'est que magie apprise

25. ce n'est là que la parole d'un humain».

26. Je vais le brûler dans le Feu intense (Saqar).

27. Et qui te dira ce qu'est Saqar?

28. Il ne laisse rien et n'épargne rien ;

29. Il brûle la peau et la noircit.

30. Ils sont dix neuf à y veiller[1].

31. Nous n'avons assigné comme gardiens du Feu que des Anges. Cependant, Nous n'en avons fixé le nombre que pour éprouver les mécréants, et aussi afin que ceux à qui le Livre a été apporté soient convaincus, et que croisse la foi de ceux qui croient, et que ceux à qui le Livre a été apporté et les croyants n'aient point de doute ; et pour que ceux qui ont au cœur quelque maladie ainsi que les mécréants disent: «Qu'a donc voulu Allāh par cette parabole?» C'est ainsi qu'Allāh égare qui Il veut et guide qui Il veut. Nul ne connaît les armées de ton Seigneur, à part Lui. Et ce n'est là qu'un rappel pour les humains.

32. Non!... Par la lune!

33. Et par la nuit quand elle se retire!

34. Et par l'aurore quand elle se découvre!

35. [Saqar] est l'un des plus grands [malheurs]

36. un avertissement, pour les humains.

37. Pour qui d'entre vous, veut avancer ou reculer.

38. Toute âme est l'otage de ce qu'elle a acquis.

39. Sauf les gens de la droite (les élus):

40. dans des Jardins, ils s'interrogeront

41. au sujet des criminels:

42. «Qu'est-ce qui vous a acheminés à Saqar?»

43. Ils diront: «Nous n'étions pas de ceux qui faisaient la Ṣalāt,

44. et nous ne nourrissions pas le pauvre,

45. et nous nous associions à ceux qui tenaient des conversations futiles,

46. et nous traitions de mensonge le jour de la Rétribution,

47. jusqu'à ce que nous vînt la vérité évidente [la mort].»

1. Il s'agit des dix neuf Anges préposés à Saqar.

فَمَا تَنفَعُهُمْ شَفَٰعَةُ ٱلشَّٰفِعِينَ ﴿٤٨﴾ فَمَا لَهُمْ عَنِ ٱلتَّذْكِرَةِ مُعْرِضِينَ

﴿٤٩﴾ كَأَنَّهُمْ حُمُرٌ مُّسْتَنفِرَةٌ ﴿٥٠﴾ فَرَّتْ مِن قَسْوَرَةٍ ﴿٥١﴾ بَلْ يُرِيدُ

كُلُّ ٱمْرِئٍ مِّنْهُمْ أَن يُؤْتَىٰ صُحُفًا مُّنَشَّرَةً ﴿٥٢﴾ كَلَّا بَل لَّا يَخَافُونَ

ٱلْءَاخِرَةَ ﴿٥٣﴾ كَلَّآ إِنَّهُۥ تَذْكِرَةٌ ﴿٥٤﴾ فَمَن شَآءَ ذَكَرَهُۥ

﴿٥٥﴾ وَمَا يَذْكُرُونَ إِلَّآ أَن يَشَآءَ ٱللَّهُ هُوَ أَهْلُ ٱلتَّقْوَىٰ وَأَهْلُ ٱلْمَغْفِرَةِ ﴿٥٦﴾

سُورَةُ الْقِيَامَةِ

بِسْمِ ٱللَّهِ ٱلرَّحْمَٰنِ ٱلرَّحِيمِ

نصف الحرب ٥٨

لَآ أُقْسِمُ بِيَوْمِ ٱلْقِيَٰمَةِ ﴿١﴾ وَلَآ أُقْسِمُ بِٱلنَّفْسِ ٱللَّوَّامَةِ ﴿٢﴾ أَيَحْسَبُ

ٱلْإِنسَٰنُ أَلَّن نَّجْمَعَ عِظَامَهُۥ ﴿٣﴾ بَلَىٰ قَٰدِرِينَ عَلَىٰٓ أَن نُّسَوِّىَ بَنَانَهُۥ ﴿٤﴾ بَلْ

يُرِيدُ ٱلْإِنسَٰنُ لِيَفْجُرَ أَمَامَهُۥ ﴿٥﴾ يَسْـَٔلُ أَيَّانَ يَوْمُ ٱلْقِيَٰمَةِ ﴿٦﴾ فَإِذَا بَرِقَ ٱلْبَصَرُ

﴿٧﴾ وَخَسَفَ ٱلْقَمَرُ ﴿٨﴾ وَجُمِعَ ٱلشَّمْسُ وَٱلْقَمَرُ ﴿٩﴾ يَقُولُ ٱلْإِنسَٰنُ يَوْمَئِذٍ

أَيْنَ ٱلْمَفَرُّ ﴿١٠﴾ كَلَّا لَا وَزَرَ ﴿١١﴾ إِلَىٰ رَبِّكَ يَوْمَئِذٍ ٱلْمُسْتَقَرُّ ﴿١٢﴾ يُنَبَّؤُا۟ ٱلْإِنسَٰنُ

يَوْمَئِذٍ بِمَا قَدَّمَ وَأَخَّرَ ﴿١٣﴾ بَلِ ٱلْإِنسَٰنُ عَلَىٰ نَفْسِهِۦ بَصِيرَةٌ ﴿١٤﴾ وَلَوْ أَلْقَىٰ

مَعَاذِيرَهُۥ ﴿١٥﴾ لَا تُحَرِّكْ بِهِۦ لِسَانَكَ لِتَعْجَلَ بِهِۦٓ ﴿١٦﴾ إِنَّ عَلَيْنَا جَمْعَهُۥ

وَقُرْءَانَهُۥ ﴿١٧﴾ فَإِذَا قَرَأْنَٰهُ فَٱتَّبِعْ قُرْءَانَهُۥ ﴿١٨﴾ ثُمَّ إِنَّ عَلَيْنَا بَيَانَهُۥ ﴿١٩﴾

48. Ne leur profitera point donc, l'intercession des intercesseurs.

49. Qu'ont-ils à se détourner du Rappel?

50. Ils sont comme des onagres épouvantés,

51. s'enfuyant devant un lion.

52. Chacun d'eux voudrait plutôt qu'on lui apporte des feuilles tout étalées.

53. Ah! Non! C'est plutôt qu'ils ne craignent pas l'au-delà.

54. Ah! Non! Ceci est vraiment un Rappel.

55. Quiconque veut, qu'il se le rappelle.

56. Mais ils ne se rappelleront que si Allāh veut. C'est Lui qui est Le plus digne d'être craint ; et c'est Lui qui détient le pardon.

AL-QIYĀMA (LA RÉSURRECTION)[1]

sourate 75   40 versets   Pré-hégirien n°13

Au nom d'Allāh, le Tout Miséricordieux, le Très Miséricordieux.

1. Non!... Je jure par le Jour de la Résurrection!

2. Mais non!, Je jure par l'âme qui ne cesse de se blâmer[2].

3. L'homme, pense-t-il que Nous ne réunirons jamais ses os?

4. Mais si! Nous sommes Capable de remettre à leur place les extrémités de ses doigts[3].

5. L'homme voudrait plutôt continuer à vivre en libertin.

6. Il interroge: «À quand, le Jour de la Résurrection?»

7. Lorsque la vue sera éblouie,

8. et que la lune s'éclipsera,

9. et que le soleil et la lune seront réunis,

10. l'homme, ce jour-là, dira: «Où fuir?»

11. Non! Point de refuge!

12. Vers ton Seigneur sera, ce jour-là, le retour.

13. L'homme sera informé ce jour-là de ce qu'il aura avancé et de ce qu'il aura remis à plus tard.

14. Mais l'homme sera un témoin perspicace contre lui-même,

15. quand même il présenterait ses excuses.

16. Ne remue pas ta langue pour hâter sa récitation[4]:

17. Son rassemblement (dans ton cœur et sa fixation dans ta mémoire) Nous incombent, ainsi que la façon de le réciter[5].

18. Quand donc Nous le récitons[6], suis sa récitation.

19. À Nous, ensuite incombera son explication.

---

1. Titre tiré du v. 1.
2. *Je jure par le Jour ... et je jure par l'âme*...: que vous serez ressuscités.
3. Autre sens:... capable de rendre égales ses phalanges.
4. *Allāh s'adresse au Prophète*: n'essaie pas de composer le Qur'ān avec ta langue pour hâter Sa révélation.
5. *Son rassemblement*: celui des versets du Qur'ān.
6. Quand notre envoyé Jibrīl récite le Qur'ān, suis attentivement Sa lecture.

كَلَّا بَلْ تُحِبُّونَ ٱلْعَاجِلَةَ ﴿٢٠﴾ وَتَذَرُونَ ٱلْأَخِرَةَ ﴿٢١﴾ وُجُوهٌ يَوْمَئِذٍ نَّاضِرَةٌ ﴿٢٢﴾

إِلَىٰ رَبِّهَا نَاظِرَةٌ ﴿٢٣﴾ وَوُجُوهٌ يَوْمَئِذٍ بَاسِرَةٌ ﴿٢٤﴾ تَظُنُّ أَن يُفْعَلَ بِهَا فَاقِرَةٌ ﴿٢٥﴾

كَلَّا إِذَا بَلَغَتِ ٱلتَّرَاقِيَ ﴿٢٦﴾ وَقِيلَ مَنْ رَاقٍ ﴿٢٧﴾ وَظَنَّ أَنَّهُ ٱلْفِرَاقُ ﴿٢٨﴾ وَٱلْتَفَّتِ

ٱلسَّاقُ بِٱلسَّاقِ ﴿٢٩﴾ إِلَىٰ رَبِّكَ يَوْمَئِذٍ ٱلْمَسَاقُ ﴿٣٠﴾ فَلَا صَدَّقَ وَلَا صَلَّىٰ

﴿٣١﴾ وَلَٰكِن كَذَّبَ وَتَوَلَّىٰ ﴿٣٢﴾ ثُمَّ ذَهَبَ إِلَىٰ أَهْلِهِ يَتَمَطَّىٰ ﴿٣٣﴾ أَوْلَىٰ لَكَ

فَأَوْلَىٰ ﴿٣٤﴾ ثُمَّ أَوْلَىٰ لَكَ فَأَوْلَىٰ ﴿٣٥﴾ أَيَحْسَبُ ٱلْإِنسَانُ أَن يُتْرَكَ سُدًى ﴿٣٦﴾

أَلَمْ يَكُ نُطْفَةً مِّن مَّنِيٍّ يُمْنَىٰ ﴿٣٧﴾ ثُمَّ كَانَ عَلَقَةً فَخَلَقَ فَسَوَّىٰ ﴿٣٨﴾ فَجَعَلَ مِنْهُ

ٱلزَّوْجَيْنِ ٱلذَّكَرَ وَٱلْأُنثَىٰ ﴿٣٩﴾ أَلَيْسَ ذَٰلِكَ بِقَادِرٍ عَلَىٰ أَن يُحْيِيَ ٱلْمَوْتَىٰ ﴿٤٠﴾

سُورَةُ الإنْسَان

بِسْمِ ٱللَّهِ ٱلرَّحْمَٰنِ ٱلرَّحِيمِ

هَلْ أَتَىٰ عَلَى ٱلْإِنسَانِ حِينٌ مِّنَ ٱلدَّهْرِ لَمْ يَكُن شَيْئًا مَّذْكُورًا ﴿١﴾

إِنَّا خَلَقْنَا ٱلْإِنسَانَ مِن نُّطْفَةٍ أَمْشَاجٍ نَّبْتَلِيهِ فَجَعَلْنَاهُ سَمِيعًا

بَصِيرًا ﴿٢﴾ إِنَّا هَدَيْنَاهُ ٱلسَّبِيلَ إِمَّا شَاكِرًا وَإِمَّا كَفُورًا ﴿٣﴾

إِنَّا أَعْتَدْنَا لِلْكَافِرِينَ سَلَاسِلَ وَأَغْلَالًا وَسَعِيرًا ﴿٤﴾ إِنَّ

ٱلْأَبْرَارَ يَشْرَبُونَ مِن كَأْسٍ كَانَ مِزَاجُهَا كَافُورًا ﴿٥﴾

سكتة لطيفة
على النون

20. Mais vous aimez plutôt [la vie] éphémère,

21. et vous délaissez l'au-delà.

22. Ce jour-là, il y aura des visages resplendissants

23. qui regarderont leur Seigneur ;

24. et il y aura ce jour-là, des visages assombris,

25. qui s'attendent à subir une catastrophe.

26. Mais non! Quand [l'âme] en arrive aux clavicules

27. et qu'on dit: «Qui est exorciseur?[1]»

28. et qu'il [l'agonisant] est convaincu que c'est la séparation (la mort),

29. et que la jambe s'enlace à la jambe,

30. c'est vers ton Seigneur, ce jour-là que tu seras conduit.

31. Mais il n'a ni cru, ni fait la Ṣalāt ;

32. par contre, il a démenti et tourné le dos,

33. puis il s'en est allé vers sa famille, marchant avec orgueil.

34. «Malheur à toi, malheur!»

35. Et encore malheur à toi, malheur!

36. L'homme pense-t-il qu'on le laissera sans obligation à observer?[2]

37. N'était-il pas une goutte de sperme éjaculé?

38. Et ensuite une adhérence Puis [Allāh] l'a créée et formée harmonieusement ;

39. puis en a fait alors les deux éléments de couple: le mâle et la femelle?

40. Celui-là (Allāh) n'est-Il pas capable de faire revivre les morts?[3]

AL-INSĀN (L'HOMME)[4]

sourate 76   31 versets   Post-hégirien n°98

Au nom d'Allāh, le Tout Miséricordieux, le Très Miséricordieux.

1. S'est-il écoulé pour l'homme un laps de temps durant lequel il n'était même pas une chose mentionnable?

2. En effet, Nous avons créé l'homme d'une goutte de sperme mélangé [aux composantes diverses] pour le mettre à l'épreuve. [C'est pourquoi] Nous l'avons fait entendant et voyant.

3. Nous l'avons guidé dans le chemin, - qu'il soit reconnaissant ou ingrat -

4. Nous avons préparé pour les infidèles des chaînes, des carcans et une fournaise ardente.

5. Les vertueux boiront d'une coupe dont le mélange sera de camphre,

---

1. *«Qui est exorciseur?»*: qui puisse guérir l'agonisant.
2. *Littéralement*: libre d'agir ; sans devoir être soumis au Jugement après sa mort.
3. Après la lecture de ce verset, le Prophète disait: «Mais si! Gloire à Toi, ô Allāh!»
4. Titre tiré du v. 1.

عَيْنًا يَشْرَبُ بِهَا عِبَادُ اللَّهِ يُفَجِّرُونَهَا تَفْجِيرًا ۞ يُوفُونَ بِالنَّذْرِ وَيَخَافُونَ

يَوْمًا كَانَ شَرُّهُۥ مُسْتَطِيرًا ۞ وَيُطْعِمُونَ الطَّعَامَ عَلَىٰ حُبِّهِۦ مِسْكِينًا

وَيَتِيمًا وَأَسِيرًا ۞ إِنَّمَا نُطْعِمُكُمْ لِوَجْهِ اللَّهِ لَا نُرِيدُ مِنكُمْ جَزَآءً وَلَا شُكُورًا

۞ إِنَّا نَخَافُ مِن رَّبِّنَا يَوْمًا عَبُوسًا قَمْطَرِيرًا ۞ فَوَقَىٰهُمُ اللَّهُ شَرَّ ذَٰلِكَ

الْيَوْمِ وَلَقَّىٰهُمْ نَضْرَةً وَسُرُورًا ۞ وَجَزَىٰهُم بِمَا صَبَرُوا۟ جَنَّةً وَحَرِيرًا

۞ مُّتَّكِـِٔينَ فِيهَا عَلَى الْأَرَآئِكِ لَا يَرَوْنَ فِيهَا شَمْسًا وَلَا زَمْهَرِيرًا

وَدَانِيَةً عَلَيْهِمْ ظِلَٰلُهَا وَذُلِّلَتْ قُطُوفُهَا تَذْلِيلًا ۞ وَيُطَافُ عَلَيْهِم بِـَٔانِيَةٍ

مِّن فِضَّةٍ وَأَكْوَابٍ كَانَتْ قَوَارِيرَا۟ ۞ قَوَارِيرَا۟ مِن فِضَّةٍ قَدَّرُوهَا تَقْدِيرًا

وَيُسْقَوْنَ فِيهَا كَأْسًا كَانَ مِزَاجُهَا زَنجَبِيلًا ۞ عَيْنًا فِيهَا تُسَمَّىٰ سَلْسَبِيلًا

۞ وَيَطُوفُ عَلَيْهِمْ وِلْدَٰنٌ مُّخَلَّدُونَ إِذَا رَأَيْتَهُمْ حَسِبْتَهُمْ لُؤْلُؤًا مَّنثُورًا

۞ وَإِذَا رَأَيْتَ ثَمَّ رَأَيْتَ نَعِيمًا وَمُلْكًا كَبِيرًا ۞ عَٰلِيَهُمْ ثِيَابُ سُندُسٍ

خُضْرٌ وَإِسْتَبْرَقٌ وَحُلُّوٓا۟ أَسَاوِرَ مِن فِضَّةٍ وَسَقَىٰهُمْ رَبُّهُمْ شَرَابًا

طَهُورًا ۞ إِنَّ هَٰذَا كَانَ لَكُمْ جَزَآءً وَكَانَ سَعْيُكُم مَّشْكُورًا ۞ إِنَّا

نَحْنُ نَزَّلْنَا عَلَيْكَ الْقُرْءَانَ تَنزِيلًا ۞ فَاصْبِرْ لِحُكْمِ رَبِّكَ وَلَا تُطِعْ

مِنْهُمْ ءَاثِمًا أَوْ كَفُورًا ۞ وَاذْكُرِ اسْمَ رَبِّكَ بُكْرَةً وَأَصِيلًا ۞

ثلاثة أرباع الحزب ٥٨

6. d'une source de laquelle boiront les serviteurs d'Allāh et ils la feront Jaillir en abondance[1].

7. Ils accomplissent leurs vœux et ils redoutent un jour dont le mal s'étendra partout.

8. et offrent la nourriture, malgré son amour[2], au pauvre, à l'orphelin et au prisonnier,

9. (disant): «C'est pour le visage d'Allāh que nous vous nourrissons: nous ne voulons de vous ni récompense ni gratitude.

10. Nous redoutons, de notre Seigneur, un jour terrible et catastrophique».

11. Allāh les protègera donc du mal de ce jour-là, et leur fera rencontrer la splendeur et la joie,

12. et les rétribuera pour ce qu'ils auront enduré, en leur donnant le Paradis et des [vêtements] de soie,

13. ils y seront accoudés sur des divans, n'y voyant ni soleil ni froid glacial[3].

14. Ses ombrages les couvriront de près, et ses fruits inclinés bien bas [à portée de leurs mains].

15. Et l'on fera circuler parmi eux des récipients d'argent et des coupes cristallines,

16. en cristal d'argent, dont le contenu a été savamment dosé.

17. Et là, ils seront abreuvés d'une coupe dont le mélange sera de gingembre,

18. puisé là-dedans à une source qui s'appelle Salsabīl.

19. Et parmi eux, circuleront des garçons éternellement jeunes. Quand tu les verras, tu les prendras pour des perles éparpillées.

20. Et quand tu regarderas là-bas, tu verras un délice et un vaste royaume.

21. Ils porteront des vêtements verts de satin et de brocart. Et ils seront parés de bracelets d'argent. Et leur Seigneur les abreuvera d'une boisson très pure.

22. Cela sera pour vous une récompense, et votre effort sera reconnu.

23. En vérité c'est Nous qui avons fait descendre sur toi le Qur'ān graduellement.

24. Endure donc ce que ton Seigneur a décrété, et n'obéis ni au pécheur, parmi eux, ni au grand mécréant.

25. Et invoque le nom de ton Seigneur, matin et après-midi :

---

1. *Ils la feront jaillir...*: ils l'utiliseront à leur convenance.
2. *Malgré son amour*: l'amour de la nourriture et le fait d'en avoir besoin, ou encore pour l'amour d'Allāh.
3. *N'y voyant... glacial*: ils seront à l'abri de la chaleur du soleil et du froid mordant.

وَمِنَ ٱلَّيْلِ فَٱسْجُدْ لَهُۥ وَسَبِّحْهُ لَيْلًا طَوِيلًا ۝ إِنَّ ٣٦

هَـٰٓؤُلَآءِ يُحِبُّونَ ٱلْعَاجِلَةَ وَيَذَرُونَ وَرَآءَهُمْ يَوْمًا ثَقِيلًا ۝ نَّحْنُ ٣٧

خَلَقْنَـٰهُمْ وَشَدَدْنَآ أَسْرَهُمْ وَإِذَا شِئْنَا بَدَّلْنَآ أَمْثَـٰلَهُمْ تَبْدِيلًا ۝

إِنَّ هَـٰذِهِۦ تَذْكِرَةٌ فَمَن شَآءَ ٱتَّخَذَ إِلَىٰ رَبِّهِۦ سَبِيلًا ۝ ٢٩

وَمَا تَشَآءُونَ إِلَّآ أَن يَشَآءَ ٱللَّهُ إِنَّ ٱللَّهَ كَانَ عَلِيمًا حَكِيمًا ۝ ٣٠

يُدْخِلُ مَن يَشَآءُ فِى رَحْمَتِهِۦ وَٱلظَّـٰلِمِينَ أَعَدَّ لَهُمْ عَذَابًا أَلِيمًا ۝ ٣١

سُورَةُ ٱلْمُرْسَلَاتِ

بِسْمِ ٱللَّهِ ٱلرَّحْمَـٰنِ ٱلرَّحِيمِ

وَٱلْمُرْسَلَـٰتِ عُرْفًا ۝ فَٱلْعَـٰصِفَـٰتِ عَصْفًا ۝ وَٱلنَّـٰشِرَٰتِ نَشْرًا ۝ ٣ ٢ ١

فَٱلْفَـٰرِقَـٰتِ فَرْقًا ۝ فَٱلْمُلْقِيَـٰتِ ذِكْرًا ۝ عُذْرًا أَوْ نُذْرًا ۝ إِنَّمَا ٦ ٥ ٤

تُوعَدُونَ لَوَٰقِعٌ ۝ فَإِذَا ٱلنُّجُومُ طُمِسَتْ ۝ وَإِذَا ٱلسَّمَآءُ فُرِجَتْ ۝ ٨ ٧

وَإِذَا ٱلْجِبَالُ نُسِفَتْ ۝ وَإِذَا ٱلرُّسُلُ أُقِّتَتْ ۝ لِأَىِّ يَوْمٍ أُجِّلَتْ ۝ ١١ ١٠ ٩

لِيَوْمِ ٱلْفَصْلِ ۝ وَمَآ أَدْرَىٰكَ مَا يَوْمُ ٱلْفَصْلِ ۝ وَيْلٌ يَوْمَئِذٍ ١٤ ١٣ ١٢

لِّلْمُكَذِّبِينَ ۝ أَلَمْ نُهْلِكِ ٱلْأَوَّلِينَ ۝ ثُمَّ نُتْبِعُهُمُ ٱلْءَاخِرِينَ ۝ ١٦ ١٥

كَذَٰلِكَ نَفْعَلُ بِٱلْمُجْرِمِينَ ۝ وَيْلٌ يَوْمَئِذٍ لِّلْمُكَذِّبِينَ ۝ ١٩ ١٨ ١٧

26. et prosterne-toi devant Lui une partie de la nuit ; et glorifie Le de longues [heures] pendant la nuit.

27. Ces gens-là aiment [la vie] éphémère (la vie sur terre) et laissent derrière eux un jour bien lourd [le Jour du Jugement].

28. C'est Nous qui les avons créés et avons fortifié leur constitution. Quand Nous voulons, cependant, Nous les remplaçons [facilement] par leurs semblables.

29. Ceci est un rappel. Que celui qui veut prenne donc le chemin vers son Seigneur!

30. Cependant, vous ne saurez vouloir, à moins qu'Allāh veuille. Et Allāh est Omniscient et Sage.

31. Il fait entrer qui Il veut dans Sa miséricorde. Et quant aux injustes, Il leur a préparé un châtiment douloureux.

AL-MURSALĀT (LES ENVOYÉES)[1]
sourate 77 50 versets Pré-hégirien n° 33

Au nom d'Allāh, le Tout Miséricordieux, le Très Miséricordieux.

1. Par ceux qu'on envoie en rafales[2],
2. et qui soufflent en tempête!
3. Et qui dispersent largement [dans toutes les directions].
4. Par ceux qui séparent nettement (le bien et le mal)[3],
5. et lancent un rappel
6. en guise d'excuse ou d'avertissement[4]!
7. Ce qui vous est promis est inéluctable.
8. Quand donc les étoiles seront effacées,
9. et que le ciel sera fendu,
10. et que les montagnes seront pulvérisées,
11. et que le moment (pour la réunion) des Messagers a été fixé!...
12. À quel jour tout cela a-t-il été renvoyé?
13. Au Jour de la Décision. [le Jugement]!
14. Et qui te dira ce qu'est le Jour de la Décision?
15. Malheur, ce jour-là, à ceux qui criaient au mensonge.
16. N'avons-nous pas fait périr les premières [générations]?
17. Puis ne les avons-Nous pas fait suivre par les derniers?
18. C'est ainsi que Nous agissons avec les criminels.
19. Malheur, ce jour-là, à ceux qui criaient au mensonge.

---

1. Titre tiré du v. 1.
Les envoyés: concerne aussi bien les vents que les Anges. Les vents apportent les nuages ou les dispersent. Les Anges apportent les bienfaits ou le châtiment du Seigneur. Ils transmettent aussi le Message divin aux Messagers.
2. *Ceux qu'on envoie...*: Littér.: les envoyées les unes derrière les autres.
D'après le contexte et la tradition, il s'agit des vents (qui sont féminins, en arabe), et spécialement des vents de destruction.
3. *Ceux qui séparent*: Les Anges qui portent les ordres d'Allāh aux messagers.
4. *En guise d'excuse*: après la venue du message les hommes n'auront plus d'excuses.

أَلَمْ نَخْلُقكُّم مِّن مَّآءٍ مَّهِينٍ ۝ فَجَعَلْنَهُ فِى قَرَارٍ مَّكِينٍ ۝ إِلَىٰ قَدَرٍ

مَّعْلُومٍ ۝ فَقَدَرْنَا فَنِعْمَ ٱلْقَٰدِرُونَ ۝ وَيْلٌ يَوْمَئِذٍ لِّلْمُكَذِّبِينَ ۝

أَلَمْ نَجْعَلِ ٱلْأَرْضَ كِفَاتًا ۝ أَحْيَآءً وَأَمْوَٰتًا ۝ وَجَعَلْنَا فِيهَا رَوَٰسِىَ

شَٰمِخَٰتٍ وَأَسْقَيْنَٰكُم مَّآءً فُرَاتًا ۝ وَيْلٌ يَوْمَئِذٍ لِّلْمُكَذِّبِينَ ۝

ٱنطَلِقُوٓاْ إِلَىٰ مَا كُنتُم بِهِۦ تُكَذِّبُونَ ۝ ٱنطَلِقُوٓاْ إِلَىٰ ظِلٍّ ذِى ثَلَٰثِ

شُعَبٍ ۝ لَّا ظَلِيلٍ وَلَا يُغْنِى مِنَ ٱللَّهَبِ ۝ إِنَّهَا تَرْمِى بِشَرَرٍ

كَٱلْقَصْرِ ۝ كَأَنَّهُۥ جِمَٰلَتٌ صُفْرٌ ۝ وَيْلٌ يَوْمَئِذٍ لِّلْمُكَذِّبِينَ ۝

هَٰذَا يَوْمُ لَا يَنطِقُونَ ۝ وَلَا يُؤْذَنُ لَهُمْ فَيَعْتَذِرُونَ ۝ وَيْلٌ يَوْمَئِذٍ

لِّلْمُكَذِّبِينَ ۝ هَٰذَا يَوْمُ ٱلْفَصْلِ جَمَعْنَٰكُمْ وَٱلْأَوَّلِينَ ۝ فَإِن كَانَ

لَكُمْ كَيْدٌ فَكِيدُونِ ۝ وَيْلٌ يَوْمَئِذٍ لِّلْمُكَذِّبِينَ ۝ إِنَّ ٱلْمُتَّقِينَ فِى

ظِلَٰلٍ وَعُيُونٍ ۝ وَفَوَٰكِهَ مِمَّا يَشْتَهُونَ ۝ كُلُواْ وَٱشْرَبُواْ هَنِيٓـًٔا

بِمَا كُنتُمْ تَعْمَلُونَ ۝ إِنَّا كَذَٰلِكَ نَجْزِى ٱلْمُحْسِنِينَ ۝ وَيْلٌ يَوْمَئِذٍ

لِّلْمُكَذِّبِينَ ۝ كُلُواْ وَتَمَتَّعُواْ قَلِيلًا إِنَّكُم مُّجْرِمُونَ ۝ وَيْلٌ يَوْمَئِذٍ

لِّلْمُكَذِّبِينَ ۝ وَإِذَا قِيلَ لَهُمُ ٱرْكَعُواْ لَا يَرْكَعُونَ ۝ وَيْلٌ

يَوْمَئِذٍ لِّلْمُكَذِّبِينَ ۝ فَبِأَىِّ حَدِيثٍ بَعْدَهُۥ يُؤْمِنُونَ ۝

20. Ne vous avons-Nous pas créés d'une eau vile[1].

21. que Nous avons placée dans un reposoir sûr[2],

22. pour une durée connue?

23. Nous l'avons décrété ainsi et Nous décrétons [tout] de façon parfaite.

24. Malheur, ce jour-là, à ceux qui criaient au mensonge.

25. N'avons-Nous pas fait de la terre un endroit les contenant tous,

26. les vivants ainsi que les morts?

27. Et n'y avons-Nous pas placé fermement de hautes montagnes? Et ne vous avons-Nous pas abreuvés d'eau douce?

28. Malheur, ce jour-là, à ceux qui criaient au mensonge.

29. Allez vers ce que vous traitiez alors de mensonge!

30. Allez vers une ombre [fumée de l'Enfer] à trois branches ;

31. qui n'est ni ombreuse ni capable de protéger contre la flamme ;

32. car [le feu] jette des étincelles volumineuses comme des châteaux,

33. et qu'on prendrait pour des chameaux jaunes.

34. Malheur, ce jour-là, à ceux qui criaient au mensonge.

35. Ce sera le jour où ils ne [peuvent] pas parler,

36. et point ne leur sera donné permission de s'excuser.

37. Malheur, ce jour-là, à ceux qui criaient au mensonge.

38. C'est le Jour de la Décision [Jugement], où nous vous réunirons ainsi que les anciens.

39. Si vous disposez d'une ruse, rusez donc contre Moi.

40. Malheur, ce jour-là, à ceux qui criaient au mensonge.

41. Les pieux seront parmi des ombrages et des sources.

42. De même que des fruits selon leurs désirs.

43. «Mangez et buvez agréablement, pour ce que vous faisiez».

44. C'est ainsi que Nous récompensons les bienfaisants.

45. Malheur, ce jour-là, à ceux qui criaient au mensonge.

46. «Mangez et jouissez un peu (ici-bas) ; vous êtes certes des criminels».

47. Malheur, ce jour-là, à ceux qui criaient au mensonge.

48. Et quand on leur dit: «Inclinez-vous[3], ils ne s'inclinent pas.

49. Malheur, ce jour-là, à ceux qui criaient au mensonge.

50. Après cela, en quelle parole croiront-ils donc[4]?

---

1. *Une eau vile*: le liquide spermatique.
2. *Reposoir sûr*: le ventre de la mère.
3. *Inclinez-vous*: «Faites la Ṣalāt».
4. À la fin de cette sourate, il est bon de dire: «Nous croyons en Allāh».

سُورَةُ النَّبَإِ

بِسۡمِ ٱللَّهِ ٱلرَّحۡمَٰنِ ٱلرَّحِيمِ

عَمَّ يَتَسَآءَلُونَ ۝ عَنِ ٱلنَّبَإِ ٱلۡعَظِيمِ ۝ ٱلَّذِي هُمۡ فِيهِ مُخۡتَلِفُونَ ۝

كَلَّا سَيَعۡلَمُونَ ۝ ثُمَّ كَلَّا سَيَعۡلَمُونَ ۝ أَلَمۡ نَجۡعَلِ ٱلۡأَرۡضَ مِهَٰدًا ۝

وَٱلۡجِبَالَ أَوۡتَادًا ۝ وَخَلَقۡنَٰكُمۡ أَزۡوَٰجًا ۝ وَجَعَلۡنَا نَوۡمَكُمۡ سُبَاتًا ۝

وَجَعَلۡنَا ٱلَّيۡلَ لِبَاسًا ۝ وَجَعَلۡنَا ٱلنَّهَارَ مَعَاشًا ۝ وَبَنَيۡنَا

فَوۡقَكُمۡ سَبۡعًا شِدَادًا ۝ وَجَعَلۡنَا سِرَاجًا وَهَّاجًا ۝ وَأَنزَلۡنَا

مِنَ ٱلۡمُعۡصِرَٰتِ مَآءً ثَجَّاجًا ۝ لِّنُخۡرِجَ بِهِۦ حَبًّا وَنَبَاتًا ۝ وَجَنَّٰتٍ

أَلۡفَافًا ۝ إِنَّ يَوۡمَ ٱلۡفَصۡلِ كَانَ مِيقَٰتًا ۝ يَوۡمَ يُنفَخُ فِي ٱلصُّورِ

فَتَأۡتُونَ أَفۡوَاجًا ۝ وَفُتِحَتِ ٱلسَّمَآءُ فَكَانَتۡ أَبۡوَٰبًا ۝ وَسُيِّرَتِ

ٱلۡجِبَالُ فَكَانَتۡ سَرَابًا ۝ إِنَّ جَهَنَّمَ كَانَتۡ مِرۡصَادًا ۝ لِّلطَّٰغِينَ

مَـَٔابًا ۝ لَّٰبِثِينَ فِيهَآ أَحۡقَابًا ۝ لَّا يَذُوقُونَ فِيهَا بَرۡدًا وَلَا شَرَابًا

۝ إِلَّا حَمِيمًا وَغَسَّاقًا ۝ جَزَآءً وِفَاقًا ۝ إِنَّهُمۡ كَانُوا۟

لَا يَرۡجُونَ حِسَابًا ۝ وَكَذَّبُوا۟ بِـَٔايَٰتِنَا كِذَّابًا ۝ وَكُلَّ شَيۡءٍ

أَحۡصَيۡنَٰهُ كِتَٰبًا ۝ فَذُوقُوا۟ فَلَن نَّزِيدَكُمۡ إِلَّا عَذَابًا ۝

AN-NABA' (LA NOUVELLE)[1]
sourate 78   40 versets   Pré-hégirien n°80

Au nom d'Allāh, le Tout Miséricordieux, le Très Miséricordieux.

1. Sur quoi s'interrogent-ils mutuellement?
2. Sur la grande nouvelle,
3. à propos de laquelle ils divergent.
4. Eh bien non! Ils sauront bientôt.
5. Encore une fois, non! Ils sauront bientôt.
6. N'avons-Nous pas fait de la terre une couche?
7. et (placé) les montagnes comme des piquets?
8. Nous vous avons créés en couples,
9. et désigné votre sommeil pour votre repos,
10. et fait de la nuit un vêtement,
11. et assigné le jour pour les affaires de la vie,
12. et construit au-dessus de vous sept (cieux) renforcés,
13. et [y] avons placé une lampe (le soleil) très ardente.
14. et fait descendre des nuées une eau abondante
15. pour faire pousser par elle grains et plantes
16. et jardins luxuriants.
17. Le Jour de la Décision [du Jugement] a son terme fixé.
18. Le jour où l'on soufflera dans la Trompe, vous viendrez par troupes,
19. et le ciel sera ouvert et [présentera] des portes,
20. et les montagnes seront mises en marche et deviendront un mirage.
21. L'Enfer demeure aux aguets,
22. refuge pour les transgresseurs.
23. Ils y demeureront pendant des siècles successifs.
24. Ils n'y goûteront ni fraîcheur ni breuvage,
25. Hormis une eau bouillante et un pus
26. comme rétribution équitable.
27. Car ils ne s'attendaient pas à rendre compte,
28. et traitaient de mensonges, continuellement, Nos versets,
29. alors que Nous avons dénombré toutes choses en écrit.
30. Goûtez donc. Nous n'augmenterons pour vous que le châtiment!

---

1. Titre tiré du v. 2.

إِنَّ لِلْمُتَّقِينَ مَفَازًا ۞ حَدَائِقَ وَأَعْنَابًا ۞ وَكَوَاعِبَ أَتْرَابًا ۞ وَكَأْسًا دِهَاقًا ۞ لَّا يَسْمَعُونَ فِيهَا لَغْوًا وَلَا كِذَّابًا ۞ جَزَاءً مِّن رَّبِّكَ عَطَاءً حِسَابًا ۞ رَّبِّ السَّمَاوَاتِ وَالْأَرْضِ وَمَا بَيْنَهُمَا الرَّحْمَٰنِ لَا يَمْلِكُونَ مِنْهُ خِطَابًا ۞ يَوْمَ يَقُومُ الرُّوحُ وَالْمَلَائِكَةُ صَفًّا لَّا يَتَكَلَّمُونَ إِلَّا مَنْ أَذِنَ لَهُ الرَّحْمَٰنُ وَقَالَ صَوَابًا ۞ ذَٰلِكَ الْيَوْمُ الْحَقُّ فَمَن شَاءَ اتَّخَذَ إِلَىٰ رَبِّهِ مَآبًا ۞ إِنَّا أَنذَرْنَاكُمْ عَذَابًا قَرِيبًا يَوْمَ يَنظُرُ الْمَرْءُ مَا قَدَّمَتْ يَدَاهُ وَيَقُولُ الْكَافِرُ يَا لَيْتَنِي كُنتُ تُرَابًا ۞

سُورَةُ النَّازِعَاتِ

بِسْمِ اللَّهِ الرَّحْمَٰنِ الرَّحِيمِ

وَالنَّازِعَاتِ غَرْقًا ۞ وَالنَّاشِطَاتِ نَشْطًا ۞ وَالسَّابِحَاتِ سَبْحًا ۞ فَالسَّابِقَاتِ سَبْقًا ۞ فَالْمُدَبِّرَاتِ أَمْرًا ۞ يَوْمَ تَرْجُفُ الرَّاجِفَةُ ۞ تَتْبَعُهَا الرَّادِفَةُ ۞ قُلُوبٌ يَوْمَئِذٍ وَاجِفَةٌ ۞ أَبْصَارُهَا خَاشِعَةٌ ۞ يَقُولُونَ أَإِنَّا لَمَرْدُودُونَ فِي الْحَافِرَةِ ۞ أَإِذَا كُنَّا عِظَامًا نَّخِرَةً ۞ قَالُوا تِلْكَ إِذًا كَرَّةٌ خَاسِرَةٌ ۞ فَإِنَّمَا هِيَ زَجْرَةٌ وَاحِدَةٌ ۞ فَإِذَا هُم بِالسَّاهِرَةِ ۞ هَلْ أَتَاكَ حَدِيثُ مُوسَىٰ ۞

31. Pour les pieux ce sera une réussite:

32. jardins et vignes,

33. et des (belles) aux seins arrondis, d'une égale jeunesse,

34. et coupes débordantes.

35. Ils n'y entendront ni futilités ni mensonges.

36. À titre de récompense de ton Seigneur et à titre de don abondant

37. du Seigneur des cieux et de la terre et de ce qui existe entre eux, le Tout Miséricordieux; ils n'osent nullement Lui adresser la parole.

38. Le jour où l'Esprit¹ et les Anges se dresseront en rangs, nul ne saura parler, sauf celui à qui le Tout Miséricordieux aura accordé la permission, et qui dira la vérité.

39. Ce jour-là est inéluctable. Que celui qui veut prenne donc refuge auprès de son Seigneur.

40. Nous vous avons avertis d'un châtiment bien proche, le jour où l'homme verra ce que ses deux mains ont préparé ; et l'infidèle dira: «Hélas pour moi! Comme j'aurais aimé n'être que poussière».

AN-NĀZI'ĀT (LES ANGES QUI ARRACHENT LES ÂMES)²

sourate 79   46 versets   Pré-hégirien n° 81

Au nom d'Allāh, le Tout Miséricordieux, le Très Miséricordieux.

1. Par ceux qui arrachent violemment³!

2. Et par ceux qui recueillent avec douceur⁴!

3. Et par ceux qui voguent librement,

4. puis s'élancent à toute vitesse,

5. et règlent les affaires!

6. Le jour où [la terre] tremblera [au premier son du clairon]

7. immédiatement suivi du deuxième.

8. Ce jour-là, il y aura des cœurs qui seront agités d'effroi,

9. et leurs regards se baisseront.

10. Ils disent: «Quoi! Serons-nous ramenés à notre vie première,

11. quand nous serons ossements pourris?»

12. Ils disent: «ce sera alors un retour ruineux!»

13. Il n'y aura qu'une sommation,

14. et voilà qu'ils seront sur la terre (ressuscités).

15. Le récit de Moïse t'est-il parvenu?

---

1. *L'Esprit*: Gabriel ; on a cependant attribué au mot d'autres significations.
2. Titre tiré du v. 1.
3. *Qui arrachent*: les Anges qui enlèvent les âmes des mécréants avec force.
4. *Recueillent avec douceur*: les Anges enlèvent les âmes des croyants avec douceur.

إِذْ نَادَاهُ رَبُّهُ بِالْوَادِ الْمُقَدَّسِ طُوًى ۝ اذْهَبْ إِلَىٰ فِرْعَوْنَ إِنَّهُ طَغَىٰ ۝

فَقُلْ هَل لَّكَ إِلَىٰٓ أَن تَزَكَّىٰ ۝ وَأَهْدِيَكَ إِلَىٰ رَبِّكَ فَتَخْشَىٰ ۝ فَأَرَاهُ

الْآيَةَ الْكُبْرَىٰ ۝ فَكَذَّبَ وَعَصَىٰ ۝ ثُمَّ أَدْبَرَ يَسْعَىٰ ۝ فَحَشَرَ

فَنَادَىٰ ۝ فَقَالَ أَنَا رَبُّكُمُ الْأَعْلَىٰ ۝ فَأَخَذَهُ اللَّهُ نَكَالَ الْآخِرَةِ وَالْأُولَىٰ ۝

إِنَّ فِي ذَٰلِكَ لَعِبْرَةً لِّمَن يَخْشَىٰٓ ۝ ءَأَنتُمْ أَشَدُّ خَلْقًا أَمِ السَّمَاءُ بَنَاهَا ۝

رَفَعَ سَمْكَهَا فَسَوَّاهَا ۝ وَأَغْطَشَ لَيْلَهَا وَأَخْرَجَ ضُحَاهَا ۝

وَالْأَرْضَ بَعْدَ ذَٰلِكَ دَحَاهَا ۝ أَخْرَجَ مِنْهَا مَاءَهَا وَمَرْعَاهَا ۝

وَالْجِبَالَ أَرْسَاهَا ۝ مَتَاعًا لَّكُمْ وَلِأَنْعَامِكُمْ ۝ فَإِذَا جَاءَتِ الطَّامَّةُ

الْكُبْرَىٰ ۝ يَوْمَ يَتَذَكَّرُ الْإِنسَانُ مَا سَعَىٰ ۝ وَبُرِّزَتِ الْجَحِيمُ

لِمَن يَرَىٰ ۝ فَأَمَّا مَن طَغَىٰ ۝ وَآثَرَ الْحَيَاةَ الدُّنْيَا ۝ فَإِنَّ الْجَحِيمَ

هِيَ الْمَأْوَىٰ ۝ وَأَمَّا مَنْ خَافَ مَقَامَ رَبِّهِ وَنَهَى النَّفْسَ عَنِ الْهَوَىٰ ۝

فَإِنَّ الْجَنَّةَ هِيَ الْمَأْوَىٰ ۝ يَسْأَلُونَكَ عَنِ السَّاعَةِ أَيَّانَ مُرْسَاهَا ۝

فِيمَ أَنتَ مِن ذِكْرَاهَا ۝ إِلَىٰ رَبِّكَ مُنتَهَاهَا ۝ إِنَّمَا أَنتَ مُنذِرُ

مَن يَخْشَاهَا ۝ كَأَنَّهُمْ يَوْمَ يَرَوْنَهَا لَمْ يَلْبَثُوٓا إِلَّا عَشِيَّةً أَوْ ضُحَاهَا ۝

سُورَةُ عَبَسَ

16. Quand son Seigneur l'appela, dans Ṭuwā, la vallée sanctifiée:

17. «Va vers Pharaon. Vraiment, il s'est rebellé!

18. Puis dis-lui: «Voudrais-tu te purifier?

19. et que je te guide vers ton Seigneur afin que tu Le craignes?»

20. Il lui fit voir le très grand miracle.

21. Mais il le qualifia de mensonge et désobéit ;

22. Ensuite, il tourna le dos, s'en alla précipitamment,

23. rassembla [les gens] et leur fit une proclamation,

24. et dit: «C'est moi votre Seigneur, le très haut».

25. Alors Allāh le saisit de la punition exemplaire de l'au-delà et de celle d'ici-bas.

26. Il y a certes là un sujet de réflexion pour celui qui craint.

27. Etes-vous plus durs à créer? ou le ciel, qu'Il a pourtant construit?

28. Il a élevé bien haut sa voûte, puis l'a parfaitement ordonné ;

29. Il a assombri sa nuit et fait luire son jour.

30. Et quant à la terre, après cela, Il l'a étendue:

31. Il a fait sortir d'elle son eau et son pâturage,

32. et quant aux montagnes, Il les a ancrées,

33. pour votre jouissance, vous et vos bestiaux.

34. Puis quand viendra le grand cataclysme,

35. le jour où l'homme se rappellera à quoi il s'est efforcé,

36. l'Enfer sera pleinement visible à celui qui regardera...

37. Quant à celui qui aura dépassé les limites

38. et aura préféré la vie présente,

39. alors, l'Enfer sera son refuge...

40. Et pour celui qui aura redouté de comparaître devant son Seigneur, et préservé son âme de la passion,

41. le Paradis sera alors son refuge.

42. Ils t'interrogent au sujet de l'Heure: «Quand va-t-elle jeter l'ancre[1]?»

43. Quelle [science] en as-tu pour le leur dire?

44. Son terme n'est connu que de ton Seigneur.

45. Tu n'es que l'avertisseur de celui qui la redoute.

46. Le jour où ils la verront, il leur semblera n'avoir demeuré qu'un soir ou un matin.

---

1. *Quand va-t-elle jeter l'ancre?*: quand viendra-elle?

بِسْمِ اللَّهِ الرَّحْمَنِ الرَّحِيمِ

عَبَسَ وَتَوَلَّىٰ ۝ أَن جَاءَهُ الْأَعْمَىٰ ۝ وَمَا يُدْرِيكَ لَعَلَّهُ يَزَّكَّىٰ ۝ أَوْ يَذَّكَّرُ فَتَنفَعَهُ الذِّكْرَىٰ ۝ أَمَّا مَنِ اسْتَغْنَىٰ ۝ فَأَنتَ لَهُ تَصَدَّىٰ ۝ وَمَا عَلَيْكَ أَلَّا يَزَّكَّىٰ ۝ وَأَمَّا مَن جَاءَكَ يَسْعَىٰ ۝ وَهُوَ يَخْشَىٰ ۝ فَأَنتَ عَنْهُ تَلَهَّىٰ ۝ كَلَّا إِنَّهَا تَذْكِرَةٌ ۝ فَمَن شَاءَ ذَكَرَهُ ۝ فِي صُحُفٍ مُّكَرَّمَةٍ ۝ مَّرْفُوعَةٍ مُّطَهَّرَةٍ ۝ بِأَيْدِي سَفَرَةٍ ۝ كِرَامٍ بَرَرَةٍ ۝ قُتِلَ الْإِنسَانُ مَا أَكْفَرَهُ ۝ مِنْ أَيِّ شَيْءٍ خَلَقَهُ ۝ مِن نُّطْفَةٍ خَلَقَهُ فَقَدَّرَهُ ۝ ثُمَّ السَّبِيلَ يَسَّرَهُ ۝ ثُمَّ أَمَاتَهُ فَأَقْبَرَهُ ۝ ثُمَّ إِذَا شَاءَ أَنشَرَهُ ۝ كَلَّا لَمَّا يَقْضِ مَا أَمَرَهُ ۝ فَلْيَنظُرِ الْإِنسَانُ إِلَىٰ طَعَامِهِ ۝ أَنَّا صَبَبْنَا الْمَاءَ صَبًّا ۝ ثُمَّ شَقَقْنَا الْأَرْضَ شَقًّا ۝ فَأَنبَتْنَا فِيهَا حَبًّا ۝ وَعِنَبًا وَقَضْبًا ۝ وَزَيْتُونًا وَنَخْلًا ۝ وَحَدَائِقَ غُلْبًا ۝ وَفَاكِهَةً وَأَبًّا ۝ مَّتَاعًا لَّكُمْ وَلِأَنْعَامِكُمْ ۝ فَإِذَا جَاءَتِ الصَّاخَّةُ ۝ يَوْمَ يَفِرُّ الْمَرْءُ مِنْ أَخِيهِ ۝ وَأُمِّهِ وَأَبِيهِ ۝ وَصَاحِبَتِهِ وَبَنِيهِ ۝ لِكُلِّ امْرِئٍ مِّنْهُمْ يَوْمَئِذٍ شَأْنٌ يُغْنِيهِ ۝ وُجُوهٌ يَوْمَئِذٍ مُّسْفِرَةٌ ۝ ضَاحِكَةٌ مُّسْتَبْشِرَةٌ ۝ وَوُجُوهٌ يَوْمَئِذٍ عَلَيْهَا غَبَرَةٌ ۝ تَرْهَقُهَا قَتَرَةٌ ۝ أُولَٰئِكَ هُمُ الْكَفَرَةُ الْفَجَرَةُ ۝

ʿABASA (IL S'EST RENFROGNÉ)¹
sourate 80   42 versets   Pré-hégirien n°24

Au nom d'Allāh, le Tout Miséricordieux, le Très Miséricordieux.

1. Il s'est renfrogné et il s'est détourné₂

2. parce que l'aveugle est venu à lui.

3. Qui te dit: peut-être [cherche]-t-il à se purifier?

4. ou à se rappeler en sorte que le rappel lui profite?

5. Quant à celui qui se complait dans sa suffisance (pour sa richesse),

6. tu vas avec empressement à sa rencontre.

7. Or, que t'importe qu'il ne se purifie pas₃»

8. Et quant à celui qui vient à toi avec empressement

9. tout en ayant la crainte,

10. tu ne t'en soucies pas.

11. N'agis plus ainsi! Vraiment ceci est un rappel -

12. quiconque veut, donc, s'en rappelle -

13. consigné dans des feuilles honorées,

14. élevées, purifiées,

15. entre les mains d'ambassadeurs₄

16. nobles, obéissants.

17. Que périsse l'homme! Qu'il est ingrat!

18. De quoi [Allāh] l'a-t-Il créé?

19. D'une goutte de sperme, Il le crée et détermine (son destin):

20. puis Il lui facilite le chemin ;

21. puis Il lui donne la mort et le met au tombeau ;

22. puis Il le ressuscitera quand Il voudra.

23. Eh bien non! [L'homme] n'accomplit pas ce qu'Il lui commande.

24. Que l'homme considère donc sa nourriture:

25. c'est Nous qui versons l'eau abondante,

26. puis Nous fendons la terre par fissures

27. et y faisons pousser grains,

28. vignobles et légumes,

29. oliviers et palmiers,

30. jardins touffus,

31. fruits et herbages,

32. pour votre jouissance vous et vos bestiaux.

33. Puis quand viendra le Fracas,

34. le jour où l'homme s'enfuira de son frère,

35. de sa mère, de son père,

36. de sa compagne et de ses enfants,

37. car chacun d'eux, ce jour-là, aura son propre cas pour l'occuper.

38. Ce jour-là, il y aura des visages rayonnants,

39. riants et réjouis.

40. De même qu'il y aura, ce jour-là, des visages couverts de poussière,

41. recouverts de ténèbres.

42. Voilà les infidèles, les libertins.

---

1. Titre tiré du v. 1.

2. (Muḥammad, (ﷺ) s'est renfrogné et s'est détourné parce que l'aveugle (Ibn Umm Maktūm) est venu le questionner alors qu'il s'entretenait avec des notables de la Mecque. Cette impatience lui est reprochée.

3. Or que t'importe...: Littér.: et, quoi à toi, s'il... - Le Prophète n'est chargé que de transmettre: mieux vaut donc qu'il s'adresse à qui le lui demande. Du moins l'apôtre ne doit-il pas, pour s'occuper des mécréants, négliger les convertis, si humbles soient-ils. C'est l'effort et le mobile qui comptent lors du Jugement dernier, et non pas le résultat de l'effort.

4. Ambassadeurs: les Anges. Autre sens: scribes.

سُورَةُ التَّكْوِيرِ

بِسْمِ اللَّهِ الرَّحْمَٰنِ الرَّحِيمِ

إِذَا الشَّمْسُ كُوِّرَتْ ۝ وَإِذَا النُّجُومُ انكَدَرَتْ ۝ وَإِذَا الْجِبَالُ سُيِّرَتْ ۝ وَإِذَا الْعِشَارُ عُطِّلَتْ ۝ وَإِذَا الْوُحُوشُ حُشِرَتْ ۝ وَإِذَا الْبِحَارُ سُجِّرَتْ ۝ وَإِذَا النُّفُوسُ زُوِّجَتْ ۝ وَإِذَا الْمَوْءُودَةُ سُئِلَتْ ۝ بِأَيِّ ذَنبٍ قُتِلَتْ ۝ وَإِذَا الصُّحُفُ نُشِرَتْ ۝ وَإِذَا السَّمَاءُ كُشِطَتْ ۝ وَإِذَا الْجَحِيمُ سُعِّرَتْ ۝ وَإِذَا الْجَنَّةُ أُزْلِفَتْ ۝ عَلِمَتْ نَفْسٌ مَّا أَحْضَرَتْ ۝ فَلَا أُقْسِمُ بِالْخُنَّسِ ۝ الْجَوَارِ الْكُنَّسِ ۝ وَاللَّيْلِ إِذَا عَسْعَسَ ۝ وَالصُّبْحِ إِذَا تَنَفَّسَ ۝ إِنَّهُ لَقَوْلُ رَسُولٍ كَرِيمٍ ۝ ذِي قُوَّةٍ عِندَ ذِي الْعَرْشِ مَكِينٍ ۝ مُّطَاعٍ ثَمَّ أَمِينٍ ۝ وَمَا صَاحِبُكُم بِمَجْنُونٍ ۝ وَلَقَدْ رَآهُ بِالْأُفُقِ الْمُبِينِ ۝ وَمَا هُوَ عَلَى الْغَيْبِ بِضَنِينٍ ۝ وَمَا هُوَ بِقَوْلِ شَيْطَانٍ رَّجِيمٍ ۝ فَأَيْنَ تَذْهَبُونَ ۝ إِنْ هُوَ إِلَّا ذِكْرٌ لِّلْعَالَمِينَ ۝ لِمَن شَاءَ مِنكُمْ أَن يَسْتَقِيمَ ۝ وَمَا تَشَاءُونَ إِلَّا أَن يَشَاءَ اللَّهُ رَبُّ الْعَالَمِينَ ۝

سُورَةُ الِانفِطَارِ

AT-TAKWĪR (L'OBSCURCISSEMENT)[1]
sourate 81   29 versets   Pré-hégirien n°7

Au nom d'Allāh, le Tout Miséricordieux, le Très Miséricordieux.

1. Quand le soleil sera obscurci,
2. et que les étoiles deviendront ternes,
3. et les montagnes mises en marche,
4. et les chamelles à terme[2], négligées,
5. et les bêtes farouches, rassemblées,
6. et les mers allumées,
7. et les âmes accouplées[3]
8. et qu'on demandera à la fillette enterrée vivante[4]
9. pour quel péché elle a été tuée.
10. Et quand les feuilles seront déployées[5],
11. et le ciel écorché[6]
12. et la fournaise attisée,
13. et le Paradis rapproché,
14. chaque âme saura ce qu'elle a présenté.
15. Non!... Je jure par les planètes qui gravitent
16. qui courent et disparaissent!
17. par la nuit quand elle survient!
18. et par l'aube quand elle exhale son souffle!
19. Ceci [le Qur'ān] est la parole d'un noble Messager[7],
20. doué d'une grande force, et ayant un rang élevé auprès du Maître du Trône,
21. obéi, là-haut, et digne de confiance.
22. Votre compagnon (Muḥammad) n'est nullement fou ;
23. il l'a effectivement vu (Gabriel), au clair horizon
24. et il ne garde pas avarement pour lui-même ce qui lui a été révélé.
25. Et ceci [le Qur'ān] n'est point la parole d'un diable banni.
26. Où allez-vous donc?
27. Ceci n'est qu'un rappel pour l'univers,
28. pour celui d'entre vous qui veut suivre le chemin droit.
29. Mais vous ne pouvez vouloir, que si Allāh veut, [Lui], le Seigneur de l'Univers.

---

1. Titre tiré du contenu du v. 1.
2. *Chamelles à terme*: le mot arabe «i'šār» signifie chamelles grosses de dix mois, prêtes à accoucher.
3. *Accouplées*: réunion des «bons» avec les bons, et des «mauvais» avec les mauvais.
4. *Fillette enterrée vivante*: allusion à une ancienne pratique des païens qui craignaient la pauvreté ou la capture de leurs filles par d'autres tribus.
5. *Feuilles déployées*: où sont inscrites les actions de chacun.
6. *Ciel écorché*: de sa peau couverte d'étoiles.
7. *Noble Messager*: l'Ange Gabriel

بِسْمِ ٱللَّهِ ٱلرَّحْمَٰنِ ٱلرَّحِيمِ

إِذَا ٱلسَّمَآءُ ٱنفَطَرَتْ ۝ وَإِذَا ٱلْكَوَاكِبُ ٱنتَثَرَتْ ۝ وَإِذَا ٱلْبِحَارُ

فُجِّرَتْ ۝ وَإِذَا ٱلْقُبُورُ بُعْثِرَتْ ۝ عَلِمَتْ نَفْسٌ مَّا قَدَّمَتْ

وَأَخَّرَتْ ۝ يَٰٓأَيُّهَا ٱلْإِنسَٰنُ مَا غَرَّكَ بِرَبِّكَ ٱلْكَرِيمِ ۝ ٱلَّذِى

خَلَقَكَ فَسَوَّىٰكَ فَعَدَلَكَ ۝ فِىٓ أَىِّ صُورَةٍ مَّا شَآءَ رَكَّبَكَ ۝

كَلَّا بَلْ تُكَذِّبُونَ بِٱلدِّينِ ۝ وَإِنَّ عَلَيْكُمْ لَحَٰفِظِينَ ۝ كِرَامًا

كَٰتِبِينَ ۝ يَعْلَمُونَ مَا تَفْعَلُونَ ۝ إِنَّ ٱلْأَبْرَارَ لَفِى نَعِيمٍ ۝ وَإِنَّ

ٱلْفُجَّارَ لَفِى جَحِيمٍ ۝ يَصْلَوْنَهَا يَوْمَ ٱلدِّينِ ۝ وَمَا هُمْ عَنْهَا بِغَآئِبِينَ ۝

وَمَآ أَدْرَىٰكَ مَا يَوْمُ ٱلدِّينِ ۝ ثُمَّ مَآ أَدْرَىٰكَ مَا يَوْمُ ٱلدِّينِ ۝

يَوْمَ لَا تَمْلِكُ نَفْسٌ لِّنَفْسٍ شَيْـًٔا وَٱلْأَمْرُ يَوْمَئِذٍ لِّلَّهِ ۝

سُورَةُ ٱلْمُطَفِّفِينَ

بِسْمِ ٱللَّهِ ٱلرَّحْمَٰنِ ٱلرَّحِيمِ

وَيْلٌ لِّلْمُطَفِّفِينَ ۝ ٱلَّذِينَ إِذَا ٱكْتَالُوا۟ عَلَى ٱلنَّاسِ يَسْتَوْفُونَ ۝

وَإِذَا كَالُوهُمْ أَو وَّزَنُوهُمْ يُخْسِرُونَ ۝ أَلَا يَظُنُّ أُو۟لَٰٓئِكَ أَنَّهُم

مَّبْعُوثُونَ ۝ لِيَوْمٍ عَظِيمٍ ۝ يَوْمَ يَقُومُ ٱلنَّاسُ لِرَبِّ ٱلْعَٰلَمِينَ ۝

AL-INFIṬĀR (LA RUPTURE)[1]
sourate 82　19 versets　Pré-hégirien n°82

Au nom d'Allāh, le Tout Miséricordieux, le Très Miséricordieux.

1. Quand le ciel se rompra,

2. et que les étoiles se disperseront,

3. et que les mers confondront leurs eaux,

4. et que les tombeaux seront bouleversés,

5. toute âme saura alors ce qu'elle a accompli et ce qu'elle a remis de faire à plus tard.

6. Ô homme! Qu'est-ce qui t'a trompé au sujet de ton Seigneur, le Noble,

7. qui t'a créé, puis modelé et constitué harmonieusement?

8. Il t'a façonné dans la forme qu'Il a voulue.

9. Non...! [malgré tout] vous traitez la Rétribution de mensonge ;

10. alors que veillent sur vous des gardiens[2],

11. de nobles scribes,

12. qui savent ce que vous faites.

13. Les bons seront, certes, dans un [jardin] de délice,

14. et les libertins seront, certes, dans une fournaise

15. où ils brûleront, le jour de la Rétribution

16. incapables de s'en échapper.

17. Et qui te dira ce qu'est le jour de la Rétribution?

18. Encore une fois, qui te dira ce qu'est le jour de la Rétribution?

19. Le jour où aucune âme ne pourra rien en faveur d'une autre âme. Et ce jour-là, le commandement sera à Allāh.

AL-MUṬAFFIFŪN (LES FRAUDEURS)[3]
sourate 83　36 versets　Pré-hégirien n°86

Au nom d'Allāh, le Tout Miséricordieux, le Très Miséricordieux.

1. Malheur aux fraudeurs

2. qui, lorsqu'ils font mesurer pour eux-mêmes exigent la pleine mesure,

3. et qui lorsqu'eux-mêmes mesurent ou pèsent pour les autres, [leur] causent perte.

4. Ceux-là ne pensent-ils pas qu'ils seront ressuscités,

5. en un jour terrible,

6. le jour où les gens se tiendront debout devant le Seigneur de l'Univers?

---

1. Titre tiré du contenu du v. 1.
2. Les Anges gardiens prennent note de ce que l'homme fait et dit.
3. Titre tiré du v. 1.

كَلَّا إِنَّ كِتَٰبَ ٱلْفُجَّارِ لَفِى سِجِّينٍ ٧ وَمَآ أَدْرَىٰكَ مَا سِجِّينٌ ٨ كِتَٰبٌ

مَّرْقُومٌ ٩ وَيْلٌ يَوْمَئِذٍ لِّلْمُكَذِّبِينَ ١٠ ٱلَّذِينَ يُكَذِّبُونَ بِيَوْمِ ٱلدِّينِ ١١

وَمَا يُكَذِّبُ بِهِۦٓ إِلَّا كُلُّ مُعْتَدٍ أَثِيمٍ ١٢ إِذَا تُتْلَىٰ عَلَيْهِ ءَايَٰتُنَا قَالَ أَسَٰطِيرُ

ٱلْأَوَّلِينَ ١٣ كَلَّا بَلْ رَانَ عَلَىٰ قُلُوبِهِم مَّا كَانُوا۟ يَكْسِبُونَ ١٤ كَلَّا إِنَّهُمْ

عَن رَّبِّهِمْ يَوْمَئِذٍ لَّمَحْجُوبُونَ ١٥ ثُمَّ إِنَّهُمْ لَصَالُوا۟ ٱلْجَحِيمِ ١٦ ثُمَّ يُقَالُ

هَٰذَا ٱلَّذِى كُنتُم بِهِۦ تُكَذِّبُونَ ١٧ كَلَّآ إِنَّ كِتَٰبَ ٱلْأَبْرَارِ لَفِى عِلِّيِّينَ

١٨ وَمَآ أَدْرَىٰكَ مَا عِلِّيُّونَ ١٩ كِتَٰبٌ مَّرْقُومٌ ٢٠ يَشْهَدُهُ ٱلْمُقَرَّبُونَ

٢١ إِنَّ ٱلْأَبْرَارَ لَفِى نَعِيمٍ ٢٢ عَلَى ٱلْأَرَآئِكِ يَنظُرُونَ ٢٣ تَعْرِفُ فِى

وُجُوهِهِمْ نَضْرَةَ ٱلنَّعِيمِ ٢٤ يُسْقَوْنَ مِن رَّحِيقٍ مَّخْتُومٍ ٢٥

خِتَٰمُهُۥ مِسْكٌ وَفِى ذَٰلِكَ فَلْيَتَنَافَسِ ٱلْمُتَنَٰفِسُونَ ٢٦ وَمِزَاجُهُۥ

مِن تَسْنِيمٍ ٢٧ عَيْنًا يَشْرَبُ بِهَا ٱلْمُقَرَّبُونَ ٢٨ إِنَّ ٱلَّذِينَ

أَجْرَمُوا۟ كَانُوا۟ مِنَ ٱلَّذِينَ ءَامَنُوا۟ يَضْحَكُونَ ٢٩ وَإِذَا مَرُّوا۟ بِهِمْ

يَتَغَامَزُونَ ٣٠ وَإِذَا ٱنقَلَبُوٓا۟ إِلَىٰٓ أَهْلِهِمُ ٱنقَلَبُوا۟ فَكِهِينَ ٣١

وَإِذَا رَأَوْهُمْ قَالُوٓا۟ إِنَّ هَٰٓؤُلَآءِ لَضَآلُّونَ ٣٢ وَمَآ أُرْسِلُوا۟ عَلَيْهِمْ

حَٰفِظِينَ ٣٣ فَٱلْيَوْمَ ٱلَّذِينَ ءَامَنُوا۟ مِنَ ٱلْكُفَّارِ يَضْحَكُونَ ٣٤

7. Non...! Mais en vérité le livre des libertins sera dans le *Sijjīn* -

8. et qui te dira ce qu'est le Sijjīn? -

9. Un livre déjà cacheté (achevé).

10. Malheur, ce jour-là, aux négateurs,

11. qui démentent le jour de la Rétribution.

12. Or, ne le dément que tout transgresseur, pécheur:

13. qui, lorsque Nos versets lui sont récités, dit: «[Ce sont] des contes d'anciens!»

14. Pas du tout, mais ce qu'ils ont accompli couvre leurs cœurs[1].

15. Qu'ils prennent garde! En vérité ce jour-là un voile les empêchera de voir leur Seigneur,

16. ensuite, ils brûleront certes, dans la Fournaise ;

17. on [leur] dira alors: «Voilà ce que vous traitiez de mensonge!»

18. Qu'ils prennent garde! Le livre des bons sera dans *l'Illiyūn* -

19. et qui te dira ce qu'est *l'Illiyūn*? -

20. un livre cacheté!

21. Les rapprochés (d'Allāh: les Anges) en témoignent.

22. Les bons seront dans [un Jardin] de délice,

23. sur les divans, ils regardent.

24. Tu reconnaîtras sur leurs visages, l'éclat de la félicité.

25. On leur sert à boire un nectar pur, cacheté,

26. laissant un arrière-goût de musc. Que ceux qui la convoitent entrent en compétition [pour l'acquérir].

27. Il est mélangé à la boisson de *Tasnīm*[2],

28. source dont les rapprochés boivent.

29. Les criminels riaient de ceux qui croyaient,

30. et, passant près d'eux, ils se faisaient des œillades,

31. et, retournant dans leurs familles, ils retournaient en plaisantant,

32. et les voyant, ils disaient: «Ce sont vraiment ceux-là les égarés».

33. Or, ils n'ont pas été envoyés pour être leurs gardiens.

34. Aujourd'hui, donc, ce sont ceux qui ont cru qui rient des infidèles

---

1. *Couvre leur cœur*: les péchés commis les feront éloigner de leur Seigneur.
2. *Le terme tasnīm signifie littéralement*: source d'eau abondante. Il est utilisé ici comme un nom propre.

عَلَى ٱلْأَرَآئِكِ يَنظُرُونَ ۞ هَلْ ثُوِّبَ ٱلْكُفَّارُ مَا كَانُوا۟ يَفْعَلُونَ ۞

سُورَةُ الاِنْشِقَاقِ

بِسْمِ ٱللَّهِ ٱلرَّحْمَٰنِ ٱلرَّحِيمِ

إِذَا ٱلسَّمَآءُ ٱنشَقَّتْ ۞ وَأَذِنَتْ لِرَبِّهَا وَحُقَّتْ ۞ وَإِذَا ٱلْأَرْضُ مُدَّتْ ۞ وَأَلْقَتْ مَا فِيهَا وَتَخَلَّتْ ۞ وَأَذِنَتْ لِرَبِّهَا وَحُقَّتْ ۞ يَٰٓأَيُّهَا ٱلْإِنسَٰنُ إِنَّكَ كَادِحٌ إِلَىٰ رَبِّكَ كَدْحًا فَمُلَٰقِيهِ ۞ فَأَمَّا مَنْ أُوتِىَ كِتَٰبَهُۥ بِيَمِينِهِۦ ۞ فَسَوْفَ يُحَاسَبُ حِسَابًا يَسِيرًا ۞ وَيَنقَلِبُ إِلَىٰٓ أَهْلِهِۦ مَسْرُورًا ۞ وَأَمَّا مَنْ أُوتِىَ كِتَٰبَهُۥ وَرَآءَ ظَهْرِهِۦ ۞ فَسَوْفَ يَدْعُوا۟ ثُبُورًا ۞ وَيَصْلَىٰ سَعِيرًا ۞ إِنَّهُۥ كَانَ فِىٓ أَهْلِهِۦ مَسْرُورًا ۞ إِنَّهُۥ ظَنَّ أَن لَّن يَحُورَ ۞ بَلَىٰٓ إِنَّ رَبَّهُۥ كَانَ بِهِۦ بَصِيرًا ۞ فَلَآ أُقْسِمُ بِٱلشَّفَقِ ۞ وَٱلَّيْلِ وَمَا وَسَقَ ۞ وَٱلْقَمَرِ إِذَا ٱتَّسَقَ ۞ لَتَرْكَبُنَّ طَبَقًا عَن طَبَقٍ ۞ فَمَا لَهُمْ لَا يُؤْمِنُونَ ۞ وَإِذَا قُرِئَ عَلَيْهِمُ ٱلْقُرْءَانُ لَا يَسْجُدُونَ ۩ ۞ بَلِ ٱلَّذِينَ كَفَرُوا۟ يُكَذِّبُونَ ۞ وَٱللَّهُ أَعْلَمُ بِمَا يُوعُونَ ۞ فَبَشِّرْهُم بِعَذَابٍ أَلِيمٍ ۞ إِلَّا ٱلَّذِينَ ءَامَنُوا۟ وَعَمِلُوا۟ ٱلصَّٰلِحَٰتِ لَهُمْ أَجْرٌ غَيْرُ مَمْنُونٍۭ ۞

35. sur les divans, ils regardent.

36. Est-ce que les infidèles ont eu la récompense de ce qu'ils faisaient?

AL-INŠIQĀQ (LA DÉCHIRURE)[1]
sourate 84   25 versets   Pré-hégirien n°83

Au nom d'Allāh, le Tout Miséricordieux, le Très Miséricordieux.

1. Quand le ciel se déchirera

2. et obéira à son Seigneur - et fera ce qu'il doit faire -

3. et que la terre sera nivelée,

4. et qu'elle rejettera ce qui est en son sein (les morts) et se videra,

5. et qu'elle obéira à son Seigneur - et fera ce qu'elle doit faire -

6. Ô homme! Toi qui t'efforces vers ton Seigneur sans relâche, tu Le rencontreras alors.

7. Celui qui recevra son livre en sa main droite,

8. sera soumis à un jugement facile,

9. et retournera réjoui auprès de sa famille.

10. Quant à celui qui recevra son livre derrière son dos,

11. il invoquera la destruction sur lui-même,

12. et il brûlera dans un feu ardent.

13. Car il était tout joyeux parmi les siens,

14. et il pensait que jamais il ne ressusciterait.

15. Mais si! Certes, son Seigneur l'observait parfaitement.

16. Non!... Je jure par le crépuscule,

17. et par la nuit et ce qu'elle enveloppe,

18. et par la lune quand elle devient pleine-lune!

19. Vous passerez, certes, par des états successifs!

20. Qu'ont-ils à ne pas croire?

21. et à ne pas se prosterner quand le Qur'ān leur est lu[2]?

22. Mais ceux qui ne croient pas, le traitent plutôt de mensonge.

23. Or, Allāh sait bien ce qu'ils dissimulent.

24. Annonce-leur donc un châtiment douloureux.

25. Sauf ceux qui croient et accomplissent les bonnes œuvres: à eux une récompense jamais interrompue.

---

1. Titre tiré du contenu du v. 1.
2. Après ce verset on se prosterne.

سُورَةُ الْبُرُوجِ

بِسْمِ ٱللَّهِ ٱلرَّحْمَٰنِ ٱلرَّحِيمِ

وَٱلسَّمَآءِ ذَاتِ ٱلْبُرُوجِ ۝ وَٱلْيَوْمِ ٱلْمَوْعُودِ ۝ وَشَاهِدٍ وَمَشْهُودٍ ۝ قُتِلَ أَصْحَٰبُ ٱلْأُخْدُودِ ۝ ٱلنَّارِ ذَاتِ ٱلْوَقُودِ ۝ إِذْ هُمْ عَلَيْهَا قُعُودٌ ۝ وَهُمْ عَلَىٰ مَا يَفْعَلُونَ بِٱلْمُؤْمِنِينَ شُهُودٌ ۝ وَمَا نَقَمُوا۟ مِنْهُمْ إِلَّآ أَن يُؤْمِنُوا۟ بِٱللَّهِ ٱلْعَزِيزِ ٱلْحَمِيدِ ۝ ٱلَّذِي لَهُۥ مُلْكُ ٱلسَّمَٰوَٰتِ وَٱلْأَرْضِ وَٱللَّهُ عَلَىٰ كُلِّ شَىْءٍ شَهِيدٌ ۝ إِنَّ ٱلَّذِينَ فَتَنُوا۟ ٱلْمُؤْمِنِينَ وَٱلْمُؤْمِنَٰتِ ثُمَّ لَمْ يَتُوبُوا۟ فَلَهُمْ عَذَابُ جَهَنَّمَ وَلَهُمْ عَذَابُ ٱلْحَرِيقِ ۝ إِنَّ ٱلَّذِينَ ءَامَنُوا۟ وَعَمِلُوا۟ ٱلصَّٰلِحَٰتِ لَهُمْ جَنَّٰتٌ تَجْرِى مِن تَحْتِهَا ٱلْأَنْهَٰرُ ذَٰلِكَ ٱلْفَوْزُ ٱلْكَبِيرُ ۝ إِنَّ بَطْشَ رَبِّكَ لَشَدِيدٌ ۝ إِنَّهُۥ هُوَ يُبْدِئُ وَيُعِيدُ ۝ وَهُوَ ٱلْغَفُورُ ٱلْوَدُودُ ۝ ذُو ٱلْعَرْشِ ٱلْمَجِيدُ ۝ فَعَّالٌ لِّمَا يُرِيدُ ۝ هَلْ أَتَىٰكَ حَدِيثُ ٱلْجُنُودِ ۝ فِرْعَوْنَ وَثَمُودَ ۝ بَلِ ٱلَّذِينَ كَفَرُوا۟ فِى تَكْذِيبٍ ۝ وَٱللَّهُ مِن وَرَآئِهِم مُّحِيطٌۢ ۝ بَلْ هُوَ قُرْءَانٌ مَّجِيدٌ ۝ فِى لَوْحٍ مَّحْفُوظٍۭ ۝

سُورَةُ الطَّارِقِ

AL-BURŪJ (LES CONSTELLATIONS)[1]

sourate 85   22 versets   Pré-hégirien n°27

Au nom d'Allāh, le Tout Miséricordieux, le Très Miséricordieux.

1. Par le ciel aux constellations!

2. et par le jour promis!

3. et par le témoin[2] et ce dont on témoigne!

4. Périssent les gens de l'Uhdūd[3],

5. par le feu plein de combustible,

6. cependant qu'ils étaient assis tout autour,

7. ils étaient ainsi témoins de ce qu'ils faisaient des croyants,

8. à qui ils ne leur reprochaient que d'avoir cru en Allāh, le Puissant, le Digne de louange,

9. Auquel appartient la royauté des cieux et de la terre. Allāh est témoin de toute chose.

10. Ceux qui font subir des épreuves aux croyants et aux croyantes, puis ne se repentent pas, auront le châtiment de l'Enfer et le supplice du feu.

11. Ceux qui croient et accomplissent les bonnes œuvres auront des Jardins sous lesquels coulent les ruisseaux. Cela est le grand succès.

12. La riposte de ton Seigneur est redoutable.

13. C'est Lui, certes, qui commence (la création) et la refait.

14. Et c'est Lui le Pardonneur, le Tout-Affectueux,

15. Le Maître du Trône, le Tout-Glorieux,

16. Il réalise parfaitement tout ce qu'Il veut.

17. T'est-il parvenu le récit des armées,

18. de Pharaon, et de Ṭamūd?

19. Mais ceux qui ne croient pas persistent à démentir,

20. alors qu'Allāh, derrière eux, les cerne de toutes parts.

21. Mais c'est plutôt un Qur'ān glorifié

22. préservé sur une Tablette (auprès d'Allāh).

---

1. Titre tiré du v. 1.
2. *Témoin*...:(il s'agit du Jugement dernier, où il y aura un procès juste, avec des témoins, etc.)
3. *Uḥdūd*: désigne un endroit sur la frontière du Yémen et de l'Arabie Séoudite (Littér: fossé long). Un roi du Yémen, un usurpateur, avait persécuté au VIᵉ siècle et brûlé vifs les croyants de son pays.

بِسْمِ اللَّهِ الرَّحْمَٰنِ الرَّحِيمِ

وَالسَّمَاءِ وَالطَّارِقِ ﴿١﴾ وَمَا أَدْرَاكَ مَا الطَّارِقُ ﴿٢﴾ النَّجْمُ الثَّاقِبُ ﴿٣﴾ إِن كُلُّ نَفْسٍ لَّمَّا عَلَيْهَا حَافِظٌ ﴿٤﴾ فَلْيَنظُرِ الْإِنسَانُ مِمَّ خُلِقَ ﴿٥﴾ خُلِقَ مِن مَّاءٍ دَافِقٍ ﴿٦﴾ يَخْرُجُ مِن بَيْنِ الصُّلْبِ وَالتَّرَائِبِ ﴿٧﴾ إِنَّهُ عَلَىٰ رَجْعِهِ لَقَادِرٌ ﴿٨﴾ يَوْمَ تُبْلَى السَّرَائِرُ ﴿٩﴾ فَمَا لَهُ مِن قُوَّةٍ وَلَا نَاصِرٍ ﴿١٠﴾ وَالسَّمَاءِ ذَاتِ الرَّجْعِ ﴿١١﴾ وَالْأَرْضِ ذَاتِ الصَّدْعِ ﴿١٢﴾ إِنَّهُ لَقَوْلٌ فَصْلٌ ﴿١٣﴾ وَمَا هُوَ بِالْهَزْلِ ﴿١٤﴾ إِنَّهُمْ يَكِيدُونَ كَيْدًا ﴿١٥﴾ وَأَكِيدُ كَيْدًا ﴿١٦﴾ فَمَهِّلِ الْكَافِرِينَ أَمْهِلْهُمْ رُوَيْدًا ﴿١٧﴾

سُورَةُ الْأَعْلَى

بِسْمِ اللَّهِ الرَّحْمَٰنِ الرَّحِيمِ

سَبِّحِ اسْمَ رَبِّكَ الْأَعْلَى ﴿١﴾ الَّذِي خَلَقَ فَسَوَّىٰ ﴿٢﴾ وَالَّذِي قَدَّرَ فَهَدَىٰ ﴿٣﴾ وَالَّذِي أَخْرَجَ الْمَرْعَىٰ ﴿٤﴾ فَجَعَلَهُ غُثَاءً أَحْوَىٰ ﴿٥﴾ سَنُقْرِئُكَ فَلَا تَنسَىٰ ﴿٦﴾ إِلَّا مَا شَاءَ اللَّهُ إِنَّهُ يَعْلَمُ الْجَهْرَ وَمَا يَخْفَىٰ ﴿٧﴾ وَنُيَسِّرُكَ لِلْيُسْرَىٰ ﴿٨﴾ فَذَكِّرْ إِن نَّفَعَتِ الذِّكْرَىٰ ﴿٩﴾ سَيَذَّكَّرُ مَن يَخْشَىٰ ﴿١٠﴾ وَيَتَجَنَّبُهَا الْأَشْقَى ﴿١١﴾ الَّذِي يَصْلَى النَّارَ الْكُبْرَىٰ ﴿١٢﴾ ثُمَّ لَا يَمُوتُ فِيهَا وَلَا يَحْيَىٰ ﴿١٣﴾ قَدْ أَفْلَحَ مَن تَزَكَّىٰ ﴿١٤﴾ وَذَكَرَ اسْمَ رَبِّهِ فَصَلَّىٰ ﴿١٥﴾

AṬ-ṬĀRIQ (L'ASTRE NOCTURNE)[1]
sourate 86　17 versets　Pré-hégirien n°36

Au nom d'Allāh, le Tout Miséricordieux, le Très Miséricordieux.
1. Par le ciel et par l'astre nocturne.
2. Et qui te dira ce qu'est l'astre nocturne?
3. C'est l'étoile vivement brillante.
4. Il n'est pas d'âme qui n'ait sur elle un gardien.
5. Que l'homme considère donc de quoi il a été créé.
6. Il a été créé d'une giclée d'eau
7. sortie d'entre les lombes et les côtes.
8. Allāh est certes capable de le ressusciter.
9. Le jour où les cœurs dévoileront leurs secrets,
10. Il n'aura alors ni force ni secoureur.
11. Par le ciel qui fait revenir la pluie!
12. et par la terre qui se fend[2]!
13. Ceci [le Qurʾān] est certes, une parole décisive [qui tranche entre le vrai et le faux],
14. et non point une plaisanterie frivole!
15. Ils se servent d'une ruse,
16. et Moi aussi Je me sers de Mon plan.
17. Accorde (ô Prophète) donc un délai aux infidèles: accorde-leur un court délai.

AL-AʿLĀ (LE TRÈS-HAUT)[3]
sourate 87　19 versets　Pré-hégirien n°8

Au nom d'Allāh, le Tout Miséricordieux, le Très Miséricordieux.
1. Glorifie le nom de ton Seigneur, le Très-Haut,
2. Celui Qui a créé et agencé harmonieusement,
3. qui a décrété et guidé,
4. et qui a fait pousser le pâturage,
5. et en a fait ensuite un foin sombre.
6. Nous te ferons réciter (le Qurʾān), de sorte que tu n'oublieras
7. que ce qu'Allāh veut. Car, Il connaît ce qui paraît au grand jour ainsi que ce qui est caché.
8. Nous te mettrons sur la voie la plus facile.
9. Rappelle, donc, où le Rappel doit être utile.
10. Quiconque craint (Allāh) s'[en] rappellera,
11. et s'en écartera le grand malheureux,
12. qui brûlera dans le plus grand Feu,
13. où il ne mourra ni ne vivra.
14. Réussit, certes, celui qui se purifie.
15. et se rappelle le nom de son Seigneur, puis célèbre la Ṣalāt.

---

1. Titre tiré du v. 1.
2. La terre qui se fend à la germination des graines.
3. Titre tiré du v. 1.

بَلْ تُؤْثِرُونَ ٱلْحَيَوٰةَ ٱلدُّنْيَا ﴿١٦﴾ وَٱلْءَاخِرَةُ خَيْرٌ وَأَبْقَىٰٓ ﴿١٧﴾ إِنَّ هَٰذَا لَفِى ٱلصُّحُفِ ٱلْأُولَىٰ ﴿١٨﴾ صُحُفِ إِبْرَٰهِيمَ وَمُوسَىٰ ﴿١٩﴾

سُورَةُ ٱلْغَاشِيَةِ

بِسْمِ ٱللَّهِ ٱلرَّحْمَٰنِ ٱلرَّحِيمِ

هَلْ أَتَىٰكَ حَدِيثُ ٱلْغَاشِيَةِ ﴿١﴾ وُجُوهٌ يَوْمَئِذٍ خَٰشِعَةٌ ﴿٢﴾ عَامِلَةٌ نَّاصِبَةٌ ﴿٣﴾ تَصْلَىٰ نَارًا حَامِيَةً ﴿٤﴾ تُسْقَىٰ مِنْ عَيْنٍ ءَانِيَةٍ ﴿٥﴾ لَّيْسَ لَهُمْ طَعَامٌ إِلَّا مِن ضَرِيعٍ ﴿٦﴾ لَّا يُسْمِنُ وَلَا يُغْنِى مِن جُوعٍ ﴿٧﴾ وُجُوهٌ يَوْمَئِذٍ نَّاعِمَةٌ ﴿٨﴾ لِّسَعْيِهَا رَاضِيَةٌ ﴿٩﴾ فِى جَنَّةٍ عَالِيَةٍ ﴿١٠﴾ لَّا تَسْمَعُ فِيهَا لَٰغِيَةً ﴿١١﴾ فِيهَا عَيْنٌ جَارِيَةٌ ﴿١٢﴾ فِيهَا سُرُرٌ مَّرْفُوعَةٌ ﴿١٣﴾ وَأَكْوَابٌ مَّوْضُوعَةٌ ﴿١٤﴾ وَنَمَارِقُ مَصْفُوفَةٌ ﴿١٥﴾ وَزَرَابِىُّ مَبْثُوثَةٌ ﴿١٦﴾ أَفَلَا يَنظُرُونَ إِلَى ٱلْإِبِلِ كَيْفَ خُلِقَتْ ﴿١٧﴾ وَإِلَى ٱلسَّمَاءِ كَيْفَ رُفِعَتْ ﴿١٨﴾ وَإِلَى ٱلْجِبَالِ كَيْفَ نُصِبَتْ ﴿١٩﴾ وَإِلَى ٱلْأَرْضِ كَيْفَ سُطِحَتْ ﴿٢٠﴾ فَذَكِّرْ إِنَّمَا أَنتَ مُذَكِّرٌ ﴿٢١﴾ لَّسْتَ عَلَيْهِم بِمُصَيْطِرٍ ﴿٢٢﴾ إِلَّا مَن تَوَلَّىٰ وَكَفَرَ ﴿٢٣﴾ فَيُعَذِّبُهُ ٱللَّهُ ٱلْعَذَابَ ٱلْأَكْبَرَ ﴿٢٤﴾ إِنَّ إِلَيْنَا إِيَابَهُمْ ﴿٢٥﴾ ثُمَّ إِنَّ عَلَيْنَا حِسَابَهُم ﴿٢٦﴾

16. Mais, vous préférez plutôt la vie présente,

17. alors que l'au-delà est meilleur et plus durable.

18. Ceci se trouve, certes, dans les Feuilles anciennes,

19. les Feuilles d'Abraham et de Moïse.

AL-ĠĀŠIYA (L'ENVELOPPANTE)[1]

sourate 88   26 versets   Pré-hégirien n°68

Au nom d'Allāh, le Tout Miséricordieux, le Très Miséricordieux.

1. T'est-il parvenu le récit de l'enveloppante?[2]

2. Ce jour-là, il y aura des visages humiliés,

3. préoccupés, harassés.

4. Ils brûleront dans un Feu ardent,

5. et seront abreuvés d'une source bouillante.

6. Il n'y aura pour eux d'autre nourriture que des plantes épineuses [Ḍarī],

7. qui n'engraisse, ni n'apaise la faim.

8. Ce jour-là, il y aura des visages épanouis,

9. contents de leurs efforts,

10. dans un haut Jardin,

11. où ils n'entendent aucune futilité.

12. Là, il y aura une source coulante.

13. Là, des divans élevés

14. et des coupes posées

15. et des coussins rangés

16. et des tapis étalés.

17. Ne considèrent-ils donc pas les chameaux, comment ils ont été créés,

18. et le ciel comment il est élevé,

19. et les montagnes comment elles sont dressées

20. et la terre comment elle est nivelée?

21. Eh bien, rappelle! Tu n'es qu'un rappeleur,

22. et tu n'es pas un dominateur sur eux.

23. Sauf celui qui tourne le dos et ne croit pas,

24. alors Allāh le châtiera du plus grand châtiment.

25. Vers Nous est leur retour.

26. Ensuite, c'est à Nous de leur demander compte.

---

1. Titre tiré du v. 1.
2. L'enveloppante: il s'agit du jour de la Résurrection qui couvre toute chose.

سُوْرَةُ الْفَجْرِ

بِسْمِ اللَّهِ الرَّحْمَنِ الرَّحِيمِ

وَالْفَجْرِ ۝ وَلَيَالٍ عَشْرٍ ۝ وَالشَّفْعِ وَالْوَتْرِ ۝ وَالَّيْلِ إِذَا يَسْرِ ۝ هَلْ فِي ذَلِكَ قَسَمٌ لِذِي حِجْرٍ ۝ أَلَمْ تَرَ كَيْفَ فَعَلَ رَبُّكَ بِعَادٍ ۝ إِرَمَ ذَاتِ الْعِمَادِ ۝ الَّتِي لَمْ يُخْلَقْ مِثْلُهَا فِي الْبِلَادِ ۝ وَثَمُودَ الَّذِينَ جَابُوا الصَّخْرَ بِالْوَادِ ۝ وَفِرْعَوْنَ ذِي الْأَوْتَادِ ۝ الَّذِينَ طَغَوْا فِي الْبِلَادِ ۝ فَأَكْثَرُوا فِيهَا الْفَسَادَ ۝ فَصَبَّ عَلَيْهِمْ رَبُّكَ سَوْطَ عَذَابٍ ۝ إِنَّ رَبَّكَ لَبِالْمِرْصَادِ ۝ فَأَمَّا الْإِنْسَانُ إِذَا مَا ابْتَلَاهُ رَبُّهُ فَأَكْرَمَهُ وَنَعَّمَهُ فَيَقُولُ رَبِّي أَكْرَمَنِ ۝ وَأَمَّا إِذَا مَا ابْتَلَاهُ فَقَدَرَ عَلَيْهِ رِزْقَهُ فَيَقُولُ رَبِّي أَهَانَنِ ۝ كَلَّا بَلْ لَا تُكْرِمُونَ الْيَتِيمَ ۝ وَلَا تَحَاضُّونَ عَلَى طَعَامِ الْمِسْكِينِ ۝ وَتَأْكُلُونَ التُّرَاثَ أَكْلًا لَمًّا ۝ وَتُحِبُّونَ الْمَالَ حُبًّا جَمًّا ۝ كَلَّا إِذَا دُكَّتِ الْأَرْضُ دَكًّا دَكًّا ۝ وَجَاءَ رَبُّكَ وَالْمَلَكُ صَفًّا صَفًّا ۝ وَجِيءَ يَوْمَئِذٍ بِجَهَنَّمَ يَوْمَئِذٍ يَتَذَكَّرُ الْإِنْسَانُ وَأَنَّى لَهُ الذِّكْرَى ۝

AL-FAJR (L'AUBE)[1]
sourate 89   30 versets   Pré-hégirien n°10

Au nom d'Allāh, le Tout Miséricordieux, le Très Miséricordieux.

1. Par l'Aube!

2. Et par les dix nuits[2]!

3. Par le pair et l'impair!

4. Et par la nuit quand elle s'écoule!

5. N'est-ce pas là un serment, pour un doué d'intelligence?

6. N'as-tu pas vu comment ton Seigneur a agi avec les ʿĀd

7. [avec] *Iram*[3] [la cité] à la colonne remarquable,

8. dont jamais pareille ne fut construite parmi les villes?

9. et avec les Ṯamūd qui taillaient le rocher dans la vallée?

10. ainsi qu'avec Pharaon, l'homme aux épieux?

11. Tous, étaient des gens qui transgressaient dans [leurs] pays,

12. et y avaient commis beaucoup de désordre.

13. Donc, ton Seigneur déversa sur eux un fouet du châtiment.

14. Car ton Seigneur demeure aux aguets.

15. Quant à l'homme, lorsque son Seigneur l'éprouve en l'honorant[4] et en le comblant de bienfaits, il dit: «Mon Seigneur m'a honoré».

16. Mais par contre, quand Il l'éprouve en lui restreignant sa subsistance, il dit: «Mon Seigneur m'a avili».

17. Mais non! C'est vous plutôt, qui n'êtes pas généreux envers les orphelins ;

18. qui ne vous incitez pas mutuellement à nourrir le pauvre.

19. qui dévorez l'héritage avec une avidité vorace,

20. et aimez les richesses d'un amour sans bornes.

21. Prenez garde! Quand la terre sera complètement pulvérisée,

22. et que ton Seigneur viendra ainsi que les Anges, rang par rang,

23. et que ce jour-là, on amènera l'Enfer ; ce jour-là, l'homme se rappellera. Mais à quoi lui servira de se souvenir?

---

1. Titre tiré du v. 1.
2. *Par les dix nuits*: les 10 premiers jours du mois de Ḏū-l-Ḥijja, culminant au Grand Pèlerinage, le 9ᵉ jour et la Fête du 10ᵉ jour (la fête du sacrifice).
3. *Iram*: ville du pays des ʿĀd.
4. *En l'honorant*: (autre sens) en étant généreux avec lui.

يَقُولُ يَٰلَيْتَنِى قَدَّمْتُ لِحَيَاتِى ﴿٢٤﴾ فَيَوْمَئِذٍ لَّا يُعَذِّبُ عَذَابَهُۥٓ أَحَدٌ ﴿٢٥﴾ وَلَا يُوثِقُ وَثَاقَهُۥٓ أَحَدٌ ﴿٢٦﴾ يَٰٓأَيَّتُهَا ٱلنَّفْسُ ٱلْمُطْمَئِنَّةُ ﴿٢٧﴾ ٱرْجِعِىٓ إِلَىٰ رَبِّكِ رَاضِيَةً مَّرْضِيَّةً ﴿٢٨﴾ فَٱدْخُلِى فِى عِبَٰدِى ﴿٢٩﴾ وَٱدْخُلِى جَنَّتِى ﴿٣٠﴾

سُورَةُ الْبَلَدِ

بِسْمِ ٱللَّهِ ٱلرَّحْمَٰنِ ٱلرَّحِيمِ

لَآ أُقْسِمُ بِهَٰذَا ٱلْبَلَدِ ﴿١﴾ وَأَنتَ حِلٌّۢ بِهَٰذَا ٱلْبَلَدِ ﴿٢﴾ وَوَالِدٍ وَمَا وَلَدَ ﴿٣﴾ لَقَدْ خَلَقْنَا ٱلْإِنسَٰنَ فِى كَبَدٍ ﴿٤﴾ أَيَحْسَبُ أَن لَّن يَقْدِرَ عَلَيْهِ أَحَدٌ ﴿٥﴾ يَقُولُ أَهْلَكْتُ مَالًا لُّبَدًا ﴿٦﴾ أَيَحْسَبُ أَن لَّمْ يَرَهُۥٓ أَحَدٌ ﴿٧﴾ أَلَمْ نَجْعَل لَّهُۥ عَيْنَيْنِ ﴿٨﴾ وَلِسَانًا وَشَفَتَيْنِ ﴿٩﴾ وَهَدَيْنَٰهُ ٱلنَّجْدَيْنِ ﴿١٠﴾ فَلَا ٱقْتَحَمَ ٱلْعَقَبَةَ ﴿١١﴾ وَمَآ أَدْرَىٰكَ مَا ٱلْعَقَبَةُ ﴿١٢﴾ فَكُّ رَقَبَةٍ ﴿١٣﴾ أَوْ إِطْعَٰمٌ فِى يَوْمٍ ذِى مَسْغَبَةٍ ﴿١٤﴾ يَتِيمًا ذَا مَقْرَبَةٍ ﴿١٥﴾ أَوْ مِسْكِينًا ذَا مَتْرَبَةٍ ﴿١٦﴾ ثُمَّ كَانَ مِنَ ٱلَّذِينَ ءَامَنُوا۟ وَتَوَاصَوْا۟ بِٱلصَّبْرِ وَتَوَاصَوْا۟ بِٱلْمَرْحَمَةِ ﴿١٧﴾ أُو۟لَٰٓئِكَ أَصْحَٰبُ ٱلْمَيْمَنَةِ ﴿١٨﴾ وَٱلَّذِينَ كَفَرُوا۟ بِـَٔايَٰتِنَا هُمْ أَصْحَٰبُ ٱلْمَشْـَٔمَةِ ﴿١٩﴾ عَلَيْهِمْ نَارٌ مُّؤْصَدَةٌۢ ﴿٢٠﴾

ربع الحزب ٦٠

سُورَةُ الشَّمْسِ

24. Il dira: «Hélas! Que n'ai-je fait du bien pour ma vie future!

25. Ce jour-là donc, nul ne saura châtier comme Lui châtie,

26. et nul ne saura garrotter comme Lui garrotte.

27. «Ô toi, âme apaisée,

28. retourne vers ton Seigneur, satisfaite et agréée ;

29. entre donc parmi Mes serviteurs,

30. et entre dans Mon Paradis».

AL-BALAD (LA CITÉ)[1]

sourate 90   20 versets   Pré-hégirien n°35

Au nom d'Allāh, le Tout Miséricordieux, le Très Miséricordieux.

1. Non!... Je jure par cette Cité[2]!

2. et toi, tu es un résident dans cette cité[3]

3. Et par le père et ce qu'il engendre!

4. Nous avons, certes, créé l'homme pour une vie de lutte.

5. Pense-t-il que personne ne pourra rien contre lui?

6. Il dit: «J'ai gaspillé beaucoup de biens».

7. Pense-t-il que nul ne l'a vu?

8. Ne lui avons Nous pas assigné deux yeux,

9. et une langue et deux lèvres?

10. Ne l'avons-Nous pas guidé aux deux voies[4].

11. Or, il ne s'engage pas dans la voie difficile![5]

12. Et qui te dira ce qu'est la voie difficile?

13. C'est délier un joug [affranchir un esclave],

14. ou nourrir, en un jour de famine,

15. un orphelin proche parent

16. ou un pauvre dans le dénuement.

17. Et c'est être, en outre, de ceux qui croient et s'enjoignent mutuellement l'endurance, et s'enjoignent mutuellement la miséricorde.

18. Ceux-là sont les gens de la droite ;

19. alors que ceux qui ne croient pas en Nos versets sont les gens de la gauche.

20. Le Feu se refermera sur eux.

---

1. Titre tiré du v. 1.
2. Il s'agit de la cité de la Mecque, ville natale du Prophète.
3. *Autre interprétation du verset*: tout est licite pour toi dans cette cité. Ce qui signifie que seul le Prophète a l'autorisation de combattre dans la cité sacrée. Et cela s'est réalisé le jour de la reconquête de la Mecque.
4. *Guidé aux deux voies*: (du bien et du mal).
5. Autre interprétation : qu'il ne franchisse l'obstacle!

بِسۡمِ ٱللَّهِ ٱلرَّحۡمَٰنِ ٱلرَّحِيمِ

وَٱلشَّمۡسِ وَضُحَىٰهَا ۝١ وَٱلۡقَمَرِ إِذَا تَلَىٰهَا ۝٢ وَٱلنَّهَارِ إِذَا جَلَّىٰهَا ۝٣ وَٱلَّيۡلِ إِذَا يَغۡشَىٰهَا ۝٤ وَٱلسَّمَآءِ وَمَا بَنَىٰهَا ۝٥ وَٱلۡأَرۡضِ وَمَا طَحَىٰهَا ۝٦ وَنَفۡسٍ وَمَا سَوَّىٰهَا ۝٧ فَأَلۡهَمَهَا فُجُورَهَا وَتَقۡوَىٰهَا ۝٨ قَدۡ أَفۡلَحَ مَن زَكَّىٰهَا ۝٩ وَقَدۡ خَابَ مَن دَسَّىٰهَا ۝١٠ كَذَّبَتۡ ثَمُودُ بِطَغۡوَىٰهَآ ۝١١ إِذِ ٱنۢبَعَثَ أَشۡقَىٰهَا ۝١٢ فَقَالَ لَهُمۡ رَسُولُ ٱللَّهِ نَاقَةَ ٱللَّهِ وَسُقۡيَىٰهَا ۝١٣ فَكَذَّبُوهُ فَعَقَرُوهَا فَدَمۡدَمَ عَلَيۡهِمۡ رَبُّهُم بِذَنۢبِهِمۡ فَسَوَّىٰهَا ۝١٤ وَلَا يَخَافُ عُقۡبَٰهَا ۝١٥

سُورَةُ اللَّيْلِ

بِسۡمِ ٱللَّهِ ٱلرَّحۡمَٰنِ ٱلرَّحِيمِ

وَٱلَّيۡلِ إِذَا يَغۡشَىٰ ۝١ وَٱلنَّهَارِ إِذَا تَجَلَّىٰ ۝٢ وَمَا خَلَقَ ٱلذَّكَرَ وَٱلۡأُنثَىٰٓ ۝٣ إِنَّ سَعۡيَكُمۡ لَشَتَّىٰ ۝٤ فَأَمَّا مَنۡ أَعۡطَىٰ وَٱتَّقَىٰ ۝٥ وَصَدَّقَ بِٱلۡحُسۡنَىٰ ۝٦ فَسَنُيَسِّرُهُۥ لِلۡيُسۡرَىٰ ۝٧ وَأَمَّا مَنۢ بَخِلَ وَٱسۡتَغۡنَىٰ ۝٨ وَكَذَّبَ بِٱلۡحُسۡنَىٰ ۝٩ فَسَنُيَسِّرُهُۥ لِلۡعُسۡرَىٰ ۝١٠ وَمَا يُغۡنِي عَنۡهُ مَالُهُۥٓ إِذَا تَرَدَّىٰٓ ۝١١ إِنَّ عَلَيۡنَا لَلۡهُدَىٰ ۝١٢ وَإِنَّ لَنَا لَلۡأٓخِرَةَ وَٱلۡأُولَىٰ ۝١٣ فَأَنذَرۡتُكُمۡ نَارًا تَلَظَّىٰ ۝١٤

AŠ-ŠAMS (LE SOLEIL)[1]
sourate 91 15 versets Pré-hégirien n°26

Au nom d'Allāh, le Tout Miséricordieux, le Très Miséricordieux.
1. Par le soleil et par sa clarté.
2. Et par la lune quand elle le suit!
3. Et par le jour quand il l'éclaire!
4. Et par la nuit quand elle l'enveloppe[2]!
5. Et par le ciel et Celui qui l'a construit!
6. Et par la terre et Celui qui l'a étendue!
7. Et par l'âme et Celui qui l'a harmonieusement façonnée ;
8. et lui a alors inspiré son immoralité, de même que sa piété!
9. A réussi, certes, celui qui la purifie.
10. Et est perdu, certes, celui qui la corrompt.
11. Les Ṯamūd, par leur transgression, ont crié au mensonge,
12. lorsque le plus misérable[3] d'entre eux se leva (pour tuer la chamelle).
13. Le Messager d'Allāh leur avait dit: «La chamelle d'Allāh! Laissez-la boire.
14. Mais, ils le traitèrent de menteur, et la tuèrent. Leur Seigneur les détruisit donc, pour leur péché et étendit Son châtiment sur tous.
15. Et Allāh n'a aucune crainte des conséquences.

AL-LAYL (LA NUIT)[4]
sourate 92 21 versets Pré-hégirien n°9

Au nom d'Allāh, le Tout Miséricordieux, le Très Miséricordieux.
1. Par la nuit quand elle enveloppe tout!
2. Par le jour quand il éclaire!
3. Et par ce qu'Il a créé, mâle et femelle!
4. Vos efforts sont divergents.
5. Celui qui donne et craint (Allāh)[5]
6. et déclare véridique la plus belle récompense.
7. Nous lui faciliterons la voie au plus grand bonheur.
8. Et quant à celui qui est avare, se dispense (de l'adoration d'Allāh),
9. et traite de mensonge la plus belle récompense,
10. Nous lui faciliterons la voie à la plus grande difficulté,
11. et à rien ne lui serviront ses richesses quand il sera jeté (au Feu).
12. C'est à Nous, certes, de guider ;
13. à Nous appartient, certes, la vie dernière et la vie présente.
14. Je vous ai donc avertis d'un Feu qui flambe

---

1. Titre tiré du v. 1.
2. Quand il l'éclaire. Quand elle l'enveloppe: éclaire ... et enveloppe la terre.
3. Le plus misérable: parce que le plus mécréant et pour avoir tué la chamelle.
4. Titre tiré du v. 1.
5. Qui donne: ce qu'Allāh a ordonné de donner.

لَا يَصْلَىٰهَآ إِلَّا ٱلْأَشْقَى ﴿١٥﴾ ٱلَّذِى كَذَّبَ وَتَوَلَّىٰ ﴿١٦﴾ وَسَيُجَنَّبُهَا

ٱلْأَتْقَى ﴿١٧﴾ ٱلَّذِى يُؤْتِى مَالَهُۥ يَتَزَكَّىٰ ﴿١٨﴾ وَمَا لِأَحَدٍ عِندَهُۥ مِن

نِّعْمَةٍ تُجْزَىٰٓ ﴿١٩﴾ إِلَّا ٱبْتِغَآءَ وَجْهِ رَبِّهِ ٱلْأَعْلَىٰ ﴿٢٠﴾ وَلَسَوْفَ يَرْضَىٰ ﴿٢١﴾

سُورَةُ الضُّحَى

بِسْمِ ٱللَّهِ ٱلرَّحْمَٰنِ ٱلرَّحِيمِ

وَٱلضُّحَىٰ ﴿١﴾ وَٱلَّيْلِ إِذَا سَجَىٰ ﴿٢﴾ مَا وَدَّعَكَ رَبُّكَ وَمَا قَلَىٰ ﴿٣﴾

وَلَلْءَاخِرَةُ خَيْرٌ لَّكَ مِنَ ٱلْأُولَىٰ ﴿٤﴾ وَلَسَوْفَ يُعْطِيكَ رَبُّكَ

فَتَرْضَىٰٓ ﴿٥﴾ أَلَمْ يَجِدْكَ يَتِيمًا فَـَٔاوَىٰ ﴿٦﴾ وَوَجَدَكَ ضَآلًّا

فَهَدَىٰ ﴿٧﴾ وَوَجَدَكَ عَآئِلًا فَأَغْنَىٰ ﴿٨﴾ فَأَمَّا ٱلْيَتِيمَ فَلَا تَقْهَرْ

﴿٩﴾ وَأَمَّا ٱلسَّآئِلَ فَلَا تَنْهَرْ ﴿١٠﴾ وَأَمَّا بِنِعْمَةِ رَبِّكَ فَحَدِّثْ ﴿١١﴾

سُورَةُ الشَّرْح

بِسْمِ ٱللَّهِ ٱلرَّحْمَٰنِ ٱلرَّحِيمِ

أَلَمْ نَشْرَحْ لَكَ صَدْرَكَ ﴿١﴾ وَوَضَعْنَا عَنكَ وِزْرَكَ ﴿٢﴾ ٱلَّذِىٓ

أَنقَضَ ظَهْرَكَ ﴿٣﴾ وَرَفَعْنَا لَكَ ذِكْرَكَ ﴿٤﴾ فَإِنَّ مَعَ ٱلْعُسْرِ يُسْرًا ﴿٥﴾ إِنَّ

مَعَ ٱلْعُسْرِ يُسْرًا ﴿٦﴾ فَإِذَا فَرَغْتَ فَٱنصَبْ ﴿٧﴾ وَإِلَىٰ رَبِّكَ فَٱرْغَب ﴿٨﴾

نِصْفُ
الْحِزْبِ
٦٠

15. où ne brûlera que le damné,
16. qui dément et tourne le dos ;
17. alors qu'en sera écarté le pieux,
18. qui donne ses biens pour se purifier
19. et auprès de qui personne ne profite d'un bienfait intéressé,
20. mais seulement pour la recherche de La Face de son Seigneur le Très Haut[1].
21. Et certes, il sera bientôt satisfait!

AD-DUḤĀ (LE JOUR MONTANT)[2]
sourate 93   11 versets   Pré-hégirien n°11

Au nom d'Allāh, le Tout Miséricordieux, le Très Miséricordieux.

1. Par le Jour Montant!
2. Et par la nuit quand elle couvre tout!
3. Ton Seigneur ne t'a ni abandonné, ni détesté.
4. La vie dernière t'est, certes, meilleure que la vie présente.
5. Ton Seigneur t'accordera certes [Ses faveurs], et alors tu seras satisfait.
6. Ne t'a-t-Il pas trouvé orphelin? Alors Il t'a accueilli!
7. Ne t'a-t-Il pas trouvé égaré? Alors Il t'a guidé.
8. Ne t'a-t-Il pas trouvé pauvre? Alors Il t'a enrichi.
9. Quant à l'orphelin, donc, ne le maltraite pas.
10. Quant au demandeur[3], ne le repousse pas.
11. Et quant au bienfait de ton Seigneur, proclame-le.

AŠ-ŠARḤ (L'OUVERTURE)[4]
sourate 94   8 versets   Pré-hégirien n°12

Au nom d'Allāh, le Tout Miséricordieux, le Très Miséricordieux.

1. N'avons-Nous pas ouvert[5] pour toi ta poitrine?
2. Et ne t'avons-Nous pas déchargé du fardeau
3. qui accablait ton dos?
4. Et exalté pour toi ta renommée?
5. À côté de la difficulté est, certes, une facilité!
6. À côté de la difficulté, est, certes, une facilité!
7. Quand tu te libères, donc, lève-toi[6],
8. et à ton Seigneur aspire.

---

1. *La recherche de la Face...*: la recherche de voir Son Seigneur au Paradis, ou la recherche de Sa récompense.
2. Titre tiré du v. 1.
3. *Au demandeur*: de la connaissance ou de l'aide, n'importe quelle aide.
4. Titre tiré du contenu du v. 1.
5. *Ouvert*: pour recevoir la foi, les directives et les préceptes énoncés dans le Qur'ān.
6. *Quand tu te libères* (de tes occupations nécessaires), *lève toi* (pour la prière).

سُورَةُ التِّينِ

بِسۡمِ ٱللَّهِ ٱلرَّحۡمَٰنِ ٱلرَّحِيمِ

وَٱلتِّينِ وَٱلزَّيۡتُونِ ۝ وَطُورِ سِينِينَ ۝ وَهَٰذَا ٱلۡبَلَدِ ٱلۡأَمِينِ ۝

لَقَدۡ خَلَقۡنَا ٱلۡإِنسَٰنَ فِىٓ أَحۡسَنِ تَقۡوِيمٖ ۝ ثُمَّ رَدَدۡنَٰهُ أَسۡفَلَ سَٰفِلِينَ ۝

إِلَّا ٱلَّذِينَ ءَامَنُواْ وَعَمِلُواْ ٱلصَّٰلِحَٰتِ فَلَهُمۡ أَجۡرٌ غَيۡرُ مَمۡنُونٖ ۝

فَمَا يُكَذِّبُكَ بَعۡدُ بِٱلدِّينِ ۝ أَلَيۡسَ ٱللَّهُ بِأَحۡكَمِ ٱلۡحَٰكِمِينَ ۝

سُورَةُ العَلَقِ

بِسۡمِ ٱللَّهِ ٱلرَّحۡمَٰنِ ٱلرَّحِيمِ

ٱقۡرَأۡ بِٱسۡمِ رَبِّكَ ٱلَّذِى خَلَقَ ۝ خَلَقَ ٱلۡإِنسَٰنَ مِنۡ عَلَقٍ ۝ ٱقۡرَأۡ وَرَبُّكَ ٱلۡأَكۡرَمُ ۝ ٱلَّذِى عَلَّمَ بِٱلۡقَلَمِ ۝ عَلَّمَ ٱلۡإِنسَٰنَ مَا لَمۡ يَعۡلَمۡ ۝ كَلَّآ إِنَّ ٱلۡإِنسَٰنَ لَيَطۡغَىٰٓ ۝ أَن رَّءَاهُ ٱسۡتَغۡنَىٰٓ ۝ إِنَّ إِلَىٰ رَبِّكَ ٱلرُّجۡعَىٰٓ ۝ أَرَءَيۡتَ ٱلَّذِى يَنۡهَىٰ ۝ عَبۡدًا إِذَا صَلَّىٰٓ ۝ أَرَءَيۡتَ إِن كَانَ عَلَى ٱلۡهُدَىٰٓ ۝ أَوۡ أَمَرَ بِٱلتَّقۡوَىٰٓ ۝ أَرَءَيۡتَ إِن كَذَّبَ وَتَوَلَّىٰٓ ۝ أَلَمۡ يَعۡلَم بِأَنَّ ٱللَّهَ يَرَىٰ ۝ كَلَّا لَئِن لَّمۡ يَنتَهِ لَنَسۡفَعَۢا بِٱلنَّاصِيَةِ ۝ نَاصِيَةٖ كَٰذِبَةٍ خَاطِئَةٖ ۝ فَلۡيَدۡعُ نَادِيَهُۥ ۝ سَنَدۡعُ ٱلزَّبَانِيَةَ ۝ كَلَّا لَا تُطِعۡهُ وَٱسۡجُدۡ وَٱقۡتَرِب ۩ ۝

AT-TĪN (LE FIGUIER)¹
sourate 95   8 versets   Pré-hégirien n°28

Au nom d'Allāh, le Tout Miséricordieux, le Très Miséricordieux.

1. Par le figuier et l'olivier²!
2. Et par le Mont Sīnīn³!
3. Et par cette Cité sûre⁴!
4. Nous avons certes créé l'homme dans la forme la plus parfaite.
5. Ensuite, Nous l'avons ramené au niveau le plus bas,
6. sauf ceux qui croient et accomplissent les bonnes œuvres: ceux-là auront une récompense jamais interrompue.
7. Après cela, qu'est-ce qui te fait traiter la rétribution de mensonge?
8. Allāh n'est-Il pas le plus sage des Juges⁵?

AL-ʿALAQ (L'ADHERENCE)⁶
sourate 96   19 versets   Pré-hégirien n°1

Au nom d'Allāh, le Tout Miséricordieux, le Très Miséricordieux.

1. Lis, au nom de ton Seigneur qui a créé,
2. qui a créé l'homme d'une adhérence.
3. Lis! Ton Seigneur est le Très Noble,
4. qui a enseigné par la plume [le calame],
5. a enseigné à l'homme ce qu'il ne savait pas.
6. Prenez Garde! Vraiment l'homme devient rebelle,
7. dès qu'il estime qu'il peut se suffire à lui-même (à cause de sa richesse).
8. Mais, c'est vers ton Seigneur qu'est le retour.
9. As-tu vu celui qui interdit
10. à un serviteur d'Allāh (Muḥammad) de célébrer la Ṣalāt?
11. Vois-tu s'il est sur la bonne voie,
12. ou s'il ordonne la piété?
13. Vois-tu s'il dément et tourne le dos?
14. Ne sait-il pas que vraiment Allāh voit?
15. Mais non! S'il ne cesse pas, Nous le saisirons certes, par le toupet,
16. le toupet d'un menteur, d'un pécheur.
17. Qu'il appelle donc son assemblée.
18. Nous appellerons les gardiens (de l'Enfer).
19. Non! Ne lui obéis pas ; mais prosterne-toi et rapproche-toi⁷.

---

1. Titre tiré du v. 1.
2. Le figuier et l'olivier: sont visés par là les pays qui produisent ces fruits en abondance.
3. Il s'agit du Mont Sinaï.
4. Cette Cité sûre: la Mecque. Ce verset ainsi que les deux précédents font allusion aux lieux des révélations des trois religions monothéistes.
5. À la fin de cette sourate, il est recommandé de dire: «Mais si, par mon Seigneur!»
6. Titre tiré du v. 2.
7. Rapproche-toi: (d'Allāh). À ce verset on se prosterne.

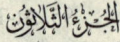

سُورَةُ الْقَدْرِ

بِسْمِ اللَّهِ الرَّحْمَٰنِ الرَّحِيمِ

إِنَّا أَنزَلْنَٰهُ فِى لَيْلَةِ الْقَدْرِ ۝ وَمَآ أَدْرَىٰكَ مَا لَيْلَةُ الْقَدْرِ ۝

لَيْلَةُ الْقَدْرِ خَيْرٌ مِّنْ أَلْفِ شَهْرٍ ۝ تَنَزَّلُ الْمَلَٰٓئِكَةُ وَالرُّوحُ

فِيهَا بِإِذْنِ رَبِّهِم مِّن كُلِّ أَمْرٍ ۝ سَلَٰمٌ هِىَ حَتَّىٰ مَطْلَعِ الْفَجْرِ ۝

سُورَةُ الْبَيِّنَةِ

بِسْمِ اللَّهِ الرَّحْمَٰنِ الرَّحِيمِ

لَمْ يَكُنِ الَّذِينَ كَفَرُوا مِنْ أَهْلِ الْكِتَٰبِ وَالْمُشْرِكِينَ مُنفَكِّينَ

حَتَّىٰ تَأْتِيَهُمُ الْبَيِّنَةُ ۝ رَسُولٌ مِّنَ اللَّهِ يَتْلُوا صُحُفًا مُّطَهَّرَةً ۝

فِيهَا كُتُبٌ قَيِّمَةٌ ۝ وَمَا تَفَرَّقَ الَّذِينَ أُوتُوا الْكِتَٰبَ إِلَّا مِنۢ

بَعْدِ مَا جَآءَتْهُمُ الْبَيِّنَةُ ۝ وَمَآ أُمِرُوٓا إِلَّا لِيَعْبُدُوا اللَّهَ مُخْلِصِينَ

لَهُ الدِّينَ حُنَفَآءَ وَيُقِيمُوا الصَّلَوٰةَ وَيُؤْتُوا الزَّكَوٰةَ ۚ وَذَٰلِكَ دِينُ

الْقَيِّمَةِ ۝ إِنَّ الَّذِينَ كَفَرُوا مِنْ أَهْلِ الْكِتَٰبِ وَالْمُشْرِكِينَ

فِى نَارِ جَهَنَّمَ خَٰلِدِينَ فِيهَآ ۚ أُو۟لَٰٓئِكَ هُمْ شَرُّ الْبَرِيَّةِ ۝ إِنَّ

الَّذِينَ ءَامَنُوا وَعَمِلُوا الصَّٰلِحَٰتِ أُو۟لَٰٓئِكَ هُمْ خَيْرُ الْبَرِيَّةِ ۝

AL-QADR (LA DESTINÉE)[1]
sourate 97　5 versets　Pré-hégirien n°25

Au nom d'Allāh, le Tout Miséricordieux, le Très Miséricordieux.

1. Nous l'avons certes, fait descendre (le Qur'ān) pendant la nuit d'Al-Qadr.

2. Et qui te dira ce qu'est la nuit d'Al-Qadr?

3. La nuit d'Al-Qadr est meilleure que mille mois.

4. Durant celle-ci descendent les Anges ainsi que l'Esprit[2], par permission de leur Seigneur pour tout ordre.

5. Elle est paix et salut jusqu'à l'apparition de l'aube.

AL-BAYYINA (LA PREUVE)[3]
sourate 98　8 versets　Post-hégirien n°100

Au nom d'Allāh, le Tout Miséricordieux, le Très Miséricordieux.

1. Les infidèles parmi les gens du Livre, ainsi que les Associateurs, ne cesseront pas de mécroire jusqu'à ce que leur vienne la Preuve évidente:

2. un Messager, de la part d'Allāh, qui leur récite des feuilles purifiées,

3. dans lesquelles se trouvent des prescriptions d'une rectitude parfaite.

4. Et ceux à qui le Livre a été donné ne se sont divisés qu'après que la preuve leur fut venue.

5. Il ne leur a été commandé, cependant, que d'adorer Allāh, Lui vouant un culte exclusif, d'accomplir la Ṣalāt et d'acquitter la Zakāt. Et voilà la religion de droiture.

6. Les infidèles parmi les gens du Livre, ainsi que les Associateurs iront au feu de l'Enfer, pour y demeurer éternellement. De toute la création, ce sont eux les pires.

7. Quant à ceux qui croient et accomplissent les bonnes œuvres, ce sont les meilleurs de toute la création.

---

1. Titre tiré du v. 1: Laylat-ul-Qadr: la nuit glorieuse où le Qur'ān fut révélé pour la première fois.
2. *L'Esprit*: l'Ange Gabriel.
3. Titre tiré du v. 1.

جَزَآؤُهُمْ عِندَ رَبِّهِمْ جَنَّـٰتُ عَدْنٍ تَجْرِى مِن تَحْتِهَا ٱلْأَنْهَـٰرُ خَـٰلِدِينَ فِيهَآ أَبَدًا ۖ رَّضِىَ ٱللَّهُ عَنْهُمْ وَرَضُوا۟ عَنْهُ ۚ ذَٰلِكَ لِمَنْ خَشِىَ رَبَّهُۥ ۝

سُورَةُ الزَّلْزَلَةِ

بِسْمِ ٱللَّهِ ٱلرَّحْمَـٰنِ ٱلرَّحِيمِ

إِذَا زُلْزِلَتِ ٱلْأَرْضُ زِلْزَالَهَا ۝ وَأَخْرَجَتِ ٱلْأَرْضُ أَثْقَالَهَا ۝ وَقَالَ ٱلْإِنسَـٰنُ مَا لَهَا ۝ يَوْمَئِذٍ تُحَدِّثُ أَخْبَارَهَا ۝ بِأَنَّ رَبَّكَ أَوْحَىٰ لَهَا ۝ يَوْمَئِذٍ يَصْدُرُ ٱلنَّاسُ أَشْتَاتًا لِّيُرَوْا۟ أَعْمَـٰلَهُمْ ۝ فَمَن يَعْمَلْ مِثْقَالَ ذَرَّةٍ خَيْرًا يَرَهُۥ ۝ وَمَن يَعْمَلْ مِثْقَالَ ذَرَّةٍ شَرًّا يَرَهُۥ ۝

سُورَةُ الْعَادِيَاتِ

بِسْمِ ٱللَّهِ ٱلرَّحْمَـٰنِ ٱلرَّحِيمِ

وَٱلْعَـٰدِيَـٰتِ ضَبْحًا ۝ فَٱلْمُورِيَـٰتِ قَدْحًا ۝ فَٱلْمُغِيرَٰتِ صُبْحًا ۝ فَأَثَرْنَ بِهِۦ نَقْعًا ۝ فَوَسَطْنَ بِهِۦ جَمْعًا ۝ إِنَّ ٱلْإِنسَـٰنَ لِرَبِّهِۦ لَكَنُودٌ ۝ وَإِنَّهُۥ عَلَىٰ ذَٰلِكَ لَشَهِيدٌ ۝ وَإِنَّهُۥ لِحُبِّ ٱلْخَيْرِ لَشَدِيدٌ ۝ ۞ أَفَلَا يَعْلَمُ إِذَا بُعْثِرَ مَا فِى ٱلْقُبُورِ ۝

ثلاثة أرباع الحزب ٦٠

٥٩٩

8. Leur récompense auprès d'Allāh sera les Jardins de séjour, sous lesquels coulent les ruisseaux, pour y demeurer éternellement. Allāh les agrée et ils L'agréent. Telle sera [la récompense] de celui qui craint son Seigneur.

AZ-ZALZALA (LA SECOUSSE)[1]
sourate 99   8 versets   Post-hégirien n°93

Au nom d'Allāh, le Tout Miséricordieux, le Très Miséricordieux.

1. Quand la terre tremblera d'un violent tremblement,
2. et que la terre fera sortir ses fardeaux[2],
3. et que l'homme dira: «Qu'a-t-elle?»
4. ce jour-là, elle contera son histoire,
5. selon ce que ton Seigneur lui aura révélé [ordonné].
6. Ce jour-là, les gens sortiront séparément pour que leur soient montrées leurs œuvres.
7. Quiconque fait un bien fût-ce du poids d'un atome, le verra,
8. et quiconque fait un mal fût-ce du poids d'un atome, le verra.

AL-ʿĀDIYĀT (LES COURSIERS)[3]
sourate 100   11 versets   Pré-hégirien n° 14

Au nom d'Allāh, le Tout Miséricordieux, le Très Miséricordieux.

1. Par les coursiers qui halètent,
2. qui font jaillir des étincelles,
3. qui attaquent au matin,
4. et font ainsi voler la poussière,
5. et pénètrent au centre de la troupe ennemie.
6. L'homme est, certes, ingrat envers son Seigneur ;
7. et pourtant, il est certes, témoin de cela ;
8. et pour l'amour des richesses il est certes ardent.
9. Ne sait-il donc pas que lorsque ce qui est dans les tombes sera bouleversé,

---

1. Titre tiré du contenu du v. 1. (Il s'agit du Jour de la Résurrection).
2. *Fera sortir ses fardeaux*: les enterrés.
3. Titre tiré du v. 1.

وَحُصِّلَ مَا فِي الصُّدُورِ ﴿١٠﴾ إِنَّ رَبَّهُم بِهِمْ يَوْمَئِذٍ لَّخَبِيرٌ ﴿١١﴾

سُورَةُ الْقَارِعَة

بِسْمِ اللَّهِ الرَّحْمَٰنِ الرَّحِيمِ

الْقَارِعَةُ ﴿١﴾ مَا الْقَارِعَةُ ﴿٢﴾ وَمَا أَدْرَاكَ مَا الْقَارِعَةُ ﴿٣﴾ يَوْمَ يَكُونُ النَّاسُ كَالْفَرَاشِ الْمَبْثُوثِ ﴿٤﴾ وَتَكُونُ الْجِبَالُ كَالْعِهْنِ الْمَنفُوشِ ﴿٥﴾ فَأَمَّا مَن ثَقُلَتْ مَوَازِينُهُ ﴿٦﴾ فَهُوَ فِي عِيشَةٍ رَّاضِيَةٍ ﴿٧﴾ وَأَمَّا مَنْ خَفَّتْ مَوَازِينُهُ ﴿٨﴾ فَأُمُّهُ هَاوِيَةٌ ﴿٩﴾ وَمَا أَدْرَاكَ مَا هِيَهْ ﴿١٠﴾ نَارٌ حَامِيَةٌ ﴿١١﴾

سُورَةُ التَّكَاثُر

بِسْمِ اللَّهِ الرَّحْمَٰنِ الرَّحِيمِ

أَلْهَاكُمُ التَّكَاثُرُ ﴿١﴾ حَتَّىٰ زُرْتُمُ الْمَقَابِرَ ﴿٢﴾ كَلَّا سَوْفَ تَعْلَمُونَ ﴿٣﴾ ثُمَّ كَلَّا سَوْفَ تَعْلَمُونَ ﴿٤﴾ كَلَّا لَوْ تَعْلَمُونَ عِلْمَ الْيَقِينِ ﴿٥﴾ لَتَرَوُنَّ الْجَحِيمَ ﴿٦﴾ ثُمَّ لَتَرَوُنَّهَا عَيْنَ الْيَقِينِ ﴿٧﴾ ثُمَّ لَتُسْأَلُنَّ يَوْمَئِذٍ عَنِ النَّعِيمِ ﴿٨﴾

10. et que sera dévoilé ce qui est dans les poitrines,
11. ce jour-là, certes, leur Seigneur sera Parfaitement Connaisseur d'eux?

AL-QĀRIʿA (LE FRACAS)[1]
sourate 101   11 versets   Pré-hégirien n°30

Au nom d'Allāh, le Tout Miséricordieux, le Très Miséricordieux.

1. Le fracas!
2. Qu'est-ce que le fracas?
3. Et qui te dira ce qu'est le fracas?
4. C'est le jour où les gens seront comme des papillons éparpillés,
5. et les montagnes comme de la laine cardée ;
6. quant à celui dont la balance sera lourde
7. il sera dans une vie agréable ;
8. et quant à celui dont la balance sera légère,
9. sa mère [destination] est un abîme très profond.
10. Et qui te dira ce que c'est?
11. C'est un Feu ardent.

AT-TAKĀṮUR (LA COURSE AUX RICHESSES)[2]
sourate 102   8 versets   Pré-hégirien n°16

Au nom d'Allāh, le Tout Miséricordieux, le Très Miséricordieux.

1. La course aux richesses vous distrait,
2. jusqu'à ce que vous visitiez les tombes[3].
3. Mais non! Vous saurez bientôt!
4. (Encore une fois)! Vous saurez bientôt!
5. Sûrement! Si vous saviez de science certaine[4].
6. Vous verrez, certes, la Fournaise.
7. Puis, vous la verrez certes, avec l'œil de la certitude.
8. Puis, assurément, vous serez interrogés, ce jour-là, sur les délices.

---

1. Titre tiré des versets 1 à 3: *Al-Qariʿa*: une appellation métaphorique de la résurrection.
2. Titre tiré du v, 1.
3. *Jusqu'à ce que vous visitiez les tombes*: jusqu'à la mort.
4. *Certaine*: vous ne laisserez pas la cupidité vous distraire.

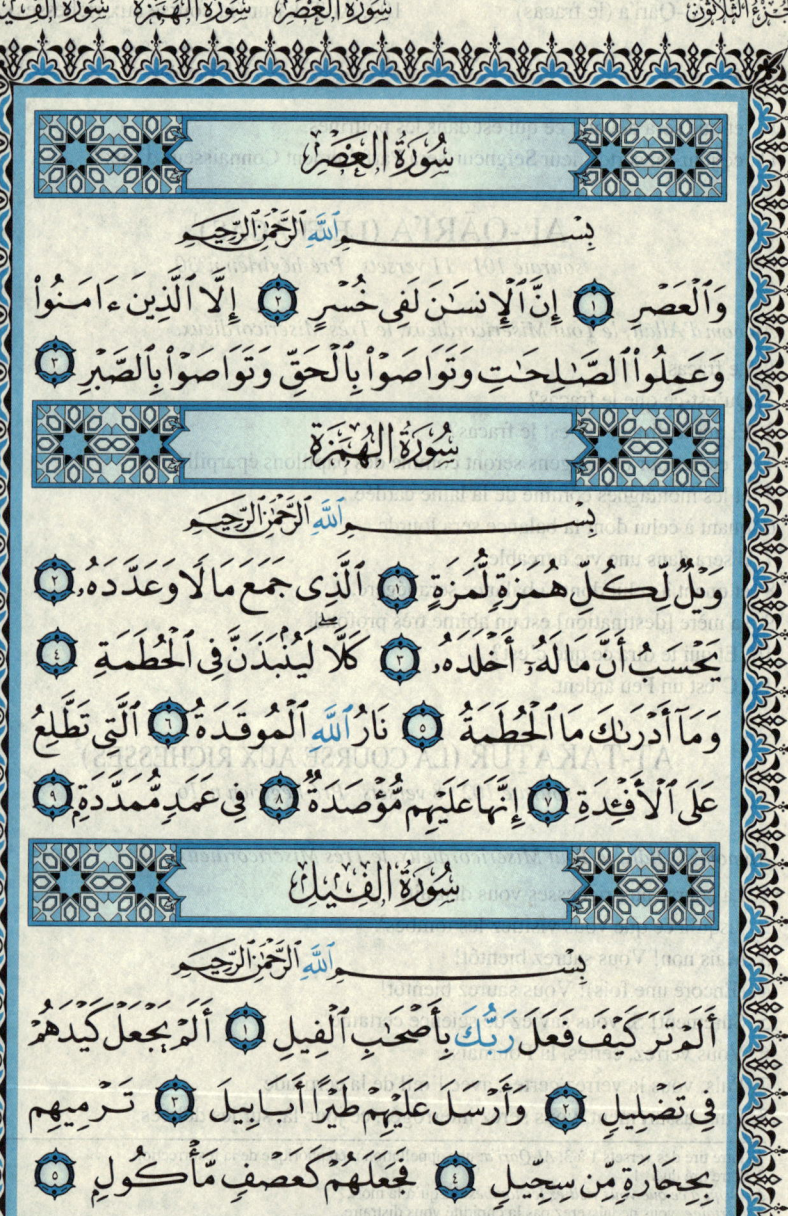

سُورَةُ الْعَصْرِ

بِسْمِ اللَّهِ الرَّحْمَٰنِ الرَّحِيمِ

وَالْعَصْرِ ۝ إِنَّ الْإِنسَٰنَ لَفِى خُسْرٍ ۝ إِلَّا الَّذِينَ ءَامَنُوا۟

وَعَمِلُوا۟ الصَّٰلِحَٰتِ وَتَوَاصَوْا۟ بِالْحَقِّ وَتَوَاصَوْا۟ بِالصَّبْرِ ۝

سُورَةُ الْهُمَزَةِ

بِسْمِ اللَّهِ الرَّحْمَٰنِ الرَّحِيمِ

وَيْلٌ لِّكُلِّ هُمَزَةٍ لُّمَزَةٍ ۝ الَّذِى جَمَعَ مَالًا وَعَدَّدَهُۥ ۝

يَحْسَبُ أَنَّ مَالَهُۥٓ أَخْلَدَهُۥ ۝ كَلَّا لَيُنۢبَذَنَّ فِى الْحُطَمَةِ ۝

وَمَآ أَدْرَىٰكَ مَا الْحُطَمَةُ ۝ نَارُ اللَّهِ الْمُوقَدَةُ ۝ الَّتِى تَطَّلِعُ

عَلَى الْأَفْـِٔدَةِ ۝ إِنَّهَا عَلَيْهِم مُّؤْصَدَةٌ ۝ فِى عَمَدٍ مُّمَدَّدَةٍۭ ۝

سُورَةُ الْفِيلِ

بِسْمِ اللَّهِ الرَّحْمَٰنِ الرَّحِيمِ

أَلَمْ تَرَ كَيْفَ فَعَلَ رَبُّكَ بِأَصْحَٰبِ الْفِيلِ ۝ أَلَمْ يَجْعَلْ كَيْدَهُمْ

فِى تَضْلِيلٍ ۝ وَأَرْسَلَ عَلَيْهِمْ طَيْرًا أَبَابِيلَ ۝ تَرْمِيهِم

بِحِجَارَةٍ مِّن سِجِّيلٍ ۝ فَجَعَلَهُمْ كَعَصْفٍ مَّأْكُولٍۭ ۝

AL-ʿAṢR (LE TEMPS)[1]
sourate 103   3 versets   Pré-hégirien n°13

Au nom d'Allāh, le Tout Miséricordieux, le Très Miséricordieux.

1. Par le Temps!
2. L'homme est certes, en perdition,
3. sauf ceux qui croient et accomplissent les bonnes œuvres, s'enjoignent mutuellement la vérité et s'enjoignent mutuellement l'endurance.

AL-HUMAZA (LES CALOMNIATEURS)[2]
sourate 104   9 versets   Pré-hégirien n°32

Au nom d'Allāh, le Tout Miséricordieux, le Très Miséricordieux.

1. Malheur à tout calomniateur diffamateur,
2. qui amasse une fortune et la compte,
3. pensant que sa fortune l'immortalisera.
4. Mais non! Il sera certes, jeté dans la Ḥuṭama[3].
5. Et qui te dira ce qu'est la Ḥuṭama?
6. Le Feu attisé d'Allāh
7. qui monte jusqu'aux cœurs.
8. Il se refermera sur eux,
9. en colonnes (de flammes) étendues.

AL-FĪL (L'ELEPHANT)[4]
sourate 105   5 versets   Pré-hégirien n°19

Au nom d'Allāh, le Tout Miséricordieux, le Très Miséricordieux.

1. N'as-tu pas vu comment ton Seigneur a agi envers les gens de l'Eléphant?[5]
2. N'a-t-Il pas rendu leur ruse complètement vaine?
3. et envoyé sur eux des oiseaux par volées
4. qui leur lançaient des pierres d'argile?
5. Et Il les a rendus semblables à une paille mâchée.

---

1. Titre tiré du v. 1. 2. Titre tiré du v. 1.
3. *La Ḥuṭama*: littér. qui écrase: un nom de l'Enfer. 4. Titre tiré du v. 1.
5. *Les gens de l'Eléphant*: les Abyssins qui occupèrent le Yémen voulaient évangéliser l'Arabie toute entière, et la Kaʿba de la Mecque fut leur grand objectif. En raison des entraves qu'ils mettaient au pèlerinage, un arabe se vengea en profanant l'église à Sanʿa. Alors, le gouverneur abyssin, Abraha, fit venir un éléphant de gigantesque taille, et dirigea une grande expédition contre la Mecque. Le grand-chef mecquois, Abdul Muṭṭalib (grand père de Muḥammad (ﷺ) le rencontra dans la banlieue et fit une grande impression sur Abraha. Celui-ci lui demanda ce qu'il voulait, et Abdul Muṭṭalib exigea seulement ses chameaux pillés par les Abyssins. À l'étonnement de l'envahisseur, il dit: «Les chameaux m'appartiennent, donc je les réclame, quand à la Kaʿba, elle a Son maître qui s'en occupera». En effet, l'éléphant ne voulut pas marcher vers la Mecque; et des volées d'oiseaux vinrent lapider et détruire l'armée dont personne ne fut épargné.
... Lors de la révélation de cette sourate, environ 40 ans après, il y avait encore des témoins oculaires au sein des païens de la Mecque, ceux-là mêmes qui ridiculisaient chaque verset du Qurʾān.

سُورَةُ قُرَيْشٍ

بِسْمِ اللَّهِ الرَّحْمَٰنِ الرَّحِيمِ

لِإِيلَٰفِ قُرَيْشٍ ۝ إِۦلَٰفِهِمْ رِحْلَةَ ٱلشِّتَآءِ وَٱلصَّيْفِ ۝ فَلْيَعْبُدُوا۟ رَبَّ هَٰذَا ٱلْبَيْتِ ۝ ٱلَّذِىٓ أَطْعَمَهُم مِّن جُوعٍ وَءَامَنَهُم مِّنْ خَوْفٍۭ ۝

سُورَةُ الماعون

بِسْمِ اللَّهِ الرَّحْمَٰنِ الرَّحِيمِ

أَرَءَيْتَ ٱلَّذِى يُكَذِّبُ بِٱلدِّينِ ۝ فَذَٰلِكَ ٱلَّذِى يَدُعُّ ٱلْيَتِيمَ ۝ وَلَا يَحُضُّ عَلَىٰ طَعَامِ ٱلْمِسْكِينِ ۝ فَوَيْلٌ لِّلْمُصَلِّينَ ۝ ٱلَّذِينَ هُمْ عَن صَلَاتِهِمْ سَاهُونَ ۝ ٱلَّذِينَ هُمْ يُرَآءُونَ ۝ وَيَمْنَعُونَ ٱلْمَاعُونَ ۝

سُورَةُ الكوثر

بِسْمِ اللَّهِ الرَّحْمَٰنِ الرَّحِيمِ

إِنَّآ أَعْطَيْنَٰكَ ٱلْكَوْثَرَ ۝ فَصَلِّ لِرَبِّكَ وَٱنْحَرْ ۝ إِنَّ شَانِئَكَ هُوَ ٱلْأَبْتَرُ ۝

QURAYŠ (LES CORAÏCH)[1]
sourate 106   4 versets   Pré-hégirien n°29

Au nom d'Allāh, le Tout Miséricordieux, le Très Miséricordieux.

1. À cause du pacte des Qurayš[2],

2. De leur pacte [concernant] les voyages d'hiver[3] et d'été.

3. Qu'ils adorent donc le Seigneur de cette Maison (la Kaʿba),

4. qui les a nourris contre la faim et rassurés de la crainte!

AL-MĀʿŪN (L'USTENSILE)[4]
sourate 107   7 versets   Pré-hégirien n°17

Au nom d'Allāh, le Tout Miséricordieux, le Très Miséricordieux.

1. Vois-tu celui qui traite de mensonge la Rétribution?

2. C'est bien lui qui repousse l'orphelin,

3. et qui n'encourage point à nourrir le pauvre.

4. Malheur donc, à ceux qui prient

5. tout en négligeant (et retardant) leur Ṣalāt,

6. qui sont pleins d'ostentation,

7. et refusent l'ustensile (à celui qui en a besoin).

AL-KAWṬAR (L'ABONDANCE)[5]
sourate108   3 versets   Pré-hégirien n°15

Au nom d'Allāh, le Tout Miséricordieux, le Très Miséricordieux.

1. Nous t'avons certes, accordé l'Abondance.

2. Accomplis la Ṣalāt pour ton Seigneur et sacrifie.

3. Celui qui te hait sera certes, sans postérité.

---

1. Titre tiré du v. 1.
2. *Les Qurayš*: habitants de la Mecque, concitoyens de Muḥammad (ﷺ).
3. *En hiver*: vers le Yémen.
En été: vers la Syrie.
4. Titre tiré du v. 7.
5. Titre tiré du v. 1. *Kawṭar* (l'Abondance): le nom d'une rivière au Paradis.

سُورَةُ الْكَافِرُونَ

بِسۡمِ ٱللَّهِ ٱلرَّحۡمَٰنِ ٱلرَّحِيمِ

قُلۡ يَٰٓأَيُّهَا ٱلۡكَٰفِرُونَ ۝١ لَآ أَعۡبُدُ مَا تَعۡبُدُونَ ۝٢

وَلَآ أَنتُمۡ عَٰبِدُونَ مَآ أَعۡبُدُ ۝٣ وَلَآ أَنَا۠ عَابِدٌ مَّا عَبَدتُّمۡ ۝٤

وَلَآ أَنتُمۡ عَٰبِدُونَ مَآ أَعۡبُدُ ۝٥ لَكُمۡ دِينُكُمۡ وَلِيَ دِينِ ۝٦

سُورَةُ النَّصْرِ

بِسۡمِ ٱللَّهِ ٱلرَّحۡمَٰنِ ٱلرَّحِيمِ

إِذَا جَآءَ نَصۡرُ ٱللَّهِ وَٱلۡفَتۡحُ ۝١ وَرَأَيۡتَ ٱلنَّاسَ

يَدۡخُلُونَ فِي دِينِ ٱللَّهِ أَفۡوَاجًا ۝٢ فَسَبِّحۡ بِحَمۡدِ رَبِّكَ

وَٱسۡتَغۡفِرۡهُ إِنَّهُۥ كَانَ تَوَّابًۢا ۝٣

سُورَةُ الْمَسَدِ

بِسۡمِ ٱللَّهِ ٱلرَّحۡمَٰنِ ٱلرَّحِيمِ

تَبَّتۡ يَدَآ أَبِي لَهَبٍ وَتَبَّ ۝١ مَآ أَغۡنَىٰ عَنۡهُ مَالُهُۥ وَمَا

كَسَبَ ۝٢ سَيَصۡلَىٰ نَارًا ذَاتَ لَهَبٍ ۝٣ وَٱمۡرَأَتُهُۥ

حَمَّالَةَ ٱلۡحَطَبِ ۝٤ فِي جِيدِهَا حَبۡلٌ مِّن مَّسَدٍۭ ۝٥

AL-KĀFIRŪN (LES INFIDÈLES)[1]

sourate 109   6 versets   Pré-hégirien n°18

Au nom d'Allāh, le Tout Miséricordieux, le Très Miséricordieux.

1. Dis: «Ô vous les infidèles!
2. Je n'adore pas ce que vous adorez.
3. Et vous n'êtes pas adorateurs de ce que j'adore.
4. Je ne suis pas adorateur de ce que vous adorez.
5. Et vous n'êtes pas adorateurs de ce que j'adore.
6. À vous votre religion, et à moi ma religion».

AN-NAṢR (LE SECOURS)[2]

sourate 110   3 versets   Post-hégirien n°114

Au nom d'Allāh, le Tout Miséricordieux, le Très Miséricordieux.

1. Lorsque vient le secours d'Allāh ainsi que la victoire,
2. et que tu vois les gens entrer en foule dans la religion d'Allāh,
3. alors, par la louange, célèbre la gloire de ton Seigneur et implore Son pardon. Car c'est Lui le grand Accueillant au repentir.

AL-MASAD (LES FIBRES)[3]

sourate 111   5 versets   Pré-hégirien n°6

Au nom d'Allāh, le Tout Miséricordieux, le Très Miséricordieux.

1. Que périssent les deux mains d'Abū-Lahab[4] et que lui-même périsse.
2. Sa fortune ne lui sert à rien, ni ce qu'il a acquis.
3. Il sera brûlé dans un Feu plein de flammes,
4. de même sa femme, la porteuse de bois[5],
5. à son cou, une corde de fibres.

---

1. Titre tiré du v-1.
2. Titre tiré du v. 1.
3. Titre tiré du v. 5.
4. *Abū Lahab*: un des oncles de Muḥammad (ﷺ), l'un des pires ennemis de l'Islām.
5. *Sa femme*: Umm Jamil, sœur d'Abū Sufyān. Elle jetait des branches épineuses la nuit, devant la maison du Prophète qui rentrait par des rues non éclairées, tardivement après la prière devant la Kaʿba.

سُورَةُ الْإِخْلَاصِ

بِسۡمِ ٱللَّهِ ٱلرَّحۡمَٰنِ ٱلرَّحِيمِ

قُلۡ هُوَ ٱللَّهُ أَحَدٌ ۞ ٱللَّهُ ٱلصَّمَدُ ۞ لَمۡ يَلِدۡ ۞ وَلَمۡ يُولَدۡ ۞ وَلَمۡ يَكُن لَّهُۥ كُفُوًا أَحَدُۢ ۞

سُورَةُ الْفَلَقِ

بِسۡمِ ٱللَّهِ ٱلرَّحۡمَٰنِ ٱلرَّحِيمِ

قُلۡ أَعُوذُ بِرَبِّ ٱلۡفَلَقِ ۞ مِن شَرِّ مَا خَلَقَ ۞ وَمِن شَرِّ غَاسِقٍ إِذَا وَقَبَ ۞ وَمِن شَرِّ ٱلنَّفَّٰثَٰتِ فِي ٱلۡعُقَدِ ۞ وَمِن شَرِّ حَاسِدٍ إِذَا حَسَدَ ۞

سُورَةُ النَّاسِ

بِسۡمِ ٱللَّهِ ٱلرَّحۡمَٰنِ ٱلرَّحِيمِ

قُلۡ أَعُوذُ بِرَبِّ ٱلنَّاسِ ۞ مَلِكِ ٱلنَّاسِ ۞ إِلَٰهِ ٱلنَّاسِ ۞ مِن شَرِّ ٱلۡوَسۡوَاسِ ٱلۡخَنَّاسِ ۞ ٱلَّذِي يُوَسۡوِسُ فِي صُدُورِ ٱلنَّاسِ ۞ مِنَ ٱلۡجِنَّةِ وَٱلنَّاسِ ۞

AL-IḪLĀṢ (LE MONOTHÉISME PUR)[1]
sourate 112   4 versets   Pré-hégirien n°22

Au nom d'Allāh, le Tout Miséricordieux, le Très Miséricordieux.

1. Dis: «Il est Allāh, Unique.

2. Allāh, Le Seul à être imploré pour ce que nous désirons.

3. Il n'a jamais engendré, n'a pas été engendré non plus.

4. Et nul n'est égal à Lui».

AL-FALAQ (L'AUBE NAISSANTE)[2]
sourate 113   5 versets   Pré-hégirien n°20

Au nom d'Allāh, le Tout Miséricordieux, le Très Miséricordieux.

1. Dis: «Je cherche protection auprès du Seigneur de l'aube naissante,

2. contre le mal des êtres qu'Il a créés,

3. contre le mal de l'obscurité quand elle s'approfondit,

4. contre le mal de celles qui soufflent (les sorcières) sur les nœuds,

5. et contre le mal de l'envieux quand il envie[3]».

AN-NĀS (LES HOMMES)[4]
sourate 114   6 versets   Pré-hégirien n°21

Au nom d'Allāh, le Tout Miséricordieux, le Très Miséricordieux.

1. Dis: «Je cherche protection auprès du Seigneur des hommes.

2. Le Souverain des hommes,

3. Dieu des hommes,

4. contre le mal du mauvais conseiller, furtif,

5. qui souffle le mal dans les poitrines des hommes,

6. qu'il (le conseiller) soit un djinn, ou un être humain».

---

1. Titre résumant le contenu de la sourate.
2. Titre tiré du v. 1.
3. Quand il envie: quand l'envie se manifeste.
4. Titre tiré du v. 1 et suivants.

تَعْرِيفُ هٰذَا الْمُصْحَفِ الشَّرِيف

كُتِبَ **هذا المصحف وضُبِطَ** على مايوافق روايةَ حفص بن سليمان ابن المغيرة الأسَدِيّ الكُوفيّ لقراءة عاصم بن أبي النَّجود الكوفيّ التابعيّ عن أبي عبدالرحمن عبدالله بن حَبيب السُّلَمِيّ عن عثمانَ بن عفَّان وعليّ بن أبي طالب وزيد بن ثابت وأُبَيّ بن كَعْب عن النبيِّ صلى الله عليه وسلم .

وأُخِذَ هجاؤه مما رواه علماء الرسم عن المصاحف التي بعث بها الخليفة الراشد عثمان بن عفَّان رضى الله عنه إلى البصرة والكوفة والشام ومكة ، والمصحف الذى جعله لأهل المدينة ، والمصحف الذى اختص به نفسه ، وعن المصاحف المنتسخة منها . وقد روعى فى ذلك مانقله الشيخان أبو عمرو الدانى وأبوداود سليمان بن نجاح مع ترجيح الثانى عند الاختلاف .

هذا وكل حرف من حروف هذا المصحف موافق لنظيره فى المصاحف العثمانية الستة السابق ذكرها .

وأُخِذَت طريقة ضبطه مما قرره علماء الضبط على حسب ماورد فى كتاب «الطراز على ضبط الخراز» للإمام التَّنَسِيّ مع الأخذ بعلامات الخليل بن أحمد وأتباعه من المشارقة ، بدلا من علامات الأندلسيّين والمغاربة .

أ

واتُّبِعَت فى عد آياته طريقة الكوفيين عن أبى عبدالرحمن عبدالله ابن حبيب السُّلمىِّ عن على بن أبى طالب رضى الله عنـه على حسب ماورد فى كتاب «ناظمة الزُّهر» للإمام الشاطبىّ ، وغيرها من الكتب المدوّنة فى علم الفواصل ، وآى القرءان على طريقتهم ٦٢٣٦ آية .

وأُخِذَ بيانُ أوائل أجزائه الثلاثين وأحزابه الستين وأرباعها من كتاب «غيث النفع» للعلامة السَّفَاقُسىِّ . . «ناظمة الزهر» للإمـام الشاطبىِّ وشرحها . و « تحقيق البيان » للشيخ محمد المتولِّى ، و «إرشاد القراء والكاتبين» ، لأبى عيد رضوان المخلِّلاتى .

وأُخِذَ بيانُ مكّيّه ومدنيّه فى الجدول الملحق بآخر المصحف ، من «كتاب أبى القاسم عمر بن محمد بن عبد الكافى» و «كتب القراءات والتفسير» على خلاف فى بعضها .

وأُخِذَ بيان وقوفه وعلاماتها مما قرّرته اللجنة فى جلساتها التى عقدتها لتحديد هذه الوقوف على حسب مااقتضته المعانى التى ظهرت لها مسترشدة فى ذلك بأقوال الأئمة من المفسرين وعلمـاء الوقف والابتداء .

وأُخِذَ بيان السجدات ومواضعها من كتب الفقه والحديث على خلاف فى خمس منها لم نشر إليه فى هامش المصحـف وهـى السجدة الثانية بسورة الحج والسجدات الواردة فى السور الآتية : صّ والنجم والانشقاق والعلق .

وأُخِذَ بيانُ مواضعِ السكتاتِ عنـد حفصٍ من «الشاطبيةِ» وشراحِها وتعرفُ كيفيتُها بالتلقى من أفواهِ المشايخِ .

﴿اصطلاحاتُ الضبطِ﴾

وَضعُ الصِّفرِ المستديرِ (ه) فوقَ حرفِ علّةٍ يدل على زيادةِ ذلك الحرفِ فلا يُنطقُ به فى الوصلِ ولا فى الوقفِ ، نحو : يَتْلُوأْ صُحُفًا . أُولَـٰئِكَ . مِن نَبَإِ ٱلْمُرْسَلِينَ . بَيْنَهَا بِأَيْدٍ .

ووضعُ الصِّفرِ المستطيلِ القائمِ (٥) فوقَ ألفٍ بعدَها متحرّكٌ يدلُّ على زيادتِها وصلاً لاوقفا ، نحو: أَنَا۠خَيْرٌ مِّنْهُ . لَـٰكِنَّا۠ هُوَ ٱللَّهُ رَبِّى . وأُهملت الألفُ التى بعدَها ساكنٌ ، نحو : أَنَا۠ ٱلنَّذِيرُ . من وضعِ الصفرِ المستطيلِ فوقَها وإن كان حكمُها مثلَ التى بعدَها متحركٌ فى أنها تسقطُ وصلاً وتثبتُ وقفا لعدمِ توهمِ ثبوتِها وصلاً .

ووضعُ رأسِ خاءٍ صغيرةٍ (بدونِ نقطةٍ) (ﺣ) فوقَ أى حرفٍ يدلُّ على سكونِ ذلك الحرفِ وعلى أنه مُظْهَرٌ بحيث يقرَعه اللسانُ ، نحو : مِنْ خَيْرٍ . وَيَنْئَوْنَ عَنْهُ . قَدْ سَمِعَ . أَوَعَظْتَ . وَخَضْتُمْ .

وتعريةُ الحرفِ من علامةِ السكونِ مع تشديدِ الحرفِ التالى يدلُّ على إدغامِ الأوّلِ فى الثانى إدغاماً كاملًا ، نحو : أُجِيبَت دَّعْوَتُكُمَا . يَلْهَث ذَّٰلِكَ . وَقَالَت طَّآئِفَةٌ . وَمَن يَكْرِههُّنَّ . وكذا قولُه تعالى « أَلَمْ نَخْلُقكُّم » على أرجحِ الوجهين فيه .

وتعريته مع عدم تشديد التالى يدُلّ على إدغام الأول فى الثانى إدغاما ناقصا نحو مَنْ يَقُوْلُ. مِنْ وَالٍ. فَرَطْتُمْ. بَسَطْتَ. أو إخفائه عنده فلا هو مظهر حتى يقرعه اللسان ولا هو مُدْغَم حتى يقلب من جنس تاليه نحو مِنْ تَحْنِهَا. مِنْ ثَمَرَةٍ. إِنْ رَبَّهُم بِهِم.

ووضعُ ميم صغيرة (م) بدَلِ الحركة الثانية من المنوَّن أو فوقَ النون الساكنة بدَلِ السكون مع عدم تشديد الباء التالية يدُلّ على قلب التنوين أو النون ميماً، نحو: عَلِيمٌ بِذَاتِ الصُّدُورِ. جَزَاءً بِمَا كَانُوا. مُنْبَثَاً.

وتركيب الحركتين: (ضمتين أو فتحتين أو كسرتين) هكذا: ـٌ ـً ـٍ يدُلّ على إظهار التنوين، نحو: سَمِيعٌ عَلِيمٌ. وَلَا شَرَابًا إِلَّا. وَلِكُلِّ قَوْمٍ هَادٍ.

وتتابُعُهما هكذا ـٌّ ـًّ ـٍّ مع تشديد التالى يدُلّ على الإدغام الكامل نحو: خُشُبٌ مُسَنَّدَةٌ. غَفُورًا رَحِيمًا. وُجُوهٌ يَوْمَئِذٍ نَّاعِمَةٌ.

وتتابُعُهما مع عدم التشديد يدُلّ على الإدغام الناقص نحو: وُجُوهٌ يَوْمَئِذٍ. رَحِيمٌ وَدُودٌ. أو الإخفاء، نحو: شِهَابٌ ثَاقِبٌ. سِرَاعًا ذَلِكَ. بِأَيْدِي سَفَرَةٍ كِرَامٍ. فتركيب الحركتين بمنزلة وضع السكون على الحرف. وتتابعهما بمنزلة تَعْرِيته عنه.

والحروف الصغيرة تدل على أعيـان الحروف المتروكــة فى

المصاحف العُثمانية مع وجوب النطق بها ، نحو : ذَلِكَ ٱلْكِتَٰبُ .
يَلْوُۥنَ أَلْسِنَتَهُمْ . إِنَّ وَلِــۧيَ ٱللَّهُ . إِۦلَٰفِهِمْ رِحْلَةَ ٱلشِّتَآءِ . وَكَذَٰلِكَ نُــۧجِي ٱلْمُؤْمِنِينَ .

وكان **علماء الضبط** يلحقون هذه الأحرف حمراء بقدر حروف الكتابة الأصلية ولكن تَعَسَّر ذلك فى المطابع فاكتفى بتصغيرها فى الدلالة على المقصود .

وإذا كان **الحرف المتروك** له بدلٌ فى الكتابة الأصلية عُوِّل فى النطق على الحرف الملْحَق لا على البدل ، نحو: ٱلصَّلَوٰةُ . ٱلرِّبَوٰٓاْ . ٱلتَّوْرَٰةِ . ونحو : وَٱللَّهُ يَقْبِضُ وَيَبْۣصُۜطُ . فِى ٱلْخَلْقِ بَصۜۡطَةً . فان وضعت السين تحت الصاد دلَّ على أن النُّطـــق بالصاد أشهر وذلك فى لفظ : ٱلْمُصَۜۡيْطِرُونَ .

و**وضع هذه العلامة** (ٓ) فوق الحرف يدل على لزوم مدّه مدًّا زائدا على المدّ الأصلى الطبيعى ، نحو : آلٓ . ٱلطَّآمَّةُ . قُرُوٓءٍ . سِىٓءَ بِهِمْ . شُفَعَٰٓؤُاْ . تَأْوِيلَهُۥٓ إِلَّا ٱللَّهُ . لَايَسْتَحْىٓ أَن يَضْرِبَ . بِمَآ أَنزَلَ . على تفصيل يعلم من فنِّ التجويد . ولا تستعمل هذه العلامة للدلالة على ألف محذوفة بعد ألف مكتوبة مثل آمنوا كما وُضع غلطا فى كثير من المصاحف بل تكتب ءامنوا بهمزة وألف بعدها .

و**الدائرة المحلاة** التى فى جوفها رقم تدل بهيئتها على انتهاء

الآية وبرقمها على عدد تلك الآية فى السورة ، نحو : إِنَّآ أَعْطَيْنَاكَ ٱلْكَوْثَرَ ۞ فَصَلِّ لِرَبِّكَ وَٱنْحَرْ ۞ إِنَّ شَانِئَكَ هُوَ ٱلْأَبْتَرُ ۞ ولا يجوز وضعها قبل الآية ألبتة فلذلك لا توجد فى أوائل السُّوَر ، وتوجد دائما فى أواخرها .

وتدل هذه العلامة (۞) على بداية الأجزاء والأحزاب وأنصافها وأرباعها .

ووضعُ خطٍ أُفقيٍّ فوق كلمة يدل على مُوجب السَّجدة .

ووضع هذه العلامة (۩) بعد كلمة يدل على موضع السجدة نحو : وَلِلَّهِ يَسْجُدُ مَا فِى ٱلسَّمَوَتِ وَمَا فِى ٱلْأَرْضِ مِن دَآبَّةٍ وَٱلْمَلَٰٓئِكَةُ وَهُمْ لَا يَسْتَكْبِرُونَ ۞ يَخَافُونَ رَبَّهُم مِّن فَوْقِهِمْ وَيَفْعَلُونَ مَا يُؤْمَرُونَ ۩ ۞ .

ووضع النقطة الخالية الوسط المُعَيَّنة الشكل (٥) تحت الراء فى قوله تعالى : بِسْمِ ٱللَّهِ مَجْرٜىٰهَا . يدل على إمالة الفتحة إلى الكسرة ، وإمالة الألف إلى الياء . وكان النُّقَّاط يضعونها دائرة حمراء فلما تعسر ذلك فى المطابع عُدِل إلى الشكل المُعَيَّن .

ووضع النقطة المذكورة فوق آخر الميم قُبَيْل النون المشدّدة من قوله تعالى : مَالَكَ لَا تَأْمَنَّا عَلَىٰ يُوسُفَ . يَدل على الإشمام (وهو ضم الشفتين) كمن يريد النطق بضمة إشارة إلى أن الحركة المحذوفة ضمة (من غير أن يظهر لذلك أثر فى النطق) .

ووضع نقطة مدوّرة مسدودة الوسط (٠)فـوق الهمـزة الثانية من قوله تعالى : ﴿ءَأَعْجَمِيٌّ وَعَرَبِيٌّ﴾ . يدل على تسهيلها بين بينَ أى بين الهمزة والألف .

ووضع حرف السين فوق الحرف الأخير فى بعض الكلمـات يدل على السكت على ذلك الحرف فى حال وصله بما بعده سكتة يسيرة من غير تنفس .

وورد عن حفص عن عاصـم السكت بلاخلاف من طريـق الشاطبية على ألف ﴿عِوَجَاً﴾ بسورة الكهـف ، وألـف ﴿مَرْقَدِنَا﴾ بسورة يسٓ، ونون ﴿مَنْ رَاقٍ﴾ بسورة القيامـة ، ولام ﴿بَلْ رَانَ﴾ بسورة المطففين .

ويجوز له فى هاء ﴿مَالِيَهْ﴾ بسورة الحاقة وجهان : أحدهما : إظهارها مع السكت ، وثانيهـما : إدغامهـا فى الهاء التى بعدها فى لفظ ﴿هَلَكَ﴾ .

وقد ضبط هذا الموضع على وجه الإظهار مع السكت ، لأنه هو الأرجح ، وذلك بوضع علامة السكون على الهاء الأولى ، مع تجريد الهاء الثانية من علامة التشديد للدلالة على الإظهار ، ووضع حرف السين على هاء ﴿مَالِيَهْ﴾ للدلالة على السكت عليها سكتة يسيرة بدون تنفس ، لأن الإظهار لايتحقق وصلا إلا بالسكت .

وإلحاق واو صغيرة بعد هاء ضمير المفرد الغائب إذا كانت مضمومة يدل على صلة هذه الهاء بواو لفظية فى حال الوصل . وإلحاق ياء صغيرة

مردودة إلى خلف بعد هاء الضمير المذكور إذا كانت مكسورة يدل على صلتها بياء لفظية فى حال الوصل أيضا .

وتكون هذه الصلة بنوعيها من قبيل المد الطبيعى إذا لم يكن بعدها همز ، فتمد بمقدار حركتين : نحو قوله تعالى ﴿ إِنَّ رَبَّهُۥ كَانَ بِهِۦ بَصِيرًا ﴾ وتكون من قبيل المد المنفصل إذا كان بعدها همز ، فتوضع عليها علامة المد ، وتمد بمقدار أربع حركات أو خمس نحو قوله تعالى : ﴿ وَأَمْرُهُۥٓ إِلَى ٱللَّهِ ﴾ ، وقوله جل وعلا :

﴿ وَٱلَّذِينَ يَصِلُونَ مَآ أَمَرَ ٱللَّهُ بِهِۦٓ أَن يُوصَلَ ﴾ .

والقاعدة أن حفصا عن عاصم يصل كل هاء ضمير للمفرد الغائب بواو لفظية إذا كانت مضمومة ، وياء لفظية إذا كانت مكسورة بشرط أن يتحرك ماقبل هذه الهاء ومابعدها ، وقد استثنى من ذلك مايأتى :

(١) - الهاء من لفظ ﴿ يَرْضَهُ ﴾ فى سورة الزمر (٧) فإن حفصا ضمها بدون صلة .

(٢) - الهاء من لفظ ﴿ أَرْجِهْ ﴾ فى سورتى الأعراف والشعراء فإنه سكنها .

(٣) - الهاء من لفظ ﴿ فَأَلْقِهْ ﴾ فى سورة النمل ، فإنه سكنها أيضا .

وإذا سكن ماقبل هاء الضمير المذكورة ، وتحرك مابعدها فإنه لايصلها إلا فى لفظ ﴿ فِيهِ ﴾ فى قوله تعالى : ﴿ وَيَخْلُدْ فِيهِۦ مُهَانًا ﴾ فى سورة الفرقان . أما إذا سكن مابعد هذه الهاء سواء أكان ماقبلها متحركا أم ساكنا

ح

فإن الهاء لا توصل مطلقا ، لئلا يجتمع ساكنان .

نحو قوله تعالى : ﴿ لَهُ ٱلْمُلْكُ ﴾ ، ﴿ وَءَاتَيْنَـٰهُ ٱلْإِنجِيلَ ﴾ ﴿ فَأَنزَلْنَا بِهِ ٱلْمَآءَ ﴾ ، ﴿ إِلَيْهِ ٱلْمَصِيرُ ﴾ .

تنبيهـات :

(١) – فى سورة الروم ورد لفظ ﴿ ضَعْفٍ ﴾ مجرورا فى موضعين ومنصوبا فى موضع واحد .

وذلك فى قوله تعالى : ﴿ ٱللَّهُ ٱلَّذِى خَلَقَكُم مِّن ضَعْفٍ ثُمَّ جَعَلَ مِن بَعْدِ ضَعْفٍ قُوَّةً ثُمَّ جَعَلَ مِن بَعْدِ قُوَّةٍ ضَعْفًا وَشَيْبَةً ﴾

ويجوز لحفص فى هذه المواضع الثلاثة وجهـان : أحدهما : فتح الضاد ، وثانيهما : ضمها .

والوجهان مقروء بهما ، والفتح مقدم فى الأداء .

(٢) – فى لفـظ ﴿ ءَاتَـٰنِ ﴾ فى سورة النمل وجهـان لحفص وقفا .

أحدهما إثبات اليـاء ساكنـة ، وثانيهمـا : حذفهـا ، مع الوقف على النون .

أما فى حال الوصل فتثبت الياء مفتوحة .

(٣) – وفى لفـظ ﴿ سَلَـٰسِلَا۟ ﴾ فى سورة الإنسان وجهـان أيضا وقفا .

أحدهما : إثبات الألف الأخيرة ، وثانيهمـا : حذفهـا ، مع الوقف على اللام ساكنة .

أما فى حال الوصل فتحذف الألف .

وهذه الأوجه التى تقدمت لحفص عن عاصم ذكرها الإمام الشاطبى فى نظمه المسمى « حرز الأمانى ووجه التهانى ».

هذا، والمواضع التى تختلف فيها الطرق ضُبطت لحفصٍ بما يوافق طريق النظم المذكور .

﴿ علامات الوقف ﴾

م   علامة الوقف اللازم ، نحو : إِنَّمَا يَسْتَجِيبُ ٱلَّذِينَ يَسْمَعُونَ وَٱلْمَوْتَىٰ يَبْعَثُهُمُ ٱللَّهُ .

لا   علامةُ الوقف الممنوع ، نحو : ٱلَّذِينَ تَتَوَفَّاهُمُ ٱلْمَلَٰئِكَةُ طَيِّبِينَ يَقُولُونَ سَلَٰمٌ عَلَيْكُمُ ٱدْخُلُوا ٱلْجَنَّةَ .

ج   علامة الوقف الجائز جوازا مستوى الطَّرفين ، نحو : نَّحْنُ نَقُصُّ عَلَيْكَ نَبَأَهُم بِٱلْحَقِّ إِنَّهُمْ فِتْيَةٌ ءَامَنُوا بِرَبِّهِمْ .

صلى   علامة الوقف الجائز مع كون الوصل أوْلى ، نحو : وَإِن يَمْسَسْكَ ٱللَّهُ بِضُرٍّ فَلَا كَاشِفَ لَهُ إِلَّا هُوَ وَإِن يَمْسَسْكَ بِخَيْرٍ فَهُوَ عَلَىٰ كُلِّ شَىْءٍ قَدِيرٌ .

قلى   علامة الوقف الجائز مع كون الوقف أوْلى ، نحو : قُل رَّبِّى أَعْلَمُ بِعِدَّتِهِم مَّا يَعْلَمُهُمْ إِلَّا قَلِيلٌ فَلَا تُمَارِ فِيهِمْ .

∴ ∴   علامة تعانُق الوقف بحيث إذا وُقِف على أحد الموضعين لا يصح الوقف على الآخر ، نحو : ذَٰلِكَ ٱلْكِتَٰبُ لَا رَيْبَ فِيهِ هُدًى لِّلْمُتَّقِينَ .

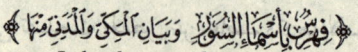

Index des noms des sourates
Nature des sourates (mequoise-médinoise)

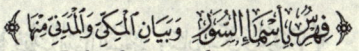

Index des noms des sourates
Nature des sourates (mequoise-médinoise)

<table>
<tr><th>Sourate</th><th>No.</th><th>Page</th><th></th><th>الصورة</th><th>رقم</th><th>السُّورَة</th></tr>
<tr><td>Les groupes</td><td>39</td><td>458</td><td>mequoise</td><td>مكية</td><td>٤٥٨</td><td>٣٩</td><td>الزُّمَر</td></tr>
<tr><td>Le Pardonneur</td><td>40</td><td>467</td><td>mequoise</td><td>مكية</td><td>٤٦٧</td><td>٤٠</td><td>غَافِر</td></tr>
<tr><td>Les versets détaillés</td><td>41</td><td>477</td><td>mequoise</td><td>مكية</td><td>٤٧٧</td><td>٤١</td><td>فُصِّلَت</td></tr>
<tr><td>La consultation</td><td>42</td><td>483</td><td>mequoise</td><td>مكية</td><td>٤٨٣</td><td>٤٢</td><td>الشُّورى</td></tr>
<tr><td>L'ornement</td><td>43</td><td>489</td><td>mequoise</td><td>مكية</td><td>٤٨٩</td><td>٤٣</td><td>الزُّخرُف</td></tr>
<tr><td>La fumée</td><td>44</td><td>496</td><td>mequoise</td><td>مكية</td><td>٤٩٦</td><td>٤٤</td><td>الدُّخان</td></tr>
<tr><td>L'agenouillée</td><td>45</td><td>499</td><td>mequoise</td><td>مكية</td><td>٤٩٩</td><td>٤٥</td><td>الجَاثِية</td></tr>
<tr><td>Al-aḥqāf</td><td>46</td><td>502</td><td>mequoise</td><td>مكية</td><td>٥٠٢</td><td>٤٦</td><td>الأَحقاف</td></tr>
<tr><td>Muḥammad</td><td>47</td><td>507</td><td>médinoise</td><td>مدنية</td><td>٥٠٧</td><td>٤٧</td><td>محَمَّد</td></tr>
<tr><td>La victoire éclatante</td><td>48</td><td>511</td><td>médinoise</td><td>مدنية</td><td>٥١١</td><td>٤٨</td><td>الفَتح</td></tr>
<tr><td>Les appartements</td><td>49</td><td>515</td><td>médinoise</td><td>مدنية</td><td>٥١٥</td><td>٤٩</td><td>الحُجرات</td></tr>
<tr><td>Qāf</td><td>50</td><td>518</td><td>mequoise</td><td>مكية</td><td>٥١٨</td><td>٥٠</td><td>ق</td></tr>
<tr><td>Qui éparpillent</td><td>51</td><td>520</td><td>mequoise</td><td>مكية</td><td>٥٢٠</td><td>٥١</td><td>الذَّاريات</td></tr>
<tr><td>Aṭ-ṭūr</td><td>52</td><td>523</td><td>mequoise</td><td>مكية</td><td>٥٢٣</td><td>٥٢</td><td>الطُّور</td></tr>
<tr><td>An-najm</td><td>53</td><td>526</td><td>mequoise</td><td>مكية</td><td>٥٢٦</td><td>٥٣</td><td>النَّجم</td></tr>
<tr><td>La lune</td><td>54</td><td>528</td><td>mequoise</td><td>مكية</td><td>٥٢٨</td><td>٥٤</td><td>القَمَر</td></tr>
<tr><td>Le tout Miséricordieux</td><td>55</td><td>531</td><td>médinoise</td><td>مدنية</td><td>٥٣١</td><td>٥٥</td><td>الرَّحمن</td></tr>
<tr><td>L'événement</td><td>56</td><td>534</td><td>mequoise</td><td>مكية</td><td>٥٣٤</td><td>٥٦</td><td>الواقِعة</td></tr>
<tr><td>Le fer</td><td>57</td><td>537</td><td>médinoise</td><td>مدنية</td><td>٥٣٧</td><td>٥٧</td><td>الحَديد</td></tr>
<tr><td>La discussion</td><td>58</td><td>542</td><td>médinoise</td><td>مدنية</td><td>٥٤٢</td><td>٥٨</td><td>المجَادلة</td></tr>
<tr><td>L'exode</td><td>59</td><td>545</td><td>médinoise</td><td>مدنية</td><td>٥٤٥</td><td>٥٩</td><td>الحَشر</td></tr>
<tr><td>L'éprouvée</td><td>60</td><td>549</td><td>médinoise</td><td>مدنية</td><td>٥٤٩</td><td>٦٠</td><td>المُمتَحنة</td></tr>
<tr><td>Le rang</td><td>61</td><td>551</td><td>médinoise</td><td>مدنية</td><td>٥٥١</td><td>٦١</td><td>الصَّف</td></tr>
<tr><td>Le vendredi</td><td>62</td><td>553</td><td>médinoise</td><td>مدنية</td><td>٥٥٣</td><td>٦٢</td><td>الجُمعة</td></tr>
<tr><td>Les hypocrites</td><td>63</td><td>554</td><td>médinoise</td><td>مدنية</td><td>٥٥٤</td><td>٦٣</td><td>المنافقون</td></tr>
<tr><td>La grande perte</td><td>64</td><td>556</td><td>médinoise</td><td>مدنية</td><td>٥٥٦</td><td>٦٤</td><td>التَّغابُن</td></tr>
<tr><td>Le divorce</td><td>65</td><td>558</td><td>médinoise</td><td>مدنية</td><td>٥٥٨</td><td>٦٥</td><td>الطَّلاق</td></tr>
<tr><td>L'interdiction</td><td>66</td><td>560</td><td>médinoise</td><td>مدنية</td><td>٥٦٠</td><td>٦٦</td><td>التَّحريم</td></tr>
<tr><td>La royauté</td><td>67</td><td>562</td><td>mequoise</td><td>مكية</td><td>٥٦٢</td><td>٦٧</td><td>الملك</td></tr>
<tr><td>La plume</td><td>68</td><td>564</td><td>mequoise</td><td>مكية</td><td>٥٦٤</td><td>٦٨</td><td>القَلَم</td></tr>
<tr><td>Celle qui montre la vérité</td><td>69</td><td>566</td><td>mequoise</td><td>مكية</td><td>٥٦٦</td><td>٦٩</td><td>الحَاقَّة</td></tr>
<tr><td>Les voies d'ascension</td><td>70</td><td>568</td><td>mequoise</td><td>مكية</td><td>٥٦٨</td><td>٧٠</td><td>المعَارج</td></tr>
<tr><td>Noé</td><td>71</td><td>570</td><td>mequoise</td><td>مكية</td><td>٥٧٠</td><td>٧١</td><td>نُوح</td></tr>
<tr><td>Les Djinns</td><td>72</td><td>572</td><td>mequoise</td><td>مكية</td><td>٥٧٢</td><td>٧٢</td><td>الجِن</td></tr>
<tr><td>L'enveloppé</td><td>73</td><td>574</td><td>mequoise</td><td>مكية</td><td>٥٧٤</td><td>٧٣</td><td>المزَّمِّل</td></tr>
<tr><td>Le revêtu d'un manteau</td><td>74</td><td>575</td><td>mequoise</td><td>مكية</td><td>٥٧٥</td><td>٧٤</td><td>المُدَّثِّر</td></tr>
<tr><td>La résurrection</td><td>75</td><td>577</td><td>mequoise</td><td>مكية</td><td>٥٧٧</td><td>٧٥</td><td>القِيامَة</td></tr>
<tr><td>L'Homme</td><td>76</td><td>578</td><td>médinoise</td><td>مدنية</td><td>٥٧٨</td><td>٧٦</td><td>الإنسَان</td></tr>
</table>

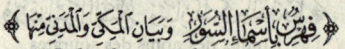

Index des noms des sourates
Nature des sourates (mequoise-médinoise)

Ouvrage réalisé par
l'Atelier Graphique Albouraq
2005

Impression achevée en septembre 2005 sur les presses de Dar Albouraq
Beyrouth–Liban